中国語
新語
ビジネス用語
辞典

塚本慶一
【編集主幹】

髙田裕子・張 弘
【編著】

大修館書店

執筆者・協力者一覧

［編集主幹］
塚本慶一

［執筆・編集・校閲］
髙田裕子　張　弘

［執筆・編集協力（以下五十音順）］
小野寺有香　白塚香子　武井真由美
広田理子　三浦美穂

［校　正］
今橋さやか　鎌田浩子
上山みどり　（株）ジャレックス・仙田　麗
菅原都記子　竹村光葉　塚本千佳
西　千夏　松林依子　宮本由希
山本由美　吉田知華子　吉嶺のぞみ
露満堂・遠藤裕子

［専門校閲］
韓　萍　中村美那　毛　燕

［執筆協力］
加藤千鶴　森田六朗

序

　日中国交回復後、中国の対外開放政策や国際化の進展、および日中両国関係の着実な発展を背景に、人的往来は大きく伸び、経済交流をはじめ諸分野の交流も大きく広がってきました。現在では日中両国は互いに貿易相手国として最重要の国となっています。

　このような本格的、かつ全面的な交流の中で、日中両国の関係者、とりわけビジネスマンにとって、ますます重要となっているのが、コミュニケーションおよび業務遂行の必須条件である中国語の能力です。さらに中国のWTOへの加盟、オリンピックや万国博覧会の開催など国際化の流れの中で、日中間のビジネスにおいても国際ビジネスの共通手段としての英語も同時に使われるのが常となり、しかも広範囲にわたるようになってきています。

　本辞典は、日中間のビジネス現場はもちろんのこと、さらにマスコミ全体で使われているビジネス用語および新語・約12,500語を、IT、先端技術、金融、貿易、環境保護、医学、スポーツ、観光、企業・ブランド名、および新しい流行語など幅広いジャンルから2005年7月までのデータを元に厳選収録いたしました。必要な語には、英語・原語表記を付してあります。第一線で活躍中のビジネスマンはもちろんのこと、将来日中間のビジネス交流に進むことを志す人々や今の中国を知りたい関係者にとって最適であろうかと思います。また日本語と中国語の両方から検索可能にしてありますので、いっそう便利で、効果的な使い方ができます。

　なお、中国のニュースなどで多く見られる表記を採用しているため、必ずしも正式な用語だけとは限りませんし、また新語の性質上、変化が激しく、企業名やブランド名も合併統合など名称が変わる場合も少なくないと思います。そのためにおこる不備の点などには、読者の皆様よりのご指摘

序

を頂ければ、誠に幸甚と存じます。

　最後に本辞典の出版に際し、大修館書店編集部の富永七瀬さんにご尽力を頂きました。またサイマル・アカデミー中国語通訳者養成コースの関係者にもお力添えを頂きました。ここに深く感謝いたします。

　2006年　春

塚本　慶一

目次

序·· iii
この辞典の使い方······························ vi
本文·· 1
   A～Z
   記号類

日本語索引······································ 458
   欧文（A～Z）
   和文（あ～ん）

執筆者・協力者一覧······················扉裏

この辞典の使い方

1 見出し語について
(1)1990年代以降，中国の新聞，雑誌，インターネット，ビジネス現場で使用されている新語・ビジネス用語約12,500語を収録し，見出し語のピンインのABC順に配列しています．同じアルファベットの配列で声調があるものは，1声，2声，3声，4声，軽声の順に配列しています．
(2)見出し語は，漢字表記を【 】で括って先頭に示し，ピンインをその後ろに示しました．
(3)ただし，見出し語が書名，映画・ゲーム等のタイトル，法律の名である場合については，漢字表記は《 》で括って示しました．
(4)見出し語の一部に省略がある場合については，その箇所を～で示しています．
（例）【～倍速】

2 発音について
(1)発音は，《汉语拼音正词法基本规则》に若干修正を加えたピンイン表記によって示しました．
(2)声調変化は示さず，本来の声調を付しています．また，慣用的な読み方がある場合などは，解説欄で注記しました．
(3)軽声には声調記号を付していません．
(4)同じ見出し語で意味によってピンイン表記が異なる場合には，それぞれのブランチの先頭に（ ）で括って示しました．
(5)見出し語にアルファベットが含まれている場合，その箇所の発音はピンインではなくアルファベットでそのまま示しています．

3 語釈について
(1)意味のまとまりごとに①②③……の数字でまとめました．また，①②③……のブランチ内に複数の訳語があるものは，セミコロン（；）で示し

ました.
(2)日常使われている語彙から新義が派生した場合,原義を示した方がわかりやすいものについてはブランチを分け,原義を前,新義を後のブランチに記述しています.
(3)見出し語の漢字表記を日本語の漢字表記に置きかえて訳語としている場合は,「 」で括りました.
 (例)「八縦八横」
(4)補足的説明や省略可能であることを示す場合には,文頭の場合〔 〕を,文中・文末の場合 ( ) を用いました.
(5)専門用語や解説が必要な語については,語釈の後に❖の記号(世界遺産については●の記号)に続けて解説を付しました.各ブランチに対応している場合には,解説の先頭に各ブランチの番号(①②③……)を示しました.
(6)解説の文中で中国語を用いる場合には" "で括りました.

4 英語表記について

(1)原則として,和製英語を除き,日本語訳が外来語であるか,日本語・中国語以外の原語表記も併用されることが多い語彙については,原語表記を [ ] で括って語釈の最後に示しました.
(2)固有名詞などを除き,英語以外の言語については,〔 〕内に言語名を略称(→6)で示しました.
(3)各ブランチに対応している場合には [ ] 内の先頭に各ブランチの番号(①②③……)を示しました.
(4)略語がある場合には,正式な表記に続けて;で区切って示しました.
 (例) [International Olympic Committee ; IOC]

5　日本語索引について

(1)訳語・約17,000語を欧文，和文の順で収録し，欧文はＡＢＣ順，和文は五十音順で配列しています．

(2)数字で始まる語は読みの五十音順で和文に配列しています．

(3)長音は直前の母音と同じ扱いとしています．

(4)五十音順で決まらないものは，
- 清音→濁音→半濁音
- 小字→普通字

としました．

6　略称一覧

英語以外の言語名，国名の略称は以下を用いました．

〔米〕アメリカ
〔英〕イギリス
〔独〕ドイツ
〔仏〕フランス
〔伊〕イタリア
〔露〕ロシア

7　記号一覧

【 】見出し語の中国語の漢字表記を示す

《 》見出し語の中国語が題名（書名，映画・ゲーム等のタイトル，法律の名など）であることを示す

〜　見出し語中の省略を示す

〔 〕補足的説明や省略可能であることを示す

( ) 語釈の先頭にある場合は，異なるピンイン綴りを示す．文中・文末にある場合は，省略可能・補足説明を示す

この辞典の使い方

「　」見出し語の漢字表記を日本の漢字表記に置きかえて，語釈に用いていることを示す

〈　〉読みがなを示す

❖　解説を示す

◉　世界遺産を示す

" "　日本語の文中で中国語であることを示す

[ ]　英語または日本語・中国語以外の外国語表記であることを示す

A

A

【A股】A gǔ A株. ❖金融用語.中国国内企業が発行した株式.中国国内の投資家を対象に人民元で取り引きされている.2002年11月より認可を取得した海外機関投資家もA株の取引に参加できるようになった.[A stock]

【A股市场】A gǔ shìchǎng A株市場. ❖金融用語.中国国内企業が上場している株式市場.人民元で取り引きされる中国国内投資家および認可を得た海外機関投資家向けの株式市場.[A stock market]

【A字裙】A zìqún Aラインスカート.[A-line skirt]

【AA制】AA zhì 割り勘.

【AB制】AB zhì ①2交代制. ②〔舞台の〕配役などの〕ダブルキャスト.[①double shift;double shift system ②double casting]

【ABC】ABC アメリカ生まれの中国人. ❖'American born Chinese'の頭文字から.[American born Chinese;ABC]

【AC米兰】AC Mǐlán ACミラン. ❖イタリアのサッカーチーム.[AC Milan]

【ad hoc工作模式】ad hoc gōngzuò móshì アドホックモード.❖IT用語.[ad hoc mode]

【Alt键】ALT jiàn Alt キー;オルトキー. ❖IT用語.[Alt key]

【API指数】API zhǐshù 大気汚染指数; API. ❖"空气污染指数 kōngqì wūrǎn zhǐshù"とも.[Air Pollution Index;API]

【ASCII码】ASCII mǎ アスキーコード;ASCIIコード. ❖IT用語.1963年に米国規格協会(ANSI)が定めた,情報交換用の文字コードの体系."美国信息互换标准代码 Měiguó xìnxī hùhuàn biāozhǔn dàimǎ"とも.[American Standard Code for Information Interchange;ASCII]

ā

【阿比国民银行】Ābǐ Guómín Yínháng アビーナショナル. ❖イギリスの銀行.[Abbey National]

【阿波美王宫】Ābōměi Wánggōng アボメイの王宮群. ◉世界危機遺産(ベナン). [Royal Palaces of Abomey]

【阿布贾】Ābùjiǎ アブジャ. ❖ナイジェリアの首都.[Abuja]

【阿布米奈】Ābù Mǐnài アブ・メナ. ◉世界危機遺産(エジプト).[Abu Mena]

【阿布·辛拜勒至菲莱的努比亚遗址】Ābù Xīnbàilè zhì Fēilái de Nǔbǐyà Yízhǐ アブ・シンベルからフィラエまでのヌビア遺跡群. ◉世界文化遺産(エジプト).[Nubian Monuments from Abu Simbel to Philae]

【阿布扎比】Ābùzhābǐ アブダビ. ❖アラブ首長国連邦の構成国で最大の国.また,同国,同連邦の首都.[Abu Dhabi]

【阿彻·丹尼尔斯·米德兰】Āchè Dānní'ěrsī Mǐdélán アーチャー・ダニエルズ・ミッドランド. ❖アメリカの穀物加工会社.[Archer Daniels Midland]

【阿达的克里斯匹】Ādá de Kèlǐsīpǐ クレスピ・ダッダ. ◉世界文化遺産(イタリア). [Crespi d'Adda]

【阿迪达斯】Ādídásī アディダス. ❖ドイツのスポーツ用品メーカー,ブランド.[Adidas]

【阿第克】Ādǐkè アデコ. ❖スイスの総合人材サービス会社.[Adecco]

【阿尔巴尼亚共和国】Ā'ěrbāníyà Gònghéguó アルバニア共和国;アルバニア.[Republic of Albania;Albania]

《阿尔卑斯山的少女海蒂》Ā'ěrbēisī Shān

ā

de Shàonǚ Hǎidí「アルプスの少女ハイジ」．❖スイスの小説を原作にした，日本アニメのタイトル．[Heidi a Girl of the Alps]

【阿尔贝罗贝洛的圆顶石屋】Ā'ěrbèiluóbèiluò de Yuándǐng Shíwū アルベロベッロのトゥルッリ．●世界文化遺産(イタリア)．[The Trulli of Alberobello]

【阿尔达布拉大环礁岛】Ā'ěrdábùlā Dàhuánjiāodǎo アルダブラ環礁〈かんしょう〉．●世界自然遺産(セーシェル)．[Aldabra Atoll]

【阿尔法·罗密欧】Ā'ěrfǎ Luómì'ōu アルファ・ロメオ．❖イタリアの自動車メーカー(フィアット傘下)，また同社製の自動車．[Alfa Romeo]

【阿尔及尔】Ā'ěrjí'ěr アルジェ．❖アルジェリアの首都．[Algiers]

【阿尔及尔城堡】Ā'ěrjí'ěr Chéngbǎo アルジェのカスバ．●世界文化遺産(アルジェリア)．[Kasbah of Algiers]

【阿尔及利亚民主人民共和国】Ā'ěrjílìyà Mínzhǔ Rénmín Gònghéguó アルジェリア民主人民共和国；アルジェリア．[Democratic and People's Republic of Algeria；Algeria]

【阿尔金岩石礁国家公园】Ā'ěrjīn Yánshíjiāo Guójiā Gōngyuán バンダルギン国立公園．●世界自然遺産(モーリタニア)．[Banc d'Arguin National Park]

【阿尔卡蒂里】Ā'ěrkǎdìlǐ [マリ・]アルカティリ．❖東ティモールの政治家．[Mari Alkatiri]

【阿尔卡特】Ā'ěrkǎtè アルカテル．❖フランスの通信機器メーカー．[Alcatel]

【阿尔科巴萨修道院】Ā'ěrkēbāsà Xiūdàoyuàn アルコバッサの修道院．●世界文化遺産(ポルトガル)．[Monastery of Alcobaça]

【阿尔克·塞南皇家盐场】Ā'ěrkè Sàinán Huángjiā Yánchǎng アルケ・スナンの王立製塩所．●世界文化遺産(フランス)．[Royal Saltworks of Arc-et-Senans]

【阿尔勒城的古罗马建筑和罗马式建筑】Ā-'ěrlèchéng de Gǔluómǎ Jiànzhù hé Luómǎshì Jiànzhù アルルのローマ遺跡とロマネスク様式建造物群．●世界文化遺産(フランス)．[Roman and Romanesque Monuments of Arles]

【阿尔斯通】Ā'ěrsītōng アルストム．❖フランスの重電機メーカー．[Alstom]

【阿尔塔米拉洞窟】Ā'ěrtǎmǐlā Dòngkū アルタミラ洞窟．●世界文化遺産(スペイン)．[Altamira Cave]

【阿尔塔岩画】Ā'ěrtǎ Yánhuà アルタの岩絵群．●世界文化遺産(ノルウェー)．[Rock Drawings of Alta]

【阿富汗伊斯兰国】Āfùhàn Yīsīlánguó アフガニスタン・イスラム共和国；アフガニスタン．[Islamic State of Afghanistan；Afghanistan]

《阿甘正传》Ā Gān Zhèngzhuàn「フォレスト・ガンプ 一期一会〈いちごいちえ〉」．❖アメリカ映画のタイトル．[Forrest Gump]

【阿格拉古堡】Āgélā Gǔbǎo アーグラ城塞．●世界文化遺産(インド)．[Agra Fort]

【阿格里真托考古区】Āgélǐzhēntuō Kǎogǔqū アグリジェントの遺跡地域．●世界文化遺産(イタリア)．[Archaeological Area of Agrigento]

【阿格泰列克洞穴和斯洛伐克喀斯特地貌】Ā-gétàilièkè Dòngxuè hé Sīluòfákè Kāsītè Dìmào アグテレック・カルストとスロバキア・カルストの洞窟群．●世界自然遺産(ハンガリー，スロバキア)．[Caves of Aggtelek Karst and Slovak Karst]

【阿根廷共和国】Āgēntíng Gònghéguó アルゼンチン共和国；アルゼンチン．[Argentine Republic；Argentina]

【阿加莎·克里斯蒂】Ājiāshā Kèlǐsīdì アガサ・クリスティー．❖イギリスのミステリー作家．[Dame Agatha Christie]

【阿杰尔的塔西利】Ājié'ěr de Tǎxīlì タッシ

リ・ナジェール. ●世界自然および文化遺産(アルジェリア). [Tassili n'Ajjer]

【阿卡贝拉】ākǎbèilā アカペラ. [a cappella]

【阿卡古城】Ākǎ Gǔchéng アッコ旧市街. ●世界文化遺産(イスラエル). [Old City of Acre]

【阿克拉】Ākèlā アクラ. ❖ガーナの首都. [Accra]

【阿克苏姆】Ākèsūmǔ アクスム. ●世界文化遺産(エチオピア). [Aksum]

【阿克苏诺贝尔】Ākèsū Nuòbèi'ěr アクゾノーベル. ❖オランダの化学品メーカー. [Akzo Nobel]

【阿肯色州】Ākěnsè Zhōu アーカンソー州. ❖アメリカの州名. [Arkansas]

【阿空加瓜山】Ākōngjiāguā Shān アコンカグア山. ❖アルゼンチン・アンデス山脈にある山. [Cerro Aconcagua]

【阿库拉】Ākùlā アキュラ. ❖ホンダ(日本)が海外で展開する高級乗用車ブランド. [Acura]

【阿奎拉古迹区及长方形主教教堂】Ākuílā Gǔjìqū jí Chángfāngxíng Zhǔjiào Jiàotáng アクイレイアの遺跡地域と総主教聖堂バシリカ. ●世界文化遺産(イタリア). [Archaeological Area and the Patriarchal Basilica of Aquileia]

【阿拉伯埃及共和国】Ālābó Āijí Gònghéguó エジプト・アラブ共和国；エジプト. ❖略称は"埃及 Āijí". [Arab Republic of Egypt；Egypt]

【阿拉伯半岛电视台】Ālābó Bàndǎo Diànshìtái アルジャジーラ. ❖カタールの衛星テレビ局. [Aljazeera]

【阿拉伯国家联盟】Ālābó Guójiā Liánméng アラブ連盟. ❖略称は"阿盟 Āméng". [the League of Arab States]

【阿拉伯货币基金组织】Ālābó Huòbì Jījīn Zǔzhī アラブ通貨基金；AMF. [Arab Monetary Fund；AMF]

【阿拉伯联合酋长国】Ālābó Liánhé Qiūzhǎngguó アラブ首長国連邦. [the United Arab Emirates；UAE]

【阿拉伯羚羊保护区】Ālābó Língyáng Bǎohùqū アラビア・オリックスの保護区. ●世界自然遺産(オマーン). [Arabian Oryx Sanctuary]

【阿拉伯叙利亚共和国】Ālābó Xùlìyà Gònghéguó シリア・アラブ共和国；シリア. [Syrian Arab Republic；Syria]

【阿拉法特】Ālāfǎtè 〔ヤーセル・〕アラファト. ❖元パレスチナ解放機構(PLO)執行委員会議長；元パレスチナ自治政府長官. [Yasser Arafat]

【阿拉贡的穆德哈尔式建筑】Ālāgòng de Mùdéhā'ěrshì Jiànzhù アラゴン州のムデハル様式建造物. ●世界文化遺産(スペイン). [Mudejar Architecture of Aragon]

【阿拉斯加州】Ālāsījiā Zhōu アラスカ州. ❖アメリカの州名. [Alaska]

【阿兰胡埃斯文化景观】Ālánhú'āisī Wénhuà Jǐngguān アランフェスの文化的景観. ●世界文化遺産(スペイン). [Aranjuez Cultural Landscape]

【阿勒颇古城】Ālèpō Gǔchéng 古都アレッポ. ●世界文化遺産(シリア). [Ancient City of Aleppo]

【阿雷基帕城历史中心】Āléijīpàchéng Lìshǐ Zhōngxīn アレキーパ市の歴史地区. ●世界文化遺産(ペルー). [Historical Centre of the City of Arequipa]

【阿里巴巴】Ālǐbābā アリババ・ドット・コム；アリババ. ❖中国の企業間取引サイト. [Alibaba.com]

【阿里高特】Ālǐgāotè アリゴテ. ❖ぶどう品種、またそのぶどうで作られたワイン. [Aligoté]

【阿里杰罗德胡波尔德国家公园】Ālǐjiéluódé Húbō'ěrdé Guójiā Gōngyuán アレハンドロ・デ・フンボルト国立公園. ●世界自然遺産(キューバ). [Alejandro de Humboldt National Park]

ā

【阿罗约】Āluóyuē〔グロリア・マカパガル・〕アロヨ．❖フィリピンの政治家．[Gloria Macapagal Arroyo]

【阿马尔菲海岸景观】Ā mǎ'ěrfēi Hǎi'àn Jǐngguān アマルフィ海岸．◉世界文化遺産(イタリア)．[Costiera Amalfitana]

【阿曼苏丹国】Āmàn Sūdānguó オマーン国；オマーン．[Sultanate of Oman；Oman]

【阿美拉达・赫斯】Āměilādá Hèsī アメラダ・ヘス．❖アメリカの石油会社．[Amerada Hess]

【阿盟】Āméng アラブ連盟．❖"阿拉伯国家联盟 Ālābó Guójiā Liánméng"の略．[the League of Arab States]

【阿敏】Āmǐn アミン〔・ライス〕．❖インドネシアの政治家．[Amien Rais]

【阿姆斯特丹】Āmǔsītèdān アムステルダム．❖オランダの首都．[Amsterdam]

【阿姆斯特丹的保垒】Āmǔsītèdān de Bǎolěi アムステルダムのディフェンス・ライン．◉世界文化遺産(オランダ)．[Defence Line of Amsterdam]

【阿穆尔河】Āmù'ěr Hé アムール川．❖ロシアと中国国境を流れる川．[the Amur River；the Amur]

【阿努拉德普勒圣城】Ānǔlādépǔlè Shèngchéng 聖地アヌラーダプラ．◉世界文化遺産(スリランカ)．[Sacred City of Anuradhapura]

【阿诺德・施瓦辛格】Ānuòdé Shīwǎxīngé アーノルド・シュワルツェネッガー．❖アメリカの男優，政治家．"阿诺・施瓦辛格 Ānuò Shīwǎxīngé"とも．[Arnold Schwarzenegger]

【阿皮亚】Āpíyà アピア．❖サモアの首都．[Apia]

【阿萨姆红茶】Āsàmǔ hóngchá アッサム紅茶；アッサムティー；アッサム．[Assam tea；Assam]

【阿塞拜疆共和国】Āsàibàijiāng Gònghéguó アゼルバイジャン共和国；アゼルバイジャン．[Azerbaijan Republic；Azerbaijan]

【阿赛洛】Āsàiluò アルセロール．❖ルクセンブルクの鉄鋼メーカー．[Arcelor]

【阿散蒂传统建筑】Āsàndì Chuántǒng Jiànzhù アシャンティの伝統的建築物群．◉世界文化遺産(ガーナ)．[Asante Traditional Buildings]

【阿什哈巴德】Āshíhābādé アシガバート；アシハバード．❖トルクメニスタンの首都．[Ashgabat；Ashkhabad]

【阿斯顿・马丁】Āsīdùn Mǎdīng アストン・マーチン．❖アストン・マーチン・ラゴンダ(フォードグループ傘下)製の車名．[Aston Martin]

【阿斯基亚王陵】Āsījīyà Wánglíng アスキアの墓．◉世界文化遺産(マリ)．[Tomb of Askia]

【阿斯龙】Āsīlóng アスロン．❖AMD(米)のマイクロプロセッサーのブランド．[Athlon]

【阿斯马拉】Āsīmǎlā アスマラ．❖エリトリアの首都．[Asmara]

【阿斯塔纳】Āsītǎnà アスタナ．❖カザフスタンの首都．[Astana]

【阿斯特拉捷利康】Āsītèlā Jiélìkāng アストラゼネカ．❖イギリスの医薬品メーカー．[AstraZeneca]

【阿斯制药】Āsī Zhìyào アース製薬．❖日本の殺虫剤，日用品メーカー．[Earth Chemical]

【阿塔皮尔卡考古遗址】Ātǎpí'ěrkǎ Kǎogǔ Yízhǐ アタプエルカの古代遺跡．◉世界文化遺産(スペイン)．[Archaeological Site of Atapuerca]

【阿瓦鲁阿】Āwǎlǔ'ā アバルア．❖クック諸島の首都．[Avarua]

【阿瓦什低谷】Āwǎshí Dīgǔ アワッシュ川下流域．◉世界文化遺産(エチオピア)．[Lower Valley of the Awash]

ā — āi

【阿维拉古城及城外教堂】Āwéilā Gǔchéng jí Chéngwài Jiàotáng アービラの旧市街と城壁外の教会群．●世界文化遺産(スペイン)．[Old Town of Ávila with its Extra-Muros Churches]

【阿维尼翁历史中心】Āwéiníwēng Lìshǐ Zhōngxīn アヴィニョン歴史地区．●世界文化遺産(フランス)．[Historic Centre of Avignon]

【阿西西古镇的方济各会修道院与大教堂】Āxīxī Gǔzhèn de Fāngjìgèhuì Xiūdàoyuàn yǔ Dàjiàotáng アッシージ，聖フランチェスコ聖堂と関連遺跡群．●世界文化遺産(イタリア)．[Assisi, the Basilica of San Francesco and Other Franciscan Sites]

《阿信》Ā Xìn「おしん」．❖日本のテレビドラマのタイトル．[Oshin]

【阿伊尔和泰内雷自然保护区】Āyī'ěr hé Tàinèiléi Zìrán Bǎohùqū アイルとテネレの自然保護区群．●世界危機遺産(ニジェール)．[Air and Ténéré Natural Reserves]

【阿伊特本哈杜筑垒村】Āyītè Běn Hādù Zhùlěicūn アイット・ベン・ハドゥの集落．●世界文化遺産(モロッコ)．[Ksar of Ait-Ben-Haddou]

【阿旃陀石窟群】Āzhāntuó Shíkūqún アジャンター石窟群．●世界文化遺産(インド)．[Ajanta Caves]

āi

【埃博拉病毒】Āibólā bìngdú エボラウイルス．[Ebola virus]

【埃博拉病毒出血热】Āibólā bìngdú chūxuèrè エボラ出血熱．[Ebola hemorrhagic fever]

【埃尔比斯卡伊诺鲸鱼保护区】Āi'ěrbǐsīkǎyīnuò Jīngyú Bǎohùqū エル・ビスカイノのクジラ保護区．●世界自然遺産(メキシコ)．[Whale Sanctuary of El Vizcaino]

【埃尔梅斯】Āi'ěrméisī エルメス．❖フランスの総合ファッションメーカー，ブランド．"爱马仕 Àimǎshì""爱玛仕 Àimǎshì"とも．[Hermès]

【埃尔帕索】Āi'ěrpàsuǒ エルパソ．❖アメリカのエネルギー企業．[El Paso]

【埃尔切的帕梅拉尔】Āi'ěrqiè de Pàměilā'ěr エルチェの椰子〈やし〉園．●世界文化遺産(スペイン)．[Palmeral of Elche]

【埃尔塔津古城】Āi'ěrtǎjīn Gǔchéng 古代都市エル・タヒン．●世界文化遺産(メキシコ)．[El Tajin, Pre-Hispanic City]

【埃尔维斯·普雷斯利】Āi'ěrwéisī Pǔléisīlì エルヴィス・プレスリー．❖アメリカの歌手．愛称は"猫王 Māowáng"．[Elvis Presley]

【埃及】Āijí エジプト．❖"阿拉伯埃及共和国 Ālābó Āijí Gònghéguó"の略．[Egypt]

【埃及航空】Āijí Hángkōng エジプト航空．❖エジプトの航空会社．コード：MS．[Egypt Air]

【埃克森美孚】Āikèsēn Měifú エクソンモービル．❖アメリカの国際石油資本．[ExxonMobil]

【埃勒凡塔石窟】Āilèfántǎ Shíkū エレファンタ石窟群．●世界文化遺産(インド)．[Elephanta Caves]

【埃里温】Āilǐwēn エレバン．❖アルメニアの首都．[Yerevan]

【埃洛拉石窟群】Āiluòlā Shíkūqún エローラ石窟群．●世界文化遺産(インド)．[Ellora Caves]

【埃纳雷斯堡大学和历史区】Āinàléisī Bǎo Dàxué hé Lìshǐqū アルカラ・デ・エナレスの大学と歴史地区．●世界文化遺産(スペイン)．[University and Historic Precinct of Alcalá de Henares]

【埃皮扎夫罗斯考古遗址】Āipízhāfūluósī Kǎogǔ Yízhǐ エピダウロスの古代遺跡．●世界文化遺産(ギリシャ)．[Archaeological Site of Epidaurus]

【埃奇米河津大教堂和兹瓦尔特诺茨考古遗

āi — ài

址.Āiqímíhéjīn Dàjiàotáng hé Zīwǎ'ěrtēnuòcí Kǎogǔ Yízhǐ エチミアツィンの大聖堂と教会群およびズヴァルトゥノツの古代遺跡．●世界文化遺産(アルメニア)．[Cathedral and Churches of Echmiatsin and the Archaeological Site of Zvartnots]

【埃塞俄比亚航空】Āisài'ébǐyà Hángkōng エチオピア航空．❖エチオピアの航空会社．コード：ET．[Ethiopian Airlines]

【埃塞俄比亚联邦民主共和国】Āisài'ébǐyà Liánbāng Mínzhǔ Gònghéguó エチオピア連邦民主共和国；エチオピア．[Federal Democratic Republic of Ethiopia；Ethiopia]

【埃森的矿业同盟工业区景观】Āisēn de Kuàngyè Tóngméng Gōngyèqū Jǐngguān エッセンのツォルフェライン炭坑産業遺産群．●世界文化遺産（ドイツ）．[Zollverein Coal Mine Industrial Complex in Essen]

【埃森哲咨询】Āisēnzhé Zīxún アクセンチュア．❖アメリカのコンサルティング会社．[Accenture]

【埃斯特拉达】Āisītèlādá〔ジョセフ・〕エストラーダ．❖フィリピンの政治家．[Joseph Estrada]

【埃索】Āisuǒ エッソ．❖アメリカの石油会社（エクソンモービル傘下），また同社の軽油,ガソリンブランド．[Esso]

【埃维昂】Āiwéi'áng エビアン．❖フランスの都市名.サミット開催地の１つ．[Evian]

【埃武拉历史中心】Āiwǔlā Lìshǐ Zhōngxīn エヴォラ歴史地区．●世界文化遺産(ポルトガル)．[Historic Centre of Evora]

ǎi

【矮化】ǎihuà ①矮化（する）．②低くする；低下させる．❖①植物を小さく仕立てること.品種改良などにより植物の背丈を低くすること．

ài

【艾奥瓦州】Ài'àowǎ Zhōu アイオワ州．❖アメリカの州名．[Iowa]

【爱彼】Àibǐ オーデマ・ピゲ．❖スイスの時計メーカー．[Audemars Piguet]

【艾伯森】Àibósēn アルバートソンズ．❖アメリカの大手小売業．[Albertsons]

【艾伯塔省恐龙公园】Àibótǎ Shěng Kǒnglóng Gōngyuán 州立恐竜自然公園．●世界自然遺産(カナダ)．[Dinosaur Provincial Park]

【爱车族】àichēzú 車好きな人；カーマニア．[car nut；car maniac]

【爱达荷州】Àidáhé Zhōu アイダホ州．❖アメリカの州名．[Idaho]

【爱迪生国际】Àidíshēng Guójì エジソン・インターナショナル．❖アメリカの電力配給会社．[Edison International]

【爱丁堡的新镇、老镇】Àidīngbǎo de Xīnzhèn Lǎozhèn エディンバラの旧市街群と新市街群．●世界文化遺産(イギリス)．[Old and New Towns of Edinburgh]

【爱都】Àidū エルドラド．❖GM(米)製の車名．[Eldorado]

【爱尔兰】Ài'ěrlán アイルランド．[Ireland]

【爱尔兰共和军】Ài'ěrlán Gònghéjūn アイルランド共和軍；IRA．[Irish Republican Army；IRA]

【爱尔兰威士忌】Ài'ěrlán wēishìjì アイリッシュウイスキー．❖アイルランドのウイスキー．[Irish whiskey]

【爱尔兰银行】Ài'ěrlán Yínháng アイルランド銀行；BOI．❖アイルランドの銀行．[Bank of Ireland；BOI]

【艾尔米塔什博物馆】Ài'ěrmǐtǎshí Bówùguǎn エルミタージュ美術館．❖ロシア・サンクト・ペテルブルクにある美術館．"俄国国立赫米塔希美术馆 Éguó Guólì Hèmǐtǎxī Měishùguǎn""俄罗斯冬宫博物馆 Éluósī Dōng Gōng Bówùguǎn""俄罗斯国立美术

馆 Éluósī Guólì Měishùguǎn"とも．[The State Hermitage Museum]

【爱格纳】Àigénà アイグナー．❖ドイツの皮革製品メーカー，ブランド．[Etienne Aigner]

【爱国者导弹】Àiguózhě dǎodàn パトリオットミサイル；地対空誘導弾．[Patriot missile；Patriot]

【爱华】Àihuá アイワ．❖ソニー（日本）の家電ブランド．[AIWA]

【爱克发】Àikèfā アグファ．❖アグファ・ゲバルト（ベルギー）のカメラ関連製品ブランド．[Agfa-Gevaert]

【爱客新】Àikèxīn イクシオン．❖フォード（米）製の車名．[Ixion]

【爱丽舍】Àilìshè エリーゼ．❖神竜汽車（中国，仏）製の車名．[Elysée]

【爱丽舍宫】Àilìshè Gōng エリゼ宮．❖フランス・パリにある旧宮殿，大統領官邸．[the Élysée]

【爱立信】Àilìxìn エリクソン．❖スウェーデンの通信機器メーカー．[Ericsson]

【爱马仕】Àimǎshì エルメス．❖フランスの総合ファッションメーカー，ブランド．"埃尔梅斯 Āi'ěrméisī""爱玛仕 Àimǎshì"とも．[Hermès]

【爱玛仕】Àimǎshì エルメス．❖フランスの総合ファッションメーカー，ブランド．"埃尔梅斯 Āi'ěrméisī""爱马仕 Àimǎshì"とも．[Hermès]

【艾默生电气】Àimòshēng Diànqì エマーソン・エレクトリック．❖アメリカの電機メーカー．[Emerson Electric]

【爱慕】Àimù アマリージュ．❖ジバンシイ（仏）製のフレグランス名．[Amarige]

【爱普生】Àipǔshēng エプソン．❖セイコーエプソン（日本）のブランド．[Epson]

【爱琴海】Àiqín Hǎi エーゲ海．❖ギリシャとトルコに囲まれた海域．[the Aegean Sea]

《爱情白皮书》Àiqíng Báipíshū「あすなろ白書」．❖日本の漫画，テレビドラマのタイトル．

《爱情来了》Àiqíng Lái le「Love Go Go〈ラブゴーゴー〉」．❖台湾映画のタイトル．[Love Go Go]

【爱情片】àiqíngpiàn 恋愛映画；ラブロマンス．

【艾睿电子】Àiruì Diànzǐ アロー・エレクトロニクス．❖アメリカの半導体商社．[Arrow Electronics]

【爱沙尼亚共和国】Àishāníyà Gònghéguó エストニア共和国；エストニア．[Republic of Estonia；Estonia]

【爱仕】Àishì エスケープ．❖フォード（米）製の車名．[Escape]

【爱世克斯】Àishìkèsī アシックス．❖日本のスポーツ用品メーカー，ブランド．"爱世克私 Àishìkèsī"とも．[Asics]

【爱斯比食品】Àisībǐ Shípǐn エスビー食品．❖日本の食品メーカー．[S&B Foods]

【爱斯卡达】Àisīkǎdá エスカーダ．❖ドイツのファッションメーカー，ブランド．"爱思卡达 Àisīkǎdá"とも．[Escada]

【艾斯莱本和维滕贝格的路德纪念馆建筑群】Àisīláiběn hé Wéiténgbèigé de Lùdé Jìniànguǎn Jiànzhùqún アイスレーベンとヴィッテンベルクにあるルターの記念建造物群．●世界文化遺産（ドイツ）．[Luther Memorials in Eisleben and Wittenberg]

【爱喜】Àixǐ エッセ；ESSE．❖韓国のタバコ．"爱昔 Àixī"とも．[Esse]

【爱信精机】Àixìn Jīngjī アイシン精機．❖日本の自動車部品メーカー．[Aisin Seiki]

【爱媛县】Àiyuán Xiàn 愛媛（えひめ）県．❖日本の都道府県の1つ.県庁所在地は松山〈まつやま〉市（"松山市 Sōngshān Shì"）．

【爱知县】Àizhī Xiàn 愛知（あいち）県．❖日本の都道府県の1つ.県庁所在地は名古屋〈なごや〉市（"名古屋市 Mínggǔwū Shì"）．

【艾滋病】àizībìng エイズ；後天性免疫不全症候群；AIDS；HIV感染症．[acquired

ài — ān

immune deficiency syndrome;AIDS]

【艾滋病毒携带者】àizī bìngdú xiédàizhě HIV感染者;HIVキャリア;エイズキャリア.[HIV carrier]

ān

【安宝集团】Ānbǎo Jítuán AMPグループ. ❖オーストラリアの総合金融グループ. [AMP Group]

【安布希曼加的皇家蓝山行宫】Ānbùxīmànjiā de Huángjiā Lánshān Xínggōng アンブヒマンガの丘の王領地.◉世界文化遺産(マダガスカル).[Royal Hill of Ambohimanga]

【安道尔城】Āndào'ěrchéng アンドラ・ラ・ヴェリャ.❖アンドラの首都.[Andorra la Vella]

【安道尔公国】Āndào'ěr Gōngguó アンドラ公国;アンドラ.[the Principality of Andorra;Andorra]

【安东尼岛】Āndōngní Dǎo スカン・グアイ (アンソニー島).◉世界文化遺産(カナダ).[SGaang Gwaii (Anthony Island)]

【安哥拉共和国】Āngēlā Gònghéguó アンゴラ共和国;アンゴラ.[Republic of Angola;Angola]

【安哥斯特拉】Āngēsītèlā アンゴスチュラ. ❖トリニダードのリキュールメーカー,また同社製のリキュール.[Angostura]

【安海斯·布希】Ānhǎisī Bùxī アンハイザー・ブッシュ.❖アメリカのビールメーカー.略称は"AB 公司 AB Gōngsī".[Anheuser-Busch]

【安徽省】Ānhuī Shěng 安徽〈あんき〉省.❖中国の省の1つ.別称は"皖 Wǎn".省都は"合肥 Héféi".

【安家费】ānjiāfèi 着任手当.

【安检】ānjiǎn 安全検査;セキュリティーチェック.❖"安全检查 ānquán jiǎnchá"の略.[security check]

【安杰尔】Ānjié'ěr アンジャル.◉世界文化遺産(レバノン).[Anjar]

【安捷伦科技】Ānjiélún Kējì アジレント・テクノロジー.❖アメリカの計測機器,分析機器メーカー.[Agilent Technologies]

【安进】Ānjìn アムジェン.❖アメリカのバイオ医薬品メーカー.[Amgen]

【安居房】Ānjūfáng 「安居」プロジェクトの住宅;中低所得者向け住宅.

【安居工程】Ānjū Gōngchéng 「安居」プロジェクト;都市部の中低所得者層向け住宅供給プロジェクト.

【安卡拉】Ānkǎlā アンカラ.❖トルコの首都.[Ankara]

【安理会】Ānlǐhuì〔国連の〕安全保障理事会;安保理.❖"安全理事会 Ānquán Lǐshìhuì"の略.[United Nations Security Council;UNSC]

【安利】Ānlì アムウェイ.❖アメリカの日用品販売会社.[Amway]

【安联保险】Ānlián Bǎoxiǎn アリアンツ. ❖ドイツの保険会社.[Allianz]

【安曼】Ānmàn アンマン.❖ヨルダンの首都.[Amman]

【安纳波利斯】Ānnàbōlìsī アナポリス.❖アメリカ・メリーランド州都.[Annapolis]

【安娜·苏】Ānnà Sū アナスイ.❖アメリカの化粧品,ファッションブランド.[Anna Sui]

【安南】Ānnán〔コフィー・〕アナン.❖国際連合第7代事務総長.[Kofi Atta Annan]

【安桥】Ānqiáo オンキョー.❖日本の音響,映像機器メーカー.[Onkyo]

【安全保障权】ānquán bǎozhàngquán 安全である権利.❖中国の「消費者権益保護法」に規定されている消費者の権利.

【安全标志】ānquán biāozhì 安全マーク. ❖公共施設などで用いられる絵文字(ピクトグラム)のこと.

【安全洞】ānquándòng セキュリティーホール.❖IT用語.ネットワークやシステム,ソ

ān — àn

フトウェアにある安全上の欠陥のこと.[security hole]

【安全检查】ānquán jiǎnchá 安全検査;セキュリティーチェック. ❖略称は"安检 ānjiǎn".[security check]

【安全门】ānquánmén 防犯扉;防犯ドア. ❖"防犯门 fángfànmén""防撬门 fángqiàomén"とも.

【安全模式】ānquán móshì 〔ウィンドウズパソコンの〕セーフモード. ❖IT用語.[Safe Mode]

【安全气囊】ānquán qìnáng 〔自動車の〕エアバッグ. ❖"汽车安全气囊 qìchē ānquán qìnáng"とも.[air bag]

【安全套】ānquántào コンドーム. ❖"小雨衣 xiǎoyǔyī"とも.[condom]

【安全套发放机】ānquántào fāfàngjī 〔自動販売機型の〕コンドーム配布機;コンドームの自動販売機.

【安全套接层】ānquántào jiēcéng SSL. ❖IT用語.[Secure Socket Layer;SSL]

【安全填埋】ānquán tiánmái 〔危険廃棄物の〕安全埋立処理.

【安全网】ānquánwǎng セーフティーネット.[safety net]

【安全性】ānquánxìng セキュリティー.[security]

【安全椅】ānquányǐ 〔車の座席に取り付ける〕チャイルドシート. ❖"儿童安全椅 értóng ānquányǐ""汽车安全椅 qìchē ānquányǐ"とも.[child (safety) seat;infant car seat]

【鞍山国际大酒店】Ānshān Guójì Dàjiǔdiàn 鞍山国際大酒店. ❖中国・遼寧省にあるホテル.[Anshan International Hotel]

【安盛集团】Ānshèng Jítuán アクサグループ. ❖フランスの保険,金融グループ.[AXA Group]

【安泰保险】Āntài Bǎoxiǎn エトナ保険. ❖アメリカの保険会社.[Aetna]

【安提瓜和巴布达】Āntíguā hé Bābùdá アンティグア・バーブーダ.[Antigua and Barbuda]

【安提瓜危地马拉】Āntíguā Wēidìmǎlā アンティグア・グアテマラ. ●世界文化遺産(グアテマラ).[Antigua Guatemala]

【安慰剂效应】ānwèijì xiàoyīng プラシーボ効果;プラシボ効果;偽薬効果.[placebo effect]

【安慰奖】ānwèijiǎng 残念賞.

【安装】ānzhuāng ①取り付ける;据え付ける. ②〔ソフトなどを〕インストール(する);セットアップ(する). ❖②IT用語.[②install;setup]

【安装程序】ānzhuāng chéngxù インストールプログラム;インストーラー;セットアッププログラム. ❖IT用語.[install program;installer;setup program]

àn

【暗补】ànbǔ ①間接補助. ②公にされない補助;個別に実施される補助. ❖"暗贴 àntiē"とも.

《暗黑破坏神》Ànhēi Pòhuàishén 「ディアブロ」. ❖ブリザードエンターテインメント(米)製のゲームのタイトル.[Diablo]

【按揭抵押】ànjiē dǐyā 担保ローン;抵当ローン;モーゲージローン. ❖金融用語."抵押贷款 dǐyā dàikuǎn"とも.[mortgage loan]

【按揭购房】ànjiē gòufáng ローンで住宅を購入する(こと). ❖購入する物件をローンの担保とする.

【按劳分配】ànláo fēnpèi 労働に応じた分配(をする).

【案例分析】ànlì fēnxī ケーススタディー.[case study]

【暗恋】ànliàn 密かに思いを寄せる;秘めた片思い.

【按面值平价发行】àn miànzhí píngjià fāxíng 額面発行. ❖金融用語."面额发行

àn — ào

miàn'é fāxíng""面值发行 miànzhí fāxíng"とも.

【按摩霜】ànmóshuāng マッサージクリーム.[massage cream]

【按摩小姐】ànmó xiǎojie マッサージ嬢.

【按摩椅】ànmóyǐ マッサージチェア.[massage chair]

【按摩浴缸】ànmó yùgāng マッサージバス.

【按期偿还】ànqī chánghuán 定時償還. ❖金融用語.

【按日放款】ànrì fàngkuǎn 当座貸越〈かしこし〉;日貸し. ❖金融用語.

【按时值发行】àn shízhí fāxíng 時価発行. ❖金融用語."时价发行 shíjià fāxíng""市价发行 shìjià fāxíng"とも.

【按市价兑换】àn shìjià duìhuàn 時価転換. ❖金融用語."按市值转换 àn shìzhí zhuǎnhuàn"とも.

【按市价换算】àn shìjià huànsuàn 時価換算. ❖金融用語.

【按市值转换】àn shìzhí zhuǎnhuàn 時価転換. ❖金融用語."按市价兑换 àn shìjià duìhuàn"とも.

【暗物质】ànwùzhì ダークマター;暗黒物質.[dark matter]

【岸线】ànxiàn ①ウォーターフロント. ②海岸線;湖岸線;河岸線.[waterfront]

【暗箱操作】ànxiāng cāozuò 裏工作;不透明な処理;不透明なやり方.

【按需出版】ànxū chūbǎn オンデマンド出版. ❖IT用語.利用者の注文に応じて書籍を出版するシステム.[on-demand publishing]

【按需计算】ànxū jìsuàn オンデマンドコンピューティング. ❖IT用語.[on-demand computing]

【案值】ànzhí 被害額.

【按资排辈】ànzī páibèi 年功序列. ❖"论资排辈 lùnzī páibèi"とも.

ào

【澳大利亚哺乳动物化石地(里弗斯利、纳拉库特)】Àodàlìyà Bǔrǔ Dòngwù Huàshídì (Lǐfúsīlì Nàlākùtè) オーストラリアの哺乳類化石地域(リヴァーズレー,ナラコーアテ). ●世界自然遺産(オーストラリア). [Australian Fossil Mammal Sites (Riversleigh/Naracoote)]

【澳大利亚国民银行】Àodàlìyà Guómín Yínháng ナショナル・オーストラリア銀行;NAB. ❖オーストラリアの銀行.[National Australia Bank;NAB]

【澳大利亚联邦】Àodàlìyà Liánbāng オーストラリア.[Commonwealth of Australia;Australia]

【澳大利亚网球公开赛】Àodàlìyà Wǎngqiú Gōngkāisài 全豪オープンテニス;全豪オープン. ❖略称は"澳网 Àowǎng".[Australian Open]

【澳大利亚新西兰银行集团】Àodàlìyà Xīnxīlán Yínháng Jítuán オーストラリア・ニュージーランド銀行;ANZ. ❖オーストラリアの銀行.[Australia and New Zealand Banking Group;ANZ]

【奥迪】Àodí アウディ. ❖ドイツの自動車メーカー,また同社製の自動車.[Audi]

【奥地利共和国】Àodìlì Gònghéguó オーストリア共和国;オーストリア.[Republic of Austria;Austria]

【奥地利航空】Àodìlì Hángkōng オーストリア航空. ❖オーストリアの航空会社.コード:OS.[Austrian Airlines]

【奥多比】Àoduōbǐ アドビ・システムズ. ❖アメリカのコンピューター・ソフトウェア・メーカー.[Adobe Systems]

【奥尔巴尼】Ào'ěrbāní オールバニ. ❖アメリカ・ニューヨーク州都.[Albany]

【奥尔内斯木结构教堂】Ào'ěrnèisī Mùjiégòu Jiàotáng ウルネスの木造教会. ●世界文化遺産(ノルウェー).[Urnes Stave

Church]

【奥古斯丁】Àogǔsīdīng〔アウレリウス・〕アウグスティヌス．❖キリスト教哲学者．[Saint Augustine (of Hippo)；Aurelius Augustinuska[ラテン]]

【奥古斯塔】Àogǔsītǎ オーガスタ．❖アメリカ・メイン州都．[Augusta]

【奥赫里德地区文化历史遗迹及其自然景观】Àohèlǐdé Dìqū Wénhuà Lìshǐ Yíjì jí Qí Zìrán Jǐngguān オフリド地域の文化的，歴史的景観とその自然環境．●世界自然および文化遺産(マケドニア旧ユーゴスラビア).[Ohrid Region with its Cultural and Historical Aspect and its Natural Environment]

【奥克尼群岛新石器时代遗址】Àokèní Qúndǎo Xīnshíqì Shídài Yízhǐ オークニー諸島の新石器時代遺跡中心地．●世界文化遺産(イギリス).[Heart of Neolithic Orkney]

【奥兰多・布鲁姆】Àolánduō Bùlǔmǔ オーランド・ブルーム．❖イギリス出身の男優．[Orlando Bloom]

【奥朗日古罗马剧院和凯旋门】Àolǎngrì Gǔluómǎ Jùyuàn hé Kǎixuánmén オランジュのローマ劇場とその周辺と凱旋門．●世界文化遺産(フランス).[Roman Theatre and its Surroundings and the "Triumphal Arch" of Orange]

【奥勒什蒂耶山的达亚恩城堡】Àolèshídìyē Shān de Dáyà'ēn Chéngbǎo オラシュチエ山脈のダキア人要塞群．●世界文化遺産(ルーマニア).[Dacian Fortresses of the Orastie Mountains]

【奥里机场】Àolǐ Jīchǎng オルリー空港．❖フランス・パリにある空港．[Orly Airport]

【奥里诺科焦油】Àolǐnuòkē jiāoyóu オリノコタール．❖ベネズエラのオリノコ川流域に埋蔵される超重質油．"委内瑞拉焦油 Wěinèiruìlā jiāoyóu"とも．[Orinoco tar]

【奥利奥饼干】Àolì'ào Bǐnggān オレオクッキー；オレオ．❖ナビスコ(米)製のクッキー一名．[Oreo]

【奥林巴斯】Àolínbāsī オリンパス．❖日本の精密機器メーカー．[Olympus]

【奥林达历史中心】Àolíndá Lìshǐ Zhōngxīn オリンダ歴史地区．●世界文化遺産(ブラジル).[Historic Centre of the Town of Olinda]

【奥林匹克国家公园】Àolínpǐkè Guójiā Gōngyuán オリンピック国立公園．●世界自然遺産(アメリカ).[Olympic National Park]

【奥林匹克航空】Àolínpǐkè Hángkōng オリンピック航空．❖ギリシャの航空会社．コード：OA.[Olympic Airways]

【奥林匹克运动会】Àolínpǐkè Yùndònghuì オリンピック大会；オリンピック．❖略称は"奥运会 Àoyùnhuì"．[the Olympics]

【奥林匹亚】Àolínpǐyà オリンピア．❖アメリカ・ワシントン州都．[Olympia]

【奥林匹亚考古遗址】Àolínpǐyà Kǎogǔ Yízhǐ オリンピアの古代遺跡．●世界文化遺産(ギリシャ).[Archaeological Site of Olympia]

【奥洛穆茨三位一体圣柱】Àoluòmùcí Sānwèiyītǐ Shèngzhù オロモウツの聖三位一体柱．●世界文化遺産(チェコ).[Holy Trinity Column in Olomouc]

【奥马尔】Àomǎ'ěr〔モラー・〕オマール．❖アフガニスタン出身のタリバン政権最高指導者．[Mullah Muhammad Omar]

【奥美】Àoměi オグルヴィ・アンド・メイザー．❖アメリカの広告代理店．[Ogilvy&Mather]

【澳门航空】Àomén Hángkōng エア・マカオ．❖マカオの航空会社．コード：NX．[Air Macau]

【澳门历史城区】Àomén Lìshǐ Chéngqū マカオ中心部の歴史的街並み．●世界文化遺産(中国).[Historic Centre of Macao]

ào

【澳门特别行政区】Àomén Tèbié Xíngzhèngqū 澳门〈マカオ〉特別行政区；MSAR．❖中国の特別行政区の１つ．略称は"澳区 Ào Qū""澳 Ào".[Macau Special Administrative Region；MSAR]

【澳门元】Àoményuán マカオパタカ．❖マカオの通貨単位．コード：MOP．[pataca]

【奥莫低谷】Àomò Dīgǔ オモ川下流域．◉世界文化遺産(エチオピア).[Lower Valley of the Omo]

【奥姆尼康】Àomǔníkāng オムニコム．❖アメリカの広告代理店．[Omnicom]

【奥姆真理教】Àomǔ Zhēnlǐjiào オウム真理教．

【奥尼尔】Àoní'ěr 〔シャキール・〕オニール．❖アメリカのプロバスケットボール選手．[Shaquill O'Neal]

【澳区】Ào Qū 澳门〈マカオ〉特別行政区；MSAR．❖中国の特別行政区の１つ．"澳门特别行政区 Àomén Tèbié Xíngzhèngqū"の略.[Macau Special Administrative Region；MSAR]

【奥赛】Àosài 国際科学オリンピック．❖"国际学科奥林匹克竞赛 Guójì Xuékē Àolínpǐkè Jìngsài"の略.[International Science Olympiads]

【奥赛博物馆】Àosài Bówùguǎn オルセー美術館．❖フランス・パリにある美術館."奥塞美术馆 Àosài Měishùguǎn""奥赛美术馆 Àosài Měishùguǎn"とも．[Orsay Museum；Musée d'Orsay〔仏〕]

【奥赛棋】Àosàiluóqí オセロゲーム；オセロ．❖パルボックス(日本)製のゲーム名．[Othello]

【奥斯卡金像奖】Àosīkǎ Jīnxiàng Jiǎng アカデミー賞；オスカー．❖アメリカの映画賞．[Academy Award；Oscar]

【奥斯陆】Àosīlù オスロ．❖ノルウェーの首都．[Oslo]

【奥斯汀】Àosītīng オースティン．❖アメリカ・テキサス州都．[Austin]

【奥斯威辛集中营】Àosīwēixīn Jízhōngyíng アウシュヴィッツ強制収容所．◉世界文化遺産(ポーランド).第２次世界大戦時,ポーランドに建設されたユダヤ人,反ナチス活動家強制収容施設.[Auschwitz Concentration Camp]

【奥托邮购】Àotuō Yóugòu オットーフェルザント；オットー．❖ドイツの通販会社．[Otto Versand]

【澳网】Àowǎng 全豪オープンテニス；全豪オープン．❖"澳大利亚网球公开赛 Àodàlìyà Wǎngqiú Gōngkāisài"の略.[Australian Open]

【奥维耶多古建筑和阿斯图里亚斯王国】Àowēiyēduō Gǔjiànzhù hē Āsītúlìyàsī Wángguó オビエド歴史地区とアストゥリアス王国の建造物群．◉世界文化遺産(スペイン).[Monuments of Oviedo and the Kingdom of the Asturias]

【奥校】Àoxiào 国際科学オリンピック対策の塾．

【澳元】Àoyuán オーストラリアドル．❖オーストラリアの通貨単位．コード：AUD．[Australian dollar]

【奥运村】Àoyùncūn オリンピック選手村．[Olympic Village]

【奥运会】Àoyùnhuì オリンピック大会；オリンピック．❖"奥林匹克运动会 Àolínpǐkè Yùndònghuì"の略.[the Olympics]

【奥运圣火】Àoyùn shènghuǒ オリンピックの聖火．

【澳洲电信】Àozhōu Diànxìn テルストラ．❖オーストラリアの通信会社.[Telstra]

【澳洲航空】Àozhōu Hángkōng カンタス航空．❖オーストラリアの航空会社．コード：QF．"快达航空 Kuàidá Hángkōng"とも．[Qantas Airways]

【澳洲联邦银行】Àozhōu Liánbāng Yínháng コモンウェルス銀行．❖オーストラリアの銀行.[Commonwealth Bank of Australia；CBA]

B

B

【B超】B chāo 超音波検査Bモード. ❖医学用語.

【B股】B gǔ B株. ❖金融用語.中国国内企業が発行した株式.中国国内および海外の投資家を対象に上海B株は米ドル,深圳B株は香港ドルで取り引きされている.[B stock]

【B股市场】B gǔ shìchǎng B株市場. ❖金融用語.中国国内企業が上場している株式市場.中国国内投資家および海外投資家向けの市場.[B stock market]

【B&O音响】B O Yīnxiǎng バング＆オルフセン. ❖デンマークの音響機器メーカー.[Bang&Olufsen]

【B to B】B TO B 企業間取引；B2B；BtoB〈ビートゥービー〉. ❖中国語では"商家对商家 shāngjiā duì shāngjiā".[business to business]

【B to C】B TO C 企業と一般消費者の取引；対消費者取引；B2C；BtoC〈ビートゥーシー〉. ❖中国語では"商家对客户 shāngjiā duì kèhù".[business to consumer]

【BS广播】BS guǎngbō BS放送.

bā

【吧】bā バー.[bar]

【巴巴多斯】Bābāduōsī バルバドス.[Barbados]

【巴宝莉】Bābǎolì バーバリー. ❖イギリスのファッションメーカー,ブランド."柏帛丽 Bóbólì"とも.[Burberry]

【芭比布朗】Bābǐ Bùlǎng ボビーブラウン. ❖アメリカの化粧品ブランド.[Bobbi Brown]

【芭比娃娃】Bābǐ Wáwa バービー人形. ❖マテル（米）製の着せ替え人形.[Barbie；Barbie doll]

【巴布豆】Bābùdòu リトルボブドッグ. ❖サンワード（日本）のキャラクター名.[Little Bobdog]

【巴布亚新几内亚】Bābùyà XīnJǐnèiyà パプアニューギニア.[Papua New Guinea]

【巴达维】Bādáwéi〔アブドラ・〕バダウィ. ❖マレーシアの政治家.[Datuk Seri Abdullah Ahmad Badawi]

【巴尔代约夫镇保护区】Bā'ěrdàiyuēfū Zhèn Bǎohùqū バルデヨフ市街保護区. ●世界文化遺産（スロバキア）.[Bardejov Town Conservation Reserve]

【巴尔的摩】Bā'ěrdǐmó ボルティモア. ❖アメリカの都市名.[Baltimore]

【巴尔米拉古城遗址】Bā'ěrmǐlā Gǔchéng Yízhǐ パルミラの遺跡. ●世界文化遺産（シリア）.[Site of Palmyra]

【巴尔扎克】Bā'ěrzhākè〔オノレ・ド・〕バルザック. ❖フランスの作家.[Honoré de Balzac]

【巴伐利亚州银行】Bāfálìyà Zhōu Yínháng バイエルン州立銀行. ❖ドイツの銀行.[Bayerische Landesbank]

【巴干达国王们的卡苏比陵】Bāgāndá Guówángmen de Kǎsūbǐ Líng カスビのブガンダ王国歴代国王の墓. ●世界文化遺産（ウガンダ）.[Tombs of Buganda Kings at Kasubi]

【巴格达】Bāgédá バグダッド. ❖イラクの首都.[Baghdad；Bagdad]

【巴葛拉特大教堂和格拉特修道院】Bāgēlātè Dàjiàotáng hé Gélātè Xiūdàoyuàn バグラティ大聖堂とゲラティ修道院. ●世界文化遺産（グルジア）.[Bagrati Cathedral and Gelati Monastery]

【八卦】bāguà ①八卦〈はっけ〉. ②ゴシップ.

bā

[②gossip]

【巴哈马国】Bāhāmǎguó バハマ国；バハマ.[Commonwealth of the Bahamas ; Bahamas]

【巴赫】Bāhè〔ヨハン・セバスチャン・〕バッハ.❖ドイツの作曲家.[Johann Sebastian Bach]

【巴赫莱要塞】Bāhèlái Yàosài バハラ城塞.◉世界文化遺産(オマーン).[Bahla Fort]

【巴基斯坦航空】Bājīsītǎn Hángkōng パキスタン航空.❖パキスタンの航空会社.コード：PK.[Pakistan International Airlines]

【巴基斯坦伊斯兰共和国】Bājīsītǎn Yīsīlán Gònghéguó パキスタン・イスラム共和国；パキスタン.[Islamic Republic of Pakistan ; Pakistan]

【巴凯尔哈特清真寺历史名城】Bākǎi'ěrhātè Qīngzhēnsì Lìshǐ Míngchéng バゲルハットのモスク都市.◉世界文化遺産(バングラデシュ).[Historic Mosque City of Bagerhat]

【巴克莱银行】Bākèlái Yínháng バークレイズ銀行.❖イギリスの銀行.[Barclays]

【巴库】Bākù バクー.❖アゼルバイジャンの首都.[Baku]

【巴拉圭共和国】Bālāguī Gònghéguó パラグアイ共和国；パラグアイ.[Republic of Paraguay ; Paraguay]

【巴拉克】Bālākè ①〔エフド・〕バラク.②〔ミヒャエル・〕バラク.❖①イスラエルの政治家.②ドイツのサッカー選手.[①Ehud Barak ②Michael Ballack]

【巴勒贝克】Bālèbèikè バールベック.◉世界文化遺産(レバノン).[Baalbek]

【巴勒斯坦】Bālèsītǎn パレスチナ.[Palestine]

【巴勒斯坦解放组织】Bālèsītǎn Jiěfàng Zǔzhī パレスチナ解放機構；PLO.❖略称は"巴解 Bājiě".[Palestine Liberation Organization ; PLO]

【巴勒斯坦民主解放阵线】Bālèsītǎn Mínzhǔ Jiěfàng Zhènxiàn パレスチナ解放民主戦線；DFLP.[Democratic Front for the Liberation of Palestine ; DFLP]

【巴勒斯坦民族权力机构】Bālèsītǎn Mínzú Quánlì Jīgòu パレスチナ自治政府；パレスチナ暫定自治政府.[Palestinian National Authority ; PNA]

【巴勒斯坦人民解放阵线】Bālèsītǎn Rénmín Jiěfàng Zhènxiàn パレスチナ解放人民戦線；PFLP.❖略称は"人阵 Rénzhèn".[Popular Front for the Liberation of Palestine ; PFLP]

【巴黎】Bālí パリ.❖フランスの首都.[Paris]

【巴黎春天百货】Bālí Chūntiān Bǎihuò プランタン.❖フランスの百貨店.[Printemps]

【巴黎的塞纳沿岸】Bālí de Sàinà Yán'àn パリのセーヌ河岸.◉世界文化遺産(フランス).[Paris, Banks of the Seine]

【巴黎达喀尔拉力赛】Bālí Dākā'ěr Lālìsài パリダカールラリー；パリダカ.[Paris-Dakar Rally]

【巴厘岛】Bālí Dǎo バリ島.❖インドネシアにある島.[Bali Island ; Bali]

【巴黎三城】Bālí Sānchéng パリミキ.❖三城(日本)の眼鏡チェーン店.[Paris Miki]

【巴黎时装秀】Bālí Shízhuāngxiù パリコレクション；パリコレ.❖"巴黎时装展 Bālí Shízhuāngzhǎn"とも.[Paris Collection]

【巴黎时装展】Bālí Shízhuāngzhǎn パリコレクション；パリコレ.❖"巴黎时装秀 Bālí Shízhuāngxiù"とも.[Paris Collection]

【巴黎世家】Bālíshìjiā バレンシアガ.❖フランスのファッションメーカー，ブランド.[Balenciaga]

【巴林国】Bālínguó バーレーン国；バーレーン.[Bahrain ; Bahrein]

【八六三计划】Bāliùsān Jìhuà「863計画」；中国ハイテク技術発展計画.❖1986年3月

にスタートした,国家ハイテク計画の1つ.

【巴鲁米尼的努拉格】Bālǔmǐnǐ de Nǔlāgē スー・ヌラージ・ディ・バルーミニ.●世界文化遺産(イタリア).[Su Nuraxi di Barumini]

【巴伦西亚的丝绸交易厅】Bālúnxīyà de Sīchóu Jiāoyìtīng バレンシアのラ・ロンハ・デ・ラ・セダ.●世界文化遺産(スペイン).[La Lonja de la Seda de Valencia]

【巴马科】Bāmǎkē バマコ.❖マリの首都.[Bamako]

【巴米扬谷文化景观和考古遗址】Bāmǐyáng Gǔ Wénhuà Jǐngguān hé Kǎogǔ Yízhǐ バーミヤン渓谷の文化的景観と古代遺跡群.●世界危機遺産(アフガニスタン).[Cultural Landscape and Archaeological Remains of the Bamiyan Valley]

【巴姆文化景观】Bāmǔ Wénhuà Jǐngguān バムとその文化的景観.●世界危機遺産(イラン).[Bam and its Cultural Landscape]

【巴拿马城】Bānámǎchéng パナマシティ.❖パナマの首都.[Panama City]

【巴拿马城考古遗址及巴拿马历史名区】Bānámǎchéng Kǎogǔ Yízhǐ jí Bānámǎ Lìshǐ Míngqū パナマ・ビエホ古代遺跡とパナマの歴史地区.●世界文化遺産(パナマ).[Archaeological Site of Panamá Viejo and Historic District of Panamá]

【巴拿马共和国】Bānámǎ Gònghéguó パナマ共和国;パナマ.[Republic of Panama;Panama]

【巴拿马加勒比海岸的防御工事:波托韦洛-圣洛伦索】Bānámǎ Jiālèbǐ Hǎi'àn de Fángyù Gōngshì Bōtuōwéiluò Shèngluòlúnsuǒ パナマのカリブ海沿岸の要塞群:ポルトベロとサン・ロレンソ.●世界文化遺産(パナマ).[Fortifications on the Caribbean Side of Panama:Portobelo-San Lorenzo]

【巴拿马空运】Bānámǎ Kōngyùn コパ航空.❖パナマの航空会社.コード:CM.[Copa Airlines]

【八婆】bāpó ①ゴシップ好きの女.②おてんば.

【巴赛的阿波罗·伊壁鸠鲁神庙】Bāsài de Ābōluó Yībìjiūlǔ Shénmiào バッサイのアポロ・エピクリオス神殿.●世界文化遺産(ギリシャ).[Temple of Apollo Epicurius at Bassae]

【巴塞尔委员会】Bāsài'ěr Wěiyuánhuì バーゼル銀行監督委員会;バーゼル委員会.[Basel Committee on Banking Supervision]

【巴塞罗那】Bāsàiluónà バルセロナ.❖スペインの都市."巴塞隆纳 Bāsàilóngnà"とも.[Barcelona]

【巴塞罗那的盖勒公园、宫殿和米拉宅邸】Bāsàiluónà de Gàilè Gōngyuán Gōngdiàn hé Mǐlā zháidǐ バルセロナのグエイ公園,グエイ邸とカサ・ミラ.●世界文化遺産(スペイン).[Parque Güell, Palacio Güell and Casa Mila in Barcelona]

【巴塞罗纳的帕劳音乐厅及圣保罗医院】Bāsàiluónà de Pàláo Yīnyuètīng jí Shèngbǎoluó Yīyuàn バルセロナのカタルーニャ音楽堂とサン・パウ病院.●世界文化遺産(スペイン).[The Palau de la Música Catalana and the Hospital de Sant Pau, Barcelona]

【巴斯城】Bāsīchéng バース市街.●世界文化遺産(イギリス).[City of Bath]

【巴斯夫】Bāsīfū BASF.❖ドイツの化学工業会社.[BASF]

【巴斯克地区】Bāsīkè Dìqū バスク地方.❖スペインとフランスにまたがる地域.[the Basque Country;the Basque Provinces]

【巴斯特尔】Bāsītè'ěr バセテール.❖セントクリストファー・ネーヴィスの首都.[Basseterre]

【巴塔利亚修道院】Bātǎlìyà Xiūdàoyuàn バターリャの修道院.●世界文化遺産(ポ

bā — bái

ルトガル).[Monastery of Batalha]

【巴特·库特姆和艾因考古遗址】Bātè Kùtèmǔ hé Àiyīn Kǎogǔ Yízhǐ バット,アル・フトゥム,アル・アインの古代遺跡群. ◉世界文化遺産(オマーン).[Archaeological Sites of Bat, Al-Khutm and Al-Ayn]

【巴吞鲁日】Bātūn Lǔrì バトンルージュ. ❖アメリカ・ルイジアナ州都.[Baton Rouge]

【巴西大西洋群岛的费尔南多·迪诺罗尼亚岛和罗卡斯环礁保护区】Bāxī Dàxīyáng Qúndǎo de Fèi'ěrnánduō dí Nuòluóníyà Dǎo hé Luókǎsī Huánjiāo Bǎohùqū ブラジルの大西洋諸島:フェルナンド・デ・ノローニャとロカス環礁保護区群. ◉世界自然遺産(ブラジル).[Brazilian Atlantic Islands : Fernando de Noronha and Atol das Rocas Reserves]

【巴西淡水河谷】Bāxī Dànshuǐ Hégǔ リオ・ドセ. ❖ブラジルの鉱業会社.[Companhia Vale Do Rio Doce]

【巴西咖啡】Bāxī kāfēi ブラジルコーヒー;ブラジル.[Brazil coffee]

【巴西利亚】Bāxīlìyà ブラジリア. ◉ブラジルの首都,世界文化遺産.[Brasília]

【巴西联邦共和国】Bāxī Liánbāng Gònghéguó ブラジル連邦共和国;ブラジル.[Federative Republic of Brazil ; Brazil]

【巴西石油】Bāxī Shíyóu ペトロレオ・ブラジレイロ;ペトロブラス. ❖ブラジルの国営石油会社.[Petróleo Brasileiro ; Petrobras]

【巴西银行】Bāxī Yínháng ブラジル銀行. ❖ブラジルの銀行.[Banco do Brasil]

【巴伊亚州的萨尔瓦多历史中心】Bāyīyà Zhōu de Sà'ěrwǎduō Lìshǐ Zhōngxīn サルヴァドール・デ・バイア歴史地区. ◉世界文化遺産(ブラジル).[Historic Centre of Salvador de Bahia]

【巴以谈判】Bā Yǐ tánpàn パレスチナ和平交渉.

《八英里》Bāyīnglǐ 「8Mile〈エイトマイル〉」. ❖アメリカ映画のタイトル.[8Mile]

【八纵八横】Bā Zòng Bā Héng 「八縦八横」. ❖重点的に敷設改良を行う主要鉄道網.第10次5ヵ年計画(2001－2005年)における鉄道の建設,整備に関するスローガン.南北間(縦),東西間(横)各8ルート.

bá

【拔尖人才】bájiān réncái 優秀な人材.

bǎ

【把马子】bǎ mǎzi ナンパする.
【把脉】bǎmài ①脈をとる.②調査・分析し,対策を立てる.

bà

【罢工】bàgōng ストライキ(をする);スト.[strike]

《霸王别姬》Bàwáng Biéjī 「さらば,わが愛 覇王別姫〈はおうべっき〉」. ❖香港映画のタイトル.[Farewell To My Concubine]

【霸型】bàxíng 巨大(な);大型(の).

bái

【白百破三联疫苗】báibǎipò sānlián yīmiáo 3種混合ワクチン;DPT. ❖ジフテリア,百日咳,破傷風の混合ワクチンのこと.[DPT vaccine]

【白板】báibǎn ホワイトボード.[whiteboard]

【白板笔】báibǎnbǐ ホワイトボード用ペン;ホワイトボード用マーカー.[whiteboard marker]

【白板擦】báibǎncā ホワイトボード消し;ホワイトボード用イレーザー.[whiteboard eraser]

【白川乡和五个山历史村落】Báichuān

Xiāng hé Wǔgéshān Lìshǐ Cūnluò 白川郷,五箇山の合掌造り集落.●世界文化遺産(日本).[Historic Villages of Shirakawa-go and Gokayama]

【白洞】báidòng ホワイトホール.❖宇宙のブラックホールと反対の性質をもつもの.理論上の存在.[white hole]

【白俄罗斯共和国】Bái'éluósī Gònghéguó ベラルーシ共和国;ベラルーシ.[Republic of Belarus;Belarus]

【白福尔】Bái Fú'ěr フォルブランシュ.❖白ぶどう品種,またそのぶどうで作られた蒸留酒.[Folle Blanche]

【白骨精】Báigǔjīng ①「白骨精」.②(báigǔjīng)エリートビジネスパーソン.❖①「西遊記」に登場する女の妖怪の名.②"白领 báilǐng"(ホワイトカラー),"骨干 gǔgàn"(中堅),"精英 jīngyīng"(エリート)から.[②business elite]

【白金卡】báijīnkǎ プラチナカード.❖クレジットカードの種類の1つ.[Platinum Card]

【白金五星级】báijīn wǔxīngjí プラチナ5つ星.❖北京市で2004年,5つ星の上に新たに設定された最上級のホテルの格付け.

【白领】báilǐng ホワイトカラー.[white-collar]

【白领犯罪】báilǐng fànzuì ホワイトカラー犯罪.❖詐欺,背任,横領など.[white-collar crime]

【白领工人】báilǐng gōngrén ホワイトカラー.[white-collar worker]

【白领丽人】báilǐng lìrén〔美しい〕ワーキングガール.[working girl]

【白露】báilù〔二十四節気の〕白露〈はくろ〉.

【白马骑士】báimǎ qíshì ホワイトナイト.❖金融用語."白衣骑士 báiyī qíshì"とも.[white knight]

【白马王子】báimǎ wángzǐ 白馬の王子様;理想の男性.[prince charming]

【白马威士忌】Báimǎ Wēishìjì ホワイトホース.❖ホワイトホース・ディスティラーズ(英)製のウイスキー名.[White Horse]

【白品乐】Bái Pǐnlè ピノブラン.❖白ぶどう品種,またそのぶどうで作られた白ワイン.[Pinot Blanc]

【白色家电】báisè jiādiàn 白物家電.

【白色农业】báisè nóngyè「白色農業」;微生物農業;微生物応用農業.❖自然農法の1種.微生物を利用したハイテク農業.

【白色收入】báisè shōurù 正当な収入.

【白色污染】báisè wūrǎn 発泡スチロール製容器やビニール袋による汚染.

《白蛇传》Báishé Zhuàn「白蛇伝」.❖京劇の演目の1つ,また日本アニメのタイトル.

【白麝香】Bái Shèxiāng ミュスカブラン.❖白ぶどう品種.[Muscat Blanc]

【白神山地】Báishén Shāndì 白神山地.●世界自然遺産(日本).[Shirakami-Sanchi]

【白诗南】Bái Shīnán シュナンブラン.❖白ぶどう品種,またそのぶどうで作られた白ワイン.[Chenin Blanc]

【白天鹅宾馆】Báitiān'é Bīnguǎn 白天鵝〈はくてんが〉賓館;広州ホワイトスワンホテル.❖中国・広東省にあるホテル.[White Swan Hotel]

《白雪公主》Báixuě Gōngzhǔ「白雪姫」.❖グリム童話(独)の1つ.[Snow White]

【白页】báiyè 公共機関電話番号ページ.❖電話帳やサイトで提供される電話番号の一覧.

【白衣骑士】báiyī qíshì ホワイトナイト.❖金融用語."白马骑士 báimǎ qíshì"とも.[white knight]

【白玉霓】Bái Yùní ユニブラン.❖白ぶどう品種.[Ugni Blanc]

bǎi

【百达翡丽】Bǎidá Fěilì パテック・フィリッ

bǎi — bài

ブ．❖スイスの時計メーカー．[Patek Philippe]

【百代唱片】Bǎidài Chàngpiàn EMI．❖イギリスのレコード会社．[EMI]

【百分点】bǎifēndiǎn ポイント．❖指数を示す単位．[percentage ; point]

【百合海鸥】Bǎihé Hǎi'ōu ゆりかもめ．❖東京の臨海副都心を走る新交通システム．正式名称は「東京臨海新交通臨海線」．

【百花奖】BǎihuāJiǎng 百花賞．❖中国の映画賞．[Hundred Flowers Awards]

【百家得】Bǎijiādé バカルディ．❖英領バミューダのリキュールメーカー，また同社製の酒．"百加得 Bǎijiādé"とも．[Bacardi]

【百老汇】Bǎilǎohuì ブロードウェイ．❖アメリカ・ニューヨーク市にある劇場街．[Broadway]

【百乐】Bǎilè ①パイロット．②バカラ．❖①日本の筆記具メーカー．②フランスのクリスタルメーカー．[①Pilot ②Baccarat]

【百乐满】Bǎilèmǎn パロマ．❖日本のガス器具メーカー．[Paloma]

【百乐门】Bǎilèmén パーラメント．❖フィリップモリス(アルトリア・グループ傘下)製のタバコ．[Parliament]

【百利】Bǎilì バリー．❖スイスのファッションブランド．[Bally]

【百力滋】Bǎilìzī プリッツ．❖グリコ(日本)製の菓子．[PRETZ]

【百龄坛威士忌】Bǎilíngtán Wēishìjì バランタイン・ウイスキー．❖ジョージ・バランタイン ＆ サン(アライド・ドメック傘下)製のウイスキー名．[Ballantine Whisky]

【百慕大群岛上的圣乔治镇及相关的要塞】Bǎimùdà Qúndǎoshang de Shèngqiáozhī Zhèn jí Xiāngguān de Yàosài バミューダ島の古都セント・ジョージと関連要塞群．◉世界文化遺産(イギリス)．[Historic Town of St George and Related Fortifications, Bermuda]

【百年老店】bǎinián lǎodiàn 老舗．

【百年灵】Bǎiniánlíng ブライトリング．❖スイスの時計メーカー．[Breitling]

【百帕】bǎipà ヘクトパスカル．❖気圧を表す単位．記号：hPa．[hectopascal]

【百奇】Bǎiqí ポッキー．❖グリコ(日本)製の菓子．[Pocky]

【百盛购物中心】Bǎishèng Gòuwù Zhōngxīn 百盛百貨店；パークソン．❖マレーシア系の百貨店．[Parkson]

【百时美施贵宝】Bǎishí Měi Shīguìbǎo ブリストル・マイヤーズ・スクイブ．❖アメリカの医薬品メーカー．[Bristol-Myers Squibb]

【百事公司】Bǎishì Gōngsī ペプシコ．❖アメリカの飲料メーカー．[PepsiCo]

【百事吉】Bǎishìjí ビスキー．❖フランスのブランデーメーカー，また同社製のコニャック．[Bisquit]

【百事可乐】Bǎishì Kělè ペプシコーラ．❖ペプシコ(米)製の飲料．[Pepsi]

【百思买】Bǎisīmǎi ベストバイ．❖アメリカの家電小売チェーン．[Best Buy]

【百威啤酒】Bǎiwēi Píjiǔ バドワイザー．❖アンハイザー・ブッシュ(米)製ビールのブランド．[Budweiser]

【百元商店】bǎiyuán shāngdiàn 〔日本の〕100円ショップ．

【柏悦酒店】Bǎiyuè Jiǔdiàn パーク・ハイアット．❖ハイアット・ホテルズ・アンド・リゾーツ(米)チェーンのホテルブランド．[Park Hyatt]

【百褶裙】bǎizhěqún プリーツスカート．[pleated skirt]

bài

【拜把兄弟】bàibǎ xiōngdì 〔他人同士が約束を結んだ〕義兄弟；兄弟分．

【拜耳】Bài'ěr バイエル．❖ドイツの医薬品メーカー．[Bayer]

【拜仁・慕尼黑队】Bàirén Mùníhēiduì バイ

エルン・ミュンヘン．❖ドイツのサッカーチーム．[FC Beyern München]

bān

【班霸】bānbà〔特定の分野や業界での〕トップ；有力者．[top；top dog]

【班贝格城】Bānbèigéchéng バンベルクの町．●世界文化遺産(ドイツ)．[Town of Bamberg]

【班吉】Bānjí バンギ．❖中央アフリカの首都．[Bangui]

【搬家公司】bānjiā gōngsī 引っ越し運送会社；引っ越し業者．

【班加罗尔】Bānjiāluó'ěr バンガロール．❖インドの都市名．インドのシリコンバレーと呼ばれている．[Bangalore]

【班轮条件】bānlún tiáojiàn バースターム．❖"船方负担装卸费 chuánfāng fùdān zhuāngxièfèi"とも．[berth term]

【斑马】Bānmǎ ゼブラ．❖日本の文房具メーカー．[Zebra]

【斑马线】bānmǎxiàn 横断歩道．[zebra crossing]

【班尼路】Bānnílù バレノ．❖香港のカジュアルウェアチェーン．[Baleno]

【搬迁户】bānqiānhù 立ち退き世帯．

【班清阿考古遗址】Bān Qīng'ā Kǎogǔ Yízhǐ バン・チアン遺跡．●世界文化遺産(タイ)．[Ban Chiang Archaeological Site]

【班斯卡·什佳夫尼察】Bānsīkǎ Shíjiāfūníchá バンスカー・シュティアヴニツァ．●世界文化遺産(スロバキア)．[Banská Štiavnica]

【班珠尔】Bānzhū'ěr バンジュール．❖ガンビアの首都．[Banjul]

【斑竹】bānzhú〔俗に〕ウェブマスター；サイトの管理人；BBSの管理人．❖IT用語．[webmaster]

bǎn

【版本】bǎnběn バージョン．[version]

【板凳】bǎndèng ①〔背もたれのない〕長椅子；ベンチ．②控えの(選手)；ベンチの(選手)．[①bench；couch]

【阪急国际大饭店】Bǎnjí Guójì Dàfàndiàn ホテル阪急インターナショナル．❖日本・大阪にあるホテル．[Hotel Hankyu International]

【板块】bǎnkuài ①〔地球の〕プレート．②分野；ジャンル；セクター．❖①地球の表面を覆う岩石層．[①plate ②genre；sector]

【版权】bǎnquán コピーライト；著作権．[copyright]

【版权法】bǎnquánfǎ「版権法」；著作権法．

【版权贸易】bǎnquán màoyì 著作権取引；著作権貿易；著作権ビジネス．

【版权所有】bǎnquán suǒyǒu 著作権所有．[copyright reserved]

【板儿寸】bǎnrcùn 丸刈り；坊主頭．

【版税率】bǎnshuìlǜ 印税率；著作権使用料率．

【板条箱】bǎntiáoxiāng 透かし箱；クレート．[crate]

【版主】bǎnzhǔ ウェブマスター；サイトの管理人；BBSの管理人．❖IT用語．[webmaster]

bàn

【半场休息】bànchǎng xiūxi ハーフタイム．❖"中场休息 zhōngchǎng xiūxi"とも．[halftime]

【半成品】bànchéngpǐn 仕掛り品；仕掛品〈しかけひん〉．❖"半制品 bànzhìpǐn""在制品 zàizhìpǐn"とも．

【半岛东方航运】Bàndǎo Dōngfāng Hángyùn ペニンシュラ・アンド・オリエンタル；P&O．❖イギリスの海運会社．[Peninsu-

bàn — bāo

lar&Oriental Steam Navigation]

【半島酒店】Bàndǎo Jiǔdiàn ザ・ペニンシュラ．❖香港にあるホテル．[The Peninsula]

【半導体光開関】bàndǎotǐ guāngkāiguān 半導体光スイッチ．❖IT用語．

【办公楼】bàngōnglóu オフィスビル；〔工場の〕管理棟．[office building]

【办公室设备】bàngōngshì shèbèi 事務用品；オフィス用品．

【办公守则】bàngōng shǒuzé 就業規則；服務規則．

【办公用品仓储商店】Bàngōng Yòngpǐn Cāngchǔ Shāngdiàn オフィス・デポ．❖アメリカのオフィス用品店．[Office Depot]

【办公桌】bàngōngzhuō 事務机；デスク．[office desk]

【办公自动化】bàngōng zìdònghuà オフィスオートメーション；OA．[office automation；OA]

【办公自动化系统】bàngōng zìdònghuà xìtǒng オフィス・オートメーション・システム．[office automation system]

【半官方贸易】bànguānfāng màoyì 半官半民による貿易．

【扮酷】bànkù クールに振る舞う．

【半拉子工程】bànlǎzi gōngchéng 未完成のまま放置された工事；未完成の工事．

【扮靓】bànliàng ①〔化粧や服装で〕美しくなる；きれいにする．②〔街並みや建物や部屋などを〕飾り付ける；美しく整える．

《半生缘》Bànshēngyuán 「半生縁」．❖香港映画のタイトル．

【半脱产】bàn tuōchǎn 〔研修や学習のため〕一部職務を休むこと．

【半制品】bànzhìpǐn 仕掛け品；仕掛品〈しかけひん〉．❖"半成品 bànchéngpǐn""在制品 zàizhìpǐn"とも．

bāng

【帮宝适】Bāngbǎoshì パンパース．❖P&G（米）のベビー用品のブランド．[Pampers]

【邦迪】Bāngdí バンドエイド．❖ジョンソン・エンド・ジョンソン（米）製の救急ばんそうこう名．[Band-Aid]

【帮夫】bāngfū 夫の運を良くする妻；あげまん．

【帮扶】bāngfú サポート（する）；支援（する）．[support]

【邦贾加拉悬崖(多贡族地域)】Bāngjiǎjiālā Xuányá (Duōgòngzú Dìyù) バンディアガラの断崖（ドゴン人の地）．●世界自然および文化遺産（マリ）．[Cliff of Bandiagara (Land of the Dogons)]

【帮困】bāngkùn 経済的に困難な者に対する援助．

【帮助】bāngzhù ①助ける．②〔コンピューターの〕ヘルプ．❖②IT用語．[help]

bǎng

【绑架】bǎngjià 誘拐（する）；拉致（する）．

【绑架勒索案】bǎngjià lèsuǒ'àn 誘拐身代金要求事件．

【膀爷】bǎngyé 〔暑さのため〕上半身裸の男性．❖猛暑の時期，街頭で見られる上半身裸の男性．

bàng

【傍大款】bàng dàkuǎn ①金持ちに取り入る．②金持ちの愛人（になる）．③金持ちを頼って生活する．

【棒针毛衫】bàngzhēn máoshān 〔棒針編みの〕手編みセーター．

bāo

【煲电话粥】bāo diànhuàzhōu 長電話をする．

【包二奶】bāo èrnǎi 女を囲う．

bāo — bǎo

【包房】bāofáng ①〔ホテル,カラオケなどの部屋を〕貸し切る(こと).②個室.

【包扶】bāofú〔主として〕貧困農村部の支援.❖支援活動を請け負うこと.

【包干制】bāogānzhì 請負制.

【包机】bāojī チャーター機.[chartered plane]

【包价旅游】bāojià lǚyóu パッケージツアー；パック旅行.❖"包办旅游 bāobàn lǚyóu""全程包价旅游 quánchéng bāojià lǚyóu"とも.[package tour]

【煲呔曾】Bāotāi Zēng ボータイの曽；蝶ネクタイの曽；曽蔭権（そういんけん）；ドナルド・ツァン.❖香港特別行政区第2代行政長官である"曽蔭权 Zēng Yīnquán"のニックネーム,常に蝶ネクタイをしていることから.[Bow-Tied Tsang；Donald Tsang Yam Kuen]

【包厢】bāoxiāng 個室.

【包销】bāoxiāo ①一手販売；特約販売.②引受.❖②金融用語.

【包销合同】bāoxiāo hétong ①独占販売契約.②引受契約.❖②金融用語.

【包销人】bāoxiāorén ①販売を請け負う人；一手販売をする人.②保険業者；引受業者；アンダーライター.❖②金融用語.[②underwriter]

【包养】bāoyǎng ①面倒を見る；丸抱えする.②愛人を囲う.

【包装】bāozhuāng ①包装(する)；梱包(する)；パッケージ.②うわべを取り繕う；体裁を整える；イメージ作り(をする).[①package]

【包装单】bāozhuāngdān パッキングリスト.[packing list]

【包装软件】bāozhuāng ruǎnjiàn 市販ソフト；パッケージソフト.❖IT用語.[package soft]

bǎo

【保安】bǎo'ān 保安；警備セキュリティー.

【保安服务公司】bǎo'ān fúwù gōngsī 警備保障会社；警備会社.

【保本点】bǎoběndiǎn 損益分岐点.❖"损益平衡点 sǔnyì pínghéngdiǎn"とも.

【保本基金】bǎoběn jījīn 元金保証ファンド.❖金融用語.

《保镖》Bǎobiāo「ボディガード」.❖アメリカ映画のタイトル.[The Bodyguard]

【保诚保险】Bǎochéng Bǎoxiǎn プルデンシャル.❖イギリスの保険会社.[Prudential]

【保持低温】bǎochí dīwēn 低温保持.

【保持干燥】bǎochí gānzào 水濡れ注意.

【保存】bǎocún ①保存(する)；保つ；維持(する)；残す.②〔コンピューターで〕保存(する)；セーブ(する).❖②IT用語.[②save]

【保兑信用证】bǎoduì xìnyòngzhèng 確認信用状；コンファームドL/C.[confirmed L/C]

【保兑银行】bǎoduì yínháng〔信用状の〕確認銀行.

【宝儿】Bǎo'ér BoA〈ボア〉.❖韓国の歌手.[BoA]

【宝格丽】Bǎogélì ブルガリ.❖イタリアの宝飾品ブランド."宝嘉莉 Bǎojiālì"とも.[Bvlgari]

【保管】bǎoguǎn ①保管(する).②保護預かり.

【保管人】bǎoguǎnrén カストディアン.❖金融用語.機関投資家の代理人や専門機関のこと."保管机构 bǎoguǎn jīgòu""托管机构 tuōguǎn jīgòu"とも.[custodian]

【保管业务】bǎoguǎn yèwù カストディ業務.❖金融用語.有価証券などの保護預かり業務のこと.[custodian]

【保函】bǎohán 保証状；L/G.[L/G]

【保户】bǎohù 被保険者.❖"被保险人 bèibǎoxiǎnrén"とも.

bǎo

【保护】bǎohù ①守る；保護(する). ②[コンピューターで]プロテクト(する). ❖②IT用語.[protect]

《保护臭氧层维也纳公约》Bǎohù Chòuyǎngcéng Wéiyěnà Gōngyuē「オゾン層の保護のためのウィーン条約」. ❖1985年に採択された条約.[Vienna Convention for the Protection of the Ozone Layer]

【保护关税】bǎohù guānshuì 保護関税.[protective duties]

【保护性关税】bǎohùxìng guānshuì 保護的関税.

【保护主义】bǎohù zhǔyì 保護主義；保護主義政策.[protectionism]

【宝玑】Bǎojī ブレゲ. ❖スイスの時計メーカー.[Breguet]

【宝嘉莉】Bǎojiālì ブルガリ. ❖イタリアの宝飾品ブランド."宝格丽 Bǎogélì"とも.[Bvlgari]

【保加利亚共和国】Bǎojiālìyà Gònghéguó ブルガリア共和国；ブルガリア.[Republic of Bulgaria；Bulgaria]

【保驾护航】bǎojià hùháng ①護送する；護る. ②後方支援(する)；バックアップ(する).[②back；backup]

【保健按摩】bǎojiàn ànmó 健康マッサージ.[therapeutic massage]

【保健操】bǎojiàncāo 健康体操.

【保健食品】bǎojiàn shípǐn 健康食品. ❖中国衛生部の「保健食品管理弁法」(1996年制定)で品質が保証された食品.

【保洁】bǎojié ①清掃(する). ②ハウスクリーニング(する).[②housecleaning]

【宝洁】Bǎojié プロクター・アンド・ギャンブル；P&G. ❖アメリカの日用品メーカー.[Procter&Gamble；P&G]

【宝矿力水特】Bǎokuànglì Shuǐtè ポカリスエット. ❖大塚製薬(日本)製の飲料名.[Pocari Sweat]

【宝来】Bǎolái ボーラ. ❖フォルクスワーゲン(独)製の車名.[Bora]

【宝丽来】Bǎolìlái ポラロイド. ❖アメリカのカメラメーカー,また同社製のカメラ.[Polaroid]

【宝丽龙】bǎolìlóng 発泡ポリスチレン；EPS；発泡スチロール.[expandable polystyrene；EPS]

【保利(香港)投资】Bǎolì (Xiānggǎng) Tóuzī 保利(香港)投资；ポリー(ホンコン)インベストメント. ❖運輸,不動産投資を主とした複合企業.レッドチップ企業の１つ.[Poly(Hong Kong) Investments]

【保龄球】bǎolíngqiú ボウリング；ボーリング.[bowling]

【保留】bǎoliú 保留；ペンディング.[pending]

【宝路】Bǎolù ポロ；POLO. ❖ネスレ(スイス)製のキャンディー名.[POLO]

【保罗・麦卡尼】Bǎoluó Màikǎní ポール・マッカートニー. ❖イギリス出身のミュージシャン.[Paul McCartney]

【保罗・纽曼】Bǎoluó Niǔmàn ポール・ニューマン. ❖アメリカ出身の男優.[Paul Newman]

【宝马】Bǎomǎ BMW. ❖ドイツの自動車メーカー.[Bayerische Motoren Werke；BMW]

【宝珀】Bǎopò ブランパン. ❖スイスの時計メーカー(スウォッチグループ傘下),ブランド."勃朗派埃 Bólǎngpài'āi"とも.[Blancpain]

【堡狮龙】Bǎoshīlóng ボッシーニ. ❖香港のカジュアルウェアチェーン.[Bossini]

【保湿面霜】bǎoshī miànshuāng 保湿クリーム；モイスチャークリーム.[moisturizer]

【保湿霜】bǎoshīshuāng 保湿クリーム；モイスチャークリーム.[moisturizer]

【保时捷】Bǎoshíjié ポルシェ. ❖ドイツの自動車メーカー,また同社製の自動車.[Porsche]

【保税仓库】bǎoshuì cāngkù 保税倉庫.

【保税区】bǎoshuìqū 保税区. ❖優遇措置

のある経済貿易区域.

【保送生】bǎosòngshēng 推薦入学の学生；推薦入学の生徒.

【保鲜产品】bǎoxiān chǎnpǐn 鮮度保持された商品. ❖鮮度保持加工を施したり，鮮度保持輸送システムを利用して供給される生鮮食品や切り花などを指す.

【保鲜膜】bǎoxiānmó 食品包装ラップフィルム；ラップ.[food wrap film]

【保险费加运费付至】bǎoxiǎnfèi jiā yùnfèi fùzhì 運賃保険料込；CIF. ❖インコタームズ2000.[cost, insurance and freight；CIF]

【保险费率】bǎoxiǎn fèilǜ 保険料率. ❖略称は"费率 fèilǜ".

【保险精算师】bǎoxiǎn jīngsuànshī アクチュアリー. ❖金融用語."保险统计人员 bǎoxiǎn tǒngjì rényuán"とも.[actuary]

【保险库存】bǎoxiǎn kùcún 安全在庫.

【保险凭证】bǎoxiǎn píngzhèng 保険証書.

【保险人】bǎoxiǎnrén 保険業者；引受業者；アンダーライター.[underwriter]

【保险商】bǎoxiǎnshāng アンダーライター. ❖金融用語.[underwriter]

【保险统计人员】bǎoxiǎn tǒngjì rényuán アクチュアリー. ❖金融用語."保险精算师 bǎoxiǎn jīngsuànshī"とも.[actuary]

【保证金】bǎozhèngjīn デポジット；保証金；証拠金.[deposit]

【保证金催缴通知】bǎozhèngjīn cuījiǎo tōngzhī 証拠金請求. ❖金融用語.[margin call]

【保证金交易】bǎozhèngjīn jiāoyì 証拠金取引；保証金取引. ❖金融用語.

【保证金账户】bǎozhèngjīn zhànghù 保証金口座. ❖金融用語.中国でB株取引する際に証券会社にて開設する外貨資金口座.

【保值】bǎozhí ①価値を維持する(こと)；利率を保証する(こと).②リスクヘッジ. ❖②金融用語.[②risk hedge]

【保值储蓄】bǎozhí chǔxù 物価スライド預金. ❖金融用語.

【保质期】bǎozhìqī 品質保証期限；品質保証期間.

bào

【爆炒】bàochǎo ①過激な投機的売買をする．②過激な報道や宣伝活動を繰り返し行う．

【曝丑】bàochǒu 欠点や失敗を暴く；公表する.[disclose]

【暴跌】bàodiē 暴落(する).

【暴发户】bàofāhù 成金.

【报复陷害罪】bàofù xiànhàizuì 報復目的で相手を陥れた罪. ❖中国の罪状名.

【报复性关税】bàofùxìng guānshuì 報復関税.

【报关】bàoguān 通関手続(をする)；税関申告(をする).

【报关员】bàoguānyuán 通関士.

【曝光】bàoguāng ①感光する．②明るみに出る；暴露される．

【报价】bàojià オファー(する). ❖"报盘 bàopán""发价 fājià""发盘 fāpán"とも.[offer]

【报价单】bàojiàdān 見積書；オファーシート.[offer sheet]

【爆冷】bàolěng 番狂わせ；番狂わせがおこる；予想外の結果が出る．

【爆冷门】bàolěngmén 番狂わせ；予想外の結果．

【暴力片】bàolìpiàn 暴力映画；バイオレンス映画.[blood and thunder]

【报盘】bàopán オファー(する). ❖"报价 bàojià""发价 fājià""发盘 fāpán"とも.[offer]

【爆棚】bàopéng ①〔人が〕どっと押し寄せる；〔劇場や会場から〕人があふれる．②センセーショナル(な).[②sensational]

【暴食症】bàoshízhèng 過食症. ❖"贪食

bào — běi

症 tānshízhèng"とも.[bulimia]

【报事贴】Bàoshìtiē ポストイット；Post-it．❖3M(米)製の再剝離式付箋〈さいはくりしきふせん〉紙名．[Post-it]

【暴投】bàotóu〔野球などの〕暴投；ワイルドピッチ．[wild pitch]

【暴雪娱乐】Bàoxuě Yúlè ブリザードエンターテインメント．❖アメリカのゲームソフトメーカー．[Blizzard Entertainment]

bēi

【卑尔根市的布吕根地区】Bēi'ěrgēn Shì de Bùlǔgēn Dìqū ブリッゲン．◉世界文化遺産(ノルウェー).[Bryggen]

【背黑锅】bēi hēiguō 無実の罪を負う．

《悲情城市》Bēiqíng Chéngshì「悲情城市」．❖台湾映画のタイトル.[A City of Sadness]

【杯赛】bēisài〔スポーツなどの〕～杯；～カップ.[Cup]

běi

【北奥塞梯共和国】Běi'àosàitī Gònghéguó 北オセチア・アラニヤ共和国；北オセチア．❖ロシア連邦の構成国の１つ.[Republic of North Ossetia–Alania；North Ossetia]

【北达科他州】Běidákētā Zhōu ノースダコタ州．❖アメリカの州名.[North Dakota]

【北大西洋公约组织】Běidàxīyáng Gōngyuē Zǔzhī 北大西洋条約機構；NATO〈ナトー〉．❖略称は"北约 Běiyuē".[North Atlantic Treaty Organization；NATO]

【北电网络】Běidiàn Wǎngluò ノーテル・ネットワークス．❖カナダの通信関連企業.[Nortel Networks]

【北斗一号】Běidǒu Yīhào「北斗一号」．❖中国のGPS衛星．

【北海道】Běihǎi Dào 北海道〈ほっかいどう〉．❖日本の都道府県の１つ．道庁所在地は札幌〈さっぽろ〉市("札幌市 Zháhuǎng Shì")．

【北海道国际航空】Běihǎidào Guójì Hángkōng 北海道国際航空； Air Do〈エアドゥ〉．❖日本の航空会社．コード：HD．[Hokkaido International Airlines；AIR DO]

【北京奥运】Běijīng Àoyùn 北京オリンピック．❖第29回夏季オリンピック北京大会.2008年開催.[Beijing Olympics；Beijing Olympic Game]

【北京动物园】Běijīng Dòngwùyuán 北京動物園．❖中国・北京,西城区にある動物園.[Beijing Zoo]

【北京发展(香港)】Běijīng Fāzhǎn (Xiānggǎng) 北京発展(香港)；ペイジン・デベロプメント(ホンコン)．❖不動産投資・IT関連会社.レッドチップ企業の１つ.[Beijing Development(Hong Kong)]

【北京饭店】Běijīng Fàndiàn 北京飯店．❖中国・北京にあるホテル.[Beijing Hotel]

【北京港澳中心瑞士酒店】Běijīng Gǎng Ào Zhōngxīn Ruìshì Jiǔdiàn 北京スイスホテル・香港マカオセンター；スイソテル．❖中国・北京にあるホテル.[Swissotel Beijing Hong Kong Macao Center]

【北京贵宾楼饭店】Běijīng Guìbīnlóu Fàndiàn グランドホテル・ペキン；北京貴賓楼飯店．❖中国・北京にあるホテル.[Grand Hotel Beijing]

【北京国际饭店】Běijīng Guójì Fàndiàn 北京国際飯店．❖中国・北京にあるホテル．[Beijing International Hotel]

【北京国际艺苑皇冠假日饭店】Běijīng Guójì Yìyuàn Huángguān Jiàrì Fàndiàn クラウンプラザ北京．❖中国・北京にあるホテル.[Crowne Plaza Beijing]

【北京华侨大厦】Běijīng Huáqiáo Dàshà プライムホテル；北京華僑大厦．❖中国・北京にあるホテル.[Prime Hotel Beijing]

【北京皇家祭坛–天坛】Běijīng Huángjiā Jìtán Tiāntán 天壇：北京の皇帝の廟壇．●世界文化遺産(中国)．[Temple of Heaven: an Imperial Sacrificial Altar in Beijing]

【北京皇家园林-颐和园】Běijīng Huángjiā Yuánlín Yíhéyuán 頤和園〈いわえん〉－北京の皇帝の庭園．●世界文化遺産(中国)．[Summer Palace, an Imperial Garden in Beijing]

【北京凯宾斯基饭店】Běijīng Kǎibīnsījī Fàndiàn ケンピンスキーホテル北京．❖中国・北京にあるホテル．[Kempinski Hotel Beijing Lufthansa Center]

【北京控股】Běijīng Kònggǔ 北京控股；ペイジン・エンタープライズ　ホールディングス．❖不動産投資，日用品製造を主とする複合企業．レッドチップ企業の１つ．[Beijing Enterprises Holdings]

【北京汽车】Běijīng Qìchē 北京汽車．❖中国の自動車メーカー．[Beijing Automotive Industry]

【北京市】Běijīng Shì 北京〈ぺきん〉市．❖中国の首都．直轄市の１つ．略称は"京 Jīng"．[Beijing]

【北京首都国际机场】Běijīng Shǒudū Guójì Jīchǎng 北京首都国際空港．❖中国・北京にある空港．[Beijing Capital International Airport]

【北京喜来登长城饭店】Běijīng Xǐláidēng Chángchéng Fàndiàn グレートウォールシェラトンホテル．❖中国・北京にあるホテル．[Great Wall Sheraton Hotel]

【北京新世纪日航饭店】Běijīng Xīnshìjì Rìháng Fàndiàn ホテル・ニッコー新世紀北京．❖中国・北京にあるホテル．[Hotel Nikko New Century Beijing]

【北卡罗来纳州】Běikǎluóláinà Zhōu ノースカロライナ州．❖アメリカの州名．[North Carolina]

《北美自由贸易协定》Běiměi Zìyóu Màoyì Xiédìng「北米自由貿易協定」；ナフタ；NAFTA．[North American Free Trade Agreement; NAFTA]

【北欧航空】Běi'ōu Hángkōng スカンジナビア航空．❖デンマーク，ノルウェー，スウェーデンの３か国が共同設立した航空会社．ベース空港はコペンハーゲン(デンマーク)．コード：SK．[Scandinavian Airlines]

【北欧两项】Běi'ōu liǎngxiàng ノルディック複合．[Nordic combined]

【北欧投资银行】Běi'ōu Tóuzī Yínháng 北欧投資銀行．[Nordic Investment Bank]

【北约】Běiyuē 北大西洋条約機構；NATO〈ナトー〉．❖"北大西洋公约组织 Běidàxīyáng Gōngyuē Zǔzhī"の略．[North Atlantic Treaty Organization; NATO]

bèi

【被保险人】bèibǎoxiǎnrén 被保険者．❖"保户 bǎohù"とも．

【备抵坏账】bèidǐ huàizhàng 貸倒引当金〈かしだおれひきあてきん〉．❖"坏账准备金 huàizhàng zhǔnbèijīn"とも．

【被动吸烟】bèidòng xīyān 受動喫煙．[passive smoking]

【贝尔格莱德】Bèi'ěrgéláidé ベオグラード．❖セルビア・モンテネグロの政府所在地．[Beograd]

【贝尔加拿大】Bèi'ěr Jiānádà ベルカナダ．❖カナダの通信会社．[Bell Canada]

【贝尔莫潘】Bèi'ěrmòpān ベルモパン．❖ベリーズの首都．[Belmopan]

【贝尔纳多·贝托鲁奇】Bèi'ěrnàduō Bèituōlǔqí ベルナルド・ベルトルッチ．❖イタリア出身の映画監督．[Bernardo Bertolucci]

【贝尔南方】Bèi'ěr Nánfāng ベルサウス．❖アメリカの通信会社．[Bell South]

【贝尔斯登】Bèi'ěr Sīdēng ベアー・スターンズ．❖アメリカの証券会社．[Bear Stearns]

【备份】bèifèn ①予備；スペア．②[データの]バックアップをとる．③バックアップし

bèi — bēn

たデータ．[①spare ②backup ③backup data]

【备份文件】bèifèn wénjiàn バックアップファイル．❖IT用語．[backup file]

【备货生产】bèihuò shēngchǎn 見込み生産．

【贝济埃曲线】Bèijǐ'āi qūxiàn ベジェ曲線．❖IT用語．[Bézier curve]

【贝加尔湖】Bèijiā'ěr Hú バイカル湖．◉世界自然遺産(ロシア)．[Lake Baikal]

【贝佳斯】Bèijiāsī ボルゲーゼ．❖アメリカの化粧品メーカー．[Borghese]

【背景音乐】bèijǐng yīnyuè バックグラウンドミュージック；BGM．[background music；BGM]

【备考】bèikǎo 試験勉強(をする)；受験勉強(をする)．

【贝克】Bèikè ベックス．❖ブルワリー・ベック(独)製のビール名．[Beck's]

【贝克汉姆】Bèikèhànmǔ [デビッド・]ベッカム．❖イングランドのサッカー選手．ニックネームは"小贝 Xiǎo Bèi"．[David Beckham]

【贝克・麦坚时国际律师事务所】Bèikè Màijiānshí Guójì Lǜshī Shìwùsuǒ ベーカー＆マッケンジー法律事務所．❖アメリカの法律事務所．[Baker&Mckenzie]

【贝克休斯】Bèikè Xiūsī ベーカー・ヒューズ．❖アメリカの石油会社．[Baker Hughes]

【背离】bèilí ギャップ．❖金融用語．株式市況と経済指標のギャップ．

【背离率】bèilílǜ 乖離率．❖金融用語．転換社債の時価とパリティ価額の差．

【贝林佐纳三城堡防卫墙和集镇要塞】Bèilínzuǒnà Sānchéngbǎo Fángwèiqiáng hé Jízhèn Yàosài ベリンツォーナ旧市街にある3つの城,城壁と要塞．◉世界文化遺産(スイス)．[Three Castles, Defensive Wall and Ramparts of the Market-town of Bellinzone]

【贝鲁特】Bèilǔtè ベイルート．❖レバノンの首都．[Beirut]

【贝纳通】Bèinàtōng ベネトン．❖イタリアのファッションメーカー,ブランド．[Benetton]

【倍耐力】Bèinàilì ピレリ．❖イタリアのタイヤ,ケーブルメーカー．[Pirelli]

【贝尼・哈迈德城堡】Bèiní Hāmàidé Chéngbǎo ベニ・ハンマド城塞．◉世界文化遺産(アルジェリア)．[Al Qal'a of Beni Hammad]

【贝宁共和国】Bèiníng Gònghéguó ベナン共和国；ベナン．[Republic of Benin；Benin]

【背书】bèishū 裏書〈うらがき〉．❖金融用語．

【～倍速】bèisù ～倍速．

【贝塔斯曼】Bèitǎsīmàn ベルテルスマン．❖ドイツのメディアグループ．[Bertelsmann]

【背投电视】bèitóu diànshì リアプロジェクションテレビ；プロジェクションテレビ；背面投射型テレビ．[rear-projection television；RPTV]

【背投式液晶显示器】bèitóushì yèjīng xiǎnshìqì バックライト式液晶ディスプレイ．

【备用信用证】bèiyòng xìnyòngzhèng スタンドバイ・クレジット．❖金融用語．[stand-by L/C]

【背照灯】bèizhàodēng バックライト．[backlight]

bēn

【奔驰】bēnchí ①[馬や車が]疾走〈しっそう〉する．②(Bēnchí)ベンツ．❖②ダイムラー・クライスラー(独)製の車名．[②Mercedes]

【奔腾】bēnténg ①勢いよく走る；勢いよく流れる．②(Bēnténg)ペンティアム．❖②インテル(米)製のMPUのシリーズ名．[②Pentium]

bēn — bǐ

《奔腾年代》Bēnténg Niándài「シービスケット」. ❖アメリカ映画のタイトル. [Seabiscuit]

běn

【本本族】běnběnzú ①運転免許証は取得したがマイカーを所持していない人. ②ペーパードライバー. ③資格取得者;有資格者.

【本机磁盘】běnjī cípán ローカルディスク. ❖IT用語. "本地磁盘 běndì cípán"とも. [local disk]

【本·拉登】Běn Lādēng〔オサマ·〕ビンラディン;〔ウサマ·〕ビンラディン. ❖イスラム原理主義組織「アルカイダ」の指導者. "本·拉丁 Běn Lādīng"とも. [Osama Bin Laden;Usama Bin Ladin]

【本·拉丁】Běn Lādīng〔オサマ·〕ビンラディン;〔ウサマ·〕ビンラディン. ❖イスラム原理主義組織「アルカイダ」の指導者. "本·拉登 Běn Lādēng"とも. [Osama Bin Laden;Usama Bin Ladin]

《本命年》Běnmìngnián「黒い雪の年」. ❖中国映画のタイトル. [Black Snow]

【本期利润】běnqī lìrùn 当期利益.

【本田】Běntián ホンダ. ❖本田技研工業(日本)のブランド. [Honda]

【本田技研工业】Běntián Jìyán Gōngyè 本田技研工業;HONDA. ❖日本の自動車メーカー. [Honda Motor;Honda]

【本土化经营】běntǔhuà jīngyíng 経営の現地化.

【本益比】běnyìbǐ 株価収益率;PER. ❖金融用語. "股价收益率 gǔjià shōuyìlǜ" "市盈率 shìyínglǜ"とも. [price earnings ratio;PER]

bèng

【蹦床】bèngchuáng トランポリン. [trampo-line]

【蹦迪】bèngdí ディスコで踊る;ディスコダンス(をする).

【蹦极】bèngjí ①バンジー;バンジージャンプ. ②急激に下がる(こと);大幅値下げ. [①bungee jumping]

【蹦极跳】bèngjítiào ①バンジージャンプ;バンジー. ②急激に下がる(こと);大幅値下げ. [①bungee jumping]

bí

【鼻贴】bítiē 鼻用パック.

bǐ

【比布鲁斯】Bǐbùlǔsī ビブロス. ●世界文化遺産(レバノン). [Byblos]

【彼得兔】Bǐdétù ピーターラビット. ❖イギリスの絵本に登場するキャラクター名. [Peter Rabbit]

【比尔·布拉斯】Bǐ'ěr Bùlāsī ビル·ブラス. ❖アメリカのファッションメーカー,ブランド. [Bill Blass]

【比尔·盖茨】Bǐ'ěr Gàicí ビル·ゲイツ. ❖マイクロソフト(米)の会長. [Bill Gates;William Henry Gates Ⅲ]

【比尔卡和霍夫加登】Bǐ'ěrkǎ hé Huòfūjiādēng ビルカとホーヴゴーデン. ●世界文化遺産(スウェーデン). [Birka and Hovgården]

【比尔森啤酒】bǐ'ěrsēn píjiǔ ピルス;ピルスナー. ❖ビールの種類. "比尔斯 bǐ'ěrsī" "清啤酒 qīngpíjiǔ"とも. [Pils;Pilsner]

【比尔斯】bǐ'ěrsī ピルス;ピルスナー. ❖ビールの種類. "比尔森啤酒 bǐ'ěrsēn píjiǔ" "清啤酒 qīngpíjiǔ"とも. [Pils;Pilsner]

【笔记本电脑】bǐjìběn diànnǎo ノート型パソコン;ノートパソコン. ❖IT用語. 持ち運びのできるものは, "便携式电脑 biànxiéshì diànnǎo"とも言う. [notebook com-

bǐ — bì

puter；book-size computer]

【比较广告】bǐjiào guǎnggào 比较広告．

【比较经济学】bǐjiào jīngjìxué 比較経済学．

【比较劣势】bǐjiào lièshì 比較劣位．❖貿易国間において，ある国がある製品の生産についてより非効率であるという，相対的な劣位性のこと．

【比较优势】bǐjiào yōushì 比較優位．❖貿易国間において，ある国がある製品をより効率よく生産できるという，相対的な優位性のこと．

【比勒陀利亚】Bǐlètuólìyà プレトリア．❖南アフリカの首都．[Pretoria]

【比例尺】bǐlìchǐ スケール；縮尺；比例尺．[scale]

【比利牛斯—珀杜山】Bǐlìniúsī Pòdù Shān ピレネー山脈ペルデュ山．●世界自然および文化遺産（フランス，スペイン）．[Pyrénées-Mont Perdu]

【比利时王国】Bǐlìshí Wángguó ベルギー王国；ベルギー．[Kingdom of Belgium；Belgium]

【比姆斯特尔迂田】Bǐmǔsītè'ěr Yūtián ベームステル干拓地．●世界文化遺産（オランダ）．[Droogmakerij de Beemster (Beemster Polder)]

【比尼亚莱斯山谷】Bǐníyàláisī Shāngǔ ビニャーレス渓谷．●世界文化遺産（キューバ）．[Viñales Valley]

【比拼】bǐpīn 対抗（する）；競争（する）．

【比萨大教堂广场】Bǐsà Dàjiàotáng Guǎngchǎng ピサのドゥオモ広場．●世界文化遺産（イタリア）．[Piazza del Duomo, Pisa]

【比赛结束】bǐsài jiéshù ①試合終了．②〔ラグビーで〕ノーサイド．[②no-side]

【比绍】Bǐshào ビサウ．❖ギニアビサウの首都．[Bissau]

【比什凯克】Bǐshíkǎikè ビシュケク．❖キルギスの首都．[Bishkek]

【俾斯麦】Bǐsīmài ビスマーク．❖アメリカ・ノースダコタ州都．[Bismarck]

【比索】Bǐsuǒ ペソ．❖アルゼンチン（コード：ARS），ウルグアイ（コード：UYU），キューバ（コード：CUP），コロンビア（コード：COP），チリ（コード：CLP），ドミニカ共和国（コード：DOP），フィリピン（コード：PHP），メキシコ（コード：MXN）の通貨単位．[peso]

【比特】bǐtè ビット．❖コンピューターの情報量を表す最小単位．記号：b．"位 wèi"とも．[bit]

【比特堡啤酒】Bǐtèbǎo Píjiǔ ビットブルガー．❖ビットブルガー（独）製のビール名．"碧特博格 Bìtèbógé"とも．[Bitburger]

【比翼双飞】Bǐyì Shuāngfēi レール・デュ・タン．❖ニナ・リッチ（仏）製のフレグランス名．[L'Air du Temps]

bì

【必爱歌】Bì'àigē BIGECHO；ビッグエコー．❖第一興商（日本）のカラオケ店名．[BIGECHO]

【毕博】Bìbó ベリングポイント．❖アメリカのコンサルティング会社．[BearingPoint]

【毕尔巴鄂·比斯开银行】Bì'ěrbā'è Bǐsīkāi Yínháng ビルバオ・ビスカヤ・アルヘンタリア銀行；BBVA．❖スペインの銀行．[Banco Bilbao Vizcaya Argentaria；BBVA]

【必富达金酒】Bìfùdá Jīnjiǔ ビーフイーター．❖ジェームズ・バロー（英）製のジン．[Beefeater]

【闭关政策】bìguān zhèngcè 鎖国政策．

【必和必拓】Bìhé Bìtuò BHPビリトン．❖オーストラリアの資源開発会社．[BHP Billiton]

【闭卷考试】bìjuàn kǎoshì 資料持ち込み不可の試験；クローズブック．[closed-book exam]

bì — biān

【壁龛战略】bìkān zhànlüè すきま戦略；ニッチ戦略．❖"空隙战略 kòngxì zhànlüè"とも．[niche strategy]

【碧莲】Bìlián シビリアン．❖日産(日本)製のマイクロバス名．[Civilian]

【秘鲁共和国】Bìlǔ Gònghéguó ペルー共和国；ペルー．[Republic of Peru；Peru]

【毕马威】Bìmǎwēi KPMG；クラインベルド・ピート・マーウィック・ゲーデラー．❖オランダの会計事務所．[KPMG]

【避难地图】bìnàn dìtú ハザードマップ．[hazard map]

【必能宝】Bìnéngbǎo ピツニーボウズ．❖アメリカの郵便事務機メーカー．[Pitney Bowes]

【碧欧泉】Bì'ōuquán ビオテルム．❖ロレアル(仏)の化粧品ブランド．[Biotherm]

【壁球场】bìqiúchǎng スカッシュコート．[squash court]

【碧柔】Bìróu ビオレ．❖花王(日本)のスキンケア用品ブランド．[Bioré]

【必胜客】Bìshèngkè ピザハット．❖ヤム・ブランズ(米)の宅配ピザチェーン．[Pizza Hut]

【币市】bìshì コイン市場．❖記念貨幣,古銭などのマーケット．

【避税】bìshuì 租税回避．

【避税港】bìshuìgǎng タックスヘイブン．❖"避税乐园 bìshuì lèyuán""避税天堂 bìshuì tiāntáng"とも．[tax haven]

【避税乐园】bìshuì lèyuán タックスヘイブン．❖"避税港 bìshuìgǎng""避税天堂 bìshuì tiāntáng"とも．[tax haven]

【避税天堂】bìshuì tiāntáng タックスヘイブン．❖"避税港 bìshuìgǎng""避税乐园 bìshuì lèyuán"とも．[tax haven]

【碧特博格】Bìtèbógé ビットブルガー．❖ビットブルガー(独)製のビール名．"比特堡啤酒 Bǐtèbǎo Píjiǔ"とも．[Bitburger]

【必需脂肪酸】bìxū zhīfángsuān 必須脂肪酸；EFA．[essential fatty acid；EFA]

《毕业生》Bìyèshēng 「卒業」．❖アメリカ映画のタイトル．[The Graduate]

【壁纸】bìzhǐ〔パソコンの〕壁紙．❖IT用語．[wall paper]

biān

【编程】biānchéng プログラミング(する)．❖IT用語．[programming]

【编程语言】biānchéng yǔyán プログラミング言語．❖IT用語．"程序设计语言 chéngxù shèjì yǔyán""程序语言 chéngxù yǔyán"とも．[programming language]

【边防证】biānfángzhèng「辺境管理区通行証」；国境地域通行証．❖"边境管理区通行证 biānjìngguǎnlǐqū tōngxíngzhèng"の略．

《蝙蝠侠》Biānfúxiá「バットマン」．❖アメリカ映画のタイトル．[Batman]

【编辑器】biānjíqì〔コンピューターの〕エディター；編集プログラム．❖IT用語．"编辑程序 biānjí chéngxù"とも．[editor]

【边际报酬】biānjì bàochou 限界収入．

【边境交货】biānjìng jiāohuò 国境持込渡〈こっきょうもちこみわたし〉．❖インコタームズ2000．[delivered at frontier；DAF]

【编码】biānmǎ エンコード；〔データを〕符号化する(こと)．❖IT用語．[encode]

【编译】biānyì コンパイル(する)．❖IT用語．[compile]

【编译程序】biānyì chéngxù コンパイラー．❖IT用語．"编译器 biānyìqì"とも．[compiler]

【编译器】biānyìqì コンパイラー．❖IT用語．"编译程序 biānyì chéngxù"とも．[compiler]

【边缘化】biānyuánhuà 人や物事の中心,主流の逆方向へいく；逆行する；非主流になる．

【边缘科学】biānyuán kēxué 学際科学．

biān — biāo

【边缘人】biānyuánrén ①社会の主流的な考え方からかけ離れている人．②社会の底辺にいる人．③マージナルマン；周辺人；境界人．❖②社会的地位が低く，非常に貧しく，社会の発展からおきざりにされている人々．一時帰休労働者，失業者，出稼ぎ農民などを指す．[③marginal man]

【边缘学科】biānyuán xuékē 学際学科．

biàn

【便当】biàndāng 弁当．

【便利店】biànlìdiàn コンビニエンスストア；コンビニ；CVS.[convenience store；CVS]

【变脸】biànliǎn ①開き直る；態度が豹変する．②〔川劇の〕変面．③様変わり(する)．❖②川(四川省)劇独自の技．瞬時に限取〈くまどり〉を変化させる．

《变脸》Biànliǎn「變臉〈へんめん〉 この櫂〈かい〉に手をそえて」．❖中国，香港映画のタイトル．[The King of Masks]

【辩论】biànlùn 討論；ディベート．[debate]

【便民服务】biànmín fúwù 市民サービス．

【变频空调】biànpín kōngtiáo インバーターエアコン．[inverter air conditioner]

【辩赛】biànsài ディベート大会；ディベート試合．[debate contest]

【辩手】biànshǒu ディベーター；スピーカー．[debater；speaker]

【辩诉交易】biànsù jiāoyì 司法取引．[plea bargaining]

【变位思考】biànwèi sīkǎo 相手の立場に立って考える(こと)；立場を変えて考える(こと)．

【变现】biànxiàn 〔資産，証券などを〕現金化(する)．

【变现价值】biànxiàn jiàzhí 正味実現可能価額．❖金融用語．販売価格から原価と販売にかかった経費を差し引いた金額．"可变现净值 kěbiànxiàn jìngzhí"とも．[net realizable value]

《变相怪杰》Biànxiàng Guàijié「マスク」．❖アメリカ映画のタイトル．[Mask]

【便携厕所】biànxié cèsuǒ 携帯トイレ．

【便携式电脑】biànxiéshì diànnǎo 携帯用パソコン；モバイルパソコン．❖IT用語．[portable computer；laptop；notebook computer]

【便携型】biànxiéxíng 携帯型(の)；ポータビリティー；モビリティー．❖"可携带性 kěxiédàixìng""携帯型 xiédàixíng"とも．[portability；mobility]

【变性】biànxìng ①変性；性質が変わる(こと)．②性転換．

【变性人】biànxìngrén 性転換者．[transsexual；transexual]

【变性术】biànxìngshù 性転換手術．[sex change operation]

【便衣警察】biànyī jǐngchá 私服警官．[plainclothesman]

【便衣刑事】biànyī xíngshì 私服刑事．[plainclothesman]

【变种】biànzhǒng 〔コンピューターウイルスの〕亜種．❖IT用語．[subspecies]

biāo

【飙车】biāochē 〔自動車やバイクの運転で〕スピードを出す；暴走する．

【飙歌】biāogē 熱唱する．

【标记】biāojì ①標識．②〔プログラミングで〕タグ．❖②IT用語．[tag]

【彪马】Biāomǎ プーマ．❖ドイツのスポーツ用品メーカー．[Puma]

【标签】biāoqiān ①付箋〈ふせん〉；ラベル；レッテル；ステッカー．②〔プログラミングで〕タグ．③〔コンピューターで〕タブ．❖②③IT用語．②は"标记 biāojì"とも．[①tag；label；sticker ②tag ③tab]

《标杀令》Biāoshālìng「キル・ビル」．❖アメリカ映画のタイトル．《杀死比尔》Shāsǐ Bǐ-

'ěr とも.[Kill Bill]

【飙升】biāoshēng 急上昇(する).

【标书】biāoshū 入札〈にゅうさつ〉書類.

【标题】biāotí ①標題；見出し.②ヘッダー.[①title ②header]

【标题栏】biāotílán タイトルバー.❖IT用語.ウィンドウの上部にあり,ソフトウェア名やタイトルなどが示されている部分."标题条 biāotítiáo"とも.[title bar]

【标致】Biāozhì プジョー.❖PSAプジョー・シトロエン(仏)の自動車ブランド.[Peugeot]

【标志】biāozhì フラグ.❖IT用語.[flag]

【标识符】biāozhìfú 識別子〈しきべつし〉；ID.❖IT用語.[identifier]

【标志图形档案格式】biāozhì túxíng dàng'àn géshì TIFF〈ティフ〉.❖IT用語.画像データのフォーマットの1つ.[tag image file format；TIFF]

【标准法】biāozhǔnfǎ 基準法.

【标准化】biāozhǔnhuà 標準化；スタンダード化.[standardization]

【标准化考试】biāozhǔnhuà kǎoshì 標準化テスト.

【标准间】biāozhǔnjiān スタンダードルーム.[standard room]

【标准普尔】Biāozhǔn Pǔ'ěr スタンダード & プアーズ；S&P.❖アメリカの格付け会社.[Standard&Poor's；S&P]

【标准普尔指数】Biāozhǔn Pǔ'ěr zhǐshù スタンダード & プアーズ指数.❖金融用語.[Standard and Poor's Composite Index]

【标准人寿保险】Biāozhǔn Rénshòu Bǎoxiǎn スタンダードライフ.❖イギリスの保険会社.[Standard Life Assurance]

【标准闪存卡】biāozhǔn shǎncúnkǎ CFカード；コンパクトフラッシュ.❖IT用語.メモリーカードの1つ.[compact flash card；compact flash]

【标准线淘汰】biāozhǔnxiàn táotài 一定基準以下を切り捨てる(こと).

【标准箱】biāozhǔn xiāng TEU.❖20フィートコンテナに換算した貨物取扱量の単位."标准集装箱 biāozhǔn jízhuāngxiāng" とも.[twenty-foot equivalent unit；TEU]

【标准渣打银行】Biāozhǔn Zhādǎ Yínháng スタンダード・チャータード銀行.❖イギリスの銀行.[Standard Chartered Bank]

biǎo

【表见代理】biǎojiàn dàilǐ 表見代理.

【表决权】biǎojuéquán 議決権.❖"议决权 yìjuéquán"とも.

【表面安装技术】biǎomiàn ānzhuāng jìshù 表面実装技術.[surface mounting technology；SMT]

【表面利率】biǎomiàn lìlǜ クーポン.❖金融用語.債券についている利息.[coupon]

【表面纳米技术】biǎomiàn nàmǐ jìshù 表面ナノテクノロジー.

【表面文章】biǎomiàn wénzhāng リップサービス；口先だけのごまかし.[lip service；surface formality]

【表式】biǎoshì フォーム；形式.[form]

【表态】biǎotài ①態度を示す；スタンスを示す.②コメント(する).[②comment；make a comment]

【表演】biǎoyǎn 演じる；パフォーマンス(する).[performance]

【表演预选】biǎoyǎn yùxuǎn オーディション.[audition]

bié

【别克】Biékè ビュイック.❖GM(米)の自動車ブランド.[Buick]

【别洛韦日森林自然保护区(比亚沃耶扎森林)】Biéluòwěirì Sēnlín Zìrán Bǎohùqū (Bǐyàwòyēzhā Sēnlín) ベラヴェシュスカヤ・プーシャ；ビャウォヴィエジャの森.●

bié — bǐng

世界自然遺産(ベラルーシ,ポーランド). [Belovezhskaya Pushcha ; Białowieża Forest]

【別名】biémíng 〔マッキントッシュパソコンの〕エイリアス. ❖IT用語.[alias]

bīn

【宾得】Bīndé ペンタックス. ❖日本のカメラメーカー.[Pentax]

【滨海格林尼治】Bīnhǎi Gélínnízhì 河港都市グリニッジ. ●世界文化遺産(イギリス). [Maritime Greenwich]

【宾利】Bīnlì ベントレー. ❖イギリスの自動車ブランド(フォルクスワーゲン傘下)."本特利 Běntèlì"とも.[Bentley]

《濒临绝种野生动植物国际贸易公约》Bīnlín Juézhǒng Yěshēng Dòngzhíwù Guójì Màoyì Gōngyuē 「絶滅のおそれのある野生動植物の種の国際取引に関する条約」; CITES. ❖1973年ワシントンで採決された条約.通称は《华盛顿公约》Huáshèngdùn Gōngyuē,《华约》Huáyuē (「ワシントン条約」).[Convention on International Trade in Endangered Species of Wild Fauna and Flora ; CITES ; Washington Convention]

【浜崎步】Bīnqí Bù 浜崎あゆみ. ❖日本の歌手.[HAMASAKI Ayumi]

【濒危物种红皮书】bīnwēi wùzhǒng hóngpíshū レッド・データ・ブック.[Red Data Book]

【宾夕法尼亚大学】Bīnxīfǎníyà Dàxué ペンシルバニア大学. ❖アメリカ・ペンシルバニア州にある大学.アイビーリーグの1つ. [University of Pennsylvania]

【宾夕法尼亚州】Bīnxīfǎníyà Zhōu ペンシルバニア州. ❖アメリカの州名.[Pennsylvania]

bīng

【冰场】bīngchǎng アイススケート場;スケートリンク;アイスアリーナ.[ice arena]

【冰川国家公园】Bīngchuān Guójiā Gōngyuán ロス・グラシアレス. ●世界自然遺産(アルゼンチン).[Los Glaciares]

【冰岛共和国】Bīngdǎo Gònghéguó アイスランド共和国;アイスランド.[Republic of Iceland ; Iceland]

【冰点】bīngdiǎn ①氷点. ②不人気;冷遇される;さびれた.

【冰毒】bīngdú メタンフェタミン;アイス. ❖覚醒剤の1種.[methamphetamine ; ice]

【兵工企业】bīnggōng qǐyè 軍需企業.

【冰壶】bīnghú ①カーリング. ②〔カーリング〕ストーン.[①curling ②curling stone]

【兵库县】Bīngkù Xiàn 兵庫〈ひょうご〉県. ❖日本の都道府県の1つ.県庁所在地は神戸〈こうべ〉市("神户市 Shénhù Shì").

【冰上舞蹈】bīngshàng wǔdǎo アイスダンス. ❖略称は"冰舞 bīngwǔ".[ice dancing]

【冰桶】bīngtǒng アイスペール.[ice bucket ; ice pail]

【冰舞】bīngwǔ アイスダンス. ❖"冰上舞蹈 bīngshàng wǔdǎo"の略.[ice dancing]

【兵险】bīngxiǎn 戦争保険. ❖"战争险 zhànzhēngxiǎn"とも.

【冰雪路面】bīngxuě lùmiàn アイスバーン. [Eisbahn〖独〗]

《冰之世界》Bīng zhī Shìjiè 「氷の世界」. ❖日本のテレビドラマのタイトル.

【冰爪】bīngzhuǎ アイゼン.[climbing irons ; crampon]

bǐng

【丙肝】bǐnggān C型肝炎. ❖"丙型病毒性肝炎 bǐngxíng bìngdúxíng gānyán"の

略.[hepatitis C]

【屏气潜泳】bǐngqì qiányǒng 〔フィンスイミング競技の〕アプニア.[apnea]

【丙烷】bǐngwán プロパン.[propane]

【丙烷气】bǐngwánqì プロパンガス.[propane gas]

【丙烯】bǐngxī プロピレン.[propylene]

【丙烯腈系纤维】bǐngxījīngxì xiānwéi アクリル繊維.[acrylic fiber]

【丙型病毒性肝炎】bǐngxíng bìngdúxìng gānyán C型肝炎. ❖略称は"丙肝 bǐnggān""丙型肝炎 bǐngxíng gānyán".[hepatitis C]

【丙型肝炎】bǐngxíng gānyán C型肝炎. ❖"丙型病毒性肝炎 bǐngxíng bìngdúxìng gānyán"の略.[hepatitis C]

bìng

【病毒】bìngdú ①ウイルス.②コンピューターウイルス. ❖②IT用語.[①virus ②computer virus]

【病毒性感染】bìngdúxìng gǎnrǎn ウイルス感染.

【并购】bìnggòu 合併と買収；M&A. ❖"购并 gòubìng""合并与收购 hébìng yǔ shōugòu""兼并收购 jiānbìng shōugòu""企业并购 qǐyè bìnggòu"とも.[merger and acquisition；M&A]

【并股】bìnggǔ 株式併合. ❖金融用語."股份合并 gǔfèn hébìng""股票合并 gǔpiào hébìng"とも.

【并轨】bìngguǐ 一本化(する).

【病假】bìngjià 病欠.

【病态建筑物综合征】bìngtài jiànzhùwù zōnghézhēng シックハウス症候群；シックビル症候群；シックビルディング症候群. ❖"病态建筑物综合症 bìngtài jiànzhùwù zōnghézhēng"とも.[sick building syndrome；SBS]

【病态居室综合征】bìngtài jūshì zōnghé-zhēng シックハウス症候群. ❖"病态居室综合症 bìngtài jūshì zōnghézhēng"とも.

【并行计算机】bìngxíng jìsuànjī パラレルコンピューター. ❖IT用語.[parallel computer]

【并行接口】bìngxíng jiēkǒu パラレルインターフェイス. ❖IT用語.[parallel interface]

bō

【波本威士忌】bōběn wēishìjì バーボンウイスキー. ❖アメリカのウイスキー.[bourbon whiskey]

【波波卡特佩特火山坡上最早的16世纪修道院】Bōbōkǎtèpèitè Huǒshān Pōshang Zuìzǎo de Shíliù Shìjì Xiūdàoyuàn ポポカテペトル山腹の16世紀初頭の修道院群. ●世界文化遺産(メキシコ).[Earliest 16th-Century Monasteries on the Slopes of Popocatepetl]

【波波族】bōbōzú ボボズ；新富裕層. ❖ブルジョアの豊かさとボヘミアンの自由を同時に楽しむ新上流階級."布波族 bùbōzú"とも.[Bobos；bourgeois bohemians]

【波茨坦与柏林的宫殿与庭园】Bōcítǎn yǔ Bólín de Gōngdiàn yǔ Tíngyuán ポツダムとベルリンの宮殿群と公園群. ●世界文化遺産(ドイツ).[Palaces and Parks of Potsdam and Berlin]

【波动】bōdòng 変動. ❖金融用語.

【波动汇率】bōdòng huìlǜ 変動為替相場. ❖金融用語."浮动汇率 fúdòng huìlǜ"とも.[flexible exchange rate]

【波多黎各的古堡与圣胡安历史遗址】Bōduō Líbè de Gǔbǎo yǔ Shènghú'ān Lìshǐ Yízhǐ プエルト・リコのラ・フォルタレサとサン・ファン歴史地区. ●世界文化遺産(アメリカ).[La Fortaleza and San Juan Historic Site in Puerto Rico]

bō

【波多诺伏】Bōduō Nuòfú ポルトノボ．❖ベナンの首都．[Porto-Novo]

【波恩】Bō'ēn ボン．❖ドイツ(旧西ドイツ)の都市名.サミット開催地の１つ．[Bonn]

【波尔多】Bō'ěrduō ボルドー．❖フランスの地名,また同地産のワイン．[Bordeaux]

【波尔图历史中心】Bō'ěrtú Lìshǐ Zhōngxīn ポルトの歴史地区．●世界文化遺産(ポルトガル)．[Historic Centre of Oporto]

【波夫莱特修道院】Bōfúláitè Xiūdàoyuàn ポブレー修道院．●世界文化遺産(スペイン)．[Poblet Monastery]

【波幅】bōfú ボラティリティ；変動率；変動幅．❖金融用語.証券の価格変動比率．[volatility]

【波哥大】Bōgēdà ボゴタ．❖コロンビアの首都．[Bogotá]

【拨号上网】bōhào shàngwǎng ダイヤルアップ接続(する)．❖IT用語.[dial-up connection]

【拨号网络】bōhào wǎngluò ダイヤルアップネットワーク．❖IT用語.[dial-up network]

【波黑】BōHēi ボスニア・ヘルツェゴビナ．❖"波斯尼亚和黑塞哥维那共和国 Bōsīníyà hé Hēisàigēwéinà Gònghéguó"の略.[Republic of Bosnia and Herzegovina；Bosnia and Herzegovina]

【波及效应】bōjí xiàoyìng 波及効果．[ripple effect]

【播客】bōkè ポッドキャスト；ポッドキャスティング．❖IT用語.[podcast；podcasting]

【波兰共和国】Bōlán Gònghéguó ポーランド共和国；ポーランド．[Republic of Poland；Poland]

【波兰航空】Bōlán Hángkōng LOTポーランド航空．❖ポーランドの航空会社.コード：LO．[LOT Polish Airlines]

【波浪号】bōlànghào チルダー；チルダ．❖記号は「~」．[tilde]

【波雷奇历史中心的尤弗拉西苏斯大教堂建筑群】Bōléiqí Lìshǐ Zhōngxīn de Yóufúlāxīsūsī Dàjiàotáng Jiànzhùqún ポレッチ歴史地区のエウフラシウス聖堂建築群．●世界文化遺産(クロアチア)．[Episcopal Complex of the Euphrasian Basilica in the Historic Centre of Poreč]

【剥离】bōlí ①剝離する；剝奪する．②〔企業,組織などの〕スリム化を図る．

【玻利维亚共和国】Bōlìwéiyà Gònghéguó ボリビア共和国；ボリビア．[Republic of Bolivia；Bolivia]

【玻璃幕墙】bōli mùqiáng ガラス・カーテン・ウォール．[glass curtain wall]

《玻璃樽》Bōlizūn「ゴージャス」．❖香港映画のタイトル．[Gorgeous]

【波隆纳鲁沃古城】Bōlóngnàlǔwò Gǔchéng 古代都市ポロンナルワ．●世界文化遺産(スリランカ)．[Ancient City of Polonnaruwa]

【波罗】Bōluó ポロ．❖フォルクスワーゲン(独)製の車名．[Polo]

【波莫瑞】Bōmòruì ポムロル．❖フランス・ボルドー地方,ポムロル地区のワイン．[Pomerol]

【波奴鲁鲁国家公园】Bōnúlǔlǔ Guójiā Gōngyuán パーヌルル国立公園．●世界自然遺産(オーストラリア)．[Purnululu National Park]

【波普艺术】bōpǔ yìshù ポップアート．[pop art]

【波士顿】Bōshìdùn ボストン．❖アメリカ・マサチューセッツ州都．[Boston]

【波士顿咨询集团】Bōshìdùn Zīxún Jítuán ボストンコンサルティンググループ．❖アメリカのコンサルティング会社．[Boston Consulting Group]

【波士伏特加】Bōshì Fútèjiā ボルスカヤ・ウォッカ．❖ボルス・ロイヤルディスティラリーズ(オランダ)製のウォッカ．[Bolskaya Vodka]

【波斯波利斯】Bōsībōlìsī ペルセポリス. ◉世界文化遺産(イラン). [Persepolis]

【波斯尼亚和黑塞哥维那共和国】Bōsīníyà hé Hēisàigēwéinà Gònghéguó ボスニア・ヘルツェゴビナ. ❖略称は"波黑 Bō Hēi". [Republic of Bosnia and Herzegovina ; Bosnia and Herzegovina]

【剥撕式面膜】bōsīshì miànmó 〔はがすタイプの〕パック. [pack]

《波斯王子》Bōsī Wángzǐ「プリンス・オブ・ペルシャ」. ❖ユービーアイソフト(米)製のゲームのタイトル. [Prince of Persia]

【波特】bōtè ボー. ❖IT用語. 通信回線の変復調速度の単位. [baud]

【波特曼丽思卡尔顿酒店】Bōtèmàn Lìsī Kǎ’ěrdùn Jiǔdiàn ザ・ポートマン・リッツ・カールトン上海. ❖中国・上海にあるホテル. [The Portman Ritz-Carlton Shanghai]

【波托西城】Bōtuōxīchéng ポトシ市街. ◉世界文化遺産(ボリビア). [City of Potosi]

【波鞋】bōxié スニーカー. [sneakers]

【波音】Bōyīn ボーイング. ❖アメリカの航空宇宙企業. [Boeing]

bó

【博鳌亚洲论坛】Bó’áo Yàzhōu Lùntán ボアオ・アジア・フォーラム. [Boao Forum for Asia]

【博报堂】Bóbàotáng 博報堂. ❖日本の広告会社. [Hakuhodo]

【柏帛丽】Bóbólì バーバリー. ❖イギリスのアパレルメーカー、ブランド. "巴宝莉 Bābǎolì"とも. [Burberry]

【博彩】bócǎi 宝くじ；くじ. [lottery ; lotto]

【博彩业】bócǎiyè 宝くじ産業.

【泊车】bóchē 駐車(する)；パーキング. [parking]

【博茨瓦纳共和国】Bócíwǎnà Gònghéguó ボツワナ共和国；ボツワナ. [Republic of Botswana ; Botswana]

【博导】bódǎo 博士課程の指導教官. ❖"博士生导师 bóshìshēng dǎoshī"の略.

【伯恩老城区】Bó’ēn Lǎochéngqū ベルン旧市街. ◉世界文化遺産(スイス). [Old City of Berne]

【博尔戈尔山及纳巴塔地区】Bó’ěrgē’ěr Shān jí Nàbātǎ Dìqū ゲベル・バルカルとナパタ地域遺跡群. ◉世界文化遺産(スーダン). [Gebel Barkal and the Sites of the Napatan Region]

【伯尔尼】Bó’ěrní ベルン. ❖スイスの首都. [Bern]

【勃艮第白葡萄酒】Bógèndì báipútaojiǔ ブルゴーニュ・ブラン. ❖フランスの白ワイン. "布干白 Bùgānbái"とも. [Bourgogne Blanc]

【勃艮第红葡萄酒】Bógèndì hóngpútaojiǔ ブルゴーニュ・ルージュ. ❖フランスの赤ワイン. "布干红 Bùgānhóng"とも. [Bourgogne Rouge]

【伯爵】Bójué ピアジェ. ❖スイスの時計メーカー、ブランド. [Piaget]

【伯爵红茶】Bójué hóngchá アールグレイ紅茶；アールグレイティー；アールグレイ. [Earl Grey ; Earl Grey tea]

【博客】bókè ウェブログ；ブログ. ❖IT用語. [weblog ; blog]

【伯克希尔哈撒韦】Bókèxī’ěr Hāsāwéi バークシャー・ハザウェイ. ❖アメリカの投資会社. [Berkshire Hathaway]

【柏拉图】Bólātú プラトン. ❖ギリシャの哲学者. [Plato]

【博朗】Bólǎng ブラウン. ❖ドイツの小型電気機器メーカー. [Braun]

【勃朗尼卡】Bólǎngníkǎ ブロニカ. ❖タムロン(日本)製のカメラ名. [Bronica]

【勃朗派埃】Bólǎngpài’āi ブランパン. ❖スイスの時計メーカー(スウォッチグループ傘下)、ブランド. "宝珀 Bǎopò"とも. [Blancpain]

bó — bú

【伯利兹】Bólìzī ベリーズ.[Belize]
【伯利兹堡礁保护区】Bólìzī Bǎojiāo Bǎohùqū ベリーズのバリア・リーフ保護区. ●世界自然遺産(ベリーズ).[Belize Barrier-Reef Reserve System]
【柏林】Bólín ベルリン. ❖ドイツの首都.[Berlin]
【柏林白啤酒】Bólín báipíjiǔ ベルリナー・ヴァイセ. ❖ビールの種類.[Berliner Weisse]
【柏林的博物馆岛】Bólín de Bówùguǎn Dǎo ベルリンのムゼウムスインゼル(博物館島). ●世界文化遺産(ドイツ).[Museumsinsel (Museum Island), Berlin]
【柏林电影节】Bólín Diànyǐngjié ベルリン国際映画祭. ❖ドイツの映画祭.世界3大映画祭の1つ.[Berlin International Film Festival]
【伯明翰】Bómínghàn バーミンガム. ❖イギリスの都市名.サミット開催地の1つ.[Birmingham]
【勃起功能障碍】bóqǐ gōngnéng zhàng'ài 男性性機能障害;勃起不全;ED.[erectile dysfunction;ED]
【博若莱村酒】Bóruòlái cūn jiǔ ボージョレ・ヴィラージュ. ❖フランス・ブルゴーニュ,ボージョレ地区のワイン.[Beaujolais Villages]
【博若莱鲜酒】Bóruòlái xiānjiǔ ボージョレ・ヌーボー. ❖フランス・ブルゴーニュ,ボージョレ地区でその年に収穫されたぶどうで作られた赤ワイン."博若莱新酒 Bóruòlái xīnjiǔ"とも.[Beaujolais Nouveau]
【博若莱新酒】Bóruòlái xīnjiǔ ボージョレ・ヌーボー. ❖フランス・ブルゴーニュ,ボージョレ地区でその年に収穫されたぶどうで作られた赤ワイン."博若莱鲜酒 Bóruòlái xiānjiǔ"とも.[Beaujolais Nouveau]
【博世】Bóshì ボッシュ. ❖ドイツの自動車用電装機器メーカー.[Bosch]
【博士后】bóshìhòu ポストドクトラル;ポスドク.[post-doctoral]
【博士伦】Bóshìlún ボシュロム. ❖アメリカのコンタクトレンズメーカー.[Bausch & Lomb]
【博士生导师】bóshìshēng dǎoshī 博士課程の指導教官. ❖略称は"博导 bódǎo".
【泊位】bówèi ①停泊場所;バース. ②駐車スペース.[berth]
【博亚纳教堂】Bóyànà Jiàotáng ボヤナ教会. ●世界文化遺産(ブルガリア).[Boyana Church]
【博伊谷地的罗马式教堂建筑】Bóyī Gǔdì de Luómǎshì Jiàotáng Jiànzhù ボイ渓谷のカタルーニャ風ロマネスク様式教会群. ●世界文化遺産(スペイン).[Catalan Romanesque Churches of the Vall de Boí]
【博伊西】Bóyīxī ボイジー. ❖アメリカ・アイダホ州都.[Boise]
【博弈论】bóyìlùn ゲーム理論.[game theory]
【博因遗迹群】Bóyīn Yíjìqún ボイン渓谷の遺跡群. ●世界文化遺産(アイルランド).[Archaeological Ensemble of the Bend of the Boyne]

bú

【补丁】bǔdīng ①継ぎを当てる;継ぎ. ②パッチ(を当てる). ❖②IT用語.プログラムの1部を修正すること."修补 xiūbǔ"とも.[patch]
【补给】bǔjǐ ①〔軍隊で〕補給する. ②〔ゴルフの〕ボギー. ❖②"柏忌 bójì"とも.[②bogey]
【补给站】bǔjǐzhàn 補給所.
【补进外汇】bǔjìn wàihuì カバー取引. ❖金融用語."抛汇 pāohuì"とも.[covering transaction]
【捕手】bǔshǒu〔野球などで〕キャッチャー;捕手.[catcher]

【补习班】bǔxíbān 学習塾；〔学校の〕補習クラス.

【补习学校】bǔxí xuéxiào 学習塾；予備校.[cram school]

【补休】bǔxiū 代休(をとる)；振替休日.

bù

【不保兑信用证】bùbǎoduì xìnyòngzhèng 無確認信用状. ❖金融用語.

【布波族】bùbōzú ボボズ；新富裕層.❖ブルジョアの豊かさとボヘミアンの自由を同時に楽しむ新上流階級."波波族 bōbōzú"とも.[Bobos; bourgeois bohemians]

【布达拉宫】Bùdálā Gōng ポタラ宮. ❖中国・ラサにある宮殿.[Potala Palace]

【布达佩斯】Bùdápèisī ブダペスト. ❖ハンガリーの首都.[Budapest]

【布达佩斯(多瑙河两岸和布达城堡区)】Bùdápèisī (Duōnǎo Hé Liǎng'àn hé Bùdá Chéngbǎoqū) ドナウ河岸、ブダ城地区とアンドラーシ通りを含むブダペスト. ●世界文化遺産（ハンガリー）.[Budapest, including the Banks of the Danube, the Buda Castle Quarter and Andrássy Avenue]

【不丹王国】Bùdān Wángguó ブータン王国；ブータン.[Kingdom of Bhutan; Bhutan]

【不得用钩】bùdé yònggōu 手鈎無用〈てかぎむよう〉. ❖"禁用手钩 jìnyòng shǒugōu"とも.

【不得转让】bùdé zhuǎnràng 譲渡不可.

【不对称管制】bùduìchèn guǎnzhì 非対称規制；支配的事業者規制.

【布恩迪难以穿越的国家公园】Bù'ēndí Nányǐ Chuānyuè de Guójiā Gōngyuán ブウィンディ原生国立公園. ●世界自然遺産（ウガンダ）.[Bwindi Impenetrable Forest National Park]

【布尔戈斯大教堂】Bù'ěrgēsī Dàjiàotáng ブルゴス大聖堂. ●世界文化遺産（スペイン）.[Burgos Cathedral]

【布尔诺的图根哈特别墅】Bù'ěrnuò de Túgēnhātè Biéshù ブルノのツゲンドハット邸. ●世界文化遺産（チェコ）.[Tugendhat Villa in Brno]

【布尔日大教堂】Bù'ěrrì Dàjiàotáng ブールジュ大聖堂. ●世界文化遺産（フランス）.[Bourges Cathedral]

【不分红】bùfēnhóng 無配当(とする). ❖金融用語.

【不附带条件贷款】bùfùdài tiáojiàn dàikuǎn アンタイドローン. ❖金融用語.[untied loan]

【不感冒】bùgǎnmào 興味がない.

【不管部长】bùguǎn bùzhǎng 無任所大臣.[minister without portfolio]

【布哈拉历史中心】Bùhālā Lìshǐ Zhōngxīn ブハラ歴史地区. ●世界文化遺産（ウズベキスタン）.[Historic Centre of Bukhara]

【布哈拉特石油】Bùhālātè Shíyóu バハラット石油. ❖インドの石油精製会社.[Bharat Petroleum]

【布基纳法索】Bùjīnà Fǎsuǒ ブルキナファソ.[Burkina Faso]

【簿记建档方式】bùjì jiàndàng fāngshì ブックビルディング方式. ❖金融用語.新たに発行する株式の公募価格を決めるときに用いる方法."讯价制 xùnjiàzhì"とも.

【布加迪】Bùjiādí ブガッティ；ブガティ. ❖もとフランス，現在はフォルクスワーゲン（独）傘下の自動車メーカー，また同社製の車名.[Bugatti]

【布加勒斯特】Bùjiālèsītè ブカレスト. ❖ルーマニアの首都.[Bucharest]

【不间断电源】bùjiànduàn diànyuán 無停電電源装置；UPS. ❖IT用語.[uninterruptible power supply; UPS]

【不结盟国家会议】Bùjiéméng Guójiā Huìyì 非同盟諸国会議.[Conference of the Non-Aligned Countries; CNAC]

bù

【不结盟运动】bùjiéméng yùndòng 非同盟運動.[Non-Aligned Movement]

【布局】bùjú 配置(する);レイアウト(する).[layout]

【不可撤消信用证】bùkě chèxiāo xìnyòngzhèng 取消不能信用状.[irrevocable L/C]

【不可更新资源】bùkě gēngxīn zīyuán 再生不能資源. ❖主に化石燃料,鉱物のこと.

【不可燃垃圾】bùkěrán lājī 燃えないごみ;不燃ごみ.

【不可再生资源】bùkě zàishēng zīyuán 再生不能資源. ❖主に化石燃料,鉱物のこと.

【布拉柴维尔】Bùlāchāiwéi'ěr ブラザビル.❖コンゴ共和国の首都.[Brazzaville]

【布拉德·皮特】Bùlādé Pítè ブラッド・ピット.❖アメリカ出身の男優.[Brad Pitt]

【布拉迪斯拉发】Bùlādísīlāfā ブラチスラバ.❖スロバキアの首都.[Bratislava]

【布拉格】Bùlāgé プラハ.❖チェコの首都.[Prague]

【布拉格历史中心】Bùlāgé Lìshǐ Zhōngxīn プラハ歴史地区. ●世界文化遺産(チェコ).[Historic Centre of Prague]

【布莱尔】Bùlái'ěr〔トニー・〕ブレア.❖イギリスの政治家.[Tony Blair]

【不来梅市政厅和市政厅前罗兰骑士雕像】Bùláiméi Shìzhèngtīng hé Shìzhèngtīngqián Luólán Qíshì Diāoxiàng ブレーメンのマルクト広場にある市庁舎とローラント像. ●世界文化遺産(ドイツ).[Town Hall and Roland on the Marketplace of Bremen]

【布莱纳文工业区景观】Bùláinàwén Gōngyèqū Jǐngguān ブレナボン産業用地. ●世界文化遺産(イギリス).[Blaenavon Industrial Landscape]

【布莱尼姆宫】Bùláinímǔ Gōng ブレナム宮殿. ●世界文化遺産(イギリス).[Blenheim Palace]

【布朗大学】Bùlǎng Dàxué ブラウン大学.❖アメリカ・ロードアイランド州にある大学.アイビーリーグの1つ.[Brown University]

【布朗威廉姆森烟草】Bùlǎng Wēiliānmǔsēn Yāncǎo ブラウン・アンド・ウィリアムソン;B&W. ❖アメリカのタバコメーカー.[Brown&Williamson Tobacco]

【布里奇顿】Bùlǐqídùn ブリッジタウン. ❖バルバドスの首都.[Bridgetown]

【布里特威斯湖国家公园】Bùlǐtèwēisī Hú Guójiā Gōngyuán プリトヴィッチェ湖群国立公園. ●世界自然遺産(クロアチア).[Plitvice Lakes National Park]

【不利价格】bùlì jiàgé アウト・オブ・ザ・マネー. ❖金融用語.オプション取引において行使価格と比べ評価損になっている状態."价外 jiàwài"とも.[out of the money;OTM]

【不良贷款】bùliáng dàikuǎn 不良貸付;不良融資. ❖金融用語.

【不良债权】bùliáng zhàiquán 不良債権. ❖金融用語."呆坏账 dāihuàizhàng""坏账 huàizhàng"とも.

【布隆迪共和国】Bùlóngdí Gònghéguó ブルンジ共和国;ブルンジ.[Republic of Burundi;Burundi]

【布鲁克斯兄弟】Bùlǔkèsī Xiōngdì ブルックス・ブラザーズ. ❖アメリカのファッションメーカー,ブランド.[Brooks Brothers]

【布鲁日历史中心】Bùlǔrì Lìshǐ Zhōngxīn ブリュージュの歴史地区. ●世界文化遺産(ベルギー).[Historic Centre of Brugge]

【布鲁塞尔】Bùlǔsài'ěr ブリュッセル. ❖ベルギーの首都.[Brussels]

【布鲁塞尔大广场】Bùlǔsài'ěr Dàguǎngchǎng ブリュッセルのグラン・プラス. ●世界文化遺産(ベルギー).[La Grand-Place, Brussels]

【布鲁依坡】Bùlǔyīpō コート・ド・ブルイイ. ❖フランス・ブルゴーニュ地方,ボージョレ地

bù

区のワイン．[Côte de Brouilly]

【布吕尔的奥古斯塔斯堡古堡和法尔肯拉斯特古堡】Bùlǚ'ěr de Àogǔsītǎsībǎo Gǔbǎo hé Fǎ'ěrkěnlāsītè Gǔbǎo ブリュールのアウグストゥスブルク城群と別邸ファルケンルスト．●世界文化遺産(ドイツ)．[Castles of Augustusburg and Falkenlust at Brühl]

【不履行债务】bùlǚxíng zhàiwù 債務不履行；デフォルト．❖金融用語．[default]

【布蒙山坡】Bùméngshānpō コート・ド・ボーヌ．❖フランス・ブルゴーニュ地方の地名、また同地産のワイン．[Côte de Beaune]

【不明飞行物】bùmíng fēixíngwù 未確認飛行物体；UFO〈ユーフォー〉．[unidentified flying object；UFO]

【不清洁提单】bùqīngjié tídān 故障付船荷証券．❖金融用語．[Foul B/L]

【布琼布拉】Bùqióngbùlā ブジュンブラ．ブルンジの首都．[Bujumbura]

【布什】Bùshí 〔ジョージ・W・〕ブッシュ．❖アメリカ第43代大統領．"小布什 Xiǎo Bùshí"とも．父親の第41代大統領は"老布什 Lǎo Bùshí"．[George W. Bush]

【布斯拉古城】Bùsīlā Gǔchéng 古代都市ボスラ．●世界文化遺産(シリア)．[Ancient City of Bosra]

【布特林特】Bùtèlíntè ブトリント．●世界文化遺産(アルバニア)．[Butrint]

【不停车收费系统】bùtíngchē shōufèi xìtǒng 自動料金収受システム；ETC．[electronic toll collection system；ETC]

【步行街】bùxíngjiē ①遊歩道；歩行者専用道路．②歩行者天国．

【步行天桥】bùxíng tiānqiáo 〔歩行者用の〕陸橋；歩道橋．

【步行天堂】bùxíng tiāntáng 歩行者天国．

【布依格】Bùyīgé ブイグ．❖フランスの大型企業グループ．[Bouygues]

【布宜诺斯艾利斯】Bùyínuòsī Àilìsī ブエノスアイレス．❖アルゼンチンの首都．[Buenos Aires]

【部优产品】bùyōu chǎnpǐn 中国の各部認定優良商品．❖"商业部优质产品 Shāngyèbù yōuzhì chǎnpǐn"の略．中国の中央省庁に当たる「部」が優良な品質であると認定した商品のこと．

【不在场证明】bùzàichǎng zhèngmíng アリバイ；不在証明．[alibi]

【不粘锅】bùzhānguō フッ素加工鍋．

【部长级会议】bùzhǎngjí huìyì 閣僚級会議；閣僚会合．[ministerial meeting]

【不争】bùzhēng 紛れもない；疑う余地のない．[undeniable；undoubtable]

【不正当竞争】bùzhèngdāng jìngzhēng 不正競争．

C — cā

C

【CAO】CAO 最高管理責任者；最高総務責任者；CAO. ❖中国語では"首席行政官 shǒuxí xíngzhèngguān".[chief administrative officer ; CAO]

【CBD】CBD「中央商務区」；中央ビジネス地区；CBD. ❖中国語では"中央商务区 zhōngyāng shāngwùqū".[central business district ; CBD]

【CCTV】CCTV 中央電視台；中国中央テレビ局；CCTV. ❖中国の国営テレビ局. 'China Central Television'("中国中央电视台 Zhōngguó Zhōngyāng Diànshìtái")の略.[China Central Television ; CCTV]

【CD光驱】CD guāngqū CD-ROM ドライブ；CDドライブ. ❖IT用語.[CD-ROM drive ; compact disc read-only memory drive]

【CD-R光盘】CDR guāngpán CD-R. ❖光ディスクの1種.書き込んだデータを書き換えることができないタイプのコンパクトディスク.[CD recordable ; compact disc recordable ; CD-R]

【CD-RW光盘】CDRW guāngpán CD-RW. ❖光ディスクの1種.書き込んだデータを何度も書き換えることができるタイプのコンパクトディスク.[CD rewritable ; compact disc-rewritable ; CD-RW]

【CEO】CEO 最高経営責任者；CEO. ❖中国語では"首席执行官 shǒuxí zhíxíngguān".[chief executive officer ; CEO]

【CFO】CFO 最高財務責任者；CFO. ❖中国語では"首席财务官 shǒuxí cáiwùguān".[chief financial officer ; CFO]

【CIMS】CIMS コンピューター統合生産システム；自動生産システム；CIMS. ❖中国語では"计算机集成制造系统 jìsuànjī jíchéng zhìzào xìtǒng".[computer integrated manufacturing system ; CIMS]

【CIO】CIO 最高情報責任者；CIO. ❖中国語では"首席信息官 shǒuxí xìnxīguān".[chief information officer ; CIO]

【CMO】CMO 最高マーケティング責任者；CMO. ❖中国語では"首席市场官 shǒuxí shìchǎngguān".[chief marketing officer ; CMO]

【COO】COO 最高執行責任者；COO. ❖中国語では"首席运营官 shǒuxí yùnyíngguān".[chief operating officer ; COO]

【CPA】CPA 公認会計士；CPA. ❖中国語では"注册会计师 zhùcè kuàijìshī".[certified public accountant ; CPA]

【CRT显示器】CRT xiǎnshìqì CRTディスプレイ.[CRT display ; cathode-ray tube display]

【CS广播】CS guǎngbō CS放送.

【CT扫描】CT sǎomiáo コンピューター断層撮影；CTスキャン. ❖"断层扫描 duàncéng sǎomiáo""计算机体层撮影 jìsuànjī tǐcéng shèyǐng"とも.[computerized tomography ; CT]

【CTO】CTO 最高技術責任者；CTO. ❖中国語では"首席技术官 shǒuxí jìshùguān".[chief technology officer ; CTO]

cā

【擦边球】cābiānqiú ①〔卓球の〕エッジボール. ②きわどい球；法規制ぎりぎりの行為.[①edge ball]

【擦屁股】cā pìgu 尻拭い.

【擦手纸】cāshǒuzhǐ ペーパータオル.[paper

towel]

cái

【财产】cáichǎn ①财产．②アセット；金融資産．❖②金融用語．[②assets]

【财产保全】cáichǎn bǎoquán 保全処分．[provisional remedy；preservative measure]

【财产积累储蓄】cáichǎn jīlěi chǔxù 財形貯蓄．❖金融用語．

【财产税】cáichǎnshuì 資産税．

《财富》Cáifù「フォーチュン」．❖アメリカのビジネス誌．[Fortune]

【财经纪律】cáijīng jìlǜ 財務規律．

【财会】cáikuài 経理；財務会計．❖"财务会计 cáiwù kuàijì"の略．

【材料搬运】cáiliào bānyùn マテリアルハンドリング；マテハン．❖貨物の荷役運搬のこと．[material handling]

【财务报表】cáiwù bàobiǎo 財務諸表．

【财务丑闻】cáiwù chǒuwén 財務スキャンダル．

【财务公开】cáiwù gōngkāi 財務公開．

【财务软件】cáiwù ruǎnjiàn 財務会計ソフト；会計ソフト．[accounting software]

【财险】cáixiǎn〔財産に対する〕損害保険．❖"财产保险 cáichǎn bǎoxiǎn"の略．

【裁员】cáiyuán リストラ；人員削減．❖"裁減超员 cáijiǎn chāoyuán"の略．[restructuring；(corporate) downsizing]

【财政包干】cáizhèng bāogān〔地方自治体の〕財政請負制度．

【财政逆差引起的通货膨胀】cáizhèng nìchā yǐnqǐ de tōnghuò péngzhàng 財政インフレーション．

【财政年度】cáizhèng niándù 会计年度．❖"会计年度 kuàijì niándù"とも．

【裁纸刀】cáizhǐdāo カッター．[cutter]

cǎi

【采购】cǎigòu 調達（する）；仕入れ．

【采购力量】cǎigòu lìliàng 購買力；バイイングパワー．❖"购买力 gòumǎilì"とも．[buying power]

【采购员】cǎigòuyuán マーチャンダイザー．❖"商品业务员 shāngpǐn yèwùyuán"とも．[merchandiser]

【采光权】cǎiguāngquán 日照権．❖"阳光权 yángguāngquán"とも．

【彩虹】Cǎihóng ネオン．❖ダイムラー・クライスラー（独）製の車名．[Neon]

【彩虹大桥】Cǎihóng Dàqiáo レインボーブリッジ．❖東京の芝浦と台場を結ぶ吊り橋．[Rainbow Bridge]

【彩扩】cǎikuò カラー写真プリント．

【彩扩机】cǎikuòjī ミニラボ；小型現像処理装置．[minilab]

【彩迷】cǎimí 宝くじマニア．[lottery maniac]

【彩民】cǎimín 宝くじ愛好家．

【彩喷】cǎipēn インクジェット・カラー・プリンター．❖"彩色喷墨打印机 cǎisè pēnmò dǎyìnjī"の略．[inkjet color printer]

【彩喷纸】cǎipēnzhǐ カラーインクジェット用紙．

【彩票】cǎipiào 宝くじ；くじ．[lottery；lotto]

【彩屏】cǎipíng〔携帯電話の〕カラー画面；カラーディスプレイ．[color display]

【彩评】cǎipíng 宝くじ・くじの分析，評論．

【彩色喷墨打印机】cǎisè pēnmò dǎyìnjī インクジェット・カラー・プリンター．❖略称は"彩喷 cǎipēn"．[inkjet color printer]

【彩色扫描仪】cǎisè sǎomiáoyí カラースキャナー．[color scanner]

【彩色显示器】cǎisè xiǎnshìqì カラーディスプレイ．❖略称は"彩显 cǎixiǎn"．[color display]

【彩市】cǎishì 宝くじ市場；くじ市場．

cǎi — cāng

【彩显】cǎixiǎn カラーディスプレイ. ❖"彩色显示器 cǎisè xiǎnshìqì"の略.[color display]

【采信】cǎixìn〔証拠などを〕信用,採択する(こと).

【彩信】cǎixìn ①マルチメディア・メッセージ・サービス;MMS. ②写真付きメール. ❖ IT用語.[①Multimedia Messaging Service;MMS ②message with a photo]

【采样】cǎiyàng サンプリング(する). ❖"取样 qǔyàng"とも.[sampling]

【采样频率】cǎiyàng pínlǜ サンプリング周波数;サンプリングレート. ❖IT用語."取样频率 qǔyàng pínlǜ"とも.[sampling frequency]

【彩页】cǎiyè〔印刷物の〕カラーページ.[color page]

cài

【菜单】càidān ①〔レストランなどの〕メニュー. ②〔コンピューターの〕メニュー. ③サービス内容の一覧. ❖②IT用語."选单 xuǎndān"とも.[①②menu]

【菜单栏】càidānlán〔ソフトウェアの〕メニューバー. ❖IT用語."菜单条 càidāntiáo"とも.[menu bar]

【菜篮子工程】Càilánzi Gōngchéng 買い物かごプロジェクト. ❖1988年から実施されている生鮮食料品関連政策.

【菜鸟】càiniǎo〔特にインターネットの〕初心者;新米.

【菜系】càixì 料理の分類,系統. ❖北京,上海,広東,四川など料理の分類.

cān

【参股】cāngǔ 資本参加(する);出資(する).

【餐饮业】cānyǐnyè 飲食産業;飲食業;外食産業.

【参与意识】cānyù yìshí 参加意識.

【参与优先股】cānyù yōuxiāngǔ 優先株式. ❖金融用語."优先股 yōuxiāngǔ"とも.

【餐桌转盘】cānzhuō zhuànpán〔中国料理店の〕回転テーブル.

cán

【残奥会】Cán Àohuì パラリンピック. ❖"残疾人奥林匹克运动会 Cánjírén Àolínpǐkè Yùndònghuì"の略.[Paralympics]

【残疾证】cánjízhèng 障害者手帳.

【残余价值】cányú jiàzhí 残存価額;残存価値. ❖"剩余价值 shèngyú jiàzhí"とも.[salvage value;residual value]

【残余资产】cányú zīchǎn 残余財産. ❖金融用語.

【残障】cánzhàng 障害(を持つ);ハンディキャップ(のある).[handicapped]

càn

【灿坤】Cànkūn ユーパ. ❖台湾の家電メーカー,ブランド.[Eupa]

cāng

【仓储】cāngchǔ 倉庫貯蔵;倉庫保管.

【仓储式超市】cāngchǔshì chāoshì 倉庫型スーパーマーケット.

【仓储式商场】cāngchǔshì shāngchǎng 倉庫型マーケット;ウェアハウスストア. ❖"仓储式市场 cāngchǔshì shìchǎng"とも.[warehouse store]

【仓储式市场】cāngchǔshì shìchǎng 倉庫型マーケット;ウェアハウスストア. ❖"仓储式商场 cāngchǔshì shāngchǎng"とも.[warehouse store]

【仓库】cāngkù 倉庫;デポ.[depot]

【舱外活动】cāngwài huódòng〔宇宙船

の〕船外活動；EVA.[extra-vehicular activity, EVA]

【舱位】cāngwèi ①〔飛行機の〕座席；〔船の〕船室. ②船腹；スペース.[②shipping space]

【仓至仓条款】cāngzhìcāng tiáokuǎn 倉庫間約款.

cáng

【藏品】cángpǐn 所蔵品；コレクション.[collection]

【藏书票】cángshūpiào 蔵書票；エクスリブリス.[ex libris]

cāo

【操控】cāokòng コントロール(する)；操作(する)；操縦(する).[control]

【操作股价】cāozuò gǔjià 株価操作. ❖金融用語.

【操作手册】cāozuò shǒucè オペレーションマニュアル；マニュアル. ❖"工作手册 gōngzuò shǒucè"とも.[operation manual]

【操作系统】cāozuò xìtǒng オペレーティングシステム；OS. ❖IT用語."计算机操作系统 jìsuànjī cāozuò xìtǒng"とも.[operating system；OS]

cǎo

【草场退化】cǎochǎng tuìhuà 牧草地の劣化；牧草地の減少と砂漠化.

cè

【策划】cèhuà 企画(する)；計画(する)；プランを立てる.[plan]

【策划人】cèhuàrén プランナー.[planner]

【测谎器】cèhuǎngqì 嘘発見器；ポリグラフ.[polygraph]

【测试版】cèshìbǎn テスト版.

céng

【层级】céngjí 階級；等級；ランク.[rank；grade]

【层面】céngmiàn ～面；レベル.[level]

chā

【差别】chābié ①区別；違い；差. ②差分. ❖②IT用語.[difference]

【插播广告】chābō guǎnggào 番組時間中のコマーシャル.

【插槽】chācáo 〔コンピューターの〕スロット. ❖IT用語.[slot]

【插床】chāchuáng ステッキ盤；スロッター；立て削り盤.[slotting machine]

【差额拨款】chā'é bōkuǎn 財政補助.

【差额选举】chā'é xuǎnjǔ 「差額選挙」；候補者数が定員数を上回る選挙.

【插件】chājiàn プラグインソフト；プラグイン；アドオン. ❖IT用語."外挂程序 wàiguà chéngxù"とも.[plug-in software；plug-in]

【插入】chārù 挿入(する)；インサート.[insert]

【插入键】chārùjiàn 〔コンピューターで〕インサートキー. ❖IT用語.[insert key]

【差异化】chāyìhuà 差別化.[differentiation]

chá

【查尔斯顿】Chá'ěrsīdùn チャールストン. ❖アメリカ・ウェストバージニア州都.[Charleston]

【查尔斯王子】Chá'ěrsī Wángzǐ チャールズ皇太子. ❖イギリス皇太子.[Charles, Prince of Wales；Prince Charles]

chá — chǎn

【查科文化国家历史公园】Chákē Wénhuà Guójiā Lìshǐ Gōngyuán チャコ文化国立歴史公園. ●世界文化遺産(アメリカ). [Chaco Culture National Historical Park]

【查理·布朗】Chálǐ Bùlǎng チャーリー・ブラウン. ❖アメリカ漫画のキャラクター名. [Charlie Brown]

【查文考古遗址】Cháwén Kǎogǔ Yízhǐ チャビン(古代遺跡). ●世界文化遺産(ペルー). [Chavin(Archaeological Site)]

【查询】cháxún ①問いただす;問い合わせる;訊問〈じんもん〉する. ②クエリー. ❖②IT用語. [②query]

【查询余额】cháxún yú'é 残高照会. ❖金融用語.

【查找输入码】cházhǎo shūrùmǎ インプットコード. ❖IT用語. [input code]

chà

【差生】chàshēng 落ちこぼれ;学業不振の学生.

chāi

【拆封授权】chāifēng shòuquán シュリンクラップ契約. ❖IT用語. [shrinkwrap license]

【拆股】chāigǔ 株式分割. ❖金融用語. "股票分割 gǔpiào fēngē"とも.

【拆款】chāikuǎn コールマネー. ❖金融用語. 短期金融市場において金融機関が調達した資金. "短期拆借 duǎnqī chāijiè"とも. [call money]

【拆迁补偿】chāiqiān bǔcháng 立ち退き補償.

【拆迁户】chāiqiānhù 立ち退き世帯.

【拆违】chāiwéi 違法建築物の撤去.

chái

【柴可夫斯基】Cháikěfūsījī [ピョートル・イリイチ・]チャイコフスキー. ❖ロシアの作曲家. [Pyotr Ilyich Tchaikovsky]

chān

【搀假】chānjiǎ 粗悪品や偽物を混入する(こと).

【掺水文凭】chānshuǐ wénpíng 不正取得した卒業証書;不正取得した学位.

chǎn

【产地证明书】chǎndì zhèngmíngshū 原産地証明書;原産地証明. [certificate of origin]

【产地直销】chǎndì zhíxiāo 産地直販;産直.

【产供销一体化】chǎngōngxiāo yītǐhuà 生産,供給,販売の一本化.

【产假】chǎnjià 出産休暇. [maternity leave]

【产粮大省】chǎnliáng dàshěng 穀物主要生産地;穀倉地帯. [breadbasket]

【产品陈列室】chǎnpǐn chénlièshì ショールーム. ❖"商品陈列室 shāngpǐn chénlièshì"とも. [showroom]

【产品更新换代】chǎnpǐn gēngxīn huàndài モデルチェンジ;アップグレード. [model change;upgrade]

【产品构成】chǎnpǐn gòuchéng 製品構成. ❖"产品结构 chǎnpǐn jiégòu"とも.

【产品积压】chǎnpǐn jīyā オーバーストック. [overstock]

【产品结构】chǎnpǐn jiégòu 製品構成. ❖"产品构成 chǎnpǐn gòuchéng"とも.

【产品科技含量】chǎnpǐn kējì hánliàng 製品の科学技術的要素.

【产品寿命周期】chǎnpǐn shòumìng zhōu-

chǎn — cháng

qī 製品ライフサイクル；PLC.[product life cycle ; PLC]

【产品质量责任】chǎnpǐn zhīliàng zérèn 製造物責任；PL.[products liability ; PL]

【产品组合管理】chǎnpǐn zǔhé guǎnlǐ 製品ポートフォリオマネジメント.[product portfolio management ; PPM]

【产销同盟】chǎnxiāo tóngméng 製販同盟.

【产销直接挂钩】chǎnxiāo zhíjiē guàgōu 生産とマーケティングの直接連携.

【产学研结合】chǎnxuéyán jiéhé 産学研連携；産業界と大学と研究機関の連携.

【产业的升级换代】chǎnyè de shēngjí huàndài 産業構造の革新；産業モデルの転換.

【产业集群】chǎnyè jíqún 産業クラスター.❖"产业群 chǎnyèqún""产业群聚 chǎnyè qúnjù"とも.[industrial cluster]

【产业结构升级】chǎnyè jiégòu shēngjí 産業構造の革新；産業モデルの転換.

【产业空心化】chǎnyè kōngxīnhuà 産業空洞化.

【产业联系】chǎnyè liánxì 産業連携；産業リンケージ.[industrial linkage]

【产业链】chǎnyè liàn 産業リンケージ；産業連携.[industrial linkage]

【产业转移】chǎnyè zhuǎnyí 産業シフト.

【产值】chǎnzhí 生産額.

chāng

【昌昌城考古地区】Chāngchāngchéng Kǎogǔ Dìqū チャン・チャン遺跡地帯.◉世界危機遺産(ペルー).[Chan Chan Archaeological Zone]

【昌德宫】Chāngdé Gōng チャンドックン(昌徳宮).◉世界文化遺産(韓国).[Changdeokgung Palace Complex]

cháng

【长安街】Cháng'ān Jiē 長安街(北京).❖中国・北京,天安門を中心とする道.[Chang'an Street]

【长城】Chángchéng 万里の長城.◉世界文化遺産(中国).[the Great Wall]

【长城卡】Chángchéngkǎ 長城カード.❖中国銀行(中国)発行のクレジットカード.[Great Wall Credit Card]

【长城葡萄酒】Chángchéng Pútaojiǔ 長城ワイン.❖中国の飲料メーカー,また同社製のワイン.[Greatwall ; Greatwall Wine]

【长春】Chángchūn 長春.❖"吉林省 Jílín Shěng"の省都.

【长春电影节】Chángchūn Diànyǐngjié 長春映画祭.❖中国の映画祭.

【长短火】chángduǎnhuǒ 銃；銃器〔の総称〕.

【长吨】chángdūn 英トン；ロングトン.❖"英吨 yīngdūn"とも.[long ton]

【嫦娥工程】Cháng'é Gōngchéng 「嫦娥(じょうが)」計画.❖中国の月面探査計画.

【长二捆】Cháng'èrkǔn 長征2号ロケット.❖"长征二号捆绑式运载火箭 Chángzhēng Èrhào Kǔnbǎngshì Yùnzài Huǒjiàn"の略.

【长富宫饭店】Chángfùgōng Fàndiàn ホテルニューオータニ長富宮(ちょうふきゅう).❖中国・北京にあるホテル.[Hotel New Otani Chang Fu Gong]

【偿付能力】chángfù nénglì 〔債務の〕支払能力；償還能力.

【常规裁军】chángguī cáijūn 通常軍縮.

【常见问题】chángjiàn wèntí よくある質問；FAQ.[frequently asked questions ; FAQ]

【长江】Cháng Jiāng 長江(ちょうこう).❖中国を流れる川.[Chang River ; Changjiang River]

【长江三角洲】Chángjiāng Sānjiǎozhōu

cháng — chāo

長江デルタ；揚子江デルタ．❖上海市,江蘇省,浙江省で構成する中国最大の経済圏．[Yantze River Delta]

【长考】chángkǎo 長考する；熟考する．

【长毛牧羊犬】chángmáo mùyángquǎn コリー犬．[collie]

【长跑接力赛】chángpǎo jiēlìsài 駅伝．

【长期金融市场】chángqī jīnróng shìchǎng 長期金融市場．❖金融用語．[long-term money market]

【长崎市】Chángqí Shì 長崎〈ながさき〉市．❖長崎〈ながさき〉県("长崎县 Chángqí Xiàn")の県庁所在地．

【长崎县】Chángqí Xiàn 長崎〈ながさき〉県．❖日本の都道府県の1つ．県庁所在地は長崎〈ながさき〉市("长崎市 Chángqí Shì")．

【长青藤联盟】Chángqīngténg Liánméng アイビーリーグ．❖アメリカ東部の8大学,またはその総称．[Ivy League]

【长曲棍球】chángqūgùnqiú ラクロス．[lacrosse]

【长荣航空】Chángróng Hángkōng エバー航空．❖台湾の航空会社．コード：BR．[EVA Airways]

【长沙】Chángshā 長沙．❖"湖南省 Húnán Shěng"の省都．

【长舌妇】chángshéfù おしゃべり女．

【长舌公】chángshégōng おしゃべり男．

【长尾夹】chángwěijiā ダブルクリップ；バインダークリップ．[binder clip]

【常务董事】chángwù dǒngshì 常務取締役．

【长线】chángxiàn ①供給過剩．②長期的(な)；長期型．

【长相思】Chángxiāngsī ソーヴィニヨン・ブラン．❖白ぶどう品種,またそのぶどうで作られた白ワイン．[Sauvignon Blanc]

【长项】chángxiàng 得意分野．

【长野市】Chángyě Shì 長野〈ながの〉市．❖長野〈ながの〉県("长野县 Chángyě Xiàn")の県庁所在地．

【长野县】Chángyě Xiàn 長野〈ながの〉県．❖日本の都道府県の1つ．県庁所在地は長野〈ながの〉市("长野市 Chángyě Shì")．

【偿债率】chángzhàilǜ 債務返済比率；DSR．❖金融用語．[debt service ratio；DSR]

【长治久安】cháng zhì jiǔ ān 長期的治安と安定の維持．

【常驻代表】chángzhù dàibiǎo 駐在員．

chǎng

【厂房】chǎngfáng 工場建屋．

【场内交易】chǎngnèi jiāoyì 取引所取引；証券取引所取引．❖金融用語．"交易所交易 jiāoyìsuǒ jiāoyì"とも．

【场内交易人】chǎngnèi jiāoyìrén フロアトレーダー．❖金融用語．[floor trader]

【敞篷车顶】chǎngpéng chēdǐng 〔乗用車の〕サンルーフ．[sunroof]

【场外交易】chǎngwài jiāoyì 取引所外取引．❖金融用語．

【场外交易市场】chǎngwài jiāoyì shìchǎng 取引所外市場．❖金融用語．

chàng

【畅通工程】chàngtōng gōngchéng 渋滞解消工事．

【畅销书】chàngxiāoshū ベストセラー；ベストセラー本．[best-seller]

chāo

【超常教育】chāocháng jiàoyù 英才教育；超英才教育．

【超大规模集成电路】chāodàguīmó jíchéng diànlù 超大規模集積回路；VLSI．❖IT用語．"超LSI chāo LSI"とも．[very large scale integration；VLSI]

【超贷】chāodài オーバーローン．❖金融用

語."超額貸款 chāo'é dàikuǎn"の略.[overloan]

【超导】chāodǎo 超伝導.[superconduction]

【超导性材料】chāodǎoxìng cáiliào 超伝導素材.

【超导元素】chāodǎo yuánsù 超伝導元素.

【超短裙】chāoduǎnqún マイクロミニ. ❖丈の非常に短いスカート.[micromini]

【超额贷款】chāo'é dàikuǎn オーバーローン. ❖金融用語.略称は"超贷 chāodài".[overloan]

【超高频】chāogāopín 極超短波;UHF.[ultrahigh frequency;UHF]

【超高速巨型计算机】chāogāosù jùxíng jìsuànjī 超高速コンピューター. ❖IT用語.

【超过面值】chāoguò miànzhí オーバーパー. ❖金融用語.債券の価格が額面より高いこと.[over par]

【超级传播者】chāojí chuánbōzhě スーパースプレッダー. ❖SARSなどの感染力が、特別に強い人.[super spreader]

【超级歌舞伎】chāojí gēwǔjì スーパー歌舞伎.

【超级合金】chāojí héjīn スーパーアロイ;超合金.[super alloy]

《超级机器人大战》Chāojí Jīqìrén Dàzhàn「スーパーロボット大戦」. ❖バンプレスト(日本)製のゲームのタイトル.[Super Robot Wars]

【超级计算机】chāojí jìsuànjī スーパーコンピューター. ❖IT用語.[supercomputer]

【超级连接】chāojí liánjiē ハイパーリンク;リンク. ❖IT用語."超级链接 chāojí liánjiē""超链接 chāoliànjiē"とも.[hyperlink]

【超级链接】chāojí liànjiē ハイパーリンク;リンク. ❖IT用語."超级连接 chāojí liánjiē""超链接 chāoliànjiē"とも.[hyperlink]

《超级玛利奥兄弟》Chāojí Mǎlì'ào Xiōngdì「スーパーマリオブラザーズ」. ❖任天堂(日本)製のゲームのタイトル.[Super Mario Brothers]

【超级名模】chāojí míngmó スーパーモデル.[supermodel]

【超级明星】chāojí míngxīng スーパースター.[superstar]

【超级强片】chāojí qiángpiàn ブロックバスター映画;超大作映画.[blockbuster movie]

【超级市场】chāojí shìchǎng スーパーマーケット. ❖略称は"超市 chāoshì".[supermarket]

【超级碗】Chāojí Wǎn スーパーボウル. ❖NFLのチャンピオン決定戦.[Super Bowl]

【超价商店】Chāojià Shāngdiàn スーパーバリュー. ❖アメリカの食品雑貨卸売会社.[SuperValu]

【超借】chāojiè オーバーボローイング;過剰借入. ❖金融用語."借入过多 jièrù guòduō"とも.[over-borrowing]

【超可爱】chāokě'ài 超可愛い. ❖日本語から.

【超宽带】chāokuāndài 超広帯域無線;UWB. ❖IT用語.[ultra wide band;UWB]

【超LSI】chāo LSI 超大規模集積回路;VLSI. ❖IT用語."超大规模集成电路 chāodàguīmó jíchéng diànlù"とも.[very large scale integrated circuit;VLSI]

【超链接】chāoliànjiē ハイパーリンク;リンク. ❖IT用語."超级连接 chāojí liánjiē""超级链接 chāojí liànjiē"とも.[hyperlink]

【超媒体】chāoméitǐ ハイパーメディア. ❖IT用語.[hypermedia]

【超平彩电】chāopíng cǎidiàn 薄型フラットカラーテレビ.[flat-panel color TV;flat-screen color TV]

【超期滞留】chāoqī zhìliú オーバーステイ.[overstay]

【超前教育】chāoqián jiàoyù 早期教育;超早期教育.

chāo — chǎo

【超前消费】chāoqián xiāofèi ①バブル消費；過剰消費．②クレジットカードによる消費．

【超前意识】chāoqián yìshí 先取の意識；先を見越す意識；将来を見通す意識．

《超人》Chāorén「スーパーマン」．❖アメリカ映画のタイトル．[Superman]

【超生】chāoshēng １人っ子政策違反；産児制限違反；１人っ子政策に違反して出産する．

【超生游击队】chāoshēng yóujīduì ゲリラ的１人っ子政策違反者；ゲリラ的産児制限違反者．❖１人っ子政策に違反し意図的に２人以上の子供を出産する人．

【超时】chāoshí タイムアウト．❖IT用語．[time-out]

《超时空要塞》Chāoshíkōng Yàosài「超時空要塞マクロス」．❖日本アニメのタイトル．[Macross]

【超市】chāoshì スーパーマーケット．❖"超级市场 chāojí shìchǎng"の略．[supermarket]

【超市购物车】chāoshì gòuwùchē ショッピングカート．❖"购物手推车 gòuwù shǒutuīchē"とも．[shopping cart]

【超视距空战】chāoshìjù kōngzhàn 見通し外空中戦；目視距離外戦闘．

【抄送】chāosòng カーボンコピー；cc．[carbon copy；cc]

【超文本】chāowénběn ハイパーテキスト．❖IT用語．電子テキストの形式の１つ．[hypertext]

【超文本标记语言】chāowénběn biāojì yǔyán HTML．❖IT用語．ハイパーテキストを記述するための言語．[hypertext markup language；HTML]

【超文本传输协议】chāowénběn chuánshū xiéyì HTTP．❖IT用語．ハイパーテキストを転送するためのプロトコル．[hypertext transfer protocol；HTTP]

【超支户】chāozhīhù 支出超過世帯．

【超值】chāozhí ①商品の価値を上回る(こと)．②品質が大変良い(こと)．③超特価；廉価で優れた品質．

cháo

【潮汐电站】cháoxī diànzhàn 潮汐発電所．

【潮汐能】cháoxīnéng 潮汐エネルギー．[tidal energy]

【朝鲜民主主义人民共和国】Cháoxiǎn Mínzhǔzhǔyì Rénmín Gònghéguó 朝鲜民主主义人民共和国；北朝鮮．[Democratic People's Republic of Korea；North Korea]

【朝鲜泡菜】cháoxiǎn pàocài キムチ．[kimchi]

《朝鲜日报》Cháoxiǎn Rìbào「朝鲜日報」．❖韓国の日刊紙．[Chosun Ilbo]

【朝鲜中央新闻社】Cháoxiǎn Zhōngyāng Xīnwénshè 朝鲜中央通信．❖北朝鮮の通信社．略称は"朝中社 Cháozhōngshè"．[Korean Central News Agency；KCNA]

【朝中社】Cháozhōngshè 朝鲜中央通信．❖北朝鲜の通信社．"朝鲜中央新闻社 Cháoxiǎn Zhōngyāng Xīnwénshè"の略．[Korean Central News Agency；KCNA]

chǎo

【炒】chǎo ①炒める．②投機的売買をする．③報道や宣伝を繰り返し行う．④クビ；解雇する．❖④"炒鱿鱼 chǎo yóuyú"の略．

【炒地皮】chǎo dìpí 土地転がし(をする)．

【炒房地产】chǎo fángdìchǎn 不動産転がし．

【炒更】chǎogēng ①残業(をする)．②副業(をする)；サイドビジネス(をする)．[②sideline；sideline business]

【炒股热】chǎogǔrè 株式ブーム．

【炒汇】chǎohuì 外貨の投機的売買をする

(こと).

【炒家】chǎojiā 投機家；投機取引をする人；投機筋.[speculator]

【炒金】chǎojīn 〔投機的な〕金の売買(をする)；金の取引(をする).

【炒买炒卖】chǎo mǎi chǎo mài 投機的な売買. ❖金融用語.

【炒鱿鱼】chǎo yóuyú クビ；解雇(する).

【炒作】chǎozuò ①投機の売買をする. ②報道や宣伝を繰り返し行う.

chē

【车臣战争】Chēchén Zhànzhēng チェチェン紛争. ❖チェチェン共和国のロシア連邦からの分離独立をめぐる紛争.[Chechen Wars]

【车程】chēchéng 車での所要時間.

【车床】chēchuáng 旋盤.[lathe]

【车贷】chēdài オートローン；自動車ローン；マイカーローン. ❖"汽车贷款 qìchē dàikuǎn"の略.[car loan ; auto loan]

【车贷险】chēdàixiǎn オートローン保険；自動車ローン保険. ❖"个人汽车消费贷款履约保证保险 gèrén qìchē xiāofèi dàikuǎn lǚyuē bǎozhèng bǎoxiǎn"の略.

【车匪路霸】chēfěi lùbà 〔鉄道や道路沿いに出没する〕強盗.

【车购税】chēgòushuì 「車両購入税」；自動車取得税. ❖"车辆购置税 chēliàng gòuzhìshuì"の略.

【车间主任】chējiān zhǔrèn 職長.

【车辆购置税】chēliàng gòuzhìshuì 「車両購入税」；自動車取得税. ❖略称は"车购税 chēgòushuì".

【车辆清洗站】chēliàng qīngxǐzhàn 洗車場.

【车模】chēmó ①レースクイーン. ②ミニカー.

【车扒】chēpá 車内スリ.

【车牌】chēpái 〔車の〕ナンバープレート. ❖"汽车牌照 qìchē páizhào"の略.[number plate ; license plate]

【车市】chēshì 自動車市場.[car market ; auto market]

【车位】chēwèi 駐車スペース；駐車場.[parking space ; parking lot]

【车险】chēxiǎn 自動車保険.

【车用无铅汽油】chēyòng wúqiān qìyóu 無鉛ガソリン. ❖"无铅汽油 wúqiān qìyóu"とも.

【车用乙醇汽油】chēyòng yǐchún qìyóu アルコールガソリン.[alcohol-gasoline]

【车展】chēzhǎn モーターショー.[motor show]

chě

【扯平】chěpíng チャラ(にする)；相殺〈そうさい〉(する).

chè

【撤消】chèxiāo ①取り消す；取り消し；キャンセル(する). ②アンドゥー. ❖②IT用語."取消 qǔxiāo"とも.[①cancel ②undo]

chén

【尘埃落定】chén'āi luòdìng 結果が出る；結論が出る；考えが決まる.

【陈德良】Chén Déliáng チャン・ドゥック・ルオン. ❖ベトナムの政治家.[Tran Duc Luong]

【陈慧琳】Chén Huìlín ケリー・チャン；陳慧琳. ❖香港出身の歌手,女優.[Kelly Chen]

【陈凯歌】Chén Kǎigē チェン・カイコー；陳凱歌. ❖中国の映画監督.[Chen Kaige]

【晨练】chénliàn 早朝トレーニング.

【沉没成本】chénmò chéngběn 埋没費

chén — chéng

用;埋没原価;サンクコスト.[sunk cost]

《沉默的羔羊》Chénmò de Gāoyáng「羊たちの沈黙」. ❖アメリカ映画のタイトル. [The Silence of the Lambs]

【沉默权】chénmòquán 黙秘権〈もくひけん〉.

【陈年葡萄酒】chénnián pútaojiǔ ビンテージワイン.[vintage wine]

【晨跑】chénpǎo 早朝ランニング;早朝ジョギング.

【晨曦】Chénxī プルミエジュール. ❖ニナ・リッチ(仏)製のフレグランス名."曙光 Shǔguāng"とも.[Premier Jour]

【陈小春】Chén Xiǎochūn ジョーダン・チャン;陳小春. ❖香港出身の歌手,男優.[Jordan Chan]

【尘云】chényún 宇宙塵雲〈うちゅうじんうん〉.

chēng

【称后】chēnghòu トップに立つ. ❖女性に対して用いる.男性がトップに立つ場合は"封王 fēngwáng"という.

chéng

【惩办主义】chéngbàn zhǔyì 懲罰主義.

【承保】chéngbǎo 保険加入の承認.

【承保人】chéngbǎorén アンダーライター. ❖金融用語.[underwriter]

【成本加运费】chéngběn jiā yùnfèi 運賃込;CFR. ❖インコタームズ2000.[cost and freight;CFR]

【成本膨胀】chéngběn péngzhàng コストインフレーション.[cost inflation]

【成本推动型通货膨胀】chéngběn tuīdòngxíng tōnghuò péngzhàng コスト・プッシュ・インフレーション. ❖賃金,原材料の高騰等が原因となるインフレ."成本推进型通货膨胀 chéngběn tuījìnxíng tōnghuò péngzhàng"とも.[cost push inflation]

【成本效益】chéngběn xiàoyì コスト効果. ❖金融用語."成本效应 chéngběn xiàoyìng"とも.[cost effect]

【成本效应】chéngběn xiàoyìng コスト効果. ❖金融用語."成本效益 chéngběn xiàoyì"とも.[cost effect]

【承德避暑山庄和周围寺庙】Chéngdé Bìshǔ Shānzhuāng hé Zhōuwéi Sìmiào 承徳の避暑山荘と外八廟. ●世界文化遺産(中国).[Mountain Resort and its Outlying Temples, Chengde]

【城雕】chéngdiāo 野外彫刻;街角の彫刻. ❖"城市雕塑 chéngshì diāosù"の略.

【成都】Chéngdū 成都. ❖"四川省 Sìchuān Shěng"の省都.別称は"蓉 Róng".

【承兑】chéngduì アクセプタンス. ❖金融用語.[acceptance]

【承兑交单】chéngduì jiāodān 引受渡〈ひきうけわたし〉;D/A.[documents against acceptance;D/A]

【承兑信用证】chéngduì xìnyòngzhèng アクセプタンスクレジット. ❖金融用語.[acceptance credit]

【成分输血】chéngfèn shūxuè 成分輸血. ❖"成份输血 chéngfèn shūxuè"とも.

【成吉思汗】Chéngjísī Hàn チンギス・ハン;ジンギス汗〈カン〉. ❖モンゴル帝国の創始者,元の太祖.[Chinggis Khan]

【城际列车】chéngjì lièchē 都市間列車.

【成交量】chéngjiāoliàng ①〔株式取引の〕出来高;商い高;売買高.②成約量. ❖①金融用語.

【成教】chéngjiào 成人教育;社会人教育. ❖"成人教育 chéngrén jiàoyù"の略.[adult education]

【承接银行】chéngjiē yínháng 受け皿銀行;ブリッジバンク. ❖金融用語.[bridge bank]

【成考】chéngkǎo 社会人大学入試. ❖"成人高考 chéngrén gāokǎo"の略.

【程控电话】chéngkòng diànhuà デジタル電話.[digital telephone]

chéng

【成龙】Chéng Lóng ジャッキー・チェン；成龍．❖香港出身の男優．[Sir Jackie Chan]

【承诺】chéngnuò 約定〈やくじょう〉．❖金融用語．

【承诺费】chéngnuòfèi コミットメントフィー．❖金融用語．[commitment charge]

【承诺服务】chéngnuò fúwù 保証サービス．

【成批生产】chéngpī shēngchǎn マスプロ；大量生産．[mass production]

【成品率】chéngpǐnlǜ 歩留〈ぶ〉まり．[yield rates]

【城墙环绕的希巴姆古城】Chéngqiáng Huánrào de Xībāmǔ Gǔchéng シバームの旧城壁都市．●世界文化遺産(イエメン)．[Old Walled City of Shibam]

【城墙围绕的巴库城及其希尔凡王宫和少女塔】Chéngqiáng Wéirào de Bākùchéng jí Qí Xī'ěrfán Wánggōng hé Shàonǚ Tǎ 城壁都市バクー，シルヴァンシャー宮殿，および乙女の塔．●世界危機遺産(アゼルバイジャン)．[Walled City of Baku with the Shirvanshah's Palace and Maiden Tower]

【城墙围绕的历史名城昆卡】Chéngqiáng Wéirào de Lìshǐ Míngchéng Kūnkǎ 歴史的城壁都市クエンカ．●世界文化遺産(スペイン)．[Historic Walled Town of Cuenca]

【成人高考】chéngrén gāokǎo 社会人大学入試．❖略称は"成考 chéngkǎo"．

【成人教育】chéngrén jiàoyù 成人教育；社会人教育．❖略称は"成教 chéngjiào"．[adult education]

【成人节】Chéngrén Jié 成人の日．[Coming-of-Age Day]

【成人中等职业技术教育】chéngrén zhōngděng zhíyè jìshù jiàoyù 成人のための中等職業技術教育．

【成人中等专科学校】chéngrén zhōngděng zhuānkē xuéxiào 成人中等専門学校．

【城市病】chéngshìbìng 都市病．

【城市道路面积率】chéngshì dàolù miànjīlǜ 都市の道路率．

【城市风】chéngshìfēng ビル風〈かぜ〉．

【城市规划】chéngshì guīhuà 都市計画；都市プランニング．

【城市规划区】chéngshì guīhuàqū 都市計画区域．

【城市化】chéngshìhuà 都市化．[urbanization]

【城市化水平】chéngshìhuà shuǐpíng 都市化レベル．

【城市建成区】chéngshì jiànchéngqū 既成市街地区域．

【城市居民最低生活保障制度】chéngshì jūmín zuìdī shēnghuó bǎozhàng zhìdù 都市住民の最低限の生活保障；都市住民生活保護．

【城市恐惧症】chéngshì kǒngjù zhèng 都会恐怖症．

《城市猎人》Chéngshì Lièrén 「シティーハンター」．❖日本漫画，アニメのタイトル．[City Hunter]

【城市群】chéngshìqún 都市密集地域．

【城市设计】chéngshì shèjì 都市設計；都市デザイン．

【城市生活】chéngshì shēnghuó シティーライフ；アーバンライフ．[urban life]

【成套设备】chéngtào shèbèi プラント．[plant]

【成田国际机场】Chéngtián Guójì Jīchǎng 成田国際空港；成田空港；NAA．❖日本・千葉にある空港．[Narita International Airport；NAA]

【呈现】chéngxiàn ①呈する；現れる．②プレゼンテーション(をする)．[②presentation]

【呈现技巧】chéngxiàn jìqiǎo プレゼンテーションスキル；プレゼンスキル．[presenta-

chéng — chī

【承销】chéngxiāo アンダーライティング. ❖金融用語.[underwriting]

【承销人】chéngxiāorén アンダーライター. ❖金融用語.[underwriter]

【承销商】chéngxiāoshāng アンダーライター. ❖金融用語.[underwriter]

【承销团】chéngxiāotuán 引受シンジケート団;引受シ団. ❖金融用語.有価証券の引受を行う幹事会社.[syndicate of underwriters]

【诚信度】chéngxìndù 信頼性;信用度.

【程序】chéngxù ①手順;プロセス. ②プログラム. ❖②IT用語.[①process ②program]

【程序控制】chéngxù kòngzhì プログラム制御. ❖IT用語.[programmed control]

【程序库】chéngxùkù 〔コンピューターの〕ライブラリー. ❖IT用語.プログラムを集めてまとめたファイル.[library]

【程序设计】chéngxù shèjì プログラミング. ❖IT用語.[programming]

【程序文件】chéngxù wénjiàn プログラムファイル. ❖IT用語.[program file]

【程序语言】chéngxù yǔyán プログラミング言語. ❖IT用語."编程语言 biānchéng yǔyán""程序设计语言 chéngxù shèjì yǔyán"とも.[programming language]

【程序员】chéngxùyuán プログラマー. ❖IT用語.[programmer]

【城域网】chéngyùwǎng メトロポリタン・エリア・ネットワーク;MAN. ❖IT用語.数十キロメートルの範囲内で通信できるコンピューターのネットワークの1つ.[metro area network;MAN]

【成长股】chéngzhǎnggǔ 成長株. ❖金融用語.

【城镇社会保障体系】chéngzhèn shèhuì bǎozhàng tǐxì 〔都市部の〕社会保障制度.

【城镇体系】chéngzhèn tǐxì 都市システム. [urban system]

【城镇体系规划】chéngzhèn tǐxì guīhuà 都市システム計画.

【成组技术】chéngzǔ jìshù グループテクノロジー;GT.[group technology;GT]

chī

【吃饱穿暖】chībǎo chuānnuǎn 衣食を確保する;十分な衣食を提供する.

【吃饭财政】chīfàn cáizhèng 公務員給与を支払うための資金調達.

【吃干醋】chī gāncù 〔理由なく〕うらやむ;ねたむ.

【吃喝风】chīhēfēng 公費で飲食する風潮.

【吃皇粮】chī huángliáng 国からの給与で生活する.

【痴迷】chīmí ①無我夢中になる. ②はまる.

【吃软饭】chī ruǎnfàn ①女に養ってもらう;ヒモになる. ②ソフトウェアで稼ぐ;ソフトウェア業務に従事する.

chí

【持股公司】chígǔ gōngsī 持株〈もちかぶ〉会社;ホールディングカンパニー. ❖"控股公司 kònggǔ gōngsī"とも.[holding company]

【持久性】chíjiǔxìng ①持続する;恒久的な. ②〔マスカラなどの〕ロングラスティング.[②long lasting]

【持久性有机污染物】chíjiǔxìng yǒujī wūrǎnwù 残留性有機汚染物質;POPs.[persistent organic pollutants;POPs]

【驰名商标】chímíng shāngbiāo 著名商標.

【持平】chípíng ①公正な;公平な. ②同じ水準を保つ. ③持合〈もちあい〉.

【持续农业】chíxù nóngyè 持続可能な農業. ❖環境に配慮した,持続的発展が可能な農業.

chì

【赤道几内亚共和国】Chìdào Jīnèiyà Gònghéguó 赤道ギニア共和国;赤道ギニア.[Republic of Equatorial Guinea ; Equatorial Guinea]

【赤霞珠】Chìxiázhū カベルネソーヴィニョン. ❖赤ワイン用のぶどう品種,またそのぶどうで作られたワイン."苏维翁 Sūwéiwēng"とも.[Cabernet Sauvignon]

【赤字国债】chìzì guózhài 赤字国債. ❖金融用語.[deficit bond]

chōng

【充电】chōngdiàn ①充電. ②勉強して知識や技術を身につける(こと).

【冲顶】chōngdǐng ①ヘディング. ②〔登山で〕頂上にアタックする(こと). ③トップを目指す(こと).[①heading]

【冲动性购买】chōngdòngxìng gòumǎi 衝動買い.

【冲浪】chōnglàng サーフィン.[surfing]

【充气建筑】chōngqì jiànzhù エアチューブテント.[air-supported structure]

【冲绳县】Chōngshéng Xiàn 沖縄(おきなわ)県. ❖日本の都道府県の1つ.県庁所在地は那覇(なは)市("那霸市 Nàbà Shì").

【冲水马桶】chōngshuǐ mǎtǒng 水洗便器.

【冲销干预】chōngxiāo gānyù 不胎化;不胎化介入. ❖金融用語.中央銀行が為替市場介入による通貨供給量の増加を公開市場操作などで相殺(そうさい)すること.[sterilization]

【冲销坏账】chōngxiāo huàizhàng 不良貸付を処理する(こと). ❖金融用語.

【充值卡】chōngzhíkǎ リチャージカード;リロードカード.[rechargeable card]

chóng

【重定偿债期限】chóngdìng chángzhài qīxiàn 債務返済繰延;リスケ. ❖金融用語.[rescheduling]

【重复建设】chóngfù jiànshè 重複建設.

【重购成本】chónggòu chéngběn 再調達原価.

【重拍】chóngpāi〔映画の〕リメイク.[remake]

【重启】chóngqǐ〔コンピューターを〕再起動(する);リブート(する). ❖IT用語."再启动 zàiqǐdòng"とも."重新启动 chóngxīn qǐdòng"の略.[reboot]

《重庆森林》Chóngqìng Sēnlín「恋する惑星」. ❖香港映画のタイトル.[Chungking Express]

【重庆市】Chóngqìng Shì 重慶市. ❖中国の直轄市の1つ.別称は"渝 Yú".

【重写】chóngxiě 上書き保存. ❖IT用語."盖写 gàixiě"とも.[overwrite]

【重新包装】chóngxīn bāozhuāng リメイク.[remake]

【重新开机】chóngxīn kāijī〔コンピューターを〕再起動(する);リブート(する). ❖IT用語."重新启动 chóngxīn qǐdòng""再启动 zàiqǐdòng"とも.[reboot]

【重新启动】chóngxīn qǐdòng〔コンピューターを〕再起動(する);リブート(する). ❖IT用語."重新开机 chóngxīn kāijī""再启动 zàiqǐdòng"とも.略称は"重启 chóngqǐ".[reboot]

【重新装修】chóngxīn zhuāngxiū リニューアル;改装;改築.[renewal]

【重组】chóngzǔ 再編;再構築;リエンジニアリング;リストラクチャリング.[reengineering ; restructuring]

【重组DNA技术】chóngzǔ DNA jìshù 遺伝子組み換え技術.

chǒng

【宠物】chǒngwù ペット.[pet]
【宠物商店】chǒngwù shāngdiàn ペットショップ.[pet shop]
【宠物食品】chǒngwù shípǐn ペットフード.[pet food]
【宠物医院】chǒngwù yīyuàn ペットクリニック;動物病院.[pet clinic]

chòng

【冲床】chòngchuáng パンチプレス.❖板加工機械.[punching machine]

chōu

【抽查】chōuchá サンプリング;サンプリング検査(をする);抜き取り検査(をする).❖"抽样检查 chōuyàng jiǎnchá""抽样检验 chōuyàng jiǎnyàn"の略.[sampling]
【抽检】chōujiǎn 抜き取り検査(をする).
【抽签偿还】chōuqiān chánghuán 抽選償還.❖金融用語.定時償還の１つ.抽選で選ばれた債券を償還する方法.
【抽烟上瘾】chōuyān shàngyǐn タバコ中毒;ニコチン中毒.
【抽样检查】chōuyàng jiǎnchá サンプリング;サンプリング検査(をする);抜き取り検査(をする).❖"抽样检验 chōuyàng jiǎnyàn"とも.略称は"抽查 chōuchá".[sampling]
【抽样检验】chōuyàng jiǎnyàn サンプリング;サンプリング検査(をする);抜き取り検査(をする).❖"抽样检查 chōuyàng jiǎnchá"とも.略称は"抽查 chōuchá".[sampling]

chóu

【酬宾活动】chóubīn huódòng 謝恩セール;ご愛顧感謝セール;謝恩企画.
【筹措资金】chóucuò zījīn 資金調達(をする).❖略称は"筹资 chóuzī".
【筹资】chóuzī 資金調達(をする).❖"筹措资金 chóucuò zījīn"の略.

chǒu

【丑八怪】chǒubāguài ①ぶす.②ぶ男.

chòu

【臭虫】chòuchóng 〔プログラムの〕バグ.❖IT用語.[bug]
【臭氧层】chòuyǎngcéng オゾン層.[ozone layer]
【臭氧洞】chòuyǎngdòng オゾンホール.[ozone hole]

chū

【出彩】chūcǎi ①〔演劇で〕血の表現.②異彩を放つ;すばらしい.
【出场费】chūchǎngfèi 出演料;ファイトマネー.[performance fee;appearance fee;fight money]
【出厂序号】chūchǎng xùhào シリアルナンバー.[serial number]
【出光兴产】Chūguāng Xīngchǎn 出光興産.❖日本の石油会社.[Idemitsu Kosan]
【出国热】chūguórè 出国ブーム.
【出价】chūjià ビッド;買値.❖金融用語."递价 dìjià""递盘价 dìpánjià"とも.[bid;buying price]
【出镜】chūjìng 〔映画,テレビに〕出演する.
【出境游】chūjìngyóu 外国旅行.
【出局】chūjú ①〔野球で〕アウト(になる).②敗退する(こと).③淘汰される(こと).④証券をすべて売り払う(こと).[①out]
【出口汇兑】chūkǒu huìduì 輸出為替;買為替.❖"出口外汇 chūkǒu wàihuì"とも.

chū — chù

【出口加工区】chūkǒu jiāgōngqū 輸出加工区；EPZ.[export processing zone；EPZ]

【出口卖方信贷】chūkǒu màifāng xìndài サプライヤーズクレジット．❖"卖方信贷 màifāng xìndài"とも.[suppliers' credit]

【出口退税制度】chūkǒu tuìshuì zhìdù 輸出税還付制度.

【出口外汇】chūkǒu wàihuì 輸出為替；買為替．❖"出口汇兑 chūkǒu huìduì"とも.

【出炉】chūlú ①窯出しする．②お目見えする.

【初始化】chūshǐhuà 初期化．❖IT用語.[initialization]

【出售】chūshòu 売り出し.

【出台】chūtái ①登場する．②〔法律や政策などを〕発表する；施行する.

【初谈权】chūtánquán 初期交渉権．❖"最初谈判权 zuìchū tánpànquán"の略.

chú

【雏菊链】chújúliàn デージーチェーン．❖IT用語.[daisy chain]

【雏菊切刀】chújú qiēdāo デージーカッター．❖大型燃料気化爆弾の通称.[BLU-82；daisy cutter]

【除权】chúquán 権利落ち．❖金融用語．配当基準日が過ぎて従来受けられる株式配当の権利を失うこと．"权利跌落 quánlì diēluò"とも.

【厨师长】chúshīzhǎng シェフ；料理長；板長.

【厨余垃圾】chúyú lājī 生〈なま〉ごみ.

【除皱】chúzhòu しわ取り.

chǔ

【储备存款制度】chǔbèi cúnkuǎn zhìdù 支払準備制度；準備預金制度；法定準備制度．❖金融用語．"规定准备存款制度 guīdìng zhǔnbèi cúnkuǎn zhìdù"とも.

【储备货币】chǔbèi huòbì 準備通貨．❖金融用語.

【储备基金】chǔbèi jījīn 準備金；リザーブファンド．❖金融用語．"准备金 zhǔnbèijīn"とも.[reserve fund]

【处方药】chǔfāngyào 処方薬.[prescription drug；prescription medicine]

《楚门的世界》Chǔmén de Shìjiè 「トゥルーマン・ショー」．❖アメリカ映画のタイトル.[The Truman Show]

【楚沙迪】Chǔshādí トラサルディ．❖イタリアのファッションメーカー，ブランド.[Trussardi]

【处暑】chǔshǔ 〔二十四節気の〕処暑〈しょしょ〉.

【处在文化十字路口的撒马尔罕城】Chǔzài Wénhuà Shízìlùkǒu de Sāmǎ'ěrhǎn Chéng サマルカンド文化交差路．●世界文化遺産（ウズベキスタン）.[Samarkand-Crossroads of Cultures]

chù

【触笔】chùbǐ タッチペン；スタイラスペン．❖IT用語.[touch pen；stylus pen]

【触电】chùdiàn ①感電（する）．②映画やテレビに初めて出る；映画,テレビ業界へ初進出(する)．③〔小説などが〕映画化される；テレビドラマ化される．④初めてコンピューターに触れる(こと).

【触法】chùfǎ 法律に抵触する；法を犯す．❖"触犯法律 chùfàn fǎlǜ"の略.

【触犯法律】chùfàn fǎlǜ 法律に抵触する；法を犯す．❖略称は"触法 chùfǎ".

【触摸板】chùmōbǎn タッチパッド．❖IT用語.[touch pad]

【触摸屏】chùmōpíng タッチパネル；タッチスクリーン．❖IT用語.[touch panel；touch screen]

chuān

《穿长靴的猫》Chuān Chángxuē de Māo「長靴をはいた猫」. ❖日本アニメのタイトル. [Puss in Boots]

【川河集团】Chuānhé Jítuán 川河集団；リベラ（ホールディングス）. ❖不動産投資持株会社. レッドチップ企業の１つ. [Rivera(Holdings)]

【川崎】Chuānqí カワサキ. ❖川崎重工業（日本）製のオートバイのブランド. [Kawasaki]

【穿梭巴士】chuānsuō bāshì シャトルバス. [shuttle bus]

【穿梭外交】chuānsuō wàijiāo シャトル外交；往復外交. [shuttle diplomacy]

chuán

【船边交货】chuánbiān jiāohuò 船側渡〈せんそくわたし〉；FAS. ❖インコタームズ2000. [Free Alongside Ship ; FAS]

【传播性病罪】chuánbō xìngbìngzuì 売春行為を通じ,故意に重大な性病を感染させた罪. ❖中国の罪状名.

【船方不负担装卸费】chuánfāng bùfùdān zhuāngxièfèi 船内荷役船主無負担；FIO. [free in and out ; FIO]

【船方负担装卸费】chuánfāng fùdān zhuāngxièfèi バースターム. ❖"班轮条件 bānlún tiáojiàn"とも. [berth term]

【传感技术】chuángǎn jìshù センサー技術.

【传媒】chuánméi メディア. ❖"媒体 méitǐ"とも. [media]

【传球】chuánqiú〔球技で〕パス(する). [pass ; throw]

【传染性非典型肺炎】chuánrǎnxìng fēidiǎnxíng fèiyán 重症急性呼吸器症候群；新型肺炎；サーズ；SARS. ❖"严重急性呼吸系统综合征 yánzhòng jíxìng hūxī xìtǒng zōnghézhēng"とも. 略称は"非典型肺炎 fēidiǎnxíng fèiyán""非典 fēidiǎn".[severe acute respiratory syndrome ; SARS]

【船上交货】chuánshàng jiāohuò 本船渡〈ほんせんわたし〉；FOB. ❖インコタームズ2000. [free on board ; FOB]

【传输控制／网际协议】chuánshū kòngzhì wǎngjì xiéyì TCP/IP. ❖IT用語. インターネット,イントラネットで使われるプロトコルの１つ. [transmission control protocol/Internet protocol ; TCP/IP]

【传输率】chuánshūlǜ 伝送速度；伝送率；トランスファーレート. ❖IT用語. "传输速率 chuánshū sùlǜ"とも. [transfer speed ; transfer rate]

【传输速率】chuánshū sùlǜ 伝送速度；伝送率；トランスファーレート. ❖IT用語. "传输率 chuánshūlǜ"とも. [transfer speed ; transfer rate]

《传说巨神》Chuánshuō Jùshén「伝説巨神イデオン」. ❖日本アニメのタイトル. [Space Runaway IDEON]

【船务公司】chuánwù gōngsī 船会社. [maritime company]

【传销】chuánxiāo ネットワーク販売；連鎖販売取引. [network marketing]

【传真纸】chuánzhēnzhǐ ファクシミリ用紙；ファックス用紙.

chuàn

【串标】chuànbiāo 入札談合. ❖"围标 wéibiāo"とも.

【钏路川】Chuànlù Chuān 釧路川〈くしろがわ〉. ❖日本・北海道〈ほっかいどう〉を流れる川. [the Kushiro River]

【串行接口】chuànxíng jiēkǒu シリアルインターフェイス. ❖IT用語. [serial interface]

【串休】chuànxiū ①振替休日(をとる). ②代休(をとる).

chuāng

【窗口】chuāngkǒu 窓；ウィンドウ．[window]
【窗口行业】chuāngkǒu hángyè サービス業．[service business ; service occupation]
【创伤后应激障碍】chuāngshānghòu yìngjī zhàng'ài 心的外傷後ストレス障害；PTSD．[posttraumatic stress disorder ; PTSD]

chuáng

【床上戏】chuángshàngxì ベッドシーン．

chuàng

【创建】chuàngjiàn ①創立(する)．②[コンピューターで]新規作成(する)．❖②IT用語．"新建 xīnjiàn"とも．
《创世纪》Chuàngshì Jì「ウルティマ」．❖エレクトロニック・アーツ(米)製のゲームのタイトル．[Ultima]
【创新】chuàngxīn イノベーション；刷新．[innovation]
【创新人才】chuàngxīn réncái イノベーション型人材；起業家．
【创业板】chuàngyèbǎn「創業板」；グロース・エンタープライズ・マーケット；GEM．❖金融用語．香港の新興，ハイテク企業の株式市場．[Growth Enterprise Market ; GEM]
【创业基金】chuàngyè jījīn ベンチャー・キャピタル・ファンド．❖金融用語．ベンチャービジネスに投資するファンド．[venture capital fund]
【创业市场】chuàngyè shìchǎng ベンチャー市場．❖金融用語．新興，ハイテク企業市場．[venture market]
【创业投资】chuàngyè tóuzī ベンチャーキャピタル．❖金融用語．新興企業に対する投資，リスクの危険性がある企業への投資．[venture capital]
【创业型企业】chuàngyèxíng qǐyè ベンチャー企業．❖"风险企业 fēngxiǎn qǐyè""革新企业 géxīn qǐyè"とも．[venture company]
【创业园】chuàngyèyuán 創業パーク．❖ベンチャー支援区域．
【创意】chuàngyì ①創意．②創意に富んだアイデアを出す．

chuī

【吹风会】chuīfēnghuì ブリーフィング．[briefing]

chuí

【垂直传播】chuízhí chuánbō 垂直感染．
【垂直分工】chuízhí fēngōng 垂直分業．

chūn

【春分】chūnfēn〔二十四節気の〕春分〈しゅんぶん〉．[equinox]
【春节团拜会】chūnjié tuánbàihuì 春節賀詞交換会；新年賀詞交換会．
【春考】chūnkǎo 春期大学入試．
【春蕾计划】Chūnlěi Jìhuà「春蕾计画」．❖女子学生のための就学,復学支援プロジェクト．
【春运】chūnyùn 春節(旧正月)期間中の輸送；春節期間中の旅客輸送．❖"春节运输 chūnjié yùnshū"の略．
【春招】chūnzhāo〔大学の〕春期募集．

chún

【唇彩】chúncǎi リップグロス．[lip gloss]
【唇膏】chúngāo 口紅；リップスティック；

chún — cóng

リップクリーム.[lip color ; lipstick ; lip balm]

【纯平彩电】chúnpíng cǎidiàn フルフラット・カラー・テレビ.[flat-screen color television]

【醇汽油】chúnqìyóu ガソホール. ❖エタノールを10パーセント以上混合したガソリンを指す.[gasohol]

【纯文本】chúnwénběn プレーンテキスト；テキスト形式. ❖IT用語.[plain text ; text format]

【唇线笔】chúnxiànbǐ リップライナー.[lip liner]

【纯羊毛标志】chúnyángmáo biāozhì ウールマーク.[Woolmark]

cí

【茨城县】Cíchéng Xiàn 茨城〈いばらき〉県. ❖日本の都道府県の1つ.県庁所在地は水戸〈みと〉市("水户市 Shuǐhù Shì").

【磁道】cídào〔記憶装置の〕トラック. ❖IT用語.[track]

【磁光盘】cíguāngpán MO. ❖光磁気ディスクの1種.[magneto-optical disc ; MO]

【磁卡】cíkǎ 磁気カード. ❖IT用語.[magnetic card]

【磁卡电话】cíkǎ diànhuà テレホンカード専用電話.

【磁流体发电】cíliútǐ fādiàn 磁気流体発電；電磁流体発電；MHD発電. ❖エネルギー関連用語.[magneto hydrodynamics power generation]

【磁盘】cípán 磁気ディスク. ❖IT用語.[magnetic disk]

【磁盘操作系统】cípán cāozuò xìtǒng DOS〈ドス〉. ❖IT用語.コンピューターのオペレーティングシステムの1つ.[disk operating system ; DOS]

【磁盘可利用空间】cípán kěliyòng kōngjiān ディスクの空き容量. ❖IT用語.[disk space]

【磁盘容量】cípán róngliàng ディスク容量. ❖IT用語.[disk capacity ; disk space]

【磁盘扫描】cípán sǎomiáo スキャンディスク. ❖IT用語.[scandisk]

【磁盘碎片整理】cípán suìpiàn zhěnglǐ ディスク最適化；デフラグ. ❖IT用語.[defrag]

【磁盘阵列】cípán zhènliè ディスクアレイ；RAID〈レイド〉. ❖IT用語.独立したハードディスクを連動させて，1つのデータ記憶装置として使うこと.[disk array ; redundant array of independent disks ; RAID]

【瓷器婚】cíqìhūn 磁器婚式. ❖20年目の結婚記念日.

【磁悬浮列车】cíxuánfú lièchē リニアモーターカー.[linear motorcar ; magnetically levitated train]

cì

【次道德】cìdàodé 違法行為を働く者の身勝手なモラル.

【刺激】cìjī ①刺激(する). ②報奨；奨励金；インセンティブ.[②incentive]

【刺激景气政策】cìjī jǐngqì zhèngcè 景気刺激策.

【次级债权】cìjí zhàiquán 劣後〈れつご〉債. ❖金融用語.

【刺青】cìqīng 入れ墨；タトゥー. ❖"文身 wénshēn""纹身 wénshēn"とも.[tattoo]

【次区域】cìqūyù サブリージョン；亜地域.[subregion]

【次声武器】cìshēng wǔqì 低周波音兵器；低周波兵器.

cóng

【从价关税】cóngjià guānshuì 従価税.[ad

cū

【粗心错误】cūxīn cuòwù ケアレスミス. [careless mistake]

cù

【簇】cù クラスター. ❖IT用語.[cluster]
【促销】cùxiāo 販促.
【促销活动】cùxiāo huódòng キャンペーン.[campaign]

cuī

【崔智友】Cuī Zhìyǒu チェ・ジウ. ❖韓国出身の女優.[Choi Jiwoo]

cuǐ

【璀璨】Cuǐcàn トレゾア. ❖ランコム(仏)製のフレグランス名.[Trésor]

cuì

【翠丰集团】Cuìfēng Jítuán キングフィッシャーグループ. ❖イギリスの小売チェーン.[Kingfisher Group]
【脆弱性】cuìruòxìng 脆弱性〈ぜいじゃくせい〉. ❖IT用語.[vulnerability]

cūn

【村规民约】cūnguī mínyuē 農村住民のルール.
【村上春树】Cūnshàng Chūnshù 村上春樹〈むらかみ はるき〉. ❖日本の文学者.[MURAKAMI Haruki]
【村务公开】cūnwù gōngkāi 村の行政公開. ❖村民委員会の財務公開を含む.

cún

【存储介质】cúnchǔ jièzhì 記憶媒体；記憶メディア. ❖IT用語."存储媒体 cúnchǔ méitǐ"とも.
【存储器】cúnchǔqì 〔コンピューターの〕メモリー；記憶装置. ❖IT用語.[memory; storage]
【存货投资周期】cúnhuò tóuzī zhōuqī 在庫投資循環.
【存款】cúnkuǎn 預金(する)；預け入れ. ❖金融用語.
【存款保险制度】cúnkuǎn bǎoxiǎn zhìdù ペイオフ制度. ❖金融用語.[deposit insurance system]
【存款单】cúnkuǎndān 預金証書. ❖金融用語.
【存款货币】cúnkuǎn huòbì 預金通貨. ❖金融用語.
【存款准备金制度】cúnkuǎn zhǔnbèijīn zhìdù 預金準備金制度. ❖金融用語.
【存盘】cúnpán 〔データなどを記憶媒体へ〕セーブ(する)；保存(する). ❖IT用語."保存 bǎocún"とも.[save]
【存取】cúnqǔ 〔記憶装置,データベースなどへ〕アクセス(する). ❖IT用語.[access]
【存取权限】cúnqǔ quánxiàn アクセス権. ❖IT用語."访问权限 fǎngwèn quánxiàn"とも.[access right]
【存折补登】cúnzhé bǔdēng 通帳記帳. ❖金融用語.
【存证信函】cúnzhèng xìnhán 内容証明書.

cuò

【错层式住宅】cuòcéngshì zhùzhái スプリットレベル住宅. ❖段差をいかした工法.[split-level house]
【锉床】cuòchuáng やすり盤.
【措词】cuòcí ワーディング；言葉づかい；

cuò

言い回し．[wording]

【措迪洛山】Cuòdíluò Shān ツォディロ．◉世界文化遺産(ボツワナ)．[Tsodilo]

【错误】cuòwù ①誤り；間違い．②〔コンピューターで〕エラー．③〔プログラムの〕バグ．❖②③IT用語．[②error ③bug]

【错误信息】cuòwù xìnxī〔コンピューターの〕エラーメッセージ．❖IT用語．[error message]

D — dá

D

【DG银行】DG Yínháng DGバンク．❖ドイツの金融機関．[DG Bank]

【DIY机】DIY jī 自作機；自作パソコン．

【DNA】DNA デオキシリボ核酸；DNA．❖中国語では"脱氧核糖核酸 tuōyǎng hétáng hésuān".[deoxyribonucleic acid；DNA]

【DNA重组】DNA chóngzǔ 遺伝子組み換え．❖"基因重组 jīyīn chóngzǔ""转基因 zhuǎnjīyīn"とも．

【DNA鉴定】DNA jiàndìng DNA鑑定．[DNA analysis；DNA testing]

【DOS】DOS DOS〈ドス〉．❖IT用語．コンピューターのオペレーティングシステムの1つ．中国語では"磁盘操作系统 cípán cāozuò xìtǒng".[disk operating system；DOS]

【Down综合征】DOWN zōnghézhēng ダウン症候群．❖"Down 综合症 DOWN zōnghézhèng""唐氏综合征 Tángshì zōnghézhēng""唐氏综合症 Tángshì zōnghézhèng"とも．[Down syndrome]

【DVD播放机】DVD bōfàngjī DVDプレーヤー．❖IT用語."DVD 影碟机 DVD yǐngdiéjī"とも．[digital versatile disc player；DVD player]

【DVD碟片】DVD diépiàn DVD．❖光ディスクの1種．[digital versatile disc；DVD]

【DVD光盘】DVD guāngpán DVD．❖光ディスクの1種．[digital versatile disc；DVD]

【DVD光盘录像机】DVD guāngpán lùxiàngjī DVDレコーダー．❖IT用語."DVD 录像机 DVD lùxiàngjī"とも．[DVD recorder]

【DVD光驱】DVD guāngqū DVDドライブ．❖IT用語.[digital versatile disc drive；DVD drive]

【DVD刻录机】DVD kèlùjī DVDレコーダー．❖IT用語.[DVD recorder]

【DVD盘片】DVD pánpiàn DVD．❖光ディスクの1種．[digital versatile disc；DVD]

【DVD影碟机】DVD yǐngdiéjī DVDプレーヤー．❖IT用語."DVD 播放机 DVD bōfàngjī"とも．[digital versatile disc player；DVD player]

dā

【搭错车】dācuò chē ①〔路線バスなどで〕乗り間違える．②判断を誤る；失敗する．

【搭配出售】dāpèi chūshòu 抱き合わせ販売．

【搭载】dāzài ①〔旅客や貨物などを〕載せる．②〔新機能や部品を〕搭載する．

dá

【达标活动】dábiāo huódòng 目標達成運動；目標達成活動．

【达夫尼修道院、俄西俄斯罗卡斯修道院和希俄斯新修道院】Dáfūní Xiūdàoyuàn Éxī'ésīluókǎsī Xiūdàoyuàn hé Xī'ésī Xīn Xiūdàoyuàn ダフニ修道院群,オシオス・ルカス修道院群,ヒオス島のネア・モニ修道院群．●世界文化遺産(ギリシャ)．[Monasteries of Daphni, Hossios Luckas and Nea Moni of Chios]

【达卡】Dákǎ ダッカ．❖バングラデシュの首都．[Dhaka；Dacca]

【达拉斯】Dálāsī ダラス．❖アメリカの都市名．[Dallas]

dá — dǎ

【达勒姆城堡和大教堂】Dálèmǔ Chéngbǎo hé Dàjiàotáng ダラム城と大聖堂. ●世界文化遺産(イギリス).[Durham Castle and Cathedral]

【达累斯萨拉姆】Dálèisīsālāmǔ ダルエスサラーム. ❖タンザニアの旧首都.[Dar es Salaam]

【达连国家公园】Dálián Guójiā Gōngyuán ダリエン国立公園. ●世界自然遺産(パナマ).[Darien National Park]

【答录电话】dálù diànhuà 留守番電話；留守電. ❖"留言电话 liúyán diànhuà"とも.

【达美航空】Dáměi Hángkōng デルタ航空. ❖アメリカの航空会社.コード：DL.[Delta Air Lines]

【达美乐比萨】Dáměilè Bǐsà ドミノ・ピザ. ❖ドミノ(米)のピザチェーン.[Domino's Pizza]

【达能集团】Dánéng Jítuán ダノン・グループ. ❖フランスの食品グループ.[Groupe Danone]

【达索系统】Dásuǒ Xìtǒng ダッソー・システムズ. ❖フランスのコンピューター・ソフトウェア・メーカー.[Dassault Systemes]

【达特茅斯学院】Dátèmáosī Xuéyuàn ダートマスカレッジ；ダートマス大学. ❖アメリカ・ニューハンプシャー州にある大学.アイビーリーグの1つ.[Dartmouth College]

【达信】Dáxìn テキストロン. ❖アメリカの航空機,自動車部品メーカー.[Textron]

dǎ

【打白条】dǎ báitiáo 空手形を振り出す.

【打包】dǎbāo ①梱包する；箱に詰める. ②〔食べ残しを〕包む；持ち帰る.

【打包放款】dǎbāo fàngkuǎn パッキングクレジット. ❖金融用語.[packing credit]

【打车】dǎchē タクシーを拾う.

【打的】dǎdí タクシーに乗る；タクシーを拾う. ❖"的"は1声で発音される場合が多い.

【打非】dǎfēi 違法出版物取り締まり(をする).

【打拐】dǎguǎi 〔女性と子供の〕誘拐および人身売買取り締まり(をする).

【打哈哈】dǎ hāha 冗談を言う.

【打黑】dǎhēi 犯罪組織取り締まり(をする).

【打假】dǎjiǎ 偽造,劣悪商品取り締まり(をする).

【打卡】dǎkǎ タイムカードを押す.

【打恐】dǎkǒng テロ撲滅運動(をする).

【打孔机】dǎkǒngjī パンチ；穴あけ器.[punch]

【打捞船只】dǎlāo chuánzhī サルベージ船.[salvage boat]

【打理】dǎlǐ ①処理する；整理する；手入れする. ②管理する；経営する.

【打拼】dǎpīn 〔生活や将来のために〕必死で働く；奮闘する；争う.

【打破三铁】dǎpò sān tiě 3つの既得権益を打破する(こと). ❖"三铁"とは,"铁饭碗 tiěfànwǎn"(職の保証),"铁交椅 tiějiāoyǐ"(地位の保証),"铁工资 tiěgōngzī"(給料の保証)のこと.

【打水漂】dǎ shuǐpiāo ①〔川や池で〕水切り遊びをする. ②無駄にする；無駄になる.

【打顺手】dǎ shùnshǒu 順調に進む.

【打私】dǎsī 密輸および密輸品売買取り締まり(をする).

【打压】dǎyā 抑圧(する)；制圧(する).

【打印机】dǎyìnjī プリンター.[printer]

【打印口】dǎyìnkǒu パラレルポート. ❖IT用語.コンピューター本体と周辺機器をつなぐ場所.[parallel port]

【打印预览】dǎyìn yùlǎn 〔コンピューターの〕印刷プレビュー. ❖IT用語.[print preview]

【打印纸】dǎyìnzhǐ 印刷用紙.

【打造】dǎzào ①〔金属製の道具などを〕製作する；製造する．②設計する；設立する；構築する；作る．

dà

【大阿拉伯利比亚人民社会主义民众国】Dà-ālābó Lìbǐyà Rénmín Shèhuìzhǔyì Mínzhòngguó 社会主義人民リビア・アラブ国；リビア．[The Great Socialist People's Libyan Arab Jamahiriya；Libya]

【大案要案】dà'àn yào'àn 重大事件．❖"大要案 dàyào'àn"とも．

【大白菜】dàbáicài ①白菜．②就職できない大学新卒者．

【大阪府】Dàbǎn Fǔ 大阪〈おおさか〉府．❖日本の都道府県の1つ．府庁所在地は大阪〈おおさか〉市("大阪市 Dàbǎn Shì")．

【大阪国際机場】Dàbǎn Guójì Jīchǎng 大阪国際空港；伊丹〈いたみ〉空港．❖日本・兵庫にある空港．[Osaka International Airport；Itami Airport]

【大阪市】Dàbǎn Shì 大阪〈おおさか〉市．❖大阪〈おおさか〉府("大阪府 Dàbǎn Fǔ")の府庁所在地．

【大包大揽】dàbāo dàlǎn すべて面倒をみる；丸抱えする；すべて請け負う．

【大保单】dàbǎodān 保険証券．

【大堡礁】Dàbǎojiāo グレート・バリア・リーフ．●世界自然遺産(オーストラリア)．[Great Barrier Reef]

【大本】dàběn 大学学部．❖"大学本科 dàxué běnkē"の略．

【大本钟】Dàběn Zhōng ビッグベン．❖イギリス・ロンドンにある国会議事堂時計塔，またその時計．[Big Ben]

【大病统筹】dàbìng tǒngchóu 〔特定の疾病に適用される〕高額医療保険制度．❖政府が定める癌，心臓病など特定の疾病が対象となる．"大病统筹医疗保险制度 dàbìng tǒngchóu yīliáo bǎoxiǎn zhìdù"の略．

【大病统筹医疗保险制度】dàbìng tǒngchóu yīliáo bǎoxiǎn zhìdù 〔特定の疾病に適用される〕高額医療保険制度．❖政府が定める癌，心臓病など特定の疾病が対象となる．略称は"大病统筹 dàbìng tǒngchóu"．

【大不列颠及北爱尔兰联合王国】Dàbùlièdiān jí Běi'ài'ěrlán Liánhé Wángguó グレートブリテンおよび北部アイルランド連合王国；イギリス；英国．❖略称は"英国 Yīngguó"．[United Kingdom of Great Britain and Northern Ireland；United Kingdom]

【大肠杆菌O157】dàcháng gǎnjūn O yīwǔqī O157〈オーいちごーなな〉．[O157]

【大城(阿育他亚)历史名城及相关城镇】Dàchéng (Āyùtáyà) Lìshǐ Míngchéng jí Xiāngguān Chéngzhèn 古代都市アユタヤと周辺の古代都市群．●世界文化遺産(タイ)．[Historic City of Ayutthaya and Associated Historic Towns]

【大成建设】Dàchéng Jiànshè 大成建設．❖日本の総合建設会社．[Taisei]

【大处方】dàchǔfāng 過剰投薬．

【大东电报局】Dàdōng Diànbàojú ケーブル・アンド・ワイヤレス；C&W．❖イギリスの通信会社．[Cable&Wireless；C&W]

【大动肝火】dàdòng gānhuǒ キレる；癇癪〈かんしゃく〉を起こす．

【大豆异黄酮】dàdòu yìhuángtóng 大豆イソフラボン．[soy isoflavone]

【大都会】Dàdūhuì クラウン・プラザ・メトロポリタン．❖日本・東京にあるホテル．[Crowne Plaza Hotel Metropolitan]

【大都会博物馆】Dàdūhuì Bówùguǎn メトロポリタン美術館．❖アメリカ・ニューヨークにある美術館．"大都会美术馆 Dàdūhuì Měishùguǎn"とも．[The Metropolitan Museum of Art]

【大都会建筑事务所】Dàdūhuì Jiànzhù Shìwùsuǒ OMA．❖オランダの設計事務所．

dà

[Office for Metropolitan Architecture ; OMA]

【大都会人寿保险】Dàdūhuì Rénshòu Bǎoxiǎn メットライフ. ❖アメリカの生命保険会社.[MetLife]

《大独裁者》Dàdúcáizhě「チャップリンの独裁者」. ❖アメリカ映画のタイトル.[The Great Dictator]

【大额可转让存单】dà'é kězhuǎnràng cúndān 譲渡性預金；NCD；CD. ❖金融用語.第三者に譲渡可能な預金."可转让存证 kězhuǎnràng cúnkuǎnzhèng"とも.[negotiable certificate of deposit ; NCD ; certificate of deposit ; CD]

【大鳄】dà'è 大物.

【大发】Dàfā ダイハツ. ❖日本の自動車メーカー,ブランド.[Daihatsu Motor]

【大法官】dàfǎguān「大法官」. ❖中国の最高人民法院の裁判官.

【大分市】Dàfēn Shì 大分〈おおいた〉市. ❖大分〈おおいた〉県("大分县 Dàfēn Xiàn")の県庁所在地.

【大分县】Dàfēn Xiàn 大分〈おおいた〉県. ❖日本の都道府県の1つ.県庁所在地は大分〈おおいた〉市("大分市 Dàfēn Shì").

【大副收据】dàfù shōujù 本船受取書.[mate's receipt]

【大富翁】Dàfùwēng モノポリー. ❖ハズブロ(米)製のボードゲーム名.[Monopoly]

【大规模集成电路】dàguīmó jíchéng diànlù 大規模集積回路；LSI. ❖IT用語.[large scale integration ; LSI]

【大规模杀伤性武器】dàguīmó shāshāngxìng wǔqì 大量破壊兵器. ❖"大规模杀伤武器 dàguīmó shāshāng wǔqì"とも.

【大寒】dàhán〔二十四節気の〕大寒〈だいかん〉.

【大韩航空】Dàhán Hángkōng コリアンエアー；大韓航空. ❖韓国の航空会社.コード：KE.[Korean Air]

【大韩民国】Dàhán Mínguó 大韓民国；韓国. ❖略称は"韩国 Hánguó".[Republic of Korea ; South Korea]

【大和房建】Dàhé Fángjiàn 大和ハウス. ❖日本の住宅メーカー.[Daiwa House Industry]

【大红大紫】dàhóng dàzǐ 大人気.

《大红灯笼高高挂》Dà Hóng Dēnglóng Gāogāo Guà「紅夢」. ❖香港,中国合作映画.[Raise the Red Lantern]

【大话】dàhuà ①ほら；大きな話. ②冗談めかして自由に語る.

【大换血】dàhuànxuè 総入れ替え；新旧交代.

【大吉岭红茶】Dàjílǐng hóngchá ダージリン紅茶；ダージリンティー；ダージリン.[Darjeeling tea ; Darjeeling]

【大吉岭喜马拉雅铁路】Dàjílǐng Xǐmǎlāyǎ Tiělù ダージリン・ヒマラヤ鉄道.●世界文化遺産(インド).[Darjeeling Himalayan Railway ; DHR]

【大检察官】dàjiǎncháguān「大検察官」. ❖中国の最高人民検察院の検察官.

【大减价】dàjiǎnjià 大安売り；バーゲンセール；バーゲン.[sale ; bargain sale ; bargain]

【大件】dàjiàn ①大きいもの；大型の；大きな荷物. ②耐久消費財. ❖②"大件商品 dàjiàn shāngpǐn""耐用消费品 nàiyòng xiāofèipǐn"とも.

【大件垃圾】dàjiàn lājī 粗大ごみ. ❖"大型垃圾 dàxíng lājī"とも.

【大将军拿破仑】Dàjiāngjūn Nápòlún クルボアジェ・ナポレオン. ❖クルボアジェ(アライド・ドメック傘下)製のブランデー.[Courvoisier Napoleon]

【大奖赛】dàjiǎngsài コンテスト；コンクール；グランプリ. ❖入賞者に賞金や賞品が贈られる競技会全般のこと.[prize-giving competition ; contest ; grand prix]

【大津巴布韦国家纪念地】Dàjīnbābùwéi Guójiā Jìniàndì 大ジンバブエ国立記念物.

dà

●世界文化遺産(ジンバブエ).[Great Zimbabwe National Monument]

【大金空调】Dàjīn Kōngtiáo ダイキン工業.❖日本の空調,化学品メーカー.[Daikin Industries]

【大津市】Dàjīn Shì 大津(おおつ)市.❖滋賀(しが)県("滋賀县 Zīhè Xiàn")の県庁所在地.

【大经贸战略】dàjīngmào zhànlüè 大規模対外経済貿易発展戦略.

【大卡萨斯的帕魁姆考古区】Dàkǎsàsī de Pàkuímǔ Kǎogǔqū パキメの遺跡カサス・グランデス.●世界文化遺産(メキシコ).[Archeological Zone of Paquimé, Casas Grandes]

【大科学】dàkēxué ビッグサイエンス.[big science]

【大款】dàkuǎn 金持ち.

【大来卡】Dàláikǎ ダイナースカード;ダイナースクラブカード.❖ダイナースクラブ(米)が発行するクレジットカード.[Diners Club Card;Diners]

【大蓝山地自然保护区】Dàlán Shāndì Zìrán Bǎohùqū グレーター・ブルー・マウンテンズ地域.●世界自然遺産(オーストラリア).[Greater Blue Mountains Area]

【大连富丽华大酒店】Dàlián Fùlìhuá Dàjiǔdiàn フラマホテル大連.❖中国・遼寧省にあるホテル.[Furama Hotel Dalian]

【大林组】Dàlínzǔ 大林組.❖日本の建設会社.[Obayashi]

【大龄青年】dàlíng qīngnián 結婚適齢期を過ぎた(28~35歳までの)未婚男女.

【大陆】Dàlù コンチネンタル.❖ドイツのタイヤメーカー.[Continental]

【大陆航空】Dàlù Hángkōng コンチネンタル航空.❖アメリカの航空会社.コード:CO.[Continental Airlines]

【大路货】dàlùhuò 普及品.

【大陆密克罗尼西亚航空】Dàlù Mǐkèluóníxīyà Hángkōng コンチネンタル・ミクロネシア航空.❖ミクロネシアの航空会社.コード:CS.[Continental Micronesia Airlines]

【大马士革】Dàmǎshìgé ダマスカス;ダマスクス.❖シリアの首都.[Damascus]

【大马士革古城】Dàmǎshìgé Gǔchéng 古都ダマスカス.●世界文化遺産(シリア).[Ancient City of Damascus]

【大满贯】dàmǎnguàn グランドスラム.❖主としてスポーツの権威ある4つの大会を制覇すること.[grand slam]

【大男人主义】dànánrén zhǔyì 亭主関白.

【大拍卖】dàpāimài 大安売り;バーゲンセール;バーゲン.[sale;bargain sale;bargain]

【大牌】dàpái ①有名な;人気がある;ビッグな.②辣腕;実力者.[①big;big name]

【大排档】dàpáidàng 露天の飲食店街;屋台;庶民的な食堂の店先に作った飲食場所.

【大片】dàpiàn 大型映画.

【大浦洞导弹】Dàpǔdòng Dǎodàn テポドンミサイル;テポドン.[Taepodong missile;Taepodong]

【大气候】dàqìhòu ①〔気象の〕広域の気候.②全体の情勢;全体的な状況;大局.

【大人物】dàrénwù 重要人物.

【大日本印刷】Dà Rìběn Yìnshuā 大日本印刷.❖日本の印刷会社.[Dai Nippon Printing]

【大荣】Dàróng ダイエー.❖日本の小売チェーン.[Daiei]

【大容量存储】dàróngliàng cúnchǔ 大容量メモリー.❖IT用語."海量存储 hǎiliàng cúnchǔ"とも.[high-capacity memory]

【大上海时代广场】Dà Shànghǎi Shídài Guǎngchǎng 大上海時代広場;上海タイムズスクエア.❖中国・上海にある総合複合ビル.

【大赦国际】Dàshè Guójì アムネスティ・イ

dà

ンターナショナル；国際アムネスティ．❖"国际大赦 Guójì Dàshè""国际特赦组织 Guójì Tèshè Zǔzhī"とも．[Amnesty International]

【大胜】dàshèng 大勝する．

【大圣卢西亚湿地公园】Dàshènglúxīyà Shīdì Gōngyuán グレーター・セント・ルシア湿地公園．◉世界自然遺産(南アフリカ)．[Greater St. Lucia Wetland Park]

【大暑】dàshǔ 〔二十四節気の〕大暑〈たいしょ〉．

【大甩卖】dàshuǎimài 大安売り；バーゲンセール；バーゲン．[sale；bargain sale；bargain]

【大唐电信】Dàtáng Diànxìn 大唐電信；ダタンテレコム．❖中国の通信機器メーカー．[Datang Telecom]

【大通关】Dàtōngguān 〔中国の〕通関業務効率化プロジェクト．❖通関業務のEDI（電子データ交換）化を含む．

【大同生命】Dàtóng Shēngmìng 大同生命．❖日本の生命保険会社．[Daido Life Insurance]

【大头贴机】dàtóutiē jī 写真シール機；プリクラ機．❖プリクラはアトラス(日本)の登録商標．

【大腕】dàwàn 大物；有力者．

《大腕》Dàwàn「ハッピー・フューネラル」．❖中国，アメリカ合作映画のタイトル．[Big Shot's Funeral]

【大卫杜夫】Dàwèidùfū ダビドフ．❖スイスの葉巻，香水，コニャックなどのメーカー，ブランド．[Davidoff]

【大卫教】Dàwèijiào ブランチ・ダビディアン．[Branch Davidian]

【大卫・科波菲尔】Dàwèi Kēbōfēi'ěr デビッド・カッパーフィールド．❖アメリカ出身のプロマジシャン．[David Copperfield]

【大无限乐团】Dàwúxiàn Yuètuán Do As Infinity〈ドゥ・アズ・インフィニティ〉．❖日本の音楽グループ．[Do As Infinity]

【大五码】dàwǔmǎ Big5〈ビッグファイブ〉コード．❖IT用語．台湾，香港などで使われている，繁体字の文字コード．[Big5 code]

【大雾山国家公园】Dàwù Shān Guójiā Gōngyuán グレート・スモーキー山脈国立公園．◉世界自然遺産(アメリカ)．[Great Smoky Mountains National Park]

【大西洋东南热带雨林保护区】Dàxīyáng Dōngnán Rèdài Yǔlín Bǎohùqū サウス・イースト大西洋岸森林保護区群．◉世界自然遺産(ブラジル)．[Atlantic Forest Southeast Reserves]

【大西洋沿岸的森林保护区】Dàxīyáng Yán-'àn de Sēnlín Bǎohùqū ディスカヴァリー・コースト大西洋岸森林保護区群．◉世界自然遺産(ブラジル)．[Discovery Coast Atlantic Forest Reserves]

【大西洋与太平洋茶叶】Dàxīyáng yǔ Tàipíngyáng Cháyè グレート・アトランティック・アンド・パシフィック・ティー；A&P．❖アメリカの小売企業．[Great Atl.&Pacific Tea；A&P]

【大虾】dàxiā ①車海老．②コンピューターに明るい人；コンピューターに詳しい人．

【大峡谷国家公园】Dàxiágǔ Guójiā Gōngyuán グランドキャニオン国立公園．◉世界自然遺産(アメリカ)．[Grand Canyon National Park]

【大写锁定键】dàxiě suǒdìngjiàn キャプス・ロック・キー．❖IT用語．[caps lock key]

【大型竞技场】dàxíng jìngjìchǎng コロシアム；スタジアム．[coliseum；stadium]

【大型垃圾】dàxíng lājī 粗大ごみ．❖"大件垃圾 dàjiàn lājī"とも．

【大型综合建筑公司】dàxíng zōnghé jiànzhù gōngsī ゼネコン．[general contractor]

【大修】dàxiū ①オーバーホール．②大改修．❖①"大型检修 dàxíng jiǎnxiū"の略．②"重大维修 zhòngdà wéixiū"の略．[①overhaul]

【大学校际比赛】dàxué xiàojì bǐsài インターカレッジ；インカレ.[intercollegiate championship ; intercollegiate game]

【大学英语四六级考试】dàxué Yīngyǔ sìliùjí kǎoshì〔中国の〕カレッジ・イングリッシュ・テスト．❖中国教育部高等教育司が主催する，学部生と院生を対象とした全国統一英語試験.[College English Test ; CET]

【大雪】dàxuě〔二十四節気の〕大雪⟨たいせつ⟩.

【大要案】dàyào'àn 重大事件．❖"大案要案 dà'àn yào'àn"とも.

【大英博物馆】Dàyīng Bówùguǎn 大英博物館．❖イギリス・ロンドンにある博物館.[The British Museum]

【大运会】Dàyùnhuì ユニバーシアード．❖"世界大学生运动会 Shìjiè Dàxuéshēng Yùndònghuì"の略.[Universiade ; college students' athletics meet]

【大闸蟹】dàzháxiè 上海ガニ．

【大沼泽地国家公园】Dàzhǎozédì Guójiā Gōngyuán エヴァグレーズ国立公園．●世界危機遺産(アメリカ).[Everglades National Park]

【大遮阳伞】dàzhēyángsǎn ビーチパラソル.[beach umbrella]

【大正制药】Dàzhèng Zhìyào 大正製薬．❖日本の医薬品メーカー.[Taisho pharmaceutical]

【大众餐厅】dàzhòng cāntīng ①大衆食堂．②ファミリーレストラン；ファミレス.[②family restaurant]

【大众超级市场】Dàzhòng Chāojí Shìchǎng パブリックス．❖アメリカの小売チェーン.[Publix ; Publix Supermarkets]

【大众传媒】dàzhòng chuánméi マスメディア．❖"大众媒体 dàzhòng méitǐ"とも.[mass media]

【大众媒体】dàzhòng méitǐ マスメディア．

❖"大众传媒 dàzhòng chuánméi"とも.[mass media]

【大众汽车】Dàzhòng Qìchē フォルクスワーゲン．❖ドイツの自動車メーカー.[Volkswagen]

【大轴戏】dàzhòuxì 最後の出し物；トリ；大トリ．

【大足石刻】Dàzú Shíkè 大足石刻．●世界文化遺産(中国).[Dazu Rock Carvings]

【大做文章】dàzuò wénzhāng ①大騒ぎをする．②〔目的のために〕策略をめぐらす.

dāi

【呆坏账】dāihuàizhàng 不良債権．❖金融用語．"不良债权 bùliáng zhàiquán""坏账 huàizhàng"とも.

dài

【黛安芬】Dài'ānfēn トリンプ．❖ドイツの下着メーカー.[Triumph]

【戴安娜王妃】Dài'ānnà Wángfēi ダイアナ妃．❖イギリスの元皇太子妃.[Diana, Princess of Wales ; Princess Diana]

【代查尼修道院】Dàichání Xiūdàoyuàn デチャニ修道院．●世界文化遺産(セルビア・モンテネグロ).[Dečani Monastery]

【戴尔】Dài'ěr デル．❖アメリカのコンピューターメーカー.[Dell]

【待岗】dàigǎng〔一時解雇され〕求職状態にある(こと).

【戴高乐机场】Dàigāolè Jīchǎng シャルル・ド・ゴール空港．❖フランス・パリにある空港.[Charles de Gaulle International Airport]

【戴高帽】dài gāomào ①おだてる；持ち上げる．②おだてに乗る．

【代沟】dàigōu ジェネレーションギャップ.[generation gap]

【代购代销】dàigòu dàixiāo 代理購入販

dài

売;購入販売代理.

【待机】dàijī ①待機する;機会を待つ. ②[コンピューターの]スタンバイ;[携帯電話の]待ち受け. ❖②IT用語.[②standby]

【待机画面】dàijī huàmiàn [携帯電話の]待ち受け画面.

【待机时间】dàijī shíjiān [携帯電話の]待ち受け時間.

【代际公平】dàijì gōngpíng 世代間公平.

【贷记卡】dàijìkǎ 銀行系クレジットカード. ❖金融用語.

【带宽】dàikuān 帯域幅;バンド幅;バンドワイズ;周波数帯域. ❖IT用語.[bandwidth]

【贷款限额】dàikuǎn xiàn'é 貸付限度額. ❖金融用語.

【贷款协定】dàikuǎn xiédìng ローンアグリーメント. ❖金融用語.[loan agreement]

【贷款诈骗罪】dàikuǎn zhàpiànzuì 金融詐欺罪. ❖中国の罪状名.

【代理店】dàilǐdiàn 代理店.

【代理服务器】dàilǐ fúwùqì 代理サーバー;プロキシサーバー;プロクシサーバー. ❖IT用語."代理伺服器 dàilǐ sìfúqì"とも.[proxy server]

【代理行】dàilǐháng コルレス銀行. ❖金融用語."代理银行 dàilǐ yínháng""通汇银行 tōnghuì yínháng""往来银行 wǎnglái yínháng"とも.[correspondent bank]

【代理商】dàilǐshāng エージェント;代理店;特約店.[agent]

【代理伺服器】dàilǐ sìfúqì 代理サーバー;プロキシサーバー;プロクシサーバー. ❖IT用語."代理服务器 dàilǐ fúwùqì"とも.[proxy server]

【代理银行】dàilǐ yínháng コルレス銀行. ❖金融用語."代理行 dàilǐháng""通汇银行 tōnghuì yínháng""往来银行 wǎnglái yínháng"とも.[correspondent bank]

【代码】dàimǎ コード;符号. ❖IT用語.[code]

【黛米·摩儿】Dàimǐ Mó'ěr デミ·ムーア. ❖アメリカ出身の女優.[Demi Moore]

【戴姆勒·克莱斯勒】Dàimǔlè Kèláisīlè ダイムラー·クライスラー. ❖ドイツの自動車メーカー.[DaimlerChrysler]

【戴纳基】Dàinàjī ダイナジー. ❖アメリカのエネルギー会社.[Dynegy]

【代内公平】dàinèi gōngpíng 世代内公平.

【代培】dàipéi ①[本来の部署を]代行して人材養成やトレーニングをする. ②人材養成やトレーニングを請け負う;人材養成やトレーニングを代行する.

【待聘】dàipìn 採用待ち;採用を待つ;任命待ち.

【戴斯酒店】Dàisī Jiǔdiàn デイズ·イン. ❖アメリカのホテルチェーン.[Days Inn]

【怠速运转】dàisù yùnzhuǎn アイドリング.[idling]

【戴维斯杯】Dàiwéisī Bēi デビスカップ.[Davis Cup]

【戴维营】Dàiwéi Yíng キャンプデービッド. ❖アメリカ大統領の公設別荘兼避難所.[Camp David]

【代位继承】dàiwèi jìchéng 代襲相続.

【带薪产假】dàixīn chǎnjià 有給出産休暇.

【带薪假】dàixīnjià 有給休暇.

【带薪休假】dàixīn xiūjià 有給休暇.

【贷学金】dàixuéjīn 学資貸付金. ❖経済的に困難な家庭の子女に対して支給される貸付金.

【代孕母亲】dàiyùn mǔqin 代理母.

【代职】dàizhí 職務代行.

【带职分流】dàizhí fēnliú 現職務のまま別部門に異動すること. ❖主として国の機関における人員整理の方法の1つ.

【带资承包模式】dàizī chéngbāo móshì BOT方式. ❖建設後,一定期間操業し,投資資本を回収後,相手側に譲渡する方式.[build operate transfer;BOT]

dān

【单板滑雪】dānbǎn huáxuě スノーボード.[snow boarding]

【丹碧丝】Dānbìsī タンパックス. ❖ P&G（米）の生理用品ブランド.[Tampax]

【单边主义】dānbiān zhǔyì 単独行動主義；一国主義；ユニラテラリズム.[unilateralism]

【丹布勒金殿】Dānbùlè Jīndiàn ダンブッラの黄金寺院. ●世界文化遺産（スリランカ）.[Golden Temple of Dambulla]

【单程票】dānchéngpiào 片道券；片道切符.

【单刀赴会】dāndāo fùhuì「単刀赴会〈たんとうふかい〉」；単身のりこむ.

【单独海损不赔】dāndú hǎisǔn bùpéi 単独海損不担保；分損不担保；FPA. ❖貿易実務,海上保険関連用語."平安险 píng'ānxiǎn"とも.[free from particular average；FPA]

【单独海损赔偿】dāndú hǎisǔn péicháng 単独海損分担担保；分損担保；WA. ❖貿易実務,海上保険関連用語.[with average；WA]

【单方面撕毁协定】dānfāngmiàn sīhuǐ xiédìng〔協定を〕一方的に破棄する.

【丹佛】Dānfó デンバー. ❖アメリカ・コロラド州都.サミット開催地の1つ.[Denver]

【担纲】dāngāng 主役を演じる；主力となる.

【单股股东】dāngǔ gǔdōng 1株株主. ❖金融用語.

【单轨电车】dānguǐ diànchē モノレール.[monorail]

【单化联盟】Dānhuà Liánméng アライアンス・ユニケム. ❖イギリスの医薬品販売会社.[Alliance UniChem]

【单击】dānjī クリック（する）；シングルクリック（する）. ❖IT用語.[click]

【单镜头反光照相机】dānjìngtóu fǎnguāng zhàoxiàngjī 一眼レフカメラ.[single-lens reflex camera]

【丹麦电信】Dānmài Diànxìn TDC. ❖デンマークの通信会社.[TDC]

【丹麦王国】Dānmài Wángguó デンマーク王国；デンマーク.[Kingdom of Denmark；Denmark]

【丹宁酸】dānníngsuān タンニン.[tannin]

【单骑】dānqí ①自転車；オートバイ. ②〔自転車やバイクの〕1人乗り；1人旅.

【单亲】dānqīn ひとり親.

【单亲家庭】dānqīn jiātíng ひとり親家庭.

【单人房】dānrénfáng シングルルーム.[single room]

【单身父亲】dānshēn fùqin シングルファーザー.[single father]

【单身赴任】dānshēn fùrèn 単身赴任.

【单身贵族】dānshēn guìzú 独身貴族.

【单身母亲】dānshēn mǔqin シングルマザー.[single mother]

【单身宿舍】dānshēn sùshè 独身寮.

【单书名号】dānshūmínghào 山かぎ；山がたかっこ；山がた；ギュメ. ❖記号は〈 〉.[guillemet〔仏〕]

【丹斯克银行】Dānsīkè Yínháng ダンスケ銀行. ❖デンマークの銀行.[Danske Bank]

【单挑】dāntiāo 1対1の勝負；タイマン.

【单位犯罪】dānwèi fànzuì 組織ぐるみの犯罪；企業犯罪.

【单向收费】dānxiàng shōufèi〔携帯電話の〕発信者にのみ課金される料金システム；単方向課金システム.

【单选】dānxuǎn 択一問題.

【单选按钮】dānxuǎn ànniǔ ラジオボタン. ❖IT用語.複数の選択肢から1つを選ぶためのボタン.[radio button]

【单循环制】dānxúnhuánzhì 単一のリーグ方式；単一のラウンドロビン.[single round-robin system]

【单引号】dānyǐnhào 引用符；シングルクォ

dān — dāng

ーテーション．❖記号は＇＇．[single quotation]

【单赢】dānyíng 一方のみが利益を得る；独り勝ち．

【单元】dānyuán ①〔教科の〕単元；ユニット．②〔バーコードの〕エレメント．③セル．❖③IT用語．[①unit ②element ③cell]

【单元格】dānyuángé〔表計算ソフトの〕セル．❖IT用語．[cell]

【单元货载系统】dānyuán huòzài xìtǒng ユニット・ロード・システム．[unit load system]

【单元式生产方式】dānyuánshì shēngchǎn fāngshì セル生産方式．

【单幢建筑】dānzhuàng jiànzhù 一戸〈いっこ〉建て．

dǎn

【胆怯】dǎnqiè ビビる；怖気〈おじけ〉付く．

dàn

【蛋白质】dànbáizhì ①蛋白質．②のろまで頭の悪い人；のろまで頭の悪い神経質な人．❖②"笨蛋 bèndàn,白痴 báichī,弱智 ruòzhì"から．または"笨蛋 bèndàn,白痴 báichī,神经质 shénjīngzhì"から．

【蛋白质工程】dànbáizhì gōngchéng 蛋白質工学；プロテイン工学．[protein engineering]

【淡出】dànchū ①フェードアウト．②〔一定の範囲や分野から〕徐々になくなる；次第に離れる．[①fade out]

【弹道导弹防御系统】dàndào dǎodàn fángyù xìtǒng 弾道ミサイル防衛システム；BMDシステム．[ballistic missile defense system; BMD system]

【蛋糕】dàngāo ①ケーキ．②パイ；社会の財や利益．[①cake ②pie]

【蛋黄派】dànhuángpài カスタードパイ；カスタードケーキ．[custard pie; custard cake]

【淡入】dànrù ①フェードイン．②〔一定の範囲や分野に〕徐々に現れる；次第に進出する．[①fade in]

【淡市】dànshì 薄商い．❖金融用語．

【淡水雨淋险】dànshuǐ yǔlín xiǎn 雨淡水濡れ損〈あめたんすいぬれそん〉；RFWD．❖貿易実務,海上保険関連用語．[rain and/or fresh water damage; RFWD]

【淡香水】dàn xiāngshuǐ オードトワレ．[eau de toilette]

【氮氧化物】dànyǎnghuàwù 窒素酸化物；NOx．[nitrogen oxide; NOx]

【弹子房】dànzǐfáng パチンコ屋；パチンコ店．❖以前はビリヤード場を指したが,現在はパチンコ店のこと．

dāng

【当地含量】dāngdì hánliàng 現地調達比率；ローカルコンテント．[local content]

【当地啤酒】dāngdì píjiǔ 地ビール．

【当地员工】dāngdì yuángōng 現地スタッフ；ローカルスタッフ．[local personnel; local staff]

【当红】dānghóng 流行している；人気がある．

【当前窗口】dāngqián chuāngkǒu アクティブウィンドウ．❖IT用語．"活动窗口 huódòng chuāngkǒu"とも．[active window]

【当前目录】dāngqián mùlù カレントディレクトリー．❖IT用語．[current directory]

【当前文件】dāngqián wénjiàn アクティブファイル．❖IT用語．"现用文件 xiànyòng wénjiàn"とも．[active file]

【当前用户】dāngqián yònghù 現在のユーザー．❖IT用語．[current user]

dǎng

【党代会】dǎngdàihuì 中国共産党地方各レベル代表大会.❖"中国共产党地方各级代表大会 Zhōngguó Gòngchǎndǎng dìfāng gèjí dàibiǎo dàhuì"の略.

【党风】dǎngfēng 党風；政党のスタイル.

【党政机关】dǎngzhèng jīguān 党と政府機関.

【党总支】dǎngzǒngzhī〔共産党の〕党総支部委員会.❖"党总支部委员会 dǎngzǒngzhībù wěiyuánhuì"の略.

dàng

【档案袋】dàng'àndài 書類袋.

【档案盒】dàng'ànhé 保存書類用ボックス式ファイル.

【当机】dàngjī フリーズ(する)；システムダウン(する)；ダウン(する)；ハングアップ(する).❖IT用語.[freeze；system down；down]

【档期】dàngqī ①〔映画の〕上映期間；〔テレビの〕放映期間.②〔ある物を〕世に出す期間；売り出し期間.

dāo

《刀锋战士》Dāofēng Zhànshì「ブレイド」.❖アメリカ映画のタイトル.[Blade]

【刀具】dāojù ①食卓用金物類；カトラリー.②カッター；バイト.[①cutlery ②cutter；bite]

dǎo

【导播】dǎobō ①〔ラジオやテレビなどの〕番組編成をする(こと).②〔ラジオやテレビなどの〕ディレクター.[②director]

【导厕】dǎocè〔主として公衆トイレの〕トイレ案内.

【导车】dǎochē ①車両整理(する).②車両整理係.

【导读】dǎodú 読書案内；読書ガイド.

【岛根县】Dǎogēn Xiàn 島根〈しまね〉県.❖日本の都道府県の1つ.県庁所在地は松江〈まつえ〉市("松江市 Sōngjiāng Shì").

【导购】dǎogòu 買い物案内係；買い物案内をする；ショッピングガイド.[shopping guide]

【导航系统】dǎoháng xìtǒng ナビゲーションシステム；ナビゲーター.[navigation system；navigator]

【捣浆糊】dǎo jiānghú ①だます；裏切る.②ごまかす；いい加減にする.

【倒角机】dǎojiǎojī 面取り機.

【岛津制作所】Dǎojīn Zhìzuòsuǒ 島津製作所.❖日本の産業,医療機器メーカー.[Shimadzu]

【导览】dǎolǎn ガイド；見学案内.[guide；guide to visitors]

【捣乱股东】dǎoluàn gǔdōng 総会屋.

【倒买倒卖】dǎomǎi dǎomài 投機的転売買(を行う)；違法売買(をする).❖金融用語.

【倒票】dǎopiào だふ屋行為.❖中国では,入場券に限らず,帰省観光シーズンの飛行機や列車の切符も対象となっている.

【岛式厨房】dǎoshì chúfáng アイランドキッチン.

【导医】dǎoyī 病院内で案内をする(人).

【导游手册】dǎoyóu shǒucè 観光案内書；ガイドブック.[guidebook]

【导游译员】dǎoyóu yìyuán 通訳ガイド；観光通訳ガイド.

【导展】dǎozhǎn 展示会ガイドをする(こと)；展覧会ガイドをする(こと).

【倒账】dǎozhàng 貸倒金〈かしだおれきん〉.

【导诊】dǎozhěn 医療機関で患者を案内する(人).

dào

【盗版】dàobǎn 海賊版；違法コピー(をする).

【盗版侵权】dàobǎn qīnquán 著作権侵害.

【盗采】dàocǎi 違法採掘.

《稻草人》Dàocǎorén「村と爆弾」. ❖台湾映画のタイトル.[Strawman]

【道达尔菲纳埃尔夫】Dàodá'ěr Fēinà Āi'ěrfū トタルフィナ・エルフ. ❖フランスの石油会社.[Total Fina Elf]

【盗打电话】dàodǎ diànhuà 電話回線の不正使用(をする)；電話のただ掛け(をする).

【道德风险】dàodé fēngxiǎn モラルリスク.[moral risk]

【道德危险】dàodé wēixiǎn モラルハザード.[moral hazard]

【道富】Dàofù ステート・ストリート. ❖アメリカの金融機関.[State Street]

【到极限了】dào jíxiàn le いっぱいいっぱいだ.

【倒计时】dàojìshí カウントダウン.[countdown]

【盗猎】dàoliè 密猟(する).

【道路红线】dàolù hóngxiàn 道路境界線.

【道明加拿大信托银行】Dàomíng Jiānádà Xìntuō Yínháng TDカナダトラスト. ❖カナダの銀行.[TD Canada Trust]

【到期偿还】dàoqī chánghuán 満期償還. ❖金融用語.

【到期日】dàoqīrì 満期日；行使期限日；期限日. ❖金融用語.

【到期收益率】dàoqī shōuyìlǜ 最終利回り. ❖金融用語.

【道奇】Dàoqí ダッジ. ❖ダイムラー・クライスラー(独)の自動車ブランド.[Dodge]

【道琼斯工业股价平均指数】Dào Qióngsī gōngyè gǔjià píngjūn zhǐshù ダウ平均；ダウ・ジョーンズ平均株価指数；NYダウ工業株30種. ❖金融用語.ニューヨーク証券取引所が発表する指標.[Dow Jones Average; Dow Jones Average Index]

【道琼斯股票价格平均指数】Dào Qióngsī gǔpiào jiàgé píngjūn zhǐshù ダウ平均；ダウ・ジョーンズ平均株価指数；NYダウ工業株30種. ❖金融用語.ニューヨーク証券取引所が発表する指標.[Dow Jones Average; Dow Jones Average Index]

【到手】dàoshǒu ゲットする.[get]

【倒数第二名】dàoshǔ dì-èrmíng ブービー.

【到位】dàowèi ①所定の位置につく. ②定められた事を完璧に行う. ③実行に移す；〔資金などを〕実際に投入する；払い込む.

【到位金额】dàowèi jīn'é〔主として直接投資契約の〕実際に資金投入された金額；実行ベース. ❖"实际到位金额 shíjì dàowèi jīn'é"とも.

【稻鸭共作】dàoyā gòngzuò 合鴨⟨あいがも⟩農法.

【盗印】dàoyìn 海賊版；違法コピー(をする).

dé

【德比战】débǐzhàn ダービーマッチ. ❖本拠地を同じくするチーム同士によって行われる試合.[derby match]

【德岛市】Dédǎo Shì 徳島⟨とくしま⟩市. ❖徳島⟨とくしま⟩県("德岛县 Dédǎo Xiàn")の県庁所在地.

【德岛县】Dédǎo Xiàn 徳島⟨とくしま⟩県. ❖日本の都道府県の1つ.県庁所在地は徳島⟨とくしま⟩市("德岛市 Dédǎo Shì").

【德尔斐考古遗址】Dé'ěrfěi Kǎogǔ Yízhǐ デルフィの古代遺跡. ●世界文化遺産(ギリシャ).[Archaeological Site of Delphi]

【德尔福汽车系统】Dé'ěrfú Qìchē Xìtǒng デルファイ・オートモーティブ・システムズ. ❖アメリカの自動車部品メーカー.[Delphi

dé

Automotive Systems]

【德尔海兹集团】Dé'ěrhǎizī Jítuán デレーズ・グループ. ❖ベルギーの小売企業. [Delhaize Group]

【德国】Déguó ドイツ；ドイツ連邦共和国. ❖"德意志联邦共和国 Déyìzhì Liánbāng Gònghéguó"の略.[Federal Republic of Germany；Germany]

【德国电信】Déguó Diànxìn ドイツテレコム. ❖ドイツの通信会社.[Deutsche Telekom〔独〕]

【德国汉莎航空】Déguó Hànshā Hángkōng ルフトハンザ・ドイツ航空. ❖ドイツの航空会社. コード：LH. "汉莎航空 Hànshā Hángkōng"とも.[Lufthansa German Airlines]

【德国联邦铁路】Déguó Liánbāng Tiělù ドイツ鉄道. ❖ドイツの鉄道.[Deutsche Bahn〔独〕]

【德国商业银行】Déguó Shāngyè Yínháng コメルツ銀行. ❖ドイツの銀行. [Commerzbank〔独〕]

【德国邮政世界网络】Déguó Yóuzhèng Shìjiè Wǎngluò ドイツ・ポスト・ワールド・ネット. ❖ドイツのロジスティックス会社. [Deutsche Post World Net]

【德国足球甲级联赛】Déguó Zúqiú Jiǎjí Liánsài ブンデスリーガ. ❖略称は"德甲 Déjiǎ".[Bundesliga〔独〕]

【德黑兰】Déhēilán テヘラン. ❖イランの首都.[Teheran；Tehran]

【德甲】Déjiǎ ブンデスリーガ. ❖ドイツのサッカーリーグ. "德国足球甲级联赛 Déguó Zúqiú Jiǎjí Liánsài"の略.[Bundesliga〔独〕]

【得克萨斯州】Dékèsàsī Zhōu テキサス州. ❖アメリカの州名.[Texas]

【德累斯登银行】Déléisīdēng Yínháng ドレスナー銀行. ❖ドイツの銀行(アリアンツ傘下). [Dresdner Bank]

【德累斯顿易北河谷】Déléisīdùn Yìběi Hégǔ ドレスデンのエルベ渓谷. ◉世界文化遺産(ドイツ). [Dresden Elbe Valley]

【德里的顾特卜塔及其古建筑】Délǐ de Gùtèbǔ Tǎ jí Qí Gǔjiànzhù デリーのクトゥブ・ミナールとその建造物群. ◉世界文化遺産(インド).[Qutb Minar and its Monuments, Delhi]

【德里的胡马雍陵】Délǐ de Húmǎyōng Líng デリーのフーマユーン廟. ◉世界文化遺産(インド). [Humayun's Tomb, Delhi]

【德罗特宁霍尔姆皇家领地】Déluótènínghuò'ěrmǔ Huángjiā Lǐngdì ドロットニングホルムの王領地. ◉世界文化遺産(スウェーデン). [Royal Domain of Drottningholm]

【得梅因】Déméiyīn デモイン. ❖アメリカ・アイオワ州都.[Des Moines]

【德米欧】Démǐ'ōu デミオ. ❖マツダ(日本)製の車名.[Demio]

【德纳公司】Dénà Gōngsī デーナ. ❖アメリカの自動車部品メーカー.[Dana；Dana Corporation]

【德绍・沃利茨的皇家园林】Déshào Wòlìcī de Huángjiā Yuánlín デッサウ・ヴェルリッツの庭園王国. ◉世界文化遺産(ドイツ). [Garden Kingdom of Dessau-Wörlitz]

【得土安城】Détǔ'ānchéng テトゥアン旧市街(旧名ティタウィン). ◉世界文化遺産(モロッコ).[Medina of Tétouan (formerly known as Titawin)]

【德文特河谷工业区】Déwèntè Hégǔ Gōngyèqū ダーウェント峡谷の工場群. ◉世界文化遺産(イギリス).[Derwent Valley Mills]

【德意志联邦共和国】Déyìzhì Liánbāng Gònghéguó ドイツ連邦共和国；ドイツ. ❖略称は"德国 Déguó".[Federal Republic of Germany；Germany]

【德意志银行】Déyìzhì Yínháng ドイツ銀行. ❖ドイツの銀行.[Deutsche Bank〔独〕]

dé — dī

【徳州公用】Dézhōu Gōngyòng TXU. ❖アメリカのエネルギー会社.[TXU]

【徳州儀器】Dézhōu Yíqì テキサス・インスツルメンツ. ❖アメリカの半導体メーカー.[Texas Instruments]

dēng

【登頂】dēngdǐng ①登頂する. ②優勝する；トップに立つ；成功する.

【灯火通明】dēnghuǒ tōngmíng ライトアップ.[illumination]

【登記册】dēngjìcè 台帳.

【登陆】dēnglù ①〔台風や軍隊などが〕上陸する. ②〔外部から物や人が〕新しく入ってくる；新たに現れる.

【登录】dēnglù ①登録(する)；記録(する). ②〔コンピューターやサイトに〕ログイン(する)；ログオン(する). ❖②IT用語.[②login；log-on]

【灯饰】dēngshì 照明器具.

【登喜路】Dēngxǐlù ダンヒル. ❖イギリスのファッションメーカー,ブランド.[Dunhill]

【登月舱】dēngyuècāng 月面探査機.

děng

【等额选举】děng'é xuǎnjǔ 候補者数が定員と同数の選挙.

【等价】děngjià パリティ. ❖金融用語.[parity]

【等离子电视】děnglízǐ diànshì プラズマテレビ.[plasma television]

【等离子显示器】děnglízǐ xiǎnshìqì プラズマディスプレイ.[plasma display panel]

【等外品】děngwàipǐn 等外品.

dèng

【邓白氏】Dèngbáishì ダン・アンド・ブラッドストリート. ❖アメリカのソリューション企業.[Dun&Bradstreet]

【邓丽君】Dèng Lìjūn テレサ・テン. ❖台湾の歌手.[Teresa Teng]

【邓禄普】Dènglùpǔ ダンロップ. ❖イギリスのゴム製品,スポーツ用品メーカー.[Dunlop]

【邓小平理论】Dèng Xiǎopíng Lǐlùn 鄧小平理論. ❖鄧小平が改革開放期にうち出した中国独自の社会主義理論.

dī

【低保】dībǎo 最低限の生活保障；生活保護. ❖"最低生活保障制度 zuìdī shēnghuó bǎozhàng zhìdù"の略.

【低层住宅】dīcéng zhùzhái 低層住宅. ❖1階から3階建ての住宅.

【低调】dīdiào ①低音；低く抑えた声や音. ②低姿勢である；控えめである；落ち着きのある；地味な. ③〔写真で〕ローキートーン.[③low-key tone]

【低端】dīduān 低価格の；一般の；ローエンドの.

【低端产品】dīduān chǎnpǐn 普及品；低価格品；ローエンド製品；ローエンドモデル.[low-end model]

【低谷】dīgǔ ①低地；窪地. ②低落期；低調期. ③〔景気の〕谷；底.

【滴灌】dīguàn ドリップ灌漑；点滴灌漑.

【低龄】dīlíng 低年齢(の)；年少(の).

【低迷】dīmí 低迷(する)；不景気(である).

【低聘】dīpìn 降格して任用する.

【低温冷链运输系统】dīwēn lěngliàn yùnshū xìtǒng コールド・チェーン・システム. ❖低温物流の一貫体制.[cold chain system]

【低腰裤】dīyāokù ローウェストのパンツ；ローライズ.[low-waist pants]

【低音炮】dīyīnpào ウーファー；ウーハー；低音専用スピーカー；サブウーファー；重

dí

【的】dí タクシー. ❖"的士 díshì"の略. "的"は1声で発音される場合が多い. [taxi ; cab]

【迪阿吉奥】Dí'ājí'ào ディアジオ. ❖イギリスの酒類メーカー. [Diageo]

【迪夫里伊的大清真寺和医院】Dífūlǐyī de Dàqīngzhēnsì hé Yīyuàn ディヴリーイの大モスクと病院. ●世界文化遺産(トルコ). [Great Mosque and Hospital of Divriği]

【的哥】dígē [男性の]タクシー運転手. ❖"的"は1声で発音される場合が多い.

【的姐】díjiě [女性の]タクシー運転手. ❖"的"は1声で発音される場合が多い.

【迪克牛仔】Díkè Niúzǎi ディック・カウボーイ. ❖台湾の歌手. [Dick Cowboy]

【迪桑特】Dísāngtè デサント. ❖日本のスポーツ用品メーカー. [Descente]

【的士】díshì タクシー. ❖"的"は1声で発音される場合が多い. 略称は"的 dí". [taxi ; cab]

【迪士尼乐园】Díshìní Lèyuán ディズニーランド. ❖アメリカ, フランス, 日本, 香港にあるテーマパーク. [Disneyland]

【迪斯科】dísīkē ディスコ; ディスコダンス. [disco ; disco dancing]

【迪厅】dítīng ディスコ. [disco]

【迪亚曼蒂纳城历史中心】Díyàmàndìnà Chéng Lìshǐ Zhōngxīn ディアマンティーナ歴史地区. ●世界文化遺産(ブラジル). [Historic Centre of the Town of Diamantina]

【敌意收购】díyì shōugòu 敵対的買収; 敵対的M&A; HTO. ❖金融用語. "恶意收购 èyì shōugòu"とも. [hostile takeover ; HTO]

dǐ

【底比斯古城及其墓地】Dǐbǐsī Gǔchéng jí Qí Mùdì 古代都市テーベとその墓地遺跡. ●世界文化遺産(エジプト). [Ancient Thebes with its Necropolis]

【底夸克】dǐkuākè ボトムクォーク. [bottom quark]

【底特律】Dǐtèlǜ デトロイト. ❖アメリカの都市名. [Detroit]

【底线】dǐxiàn ①[球技などのコートの]ベースライン. ②最低限. [baseline]

【抵押】dǐyā 抵当; モーゲージ. ❖金融用語. [mortgage]

【抵押贷款】dǐyā dàikuǎn 担保ローン; 抵当ローン; モーゲージローン. ❖金融用語. "按揭抵押 ànjiē dǐyā"とも. [mortgage loan]

【抵押契据】dǐyā qìjù 抵当証書. ❖金融用語.

【抵押权】dǐyāquán 抵当権; モーゲージ. ❖金融用語. [mortgage]

【抵押债券】dǐyā zhàiquàn 一般担保付債券. ❖金融用語. "一般抵押债券 yībān dǐyā zhàiquàn"とも. [secured debenture]

dì

【蒂埃里·穆勒】Dì'āilǐ Mùlè ティエリー・ミュグレー. ❖フランスのファッションメーカー, ブランド. [Thierry Mugler]

【第比利斯】Dìbǐlìsī トビリシ. ❖グルジアの首都. [Tbilisi]

【地磁暴】dìcíbào 磁気嵐.

【帝舵】Dìduò チュードル. ❖スイスの時計メーカー. [Tudor]

【第二产业】dì-èr chǎnyè 第2次産業.

【第二学位】dì-èr xuéwèi 2番目の学士号. ❖学士入学者が取得する第2の学位.

【第二职业】dì-èr zhíyè 副業; サイドビジネス. ❖略称は"二职 èrzhí". [second

dì

job ; sideline]

【蒂凡尼】Dìfánní ティファニー. ❖アメリカの宝飾品メーカー,ブランド. "蒂芙尼 Dìfúní"とも.[Tiffany]

【地方保护主义】dìfāng bǎohù zhǔyì 地方保護主義.

【地方财政包干制】dìfāng cáizhèng bāogānzhì 地方財政請負制度.

【地方检察厅】dìfāng jiǎncháting〔日本の〕地方検察庁.

【地方税】dìfāngshuì 地方税. ❖略称は"地税 dìshuì".

【地方主义】dìfāng zhǔyì 地域主義;地方主義;リージョナリズム.[regionalism]

【蒂芙尼】Dìfúní ティファニー. ❖アメリカの宝飾品メーカー,ブランド. "蒂凡尼 Dìfánní"とも.[Tiffany]

【帝国大厦】Dìguó Dàshà エンパイア・ステート・ビルディング. ❖アメリカ・ニューヨークにある高層ビル.[Empire State Building]

【帝国饭店】Dìguó Fàndiàn 帝国ホテル. ❖日本・東京,大阪,長野にあるホテル.[Imperial Hotel]

【帝国化学工业】Dìguó Huàxué Gōngyè インペリアル・ケミカル・インダストリーズ;ICI. ❖イギリスの化学製品メーカー.[Imperial Chemical Industries ; ICI]

【帝国理工学院】Dìguó Lǐgōng Xuéyuàn インペリアルカレッジ. ❖イギリス・ロンドンにあるロンドン大学を構成するカレッジの1つ.[Imperial College]

《帝国时代》Dìguó Shídài「エイジ・オブ・エンパイア」. ❖マイクロソフト(米)製のゲームのタイトル.[Age of Empires]

【地基下沉】dìjī xiàchén 地盤沈下.

【地级市】dìjíshì「地級市」;地区クラスの「市」. ❖"地市级城市 dìshìjí chéngshì"とも.

【地价】dìjià ①地価. ②底値.

【递价】dìjià ビッド;買値. ❖金融用語. "出价 chūjià""递盘价 dìpánjià"とも.[bid ; buying price]

【地价税】dìjiàshuì 地価税.

【蒂卡尔国家公园】Dìkǎ'ěr Guójiā Gōngyuán ティカル国立公園. ●世界自然および文化遺産(グアテマラ).[Tikal National Park]

【地拉那】Dìlānà ティラナ. ❖アルバニアの首都.[Tirana ; Tiranë]

【的黎波里】Dìlíbōlǐ トリポリ. ❖リビアの首都.[Tripoli]

【地理信息系统】dìlǐ xìnxī xìtǒng 地理情報システム;GIS.[geographic information system ; GIS]

【第六感觉】dì-liù gǎnjué 第六感;直感.

【蒂诺斯岛】Dìnuòsī Dǎo デロス島. ●世界文化遺産(ギリシャ).[Delos]

【递盘价】dìpánjià ビッド;買値. ❖金融用語. "出价 chūjià""递价 dìjià"とも.[bid ; buying price]

【地陪】dìpéi 現地観光ガイド;現地ツアーガイド.[local tourist guide]

【地勤人员】dìqín rényuán 地上勤務員.

【地球村】dìqiúcūn 地球村;グローバルビレッジ.[global village]

【地球峰会】Dìqiú Fēnghuì 地球サミット. ❖"联合国环境与发展大会 Liánhéguó Huánjìng yǔ Fāzhǎn Dàhuì"(「環境と開発に関する国連会議」)の通称.

【地球科学】dìqiú kēxué 地球科学;アースサイエンス.[earth science ; geoscience]

【地球模拟器】Dìqiú Mónǐqì 地球シミュレーター;アースシミュレーター. ❖独立行政法人海洋研究開発機構の地球シミュレーターセンターが保有する,NEC(日本)が開発したスーパーコンピューター.[Earth Simulator]

【地球日】Dìqiúrì 地球の日;アースデイ. ❖1970年にアメリカで始まり世界各国に広がった.毎年4月22日.[Earth Day]

【地球乐团】Dìqiú Yuètuán globe〈グローブ〉.

❖日本の音楽グループ.[globe]

【地热能】dìrènéng 地熱エネルギー.

【地热资源】dìrè zīyuán 地熱資源.

【第三产业】dì-sān chǎnyè 第3次産業. ❖略称は"三产 sānchǎn".

《第三次浪潮》Dì-sāncì Làngcháo「第三の波」. ❖アメリカの書籍のタイトル.著者はアルビン・トフラー("阿尔温・托夫勒 Ā-ěrwēn Tuōfūlè").

【第三次浪潮】dì-sāncì làngcháo 第3の波. ❖各分野,業界などにおける第1,第2の波に続く第3の波を指す.

【第三代手机】dì-sāndài shǒujī 第3世代携帯電話;3G. ❖IT用語."3G手机 sān G shǒujī"とも.[3G cellular phone ; third generation cellular phone]

【第三代移动通信】dì-sāndài yídòng tōngxìn 第3世代移動通信;第3世代モバイル通信. ❖IT用語.

【第三方】dì-sānfāng サードパーティー. ❖IT用語.[third party]

【第三者分摊额】dì-sānzhě fēntān'é 第三者割当.

【第三者分摊增资】dì-sānzhě fēntān zēngzī 第三者割当増資;縁故者割当増資. ❖金融用語.

【蒂森克虏伯】Dìsēn Kèlǔbó ティッセン・クルップ. ❖ドイツの鉄鋼メーカー.[ThyssenKrupp]

【地市级城市】dìshìjí chéngshì「地級市」;地区クラスの「市」. ❖"地级市 dìjíshì"とも.

【地税】dìshuì 地方税. ❖"地方税 dìfāngshuì"の略.

【第四官员】dì-sì guānyuán〔サッカーの〕予備審判員;第4の審判員.

【第四媒体】dì-sì méitǐ インターネットメディア;第4のメディア.[forth media ; internet media]

【地毯式轰炸】dìtǎnshì hōngzhà 絨毯〈じゅうたん〉爆撃;カーペット爆撃.[carpet bombing]

【蒂瓦纳科文化的精神和政治中心】Dìwǎnàkē Wénhuà de Jīngshén hé Zhèngzhì Zhōngxīn ティワナク:ティワナク文化の宗教的・政治的中心地.◉世界文化遺産(ボリビア).[Tiwanaku : Spiritual and Political Centre of the Tiwanaku Culture]

【蒂瓦希普纳穆・新西兰西南部地区】Dìwǎxīpǔnàmù Xīnxīlán Xīnánbù Dìqū テ・ワヒポウナム・南西ニュージーランド.◉世界自然遺産(ニュージーランド).[Te Wahipounamu – South West New Zealand]

【地外文明】dìwài wénmíng 地球外生命体による文明.

【帝王钛】Dìwángtài チタノス. ❖マルマンオプティカル(日本)の眼鏡フレームブランド.[Titanos]

【帝威】Dìwēi ドゥビル. ❖GM(米)製の車名."凯迪拉克帝威 Kǎidílākè Dìwēi"とも.[Cadillac DeVille]

【地位象征】dìwèi xiàngzhēng ステータスシンボル.[status symbol]

【蒂沃利城的伊斯特别墅】Dìwòlìchéng de Yīsītè Biéshù ティヴォリのエステ家別荘.◉世界文化遺産(イタリア).[Villa d'Este, Tivoli]

【蒂沃利的阿德利阿纳村庄】Dìwòlì de Ādélì'ānà Cūnzhuāng ヴィッラ・アドリアーナ(ティヴォリ).◉世界文化遺産(イタリア).[Villa Adriana (Tivoli)]

【第五大道】Dì-wǔ Dàdào ①5番街. ②5th〈フィフス〉アベニュー. ❖①アメリカ・ニューヨークにある繁華街.②エリザベス・アーデン(米)製のフレグランス名.[5th Avenue]

【地下刊物】dìxià kānwù 地下刊行物;地下出版物;アングラ出版物.

【地下水漏斗】dìxiàshuǐ lòudǒu〔地下水の過剰採取により〕地下水位が漏斗〈ろうと〉状に下降した場所.

dì — diàn

【蒂亚】Dìyà ティヤ．●世界文化遺産(エチオピア)．[Tiya]

【递延资产】dìyán zīchǎn 繰延資産〈くりのべしさん〉．

【第一产业】dì-yī chǎnyè 第1次産業．

《第一滴血》Dì-yīdī Xiě 「ランボー」．❖アメリカ映画のタイトル．[Rambo；First Blood]

【第一发球权】dì-yī fāqiúquán〔卓球やバドミントンなどの〕ファーストサーブの権利．

【第一发球员】dì-yī fāqiúyuán〔卓球やバドミントンなどの〕ファーストサーブをする人(選手)．[first server]

【第一能源】Dì-yī Néngyuán ファースト・エナジー．❖アメリカの電力会社．[First-Energy]

【第一生命】Dì-yī Shēngmìng 第一生命．❖日本の生命保険会社．[Dai-ichi Mutual Life Insurance]

【第一时间】dì-yī shíjiān〔ある事柄の過程において〕最初の肝心な時間．

【第一手材料】dì-yīshǒu cáiliào 一次資料．

【第一田纳西银行】Dì-yī Tiánnàxī Yínháng ファースト・テネシー・ナショナル．❖アメリカの銀行．[First Tennessee National]

【地缘】dìyuán 地縁；地理的な；地理上の．

【地震棚】dìzhènpéng 地震シェルター．[earthquake shelter]

【地址】dìzhǐ ①住所；あて先．②〔コンピューター，インターネットで〕アドレス．❖②IT用語．[address]

【地址簿】dìzhǐbù〔コンピューターの〕アドレス帳．❖IT用語．[address book]

【地中海航运】Dìzhōnghǎi Hángyùn MSC．❖スイスの海運会社．[Mediterranean Shipping；MSC]

diǎn

【点钞机】diǎnchāojī 紙幣計数機；紙幣カウンター．[bill counter]

【点对点】diǎnduìdiǎn ピアツーピア．❖IT用語．[peer-to-peer]

【点对点协议】diǎnduìdiǎn xiéyì PPP．❖IT用語．インターネット接続のプロトコルの1つ．[point to point protocol；PPP]

【典范转换】diǎnfàn zhuǎnhuàn パラダイムシフト．❖"典范转移 diǎnfàn zhuǎnyí"とも．[paradigm shift]

【典范转移】diǎnfàn zhuǎnyí パラダイムシフト．❖"典范转换 diǎnfàn zhuǎnhuàn"とも．[paradigm shift]

【点歌】diǎngē〔歌を〕リクエストする；リクエスト．[request]

【点击】diǎnjī〔コンピューターで〕クリック(する)．❖IT用語．[click]

【点击率】diǎnjīlǜ クリックレート．❖IT用語．[click rate]

【碘缺乏病】diǎnquēfábìng ヨード欠乏症．[iodine deficiency disorders]

【点数人】diǎnshùrén 検数人；タリーマン．[tallyman]

【典型示范】diǎnxíng shìfàn 代表モデル；典型的モデル．

【典型事例】diǎnxíng shìlì モデルケース．[model case]

【碘盐】diǎnyán ヨード添加塩．[iodine-enriched salt]

【点子】diǎnzi ①〔液体の〕粒；しみ．②〔打楽器の〕リズム．③アイディア；アイデア．[②rhythm ③idea]

【点子产品】diǎnzi chǎnpǐn アイデア製品．

【点子公司】diǎnzi gōngsī アイデアを売り物にする会社．

diàn

【电磁波】diàncíbō 電磁波．

diàn

【电磁辐射】diàncí fúshè 電磁放射；EMR.[electromagnetic radiation；EMR]

【电磁兼容】diàncí jiānróng 電磁の両立性；電磁環境両立性；電磁環境適合性；EMC. ❖IT用語.電子機器が他の電子機器などに影響を与えない性能.[electromagnetic compatibility；EMC]

【电磁炮】diàncípào 電磁砲；EMG.[electromagnetic gun；EMG]

【电磁污染】diàncí wūrǎn 電磁波汚染.

【电大】diàndà テレビ大学. ❖"电视大学 diànshì dàxué"の略.

【电灯泡】diàndēngpào ①電球. ②おじゃま虫；ありがた迷惑な同行者；ありがた迷惑な同席者.

【电动剃须刀】diàndòng tìxūdāo 電気カミソリ.

【电动牙刷】diàndòng yáshuā 電動歯ブラシ.

【电动自行车】diàndòng zìxíngchē 電動自転車.

【电话插座】diànhuà chāzuò モジュラージャック. ❖IT用語.[modular jack]

【电话号码升位】diànhuà hàomǎ shēngwèi 電話番号の桁〈けた〉数増加；電話番号の桁数を増やす.

【电话会议】diànhuà huìyì 電話会議.

【电话信息服务台】diànhuà xìnxī fúwùtái 電話情報サービス；テレホンサービス.[telephone information service]

【电话银行】diànhuà yínháng テレホンバンク；テレホンバンキング. ❖金融用語.[telephone banking]

【电荒】diànhuāng 電力不足. ❖中国の高度経済成長に伴う,特に沿海地域における電力不足を指す.

【电汇汇率】diànhuì huìlǜ TTレート；電信為替レート. ❖金融用語.[telegraphic transfer rate]

【电汇买进汇率】diànhuì mǎijìn huìlǜ 電信買い相場；TTBレート. ❖金融用語."电汇银行买价 diànhuì yínháng mǎijià""电汇银行买入价 diànhuì yínháng mǎirùjià"とも.[telegraphic transfer buying rate；TTB]

【电汇卖出汇率】diànhuì màichū huìlǜ 電信売り相場；TTSレート. ❖金融用語."电汇银行卖出价 diànhuì yínháng màichūjià""电汇银行卖价 diànhuì yínháng màijià"とも.[telegraphic transfer selling rate；TTS]

【电汇银行买价】diànhuì yínháng mǎijià 電信買い相場；TTBレート. ❖金融用語."电汇买进汇率 diànhuì mǎijìn huìlǜ""电汇银行买入价 diànhuì yínháng mǎirùjià"とも.[telegraphic transfer buying rate；TTB]

【电汇银行买入价】diànhuì yínháng mǎirùjià 電信買い相場；TTBレート. ❖金融用語."电汇买进汇率 diànhuì mǎijìn huìlǜ""电汇银行买价 diànhuì yínháng mǎijià"とも.[telegraphic transfer buying rate；TTB]

【电汇银行卖出价】diànhuì yínháng màichūjià 電信売り相場；TTSレート. ❖金融用語."电汇卖出汇率 diànhuì màichū huìlǜ""电汇银行卖价 diànhuì yínháng màijià"とも.[telegraphic transfer selling rate；TTS]

【电汇银行卖价】diànhuì yínháng màijià 電信売り相場；TTSレート. ❖金融用語."电汇卖出汇率 diànhuì màichū huìlǜ""电汇银行卖出价 diànhuì yínháng màichūjià"とも.[telegraphic transfer selling rate；TTS]

【电火花加工机床】diànhuǒhuā jiāgōng jīchuáng 放電加工機.

【电吉他】diànjítā エレキギター.[electric guitar]

【电解质饮料】diànjiězhì yǐnliào スポーツドリンク；アイソトニック飲料. ❖"矿物质饮料 kuàngwùzhì yǐnliào"とも.[sports

diàn

drink ; isotonic drink]

【电烤面包炉】diànkǎo miànbāo lú オーブントースター.[toaster oven]

【电脑病毒】diànnǎo bìngdú コンピューターウイルス；ウイルス. ❖IT用語."计算机病毒 jìsuànjī bìngdú"とも.[computer virus]

【电脑辅助教学】diànnǎo fǔzhù jiāoxué コンピューター支援教育；CAI. ❖IT用語."计算机辅助教学 jìsuànjī fǔzhù jiāoxué"とも.[computer-aided (computer-assisted) instruction ; CAI]

【电脑辅助设计】diànnǎo fǔzhù shèjì コンピューター支援設計；CAD〈キャド〉. ❖IT用語."计算机辅助设计 jìsuànjī fǔzhù shèjì"とも.[computer aided design ; CAD]

【电脑辅助学习】diànnǎo fǔzhù xuéxí コンピューター支援学習；CAL〈キャル〉. ❖IT用語."计算机辅助学习 jìsuànjī fǔzhù xuéxí"とも.[computer aided learning ; CAL]

【电脑辅助制造】diànnǎo fǔzhù zhìzào コンピューター支援製造；CAM〈キャム〉. ❖IT用語."计算机辅助制造 jìsuànjī fǔzhù zhìzào"とも.[computer aided manufacturing ; CAM]

【电脑还原】diànnǎo huányuán リカバリー；リストア. ❖IT用語.コンピューターのハードディスクを初期状態に戻すこと."电脑恢复 diànnǎo huīfù"とも.[recovery ; restore]

【电脑恢复】diànnǎo huīfù リカバリー；リストア. ❖IT用語.コンピューターのハードディスクを初期状態に戻すこと."电脑还原 diànnǎo huányuán"とも.[recovery ; restore]

【电脑空间】diànnǎo kōngjiān サイバースペース. ❖IT用語.[cyberspace]

【电脑盲】diànnǎománg パソコン音痴. ❖IT用語.[computer-illiterate]

【电脑图形图像】diànnǎo túxíng túxiàng コンピューターグラフィックス；CG. ❖IT用語."计算机图形图像 jìsuànjī túxíng túxiàng"とも.[computer graphics ; CG]

【电脑游戏】diànnǎo yóuxì コンピューターゲーム. ❖IT用語.[computer game]

【电脑桌】diànnǎozhuō パソコンデスク.[PC-desk]

【电平】diànpíng 電圧レベル.[voltage level]

【电器婚】diànqìhūn 電気器具婚式. ❖8年目の結婚記念日.

【电热供应系统】diànrè gōngyìng xìtǒng コージェネレーションシステム；熱電併給システム.[cogeneration system]

【电热毯】diànrètǎn 電気毛布. ❖"电毯 diàntǎn"とも.

【电视电话】diànshì diànhuà テレビ電話. ❖IT用語."可视电话 kěshì diànhuà"とも.[videophone]

【电视会议】diànshì huìyì テレビ会議. ❖"视频会议 shìpín huìyì"とも.[videoconference]

【电视连续剧】diànshì liánxùjù 連続テレビドラマ.

【电视商场】diànshì shāngchǎng テレビ通販；テレビショッピング.[teleshopping ; TV shopping]

【电视收视率调查】diànshì shōushìlǜ diàochá 視聴率調査.[video research]

【电视手机】diànshì shǒujī テレビ受信可能な携帯電話；テレビ付き携帯.

【电视直销】diànshì zhíxiāo テレビ通販；テレビショッピング.[teleshopping ; TV shopping]

【电视制导】diànshì zhǐdǎo〔ミサイルの〕テレビ誘導.

【电通广告】Diàntōng Guǎnggào 電通. ❖日本の広告代理店.[Dentsu]

【电玩】diànwán コンピューターゲーム；テレビゲーム.[computer game ; video game ; electronic game]

diàn

【电蚊拍】diànwénpāi ラケット型電子蚊取り器.

【电蚊香】diànwénxiāng 電子蚊取り器.

【电信运营商】diànxìn yùnyíngshāng 電気通信キャリア.[telecommunication carrier]

【电眼】diànyǎn ①監視カメラ.②魅惑的な瞳.❖①"电子眼 diànzǐyǎn"の略.

【电影分级制度】diànyǐng fēnjí zhìdù 映画のレーティング制度;映画の鑑賞年齢制限制度.

【电邮】diànyóu eメール;電子メール;メール.❖IT用語."电子邮件 diànzǐ yóujiàn"の略.[electronic mail;e-mail]

【电装】Diànzhuāng デンソー.❖日本の自動車部品メーカー.[Denso]

【电子报刊】diànzǐ bàokān 電子出版物.

【电子表格程序】diànzǐ biǎogé chéngxù 表計算ソフト.❖IT用語.[spreadsheet program;spreadsheet software]

【电子病历】diànzǐ bìnglì 電子カルテ.[electronic medical record;electronic medical chart]

【电子布告板】diànzǐ bùgàobǎn 電子掲示板;BBS.❖IT用語.[bulletin board system;BBS]

【电子宠物】diànzǐ chǒngwù デジタルペット;電子ペット.[electronic pet;virtual pet;cyberpet]

【电子出版物】diànzǐ chūbǎnwù 電子出版物.

【电子辞典】diànzǐ cídiǎn 電子辞書.❖"电子词典 diànzǐ cídiǎn"とも.

【电子词典】diànzǐ cídiǎn 電子辞書.❖"电子辞典 diànzǐ cídiǎn"とも.

【电子对抗】diànzǐ duìkàng 電子妨害;電子対策;ジャミング;ECM.❖通信用語."电子干扰 diànzǐ gānrǎo"とも.[electronic jamming;jamming;electronic counter measures;ECM]

【电子防御】diànzǐ fángyù 電子防御.[electronic defense]

【电子干扰】diànzǐ gānrǎo 電子妨害;電子対策;ジャミング;ECM.❖通信用語."电子对抗 diànzǐ duìkàng"とも.[electronic jamming;jamming;electronic counter measures;ECM]

【电子公告板】diànzǐ gōnggàobǎn 電子掲示板;BBS.❖IT用語.[bulletin board system;BBS]

【电子公告栏】diànzǐ gōnggàolán 電子掲示板;BBS.❖IT用語.[bulletin board system;BBS]

【电子公告牌】diànzǐ gōnggàopái 電子掲示板;BBS.❖IT用語.[bulletin board system;BBS]

【电子函件】diànzǐ hánjiàn eメール;電子メール;メール.❖IT用語."电子邮件 diànzǐ yóujiàn""伊妹儿 yīmèir"とも.[electronic mail;e-mail]

【电子贺卡】diànzǐ hèkǎ eカード;電子グリーティングカード.❖IT用語.[electronic card;e-card;electronic greeting card]

【电子汇款】diànzǐ huìkuǎn 電子送金.❖IT用語.

【电子货币】diànzǐ huòbì 電子マネー.❖IT用語.[electronic money]

【电子积木】diànzǐ jīmù 電子ブロック.

【电子进攻】diànzǐ jìngōng 電子攻撃.

【电子警察】diànzǐ jǐngchá 電子警察;交通違反車両取り締まり撮影システム.❖コンピューター犯罪捜査機関は"网络警察 wǎngluò jǐngchá".

【电子竞技】diànzǐ jìngjì オンラインゲーム;ネットワークゲーム.❖IT用語.[online game;network game]

【电子垃圾】diànzǐ lājī 電気,電子機器廃棄物.

【电子签名】diànzǐ qiānmíng 電子署名;エレクトロニックシグネチャー.❖IT用語.[electronic signature]

【电子钱包】diànzǐ qiánbāo 電子財布;電

diàn — diào

子ウォレット．❖IT用語．[electronic wallet]

【电子前线基金会】Diànzǐ Qiánxiàn Jījīnhuì 電子フロンティア財団；EFF．❖アメリカの市民団体．[Electronic Frontier Foundation；EFF]

【电子商贸】diànzǐ shāngmào 電子商取引；eコマース．❖IT用語."电子商务 diànzǐ shāngwù"とも．[electronic commerce；e-business；e-commerce]

【电子商务】diànzǐ shāngwù 電子商取引；eコマース．❖"电子商贸 diànzǐ shāngmào"とも．[electronic commerce；e-business；e-commerce]

【电子商务认证】diànzǐ shāngwù rènzhèng 電子商取引認証．❖IT用語．

【电子数据交换】diànzǐ shùjù jiāohuàn 電子データ交換；電子データ情報交換；EDI．❖IT用語."无纸化交易 wúzhǐhuà jiāoyì""无纸贸易 wúzhǐ màoyì"とも．[electronic data interchange；EDI]

【电子数据交换业务】diànzǐ shùjù jiāohuàn yèwù 電子データ交換サービス．❖IT用語．[electronic data interchange service]

【电子数据系统】Diànzǐ Shùjù Xìtǒng エレクトロニック・データ・システムズ；EDS．❖アメリカのIT関連会社．"电子资讯系统 Diànzǐ Zīxùn Xìtǒng"とも．[Electronic Data Systems；EDS]

【电子图书】diànzǐ túshū 電子図書；電子書籍；eブック．❖IT用語．"e书 e shū"とも．また，雑誌を含む場合，"电子书刊 diànzǐ shūkān"とも．[electronic book；e-book]

【电子伪装】diànzǐ wěizhuāng 電子カムフラージュ；電子偽装．[electronic camouflage]

【电子雾】diànzǐwù 電磁波ノイズ；電子スモッグ．[electronic noise；electronic smog]

【电子信箱】diànzǐ xìnxiāng〔電子メールの〕メールボックス．❖IT用語．[electronic mailbox；mailbox]

【电子艺界】Diànzǐ Yìjiè エレクトロニック・アーツ．❖アメリカのゲームメーカー．[Electronic Arts]

【电子邮件】diànzǐ yóujiàn eメール；電子メール；メール．❖IT用語."电子函件 diànzǐ hánjiàn""伊妹儿 yīmèir"とも．略称は"电邮 diànyóu".[electronic mail；e-mail]

【电子游戏】diànzǐ yóuxì ①コンピューターゲーム；テレビゲーム．②アーケードゲーム．[①computer game；video game electronic game ②arcade game]

【电子杂志】diànzǐ zázhì メールマガジン；メルマガ．❖IT用語．[e-mail newsletter]

【电子战】diànzǐzhàn 電子戦；EW．[electronic warfare；EW]

【电子政务】diànzǐ zhèngwù 電子政府；電子自治体．[electronic government]

【电子资讯系统】Diànzǐ Zīxùn Xìtǒng エレクトロニック・データ・システムズ；EDS．❖アメリカのIT関連会社．"电子数据系统 Diànzǐ Shùjù Xìtǒng"とも．[Electronic Data Systems；EDS]

【电子眼】diànziyǎn 監視カメラ．❖略称は"电眼 diànyǎn".

diào

【调查表】diàochábiǎo チェックシート．[check sheet]

【调查监督】diàochá jiāndū サーベイランス；調査監督．[surveillance]

【吊带背心】diàodài bèixīn キャミソール．[camisole]

【吊顶】diàodǐng〔建築の〕吊り天井．

【掉期费用】diàoqī fèiyong スワップコスト．❖金融用語．"互惠信贷成本 hùhuì xìndài chéngběn""外汇掉期费用 wàihuì

diào — dīng

diàoqī fèiyong"とも.[swap cost]

【掉期交易】diàoqī jiāoyì スワップ取引. ❖金融用語."互惠信贷交易 hùhuì xìndài jiāoyì"とも.[swap transaction]

【吊球】diàoqiú ドロップショット.[drop shot]

【吊上吊下】diàoshàng diàoxià リフトオン・リフトオフ；LOLO方式. ❖クレーンで荷役する方法.[LO/LO ; lift on/lift off]

【吊饰】diàoshì 〔吊るすタイプの〕アクセサリー；マスコット. ❖携帯電話のストラップをはじめ，各種吊るすタイプのアクセサリー全般を指す．

【吊胃口】diào wèikǒu ①興味をそそる．②じらす．

【吊销执照】diàoxiāo zhízhào 免許取り上げ；免許停止；免停．

【钓鱼工程】Diàoyú Gōngchéng 「釣魚工程」；魚釣りプロジェクト. ❖少額予算で建設許可を得て，後に追加予算申請をする方法．

【钓鱼台国宾馆】Diàoyútái Guóbīnguǎn 釣魚台国賓館. ❖中国・北京にあるホテル.[Diaoyutai State Guesthouse]

diē

【跌幅】diēfú 下げ幅；下落〈げらく〉幅. ❖金融用語．

【跌股】diēgǔ 株価下落〈かぶかげらく〉. ❖金融用語．

【跌价风险】diējià fēngxiǎn 値下がりリスク. ❖金融用語．

【跌势】diēshì 下落〈げらく〉傾向. ❖金融用語．

【跌停板】diētíngbǎn ストップ安；リミットダウン. ❖金融用語.[limit down]

【跌眼镜】diē yǎnjìng 衝撃をうける；ひどく驚く．

dīng

【丁克】dīngkè ディンクス；DINKS；共働きで子供のいない夫婦.[double income no kids ; DINKS]

【丁克夫妇】dīngkè fūfù ディンクス；DINKS；共働きで子供のいない夫婦. ❖"丁克 dīngkè"とも.[double income no kids ; DINKS]

【丁烯】dīngxī ブテン.[butene]

【丁字裤】dīngzìkù Tバック.[T-back]

【钉子户】dīngzihù 立ち退き拒否世帯．

dǐng

【顶层】dǐngcéng ①最上階．②〔企業、組織などの〕トップ．

【顶风】dǐngfēng ①風に向かう；向かい風．②法律や規定に公然と抵抗する．

【顶级】dǐngjí トップレベル；トップクラス；トップ.[top]

【顶尖】dǐngjiān トップ；頂点；最高.[top ; tiptop]

【顶头上司】dǐngtóu shàngsi 上司．

dìng

【定编】dìngbiān 編成する；編成を決める．

【定标】dìngbiāo ①目標設定（をする）．②落札者を決定する（こと）. ❖①"制定目标 zhìdìng mùbiāo"の略．②"决标 juébiāo"とも．

【订舱】dìngcāng 〔船腹の〕予約；ブッキング.[booking]

【定程出租船】dìngchéng chūzū chuán 航路傭船〈ようせん〉；航海傭船．

【订单】dìngdān 注文書；発注書．

【定点设备】dìngdiǎn shèbèi 画像位置指示装置；ポインティングデバイス. ❖IT用語．マウス，トラックボール，トラックパッド

dìng — dōng

など,座標位置を入力するための装置.[pointing device]

【定点医院】dìngdiǎn yīyuàn 指定医院.

【订房登记】dìngfáng dēngjì 〔ホテルの〕チェックイン.[check-in]

【定岗】dìnggǎng 持ち場を決める.

【订货生产】dìnghuò shēngchǎn 受注生産.

【定牌生产】dìngpái shēngchǎn 相手先ブランド生産;OEM. ❖"贴牌生产 tiēpái shēngchǎn" とも.[original equipment manufacturing ; OEM]

【定期偿还】dìngqī chánghuán 定時償還. ❖金融用語.

【定期储蓄存款】dìngqī chǔxù cúnkuǎn 積立定期預金. ❖金融用語.

【定期存款】dìngqī cúnkuǎn 定期預金. ❖金融用語.

【定期汇票】dìngqī huìpiào 期限付為替手形. ❖金融用語.

【定期往返航班】dìngqī wǎngfǎn hángbān シャトル便.[shuttle service]

【定时罢工】dìngshí bàgōng 時限スト.

【定位】dìngwèi ポジショニング;位置付け.[positioning]

【定向能武器】dìngxiàngnéng wǔqì 指向性エネルギー兵器;DEW.[directed energy weapon ; DEW]

【定向培训】dìngxiàng péixùn ①〔業務内容などに合わせ〕目的を定めた人材養成. ②〔修学,卒業後の進路が決まっている学生の〕教育;養成.

【定向生】dìngxiàngshēng 卒業後の進路が決まっている学生. ❖企業や政府機関の要請で,卒業後の進路が定められた大学生や大学院生.

diū

【丢车保帅】diū jū bǎo shuài 大の虫を生かして小の虫を殺す.

dōng

【冬奥会】Dōng'àohuì 冬季オリンピック. ❖"冬季奥林匹克运动会 Dōngjì Àolínpǐkè Yùndònghuì" の略.[Winter Olympic Games ; Winter Olympics]

【东北电力】Dōngběi Diànlì 東北電力. ❖日本の電力会社.[Tohoku Electric Power er]

【东北亚开发银行】Dōngběiyà Kāifā Yínháng 北東アジア開発銀行;NEADB.[Northeast Asian Development Bank ; NEADB]

【东道国】dōngdàoguó ホスト国;開催国;議長国.[host country]

【东道主】dōngdàozhǔ 主催側;主催者側.

【东帝汶民主共和国】Dōngdìwèn Mínzhǔ Gònghéguó 東ティモール民主共和国;ティモール.[Democratic Republic of East Timor ; East Timor]

【东方汇理银行】Dōngfāng Huìlǐ Yínháng カリヨン銀行. ❖フランスの銀行.[Calyon Corporate and Investment Bank]

【东方明珠广播电视塔】Dōngfāng Míngzhū Guǎngbō Diànshìtǎ 東方明珠テレビ塔. ❖中国・上海の名所.

【东方鑫源集团】Dōngfāng Xīnyuán Jítuán 東方鑫源;オリエンタル・メタルズ・ホールディングス. ❖非鉄金属取引会社.レッドチップ企業の1つ.[Oriental Metals Holdings]

【东方有色集团】Dōngfāng Yǒusè Jítuán 東方有色集団;ONFEM〈オンフェム〉ホールディングス. ❖建設,不動産を主とした複合企業.レッドチップ企業の1つ.[ONFEM Holdings]

【东风汽车】Dōngfēng Qìchē 東風汽車. ❖中国の自動車メーカー.[Dong Feng Automobile]

【东莞】Dōngguǎn 東莞〈とうかん〉. ❖中国・広東省にある地域.

dōng

【冬季奥林匹克运动会】Dōngjì Àolínpǐkè Yùndònghuì 冬季オリンピック. ❖略称は"冬奥会 Dōng'àohuì""冬季奥运会 Dōngjì Àoyùnhuì".[Winter Olympic Games ; Winter Olympics]

【冬季奥运会】Dōngjì Àoyùnhuì 冬季オリンピック. ❖"冬奥会 Dōng'àohuì"とも."冬季奥林匹克运动会 Dōngjì Àolínpǐkè Yùndònghuì"の略.[Winter Olympic Games ; Winter Olympics]

《冬季恋歌》Dōngjì Liàngē 「冬のソナタ」. ❖韓国のテレビドラマ.[Winter Sonata]

《东京爱情故事》Dōngjīng Àiqíng Gùshi 「東京ラブストーリー」. ❖日本のテレビドラマのタイトル.[Tokyo Love Story]

【东京柏悦酒店】Dōngjīng Bǎiyuè Jiǔdiàn パークハイアット東京. ❖日本・東京にあるホテル.[Park Hyatt Tokyo]

【东京迪斯尼乐园】Dōngjīng Dísīní Lèyuán 東京ディズニーランド;TDL. ❖日本・千葉にあるテーマパーク.[Tokyo Disneyland ; TDL]

【东京电力】Dōngjīng Diànlì 東京電力. ❖日本の電力会社.[Tokyo Electric Power]

【东京电视台】Dōngjīng Diànshìtái テレビ東京;TX. ❖日本のテレビ局.[TV Tokyo]

【东京电影节】Dōngjīng Diànyǐngjié 東京国際映画祭. ❖日本の映画祭.[Tokyo International Film Festival]

【东京都】Dōngjīng Dū 東京都〈とうきょうと〉. ❖日本の首都.

【东京广播公司】Dōngjīng Guǎngbō Gōngsī 東京放送;TBS. ❖日本のテレビ局.[Tokyo Broadcasting System ; TBS]

【东京国际会议中心】Dōngjīng Guójì Huìyì Zhōngxīn 東京国際フォーラム. ❖日本・東京にあるコンベンションセンター.[Tokyo International Forum]

【东京国际机场】Dōngjīng Guójì Jīchǎng 東京国際空港;羽田空港. ❖日本・東京にある空港.[Tokyo International Airport ; Haneda Airport]

【东京国际展览中心】Dōngjīng Guójì Zhǎnlǎn Zhōngxīn 東京国際展示場;東京ビッグサイト. ❖日本・東京にあるコンベンションセンター.[Tokyo International Exbition Center ; Tokyo Big Sight]

【东京海上日动火灾保险】Dōngjīng Hǎishàng Rìdòng Huǒzāi Bǎoxiǎn 東京海上日動火災保険. ❖日本の保険会社.[Tokyo Marine&Nichido Fire Insurance]

【东京急行电铁】Dōngjīng Jíxíng Diàntiě 東京急行電鉄;東急. ❖日本の鉄道,不動産等開発会社.[Tokyu]

【东京巨蛋】Dōngjīng Jùdàn 東京ドーム;ビッグエッグ. ❖日本・東京にある野球場.[Tokyo Dome]

【东京君悦大酒店】Dōngjīng Jūnyuè Dàjiǔdiàn グランドハイアット東京. ❖日本・東京にあるホテル.[Grand Hyatt Tokyo]

【东京世纪凯悦酒店】Dōngjīng Shìjì Kǎiyuè Jiǔdiàn センチュリーハイアット東京. ❖日本・東京にあるホテル.[Century Hyatt Tokyo]

【东京铁塔】Dōngjīng Tiětǎ 東京タワー. ❖日本・東京にある電波塔."东京塔 Dōngjīng Tǎ"とも.[Tokyo Tower]

【东京湾 AQUA LINE 高速公路】Dōngjīng Wān AQUA LINE Gāosù Gōnglù 東京湾アクアライン. ❖日本・神奈川県川崎市と千葉県木更津市を結ぶ高速道路.[Tokyo Bay Aqua-line ; Trans-Tokyo Bay Highway]

《东京仙履奇缘》Dōngjīng Xiānlǚ Qíyuán 「妹よ」. ❖日本のテレビドラマのタイトル.

【东京银行同业拆放率】Dōngjīng yínháng tóngyè chāifànglǜ タイボー;TIBOR. ❖金融用語.東京外国為替市場における銀行間出し手利率.[Tokyo Inter Bank Offered Rate ; TIBOR]

dōng — dòng

【东丽】Dōnglì 東レ．❖日本の繊維,素材メーカー．[Toray]

【东伦内尔岛】Dōnglúnnèi'ěr Dǎo 東レンネル．●世界自然遺産(ソロモン諸島)．[East Rennell]

【东盟】Dōngméng 東南アジア諸国連合；アセアン；ASEAN．❖"东南亚国家联盟 Dōngnányà Guójiā Liánméng"の略．[Association of Southeast Asian Nations；ASEAN]

【东盟地区论坛】Dōngméng Dìqū Lùntán アセアン地域フォーラム；ARF．[ASEAN Regional Forum；ARF]

【东绵】Dōngmián トーメン．❖日本の総合商社．[Tomen]

【东南亚国家联盟】Dōngnányà Guójiā Liánméng 東南アジア諸国連合；アセアン；ASEAN．❖略称は"东盟 Dōngméng".[Association of Southeast Asian Nations；ASEAN]

【东日本铁路】Dōng Rìběn Tiělù JR東日本．❖日本の鉄道会社．[East Japan Railway]

【东陶机器】Dōngtáo Jīqì 東陶機器；TOTO．❖日本の住宅設備メーカー．[TOTO]

【东突厥斯坦伊斯兰运动】Dōngtūjuésītǎn Yīsīlán Yùndòng 東トルキスタン・イスラム運動．❖「東トルキスタン」というイスラム国家建設を目指す組織．2003年,中国はテロ組織と認定．略称は"东突伊斯兰运动 Dōngtū Yīsīlán Yùndòng".[The Eastern Turkistan Islamic Movement；ETIM]

【东突伊斯兰运动】Dōngtū Yīsīlán Yùndòng 東トルキスタン・イスラム運動．❖「東トルキスタン」というイスラム国家建設を目指す組織．2003年,中国はテロ組織と認定．"东突厥斯坦伊斯兰运动 Dōngtūjuésītǎn Yīsīlán Yùndòng"の略．[The Eastern Turkistan Islamic Movement；ETIM]

《东亚日报》Dōngyà Rìbào 「東亜日報」．❖韓国の日刊紙．[Dong-a Ilbo]

【东亚银行】Dōngyà Yínháng バンク・オブ・イースト・アジア；東亜銀行；BEA．❖香港の銀行．[Bank of East Asia；BEA]

【东洋轮胎】Dōngyáng Lúntāi トーヨータイヤ．❖東洋ゴム工業(日本)のタイヤブランド．[Toyo Tires]

【东证股价指数】Dōngzhèng Gǔjià Zhǐshù 東証株価指数；トピックス；TOPIX．❖金融用語．[Tokyo Stock Price Index；TOPIX]

【东芝】Dōngzhī 東芝．❖日本の総合電器メーカー．[Toshiba]

【冬至】dōngzhì〔二十四節気の〕冬至〈とうじ〉．

dòng

【冻干食品】dònggān shípǐn フリーズドライ食品．[freeze-dry food；freeze-dried food]

【动感电影】dònggǎn diànyǐng 立体映画；3D映画；4D映画．

【动画】dònghuà アニメーション．[animation]

【动机】dòngjī ①動機．②モチベーション．[②motivation]

【动机调查】dòngjī diàochá ①動機調査．②モチベーションリサーチ；動機調査．❖②"购买动机调查 gòumǎi dòngjī diàochá"とも．[motivation research]

【动漫】dòngmàn アニメとコミック．❖"动画 dònghuà"と"漫画 mànhuà".[cartoon and comic]

【动能弹】dòngnéngdàn 運動エネルギーミサイル；KEM．[kinetic energy missile；KEM]

【动能武器】dòngnéng wǔqì 運動エネルギー兵器；KEW．[kinetic energy weapon；KEW]

【动迁】dòngqiān 移転する；移転させる．

dòng — dú

【动迁户】dòngqiānhù 立ち退き世帯.

【动态ＨＴＭＬ】dòngtài HTML ダイナミックHTML. ❖IT用語.[dynamic HTML]

【动因】dòngyīn 動機；きっかけ；原因；理由.

【动作捕捉】dòngzuò bǔzhuō モーションキャプチャー.[motion capture]

dōu

【都乐食品】Dōulè Shípǐn ドールフード. ❖アメリカの食品会社.[Dole Food]

dòu

【豆腐渣工程】dòufuzhā gōngchéng 手抜き工事.

【逗号】dòuhào コンマ；カンマ. ❖記号は「，」.[comma]

【豆满江】Dòumǎn Jiāng トマンガン(豆満江). ❖朝鮮民主主義人民共和国と中国との国境を流れる川.中国側の呼称は"图们江 Túmén Jiāng".[Tuman River]

【逗你的】dòunǐde なんちゃって；冗談だよ.

dū

【都柏林】Dūbólín ダブリン. ❖アイルランドの首都.[Dublin]

【都灵】Dūlíng トリノ. ❖イタリアの都市名.[Torino]

【都彭】Dūpéng エス・テー・デュポン. ❖フランスの紳士雑貨メーカー,ブランド.[S.T.Dupont]

【都市题材电视剧】dūshì tícái diànshìjù トレンディードラマ.

dú

【独家代理】dújiā dàilǐ 独占代理店.

【独家新闻】dújiā xīnwén 特種〈とくだね〉；スクープ.[scoop]

【读卡器】dúkǎqì カードリーダー；カードアダプター. ❖IT用語.[card reader；card adapter]

《独立报》Dúlì Bào 「インディペンデント」. ❖イギリスの日刊紙.[Independent]

【独立大厅】Dúlì Dàtīng 独立記念館. ●世界文化遺産(アメリカ).[Independence Hall]

【独立董事】dúlì dǒngshì 独立取締役.

【独立关税区】dúlì guānshuìqū 独立関税地域.

【独立国家联合体】Dúlì Guójiā Liánhétǐ 独立国家共同体；CIS. ❖1991年に旧ソ連構成国によって作られた国家連合.略称は"独联体 Dúliántǐ".[Commonwealth of Independent States；CIS]

【独立核算】dúlì hésuàn 独立採算.

【独立核算制】dúlì hésuànzhì 独立採算制.

【独立片】dúlìpiàn インディーズ映画.[independent film]

【独立制作人】dúlì zhìzuòrén インディーズ；独立プロダクション；独立プロ.[indie]

【独联体】Dúliántǐ 独立国家共同体；CIS. ❖1991年に旧ソ連構成国によって作られた国家連合の略称."独立国家联合体 Dúlì Guójiā Liánhétǐ"の略.[Commonwealth of Independent States；CIS]

【毒龙】Dúlóng デュロン. ❖AMD(米)製のマイクロプロセッサー・シリーズ名.[Duron]

《读卖新闻》Dúmài Xīnwén 「読売新聞」. ❖日本の日刊紙.[Yomiuri Shimbun]

【独门独院】dúmén dúyuàn 庭付き一戸〈いっこ〉建て.

【读秒】dúmiǎo ①秒読み(する). ②[物事の]重要な最終段階.

dú — duǎn

【毒丸计划】dúwán jìhuà ボイズンピル. ❖金融用語.敵対的買収への対抗策の１つ.正式名称は"股权摊薄反收购措施 gǔquán tānbó fǎnshōugòu cuòshī".[poison pill]

【毒王】dúwáng「毒王」；スーパースプレッダー. ❖[SARSなどの]感染力が特別に強い人.[super spreader]

【毒枭】dúxiāo 麻薬商人；麻薬密売人.

【毒药】Dúyào プワゾン. ❖クリスチャンディオール(仏)製のフレグランス名."紫毒 Zǐdú"とも.[Poison]

《读者文摘》Dúzhě Wénzhāi「リーダーズ・ダイジェスト」. ❖アメリカの総合誌.[Reader's Digest]

【独资】dúzī 100パーセント出資.

【毒资】dúzī ①麻薬販売で得た資金. ②麻薬購入のための金.

dǔ

【赌博罪】dǔbózuì 赌博罪. ❖中国の罪状名.

【赌场】dǔchǎng カジノ；赌博場.[casino]

【赌球】dǔqiú〔主に球技を対象とする〕スポーツ赌博.

dù

【杜邦】Dùbāng デュポン. ❖アメリカの化学製品メーカー.[DuPont]

【杜比】Dùbǐ ドルビー. ❖ドルビーラボラトリーズ(米)の商標.音声符号化方式.[Dolby System]

【杜布罗夫尼克古城】Dùbùluófūníkè Gǔchéng ドゥブロヴニク旧市街. ●世界文化遺産(クロアチア).[Old City of Dubrovnik]

【杜加】Dùjiā ドゥッガ(旧名トゥッガ). ●世界文化遺産(チュニジア).[Dougga/Thugga]

【度假村】dùjiàcūn リゾート村.[resort village]

【度假酒店】dùjià jiǔdiàn リゾートホテル.[resort hotel]

【度假胜地】dùjià shèngdì リゾート；リゾート地. ❖"休闲胜地 xiūxián shèngdì"とも.[resort]

【度假外交】dùjià wàijiāo 休暇外交.

【杜克能源】Dùkè Néngyuán デューク・エナジー. ❖アメリカのエネルギー会社.[Duke Energy]

【杜米托尔国家公园】Dùmǐtuō'ěr Guójiā Gōngyuán ドゥルミトル国立公園. ●世界自然遺産(セルビア・モンテネグロ).[Durmitor National Park]

【杜尚别】Dùshàngbié ドゥシャンベ. ❖タジキスタンの首都.[Dushanbe]

duān

【端口】duānkǒu ポート. ❖IT用語.データをやりとりするときの窓口にあたる.[port]

【端口扫描】duānkǒu sǎomiáo ポートスキャン. ❖IT用語.[port scan]

【端粒】duānlì テロメア.[telomere]

duǎn

【短池】duǎnchí〔水泳の〕短水路.

【短打】duǎndǎ〔野球の〕バント.[bunt]

【短节目】duǎnjiémù ①短い番組. ②〔フィギュアスケートの〕ショートプログラム.[②short program]

【短期波动】duǎnqī bōdòng〔景気の〕短期波動. ❖金融用語.

【短期拆放】duǎnqī chāifàng コールローン. ❖金融用語.短期金融市場において金融機関が貸し出す１年未満の資金.[call loan]

【短期拆放市场】duǎnqī chāifàng shì-

duǎn

chǎng コール市場. ❖金融用語.金融機関が1年未満の短期資金を貸し借りする市場."短期放款市場 duǎnqī fàngkuǎn shìchǎng""短期投放市場 duǎnqī tóufàng shìchǎng""短期資金拆放市場 duǎnqī zījīn chāifàng shìchǎng""活期貸款市場 huóqī dàikuǎn shìchǎng"とも.[call market]

【短期拆借】duǎnqī chāijiè コールマネー. ❖金融用語.短期金融市場において金融機関が調達した資金."拆款 chāikuǎn"とも. [call money]

【短期放款市場】duǎnqī fàngkuǎn shìchǎng コール市場. ❖金融用語.金融機関が1年未満の短期資金を貸し借りする市場."短期拆放市場 duǎnqī chāifàng shìchǎng""短期投放市場 duǎnqī tóufàng shìchǎng""短期資金拆放市場 duǎnqī zījīn chāifàng shìchǎng""活期貸款市場 huóqī dàikuǎn shìchǎng"とも.[call market]

【短期国庫券】duǎnqī guókùquàn 短期国債;TB. ❖金融用語.国債の1種.期間が1年未満のもの.[treasury bill;TB]

【短期貨幣市場】duǎnqī huòbì shìchǎng 短期金融市場;マネーマーケット. ❖金融用語."短期借貸市場 duǎnqī jièdài shìchǎng""短期金融市場 duǎnqī jīnróng shìchǎng"とも.[money market]

【短期借貸市場】duǎnqī jièdài shìchǎng 短期金融市場;マネーマーケット. ❖金融用語."短期貨幣市場 duǎnqī huòbì shìchǎng""短期金融市場 duǎnqī jīnróng shìchǎng"とも.[money market]

【短期金融市場】duǎnqī jīnróng shìchǎng 短期金融市場;マネーマーケット. ❖金融用語."短期借貸市場 duǎnqī jièdài shìchǎng""短期貨幣市場 duǎnqī huòbì shìchǎng"とも.[money market]

【短期票据市場】duǎnqī piàojù shìchǎng 手形売買市場. ❖金融用語."票据市場 piàojù shìchǎng"とも.

【短期貼現国債】duǎnqī tiēxiàn guózhài 短期割引国債;割引短期国債. ❖金融用語.国債の1種.期間が1年未満のもの.

【短期投放市場】duǎnqī tóufàng shìchǎng コール市場. ❖金融用語.金融機関が1年未満の短期資金を貸し借りする市場."短期放款市場 duǎnqī fàngkuǎn shìchǎng""短期拆放市場 duǎnqī chāifàng shìchǎng""短期資金拆放市場 duǎnqī zījīn chāifàng shìchǎng""活期貸款市場 huóqī dàikuǎn shìchǎng"とも.[call market]

【短期信用公司】duǎnqī xìnyòng gōngsī 短資会社. ❖金融用語.短期資金の貸借を営む会社."短資公司 duǎnzī gōngsī"とも.

【短期行為】duǎnqī xíngwéi ①近視眼的なやり方;ビジョンのない行動. ②目先の利益を追求する行為,行動.

【短期資金拆放市場】duǎnqī zījīn chāifàng shìchǎng コール市場. ❖金融用語.金融機関が1年未満の短期資金を貸し借りする市場."短期放款市場 duǎnqī fàngkuǎn shìchǎng""短期拆放市場 duǎnqī chāifàng shìchǎng""短期投放市場 duǎnqī tóufàng shìchǎng""活期貸款市場 huóqī dàikuǎn shìchǎng"とも.[call market]

【短线】duǎnxiàn ①供給不足. ②短期的(な);短期型.

【短项】duǎnxiàng 不得意分野.

【短信】duǎnxìn ①ショート・メッセージ・サービス. ②ショートメッセージ. ❖IT用語. ①"短信息服务 duǎnxìnxī fúwù"の略. [①short message service;SMS ②short message]

【短信息】duǎnxìnxī ショートメッセージ. ❖IT用語.[short message]

【短信息服务】duǎnxìnxī fúwù ショート・メッセージ・サービス. ❖IT用語.略称は"短信 duǎnxìn".[short message service;SMS]

duǎn — duō

【短信写手】duǎnxìn xiěshǒu〔携帯電話の〕ショートメッセージのコンテンツライター．❖IT用語．

【短资公司】duǎnzī gōngsī 短资会社．❖金融用語．短期資金の貸借を営む会社．"短期信用公司 duǎnqī xìnyòng gōngsī"とも．

duàn

【断层】duàncéng ①断層．②ずれ；食い違い．

【断层扫描】duàncéng sǎomiáo コンピューター断層撮影；CTスキャン．❖"CT扫描 CT sǎomiáo""计算机体层摄影 jìsuànjī tǐcéng shèyǐng"とも．[computerized tomography；CT]

【断点续传】duàndiǎn xùchuán スタンバイ；サスペンド；レジューム．❖IT用語．[suspend；resume]

【断奶】duànnǎi ①断乳；離乳．②財政支援を打ち切る；資金援助を打ち切る．

duī

【堆肥】duīféi コンポスト．[compost]

duì

【对冲基金】duìchōng jījīn ヘッジファンド．❖金融用語．[hedge fund]

【对号票】duìhàopiào 座席指定券．

【对话框】duìhuàkuàng ダイアログボックス．❖IT用語．[dialog box]

【对讲机】duìjiǎngjī トランシーバー．[transceiver]

【对接】duìjiē ①〔人工衛星や宇宙船の〕ドッキング；結合．②合致(する)；結合(する)；リンク(する)．[①docking ②link]

【对决】duìjué 対決(する)；決着をつける；決戦．

【对数表】duìshùbiǎo 対数表．

【对外招商】duìwài zhāoshāng 外国企業誘致．

【对象】duìxiàng ①対象；ターゲット．②恋人；フィアンセ；結婚相手．③オブジェクト．❖③IT用語．[①object；target ②fiancé；fiancée ③object]

【对销贸易】duìxiāo màoyì カウンタートレード．❖"反购交易 fǎngòu jiāoyì"とも．[countertrade；C/T]

【队长袖标】duìzhǎng xiùbiāo〔サッカーチームの〕キャプテンの腕章．

dūn

【敦豪】Dūnháo ディー・エイチ・エル；DHL．❖アメリカの国際輸送サービス会社．[DHL]

dùn

【顿号】dùnhào 読点〈とうてん〉；点．❖記号は「、」．

duō

【多边贸易谈判】duōbiān màoyì tánpàn 多角的貿易交渉．

【多边投资担保机构】Duōbiān Tóuzī Dānbǎo Jīgòu 多国間投資保証機関；MIGA．[Multilateral Investment Guarantee Agency；MIGA]

【多边协议】duōbiān xiéyì 多国間協定．[multilateral agreement]

【多边援助】duōbiān yuánzhù 多国間援助．

【多层传销】duōcéng chuánxiāo マルチ商法．❖"多层直销法 duōcéng zhíxiāofǎ"とも．[pyramid selling；multi-level marketing system]

【多层直销法】duōcéng zhíxiāofǎ マルチ商

duō

法. ❖"多层传销 duōcéng chuánxiāo"とも.[pyramid selling; multi-level marketing system]

【多层住宅】duōcéng zhùzhái 中層集合住宅. ❖中国の建築規定では4階から6階建ての住宅のこと.

【多窗口】duōchuāngkǒu マルチウィンドウ. ❖IT用語.[multiwindow]

【多党合作制】duōdǎng hézuòzhì 〔中国の〕多党協力制;複数政党協力制.

【多碟ＤＶＤ】duōdié DVD マルチディスク対応DVDプレーヤー.[multidisc DVD player]

【多方外包】duōfāng wàibāo マルチアウトソーシング.[multi-outsourcing]

【多芬】Duōfēn ダヴ;Dove. ❖ユニリーバ(英,オランダ)の石けんブランド.[Dove]

【多酚】duōfēn ポリフェノール. ❖"多元酚 duōyuánfēn"とも.[polyphenol]

【多佛】Duōfó ドーバー. ❖アメリカ・デラウェア州都.[Dover]

【多佛尔海峡】Duōfó'ěr Hǎixiá ドーバー海峡;英仏海峡. ❖イギリスとフランスとの間にある海峡.[the Straits of Dover]

【多哥共和国】Duōgē Gònghéguó トーゴ共和国;トーゴ.[Republic of Togo; Togo]

【多功能汽车】duōgōngnéng qìchē マルチパーパスビークル;MPV.[multipurpose vehicle; MPV]

【多功能食品加工机】duōgōngnéng shípǐn jiāgōngjī フードプロセッサー.[food processor]

【多哈】Duōhā ドーハ. ❖カタールの首都.[Doha]

【多技能工】duōjìnénggōng 多能工.

【哆啦A梦】Duōlā A mèng ドラえもん. ❖日本の漫画,アニメのキャラクター名.日本語の音訳.[Doraemon]

【多伦多】Duōlúnduō トロント. ❖カナダの都市名.サミット開催地の1つ.[Toronto]

【多媒体】duōméitǐ マルチメディア. ❖IT用語.[multimedia]

【多媒体电教室】duōméitǐ diànjiàoshì マルチメディア教室.[multimedia room]

【多媒体短信服务】duōméitǐ duǎnxìn fúwù マルチメディア・メッセージ・サービス;MMS.[Multimedia Messaging Service; MMS]

【多媒体技术】duōméitǐ jìshù マルチメディア技術. ❖IT用語.[multimedia technology]

【多媒体通信】duōméitǐ tōngxìn マルチメディア通信. ❖IT用語.[multimedia communication]

【多米尼加共和国】Duōmǐníjiā Gònghéguó ドミニカ共和国.[Dominican Republic; Dominica]

【多米尼克国】Duōmǐníkèguó ドミニカ国.[Commonwealth of Dominica; Dominica]

【多米诺骨牌效应】duōmǐnuò gǔpái xiàoyīng ドミノ効果. ❖ドミノ倒しのように効果が次々と波及していくこと."骨牌效应 gǔpái xiàoyīng"とも.[domino effect]

【多面手】duōmiànshǒu マルチタレント;多才な人.[multitalented entertainer]

【多明戈】Duōmínggē 〔プラシド・〕ドミンゴ. ❖スペインのオペラ歌手.名は"普拉西多 Pǔlāxīduō".[Placido Domingo]

【多摩川】Duōmó Chuān 多摩川〈たまがわ〉. ❖日本・関東地方を流れる川.[the Tama River]

【多纳纳国家公园】Duōnànà Guójiā Gōngyuán ドニャーナ国立公園. ●世界自然遺産(スペイン).[Doñana National Park]

【多瑙河】Duōnǎo Hé ドナウ川. ❖ヨーロッパ中南部を流れる川.[the Danube River; the Danube]

【多瑙河三角洲】Duōnǎo Hé Sānjiǎozhōu ドナウデルタ. ●世界自然遺産(ルーマニア).[Danube Delta]

duō — duó

【多能奔腾】Duōnéng Bēnténg MMXペンティアム. ❖インテル(米)製のMPU名. [MMX Pentium]

【多频道】duōpíndào 多チャンネル. [multi-channel]

【多普勒效应】Duōpǔlè xiàoyìng ドップラー効果. [Doppler effect]

【多任务】duōrènwu マルチタスク. ❖IT用語. コンピューター上で複数の作業を同時に処理すること. [multitasking]

【多塞特和东德文海岸】Duōsàitè hé Dōngdéwén Hǎi'àn ドーセットおよび東デヴォン海岸. ●世界自然遺産(イギリス). [Dorset and East Devon Coast]

《多桑》Duōsāng 「多桑 父さん」. ❖台湾映画のタイトル. [A Borrowed Life]

【多头】duōtóu 強気. ❖金融用語.

【多头部位】duōtóu bùwèi ロングポジション. ❖金融用語. 保有する証券の買いが売りを上回っていること. [long position]

【多头市场】duōtóu shìchǎng 強気相場;上げ相場. ❖金融用語.

【多线程】duōxiànchéng マルチスレッド. ❖IT用語. [multithread operation]

【多选】duōxuǎn 〔問題などの〕複数選択.

【多赢】duōyíng 各々が利益を得る.

【多元酚】duōyuánfēn ポリフェノール. ❖"多酚 duōfēn"とも. [polyphenol]

【多元社会】duōyuán shèhuì 多元的社会.

【多元主义】duōyuán zhǔyì プルーラリズム;多元主義;複数主義. [pluralism]

duó

【夺冠】duóguàn 優勝する;優勝を勝ち取る.

《夺面双雄》Duómiàn Shuāngxióng 「フェイス/オフ」. ❖アメリカ映画のタイトル. [Face/Off]

E

E

【e时代】e shídài e时代；情報化時代.[information age ; electronic age]

【e书】e shū 電子図書；電子書籍；eブック.❖IT用語."电子图书 diànzǐ túshū"とも.[electronic book ; e-book]

【EDI】EDI 電子データ交換；電子データ情報交換；EDI.❖IT用語.中国語では"电子数据交换 diànzǐ shùjù jiāohuàn""无纸贸易 wúzhǐ màoyì""无纸化交易 wúzhǐhuà jiāoyì".[electronic data interchange ; EDI]

【EQ】EQ 情動指数；EQ.❖中国語では"情商 qíngshāng".[emotional quotient ; EQ]

【Esc键】ESC jiàn エスケープキー； Escキー.❖IT用語."退出键 tuìchūjiàn"とも.[escape key ; Esc key]

《ET外星人》ET Wàixīngrén「E.T.」.❖アメリカ映画のタイトル.[E.T. The Extra-Terrestrial]

【EXCEL东急饭店】EXCEL Dōngjí Fàndiàn エクセルホテル東急.❖東急ホテルズ（日本）のホテルブランド.[Excel Hotel Tokyu]

é

【额度】édù 限度額；〔金融などの〕枠.

【俄国】Éguó ロシア；ロシア連邦.❖"俄罗斯联邦 Éluósī Liánbāng"の略.[Russia ; Russian Federation]

【俄亥俄州】Éhǎi'é Zhōu オハイオ州.❖アメリカの州名.[Ohio]

【俄卡皮鹿野生动物保护区】Ékǎpílù Yěshēng Dòngwù Bǎohùqū オカピ野生生物保護区.●世界危機遺産（コンゴ民主共和国）.[Okapi Wildlife Reserve]

【俄克拉何马城】Ékèlāhémǎchéng オクラホマシティー.❖アメリカ・オクラホマ州都.[Oklahoma City]

【俄克拉何马州】Ékèlāhémǎ Zhōu オクラホマ州.❖アメリカの州名.[Oklahoma]

【俄勒冈州】Élègāng Zhōu オレゴン州.❖アメリカの州名.[Oregon]

【俄罗斯航空】Éluósī Hángkōng アエロフロートロシア航空.❖ロシアの航空会社.コード：SU.[Aeroflot Russian Airlines]

【俄罗斯联邦】Éluósī Liánbāng ロシア連邦；ロシア.❖略称は"俄国 Éguó".[Russian Federation ; Russia]

【俄罗斯天然气工业】Éluósī Tiānránqì Gōngyè ガスプロム.❖ロシアのエネルギー企業.[Gazprom]

【峨眉山、乐山大佛】Éméi Shān Lèshān Dàfó 峨眉山と楽山大仏.●世界自然および文化遺産（中国）.[Mount Emei Scenic Area, including Leshan Giant Buddha Scenic Area]

【额面股份】émiàn gǔfèn 額面株式.❖金融用語."面值股票 miànzhí gǔpiào""有面额股票 yǒumiàn'é gǔpiào"とも.

【俄通社·塔斯社】Étōngshè Tǎsīshè イタル・タス通信社；タス通信.❖ロシアの通信社.[Itar-Tass Russian News Agency]

【额外】éwài〔金融など〕枠外の；一定の量を超えた；一定の金額を超えた.

【额外奉送】éwài fèngsòng 特別進呈.

【额外股息】éwài gǔxī 特別配当.❖金融用語."额外配股 éwài pèigǔ""特别红利 tèbié hónglì"とも.

【额外配股】éwài pèigǔ 特別配当.❖金融用語."额外股息 éwài gǔxī""特别红利 tèbié hónglì"とも.

è

【鄂毕河】Èbǐ Hé オビ川. ❖ロシアを流れる川. [the Ob River ; the Ob]

【恶补】èbǔ 一気に補う(こと);一気に詰め込む(こと).

【恶炒】èchǎo 不当な報道;過熱報道(をする).

【鄂尔浑峡谷文化景观】È'ěrhún Xiágǔ Wénhuà Jǐngguān オルホン渓谷の文化的景観. ●世界文化遺産(モンゴル). [Orkhon Valley Cultural Landscape]

【厄尔尼诺现象】È'ěrnínuò xiànxiàng エルニーニョ現象. [El Niño phenomenon]

【厄瓜多尔共和国】Èguāduō'ěr Gònghéguó エクアドル共和国;エクアドル. [Republic of Ecuador ; Ecuador]

【厄立特里亚】Èlìtèlǐyà エリトリア国;エリトリア. [State of Eritrea ; Eritrea]

《恶魔人》Èmórén 「デビルマン」. ❖日本漫画,アニメのタイトル. [Devilman]

【恶评】èpíng ①悪評;不評. ②酷評する.

【恶性通货膨胀】èxìng tōnghuò péngzhàng ハイパーインフレーション;超インフレーション. [hyperinflation]

【恶意收购】èyì shōugòu 敵対的買収;敵対的M&A;HTO. ❖金融用語."敌意收购 díyì shōugòu"とも. [hostile take over ; HTO]

【恶意诉讼】èyì sùsòng 悪意の訴訟.

【鳄鱼】Èyú ラコステ. ❖フランスのファッションメーカー,ブランド. [Lacoste]

ēn

【恩德萨】Ēndésà エンデサ. ❖スペインの電力会社. [Endesa]

【恩戈罗恩戈罗自然保护区】Ēngēluó'ēngēluó Zìrán Bǎohùqū ンゴロンゴロ保全地域. ●世界自然遺産(タンザニア). [Ngorongoro Conservation Area]

【恩格尔贝格冶铁厂】Ēngé'ěrbèigé Yětiěchǎng エンゲルスベリの製鉄所. ●世界文化遺産(スウェーデン). [Engelsberg Ironworks]

【恩格尔系数】Ēngé'ěr xìshù エンゲル係数. [Engel's coefficient]

【恩贾梅纳】Ēnjiǎméinà ンジャメナ. ❖チャドの首都. [N'Djamena]

ér

【儿茶素】érchásù カテキン. [catechin]

【儿童不宜影片】értóng bùyí yǐngpiàn 年齢制限指定のある映画. ❖"少儿不宜影片 shào'ér bùyí yǐngpiàn"とも.

【儿童演员】értóng yǎnyuán 子役.

ěr

【耳钉】ěrdīng ピアス. [pierced earrings]

【耳根子软】ěrgēnzi ruǎn 〔他人の意見に〕流されやすい;主体性がない.

èr

【二把手】èrbǎshǒu ナンバーツー. [second in command ; second fiddle]

【二板市场】èrbǎn shìchǎng ①新興市場;中国版ナスダック. ②2部市場;セカンドボード. ❖金融用語. [②second board]

【二包】èrbāo ①下請け. ②品質保証. ❖②品質保証期間中,修理と部品交換に応じること."包修 bāoxiū""包换 bāohuàn"から.

【二次创业】èrcì chuàngyè 第2次創業. ❖"第二次创业 dì-èrcì chuàngyè"とも.

【二次能源】èrcì néngyuán 二次エネルギー. [secondary energy]

【二次污染】èrcì wūrǎn 二次汚染. [secondary pollution]

【二等公民】èrděng gōngmín 二等市民.

èr

【二噁英】èr'èyīng ダイオキシン.[dioxin]
【二级市场】èrjí shìchǎng ①再販市場.②セカンダリーマーケット；流通市場.❖②金融用語.[②secondary market]
【二甲苯】èrjiǎběn ジメチルベンゼン；キシレン.[dimethylbenzene；xylene]
【二进制文件】èrjìnzhì wénjiàn バイナリーファイル.❖IT用語.[binary file]
【二孔文件夹】èrkǒng wénjiànjiā 2穴ファイル.
【二奶】èrnǎi 二号；愛人.
【二人世界】èrrén shìjiè〔恋人や夫婦〕2人の世界；夫婦2人の世帯.❖"两人世界 liǎngrén shìjiè"とも.
【20世纪福克斯】Èrshí shìjì Fúkèsī 20世紀フォックス.❖アメリカの映画配給会社.[20th Century Fox]
【二十一点】èrshiyī diǎn ブラックジャック.❖トランプゲームの1種.[blackjack]
【21世纪议程】Èrshiyī Shìjì Yìchéng アジェンダ21.❖1992年ブラジルのリオ・デ・ジャネイロで開催された「環境と開発に関する国連会議(地球サミット)」で採択された,具体的な行動計画.[Agenda 21]
【二手房】èrshǒufáng 中古住宅.
【二手货】èrshǒuhuò 中古；セコハン.[second hand]
【二手衫】èrshǒushān ①古着.②〔有名人が着た〕プレミアム付き古着.
【二手书】èrshǒushū 古本.
【二手烟】èrshǒuyān 副流煙.
【二五仔】èrwǔzǎi 裏切り者.❖自分の利益のために友人などを裏切る者.暴力的犯罪組織で,仲間を売り渡す者の俗称.
【二氧化硫控制区】èryǎnghuàliú kòngzhìqū 二酸化硫黄排出規制地域.
【二氧化碳】èryǎnghuàtàn 二酸化炭素；CO_2.[carbon dioxide]
【211工程】Èryīyī Gōngchéng「211プロジェクト」.❖21世紀に中国の大学100校を世界レベルに改革するという大学教育プロジェクト.
【二元经济】èryuán jīngjì 二重経済.

F

F

【F 4】F sì F4〈エフフォー/エフス→〉．❖台湾のアイドルグループ．メンバーは"言承旭 Yán Chéngxù"(ジェリー・イェン), "朱孝天 Zhū Xiàotiān"(ケン・チュウ), "周渝民 Zhōu Yúmín"(ヴィック・チョウ), "吴建豪 Wú Jiànháo"(ヴァネス・ウー)の4人．[F4]

【FA】FA ファクトリーオートメーション；FA．❖中国語では"工厂自动化 gōngchǎng zìdònghuà".[factory automation；FA]

fā

【发包】fābāo〔工事などを〕発注する；請負業者に出す．

【发包人】fābāorén〔工事などの〕発注者；〔工事などを〕請負業者に出す人や企業．

【发达国家】fādá guójiā 先進国；先進諸国．

【发达国家首脑会议】fādá guójiā shǒunǎo huìyì 先進国首脳会議；サミット．[summit]

【发动机防盗锁止系统】fādòngjī fángdào suǒzhǐ xìtǒng イモビライザー．❖IDコードの照合による,自動車の盗難防止装置．[immobilizer]

【发光二极体】fāguāng èrjítǐ 発光ダイオード；LED.[light emitting diode；LED]

【发货单】fāhuòdān 送り状；インボイス．❖"发货清单 fāhuò qīngdān"とも．[invoice]

【发货清单】fāhuò qīngdān 送り状；インボイス．❖"发货单 fāhuòdān"とも．[invoice]

【发价】fājià オファー(する)．❖"报价 bàojià""报盘 bàopán""发盘 fāpán"とも．[offer]

【发件箱】fājiànxiāng 送信箱；送信トレイ；アウトボックス．❖IT用語．"发信箱 fāxìnxiāng"とも．[out-box]

【发愣】fālèng ぼーっとする．

【发盘】fāpán オファー(する)．❖"报价 bàojià""报盘 bàopán""发价 fājià"とも．[offer]

【发票】fāpiào ①送り状；インボイス．②領収；領収書．[①invoice ②receipt]

【发热门诊】fārè ménzhěn 発熱外来．❖中国でSARS発生時に設けられた．

【发烧友】fāshāoyǒu マニア；フリーク；熱狂的なファン．[maniac；freak]

【发烧友会】fāshāoyǒuhuì ファンクラブ．[fan club]

【发帖】fātiě〔インターネット上の〕書き込み；〔インターネット上で〕書き込みをする．❖IT用語．

【发信箱】fāxìnxiāng 送信箱；送信トレイ；アウトボックス．❖IT用語．"发件箱 fājiànxiāng"とも．[out-box]

【发行市场】fāxíng shìchǎng 発行市場；プライマリーマーケット．❖金融用語．[primary market]

【发行者收益率】fāxíngzhě shōuyìlǜ 発行者利回り．❖金融用語．

【发展权】fāzhǎnquán 発展の権利．

fá

【罚点球】fádiǎnqiú ペナルティーキック．[penalty kick]

【罚款条款】fákuǎn tiáokuǎn 違約条項；ペナルティークローズ．[penalty clause]

fǎ

【法槌】fǎchuí 裁判用の木槌.

【法定假日】fǎdìng jiàrì 法定休日.

【法定准备金】fǎdìng zhǔnbèijīn 法定準備金.

【法定准备金存款比率控制】fǎdìng zhǔnbèijīn cúnkuǎn bǐlǜ kòngzhì 預金準備率操作. ❖金融用語.

【法国】Fǎguó フランス;フランス共和国. [France ; French Republic]

【法国巴黎银行】Fǎguó Bālí Yínháng BNPパリバ. ❖フランスの金融グループ.[BNP Paribas]

【法国电力】Fǎguó Diànlì フランス電力;EDF. ❖フランスの電力会社.[Electricité de France ; EDF]

【法国电信】Fǎguó Diànxìn フランステレコム. ❖フランスの通信会社.[France Telecom]

【法国国家人寿保险】Fǎguó Guójiā Rénshòu Bǎoxiǎn CNP保険. ❖フランスの保険会社.[CNP Assurances]

【法国国营铁路】Fǎguó Guóyíng Tiělù フランス国有鉄道;SNCF. ❖フランスの鉄道会社.[Société Nationale des Chemins de Fer Français ; SNCF〔仏〕]

【法国航空】Fǎguó Hángkōng エールフランス. ❖フランスの航空会社.コード:AF. [Air France]

【法国境内的圣地亚哥・德・孔波斯特拉朝圣之路】Fǎguó Jìngnèi de Shèngdìyàgē dé Kǒngbōsītèlā Cháoshèng zhī Lù フランスのサンティアゴ・デ・コンポステーラの巡礼路. ◉世界文化遺産(フランス). [Routes of Santiago de Compostela in France]

【法国煤气】Fǎguó Méiqì フランスガス公社;GDF. ❖フランスの国有ガス会社. [Gaz de France ; GDF]

【法国商业信贷银行】Fǎguó Shāngyè Xīndài Yínháng フランス商業銀行. ❖フランスの銀行.[Crédit Commercial de France]

【法国新闻社】Fǎguó Xīnwénshè AFP通信. ❖フランスの通信社.略称は"法新社 Fǎxīnshè".[Agence France-Presse〔仏〕]

【法国兴业银行】Fǎguó Xīngyè Yínháng ソシエテ・ジェネラル. ❖フランスの銀行. [Société Générale]

【法国邮政局】Fǎguó Yóuzhèngjú ラ・ポスト. ❖フランス郵政公社.[La Poste]

【法拉利】Fǎlālì フェラーリ. ❖イタリアの自動車メーカー,また同社製の自動車. [Ferrari]

【法兰克福】Fǎlánkèfú フランクフォート. ❖アメリカ・ケンタッキー州都.[Frankfort]

【法兰西共和国】Fǎlánxī Gònghéguó フランス共和国;フランス.[French Republic ; France]

【法隆寺地区的佛教古迹】Fǎlóng Sì Dìqū de Fójiào Gǔjì 法隆寺地域の仏教建造物. ◉世界文化遺産(日本).[Buddhist Monuments in the Horyu-ji Area]

【法律学院】fǎlǜ xuéyuàn ロースクール. [law school]

【法律依据】fǎlǜ yījù 法的根拠.

【法律援助】fǎlǜ yuánzhù 法的支援;法的援助. ❖略称は"法援 fǎyuán".

【法伦的大铜山采矿区】Fǎlún de Dàtóngshān Cǎikuàngqū ファールンの大銅山地域. ◉世界文化遺産(スウェーデン).[Mining Area of the Great Copper Mountain in Falun]

【法轮功】Fǎlúngōng 法輪功.

【法袍】fǎpáo 法服.

【法人股】fǎréngǔ 法人株. ❖金融用語.

【法人税】fǎrénshuì 法人税. ❖"法人所得税 fǎrén suǒdéshuì"とも.

【法人所得税】fǎrén suǒdéshuì 法人税. ❖"法人税 fǎrénshuì"とも.

【法人投资者】fǎrén tóuzīzhě 法人投資家. ❖金融用語.

fǎ — fǎn

【法塔赫】Fǎtǎhè ファタハ．❖パレスチナ解放機構の最大勢力であるゲリラの名称．[Fatah]

【法塔赫布尔・西格里】Fǎtǎhèbù'ěr Xīgélǐ ファテープル・シークリー．◉世界文化遺産（インド）．[Fatehpur Sikri]

【法新社】Fǎxīnshè AFP通信．❖フランスの通信社．"法国新闻社 Fǎguó Xīnwénshè"の略．[Agence France-Presse〔仏〕]

【法援】fǎyuán 法的支援；法的援助．❖"法律援助 fǎlǜ yuánzhù"の略．

fà

【发蜡】fàlà ヘアワックス．[hair wax]

【发廊】fàláng 美容院；ヘアサロン．[hair salon]

【发屋】fàwū 美容院；ヘアサロン．[hair salon]

fān

【翻盖式移动电话】fāngàishì yídòng diànhuà フリップ型携帯電話．[flip phone]

【翻滚】fāngǔn スクロール（する）．❖IT用語．"滚动 gǔndòng"とも．[scroll]

【翻建】fānjiàn 建て替え（する）．

【翻录】fānlù ダビング（する）；コピー（する）．[dubbing；copy]

【翻译向导】fānyì xiàngdǎo 通訳ガイド；観光通訳ガイド．[interpreter-guide]

fán

【凡尔赛】Fán'ěrsài ベルサイユ．❖フランスの都市名．サミット開催地の1つ．[Versailles]

【凡尔赛宫及其园林】Fán'ěrsài Gōng jí Qí Yuánlín ヴェルサイユの宮殿と庭園．◉世界文化遺産（フランス）．[Palace and Park of Versailles]

【烦人】fánrén わずらわしい；迷惑だ；うっとうしい；うざい．

【凡士林】Fánshìlín ヴァセリン．❖ユニリーバ（英，オランダ）のスキンケア用品ブランド．[Vaseline]

【繁式提单】fánshì tídān 完全式船荷証券．❖金融用語．"完整提单 wánzhěng tídān"とも．

fǎn

【反报价】fǎnbàojià カウンターオファー．❖"还价 huánjià"とも．[counteroffer]

【反病毒软件】fǎnbìngdú ruǎnjiàn アンチウイルスソフト；ウイルス対策ソフト；ワクチンソフト．❖IT用語．"杀毒软件 shādú ruǎnjiàn"とも．[antivirus software]

【反哺】fǎnbǔ ①親孝行する．②〔経済的に〕報いる；〔経済面で〕貢献する．

【反补贴税】fǎnbǔtiēshuì 相殺〈そうさい〉関税；補助金相殺関税；CVD．[countervailing duty；CVD]

《反不正当竞争法》Fǎnbùzhèngdàng Jīngzhēngfǎ「不正競争防止法」．❖中国では1993年に成立．

【返程高峰】fǎnchéng gāofēng Uターンラッシュ．[return rush]

《反弹道导弹条约》Fǎndàndào Dǎodàn Tiáoyuē「弾道弾迎撃ミサイル制限条約」；「ABM条約」．❖《美苏限制反弹道导弹系统条约》Měi Sū Xiànzhì Fǎndàndào Dǎodàn Xìtǒng Tiáoyuē の略．[Anti-Ballistic Missile Treaty；ABM Treaty]

《反导条约》Fǎndǎo Tiáoyuē「弾道弾迎撃ミサイル制限条約」；「ABM条約」．❖《美苏限制反弹道导弹系统条约》Měi Sū Xiànzhì Fǎndàndào Dǎodàn Xìtǒng Tiáoyuē の略．[Anti-Ballistic Missile Treaty；ABM Treaty]

【反导系统】fǎndǎo xìtǒng 弾道弾迎撃ミサイルシステム；ABMシステム．❖"反弹

道导弹系统 fǎndàndǎo dǎodàn xìtǒng"の略.[anti-ballistic missile system ; ABM system]

【反分裂国家法》Fǎnfēnliè Guójiāfǎ「反国家分裂法」.❖2005年,中国全国人民代表大会で採択された法律.

【反腐】fǎnfǔ 汚職を取り締まる;汚職取り締まり.

【反购交易】fǎngòu jiāoyì カウンタートレード.❖"对销贸易 duìxiāo màoyì"とも.[countertrade ; C/T]

【反规避】fǎnguībì 迂回防止.[anti-circumvention]

【反黑】fǎnhēi ①暴力的犯罪組織を取り締まる;暴力的犯罪組織取り締まり.②サッカーの八百長〈やおちょう〉審判取り締まり.

【返回式卫星】fǎnhuíshì wèixīng 帰還式衛星.

【反季节】fǎnjìjié 季節はずれの;旬ではない;シーズンに関係ない.❖"不分季节 bùfēn jìjié"とも.

【反恐】fǎnkǒng 反テロリズム.❖"反恐怖主义 fǎn kǒngbù zhǔyì"とも.[counter-terrorism]

【反恐怖主义】fǎn kǒngbù zhǔyì 反テロリズム.❖"反恐 fǎnkǒng"とも.[counter-terrorism]

【反馈】fǎnkuì フィードバック(する).[feedback]

《反垄断法》Fǎnlǒngduànfǎ 独占禁止法;独禁法.

【反派角色】fǎnpài juésè かたき役.

【反聘】fǎnpìn 退職後に再雇用する(こと).❖"返聘 fǎnpìn"とも.

【返聘】fǎnpìn 退職後に再雇用する(こと).❖"反聘 fǎnpìn"とも.

【反倾销】fǎnqīngxiāo 反ダンピング;アンチダンピング.[anti-dumping]

【反倾销税】fǎnqīngxiāo shuì 反ダンピング関税;アンチダンピング関税;不当廉売関税.[anti-dumping duties]

【反倾销诉讼】fǎnqīngxiāo sùsòng 反ダンピング訴訟;アンチダンピング訴訟.[anti-dumping charge]

【返券】fǎnquàn キャッシュ・バック・クーポン.[cash back coupon]

【反射疗法】fǎnshè liáofǎ リフレクソロジー.[reflexology]

【反弹】fǎntán ①跳ね返る.②下降が上昇に転じる.③反動高.④〔ダイエット後〕リバウンド(する);〔病気が〕再発する;〔病状が〕ぶり返す.❖③金融用語.[④rebound]

【反通货膨胀】fǎntōnghuò péngzhàng ディスインフレーション.[disinflation]

【反卫星武器】fǎnwèixīng wǔqì 対衛星兵器;衛星攻撃兵器;ASAT〈エーサット〉.[Antisatellite Interceptor ; ASAT ; Asat]

【反向工程】fǎnxiàng gōngchéng リバースエンジニアリング.❖"逆向工程 nìxiàng gōngchéng"とも.[reverse engineering]

【返销】fǎnxiāo 逆輸出.

fàn

【梵蒂冈城国】Fàndìgāng Chéngguó バチカン市国;バチカン.●世界文化遺産(バチカン).[the Vatican City]

【梵蒂冈宫殿】Fàndìgāng Gōngdiàn バチカン宮殿.[Vatican Palace]

【贩毒集团】fàndú jítuán 薬物密売組織.

【梵高】Fàn Gāo 〔ヴィンセント・〕ヴァン・ゴッホ.❖オランダの画家.名は"文森特 Wénsēntè".[Vincent van Gogh]

【饭后酒】fànhòujiǔ 食後酒;ディジェスティフ.❖食後に飲むのに適した酒.[digestif]

【贩黄】fànhuáng ポルノ雑誌やビデオ,DVDなどを違法に販売する(こと).

【饭局】fànjú 〔仕事上の〕接待;つきあい.

【范思哲】Fànsīzhé 〔ジャンニ・〕ヴェルサーチ.❖イタリアのファッションメーカー,ブ

ランド.[Gianni Versace]

【泛在计算】fànzài jìsuàn ユビキタスコンピューティング. ❖IT用語."普及计算 pǔjí jìsuàn""普适计算 pǔshì jìsuàn"とも.[ubiquitous computing ; pervasive ubiquitous computing ; PUC]

fāng

【方便面】fāngbiànmiàn 即席ラーメン；インスタントラーメン.[instant noodles]

【方便食品】fāngbiàn shípǐn インスタント食品.[instant food ; convenience food]

【方冰块】fāngbīngkuài アイスキューブ.[ice cube]

【方程式赛车】fāngchéngshì sàichē フォーミュラカー.[formula racing car]

【方括号】fāngkuòhào 大かっこ；ブラケット；角かっこ. ❖記号は[ ].[brackets]

【方头括号】fāngtóu kuòhào 太亀甲；黒亀甲；すみつきかっこ；すみつきパーレン. ❖記号は【 】.

【芳香疗法】fāngxiāng liáofǎ アロマセラピー. ❖"香氛疗法 xiāngfēn liáofǎ"とも.[aromatherapy]

【方向键】fāngxiàngjiàn 方向キー；矢印キー；カーソルキー. ❖IT用語.[arrow key ; cursor key]

【方正控股】Fāngzhèng Kònggǔ 方正控股；ファウンダーホールディングス. ❖電子出版システム開発,ソフトウェアメーカー.レッドチップ企業の1つ.[Founder Holdings]

【方正数码(控股)】Fāngzhèng Shùmǎ (Kònggǔ) 方正数码(控股)；ECーファウンダー(ホールディングス). ❖IT関連製品・ソフトウェアメーカー.レッドチップ企業の1つ.[EC-Founder(Holdings)]

fáng

【防暴警察】fángbào jǐngchá 機動隊.

【防暴枪】fángbàoqiāng 暴動鎮圧対策用の銃.

【防抱死制动系统】fángbàosǐ zhìdòng xìtǒng アンチロック・ブレーキ・システム；ABS.[anti-lock brake system ; ABS]

【防病毒软件】fángbìngdú ruǎnjiàn アンチウイルスソフト；ウイルス検索ソフト；ウイルスチェッカー. ❖IT用語.[anti-virus software ; virus checker]

【房车】fángchē ①デラックスセダン. ②キャンピングカー；トレーラーハウス.[①deluxe sedan ②camper ; trailer house]

【房虫儿】fángchóngr 不動産投機家.

【房贷】fángdài 住宅ローン. ❖"住房贷款 zhùfáng dàikuǎn"の略.

【房地产估价师】fángdìchǎn gūjiàshī 不動産鑑定士.

【防犯门】fángfànmén 防犯扉；防犯ドア. ❖"安全门 ānquánmén""防撬门 fángqiàomén"とも.

【防风夹克】fángfēng jiākè ウインドブレーカー.[windbreaker]

【房改】fánggǎi 住宅制度改革. ❖"住房制度改革 zhùfáng zhìdù gǎigé"の略.

【房管】fángguǎn 不動産管理.

【妨害公务罪】fánghài gōngwùzuì 公務執行妨害罪.

【防火墙】fánghuǒqiáng ①防火壁. ②〔コンピューターの〕ファイアウォール. ❖②IT用語.[firewall ; fire wall]

《防扩散安全倡议》Fángkuòsàn Ānquán Chàngyì「大量破壊兵器拡散防止構想」；PSI.[Proliferation Security Initiative ; PSI]

【房利美】Fánglì Měi ファニーメイ；連邦住宅抵当金庫；FNMA. ❖アメリカの金融機関."联邦国民抵押协会 Liánbāng Guómín Dǐyā Xiéhuì"とも.[Fannie Mae ;

Federal National Mortgage Association ; FNMA]

【防撬门】fángqiàomén 防犯扉；防犯ドア．❖"安全门 ānquánmén""防犯门 fángfànmén"とも．

【防晒霜】fángshàishuāng 日焼け止めクリーム．[sunblock cream]

【防身术】fángshēnshù 護身術．

【房市】fángshì 不動産市場．

【防水】fángshuǐ ①防水(の)．②[化粧品の]ウォータープルーフ．[waterproof]

【防伪】fángwěi 偽造を防止する(こと)．

【防伪标志】fángwěi biāozhì 偽造防止マーク．[anti-fake label]

【房型】fángxíng 間取り；部屋のタイプ．❖"户型 hùxíng"とも．

【房展】fángzhǎn 住宅展示会．

【防长】fángzhǎng 国防相；国防部長；国防大臣．❖"国防部长 guófáng bùzhǎng"の略．

【防皱免烫】fángzhòu miǎntàng ノーアイロン；防しわ加工の．[drip-dry ; noniron]

fǎng

【仿人型机器人】fǎngrénxíng jīqìrén 人間型ロボット；ヒューマノイドロボット．[humanoid robot]

【访谈】fǎngtán インタビュー(する)；取材(する)．[interview]

【访问】fǎngwèn ①訪問(する)．②[ホームページ，サイトに]アクセス(する)．❖②IT用語．[②access ; visiting]

【访问计数器】fǎngwèn jìshùqì アクセスカウンター．❖IT用語．[access counter]

【访问权限】fǎngwèn quánxiàn アクセス権．❖IT用語．"存取权限 cúnqǔ quánxiàn"とも．[access right]

【访问日志】fǎngwèn rìzhì アクセスログ．❖IT用語．[access log]

【访问推销】fǎngwèn tuīxiāo 訪問販売．

【访演】fǎngyǎn 訪問公演．

【仿真】fǎngzhēn ①シミュレーション．②模倣した；コピーした．③エミュレーション．❖③IT用語．[①simulation ③emulation]

【仿真器】fǎngzhēnqì ①シミュレーター．②エミュレーター．❖IT用語．[①simulator ②emulator]

【仿真食品】fǎngzhēn shípǐn コピー食品．[fabricated food]

【纺织品监督机构】fǎngzhīpǐn jiāndū jīgòu 繊維，繊維製品監視機関；TMB．[textile monitoring body ; TMB]

fàng

【放臭屁】fàng chòupì くだらないことを言う；口からでまかせを言う；聞くに耐えないことを言う．

【放贷利率】fàngdài lìlǜ 融資金利．❖金融用語．

【放电】fàngdiàn ①放電．②色目をつかう；秋波を送る．

【放狗屁】fàng gǒupì くだらないことを言う；聞くに耐えないことを言う．

【放客音乐】fàngkè yīnyuè ファンクミュージック；ファンク．[funky music ; funk]

【放宽限制】fàngkuān xiànzhì 規制緩和(する)．

【放宽政策】fàngkuān zhèngcè 規制緩和政策．

【放浪兄弟】Fànglàng Xiōngdì EXILE〈エグザイル〉．❖日本の音楽グループ．[EXILE]

【放疗】fàngliáo 放射線治療．❖"放射治疗 fàngshè zhìliáo"の略．

【放射性废物】fàngshèxìng fèiwù 放射性廃棄物．

【放射性同位素】fàngshèxìng tóngwèisù アイソトープ．[isotope]

【放射治疗】fàngshè zhìliáo 放射線治療．❖略称は"放疗 fàngliáo"．

fàng — fēi

【放水】fàngshuǐ ①〔水門を開けて〕放水する．②〔貯水池に〕水を入れる．③八百長〈やおちょう〉をする．

【放松银根】fàngsōng yíngēn 金融緩和．❖金融用語."金融缓和 jīnróng huǎnhé""银根松弛 yíngēn sōngchí"とも．

【放心菜】fàngxīncài 安心な野菜；減農薬栽培の野菜．

【放心肉】fàngxīnròu 安心な肉；検査機関の品質基準を満たした食肉．

【放行单】fàngxíngdān 通関許可証．

【放纵走私罪】fàngzòng zǒusī zuì 税関職員が密輸を黙認した罪．❖中国の罪状名．

fēi

【非常规能源】fēichángguī néngyuán 新エネルギー；非従来型エネルギー．[nonconventional energy]

【非处方药】fēichǔfāngyào スイッチOTC薬；OTC転換薬．❖医療用医薬品で市販薬としての販売が許可されたもの．[OTC switch]

【非传统安全威胁】fēichuántǒng ānquán wēixié 従来とは異なる安全保障上の脅威．❖金融,テロ,SARSなどがもたらす脅威．

【非党人士】fēidǎng rénshì 非共産党員．

【非典】fēidiǎn 重症急性呼吸器症候群；新型肺炎；サーズ；SARS．❖"非典型肺炎 fēidiǎnxíng fèiyán"とも．"传染性非典型肺炎 chuánrǎnxìng fēidiǎnxíng fèiyán"の略．[severe acute respiratory syndrome；SARS]

【非典型肺炎】fēidiǎnxíng fèiyán 重症急性呼吸器症候群；新型肺炎；サーズ；SARS．❖"非典 fēidiǎn"とも．"传染性非典型肺炎 chuánrǎnxìng fēidiǎnxíng fèiyán"の略．[severe acute respiratory syndrome；SARS]

【飞碟】fēidié フライングディスク．[flying disk]

【飞度】Fēidù フィットサルーン．❖ホンダ(日本)製の車名．[Fitsaloon]

【非对称数字用户环路】fēiduìchèn shùzì yònghù huánlù ADSL．❖IT用語．電話回線を利用し,データを高速転送する通信方式のこと．[asymmetric digital subscriber line；ADSL]

【非对称作战】fēiduìchèn zuòzhàn 非対称戦．[asymmetric warfare]

【非尔兹奖】Fēi'ěrcí Jiǎng フィールズ賞．❖数学者に与えられる,数学のノーベル賞と称される名誉ある賞．[Fields Medal]

【非法持有毒品罪】fēifǎ chíyǒu dúpǐnzuì 薬物不法所持罪．❖中国の罪状名．

【非法拘禁罪】fēifǎ jūjìnzuì 不法監禁罪．❖中国の罪状名．

【非法居留】fēifǎ jūliú 不法滞在；オーバーステイ．[illegal residency；overstaying]

【非法取证】fēifǎ qǔzhèng 違法な手段で証拠を入手する．

【非法行医罪】fēifǎ xíngyīzuì 無資格者が違法に診療する罪．❖中国の罪状名．日本の医師法違反に相当する．

【非官方网站】fēiguānfāng wǎngzhàn 非公式サイト．❖IT用語．[unofficial site]

【非关税壁垒】fēiguānshuì bìlěi 非関税障壁；NTB．[nontariff trade barriers；NTB]

【非核心业务】fēi héxīn yèwù ノンコア業務．

【非婚生子女】fēihūnshēng zǐnǚ 非嫡出子；婚外子．

【飞机驾驶舱】fēijī jiàshǐcāng コックピット．[cockpit]

【飞检】fēijiǎn ①ドーピング抜き打ち検査．②抜き打ち検査．❖"飞行药物检查 fēixíng yàowù jiǎnchá"の略．

【非接触作战】fēijiēchù zuòzhàn 非接近戦．

【非晶体金属】fēijīngtǐ jīnshǔ アモルファス

金属.[amorphous metal]

【非军事区】fēijūnshìqū 非武装地带.

【非拉格慕】Fēilāgémù 〔サルヴァトーレ・〕フェラガモ.❖イタリアのファッションメーカー,ブランド."费拉格慕 Fèilāgémù"とも.[Salvatore Ferragamo]

【非累积优先股】fēilěijī yōuxiāngǔ 非累積的優先株式.❖金融用語.

【非礼】fēilǐ ①非礼である;無礼である.②〔女性に対して〕わいせつな行為をする;痴漢行為.

【飞利浦】Fēilìpǔ ロイヤル・フィリップス・エレクトロニクス.❖オランダの電子機器・家電メーカー,ブランド."皇家飞利浦电子 Huángjiā Fēilìpǔ Diànzǐ"とも.[Royal Philips Electronics]

【菲利普莫里斯】Fēilìpǔ Mòlǐsī フィリップモリス.❖アメリカのタバコメーカー(アルトリアグループ傘下).略称は"菲莫 Fēimò".[Philip Morris]

【菲律宾的巴洛克式教堂群】Fēilǜbīn de Bāluòkèshì Jiàotángqún フィリピンのバロック様式教会群.●世界文化遺産(フィリピン).[Baroque Churches of the Philippines]

【菲律宾共和国】Fēilǜbīn Gònghéguó フィリピン共和国;フィリピン.[Republic of the Philippines;Philippine]

【菲律宾航空】Fēilǜbīn Hángkōng フィリピン航空.❖フィリピンの航空会社.コード:PR.[Philippine Airlines]

【菲律宾科迪勒拉水稻梯田】Fēilǜbīn Kēdílēlā Shuǐdào Tītián フィリピン・コルディリェーラの棚田群.●世界危機遺産(フィリピン).[Rice Terraces of the Philippine Cordilleras]

【菲律宾首都银行】Fēilǜbīn Shǒudū Yínháng メトロバンク.❖フィリピンの銀行.[Metrobank]

【飞沫传播】fēimò chuánbō 飛沫感染.❖"飞沫传染 fēimò chuánrǎn"とも.

【菲尼克斯】Fēiníkèsī フェニックス.❖アメリカ・アリゾナ州都."凤凰城 Fènghuángchéng"とも.[Phoenix]

【非农户口】fēinóng hùkǒu 「非農業戸籍」;「都市戸籍」.❖中国の戸籍の種類の1つ.

【菲诺】fēinuò フィノ.❖スペインのシェリー酒の1種.[fino]

【非斯老城】Fēisī Lǎochéng フェス旧市街.●世界文化遺産(モロッコ).[Medina of Fez]

【飞天奖】Fēitiān Jiǎng 飛天賞.❖CCTV(中国中央テレビ局)が国内の優秀なテレビ番組に贈る賞.

【飞行检查】fēixíng jiǎnchá ①ドーピング抜き打ち検査.②抜き打ち検査.❖"飞检 fēijiǎn"とも."飞行药物检查 fēixíng yàowù jiǎnchá"の略.

【飞行里程累计】fēixíng lǐchéng lěijì マイレージ.[frequent flier program]

【飞行药物检查】fēixíng yàowù jiǎnchá ①ドーピング抜き打ち検査.②抜き打ち検査.略称は"飞检 fēijiǎn""飞行检查 fēixíng jiǎnchá".

【菲亚特】Fēiyàtè フィアット.❖イタリアの自動車メーカー,また同社製の自動車.[Fiat]

【非眼球快速运动睡眠】fēiyǎnqiú kuàisù yùndòng shuìmián ノンレム睡眠.❖"慢波睡眠 mànbō shuìmián""正相睡眠 zhèngxiàng shuìmián"とも.[non-REM sleep]

【非银行金融机构】fēiyínháng jīnróng jīgòu ノンバンク.[non-bank]

【非盈利组织】fēiyínglì zǔzhī 民間非営利組織;民間非営利団体;NPO.❖"非营利组织 fēiyínglì zǔzhī"とも.[nonprofit organization;NPO]

【非营利组织】fēiyínglì zǔzhī 民間非営利組織;民間非営利団体;NPO.❖"非盈利组织 fēiyínglì zǔzhī"とも.[nonprofit

fēi — fèi

organization ; NPO]

【飞鱼导弹】fēiyú dǎodàn エグゾセミサイル. ❖フランスの対艦ミサイル.商標. [Exocet ; Exocet missile]

【非战争军事行动】fēizhànzhēng jūnshì xíngdòng 戦争以外の軍事行動；MOOTW.[military operations other than war ; MOOTW]

【飞涨】fēizhǎng 青天井. ❖金融用語.相場が上昇し続けている状態.[skyrocketing]

【非账户代理行】fēizhànghù dàilǐháng ノン・デポ・コルレス. ❖金融用語.コルレス先で,預金勘定のない取引銀行先.[non depository correspondent]

【非政府组织】fēizhèngfǔ zǔzhī 非政府機関；民間公益団体；NGO.[non-governmental organization ; NGO]

【非正统音乐】fēizhèngtǒng yīnyuè オルタナティブミュージック；オルタナ.[alternative music]

【非致命武器】fēizhìmìng wǔqì 非殺傷性兵器；NLW.[no lethal weapon ; NLW]

【非洲开发银行】Fēizhōu Kāifā Yínháng アフリカ開発銀行； AfDB.[African Development Bank ; AfDB]

féi

【肥活】féihuó ①〔土壌などが〕肥えて活力がある.②楽で儲かる仕事；うまい仕事.
【肥胖症】féipàngzhèng 肥満症.
【肥仔】féizǎi 肥満児.
【肥皂剧】féizàojù ソープオペラ；連続メロドラマ；昼ドラ.[soap opera]

fěi

【斐济群岛共和国】Fěijǐ Qúndǎo Gònghéguó フィジー諸島共和国；フィジー.[Republic of the Fiji Islands ; Fiji]

【斐乐】Fěilè フィラ. ❖イタリアのスポーツ用品メーカー.[Fila]

fèi

【费城】Fèichéng フィラデルフィア. ❖アメリカの都市名.[Philadelphia]

【费城艺术博物馆】Fèichéng Yìshù Bówùguǎn フィラデルフィア美術館. ❖アメリカ・フィラデルフィアにある美術館."费城博物馆 Fèichéng Bówùguǎn""费城美术馆 Fèichéng Měishùguǎn"とも.[Philadelphia Museum of Art]

【费改税】fèi gǎi shuì「税改税」. ❖費用としての徴収から税金徴収に転換すること.

【费戈】Fèigē〔ルイス・〕フィーゴ. ❖ポルトガルのサッカー選手.[Luis Felipe Madeira Caeiro Figo]

《费加罗报》Fèijiāluó Bào「フィガロ」. ❖フランスの日刊紙.[Le Figaro]

【费拉邦多夫修道院遗址群】Fèilābāngduōfū Xiūdàoyuàn Yízhǐqún フェラポントス修道院群. ◉世界文化遺産(ロシア).[Ensemble of Ferrapontov Monastery]

【费拉格慕】Fèilāgémù〔サルヴァトーレ・〕フェラガモ. ❖イタリアのファッションメーカー,ブランド."菲拉格慕 Fēilāgémù"とも.[Salvatore Ferragamo]

【费雷】Fèiléi〔ジャンフランコ・〕フェレ. ❖イタリアのファッションメーカー,ブランド. [Gianfranco Ferre]

【费列罗】Fèilièluó フェレロ. ❖欧州最大手の菓子メーカー,本社はルクセンブルク. [Ferrero]

【费率】fèilǜ 保険料率. ❖"保险费率 bǎoxiǎn fèilǜ"の略.

【废物处理公司】Fèiwù Chǔlǐ Gōngsī ウェイスト・マネジメント. ❖アメリカの廃棄物処理会社."废物管理公司 Fèiwù Guǎnlǐ Gōngsī"とも.[Waste Management]

【废物交换】fèiwù jiāohuàn 廃棄物交換.

fèi — fěn

【废纸篓】fèizhǐlǒu〔マッキントッシュパソコンで〕ゴミ箱．❖IT用語．[trash box]

fēn

【分班考试】fēnbān kǎoshì プレースメントテスト；組分けテスト．[placement test]
【分包商】fēnbāoshāng 下請け業者．
【分保】fēnbǎo 再保険．
【分辨率】fēnbiànlǜ 解像度；レゾリューション．❖IT用語．[resolution]
【分布式计算】fēnbùshì jìsuàn 分布計算．
【分餐制】fēncānzhì〔飲食店などで〕料理を1人前ずつ供すること．❖大皿から直箸〈じかばし〉で取り分ける方法は非衛生的だとして提唱された方法．
【分层抽样】fēncéng chōuyàng 層化抽出；層別抽出．[stratified sampling]
【分拆】fēnchāi スピンオフ（する）；分社化（する）．[spin-off]
【分拆上市】fēnchāi shàngshì〔中国の企業が〕子会社化して上場すること．
【芬达】Fēndá ファンタ．❖コカ・コーラ（米）製の飲料名．[Fanta]
【芬迪】Fēndí フェンディ．❖LVMHグループ（仏）のファッションブランド．[Fendi]
【分公司】fēngōngsī「分公司〈ぶんこんす〉」；支社．
【分号】fēnhào セミコロン．❖記号は「；」．[semicolon]
【芬兰共和国】Fēnlán Gònghéguó フィンランド共和国；フィンランド．[Republic of Finland；Finland]
【芬兰航空】Fēnlán Hángkōng フィンランド航空．❖フィンランドの航空会社．コード：AY．[Finnair]
【分离课税】fēnlí kèshuì 分離課税．
【分离型附认股权公司债】fēnlíxíng fùrèngǔquán gōngsīzhài 分離型ワラント債．❖金融用語．
【分流】fēnliú ①〔水や車などの〕流れが分かれる；分流．②〔職員や資金の〕分散配置をする（こと）．③企業の人員整理；余剰人員を再配置する（こと）．
【芬欧汇川】Fēn'ōu Huìchuān UPMキュンメネ．❖フィンランドの製紙販売会社．[UPM-Kymmene]
【分期储蓄】fēnqī chǔxù 定期積金．❖金融用語．
【芬奇】Fēnqí ビンシー．❖フランスの建設会社．[Vinci]
【分区】fēnqū〔ハードディスク内の〕パーテーション．❖IT用語．[partition]
【分区规划】fēnqū guīhuà ゾーニング．[zoning]
【分数线】fēnshùxiàn 合格ライン．❖"录取线 lùqǔxiàn"とも．[grade cut-off point；minimum passing score]
【分税制】fēnshuìzhì「分税制」．❖税目によって国税,地方税および中央地方共有税に区分する制度．
【分析师】fēnxīshī アナリスト．[analyst]
【分形】fēnxíng フラクタル．[fractal]
【分组】fēnzǔ ①組分け（する）．②パケット．❖②IT用語．[②packet]
【分组讨论会】fēnzǔ tǎolùnhuì 分科会．
【分组通信】fēnzǔ tōngxìn パケット通信．❖IT用語．[packet communication]

fěn

【粉饼】fěnbǐng プレストパウダー．[pressed powder]
【粉底】fěndǐ ファンデーション．[foundation]
【粉底霜】fěndǐshuāng 下地クリーム．[foundation cream]
【粉底液】fěndǐyè リキッドファンデーション．[liquid foundation cream]
【粉领】fěnlǐng ①新主婦層．②SOHOで働く女性自営業者．
【粉领工人】fěnlǐng gōngrén ピンクカラ

fěn — fēng

一；女性事務職；女性のサービス業従事者. ❖女性の教員,販売員,事務職など. [pink-collar worker]

【粉领族】fěnlǐngzú ①新主婦層. ②SOHOで働く女性自営業者.

【粉扑】fěnpū パウダーパフ. [cosmetic puff ; makeup puff, powder puff]

【粉刷】fěnshuā チークブラシ. [cheek brush]

【粉友】fěnyǒu 麻薬仲間；ヤク仲間.

fèn

【份礼】fènlǐ 粗品〈そしな〉.

fēng

【封闭式基金】fēngbìshì jījīn クローズドエンド型投資信託. ❖金融用語. [closed-end fund]

【枫丹白露宫及庭园】Fēngdānbáilù Gōngjí Tíngyuán フォンテーヌブローの宮殿と庭園. ◉世界文化遺産(フランス). [Palace and Park of Fontainebleau]

【风电场】fēngdiànchǎng 集合型風力発電所；ウィンドファーム；ウィンドパーク. ❖"风力发电场 fēnglì fādiànchǎng"の略. [wind farm]

【风度】Fēngdù セフィーロ. ❖日産(日本)製の車名. [Cefiro]

【丰富文本格式】fēngfù wénběn géshì リッチ・テキスト・フォーマット；リッチテキスト；RTF. ❖IT用語. [rich text format ; RTF]

【峰会】fēnghuì サミット；首脳会議；トップ会議. [summit]

【风景线】fēngjǐngxiàn ①景勝地帯. ②〔社会現象としての〕情景；風景.

【风力发电场】fēnglì fādiànchǎng 集合型風力発電所；ウィンドファーム；ウィンドパーク. ❖略称は"风电场 fēngdiànchǎng". [wind farm]

【封面女郎】fēngmiàn nǚláng カバーガール. [cover girl]

【蜂鸣】fēngmíng ブザー音；ビープ音. [beep]

【风磨】Fēngmó ムーラン・ア・ヴァン. ❖フランス・ブルゴーニュ地方,ボージョレ地区の赤ワイン. [Moulin à Vent]

【风幕机】fēngmùjī エアカーテン；エアーカーテン. ❖"空气幕 kōngqìmù"とも. [air curtain]

【风能】fēngnéng 風力エネルギー. ❖"风力能源 fēnglì néngyuán"の略. [wind energy]

【峰年】fēngnián もっとも活発な年；ピークの年. [peak year]

【疯牛病】fēngniúbìng 牛海綿状脳症；狂牛病；BSE. [bovine spongiform encephalopathy ; BSE]

【封杀】fēngshā 禁止する；差し止める；締め出す.

【封杀出局】fēngshā chūjú フォースアウトにする；退場させる. [force out]

【封圣】fēngshèng 列聖.

【丰泰保险】Fēngtài Bǎoxiǎn ウインタートゥル保険. ❖スイスの保険会社. [Winterthur Insurance]

【丰特奈的西斯特尔教团修道院】Fēngtènài de Xīsītè'ěr Jiàotuán Xiūdàoyuàn フォントネーのシトー会修道院. ◉世界文化遺産(フランス). [Cistercian Abbey of Fontenay]

【丰田汽车】Fēngtián Qìchē トヨタ自動車. ❖日本の自動車メーカー. [Toyota Motor]

【丰田通商】Fēngtián Tōngshāng 豊田通商. ❖日本の総合商社. [Toyota Tsusho]

【封王】fēngwáng トップに立つ. ❖男性に対して用いる.女性がトップに立つ場合は"称后 chēnghòu"という.

【峰位】fēngwèi ピークポイント；最高点.

[peak]

【蜂窝通信】fēngwō tōngxìn セルラー通信. [cellular communication]

【风险】fēngxiǎn リスク. [risk]

【风险报酬】fēngxiǎn bàochou リスク報酬.

【风险管理】fēngxiǎn guǎnlǐ ①リスクマネジメント. ②ベンチャーマネジメント. [①risk management ②venture management]

【风险基金】fēngxiǎn jījīn リスクファンド. ❖金融用語.金融派生商品取引等を使ってハイリターンを求める投機性ファンド. [risk fund]

【风险评估】fēngxiǎn pínggū リスクアセスメント. [risk assessment]

【风险企业】fēngxiǎn qǐyè ベンチャー企業. ❖"创业型企业 chuàngyèxíng qǐyè""革新企业 géxīn qǐyè"とも. [venture company]

【风险投资】fēngxiǎn tóuzī ベンチャーキャピタル. ❖金融用語.新興企業に対する投資.リスクの危険性がある企業への投資. [venture capital]

【风险资本】fēngxiǎn zīběn ベンチャーキャピタル. ❖金融用語.新興企業に対する投資.リスクの危険性がある企業へ投資した資本. [venture capital]

【丰芽・格邦国家公园】Fēngyá Gébāng Guójiā Gōngyuán フォンニャ・ケバン国立公園. ●世界自然遺産(ベトナム). [Phong Nha-Ke Bang National Park]

【丰业银行】Fēngyè Yínháng スコシア銀行. ❖カナダの銀行. [Scotiabank]

《风之谷》Fēng zhī Gǔ 「風の谷のナウシカ」. ❖日本アニメのタイトル. [Nausicaä of the Valley of the Wind]

fèng

【凤凰城】Fènghuángchéng フェニックス. ❖アメリカ・アリゾナ州都."菲尼克斯 Fēiníkèsī"とも. [Phoenix]

【凤凰卫视】Fènghuáng Wèishì フェニックステレビ. ❖香港のテレビ局. [Phoenix Satellite Television]

【缝隙产业】fèngxì chǎnyè ニッチ産業.

【奉子成婚】fèngzǐ chénghūn できちゃった結婚;おめでた婚.

fó

【佛得角共和国】Fódéjiǎo Gònghéguó カーボヴェルデ共和国;カーボヴェルデ. [Republic of Cape Verde ; Cape Verde]

【佛兰德的比津社区】Fólándé de Bǐjīn Shèqū フランドル地方のベギン会修道院. ●世界文化遺産(ベルギー). [Flemish Béguinages]

【佛兰德和瓦勒尼亚地区的钟楼】Fólándé hé Wǎlèníyà Dìqū de Zhōnglóu フランドル地方とワロン地方の鐘楼群. ●世界文化遺産(ベルギー). [Belfries of Flanders and Wallonia]

【佛罗伦萨】Fóluólúnsà フィレンツェ. ❖イタリアの都市名. [Florence]

【佛罗伦萨历史中心】Fóluólúnsà Lìshǐ Zhōngxīn フィレンツェ歴史地区. ●世界文化遺産(イタリア). [Historic Centre of Florence]

【佛蒙特州】Fóméngtè Zhōu バーモント州. ❖アメリカの州名. [Vermont]

【佛祖诞生地蓝毗尼】Fózǔ Dànshēngdì Lánpíní 仏陀の生誕地ルンビニ. ●世界文化遺産(ネパール). [Lumbini, the Birthplace of the Lord Buddha]

fū

【孵化】fūhuà ①孵化〈ふか〉する. ②インキュベート. [incubate]

【孵化器】fūhuàqì ①新生児保育器;孵化

fú

器;孵卵器;培養器;インキュベーター.
②インキュベーター. ❖②起業の支援をする組織や団体.[incubator]

fú

《福布斯》Fúbùsī「フォーブズ」. ❖アメリカの経済誌.[Forbes]

【福彩】fúcǎi 福祉宝くじ. ❖"福利彩票 fúlì cǎipiào"の略.

【浮出水面】fúchū shuǐmiàn 発生する;現れる;生まれる.

【福岛市】Fúdǎo Shì 福島〈ふくしま〉市. ❖福島〈ふくしま〉県("福岛县 Fúdǎo Xiàn")の県庁所在地.

【福岛县】Fúdǎo Xiàn 福島〈ふくしま〉県. ❖日本の都道府県の1つ.県庁所在地は福島〈ふくしま〉市("福岛市 Fúdǎo Shì").

【浮动工资】fúdòng gōngzī 変動賃金.

【浮动行情制】fúdòng hángqíngzhì 変動為替相場制;変動相場制;フロート制. ❖金融用語."浮动汇率制 fúdòng huìlǜzhì"とも.[floating rate system]

【浮动汇率】fúdòng huìlǜ 変動為替相場. ❖金融用語."波动汇率 bōdòng huìlǜ"とも.[flexible exchange rate]

【浮动汇率制】fúdòng huìlǜzhì 変動為替相場制;変動相場制;フロート制. ❖金融用語."浮动行情制 fúdòng hángqíngzhì"とも.[floating rate system]

【浮动利率】fúdòng lìlǜ 変動金利. ❖金融用語.

【浮动利率债券】fúdòng lìlǜ zhàiquàn 変動利付債;FRN. ❖金融用語.[floating rate note;FRN]

【弗尔克里涅斯】Fú'ěrkèlǐnièsī ヴルコリニェツ. ◉世界文化遺産(スロバキア).[Vlkolínec]

【弗尔克林根铁工厂】Fú'ěrkèlíngēn Tiěgōngchǎng フェルクリンゲン製鉄所. ◉世界文化遺産(ドイツ).[Völklingen Ironworks]

【福冈市】Fúgāng Shì 福岡〈ふくおか〉市. ❖福岡〈ふくおか〉県("福冈县 Fúgāng Xiàn")の県庁所在地.

【福冈县】Fúgāng Xiàn 福岡〈ふくおか〉県. ❖日本の都道府県の1つ.県庁所在地は福岡〈ふくおか〉市("福冈市 Fúgāng Shì").

【弗吉尼亚州】Fújíníyà Zhōu バージニア州. ❖アメリカの州名.[Virginia]

【福建省】Fújiàn Shěng 福建〈ふっけん〉省. ❖中国の省の1つ.略称は"福 Fú".別称は"闽 Mǐn".省都は"福州 Fúzhōu".

【福井市】Fújǐng Shì 福井〈ふくい〉市. ❖福井〈ふくい〉県("福井县 Fújǐng Xiàn")の県庁所在地.

【福井县】Fújǐng Xiàn 福井〈ふくい〉県. ❖日本の都道府県の1つ.県庁所在地は福井〈ふくい〉市("福井市 Fújǐng Shì").

【福克斯】Fúkèsī フォーカス. ❖フォード(米)製の車名.[Focus]

【福克斯新闻】Fúkèsī Xīnwén フォックスニュース. ❖アメリカのテレビ局.[Fox News]

【弗拉基米尔和苏兹达尔历史遗迹】Fúlājīmǐ'ěr hé Sūzīdá'ěr Lìshǐ Yíjì ウラジーミルとスズダーリの白い建造物. ◉世界文化遺産(ロシア).[White Monuments of Vladimir and Suzdal]

【弗莱森电讯】Fúláisēn Diànxùn ベライゾン・コミュニケーションズ. ❖アメリカの地域通信会社.[Verizon Communications]

【弗兰格尔岛自然保护区】Fúlángé'ěr Dǎo Zìrán Bǎohùqū ウランゲル島保護区の自然体系. ◉世界自然遺産(ロシア).[Natural System of Wrangel Island Reserve]

【弗朗茨海涅尔】Fúlǎngcí Hǎiniè'ěr フランツハニエル. ❖ドイツの小売企業.[Franz Haniel]

【福乐里】Fúlèlǐ フルーリ. ❖フランス・ブルターニュ地方,ボージョレ地区の赤ワイン.[Fleurie]

fú — fǔ

【弗雷德马克】Fúléidé Mǎkè フレディマック；連邦住宅貸付担当公社；連邦住宅金融抵当金庫. ❖アメリカの金融機関. 'Freddie Mac'は'Federal Home Loan Mortgage Corporation'の通称. また, 同公社が発行する抵当証券.[Freddie Mac]

【弗雷泽岛】Fúléizé Dǎo フレーザー島. ●世界自然遺産(オーストラリア).[Fraser Island]

【氟利昂】fúlì'áng フロン；フレオン. ❖デュポン(米)社の製品名. "氟里昂 fúlǐ'áng"とも.[Freon]

《弗里达》Fúlǐdá 「フリーダ」. ❖アメリカ映画のタイトル.[Frida]

【弗里敦】Fúlǐdūn フリータウン. ❖シエラレオネの首都.[Freetown]

【福利彩票】fúlì cǎipiào 福祉宝くじ. ❖略称は"福彩 fúcǎi".

【福利房】fúlìfáng 低価格で分譲される住宅.

【福利分房】fúlì fēnfáng 官舎や社宅の割り当て；割り当てられた官舎や社宅.

【福利院】fúlìyuàn 「福利院」；福祉施設. ❖養護老人ホーム, 孤児院, 障害者関連施設など.

【福陆】Fúlù フルーア. ❖アメリカの建設会社.[Fluor]

【佛罗里达州】Fúluólǐdá Zhōu フロリダ州. ❖アメリカの州名.[Florida]

【弗洛勒尔角】Fúluòlè'ěr Jiǎo ケープ・フローラル地方の保護地域. ●世界自然遺産(南アフリカ).[Cape Floral Region Protected Areas]

【福美来】Fúměilái ファミリア. ❖マツダ(日本)製の車名.[Familia]

《芙蓉镇》Fúróng Zhèn 「芙蓉鎮」. ❖中国映画のタイトル.[Hibiscus Town]

【辐射防护】fúshè fánghù 放射線防護.

【福特汽车】Fútè Qìchē フォード・モーター；フォード. ❖アメリカの自動車メーカー.[Ford Motor]

【服务费】fúwùfèi サービス料.[service charge]

【服务忌语】fúwù jìyǔ 従業員の禁句；就業時の使用禁止用語.

【服务贸易】fúwù màoyì サービス貿易. ❖"劳务贸易 láowù màoyì"とも. 物ではないサービスの貿易, 労務輸出も含む.

【服务器】fúwùqì [ネットワーク上の]サーバー. ❖IT用語.[server]

【服务商标】fúwù shāngbiāo サービスマーク；サービスにおける商標.[service mark]

【服务水平协议】fúwù shuǐpíng xiéyì サービス・レベル・アグリーメント；SLA.[service level agreement；SLA]

【服务台】fúwùtái フロント；レセプション；サービスカウンター.[front desk；reception]

《福星小子》Fúxīng Xiǎozǐ 「うる星〈せい〉やつら」. ❖日本漫画, アニメのタイトル.[Those Obnoxious Aliens]

【伏休】fúxiū 夏季休漁.

【浮游粒子状物质】fúyóu lìzǐzhuàng wùzhì 浮遊粒子状物質. ❖大気中に浮遊する直径10μm以下の粒子状物質.[suspended particulate matter]

【福州】Fúzhōu 福州. ❖"福建省 Fújiàn Shěng"の省都. 別称は"榕 Róng".

【服装产业】fúzhuāng chǎnyè アパレル産業.[apparel industry]

fǔ

【辅导班】fǔdǎobān 〔試験対策のための〕特別指導クラス；補講クラス.

【辅路】fǔlù 側道〈そばみち〉；間道〈かんどう〉；幹線道路の補助的道路.[side road]

【抚恤金】fǔxùjīn ①〔国や企業からの〕補償金. ②〔国や企業からの〕弔慰金.

【辅助业务】fǔzhù yèwù 付随業務.

fù

【富达投资】Fùdá Tóuzī フィデリティ投信. ❖アメリカの投資信託運用グループ. [Fidelity Investments]

【附带认股权的债券】fùdài rèngǔquán de zhàiquàn 新株予約権付社債. ❖金融用語. ある一定の株価で株式を買うことができる証券. "附新股认购权公司债 fùxīngǔ rèngòuquán gōngsīzhài" "股票购买权证 gǔpiào gòumǎiquánzhèng" "认股权证 rèngǔquánzhèng" とも. [warrant ; warrant bond]

【附带条件】fùdài tiáojiàn 付帯条件. ❖"配套条件 pèitào tiáojiàn" とも.

【附带条件的贷款】fùdài tiáojiàn de dàikuǎn タイドローン；紐(ひも)付き融資. ❖金融用語. "附有条件贷款 fùyǒu tiáojiàn dàikuǎn" "限制性贷款 xiànzhìxìng dàikuǎn" とも. [tied loan]

【腹地】fùdì 内陸部.

【复读】fùdú 〔受験や就職に失敗し〕元の学校に戻って学習すること.

【复读机】fùdújī 語学学習用多機能再生機.

【复读生】fùdúshēng 〔受験や就職に失敗し〕元の学校に戻って学習する学生.

【富而德律师事务所】Fù'érdé Lǜshī Shìwùsuǒ フレッシュフィールズ・ブルックハウス・デリンガー. ❖イギリスの法律事務所. [Freshfields Bruckhaus Deringer]

【覆盖率】fùgàilǜ カバー率.

【覆盖区】fùgàiqū 〔携帯電話の〕通話可能エリア；カバレッジエリア. ❖"覆盖区域 fùgài qūyù" とも. [coverage area]

【覆盖区域】fùgài qūyù 〔携帯電話の〕通話可能エリア；カバレッジエリア. ❖"覆盖区 fùgàiqū" とも. [coverage area]

【复岗】fùgǎng 復職(する).

【复关】fùguān GATT(ガット)復帰.

【富国银行】Fùguó Yínháng ウェルズ・ファーゴ銀行. ❖アメリカの銀行. [Wells Fargo]

【富豪】Fùháo ボルボ. ❖スウェーデンの自動車メーカー(フォード傘下)、また同社製の自動車. "沃尔沃 Wò'ěrwò" とも. [Volvo]

【复合材料】fùhé cáiliào 複合材料；複合素材.

【复合机】fùhéjī 複合機.

【复合型人才】fùhéxíng réncái 複合型人材；専門知識とコミュニケーション能力を併(あわ)せ持つ人材.

【复活节岛】Fùhuójié Dǎo イースター島. ❖南太平洋にある島. チリ領. [Easter Island]

【复活节岛国家公园】Fùhuójié Dǎo Guójiā Gōngyuán ラパ・ヌイ国立公園. ◉世界文化遺産(チリ). [Rapa Nui National Park]

【附加税】fùjiāshuì 付加税.

【附加文件】fùjiā wénjiàn 添付ファイル. ❖IT用語. [attached file]

【附加意外险】fùjiā yìwàixiǎn 傷害保険特約.

【附加值】fùjiāzhí 付加価値.

【附件】fùjiàn ①サイドレター. ②添付ファイル；付属文書. ③付属品；アタッチメント. [①side letter ②attachment ; attached document ③attachment]

【复健】fùjiàn リハビリテーション；リハビリ. ❖"康复 kāngfù" "康复训练 kāngfù xùnliàn" とも. [rehabilitation]

【富康】Fùkāng 「富康」. ❖神竜汽車(中国、仏)製の車名. [Citroën ZX Fukang]

【付款】fùkuǎn ペイメント. ❖金融用語. [payment]

【付款交单】fùkuǎn jiāodān 支払渡(しはらいわたし)；D/P. [document against payment ; D/P]

【付款银行】fùkuǎn yínháng 支払銀行. ❖金融用語.

【负离子】fùlízǐ マイナスイオン. [negative ions]

fù

【复利】fùlì 複利．❖金融用語．

【负利差】fùlìchā 逆ザヤ．❖借り入れた金利よりも運用している金利が低い状態．

【负利率】fùlìlǜ マイナス金利．❖金融用語．

【复利收益率】fùlì shōuyìlǜ 複利収益率．❖金融用語．

【富临大酒店】Fùlín Dàjiǔdiàn ベスト・ウェスタン・フェリシティ・ホテル；富临大酒店．❖中国・広東省にあるホテル．[Best Western Felicity Hotel]

【富纳富提】Fùnàfùtí フナフティ．❖ツバルの首都．[Funafuti]

【复牌】fùpái 上場復帰（する）．❖金融用語．

【富婆】fùpó 大富豪の女性．

【富山市】Fùshān Shì 富山〈とやま〉市．❖富山〈とやま〉県（"富山县 Fùshān Xiàn"）の県庁所在地．

【富山县】Fùshān Xiàn 富山〈とやま〉県．❖日本の都道府県の1つ．県庁所在地は富山〈とやま〉市（"富山市 Fùshān Shì"）．

【富士达啤酒】Fùshìdá Píjiǔ フォスタービール．❖フォスター（オーストラリア）製のビール名．[Foster's]

【富士电视台】Fùshì Diànshìtái フジテレビ；CX．❖日本のテレビ局．[Fuji Television Network]

【复式记账】fùshì jìzhàng 複式簿記．

【富士胶片】Fùshì Jiāopiàn 富士写真フイルム．❖日本のカメラ・フィルムメーカー．[Fuji Photo Film]

【富士山】Fùshì Shān 富士山〈ふじさん〉．❖日本・山梨〈やまなし〉と静岡〈しずおか〉両県にまたがる山．[Mt. Fuji]

【富士施乐】Fùshì Shīlè 富士ゼロックス．❖日本のオフィス機器メーカー．[Fuji Xerox]

【富士通】Fùshìtōng 富士通．❖日本の半導体，コンピューターメーカー．[Fujitsu]

【富士通将军】Fùshìtōng Jiāngjūn 富士通ゼネラル．❖日本の家電メーカー．[Fujitsu General]

【富士重工业】Fùshì Zhònggōngyè 富士重工業．❖日本の自動車，航空機メーカー．[Fuji Heavy Industries]

【复式住宅】fùshì zhùzhái 複層式アパート；デュプレックス；メゾネット．[duplex apartment；maisonnette]

【赋税能力】fùshuì nénglì 担税力．❖"纳税能力 nàshuì nénglì"とも．

【富腾】Fùténg フォータム．❖フィンランドの国営電力会社．[Fortum]

【富通集团】Fùtōng Jítuán フォルティス．❖ベルギー，オランダの金融サービス会社．[Fortis]

【富维克】Fùwéikè ボルヴィック．❖ダノン（仏）製のミネラルウォーター名．[Volvic]

【复位】fùwèi リセット（する）．[reset]

【负翁】fùwēng 借金をしてまで良い生活をしたい人．❖女性のことは"负婆 fùpó"とも．

【富翁】fùwēng 大富豪の男性．

【复吸】fùxī〔麻薬を断った者が〕再び麻薬を始める．

【附息国债】fùxī guózhài 利付国債．❖金融用語．

【附息金融债券】fùxī jīnróng zhàiquàn 利付金融債．❖金融用語．

【附息债】fùxīzhài 利付債．❖金融用語．"附息债券 fùxī zhàiquàn"とも．

【附息债券】fùxī zhàiquàn 利付債．❖金融用語．"附息债 fùxīzhài"とも．

【附新股认购权公司债】fùxīngǔ rèngòuquán gōngsīzhài 新株予約権付社債．❖金融用語．ある一定の株価で株式を買うことができる社債．"附带认股权的债券 fùdài rèngǔquánde zhàiquàn""股票购买权证 gǔpiào gòumǎiquánzhèng""认股权证 rèngǔquánzhèng"とも．[warrant；warrant bond]

【复兴开发银行】Fùxīng Kāifā Yínháng ド

fù

イツ復興金融公庫. ❖ドイツの銀行. [Kreditanstalt fur Wiederaufbau ; KfW]

【复选框】fùxuǎnkuàng チェックボックス. [check box]

【富营养化】fùyíngyǎnghuà 富栄養化⟨ふえいようか⟩.

【附有条件贷款】fùyǒu tiáojiàn dàikuǎn タイドローン;紐⟨ひも⟩付き融資. ❖金融用語."附带条件的贷款 fùdài tiáojiàn de dàikuǎn""限制性贷款 xiànzhìxìng dàikuǎn"とも.[tied loan]

【富余人员】fùyu rényuán 余剰人員.

【富苑酒店】Fùyuàn Jiǔdiàn ランドマークホテル;富苑酒店. ❖中国・広東省にあるホテル.[Landmark Hotel Shenzhen]

【负增长】fùzēngzhǎng マイナス成長. [negative growth]

【负债经营】fùzhài jīngyíng 赤字経営.

【复制】fùzhì コピー(する);複製(する). [copy]

G

G

【G8峰会】G bā fēnghuì 8か国首脳会議；G8サミット．[Group of Eight Summit]

【ＧＩＦ动画】GIF dònghuà GIF⟨ジフ⟩アニメ；アニメーションGIF．❖IT用語．[GIF animation]

【ＧＩＦ图像】GIF túxiàng GIF⟨ジフ⟩画像．❖IT用語．[GIF image]

【ＧＩＳ】GIS 地理情報システム；GIS．❖中国語では"地理信息系统 dìlǐ xìnxī xìtǒng"．[geographic information system；GIS]

【GM大宇】GM Dàyǔ GM大宇．❖韓国の自動車メーカー．[GM Daewoo]

【GMDSS】GMDSS 全世界的海上遭難安全システム；GMDSS．❖中国語では"全球海上遇险与安全系统 quánqiú hǎishàng yùxiǎn yǔ ānquán xìtǒng"．[global maritime distress and safety system；GMDSS]

【Google搜索引擎】Google Sōusuǒ Yǐnqíng Google ；グーグル．❖Google（米）が運営するインターネットのサーチエンジン．[Google]

【ＧＰＳ】GPS 全地球測位システム；GPS．❖中国語では"全球定位系统 quánqiú dìngwèi xìtǒng"．[global positioning system；GPS]

【ＧＲＥ】GRE〔アメリカの〕大学院進学適正試験；GRE．❖中国語では"研究生成绩考试 yánjiūshēng chéngjì kǎoshì"．[graduate record examination；GRE]

【ＧＳＭ】GSM 通信用グローバルシステム；GSM．❖IT用語．中国語では"全球移动通信系统 quánqiú yídòng tōngxìn xìtǒng"．[Global System for Mobile；GSM]

《ＧＴＯ麻辣教师》GTO Málà Jiàoshī「GTO」．❖日本の漫画，映画，テレビドラマのタイトル．[GTO；Great Teacher Onizuka]

gá

【轧平】gápíng スクエア．❖金融用語．売りも買いもポジションがない状態．[square]

【轧平头寸】gápíng tóucùn スクエアポジション．❖金融用語．売りも買いもポジションがない状態．[square position]

gǎi

【改变形象】gǎibiàn xíngxiàng イメージチェンジ；変身．[change of image]

【改善形象】gǎishàn xíngxiàng イメージアップ．[image improvement]

【改制】gǎizhì 企业所有制的改革．

gài

【盖洛普】Gàiluòpǔ ギャラップ．❖アメリカの調査，コンサルティング会社．[Gallup]

【盖洛普民意调查】Gàiluòpǔ mínyì diàochá ギャラップ調査．❖ギャラップ（米）による世論調査．[Gallup poll]

【概念】gàiniàn コンセプト；構想；概念．[concept]

【概念车】gàiniànchē コンセプトカー．[concept car]

【概念股】gàiniàngǔ 関連株．❖金融用語．

【盖特威】Gàitèwēi ゲートウェイ．❖アメリカのコンピューターメーカー．[Gateway]

【盖特威克机场】Gàitèwēikè Jīchǎng ガトウィック空港．❖イギリス・ロンドンにある

空港.[Gatwick Airport]

【盖写】gàixiě 上書き保存.❖IT用語."重写 chóngxiě"とも.[overwrite]

gān

【干白】gānbái 辛口の白ワイン；ドライの白ワイン.[dry white wine]

【干城章嘉峰】Gānchéngzhāngjiā Fēng カンチェンジュンガ山.❖ネパール,インドのヒマラヤ山脈にある山.[Kanchenjunga；Kinchinjunga]

【干红】gānhóng 辛口の赤ワイン；ドライの赤ワイン.[dry red wine]

【干花】gānhuā ドライフラワー.[dried flower]

【甘露咖啡甜酒】Gānlù Kāfēi Tiánjiǔ カルーア・コーヒー・リキュール.❖カルーア(メキシコ)製のコーヒーリキュール.[Kahlua]

【干啤】gānpí ドライビール.[dry beer]

【干扰弹】gānrǎodàn ジャミング弾.[jamming bomb]

【干扰素】gānrǎosù インターフェロン.[interferon；IFN]

【干湿褛】gānshīlǚ トレンチコート.[trench coat]

【干水】gānshuǐ 保水剤；高分子ポリマー.❖"固体水 gùtǐshuǐ"とも.

【甘肃省】Gānsù Shěng 甘粛〈かんしゅく〉省.❖中国の省の1つ.略称は"甘 Gān".別称は"陇 Lǒng".省都は"兰州 Lánzhōu".

【干性皮肤】gānxìng pífū 乾燥肌.[dry skin]

【干邑】Gānyì コニャック.❖フランス南西部の地名,また同地産のブランデー.[Cognac]

【干预汇率】gānyù huìlǜ 介入為替相場.[intervention rate]

【干租】gānzū ドライリース.❖リース形態の1種.[dry lease]

gǎn

【杆弟】gǎndī〔ゴルフの〕キャディー；キャディ.❖"球僮 qiútóng"とも.[caddie；caddy]

【感染途径】gǎnrǎn tújìng 感染経路.[route of infection；infection route]

【感受性】gǎnshòuxìng 感受性.

【感性消费】gǎnxìng xiāofèi 感性消費.

gàn

【干事行】gànshìháng 幹事銀行.❖金融用語.

【干细胞】gànxìbāo 幹細胞.

【干细胞移植】gànxìbāo yízhí 幹細胞移植.

gāng

【冈比亚共和国】Gāngbǐyà Gònghéguó ガンビア共和国；ガンビア.[Republic of the Gambia；Gambia]

【刚果共和国】Gāngguǒ Gònghéguó コンゴ共和国.[Republic of Congo]

【刚果河】Gāngguǒ Hé コンゴ川.❖コンゴ共和国とコンゴ民主共和国との国境を流れる川.[the Congo River；the Congo]

【刚果民主共和国】Gāngguǒ Mínzhǔ Gònghéguó コンゴ民主共和国.[Democratic Republic of the Congo；Congo]

【钢婚】gānghūn 鋼鉄婚式.❖11年目の結婚記念日.

《钢琴家》Gāngqínjiā「戦場のピアニスト」.❖ポーランド,フランス合作映画のタイトル.[The Pianist]

《钢琴课》Gāngqínkè「ピアノ・レッスン」.❖オーストラリア映画のタイトル.[The Piano]

【冈山市】Gāngshān Shì 岡山〈おかやま〉市.❖岡山〈おかやま〉県("冈山县 Gāngshān Xiàn")の県庁所在地.

gāng — gāo

【冈山县】Gāngshān Xiàn 岡山〈おかやま〉県．❖日本の都道府県の1つ．県庁所在地は岡山〈おかやま〉市（"冈山市 Gāngshān Shì"）．

【刚性】gāngxìng ①剛性．②不変の；融通のきかない．

《钢之炼金术士》Gāng zhī Liànjīnshùshì 「鋼〈はがね〉の錬金術師」．❖日本漫画，アニメのタイトル．[Fullmetal Alchemist]

gǎng

【港机】gǎngjī 港湾荷役機械．❖"港口装卸机械 gǎngkǒu zhuāngxiè jīxiè"の略．

【岗级】gǎngjí 職級；階級；ポスト．[post; position]

【港口商业城市利物浦】Gǎngkǒu Shāngyè Chéngshì Lìwùpǔ リバプール海商都市．●世界文化遺産（イギリス）．[Liverpool-Maritime Mercantile City]

【港口装卸机械】gǎngkǒu zhuāngxiè jīxiè 港湾荷役機械．❖略称は"港机 gǎngjī"．

【港龙航空】Gǎnglóng Hángkōng 香港ドラゴン航空；ドラゴンエア．❖香港の航空会社．コード：KA．[Dragonair; Hong Kong Dragon Airlines]

【港区】Gǎng Qū ①香港特別行政区．②港区．❖①中国の特別行政区の1つ．"香港特別行政区 Xiānggǎng Tèbié Xíngzhèngqū"の略．②日本・東京23区の1つ．[①Hong Kong Special Administrative Region; HKSAR]

【港人治港】Gǎngrén zhì Gǎng 香港人による香港統治．

【岗位培训】gǎngwèi péixùn 職場内教育；オン・ザ・ジョブ・トレーニング；OJT．❖"在职培训 zàizhí péixùn"とも．[on-the-job training; OJT]

【港星】gǎngxīng 香港スター．

【港元】Gǎngyuán 香港ドル．❖香港の通貨単位．コード：HKD．[Hong Kong dollar]

gàng

【杠杆】gànggǎn ①てこ作用．②レバレッジ．❖金融用語．低コストで調達した資金をもって投資を行い，収益を引き上げること．[②leverage]

【杠杆收购】gànggǎn shōugòu レバレッジドバイアウト；LBO．❖買収対象となる企業の資産を担保にして得た資金，あるいは銀行から借り入れた資金で企業買収を行い，少ない資金で大規模の買収を図ること．[leveraged buyout; LBO]

gāo

【高保真度】gāobǎozhēndù 高忠実度；ハイファイ；hi-fi．[high fidelity; hi-fi]

【高标准病房】gāobiāozhǔn bìngfáng 差額ベッド；〔病院の〕特別個室；特別室．

【高层管理人员】gāocéng guǎnlǐ rényuán エグゼクティブ．[executive]

【高层会谈】gāocéng huìtán 高官協議；高官会談．[high-level talks]

【高层建筑】gāocéng jiànzhù 高層建築．

【高层领导】gāocéng lǐngdǎo 経営陣；首脳陣；首脳部．

【高层住宅】gāocéng zhùzhái 高層住宅．❖中国の建築基準では10階建て以上のこと．

【高产优质】gāochǎn yōuzhì 多収量高品質．

【高敞、和顺和江华史前墓遗址】Gāochǎng Héshùn hé Jiānghuá Shǐqiánmù Yízhǐ コチャン（高敞），ファスン（和順），カンファ（江華）の支石墓群跡．●世界文化遺産（韓国）．[Gochang, Hwasun, and Ganghwa Dolmen Sites]

【高岛屋】Gāodǎowū 高島屋．❖日本の百貨店．[Takashimaya]

【高等教育自学考试】gāoděng jiàoyù zìxué kǎoshì 独学者を対象とした学位認定

gāo

試験.❖略称は"自考 zìkǎo""自学考试 zì-xué kǎoshì".

【高等职业学校】gāoděng zhíyè xuéxiào「高等職業学校」.❖中国の高等職業教育機関.略称は"高职 gāozhí".

【高等专科学校】gāoděng zhuānkē xuéxiào「高等専科学校」.❖中国の高等専門教育機関.略称は"高专 gāozhuān".

【高堤耶】Gāodīyē〔ジャン・ポール・〕ゴルチエ;ゴルチエ.❖フランスのファッションメーカー,ブランド.[Jean-Paul Gaultier]

【高地】gāodì ①高地.②ある分野で優位にあり,影響力を有する地域.

【高地山坡】Gāodì Shānpō ハイ・コースト.●世界自然遺産(スウェーデン).[High Coast]

【高度自治】gāodù zìzhì 高度な自治;自治.

【高端】gāoduān ハイエンド;高付加価値で高価な.[high-end]

【高端产品】gāoduān chǎnpǐn ハイエンド製品;ハイエンドモデル.[high-end model]

【高尔夫】gāo'ěrfū ①ゴルフ.②(Gāo'ěrfū)ゴルフ.❖①スポーツ名.②フォルクスワーゲン(独)製の車名.[①golf ②Golf]

【高尔基】Gāo'ěrjī〔マクシム・〕ゴーリキー.❖ロシアの小説家,劇作家.[Maksim Gorky]

【高分低能】gāofēn dīnéng 勉強はできるが,一般常識やコミュニケーション能力に欠ける人.

【高分子材料】gāofēnzǐ cáiliào 高分子素材.

【高峰】gāofēng〔景気の〕ピーク;天井.[peak]

【高峰论坛】gāofēng lùntán サミットフォーラム.[summit forum]

【高风险高收益】gāofēngxiǎn gāoshōuyì ハイ・リスク・ハイ・リターン.[high risk high return]

【高附加值】gāofùjiāzhí 高付加価値;ハイバリュー.[high added value]

【高杠杆交易机构】gāogànggǎn jiāoyì jīgòu 高レバレッジ機関.❖金融用語.低コストで調達した資金をもって,収益を引き上げる投資を行う機関.[highly-leveraged institution]

【高句丽古墓群】Gāogōulí Gǔmùqún 高句麗古墳群.●世界文化遺産(北朝鮮).[Complex of Koguryo Tombs]

【高官会】gāoguānhuì 高級実務者会合.

【高级汽油】gāojí qìyóu プレミアムガソリン.[premium gasoline]

【高技术】gāojìshù ハイテクノロジー.❖"高精尖技术 gāojīngjiān jìshù"とも.[high technology]

【高技术战争】gāojìshù zhànzhēng ハイテク戦争.[high-tech war]

【高架桥】gāojiàqiáo 陸橋;高架橋.

【高价收盘】gāojià shōupán 高値引け.❖金融用語.

【高精尖技术】gāojīngjiān jìshù ハイテクノロジー.❖"高技术 gāojìshù"とも.[high technology]

【高考移民】gāokǎo yímín「大学受験移民」.❖大学受験に合格するため,合格ラインが低く,定員の多い地域に移住すること.

【高科技板块】gāokējì bǎnkuài ハイテク関連株.❖金融用語.[technology stocks]

【高科技垃圾】gāokējì lājī ハイテク関連廃棄物.

《高立的未来世界》Gāolì de Wèilái Shìjiè「未来少年コナン」.❖日本アニメのタイトル.[Future Boy Conan ; Conan, The Boy in Future]

【高露洁】Gāolùjié コルゲート.❖コルゲート・パルモリーブ(米)の歯磨き用品ブランド.[Colgate]

【高露洁棕榄】Gāolùjié Zōnglǎn コルゲート・パルモリーブ.❖アメリカの日用品メー

gāo

カー.[Colgate-Palmolive]

【高能货币】gāonéng huòbì マネタリーベース；ベースマネー；ハイパワードマネー. ❖金融用語."基础货币 jīchǔ huòbì""强力货币 qiánglì huòbì"とも.[high-powered money ; monetary base ; base money]

【高票】gāopiào〔選挙などの〕高得票.

【高聘】gāopìn 前職より高い階級に登用する.

【高企】gāoqǐ 高値持合〈たかねもちあい〉. ❖金融用語.株価が値上がりし,しばらくその上がった水準で値を保つこと.

【高清电视】gāoqīng diànshì ハイビジョンテレビ；高精細テレビ；高品位テレビ；HDTV. ❖"高清晰度电视 gāoqīngxīdù diànshì"の略.[high-definition television ; HDTV]

【高清晰度电视】gāoqīngxīdù diànshì ハイビジョンテレビ；高精細テレビ；高品位テレビ；HDTV. ❖略称は"高清电视 gāoqīng diànshì".[high-definition television ; HDTV]

【高山滑雪】gāoshān huáxuě アルペンスキー.[alpine skiing]

【高尚】gāoshàng ①高尚な. ②高級な；エレガントな；ファッショナブルな.[②elegant ; fashionable]

【高盛集团】Gāoshèng Jítuán ゴールドマン・サックス・グループ. ❖アメリカの証券会社.[Goldman Sachs Group]

【高收入阶层】gāoshōurù jiēcéng 高額所得者層；高額所得層.

【高丝】Gāosī コーセー. ❖日本の化粧品メーカー.[Kosé]

【高斯分布】Gāosī fēnbù 正規分布；ガウス分布. ❖"正态分布 zhèngtài fēnbù"とも.[normal distribution ; Gaussian distribution]

【高松市】Gāosōng Shì 高松〈たかまつ〉市. ❖香川〈かがわ〉県("香川县 Xiāngchuān Xiàn")の県庁所在地.

【高速公路】gāosù gōnglù 高速道路.

【高速公路出入口】gāosù gōnglù chūrùkǒu〔高速道路の〕インターチェンジ.[interchange]

【高速缓冲存储器】gāosù huǎnchōng cúnchǔqì キャッシュメモリー；キャッシュ. ❖IT用語.[cache memory ; cache]

【高速增长】gāosù zēngzhǎng 高度成長.

【高台跳雪】gāotái tiàoxuě スキージャンプ競技.[ski jumping]

【高特利集团】Gāotèlì Jítuán アルトリアグループ. ❖アメリカのタバコ・食品企業グループ."阿尔特里亚 Ā'ěrtèlǐyà"とも.[Altria Group]

【高田贤三】Gāotián Xiánsān ケンゾー. ❖LVMHグループ(仏)のファッションブランド.[Kenzo]

【高铁】gāotiě 高速鉄道.

【高通】Gāotōng クアルコム. ❖アメリカの携帯電話向けチップメーカー.[Qualcomm]

【高危人群】gāowēi rénqún ハイリスクグループ.[high-risk group]

【高伟绅律师行】Gāowěishēn Lǜshīháng クリフォードチャンス法律事務所. ❖イギリスの法律事務所.[Clifford Chance]

【高温超电导】gāowēn chāodiàndǎo 高温超電導. ❖エネルギー関連用語.

【高温超电导材料】gāowēn chāodiàndǎo cáiliào 高温超電導材料. ❖エネルギー関連用語.

【高温超电导电缆】gāowēn chāodiàndǎo diànlǎn 高温超電導ケーブル. ❖エネルギー関連用語.

【高温超电导体】gāowēn chāodiàndǎotǐ 高温超電導体. ❖エネルギー関連用語.

【高效节能】gāoxiào jiénéng 高効率エネルギーを用いた省エネルギー.

【高校科技产业】gāoxiào kējì chǎnyè 大学が経営するハイテク企業.

【高校扩招】gāoxiào kuòzhāo 大学生の募集枠を拡大する(こと).

【高新技术】gāoxīn jìshù 先端技術；ハイテクノロジー.[high technology]
【高新技术产业】gāoxīn jìshù chǎnyè ハイテク産業.[high-technology industry]
【高新技术产业开发区】gāoxīn jìshù chǎnyè kāifāqū ハイテク産業開発区；ハイテク開発区.
【高薪阶层】gāoxīn jiēcéng 高額給与所得者層.
【高辛烷值汽油】gāoxīnwánzhí qìyóu ハイオクタン価ガソリン；ハイオク.[high octane gasoline]
【高血脂症】gāoxuèzhīzhèng 高脂血症.[hyperlipemia]
【高原反应】gāoyuán fǎnyìng 高山病.
【高知市】Gāozhī Shì 高知〈こうち〉市.❖高知〈こうち〉県("高知县 Gāozhī Xiàn")の県庁所在地.
【高知县】Gāozhī Xiàn 高知〈こうち〉県.❖日本の都道府県の1つ.県庁所在地は高知〈こうち〉市("高知市 Gāozhī Shì").
【高职】gāozhí「高等職業学校」.❖中国の高等職業教育機関."高等职业学校 gāoděng zhíyè xuéxiào"の略.
【高致病性禽流感】gāozhìbìngxìng qínliúgǎn 高病原性鳥インフルエンザ.[Avian influenza；bird flu]
【高专】gāozhuān「高等専科学校」.❖中国の高等専門教育機関."高等专科学校 gāoděng zhuānkē xuéxiào"の略.

gǎo

【搞定】gǎodìng ①終わらせる；片づける；解決する. ②獲得する.
【搞花架子】gǎo huājiàzi うわべを取り繕う.
【搞笑】gǎoxiào お笑い；笑わせる；楽しませる.
【搞笑片】gǎoxiàopiàn コメディー映画.[comedy movie]

gào

【告示贴】gàoshìtiē 再剥離式の付箋〈ふせん〉紙.

gē

【哥本哈根】Gēběnhāgēn コペンハーゲン.❖デンマークの首都.[Copenhagen]
【歌德】Gēdé〔ヨハン・ヴォルフガング・フォン・〕ゲーテ.❖ドイツの詩人,小説家,劇作家.[Johann Wolfgang von Goethe]
【戈尔特斯】Gē'ěr Tèsī ゴアテックス.❖ゴアグループ(米)が開発した防水透湿素材名.[Gore-Tex]
【戈夫岛和伊纳克塞瑟布尔岛】Gēfū Dǎo hé Yīnàkèsàisèbù'ěr Dǎo ゴフ島とイナクセサブル島.●世界自然遺産(イギリス).[Gough and Inaccessible Islands]
【歌海娜】Gēhǎinà グルナッシュ.❖黒ぶどう品種,またそのぶどうで作られたワイン.[Grenache]
【歌剧】gējù オペラ.[opera]
【歌剧浏览器】Gējù Liúlǎnqì オペラ；Opera.❖IT用語.オペラソフトウエア(ノルウェー)製のブラウザ名.[Opera]
【戈蓝】Gēlán ギャラン.❖三菱(日本)製の車名.[Galant]
【戈兰高地】Gēlán Gāodì ゴラン高原.❖シリアにある高原.[the Golan Heights]
【戈雷岛】Gēléi Dǎo ゴレ島.●世界文化遺産(セネガル).[Island of Gorée]
【鸽笼白】Gēlóngbái コロンバード.❖白ぶどう品種,またそのぶどうで作られた白ワイン.[Colombard]
【哥伦比亚】Gēlúnbǐyà コロンビア.❖アメリカ・サウスカロライナ州都.[Columbia]
【哥伦比亚大学】Gēlúnbǐyà Dàxué コロンビア大学.❖アメリカ・ニューヨーク州にある大学.アイビーリーグの1つ.[Columbia University]

【哥伦比亚共和国】Gēlúnbǐyà Gònghéguó コロンビア共和国；コロンビア．[Republic of Colombia；Colombia]

【哥伦比亚广播公司】Gēlúnbǐyà Guǎngbō Gōngsī CBS．❖アメリカのテレビ局．[Columbia Broadcasting System；CBS]

【哥伦比亚咖啡】Gēlúnbǐyà kāfēi コロンビアコーヒー；コロンビア．[Columbia coffee]

【哥伦比亚特区】Gēlúnbǐyà Tèqū ワシントンD.C.．❖アメリカの首都．ワシントン・コロンビア特別区．"华盛顿哥伦比亚特区 Huáshèngdùn Gēlúnbǐyà Tèqū"とも．[Washington, District of Columbia；Washington, D.C.]

【哥伦布】Gēlúnbù ①〔クリストファー・〕コロンブス．②コロンバス．❖①イタリアの探検家，航海者．②アメリカ・オハイオ州都．[①Christopher Columbus ②Columbus]

【鸽派】gēpài ハト派．

【哥斯达黎加共和国】Gēsīdálíjiā Gònghéguó コスタリカ共和国；コスタリカ．[Republic of Costa Rica；Costa Rica]

【哥斯拉】Gēsīlā ゴジラ．❖日本映画のキャラクター名．[Godzilla]

【戈亚斯城历史中心】Gēyàsīchéng Lìshǐ Zhōngxīn ゴイアス歴史地区．●世界文化遺産（ブラジル）．[Historic Centre of the Town of Goiás]

gé

【隔行扫描】géháng sǎomiáo 飛び越し走査；インターレーススキャン．[interlaced scanning]

【格加尔德修道院和上阿扎特山谷】Géjiā'ěrdé Xiūdàoyuàn hé Shàng Āzhātè Shāngǔ ゲハルト修道院とアザート川上流域．●世界文化遺産（アルメニア）．[Monastery of Geghard and the Upper Azat Valley]

【格拉茨城历史中心】Gélācíchéng Lìshǐ Zhōngxīn グラーツ市歴史地区．●世界文化遺産（オーストリア）．[City of Graz Historic Centre]

【格拉夫】Gélāfū グラーヴ．❖フランス・ボルドーの地名，また同地産のワイン．[Graves]

【格拉纳达的阿尔汉布拉、赫内拉利费和阿尔巴济】Gélānàdá de Ā'ěrhànbùlā Hènèilālìfèi hé Ā'ěrbājī グラナダのアルハンブラ，ヘネラリーフェ，アルバイシン地区．●世界文化遺産（スペイン）．[Alhambra, Generalife and Albayzin, Granada]

【格兰菲迪】Gélánfēidí グレンフィディック．❖ザ・グレンフィディック・ディスティラリー（英）製のウイスキー名．[Glenfiddich]

【格兰皇宫大饭店】Gélán Huánggōng Dàfàndiàn ホテルグランドパレス．❖日本・東京にあるホテル．[Hotel Grand Palace]

【葛兰素史克】Gélánsùshǐkè グラクソ・スミスクライン．❖イギリスの医薬品メーカー．[GlaxoSmithKline；GSK]

【格兰威士忌】Gélán Wēishìjì グランツ．❖ウィリアム・グラント・アンド・サンズ（英）製のウイスキー名．[Grant's]

【格朗玛的德桑巴尔科国家公园】Gélǎngmǎ de Désāngbā'ěrkē Guójiā Gōngyuán グランマ号上陸記念国立公園．●世界自然遺産（キューバ）．[Desembarco del Granma National Park]

【格雷梅国家公园和卡帕多细亚石窟建筑】Géléiméi Guójiā Gōngyuán hé Kǎpāduōxìyà Shíkū Jiànzhù ギョレメ国立公園とカッパドキアの岩窟群．●世界自然および文化遺産（トルコ）．[Göreme National Park and the Rock Sites of Cappadocia]

【隔离带】gélídài 分離帯．

【隔离墙】gélíqiáng 隔離壁；アパルトヘイトウォール．[isolation wall；apartheid wall]

【隔离区】gélíqū 隔離区域；隔離エリア；隔離病棟．

gé — gēn

【格力高】Gélìgāo グリコ. ❖日本の食品メーカー. [Glico]

【格林纳达】Gélínnàdá グレナダ. [Grenada]

【格鲁吉亚】Gélǔjíyà グルジア. [Georgia]

【格伦伊格尔斯】Gélúnyīgé'ěrsī グレンイーグルス. ❖イギリスの地名. サミット開催地. [Gleneagles]

【格罗莫讷国家公园】Géluó Mònè Guójiā Gōngyuán グロス・モーン国立公園. ◉世界自然遺産(カナダ). [Gros Morne National Park]

【格式】géshi 書式；フォーマット. ❖IT用語. [format]

【格式化】géshihuà 初期化；フォーマット(する). ❖IT用語. [formatting]

【革新企业】géxīn qǐyè ベンチャー企業. ❖"创业型企业 chuàngyèxíng qǐyè" "风险企业 fēngxiǎn qǐyè"とも. [venture company]

gè

【个案】gè'àn 個別のケース.

【个唱】gèchàng 〔歌手の〕ソロコンサート；リサイタル；単独公演. ❖"个人演唱会 gèrén yǎnchànghuì"の略. [solo concert ; recital]

【个股】gègǔ 個別銘柄；各銘柄. ❖金融用語. [stock ; share]

【个人电脑】gèrén diànnǎo パーソナルコンピューター；パソコン；PC. ❖IT用語. "个人计算机 gèrén jìsuànjī"とも. [personal computer ; PC]

【个人混合泳】gèrén hùnhéyǒng 個人メドレー. [individual medley]

【个人计算机】gèrén jìsuànjī パーソナルコンピューター；パソコン；PC. ❖IT用語. "个人电脑 gèrén diànnǎo"とも. [personal computer ; PC]

【个人汽车消费贷款履约保证保险】gèrén qìchē xiāofèi dàikuǎn lǚyuē bǎozhèng bǎoxiǎn オートローン保険；自動車ローン保険. ❖略称は"车贷险 chēdàixiǎn".

【个人收藏夹】gèrén shōucángjiā 〔ウェブブラウザの〕お気に入り. ❖IT用語.

【个人收入调节税】gèrén shōurù tiáojiéshuì「個人所得調節税」.

【个人数码助理】gèrén shùmǎ zhùlǐ 携帯情報端末；パーソナル・デジタル・アシスタント；PDA. ❖IT用語. "个人数字助理 gèrén shùzì zhùlǐ"とも. [personal digital assistant ; PDA]

【个人数字助理】gèrén shùzì zhùlǐ 携帯情報端末；パーソナル・デジタル・アシスタント；PDA. ❖IT用語. "个人数码助理 gèrén shùmǎ zhùlǐ"とも. [personal digital assistant ; PDA]

【个人所得税】gèrén suǒdéshuì 個人所得税.

【个人通信】gèrén tōngxìn パーソナルコミュニケーション. [personal communication]

【个人投资家】gèrén tóuzījiā 個人投資家. ❖金融用語.

【个人信息】gèrén xìnxī 個人情報.

【个人演唱会】gèrén yǎnchànghuì 〔歌手の〕ソロコンサート；リサイタル；単独公演. ❖略称は"个唱 gèchàng". [solo concert ; recital]

【个人主页】gèrén zhǔyè 個人サイト. ❖IT用語. [personal website]

【个人住房贷款】gèrén zhùfáng dàikuǎn 個人住宅ローン.

【个险】gèxiǎn 個人保険.

【个性化】gèxìnghuà カスタマイズ(する). [customization ; customize]

【个展】gèzhǎn 個展.

gēn

【跟单汇票】gēndān huìpiào 荷為替手形〈に

gēn — gōng

がわせてがた〕;ドキュメンタリービル. ❖金融用語."押汇汇票 yāhuì huìpiào"とも. [documentary bill;documentary draft]

【跟单托收】gēndān tuōshōu 荷為替手形取立〈にがわせてがたとりたて〉. ❖金融用語.

【跟单信用证】gēndān xìnyòngzhèng 荷為替〈にがわせ〉信用状. ❖金融用語."押汇信用证 yāhuì xìnyòngzhèng"とも. [documentary L/C]

【跟风】gēnfēng 流行を追う;風潮に合わせる;時勢に便乗する.

【跟进】gēnjìn ①前の部隊と一定の距離を保ちつつ進む. ②歩調を合わせる;同調する. ③人まねばかりしている(こと).

【根目录】gēnmùlù ルートディレクトリー. ❖IT用語. [root directory]

【跟帖】gēntiě 〔電子掲示板に〕投稿する;メッセージを送る;書き込む;書き込み.

【跟踪调查】gēnzōng diàochá 追跡調査.

【跟踪服务】gēnzōng fúwù フォローアップサービス. [follow-up service]

【跟踪审计】gēnzōng shěnjì フォローアップ監査;追跡監査. [follow-up audit]

gēng

【更年期综合征】gēngniánqī zōnghézhēng 更年期症候群;更年期障害.

【更新】gēngxīn アップデート(する);更新(する). [update]

gōng

【工厂交货】gōngchǎng jiāohuò 工場渡〈こうじょうわたし〉. ❖インコタームズ2000. [ex works;EXW]

【工厂交货价】gōngchǎng jiāohuòjià 工場渡〈こうじょうわたし〉値段.

【工厂自动化】gōngchǎng zìdònghuà ファクトリーオートメーション;FA. [factory automation;FA]

【供车】gōngchē 〔担保貸付の〕自動車ローン.

【工程技术】gōngchéng jìshù エンジニアリング. [engineering]

【工程师】gōngchéngshī 技師;エンジニア. [engineer]

【工程塑料】gōngchéng sùliào エンジニアリングプラスチック. [engineering plastic]

【宫城县】Gōngchéng Xiàn 宮城〈みやぎ〉県. ❖日本の都道府県の1つ. 県庁所在地は仙台〈せんだい〉市("仙台市 Xiāntái Shì").

【工程验收】gōngchéng yànshōu 工事の引き渡し検査.

【公道价格】gōngdao jiàgé 公正価値.

【公吨】gōngdūn 仏トン;メトリックトン;メートルトン. ❖メートル法重量の単位. 記号:t. [metric ton]

【公费医疗】gōngfèi yīliáo 無償医療;公費による医療.

【公告板】gōnggàobǎn ①掲示板;告知板. ②〔インターネットの〕掲示板;告知板;電子掲示板;BBS. ❖②IT用語. [②bulletin board system;BBS]

【公告板系统】gōnggàobǎn xìtǒng 〔インターネットの〕掲示板;告知板;電子掲示板;BBS. ❖IT用語. [bulletin board system;BBS]

【公告栏】gōnggàolán ①掲示板;告知板. ②〔インターネットの〕掲示板;告知板;電子掲示板;BBS. ❖②IT用語. [②bulletin board system;BBS]

【公告牌】gōnggàopái ①掲示板;告知板. ②〔インターネットの〕掲示板;告知板;電子掲示板;BBS. ❖②IT用語. [②bulletin board system;BBS]

【公告效应】gōnggào xiàoyīng アナウンスメント効果. [announcement effect]

【公共关系】gōnggòng guānxi PR;広報;広告;渉外. ❖略称は"公关 gōngguān". [public relations;PR]

【公共管理硕士】gōnggòng guǎnlǐ shuò-

gōng

shì 公共行政修士；行政修士；MPA．[master of public administration；MPA]

【公共密钥基础设施】gōnggòng mìyào jīchǔ shèshī 公開鍵暗号基盤；公開鍵基盤；PKI．❖IT用語．[public key infrastructure；PKI]

【公共事业】gōnggòng shìyè 公益事業；公共事業．

【公共网关接口】gōnggòng wǎngguān jiēkǒu コモン・ゲートウェイ・インターフェイス；CGI．❖IT用語．[common gateway interface；CGI]

【公关】gōngguān PR；広報；広告；渉外．❖"公共关系 gōnggòng guānxi"の略．[public relations；PR]

【公关小姐】gōngguān xiǎojie ①広告会社や広報,渉外部門で働く若い女性．②接待要員の若い女性；接客係の若い女性．

【工行】Gōngháng 中国工商銀行；ICBC．❖"中国工商银行 Zhōngguó Gōngshāng Yínháng"の略．[Industrial and Commercial Bank of China；ICBC]

【公贿】gōnghuì 公金で贈賄〈ぞうわい〉する(こと)．

【工缴费】gōngjiǎofèi 〔委託加工貿易における〕加工賃．

【工具栏】gōngjùlán 〔コンピューター画面上の〕ツールバー．❖IT用語．[tool bar]

【工具箱】gōngjùxiāng 〔コンピューター画面上の〕ツールボックス．❖IT用語．[tool box]

【公爵王】Gōngjuéwáng セドリック．❖日産(日本)製の車名．[Cedric]

【公开发行】gōngkāi fāxíng 〔株式の〕公募．❖金融用語．50人以上の投資家向けに新株の売出しを行うこと．

【公开股票】gōngkāi gǔpiào 株式公開．❖金融用語．

【公开密码匙】gōngkāi mìmǎshi 公開鍵．❖IT用語．[public key]

【公开密码匙加密标准】gōngkāi mìmǎshi jiāmì biāozhǔn 公開鍵暗号方式．❖IT用語．[public key cryptography standards；PKCS]

【公开市场】gōngkāi shìchǎng オープン市場；公開市場．❖金融用語.一般の企業が取引に参加できる短期金融市場．[open market]

【公开市场操作】gōngkāi shìchǎng cāozuò 公開市場操作．❖金融用語."公开市场业务 gōngkāi shìchǎng yèwù"とも．[open market operation]

【公开市场利率】gōngkāi shìchǎng lìlǜ 市場金利；市中金利．❖金融用語．

【公开市场业务】gōngkāi shìchǎng yèwù 公開市場操作．❖金融用語."公开市场操作 gōngkāi shìchǎng cāozuò"とも．[open market operation]

【公开收购股权】gōngkāi shōugòu gǔquán 株式公開買付；TOB．❖金融用語．[take-over bid；TOB]

《攻壳机动队》Gōngké Jīdòngduì「攻殻機動隊〈こうかくきどうたい〉」．❖日本アニメのタイトル．[Ghost in the Shell]

【供楼】gōnglóu 〔担保貸付の〕住宅ローン．

《公民凯恩》Gōngmín Kǎi'ēn「市民ケーン」．❖アメリカ映画のタイトル．[Citizen Kane]

【公民投票】gōngmín tóupiào 国民投票；国民評決；レファレンダム．❖"全民公决 quánmín gōngjué"とも．略称は"公投 gōngtóu"．[referendum]

【公募】gōngmù 〔株式の〕公募．❖金融用語.50人以上の投資家向けに新株の売り出しを行うこと．

【公募债券】gōngmù zhàiquàn 公募債．❖金融用語.50人以上の投資家に販売する債券．

【功能键】gōngnéngjiàn ファンクションキー．❖IT用語．[function key]

【功能性饮料】gōngnéngxìng yǐnliào 機能性飲料．❖アミノ酸や各種ビタミン類な

ど,健康に良いとされる成分を配合した清涼飲料水.

【公平价格】gōngpíng jiàgé 公正価額.

【宫崎骏】Gōngqí Jùn 宮崎駿〈みやざき はやお〉. ❖日本の漫画家,アニメーター.[MIYAZAKI Hayao]

【宫崎市】Gōngqí Shì 宮崎〈みやざき〉市. ❖宮崎〈みやざき〉県("宮崎县 Gōngqí Xiàn")の県庁所在地.

【宫崎县】Gōngqí Xiàn 宮崎〈みやざき〉県. ❖日本の都道府県の1つ.県庁所在地は宮崎〈みやざき〉市("宫崎市 Gōngqí Shì").

【供求差额】gōngqiú chā'é 需給ギャップ.

【供求关系】gōngqiú guānxi 需給関係.

【工伤】gōngshāng 労働災害;労災.

【工伤保险】gōngshāng bǎoxiǎn 労働者災害補償保険;労災保険.

【工商管理硕士】gōngshāng guǎnlǐ shuòshì 経営学修士;MBA.[master of business administration;MBA]

【公社债】gōngshèzhài 公社債. ❖金融用語.

【公识】gōngshí 大衆の意見;大衆の認識.

【公示】gōngshì 通知;公告.

【公司分割】gōngsī fēngē 会社分割. ❖金融用語.

【公司分割制度】gōngsī fēngē zhìdù 会社分割制度. ❖金融用語.

【公司风气】gōngsī fēngqì 社風.

【公司债】gōngsīzhài 社債. ❖金融用語.

【公司治理】gōngsī zhìlǐ 企業統治;コーポレートガバナンス.[corporate governance]

【公司治理结构】gōngsī zhìlǐ jiégòu 企業統治;コーポレートガバナンス.[corporate governance]

【公听会】gōngtīnghuì 公聴会;ヒアリング.[hearing;public hearing]

【公投】gōngtóu 国民投票;国民評決;レファレンダム. ❖"公民投票 gōngmín tóupiào"の略.[referendum]

【公文包】gōngwénbāo ①ブリーフケース;書類かばん.②ブリーフケース. ❖②IT用語.[briefcase]

【公务舱】gōngwùcāng ビジネスクラス. ❖"商务舱 shāngwùcāng"とも.[business class]

【工薪阶层】gōngxīn jiēcéng 給与所得者層;会社員. ❖"工薪族 gōngxīnzú"とも.[office worker;white-collar worker]

【工薪族】gōngxīnzú 給与所得者層;会社員. ❖"工薪阶层 gōngxīn jiēcéng"とも.[office worker;white-collar worker]

【公信力】gōngxìnlì 大衆に信頼される力.

【工序管理】gōngxù guǎnlǐ 工程管理.

【公选】gōngxuǎn 公開選抜.

【工业产权】gōngyè chǎnquán 工業所有権.

【工业废物】gōngyè fèiwù 産業廃棄物.

【工业设计】gōngyè shèjì インダストリアルデザイン;工業デザイン;工業意匠.[industrial design]

【工业团地】gōngyè tuándì 工業団地.

【工业园区】gōngyè yuánqū「工業園区」;工業パーク;工業団地.

【公益广告】gōngyì guǎnggào 公益広告;公共広告.

【公益林】gōngyìlín 公益林.

【供应链管理】gōngyìngliàn guǎnlǐ サプライ・チェーン・マネジメント;SCM.[supply chain management;SCM]

【公用设施】gōngyòng shèshī ユーティリティー施設.[utility facilities]

【公用事业联合公司】Gōngyòng Shìyè Liánhé Gōngsī ユーティリコープ. ❖アメリカの電気,ガス事業会社.[UtiliCorp United]

【工贼】gōngzéi スト破り(をする人).[strike breaker]

【工种】gōngzhǒng 職種.

【公众人物】gōngzhòng rénwù 有名人;著名人.[celebrity]

【工装裤】gōngzhuāngkù ワークパンツ;カ

gōng — gòu

ーゴパンツ.[work pants ; cargo trousers ; cargo pants]

【工资差距】gōngzī chājù 賃金格差.

【工资规定】gōngzī guīdìng 賃金規則；賃金規定.

【工资税】gōngzīshuì 給与税.

【工作表】gōngzuòbiǎo〔表計算ソフトの〕シート. ❖IT用語.[sheet]

【工作簿】gōngzuòbù〔表計算ソフトの〕ブック. ❖IT用語.[book]

【工作分摊】gōngzuò fēntān ワークシェアリング.[work-sharing]

【工作分摊制】gōngzuò fēntānzhì ワークシェアリング制.[work-sharing system]

【工作经历】gōngzuò jīnglì 職歴.

【工作狂】gōngzuòkuáng ワーカホリック；仕事中毒；仕事の虫.[workaholic]

【工作母机】gōngzuò mǔjī 工作機械；マザーマシン.[mother machine]

【工作签证】gōngzuò qiānzhèng ワーキングビザ；就労ビザ.[working visa]

【工作热情】gōngzuò rèqíng 勤労意欲.

【工作日】gōngzuòrì ワーキングデー；営業日；業務日.[business day]

【工作手册】gōngzuò shǒucè オペレーションマニュアル；マニュアル. ❖"操作手册 cāozuò shǒucè"とも.[operation manual]

【工作守则】gōngzuò shǒuzé 就業規則；服務規則.

【工作说明书】gōngzuò shuōmíngshū 作業範囲記述書；ステートメント・オブ・ワーク；SOW.[statement of work ; SOW]

【工作午餐】gōngzuò wǔcān ①職場で提供される昼食. ②ワーキングランチ；ビジネスランチ.[②working lunch ; business lunch]

【工作五天制】gōngzuò wǔtiānzhì 週休2日制.

【工作站】gōngzuòzhàn ワークステーション；WS.[workstation ; WS]

gǒng

【巩俐】Gǒng Lì コン・リー；鞏俐. ❖中国出身の女優.[Gong Li]

gòng

【贡德尔地区的法西尔盖比城堡及古建筑】Gòngdé'ěr Dìqū de Fǎxī'ěr Gàibǐ Chéngbǎo jí Gǔjiànzhù ファジル・ゲビ,ゴンダール地域. ●世界文化遺産(エチオピア).[Fasil Ghebbi, Gondar Region]

【共识】gòngshí コンセンサス；共通認識.[consensus]

【共同基金】gòngtóng jījīn ミューチュアルファンド；投資信託. ❖金融用語.複数の投資家の資金を共同で運用する投資信託の1種."互惠基金 hùhuì jījīn"とも.[mutual fund]

【共同农业政策】gòngtóng nóngyè zhèngcè 共通農業政策；CAP〈キャップ〉. ❖現在,欧州連合(EU)加盟国が実施している各国共通の農業政策.[common agricultural policy ; CAP]

【共同社】Gòngtóngshè 共同通信社. ❖日本の通信社."共同通讯社 Gòngtóng Tōngxùnshè"の略.[Kyodo News]

【共同通讯社】Gòngtóng Tōngxùnshè 共同通信社. ❖日本の通信社.略称は"共同社 Gòngtóngshè".[Kyodo News]

【共享软件】gòngxiǎng ruǎnjiàn シェアウェア. ❖IT用語.[shareware]

【共享文件夹】gòngxiǎng wénjiànjiā 共有フォルダ. ❖IT用語.[shared folder]

gōu

【勾兑】gōuduì ①ブレンド(する)；配合(する). ②内通する；結託する；なれあう.

gǒu

【狗粮】gǒuliáng ドッグフード.[dog food]
【狗语翻译机】Gǒuyǔ Fānyìjī バウリンガル. ❖タカラ(日本)製の犬の鳴き声分析機.[Bowlingual]
【狗仔队】gǒuzǎiduì パパラッチ.[paparazzi]

gòu

【购并】gòubìng 合併と買収；M&A. ❖"并购 bìnggòu""合并与收购 hébìng yǔ shōugòu""兼并收购 jiānbìng shōugòu""企业并购 qǐyè bìnggòu"とも.[merger and acquisition；M&A]
【构架】gòujià ①建築物；骨組み. ②〔全体の〕構造；しくみ. ③〔抽象的な事物を〕作る；構築する.
【构建】gòujiàn 〔系統だった事を〕構築する；組み立てる.
【购买动机】gòumǎi dòngjī 購買動機.
【购买动机调查】gòumǎi dòngjī diàochá モチベーションリサーチ；動機調査. ❖"动机调查 dòngjī diàochá"とも.[motivation research]
【购买力】gòumǎilì 購買力；バイイングパワー. ❖"采购力量 cǎigòu lìliàng"とも.[buying power]
【购买力平价理论】gòumǎilì píngjià lǐlùn 購買力平価説.
【购物】gòuwù ショッピング.[shopping]
【购物券】gòuwùquàn クーポン券；クーポン.[coupon；voucher]
【购物中心】gòuwù zhōngxīn ショッピングセンター.[shopping center；SC]
【构想】gòuxiǎng コンセプト；構想.[concept]
【购置成本】gòuzhì chéngběn 取得原価. ❖金融用語."取得成本 qǔdé chéngběn"とも.

gū

【估计价格】gūjì jiàgé 見積もり価格.

gǔ

【古巴东南第一座咖啡种植园考古风景区】Gǔbā Dōngnán Dì-yīzuò Kāfēi Zhòngzhíyuán Kǎogǔ Fēngjǐngqū キューバ南東部のコーヒー農園発祥地の景観. ●世界文化遺産(キューバ).[Archaeological Landscape of the First Coffee Plantations in the Southeast of Cuba]
【古巴共和国】Gǔbā Gònghéguó キューバ共和国；キューバ.[Republic of Cuba；Cuba]
【古巴航空】Gǔbā Hángkōng キューバ航空. ❖キューバの航空会社.コード：CU.[Cubana Airlines]
【股本】gǔběn 資本金.
【股本回报率】gǔběn huíbàolǜ 株主資本利益率. ❖金融用語.
【古驰】Gǔchí グッチ. ❖イタリアのファッションメーカー,ブランド."古琦 Gǔqí"とも.[Gucci]
【古达米斯古镇】Gǔdámǐsī Gǔzhèn ガダーミスの旧市街. ●世界文化遺産(リビア).[Old Town of Ghadamès]
【谷底】gǔdǐ 〔景気の〕谷；底.
【古典魏玛】Gǔdiǎn Wèimǎ 古典主義の都ヴァイマール. ●世界文化遺産(ドイツ).[Classical Weimar]
【股东】gǔdōng 株主. ❖金融用語.
【股东大会】gǔdōng dàhuì 株主総会. ❖金融用語.
【股东分摊】gǔdōng fēntān 株主割当. ❖金融用語."股东配股 gǔdōng pèigǔ"とも.
【股东配股】gǔdōng pèigǔ 株主割当. ❖金融用語."股东分摊 gǔdōng fēntān"とも.

gǔ

【股东诉讼制度】gǔdōng sùsòng zhìdù 株主代表訴訟制度. ❖金融用語.

【股份】gǔfèn 株;株式. ❖金融用語.

【股份合并】gǔfèn hébìng 株式併合. ❖金融用語."并股 bìnggǔ""股票合并 gǔpiào hébìng"とも.

【股份合作制】gǔfèn hézuòzhì 株式合作制. ❖中国各地の中小国営企業あるいは郷鎮企業による,労働力および資本の合作制度.

【骨感】gǔgǎn スレンダーな;スレンダー.[slender]

【骨干产业】gǔgàn chǎnyè 基幹産業. ❖"基础产业 jīchǔ chǎnyè"とも.

【骨干网】gǔgànwǎng バックボーン;コアネットワーク;基幹回線網. ❖IT用語."主干网 zhǔgànwǎng"とも.[backbone;core network]

【古根海姆博物馆】Gǔgēnhǎimǔ Bówùguǎn グッゲンハイム美術館. ❖アメリカ・ニューヨークにある美術館."古根海姆美术馆 Gǔgēnhǎimǔ Měishùguǎn"とも.[Guggenheim Museum]

【古狗】Gǔgǒu Google;グーグル. ❖Google(米)が運営するインターネットのサーチエンジン.[Google]

【骨灰林】gǔhuīlín 樹木葬で植えられた木々が林となった場所.

《古惑仔》Gǔhuòzǎi「欲望の街 古惑仔(こわくちゃい)」. ❖香港映画のタイトル.[Young and Dangerous]

【股价】gǔjià 株価. ❖金融用語."股票价格 gǔpiào jiàgé"の略.

【股价净资产倍率】gǔjià jìngzīchǎn bèilǜ 株価純資産倍率;PBR. ❖金融用語.[price book-value ratio;PBR]

【股价收益率】gǔjià shōuyìlǜ 株価収益率;PER. ❖金融用語."本益比 běnyìbǐ""市盈率 shìyínglǜ"とも.[price earnings ratio;PER]

【古京都的历史建筑(京都、宇治和大津城)】Gǔ Jīngdū de Lìshǐ Jiànzhù (Jīngdū Yǔzhī hé Dàjīnchéng) 古都京都の文化財(京都市,宇治市,大津市). ●世界文化遺産(日本).[Historic Monuments of Ancient Kyoto (Kyoto, Uji and Otsu Cities)]

【股利】gǔlì 配当. ❖金融用語."红利 hónglì"とも.

【骨龄】gǔlíng 骨年齢.

【古梅尔夫国家历史文化公园】Gǔměi'ěrfū Guójiā Lìshǐ Wénhuà Gōngyuán 国立歴史文化公園「古代メルフ」. ●世界文化遺産(トルクメニスタン).[State Historical and Cultural Park "Ancient Merv"]

【股民】gǔmín 投資家. ❖金融用語.

《古墓丽影》Gǔmù Lìyǐng「トゥームレイダー」. ❖アメリカ映画のタイトル.[Lara Croft:Tomb Raider]

【古奈良的历史遗迹】Gǔ Nàiliáng de Lìshǐ Yíjì 古都奈良の文化財. ●世界文化遺産(日本).[Historic Monuments of Ancient Nara]

【古诺杰尔】Gǔnuòjié'ěr クレージュ. ❖フランスのファッションメーカー,ブランド.[Courrèges]

【古帕玛库景观】Gǔpàmǎkù Jǐngguān バタマリバ族の地コウタマコウ. ●世界文化遺産(トーゴ).[Koutammakou, the Land of the Batammariba]

【骨牌效应】gǔpái xiàoyìng ドミノ効果. ❖ドミノ倒しのように効果が次々と波及していくこと."多米诺骨牌效应 duōmǐnuò gǔpái xiàoyìng"とも.[domino effect]

【股票】gǔpiào 株券;株式. ❖金融用語.

【股票筹资】gǔpiào chóuzī エクイティファイナンス. ❖金融用語.株式発行による資金調達手段.[equity finance]

【股票分割】gǔpiào fēngē 株式分割. ❖金融用語."拆股 chāigǔ"とも.

【股票购买权证】gǔpiào gòumǎiquán-

gǔ — gù

zhèng 新株予約権付社債. ❖金融用語. ある一定の株価で株式を買うことができる社債."附带认股权的债券 fùdài rèngǔquán de zhàiquàn""附新股认购权公司债 fùxīngǔ rèngòuquán gōngsīzhài""认股权证 rèngǔ quánzhèng"とも. [warrant ; warrant bond]

【股票过户】gǔpiào guòhù 株式名義変更. ❖金融用語.

【股票合并】gǔpiào hébìng 株式併合. ❖金融用語."并股 bìnggǔ""股份合并 gǔfèn hébìng"とも.

【股票价格】gǔpiào jiàgé 株価. ❖金融用語.略称は"股价 gǔjià".

【股票买卖】gǔpiào mǎimài 株式売買. ❖金融用語.

【股票期权】gǔpiào qīquán ストックオプション. ❖金融用語.[stock option]

【股票市场】gǔpiào shìchǎng 株式市場. ❖金融用語.略称は"股市 gǔshì".

【股票信用交易】gǔpiào xìnyòng jiāoyì 信用取引. ❖金融用語.

【股票指数】gǔpiào zhǐshù 株価指数. ❖金融用語.略称は"股指 gǔzhǐ".

【股评】gǔpíng 株式情報. ❖金融用語.

【古琦】Gǔqí グッチ. ❖イタリアのファッションメーカー、ブランド."古驰 Gǔchí"とも.[Gucci]

【股权】gǔquán 株式会社の株主としての権利；エクイティ. ❖金融用語.[equity]

【股权登记】gǔquán dēngjì 株式登録. ❖金融用語.

【股权摊薄反收购措施】gǔquán tānbó fǎnshōugòu cuòshī ポイズンピル. ❖金融用語.敵対的買収への対抗策の1つ.俗称は"毒丸计划 dúwán jìhuà".[poison pill]

【古塞尔·阿姆拉城堡】Gǔsài'ěr Āmǔlā Chéngbǎo アムラ城. ●世界文化遺産(ヨルダン).[Quseir Amra]

【股市】gǔshì 株式市場. ❖金融用語."股票市场 gǔpiào shìchǎng"の略.

【股市行情】gǔshì hángqíng 株式相場. ❖金融用語.

【鼓手】gǔshǒu ドラマー.[drummer]

【骨髓库】gǔsuǐkù 骨髄バンク.

【骨髓移植】gǔsuǐ yízhí 骨髄移植.

【古天乐】Gǔ Tiānlè ルイス・クー；古天楽. ❖香港出身の男優、歌手.[Louis Koo]

【股息收入】gǔxī shōurù インカムゲイン. ❖金融用語.株式の配当金、債券の利子で得た利益."股息收益 gǔxī shōuyì""利息收入 lìxī shōurù""利益所得 lìyì suǒdé""所得收益 suǒdé shōuyì"とも.[income gain]

【股息收益】gǔxī shōuyì インカムゲイン. ❖金融用語.株式の配当金、債券の利子で得た利益."股息收入 gǔxī shōurù""利息收入 lìxī shōurù""利益所得 lìyì suǒdé""所得收益 suǒdé shōuyì"とも.[income gain]

【股息收益率】gǔxī shōuyìlǜ 単純利回り；配当利回り. ❖金融用語.

【股息支付比】gǔxī zhīfùbǐ 配当性向；配当流出率. ❖金融用語.利益の中から配当金に回す比率."派息率 pàixīlǜ"とも.

【谷雨】gǔyǔ 〔二十四節気の〕穀雨〈こくう〉.

【股灾】gǔzāi 株式市場の危機；マーケットクライシス. ❖金融用語.[stock market crisis]

【股指】gǔzhǐ 株価指数. ❖金融用語."股票指数 gǔpiào zhǐshù"の略.

【骨质疏松症】gǔzhì shūsōngzhèng 骨粗鬆症〈こつそしょうしょう〉.[osteoporosis]

gù

【固定汇率制】gùdìng huìlǜzhì 固定為替相場制；固定相場制. ❖金融用語.

【固定利率】gùdìng lìlǜ 固定金利. ❖金融用語.

【固定利率债券】gùdìng lìlǜ zhàiquàn 確定利付債；固定利付債. ❖金融用語.

gù — guà

【固定资产】gùdìng zīchǎn 固定資産.

【故宫博物院】Gùgōng Bówùyuàn 故宫博物院. ❖中国・北京にある美術館.[The Palace Museum]

【顾客满意度】gùkè mǎnyìdù 顧客満足度;CS. ❖"客户满意度 kèhù mǎnyìdù" "用户满意度 yònghù mǎnyìdù"とも. [customer satisfaction measurement;CSM]

【固特异轮胎橡胶】Gùtèyì Lúntāi Xiàngjiāo グッドイヤー・タイヤ・アンド・ラバー. ❖アメリカのゴム,タイヤメーカー.[Goodyear Tire&Rubber]

【固体水】gùtǐshuǐ 保水剤;高分子ポリマー. ❖"干水 gānshuǐ"とも.

【顾问律师】gùwèn lǜshī 顧問弁護士.

【雇佣合同】gùyōng hétong 雇用契約.

【故障保护】gùzhàng bǎohù フェイルセーフ. ❖IT用語.[fail-safe]

【故障排除】gùzhàng páichú トラブルシューティング. ❖IT用語.[trouble shooting]

【故障弱化】gùzhàng ruòhuà フェイルソフト. ❖IT用語.[fail soft]

【雇主责任险】gùzhǔ zérèn xiǎn 雇用者責任保険;雇用者賠償責任保険.

guā

【瓜达拉哈拉的卡瓦尼亚斯救济院】Guādálāhālā de Kǎwǎníyàsī Jiùjìyuàn グアダラハラのオスピシオ・カバーニャス. ●世界文化遺産(メキシコ).[Hospicio Cabañas, Guadalajara]

【瓜达卢佩的圣玛利亚皇家修道院】Guādálǔpèi de Shèngmǎlìyà Huángjiā Xiūdàoyuàn サンタ・マリア・デ・グアダルーペ王立修道院. ●世界文化遺産(スペイン).[Royal Monastery of Santa María de Guadalupe]

【刮刮叫】guāguājiào ずば抜けている;最高だ.

【瓜拉尼人聚居地的耶稣会传教区:阿根廷的圣伊格纳西奥米尼、圣安娜、罗雷托和圣母玛利亚艾尔马约尔村遗迹以及巴西的圣米格尔杜斯米索纳斯遗迹】Guālānírén Jùjūdì de Yēsūhuì Chuánjiàoqū Āgēntíng de Shèngyīgénàxī'àomǐní Shèng'ànnà Luóléituō hē Shèngmǔ Mǎlìyà Ài'ěrmǎyuē'ěr Cūn Yíjī yǐjí Bāxī de Shèngmǐgē'ěr dùsī Mǐsuǒnàsī Yíjī グアラニーのイエズス会伝道施設群:サン・イグナシオ・ミニ,サンタ・アナ,ヌエストラ・セニョーラ・デ・ロレート,サンタ・マリア・マジョール(アルゼンチン),サン・ミゲル・ダス・ミソヌエス遺跡(ブラジル). ●世界文化遺産(アルゼンチン,ブラジル).[Jesuit Missions of the Guaranís: San Ignacio Miní, Santa Ana, Nuestra Señora de Loreto and Santa María Mayor, Ruins of São Miguel das Missões]

【刮眉刀】guāméidāo 眉用かみそり.

【瓜纳华托古镇及周围银矿】Guānàhuátuō Gǔzhèn jí Zhōuwéi Yínkuàng 古都グアナファアトとその銀鉱群. ●世界文化遺産(メキシコ).[Historic Town of Guanajuato and Adjacent Mines]

【瓜纳卡斯特自然保护区】Guānàkǎsītè Zìrán Bǎohùqū グァナカステ保全地区. ●世界自然遺産(コスタリカ).[Area de Conservación Guanacaste]

【瓜哇咖啡】Guāwā kāfēi ジャワコーヒー;ジャワ.[Java coffee]

guà

【挂幕】guàmù スクリーン.[screen]

【挂牌】guàpái ①〔医者,弁護士などが〕正式に開業する(こと). ②オープン(する);開業(する);スタート(する). ③上場(する). ④プロリーグ参加クラブが移籍名簿を公表する(こと). ❖③金融用語. [②open;start]

guà — guān

【挂牌股票】guàpái gǔpiào 上場株式. ❖金融用語.

【挂起模式】guàqǐ móshì サスペンドモード. ❖IT用語. [suspend mode]

guāi

《怪博士与机器娃娃阿拉蕾》Guàibóshì yǔ Jīqì Wáwa Ālālěi ①「Dr.スランプ」. ②「Dr.スランプアラレちゃん」;「ドクタースランプ」. ❖①日本漫画のタイトル. ②日本アニメのタイトル. [Dr.Slump]

《怪物公司》Guàiwù Gōngsī 「モンスターズ・インク」. ❖アメリカ映画のタイトル. [Monsters, Inc.]

《怪医黑杰克》Guàiyī Hēijiékè 「ブラック・ジャック」. ❖日本漫画のタイトル. [Black Jack]

guān

【关爱】guān'ài 思いやる;関心を寄せる;大切にする;親切に世話をする.

【官本位】guānběnwèi ①官僚主義;官僚至上的な考え. ②役職で人の価値を判断する(こと).

【关闭按钮】guānbì ànniǔ 〔ウィンドウズの〕閉じるボタン. ❖IT用語. [close]

《观察家》Guānchájiā 「オブザーバー」. ❖イギリスの日曜紙. [Observer]

【关岛】Guān Dǎo グアム島. ❖太平洋マリアナ諸島にある島.アメリカの準州. [Guam Island; Guam]

【官方贴现率】guānfāng tiēxiànlǜ 公定歩合. ❖金融用語. [official discount rate]

【官方网站】guānfāng wǎngzhàn 公式サイト;オフィシャルサイト. ❖IT用語. "正式网站 zhèngshì wǎngzhàn"とも. [official site]

【观光农业】guānguāng nóngyè 観光農業.

【关机】guānjī ①電源を切る(こと);電源を落とす(こと). ②シャットダウン(する);システムの終了. ❖②IT用語. [shutdown]

【关键词】guānjiàncí キーワード. ❖"关键字 guānjiànzì"とも. [keyword]

【关键货币】guānjiàn huòbì 基軸通貨;キーカレンシー. ❖金融用語. "关键通货 guānjiàn tōnghuò""主要货币 zhǔyào huòbì""主要通货 zhǔyào tōnghuò"とも. [key currency]

【关键通货】guānjiàn tōnghuò 基軸通貨;キーカレンシー. ❖金融用語. "关键货币 guānjiàn huòbì""主要货币 zhǔyào huòbì""主要通货 zhǔyào tōnghuò"とも. [key currency]

【关键字】guānjiànzì キーワード. ❖"关键词 guānjiàncí"とも. [keyword]

【官民协调】guānmín xiétiáo 官民協調.

【关税壁垒】guānshuì bìlěi 関税障壁.

【关税减让制度】guānshuì jiǎnràng zhìdù 関税減免制度. [tariff exemption system]

【关西电力】Guānxī Diànlì 関西電力. ❖日本の電力会社. [Kansai Electric Power]

【关西国际机场】Guānxī Guójì Jīchǎng 関西国際空港;関空. ❖日本・大阪にある空港. [Kansai International Airport]

【关系】guānxi コネクション;コネ. [connection]

【关系户】guānxihù コネのある個人あるいは組織.

【关系企业】guānxi qǐyè 関連会社.

【关系网】guānxiwǎng 人脈.

《关于特别是作为水禽栖息地的国际重要湿地公约》Guānyú Tèbié Shì Zuòwéi Shuǐqín Qīxīdì de Guójì Zhòngyào Shīdì Gōngyuē 「ラムサール条約」;「特に水鳥の生息地として国際的に重要な湿地に関する条約」. ❖《拉姆萨尔公约》Lāmǔsà'ěr Gōngyuē,《湿地公约》Shīdì Gōngyuē とも. [Ramsar Convention; Conven-

guān

tion on Wetlands of International Importance Especially as Waterfowl Habitat]

【观照】guānzhào ①〔美学用語の〕観照．②詳細に観察する；冷静に見る．

【冠状病毒】guānzhuàng bìngdú コロナウイルス．[coronavirus]

guǎn

【管道】guǎndào ①輸送管；排水管；パイプライン．②ルート．[①pipeline ②route]

【管道煤气】guǎndào méiqì 都市ガス．❖"城市管道煤气 chéngshì guǎndào méiqì"とも．[city gas；town gas]

【管护】guǎnhù〔森林の樹木などを〕管理保護する．

【管理层收购】guǎnlǐcéng shōugòu マネジメントバイアウト；経営陣による企業買収；MBO．[management buyout；MBO]

guàn

【冠捷科技】Guànjié Kējì 冠捷科技；TPVテクノロジー．❖台湾のコンピューター周辺機器メーカー．レッドチップ企業の１つ．[TPV Technology]

【冠军赛】guànjūnsài グランプリ；GP．[grand prix；GP]

《灌篮高手》Guànlán Gāoshǒu「スラムダンク」．❖日本の漫画，アニメのタイトル．"篮球飞人 Lánqiú Fēirén"とも．[Slum Dunk]

【冠名权】guànmíngquán 命名権；ネーミングライツ．[naming rights]

【灌装机】guànzhuāngjī 瓶詰め機械；ボトリング機械；飲料充塡機．[bottle filling machine]

guāng

【光标】guāngbiāo カーソル．❖IT用語．"游标 yóubiāo"とも．[cursor]

【光标键】guāngbiāojiàn 矢印キー；方向キー；カーソルキー．❖IT用語．"方向键 fāngxiàngjiàn"とも．[arrow key；cursor key]

【光触媒】guāngchùméi 光触媒．

【光导纤维】guāngdǎo xiānwéi 光ファイバー．❖IT用語．略称は"光纤 guāngxiān"．[optical fiber；fiber optics]

【光电鼠】guāngdiànshǔ 光学式マウス；オプティカルマウス．❖IT用語．"光电鼠标 guāngdiàn shǔbiāo""光学鼠标 guāngxué shǔbiāo"とも．[optical mouse]

【光电鼠标】guāngdiàn shǔbiāo 光学式マウス；オプティカルマウス．❖IT用語．"光电鼠 guāngdiànshǔ""光学鼠标 guāngxué shǔbiāo"とも．[optical mouse]

【光碟】guāngdié 光ディスク．❖IT用語．"光盘 guāngpán"とも．[optical disc]

【光谷】guānggǔ 光通信バレー；光通信産業の拠点．❖"硅谷 Guīgǔ"（シリコンバレー）から派生した呼称．

【光化学烟雾】guānghuàxué yānwù 光化学スモッグ．[photochemical smog]

【光环效应】guānghuán xiàoyìng ハロー効果；光背効果；後光効果．❖心理学関連用語．"光晕效应 guāngyùn xiàoyìng"とも．[halo effect]

【光缆】guānglǎn 光ケーブル．❖IT用語．[optical cable]

《光明日报》Guāngmíng Rìbào「光明日報」．❖中国の日刊紙．[Guangming Daily]

【光盘】guāngpán 光ディスク．❖IT用語．"光碟 guāngdié"とも．[optical disc]

【光盘盒】guāngpánhé CDケース．[CD case]

【光盘刻录机】guāngpán kèlùjī CDレコー

guāng — guǎng

ダー；CD-R/RW レコーダー. ❖IT用語.[compact disc recordable/rewritable recorder；CD-R/RW recorder]

【光票】guāngpiào 信用手形；クリーンビル. ❖金融用語.[clean bill]

【光票托收】guāngpiào tuōshōu 無担保為替手形取立；クリーンビル取立. ❖金融用語.[clean bill for collection]

【光票信用证】guāngpiào xìnyòngzhèng 無担保信用状；クリーン信用状. ❖金融用語."无跟单信用证 wúgēndān xìnyòngzhèng"とも.[clean L/C]

【光驱】guāngqū〔コンピューターの〕光ディスクドライブ. ❖IT用語.[optical disc drive]

【光通信】guāngtōngxìn 光通信. ❖IT用語.

【光污染】guāngwūrǎn 光公害.

【光纤】guāngxiān 光ファイバー. ❖IT用語."光导纤维 guāngdǎo xiānwéi"の略.[optical fiber；fiber optics]

【光纤到家】guāngxiān dàojiā ファイバー・トゥ・ザ・ホーム；FTTH. ❖IT用語."光纤入户 guāngxiān rùhù"とも.[fiber to the home；FTTH]

【光纤入户】guāngxiān rùhù ファイバー・トゥ・ザ・ホーム；FTTH. ❖IT用語."光纤到家 guāngxiān dàojiā"とも.[fiber to the home；FTTH]

【光纤通信】guāngxiān tōngxìn 光ファイバー通信；光通信. ❖IT用語."光线通信 guāngxiàn tōngxìn"とも.[optical fiber communications；optic fiber communication]

【光线通信】guāngxiàn tōngxìn 光ファイバー通信；光通信. ❖IT用語."光纤通信 guāngxiān tōngxìn"とも.[optical fiber communications；optic fiber communication]

【光学鼠标】guāngxué shǔbiāo 光学式マウス；オプティカルマウス. ❖IT用語."光电鼠 guāngdiàn shǔ""光电鼠标 guāngdiàn shǔbiāo"とも.[optical mouse]

【光韵】Guāngyùn エクラ・ドゥ・アルページュ. ❖ランバン(仏)製のフレグランス名.[Éclat D'Arpège]

【光晕效应】guāngyùn xiàoyìng ハロー効果；光背効果；後光効果. ❖心理学関連用語."光环效应 guānghuán xiàoyìng"とも.[halo effect]

【光字符阅读器】guāng zìfú yuèdúqì 光学式文字読み取り装置；OCR. ❖IT用語.[optical character reader；OCR]

guǎng

【广播电台】guǎngbō diàntái ①放送局. ②おしゃべり.

《广场协议》Guǎngchǎng Xiéyì「プラザ合意」. ❖1985年にアメリカ・ニューヨークのプラザホテルで開催された先進5か国蔵相・中央銀行総裁会議における合意の通称.[Plaza Accord]

【广达电脑】Guǎngdá Diànnǎo クワンタ・コンピューター. ❖台湾のコンピューターメーカー.[Quanta Computer]

【广岛和平纪念公园(原爆遗址)】Guǎngdǎo Hépíng Jìniàn Gōngyuán (Yuánbào Yízhǐ) 原爆ドーム. ●世界文化遺産(日本).[Hiroshima Peace Memorial (Genbaku Dome)]

【广岛市】Guǎngdǎo Shì 広島〈ひろしま〉市. ❖広島〈ひろしま〉県("广岛县 Guǎngdǎo Xiàn")の県庁所在地.

【广岛县】Guǎngdǎo Xiàn 広島〈ひろしま〉県. ❖日本の都道府県の1つ.県庁所在地は広島〈ひろしま〉市("广岛市 Guǎngdǎo Shì").

【广东国际大酒店】Guǎngdōng Guójì Dàjiǔdiàn 広東国際大酒店. ❖中国・広東省にあるホテル.[Guangdong International Hotel]

【广东省】Guǎngdōng Shěng 広東〈かんとん〉

guǎng — guī

省．❖中国の省の1つ．別称は"粤 Yuè"．省都は"广州 Guǎngzhōu"．

【广告创意的基本原则】guǎnggào chuàngyì de jīběn yuánzé AIDMA〈アイドマ〉の法則．❖広告用語．'Attention'(注意), 'Interest'(関心), 'Desire'(欲求), 'Memory'(記憶), 'Action'(行動)の頭文字からの造語．

【广告代理公司】guǎnggào dàilǐ gōngsī 広告代理店．

【广告软件】guǎnggào ruǎnjiàn アドウェア．❖IT用語．[adware]

【广告条】guǎnggàotiáo バナー広告．❖IT用語．ウェブページ上に画像として設置される，通常細長い広告．"横幅广告 héngfú guǎnggào""旗帜广告 qízhì guǎnggào"とも．[banner advertising]

【广告文案】guǎnggào wén'àn 広告コピー；コピー．[advertising copy ; copy]

【广交会】Guǎngjiāohuì 広州交易会；中国輸出商品交易会．❖"中国出口商品交易会 Zhōngguó Chūkǒu Shāngpǐn Jiāoyìhuì"の別称．

【广南(集团)】Guǎngnán (Jítuán) 広南(集団)；グァンナン(ホールディングス)．❖食品販売,不動産会社.レッドチップ企業の1つ．[Guangnan (Holdings)]

【广西壮族自治区】Guǎngxī Zhuàngzú Zìzhìqū 広西チワン族自治区．❖中国の自治区の1つ．別称は"桂 Guì".区都は"南宁 Nánníng".

【广域网】guǎngyùwǎng 広域通信網；広域ネットワーク；WAN．❖IT用語．[Wide Area Network ; WAN]

【广州】Guǎngzhōu 広州．❖"广东省 Guǎngdōng Shěng"の省都. 別称は"穗 Suì""羊 Yáng".

【广州花园酒店】Guǎngzhōu Huāyuán Jiǔdiàn ザ・ガーデンホテル；広州花園酒店．❖中国・広東省にあるホテル．[The Garden Hotel Guangzhou]

【广州汽车】Guǎngzhōu Qìchē 広州汽車．❖中国の自動車メーカー．[Guangzhou Autogroup]

【广州中国大酒店】Guǎngzhōu Zhōngguó Dàjiǔdiàn チャイナ・ホテル・バイ・マリオット．❖中国・広東省にあるホテル．[China Marriott Hotel Guangzhou]

guàng

【逛商店】guàng shāngdiàn ウィンドウショッピング(する)．[window shopping]

guī

【规定】guīdìng ①規定(する)；定める；決まり．②約定．

【规定准备存款制度】guīdìng zhǔnbèi cúnkuǎn zhìdù 支払準備制度；準備預金制度；法定準備制度．❖金融用語."储备存款制度 chǔbèi cúnkuǎn zhìdù"とも．

【规费】guīfèi 行政機関の手数料．

【规格】guīgé 規格；基準；仕様；スペック．[specification ; spec]

【规格单】guīgédān 仕様書；スペック．[specification ; spec]

【硅谷】Guīgǔ シリコンバレー．❖IT産業都市として知られるアメリカ・カリフォルニア州の地域名．[Silicon Valley]

【龟甲万】Guījiǎwàn キッコーマン．❖日本の食品メーカー．[Kikkoman]

【规模经济】guīmó jīngjì 規模の経済；スケールエコノミー．[economy of scale]

【规模利益】guīmó lìyì スケールメリット．[merit of scale ; economies of scale]

【圭内斯郡爱德华国王城堡和城墙】Guīnèisī Jùn Àidéhuá Guówáng Chéngbǎo hé Chéngqiáng グウィネズのエドワード1世の城群と市壁群．◉世界文化遺産(イギリス)．[Castles and Town Walls of King Edward in Gwynedd]

【圭亜那合作共和国】Guīyànà Hézuò Gònghéguó ガイアナ協同共和国；ガイアナ.[Co-operative Republic of Guyana ; Guyana]

guǐ

【鬼故事】guǐgùshi 怪談；妖怪,幽霊,化け物の話；怖い話.
【鬼怪】Guǐguài ディアブロ. ❖ランボルギーニ(伊)製の車名."魔鬼 Móguǐ"とも.[Diablo]
【轨迹球】guǐjìqiú トラックボール. ❖IT用語.ポインティング・デバイスの1種.[trackball]
【鬼片】guǐpiàn ホラー映画.[horror movie]
《鬼子来了》Guǐzi Lái le「鬼が来た！」. ❖中国映画のタイトル.[Devils on the Doorstep]

guì

【贵宾】guìbīn 賓客；要人；VIP.[very important person ; VIP]
【贵宾室】guìbīnshì VIPルーム；貴賓室.[VIP room]
【贵朵】Guìduǒ クレドール. ❖セイコーウオッチ(日本)製の時計ブランド.[Credor]
《桂河大桥》Guìhé Dàqiáo「戦場にかける橋」. ❖アメリカ,イギリス合作映画のタイトル.[The Bridge on the River Kwai]
【贵人香】Guìrénxiāng リースリング. ❖イタリアのぶどう品種.また,そのぶどうで作られた白ワイン.[Riesling]
【柜台交易】guìtái jiāoyì〔証券の〕店頭取引. ❖金融用語.
【柜台交易市场】guìtái jiāoyì shìchǎng〔証券の〕店頭市場. ❖金融用語.
【贵阳】Guìyáng 貴陽. ❖"贵州省 Guìzhōu Shěng"の省都.別称は"筑 Zhù".
【柜员】guìyuán 窓口業務担当者.

【贵州省】Guìzhōu Shěng 貴州省. ❖中国の省の1つ.略称は"贵 Guì".別称は"黔 Qián".省都は"贵阳 Guìyáng".
【贵族学校】guìzú xuéxiào「貴族学校」. ❖富裕層の子女が通う高額の学費が必要な私立学校.

gǔn

【滚动】gǔndòng ①回転；回転運動. ②徐々に蓄積し拡大する；連続して～する. ③スクロール(する). ❖③IT用語."翻滚 fāngǔn"とも.[③scroll]
【滚动锁定键】gǔndòng suǒdìngjiàn スクロール・ロック・キー. ❖IT用語.[scroll lock key]
【滚动条】gǔndòngtiáo スクロールバー. ❖IT用語.[scroll bar]
【滚轮鼠标】gǔnlún shǔbiāo スクロールマウス；ホイールマウス. ❖IT用語.[scroll mouse ; wheel mouse]
【滚梯】gǔntī エスカレーター.[escalator]
【滚装货船】gǔnzhuāng huòchuán ロールオン・ロールオフ貨物船.[roll-on roll-off ship ; roll-on roll-off vessel]

guō

【郭富城】Guō Fùchéng アーロン・クォック；郭富城. ❖香港の歌手,男優.[Aaron Kwok ; Kwok Fu Shing]

guó

【国奥队】guó'Àoduì サッカーのオリンピック代表チーム；サッカーのオリンピック・ナショナル・チーム.[national Olympic team]
【国标】guóbiāo ①国家基準. ②国際基準の社交ダンス. ❖①"国家标准 guójiā biāozhǔn"の略. ②"国际标准交谊舞 guójì biāozhǔn jiāoyìwǔ"の略.

guó

【国标扩展码】Guóbiāo Kuòzhǎnmǎ GB拡張コード；GBKコード．❖IT用語．[GBK code]

【国标码】Guóbiāomǎ GBコード．❖IT用語．[GB code]

【国产片】guóchǎnpiàn 国産映画．

【国防部长】guófáng bùzhǎng 国防相；国防部長；国防大臣．❖略称は"防长 fángzhǎng"．

【国际奥林匹克委员会】Guójì Àolínpǐkè Wěiyuánhuì 国際オリンピック委員会；IOC．❖略称は"国际奥委会 Guójì Àowěihuì".[International Olympic Committee；IOC]

【国际奥委会】Guójì Àowěihuì 国際オリンピック委員会；IOC．❖"国际奥林匹克委员会 Guójì Àolínpǐkè Wěiyuánhuì"の略．[International Olympic Committee；IOC]

【国际笔会】Guójì Bǐhuì 国際ペンクラブ．[International Association of Poets, Playwrights, Editors, Essayists, and Novelists]

【国际标准】guójì biāozhǔn ①グローバルスタンダード．②国際標準規格．[①global standard]

【国际标准化组织】Guójì Biāozhǔnhuà Zǔzhī 国際標準化機構；ISO．[International Organization for Standardization；ISO]

【国际标准书号】guójì biāozhǔn shūhào 国際標準図書番号；ISBN．[International Standard Book Number；ISBN]

【国际财务报告标准】Guójì Cáiwù Bàogào Biāozhǔn 国際財務報告基準；IFRS．[International Financial Reporting Standards；IFRS]

【国际大赦】Guójì Dàshè アムネスティ・インターナショナル；国際アムネスティ．❖"大赦国际 Dàshè Guójì""国际特赦组织 Guójì Tèshè Zǔzhī"とも．[Amnesty International]

【国际电信联盟】Guójì Diànxìn Liánméng 国際電気通信連合；ITU．[International Telecommunication Union；ITU]

【国际掉期及衍生工具协会】Guójì Diàoqī jí Yǎnshēng Gōngjù Xiéhuì 国際スワップデリバティブ協会；ISDA．❖"国际互换与衍生金融产品协会 Guójì Hùhuàn yǔ Yǎnshēng Jīnróng Chǎnpǐn Xiéhuì"とも．[International Swaps and Derivatives Association；ISDA]

【国际多式联运】guójì duōshì liányùn 国際複合一貫輸送．[international multimodal transport]

【国际法院】Guójì Fǎyuàn 国際司法裁判所；ICJ．[International Court of Justice；ICJ]

【国际分工】guójì fēngōng 国際分業．

【国际复兴开发银行】Guójì Fùxīng Kāifā Yínháng 国際復興開発銀行；世界銀行；IBRD．[International Bank for Reconstruction and Development；IBRD]

【国际负债】guójì fùzhài 国際貸借．❖金融用語．"国际借贷 guójì jièdài""国际借贷差额 guójì jièdài chā'é"とも．

【国际海事组织】Guójì Hǎishì Zǔzhī 国際海事機関；IMO．[International Maritime Organization；IMO]

【国际航空运输协会】Guójì Hángkōng Yùnshū Xiéhuì 国際航空運送協会；IATA⟨イアタ⟩．[International Air Transport Association；IATA]

【国际红十字会】Guójì Hóngshízìhuì 国際赤十字；IRC．[International Red Cross；IRC]

【国际互换与衍生金融产品协会】Guójì Hùhuàn yǔ Yǎnshēng Jīnróng Chǎnpǐn Xiéhuì 国際スワップデリバティブ協会；ISDA．❖"国际掉期及衍生工具协会 Guójì Diàoqī jí Yǎnshēng Gōngjù Xiéhuì"とも．[International Swaps and Derivatives Association；ISDA]

guó

【国际婚姻】guójì hūnyīn 国際結婚. ❖"跨国婚姻 kuàguó hūnyīn"とも.

【国际货币】guójì huòbì 国際通貨. ❖金融用語."国际通货 guójì tōnghuò"とも.

【国际货币基金组织】Guójì Huòbì Jījīn Zǔzhī 国際通貨基金；IMF.[International Monetary Fund；IMF]

【国际交流英语能力考试】Guójì Jiāoliú Yīngyǔ Nénglì Kǎoshì 国際コミュニケーション英語能力テスト；TOEIC〈トーイック〉.❖ETS(米)による英語を母語としない人のための、英語によるコミュニケーション能力検定テスト.[Test of English for International Communication；TOEIC]

【国际接轨】guójì jiēguǐ 国際基準に合わせる；グローバルスタンダードに合わせる.

【国际结算银行】Guójì Jiésuàn Yínháng 国際決済銀行；BIS. ❖"国际清算银行 Guójì Qīngsuàn Yínháng"とも.[Bank for International Settlements；BIS]

【国际借贷】guójì jièdài 国際貸付. ❖金融用語."国际负债 guójì fùzhài""国际借贷差额 guójì jièdài chā'é"とも.

【国际借贷差额】guójì jièdài chā'é 国際貸借. ❖金融用語."国际负债 guójì fùzhài""国际借贷 guójì jièdài"とも.

【国际金融公司】Guójì Jīnróng Gōngsī 国際金融公社；IFC.[International Finance Corporation；IFC]

【国际开发协会】Guójì Kāifā Xiéhuì 国際開発協会；IDA.[International Development Association；IDA]

【国际快递】guójì kuàidì 国際スピード郵便；国際エクスプレスメール；EMS. ❖"特快专递 Tèkuài Zhuāndì"とも.[express mail service；EMS]

【国际快递业务】guójì kuàidì yèwù 国際宅配便；国際クーリエサービス.[courier service]

《国际会计准则》Guójì Kuàijì Zhǔnzé「国際会計基準書」;「国際会計基準」;IAS.[International Accounting Standard；IAS]

【国际会计准则委员会】Guójì Kuàijì Zhǔnzé Wěiyuánhuì 国際会計基準審議会；IASB.[International Accounting Standards Board；IASB]

【国际劳工组织】Guójì Láogōng Zǔzhī 国際労働機関；ILO.[International Labor Organization；ILO]

《国际贸易术语解释通则》Guójì Màoyì Shùyǔ Jiěshì Tōngzé「インコタームズ」.❖国際商業会議所(ICC)が定めた「貿易条件の解釈に関する国際規則」の通称.国際商業取引条件のこと.[International Commercial Terms；INCOTERMS]

【国际民航组织】Guójì Mínháng Zǔzhī 国際民間航空機関；ICAO. ❖"国际民用航空组织 Guójì Mínyòng Hángkōng Zǔzhī"の略.[International Civil Aviation Organization；ICAO]

【国际民用航空组织】Guójì Mínyòng Hángkōng Zǔzhī 国際民間航空機関；ICAO. ❖略称は"国际民航组织 Guójì Mínháng Zǔzhī".[International Civil Aviation Organization；ICAO]

【国际能源机构】Guójì Néngyuán Jīgòu 国際エネルギー機関；IEA.[International Energy Agency；IEA]

【国际农业发展基金会】Guójì Nóngyè Fāzhǎn Jījīnhuì 国際農業発展基金；IFAD.[International Fund for Agricultural Development；IFAD]

【国际汽车联合会】Guójì Qìchē Liánhéhuì 国際自動車連盟；FIA. ❖"国际汽车联盟 Guójì Qìchē Liánméng""国际汽车运动联合会 Guójì Qìchē Yùndòng Liánhéhuì"とも.略称は"国际汽联 Guójì Qìlián".[FIA]

【国际汽车联盟】Guójì Qìchē Liánméng 国際自動車連盟；FIA. ❖"国际汽车联合会 Guójì Qìchē Liánhéhuì""国际汽车运

guó

动联合会 Guójì Qìchē Yùndòng Liánhéhuì"とも.略称は"国际汽联 Guójì Qìlián".[FIA]

【国际汽车运动联合会】Guójì Qìchē Yùndòng Liánhéhuì 国際自動車連盟；FIA. ❖"国际汽车联合会 Guójì Qìchē Liánhéhuì""国际汽车联盟 Guójì Qìchē Liánméng"とも.略称は"国际汽联 Guójì Qìlián".[FIA]

【国际汽联】Guójì Qìlián 国際自動車連盟；FIA. ❖"国际汽车联合会 Guójì Qìchē Liánhéhuì""国际汽车联盟 Guójì Qìchē Liánméng""国际汽车运动联合会 Guójì Qìchē Yùndòng Liánhéhuì"の略. [FIA]

【国际清算银行】Guójì Qīngsuàn Yínháng 国際決済銀行；BIS. ❖"国际结算银行 Guójì Jiésuàn Yínháng"とも.[Bank for International Settlements；BIS]

【国际商会】Guójì Shānghuì 国際商業会議所；ICC.[International Chamber of Commerce；ICC]

【国际商业机器公司】Guójì Shāngyè Jīqì Gōngsī IBM. ❖アメリカのコンピューターメーカーの正式名称.通称として"美国国际商用机器公司 Měiguó Guójì Shāngyòng Jīqì Gōngsī"とも.[International Business Machines；IBM]

【国际收支】guójì shōuzhī 国際収支；BOP.[balance-of-payments；BOP]

【国际收支差额】guójì shōuzhī chā'é 国際収支尻.

【国际收支统计】guójì shōuzhī tǒngjì 国際収支統計.[balance of payments statistics]

【国际特奥会】Guójì Tè'àohuì スペシャルオリンピックス国際本部. ❖"国际特殊奥林匹克委员会 Guójì Tèshū Àolínpǐkè Wěiyuánhuì"の略.[Special Olympics, Inc.；SOI]

【国际特赦组织】Guójì Tèshè Zǔzhī アムネスティ・インターナショナル；国際アムネスティ. ❖"大赦国际 Dàshè Guójì""国际大赦 Guójì Dàshè"とも.[Amnesty International]

【国际特殊奥林匹克委员会】Guójì Tèshū Àolínpǐkè Wěiyuánhuì スペシャルオリンピックス国際本部. ❖略称は"国际特奥会 Guójì Tè'àohuì".[Special Olympics, Inc.；SOI]

【国际通货】guójì tōnghuò 国際通貨. ❖金融用語."国际货币 guójì huòbì"とも.

【国际文传电讯社】Guójì Wénchuán Diànxùnshè インタファクス通信. ❖ロシアの通信社.略称は"国际文传 Guójì Wénchuán".[Interfax]

《国际先驱论坛报》Guójì Xiānqū Lùntán Bào「インターナショナル・ヘラルド・トリビューン」. ❖フランスの英字紙.[International Herald Tribune]

【国际小姐】Guójì Xiǎojie ミスインターナショナル.[Miss International]

【国际刑事警察组织】Guójì Xíngshì Jǐngchá Zǔzhī 国際刑事警察機構；インターポール；ICPO.[International Criminal Police Organization；Interpol；ICPO]

【国际学科奥林匹克竞赛】Guójì Xuékē Àolínpǐkè Jìngsài 国際科学オリンピック. ❖略称は"奥赛 Àosài".[International Science Olympiads]

【国际游资】guójì yóuzī 遊休資本；投機的資金；ホットマネー. ❖金融用語.国際金融市場で動く投機的短期資金のこと."热钱 rèqián""游资 yóuzī"とも.[hot money]

【国际原子能机构】Guójì Yuánzǐnéng Jīgòu 国際原子力機関；IAEA.[International Atomic Energy Agency；IAEA]

【国际纸业】Guójì Zhǐyè インターナショナル・ペーパー. ❖アメリカの製紙会社.[International Paper]

【国际专业化】guójì zhuānyèhuà 産業間国

guó

際分業;産業内国際分業.

【国际自由工会联合会】Guójì Zìyóu Gōnghuì Liánhéhuì 国際自由労働組合連盟;国際自由労連;ICFTU.[International Confederation of Free Trade Unions;ICFTU]

【国际自由族】guójì zìyóuzú 国際派の自由人.

【国际足联】Guójì Zúlián 国際サッカー連盟;FIFA〈フィファ〉. ❖"国际足球联盟 Guójì Zúqiú Liánméng"の略.[FIFA]

【国际足联联合会杯赛】Guójì Zúlián Liánhéhuì Bēisài FIFAコンフェデレーションズカップ;コンフェデ杯.[FIFA Confederations Cup;Confederations Cup]

【国际足球联盟】Guójì Zúqiú Liánméng 国際サッカー連盟;FIFA〈フィファ〉. ❖略称は"国际足联 Guójì Zúlián".[FIFA]

【国家半导体】Guójiā Bàndǎotǐ ナショナルセミコンダクター. ❖アメリカの半導体メーカー.[National Semiconductor]

【国家标准】guójiā biāozhǔn 国家基準. ❖略称は"国标 guóbiāo".

【国家导弹防御系统】Guójiā Dǎodàn Fángyù Xìtǒng 国家ミサイル防衛;NMD.[National Missile Defense;NMD]

《国家地理》Guójiā Dìlǐ 「ナショナル・ジオグラフィック」. ❖アメリカの写真科学雑誌.[National Geographic]

【国家电力供应公司】Guójiā Diànlì Gōngyìng Gōngsī ナショナル・グリッド・トランスコ;NGT. ❖イギリスのエネルギー供給会社.[National Grid Transco;NGT]

【国家电网】Guójiā Diànwǎng 国家電網. ❖中国の電力会社.[State Grid]

【国家发展和改革委员会】Guójiā Fāzhǎn hé Gǎigé Wěiyuánhuì 国家発展改革委員会;中華人民共和国国家発展改革委員会.[National Development and Reform Commission;NDRC]

【国家风险度】guójiā fēngxiǎndù カントリーリスク. ❖金融用語.国の政治または経済についてのリスクを把握するもの.投資する際の判断材料として使われる.[country risk]

【国家公共信息网】guójiā gōnggòng xìnxīwǎng〔中国の〕国家公共情報ネットワーク.

【国家公务员】guójiā gōngwùyuán 国家公務員.

【国家公园】guójiā gōngyuán 国立公園.

【国家历史公园:城堡、圣苏西宫、拉米尔斯堡垒】Guójiā Lìshǐ Gōngyuán Chéngbǎo Shèngsūxī Gōng Lāmǐ'ěrsī Bǎolěi 国立歴史公園:シタデル,サン・スーシ,ラミエ. ●世界文化遺産(ハイチ).[National History Park–Citadel, Sans Souci, Ramiers]

【国家赔偿】guójiā péicháng 国家賠償.

【国家司法考试】guójiā sīfǎ kǎoshì 司法試験. ❖略称は"司考 sīkǎo".

【国家药典】Guójiā Yàodiǎn〔中国の〕薬局方. ❖重要な医薬品の品質や純度などを定めた規格書のこと.

【国家债券】guójiā zhàiquàn 国債. ❖金融用語."国库券 guókùquàn""国债 guózhài"とも.

【国脚】guójiǎo サッカーのナショナル・チーム・メンバー.[a member of the national football team]

【国库券】guókùquàn 国債. ❖金融用語."国家债券 guójiā zhàiquàn""国债 guózhài"とも.

【国民待遇】guómín dàiyù 内国民待遇.

【国民生产总值】guómín shēngchǎn zǒngzhí 国民総生産;GNP.[gross national product;GNP]

【国民收入】guómín shōurù 国民所得.

【国内汇兑】guónèi huìduì 内国為替. ❖金融用語.

【国内生产总值】guónèi shēngchǎn zǒngzhí 国内総生産;GDP.[gross domestic

product ; GDP]

【国内外差价】guónèiwài chājià 内外価格差.

【国企】guóqǐ 国有企業. ❖"国有企业 guóyǒu qǐyè"の略.

【国泰航空】Guótài Hángkōng キャセイパシフィック航空. ❖香港の航空会社. コード：CX.[Cathay Pacific Airways]

【国泰人寿】Guótài Rénshòu キャセイ生命；キャセイライフ. ❖台湾の生命保険会社.[Cathay Life Insurance]

【国外汇款】guówài huìkuǎn 仕向送金為替〈しむけそうきんがわせ〉；仕向送金. ❖金融用語."汇出汇款 huìchū huìkuǎn"とも.

【国有股】guóyǒugǔ 国有株. ❖金融用語.

【国有企业】guóyǒu qǐyè 国有企業. ❖略称は"国企 guóqǐ".

【国有资产】guóyǒu zīchǎn ①国有財産. ②国有の財産権.

【国债】guózhài 国債. ❖金融用語."国家债券 guójiā zhàiquàn""国库券 guókùquàn"とも.

【国足】guózú サッカーのナショナルチーム.[national football team]

guǒ

【果阿教堂和修道院】Guǒ'ā Jiàotáng hé Xiūdàoyuàn ゴアの教会群と修道院群. ●世界文化遺産（インド）.[Churches and Convents of Goa]

【果冻】guǒdòng フルーツゼリー；ゼリー.[fruit jelly]

【果岭】guǒlǐng 〔ゴルフの〕グリーン.[putting green ; green]

guò

【过渡贷款】guòdù dàikuǎn つなぎ融資；ブリッジローン. ❖金融用語."过桥贷款 guòqiáo dàikuǎn"とも.[bridge loan ; interim loan]

【过渡性保障措施】guòdùxìng bǎozhàng cuòshī 経過的セーフガード措置；TSG.[transitional safeguard measures ; TSG]

【过渡银行】guòdù yínháng ブリッジバンク. ❖金融用語.[bridge bank]

【过境签证】guòjìng qiānzhèng トランジットビザ.[transit visa]

【过劳死】guòláosǐ 過労死.

【过牧】guòmù 過度の放牧；牧草地の再生能力を上回る放牧.

【过期提单】guòqī tídān 時期経過船荷証券. ❖金融用語."失效提单 shīxiào tídān"とも.

【过桥贷款】guòqiáo dàikuǎn つなぎ融資；ブリッジローン. ❖金融用語."过渡贷款 guòdù dàikuǎn"とも.[bridge loan ; interim loan]

H

H

【H股】H gǔ H株. ❖金融用語.香港証券取引所に上場している中国本土企業の株式.[H stock]

【H股市场】H gǔ shìchǎng H株市場. ❖金融用語.中国本土企業が上場している香港の株式市場.[H stock market]

【HA】HA ホームオートメーション;HA. ❖中国語では"家庭自动化 jiātíng zìdònghuà".[home automation;HA]

【HDTV】HDTV ハイビジョンテレビ;高精細テレビ;高品位テレビ;HDTV. ❖中国語では"高清晰度电视 gāoqīngxīdù diànshì".[high-definition television;HDTV]

【HSK】HSK HSK. ❖中国語を母語としない人のための中国語能力認定試験.中国語では"汉语水平考试 Hànyǔ Shuǐpíng Kǎoshì".[HSK]

hā

【哈博罗内】Hābóluónèi ハボローネ. ❖ボツワナの首都.[Gaborone]

【哈勃太空望远镜】Hābó Tàikōng Wàngyuǎnjìng ハッブル宇宙望遠鏡;HST.[Hubble Space Telescope;HST]

【哈德尔】Hādé'ěr ハトラ. ◉世界文化遺産(イラク).[Hatra]

【哈德良长城】Hādéliáng Chángchéng ハドリアヌスの長城. ◉世界文化遺産(イギリス).[Hadrian's Wall]

【哈德森】Hādésēn ハドソン. ❖日本のゲームソフトメーカー.[Hudson]

【哈尔滨】Hā'ěrbīn ハルビン. ❖"黑龙江省 Hēilóngjiāng Shěng"の省都.略称は"哈Hā".

【哈尔滨啤酒】Hā'ěrbīn Píjiǔ ハルビンビール. ❖中国の飲料メーカー,また同社製のビール名.[Harbin Beer]

《哈尔的移动城堡》Hā'ěr de Yídòng Chéngbǎo 「ハウルの動く城」. ❖イギリスの小説を原作にした,日本アニメのタイトル.[Howl's Moving Castle]

【哈尔·萨夫列尼地下宫殿】Hā'ěr Sāfūliènī Dìxià Gōngdiàn ハル・サフリエニ地下墳墓. ◉世界文化遺産(マルタ).[Hal Saflieni Hypogeum]

【哈尔施塔特·达赫施泰因·萨尔茨卡默古特文化景观】Hā'ěrshītǎtè Dáhèshītàiyīn Sà'ěrcíkǎmògǔtè Wénhuà Jǐngguān ハルシュタット・ダッハシュタイン・ザルツカンマーグートの文化的景観. ◉世界文化遺産(オーストリア).[Hallstatt-Dachstein Salzkammergut Cultural Landscape]

【哈佛大学】Hāfó Dàxué ハーバード大学. ❖アメリカ・マサチューセッツ州にある大学.アイビーリーグの1つ.[Harvard University]

【哈格帕特修道院和萨那欣修道院】Hāgépàtè Xiūdàoyuàn hé Sānàxīn Xiūdàoyuàn ハフパトとサナヒンの修道院群. ◉世界文化遺産(アルメニア).[Monasteries of Haghpat and Sanahin]

【哈根达斯】Hāgēndásī ハーゲンダッツ. ❖アメリカのアイスクリームメーカー.[Häagen-Dazs]

【哈韩族】hāHánzú 韓国の現代文化が好きな人たち;熱烈な韓国ファン;韓国フリーク;韓国おたく.

【哈拉雷】Hālālěi ハラレ. ❖ジンバブエの首都.[Harare]

【哈雷·戴维森摩托车】Hāléi Dàiwéisēn Mótuōchē ハーレーダビッドソン. ❖アメリカのオートバイメーカー,また同社製のオ

hā — hǎi

ートバイ.[Harley-Davidson]

【哈里森・福特】Hālǐsēn Fútè ハリソン・フォード. ❖アメリカ出身の男優.[Harrison Ford]

【哈里斯堡】Hālǐsībǎo ハリスバーグ. ❖アメリカ・ペンシルバニア州都.[Harrisburg]

【哈利佰頓】Hālìbǎidùn ハリバートン. ❖アメリカの石油エネルギー会社.[Halliburton]

【哈利・波特】Hālì Bōtè ハリー・ポッター. ❖イギリスの小説のシリーズ名,またその主人公名.[Harry Potter]

【哈利法克斯】Hālìfǎkèsī ハリファクス. ❖カナダの都市名.サミット開催地の1つ.[Halifax]

【哈马斯】Hāmǎsī ハマス. ❖パレスチナ人によるイスラム抵抗運動組織.イスラエルに対して武装闘争を展開."伊斯兰抵抗运动 Yīsīlán Dǐkàng Yùndòng"とも.[Hamas]

【哈美族】hāMěizú アメリカの現代文化が好きな人たち;熱烈なアメリカファン;アメリカフリーク;アメリカおたく.

【哈日族】hāRìzú 日本の現代文化が好きな人たち;熱烈な日本ファン;日本フリーク;日本おたく.

【哈萨克斯坦共和国】Hāsàkèsītǎn Gònghéguó カザフスタン共和国;カザフスタン.[Republic of Kazakhstan;Kazakhstan]

【哈苏】Hāsū ハッセルブラッド. ❖スウェーデンのカメラメーカー.[Hasselblad]

【哈特福德】Hātèfúdé ハートフォード. ❖アメリカ・コネティカット州都.[Hartford]

【哈特福德金融服务】Hātèfúdé Jīnróng Fúwù ザ・ハートフォード・ファイナンシャル・サービシズ. ❖アメリカの保険,金融グループ.[Hartford Financial Services]

【哈图沙】Hātúshā ハットゥシャ;ハットゥサ. ●世界文化遺産(トルコ)."汉梯沙 Hàntīshā"とも.[Hattusha]

【哈瓦那】Hāwǎnà ハバナ. ❖キューバの首都.[Havana]

【哈瓦那旧城及其工事体系】Hāwǎnà Jiùchéng jí Qí Gōngshì Tǐxì オールド・ハバナとその要塞群. ●世界文化遺産(キューバ).[Old Havana and its Fortifications]

hái

【孩子王】háiziwáng ガキ大将.

hǎi

【海岛】Hǎidǎo シーアイランド. ❖アメリカの都市名.サミット開催地の1つ.[Sea Island]

【海底电缆】hǎidǐ diànlǎn 海底ケーブル.[submarine cable]

【海底隧道】hǎidǐ suìdào 海底トンネル. ❖略称は"海隧 hǎisuì".[undersea tunnel;chunnel]

《海底总动员》Hǎidǐ Zǒngdòngyuán 「ファインディング・ニモ」. ❖アメリカ映画のタイトル.[Finding Nemo]

【海地共和国】Hǎidì Gònghéguó ハイチ共和国;ハイチ.[Republic of Haiti;Haiti]

【海尔】Hǎi'ěr ハイアール. ❖中国の家電メーカー.[Haier]

【海飞丝】Hǎifēisī ヘッド & ショルダーズ. ❖ P&G (米)製のシャンプー名.[Head& Shoulders]

【海关发票】hǎiguān fāpiào 税関送り状.

【海归派】hǎiguīpài 海外留学帰国組.

【海龟派】hǎiguīpài 海外留学帰国組.

【海归族】hǎiguīzú 海外留学帰国組.

【海龟族】hǎiguīzú 海外留学帰国組.

【海基会】Hǎijīhuì 海峡交流基金会. ❖"海峡交流基金会 Hǎixiá Jiāoliú Jījīnhuì"の略.[Straits Exchange Foundation;SEF]

【海姐】hǎijiě 女性船員.

【海警】hǎijǐng 海上警察. ❖"海上警察 hǎishàng jǐngchá"の略.

【海口】Hǎikǒu 海口. ❖"海南省 Hǎinán

Shěng"の省都.別称は"椰城 Yēchéng".

【海量存储】hǎiliàng cúnchǔ 大容量メモリー.❖IT用語."大容量存储 dàróngliàng cúnchǔ"とも.[high-capacity memory]

【海伦娜】Hǎilúnnà ヘレナ.❖アメリカ・モンタナ州都.[Helena]

【海洛因】hǎiluòyīn ヘロイン.[heroin]

【海南省】Hǎinán Shěng 海南省.❖中国の省の1つ.別称は"琼 Qióng".省都は"海口 Hǎikǒu".

【海派】Hǎipài ①上海流;上海風.②上海派.❖②流行の最先端を行く若者.

【海撒】hǎisǎ 海洋散骨.❖海へ散骨すること.

【海上警察】hǎishàng jǐngchá 海上警察.❖略称は"海警 hǎijǐng".

【海神诺富特大酒店】Hǎishén Nuòfùtè Dàjiǔdiàn ノボテルアトランティス上海.❖中国・上海にあるホテル.[Novotel Atlantis Shanghai]

【海狮】Hǎishī ハイエース.❖トヨタ(日本)製の車名.[Hiace]

【海水入侵】hǎishuǐ rùqīn ①塩水侵入.②海水浸水.

【海外兵团】hǎiwài bīngtuán 国外に出たスポーツ選手たち.

【海湾战争】Hǎiwān Zhànzhēng 湾岸戦争.[Gulf War]

【海峡交流基金会】Hǎixiá Jiāoliú Jījīnhuì 海峡交流基金会.❖中台両岸関係の台湾側交流窓口.略称は"海基会 Hǎijīhuì".[Straits Exchange Foundation;SEF]

【海峡两岸关系协会】Hǎixiá Liǎng'àn Guānxì Xiéhuì 海峡両岸関係協会.❖中台両岸関係の中国側交流窓口.略称は"海协 Hǎixié""海协会 Hǎixiéhuì".[Association for Relations Across the Taiwan Straits;ARATS]

【海协会】Hǎixiéhuì 海峡両岸関係協会.❖"海峡两岸关系协会 Hǎixiá Liǎng'àn Guānxì Xiéhuì"の略."海协 Hǎixié"と

も.[Association for Relations Across the Taiwan Straits;ARATS]

【海选】hǎixuǎn 有権者が候補者を指名して行う直接選挙.

【海洋国土】hǎiyáng guótǔ 中国領土に属する海と島.

【海因】Hǎiyīn ハイン.❖トーマス・ハイン(仏)製のコニャック."御鹿 Yùlù"とも.[Hine]

【海印寺及八万大藏经藏经处】Hǎiyìn Sì jí Bāwàn Dàzàng Jīng Cángjīngchù ヘインサ(海印寺)の八万大蔵経版木収蔵庫.●世界文化遺産(韓国).[Haeinsa Temple Janggyeong Panjeon, the Depositories for the Tripitaka Koreana Woodblocks]

【海运提单】hǎiyùn tídān 船荷証券;B/L〈ビーエル〉.❖金融用語."提单 tídān"とも.[bill of lading;B/L]

hài

【骇客】hàikè クラッカー;ハッカー.❖IT用語.コンピューターに侵入してシステムやデータの破壊などを行う者."黑客 hēikè""入侵者 rùqīnzhě"とも.[cracker;hacker]

hán

【韩国】Hánguó 韓国;大韓民国.❖"大韩民国 Dàhán Mínguó"の略.[Republic of Korea;ROK;South Korea]

【韩国产业银行】Hánguó Chǎnyè Yínháng 韩国産業銀行.❖韓国の銀行.[Korea Development Bank;KDB]

【(韩国)第一银行】(Hánguó) Dì-yī Yínháng 第一銀行.❖韓国の銀行(スタンダード・チャータード傘下).[Korea First Bank]

【韩国电力公社】Hánguó Diànlì Gōngshè 韩国電力公社;KEPCO.❖韓国の電力会

hán — háng

社.[Korea Electric Power]

【韩国电信】Hánguó Diànxìn 韓国テレコム；KT. ❖韓国の通信会社.[Korea Telecom；KT]

【韩国广播电视台】Hánguó Guǎngbō Diànshìtái 韓国放送公社；KBS. ❖韓国の放送局.[Korea Broadcasting System；KBS]

【(韩国)国民银行】(Hánguó) Guómín Yínháng 国民银行；KB. ❖韓国の銀行.[Kookmin Bank]

【韩国外换银行】Hánguó Wàihuàn Yínháng 韩国外换银行. ❖韓国の銀行.[Korea Exchange Bank；KEB]

【韩华集团】Hánhuá Jítuán ハンファグループ. ❖韓国の石油化学企業,財閥.[Hanwha]

【含金量】hánjīnliàng ①金の含有率. ②価値；実質的な価値.

【韩流】Hánliú 「韓流〈ハンリュウ〉」；韓国ブーム.

【寒露】hánlù 〔二十四節気の〕寒露〈かんろ〉.

【含认股权证】hánrèn gǔquánzhèng カムワラント. ❖金融用語.ワラントに社債が付いていること.[cum-warrant]

【函售】hánshòu 通信販売；通販. ❖"邮购 yóugòu"とも.

【韩星】Hánxīng 韓国のスター.[Korean star]

【韩亚航空】Hányà Hángkōng アシアナ航空. ❖韓国の航空会社.コード：OZ.[Asiana Airlines]

【韩元】Hányuán ウォン. ❖韓国の通貨単位.コード：KRW.[won]

【函诊】hánzhěn 〔電話や電子メールなどによる〕遠隔診察. ❖IT用語.

hǎn

【喊价】hǎnjià 呼び値. ❖金融用語.

hàn

【汉堡包】hànbǎobāo ハンバーガー.[hamburger]

【汉堡王】Hànbǎowáng バーガーキング. ❖アメリカのファーストフードチェーン.[Burger King]

【汉城】Hànchéng ソウル. ❖韓国の首都."首尔 Shǒu'ěr"とも.[Seoul]

【旱地滑雪场】hàndì huáxuěchǎng 人工スキー場.

【汉高】Hàngāo ヘンケル. ❖ドイツの日用品,化学品メーカー.[Henkel]

【汉江】Hàn Jiāng ①漢江〈かんこう〉. ②ハンガン(漢江). ❖①中国を流れる川. ②朝鮮半島を流れる川.[the Han River；the Han]

【焊接机】hànjiējī 溶接機.

【汉萨同盟城市维斯比】Hànsà Tóngméng Chéngshì Wéisībǐ ハンザ同盟都市ヴィスビー. ●世界文化遺産(スウェーデン).[Hanseatic Town of Visby]

【汉莎航空】Hànshā Hángkōng ルフトハンザ・ドイツ航空. ❖ドイツの航空会社.コード：LH."德国汉莎航空 Déguó Hànshā Hángkōng"とも.[Lufthansa German Airlines]

【汉语水平考试】Hànyǔ Shuǐpíng Kǎoshì HSK. ❖中国語を母語としない人のための中国語能力認定試験.[HSK]

【汉字处理软件】Hànzì chǔlǐ ruǎnjiàn 漢字処理ソフト.

háng

【航班号】hángbānhào フライトナンバー.[flight number]

【行风】hángfēng 業界の傾向；業界の習慣.

【航空港】hángkōnggǎng 空港. ❖略称は"空港 kōnggǎng".[airport]

【航空航天部队】hángkōng hángtiān bùduì 航空宇宙部隊.

【航空母舰】hángkōng mǔjiàn 航空母艦. ❖略称は"航母 hángmǔ".

【航空摄影】hángkōng shèyǐng 航空撮影；空中撮影；空撮；航空写真. ❖略称は"航摄 hángshè".

【航空枢纽港】hángkōng shūniǔgǎng ハブ空港；拠点大型空港. ❖"枢纽机场 shūniǔ jīchǎng"とも. [hub airport]

【航空提单】hángkōng tídān エアウェイビル；航空貨物運送状. ❖受託荷物発送のため,航空会社と荷送人との間で交わされる証明書."空运提单 kōngyùn tídān"とも. [air waybill；AWB]

【航母】hángmǔ ①航空母艦. ②規模,実力を備えた企業および企業グループ. ❖①"航空母舰 hángkōng mǔjiàn"の略.

【行情】hángqíng ①市況；相場. ②気配. ❖金融用語.

【行情看跌】hángqíng kàndiē 弱気配〈よわけはい〉. ❖金融用語.

【航摄】hángshè 航空撮影；空中撮影；空撮；航空写真. ❖"航空摄影 hángkōng shèyǐng"の略.

【行市】hángshì 気配〈けはい〉. ❖金融用語. 株式市場における相場の動き.

【航天飞机】hángtiān fēijī スペースシャトル. ❖"太空梭 tàikōngsuō"とも. [space shuttle]

【航天服】hángtiānfú 宇宙服. ❖"太空服 tàikōngfú""宇航服 yǔhángfú""宇宙服 yǔzhòufú"とも.

【航天科技国际集团】Hángtiān Kējì Guójì Jítuán 航天科技国际集团；チャイナ・エアロスペース・インターナショナル・ホールディングス. ❖電子機器メーカー.レッドチップ企業の1つ. [China Aerospace International Holdings]

【航天科技通信】Hángtiān Kējì Tōngxìn 航天科技通信；CASIL〈カシル〉テレコミュニケーションズ・ホールディングス. ❖IT関連製品メーカー,不動産投資会社.レッドチップ企業の1つ. [CASIL Telecommunications Holdings]

【航天器】hángtiānqì 宇宙船.

【航天食品】hángtiān shípǐn 宇宙食.

【行业标准】hángyè biāozhǔn 事実上の標準；業界標準；デファクトスタンダード. ❖IT用語. [de facto standard]

【杭州】Hángzhōu 杭州〈こうしゅう〉. ❖"浙江省 Zhèjiāng Shěng"の省都.略称は"杭 Háng".

háo

【豪赌】háodǔ 賭博に大金をつぎ込む.

【豪华吊灯】háohuá diàodēng シャンデリア. [chandelier]

【豪华轿车】háohuá jiàochē 高級車；デラックスセダン. [deluxe sedan]

【豪景大饭店】Háojǐng Dàfàndiàn ビューホテル. ❖ビューホテルグループ(日本)のホテルブランド. [View Hotels]

【豪利时】Háolìshí オリス. ❖スイスの時計メーカー. [Oris]

【豪勋爵岛】Háoxūnjué Dǎo ロード・ハウ島群. ●世界自然遺産(オーストラリア). [Lord Howe Island Group]

【豪雅】Háoyǎ HOYA. ❖日本の光学機器メーカー. [HOYA]

【豪雅表】Háoyǎbiǎo タグ・ホイヤー. ❖LVMHグループ(仏)の時計ブランド. [TAG Heuer]

【豪宅】háozhái 豪邸.

hǎo

【好彩】Hǎocǎi ラッキーストライク. ❖ブリティッシュ・アメリカン・タバコ(英)製のタバコ. [Lucky Strike]

【好处费】hǎochùfèi リベート；賄賂；手数

hǎo — hé

料；仲手料．❖"辛苦费 xīnkǔfèi""操心费 cāoxīnfèi"とも．[rake-off]

【好莱坞】Hǎoláiwù ハリウッド．❖アメリカ・カリフォルニア州ロサンゼルスの,映画産業中心地として知られる地区名．[Hollywood]

【好莱坞大片】Hǎoláiwù dàpiàn ハリウッド映画．ハリウッド大作映画．

【好利获得】Hǎolìhuòdé オリベッティ．❖イタリアの情報通信機器メーカー．[Olivetti]

【好时】Hǎoshí Hershey's〈ハーシーズ〉．❖ハーシー(米)製のチョコレート菓子ブランド．[Hershey's]

【好事达保险】Hǎoshìdá Bǎoxiǎn オールステート損害保険．❖アメリカの損害保険会社．[Allstate]

hào

【耗材】hàocái 消耗品；消耗材．

【耗电大户】hàodiàn dàhù ①大口電力需要家．②消費電力の多い家電製品．

【号码可携带】hàomǎ kěxiédài ナンバーポータビリティー．❖IT用語．"换机不换号 huànjī bùhuànhào"とも．[Number Portability；NP]

hē

【喝酒上瘾】hējiǔ shàngyǐn アルコール中毒；アルコール依存．[alcoholism]

hé

【河北省】Héběi Shěng 河北省．❖中国の省の1つ．別称は"冀 Jì"．省都は"石家庄 Shíjiāzhuāng"．

【合并】hébìng ①合併(する)；合わせる．②〔病気を〕併発する．③マージ(する)．❖③IT用語．[③merge]

【合并财务报表】hébìng cáiwù bàobiǎo 連結財務諸表．

【合并决算】hébìng juésuàn 連結決算．

【合并与收购】hébìng yǔ shōugòu 合併と買収；M&A．❖"并购 bìnggòu""购并 gòubìng""兼并收购 jiānbìng shōugòu""企业并购 qǐyè bìnggòu"とも．[merger and acquisition；M&A]

【核磁共振】hécí gòngzhèn ①核磁気共鳴；NMR．②磁気共鳴画像診断．[①nuclear magnetic resonance；NMR]

【核冻结】hédòngjié 核凍結．

【核反应堆】héfǎnyìngduī 原子炉．

【合肥】Héféi 合肥．❖"安徽省 Ānhuī Shěng"の省都．

【和歌山市】Hégēshān Shì 和歌山〈わかやま〉市．❖和歌山〈わかやま〉県("和歌山县 Hégēshān Xiàn")の県庁所在地．

【和歌山县】Hégēshān Xiàn 和歌山〈わかやま〉県．❖日本の都道府県の1つ．県庁所在地は和歌山〈わかやま〉市("和歌山市 Hégēshān Shì")．

【合格境内机构投资者】hégé jìngnèi jīgòu tóuzīzhě QDII〈キューディーアイアイ〉；適格国内機投資家；指定国内機関投資家．❖金融用語．[qualified domestic institutional investors；QDII]

【合格境外机构投资者】hégé jìngwài jīgòu tóuzīzhě QFII〈キューエフアイアイ〉；適格海外機投資家；指定海外機関投資家．❖金融用語．[qualified foreign institutional investors；QFII]

【合格品】hégépǐn 良品．

【河合乐器】Héhé Yuèqì 河合楽器；カワイ．❖河合楽器製作所(日本)のブランド．[Kawai]

【合伙企业】héhuǒ qǐyè パートナーシップ企業．

【合辑唱片】héjí chàngpiàn コンピレーションアルバム；オムニバス盤．[compilation album]

hé

【和记电讯】Héjì Diànxùn ハチソン・テレコム．❖香港の移動体通信会社．[Hutchison Telecom]

【和记黄埔】Héjì Huángpǔ ハチソン・ワンポア．❖香港の複合企業体．[Hutchison Whampoa]

《合金装备》Héjīn Zhuāngbèi「メタルギア」．❖コナミ（日本）製のゲームのタイトル．[Metal Gear]

【核禁试】héjìnshì 核実験全面禁止．❖"全面禁止核试验 quánmiàn jìnzhǐ héshìyàn"の略．[comprehensive nuclear-test-ban]

【核聚变】héjùbiàn 核融合．

【核军火库】héjūnhuǒkù 核兵器貯蔵庫．

【核扩散】hékuòsàn 核拡散．

【荷兰国际集团】Hélán Guójì Jítuán INGグループ．❖オランダの複合金融企業体．[ING Group]

【荷兰皇家航空】Hélán Huángjiā Hángkōng KLMオランダ航空．❖オランダの航空会社．コード：KL．[KLM Royal Dutch Airlines]

【荷兰能源化工】Hélán Néngyuán Huàgōng DSM．❖オランダの化学・食品素材メーカー．"皇家帝斯曼 Huángjiā Dìsīmàn"とも．[DSM]

【荷兰王国】Hélán Wángguó オランダ王国；オランダ．[Kingdom of the Netherlands；Netherlands；Holland]

【荷兰银行】Hélán Yínháng ABNアムロ銀行．❖オランダの銀行．[ABN-AMRO Bank]

【合理价格】hélǐ jiàgé 適正価格．

【核裂变】hélièbiàn 核分裂．

【和路雪】Hélùxuě ウォールズ．❖ユニリーバ（英，オランダ）のアイスクリームブランド．[Wall's]

【荷马】Hémǎ ホメーロス；ホメロス；ホーマー．❖古代ギリシャの詩人．[Homer；Homeros〔ギリシャ〕]

【河南省】Hénán Shěng 河南省．❖中国の省の1つ．別称は"豫 Yù".省都は"郑州 Zhèngzhōu".

【河内】Hénèi ハノイ．❖ベトナムの首都．[Hanoi]

【和平谈判】hépíng tánpàn 和平交渉．❖略称は"和谈 hétán".

【荷氏】Héshì ホールズ．❖キャドバリー・シュウェップス（英）製のキャンディー名．[Halls]

【核受体】héshòutǐ 核内レセプター．

【和谈】hétán 和平交渉．❖"和平谈判 hépíng tánpàn"の略．

【核糖体】hétángtǐ リボソーム；リボゾーム．[ribosome]

【合同工】hétonggōng 契約労働者．

【合同金额】hétong jīn'é 契約金額；成約金額；契約ベース．

【核威慑】héwēishè 核抑止力．

【核心技术】héxīn jìshù コア技術；コアテクノロジー．[core technology]

【核心家庭】héxīn jiātíng 核家族．

【核心能力】héxīn nénglì コアコンピテンシー．[core competency]

【核心业务】héxīn yèwù コア業務．[core work]

【荷叶边裙】héyèbiānqún フリルスカート．[frilled skirt]

【合众国际社】Hézhòng Guójìshè ユナイテッド・プレス・インターナショナル；UPI通信．❖アメリカの通信社．[United Press International；UPI]

【合资经营】hézī jīngyíng 合弁経営（する）．

【合资企业】hézī qǐyè 合弁企業．

【合租房屋】hézū fángwū ルームシェア（する）．[roomshare]

【合作】hézuò ①協力（する）；提携（する）．②コラボレーション；コラボ．❖"协作 xiézuò"とも．[collaboration]

【合作工厂】hézuò gōngchǎng 協力工場．

【合作伙伴】hézuò huǒbàn ビジネスパート

ナー.[business partner]

【合作信用社】hézuò xìnyòngshè「合作信用社」. ❖中国における日本の信用組合のような組織.

hè

【赫】hè ヘルツ. ❖音波・電磁波などの周波数,振動数の単位.記号: Hz.[hertz]
【赫德岛和麦克唐纳群岛】Hèdé Dǎo hé Màikètángnà Qúndǎo ハード島とマクドナルド諸島. ●世界自然遺産(オーストラリア).[Heard and McDonald Islands]
【赫尔辛基】Hè'ěrxīnjī ヘルシンキ. ❖フィンランドの首都.[Helsinki]
【贺卡】hèkǎ グリーティングカード.[greeting card]
【赫莲娜】Hèliánnà ヘレナルビンスタイン. ❖ロレアル(仏)の化粧品ブランド.[Helena Rubenstein]
【贺岁片】hèsuìpiàn 正月映画.
【赫兹】Hèzī ハーツ. ❖アメリカのレンタカー会社.[Hertz]

hēi

【黑洞】hēidòng ①ブラックホール. ②密かに違法行為が行われ,取り締まりできない状況.[①black hole]
【黑格尔】Hēigé'ěr〔ゲオルク・ヴィルヘルム・フリードリヒ・〕ヘーゲル. ❖ドイツの哲学者.[Georg Wilhelm Friedrich Hegel]
【黑盒】hēihé ①ブラックボックス. ②黒のインクカートリッジ. ❖①は"黑匣子 hēixiázi"とも.[①black box ②black ink cartridge]
【黑金】hēijīn 贈賄などの違法行為に使う金.
【黑卡】hēikǎ ①ブラックカード. ②偽造クレジットカード. ❖①クレジットカードの種類の1つで,プラチナカードよりも格上のカード.[①black card]
【黑客】hēikè ①ハッカー. ②ハッカー;クラッカー. ❖IT用語.①コンピューターに精通し,高い技術を有し,たゆまぬ向上心を持つ人. ②コンピューターに侵入してシステムやデータの破壊などを行う者."骇客 hàikè""入侵者 rùqīnzhě"とも.[①hacker ②hacker; cracker]
《黑客帝国》Hēikè Dìguó「マトリックス」. ❖アメリカ映画のタイトル.[The Matrix]
【黑林】Hēilín ブラックブッシュ. ❖ジ・オールド・ブッシュ・ミルズ・ディスティラリー(アイルランド)製のウイスキー名.[Black Bush]
【黑领】hēilǐng 汚い,きつい,かっこ悪い仕事に携わる人.
【黑龙江省】Hēilóngjiāng Shěng 黒竜江省. ❖中国の省の1つ.略称は"黑 Hēi".省都は"哈尔滨 Hā'ěrbīn".
【黑马】hēimǎ ダークホース.[dark horse]
【黑名单】hēimíngdān ブラックリスト.[blacklist]
【黑品乐】Hēipǐnlè ピノノワール. ❖黒ぶどう品種,またそのぶどうで作られた赤ワイン.[Pinot Noir]
【黑色达卡】Hēisè Dákǎ ドラッカーノアール;ドラッカーノワール. ❖ギ・ラロッシュ(仏)製のフレグランス名.[Drakkar Noir]
【黑色食品】hēisè shípǐn〔体に良いとされる〕黒色食品;色の黒い食品.
【黑色收入】hēisè shōurù〔汚職,窃盗,収賄などの〕非合法な手段で得た収入;違法収入;不正収入.
【黑色星期一】Hēisè Xīngqīyī ブラックマンデー. ❖1987年10月19日月曜日に起こったアメリカ・ニューヨーク株式市場での株価大暴落.[Black Monday]
【黑哨】hēishào 八百長〈やおちょう〉審判. ❖英語のブラックホイッスル'black whistle'から.
【黑社会性质组织】hēishèhuì xìngzhì zǔzhī

マフィア；非合法暴力犯罪組織.
【黑市】hēishì 闇市；闇市場；闇相場；ブラックマーケット.[black market]
【黑体】hēitǐ〔文字フォントの〕太字体. ❖ボールド, ゴシックなどの書体のこと.
【黑头】hēitóu 角栓〈かくせん〉.
【黑匣子】hēixiázi ブラックボックス. ❖"黑盒 hēihé"とも.[black box]
【黑箱操作】hēixiāng cāozuò 裏工作；不透明な処理；不透明なやり方.
【黑心棉】hēixīnmián 廃棄物の綿くずを加工した中入れ綿.
【黑衣法官】hēiyī fǎguān サッカーの審判.
《黑衣人》Hēiyīrén「メン・イン・ブラック」. ❖アメリカ映画のタイトル.[Men in Black]
《黑鹰计划》Hēiyīng Jìhuà「ブラックホーク・ダウン」. ❖アメリカ映画のタイトル.[Black Hawk Down]

hēng

【亨比古迹群】Hēngbǐ Gǔjìqún ハンピの建造物群. ●世界危機遺産（インド）.[Group of Monuments at Hampi]
【亨德森岛】Hēngdésēn Dǎo ヘンダーソン島. ●世界自然遺産（イギリス）.[Henderson Island]
【亨氏】Hēngshì ハインツ. ❖アメリカの食品メーカー.[Heinz]

héng

【恒宝】Héngbǎo ウブロ. ❖スイスの時計メーカー.[Hublot]
【横滨轮胎】Héngbīn Lúntāi ヨコハマタイヤ. ❖横浜ゴム（日本）のタイヤブランド.[Yokohama Tire]
【横滨市】Héngbīn Shì 横浜〈よこはま〉市. ❖神奈川〈かながわ〉県（"神奈川县 Shénnàichuān Xiàn"）の県庁所在地.
【珩床】héngchuáng ホーニング盤.[honing machine]
【横幅广告】héngfú guǎnggào バナー広告. ❖IT用語.ウェブページ上に画像として設置される,通常細長い広告."广告条 guǎnggàotiáo""旗帜广告 qízhì guǎnggào"とも.[banner advertising]
【恒生银行】Héngshēng Yínháng ハンセン・バンク. ❖香港の銀行.[Hang Seng Bank]
【恒生指数】Héngshēng zhǐshù ハンセン指数. ❖金融用語.香港の株価指数.上場企業主要33社から算出されている.[Hang Seng Index；HSI]
【横线支票】héngxiàn zhīpiào 線引小切手；横線〈おうせん〉小切手. ❖金融用語."划线支票 huàxiàn zhīpiào"とも.
【横向联合】héngxiàng liánhé 水平統合.

hōng

【烘焙茶】hōngbèichá ほうじ茶.

hóng

【红白歌唱大赛】Hóng Bái Gēchàng Dàsài 紅白歌合戦.
【红白喜事】hóngbái xǐshì 冠婚葬祭.
【红宝石婚】hóngbǎoshíhūn ルビー婚式. ❖40年目の結婚記念日.[ruby wedding]
【宏病毒】hóngbìngdú マクロウイルス. ❖IT用語.[macro virus]
【红筹股】hóngchóugǔ レッドチップ. ❖金融用語.香港証券取引所に上場している,中国資本が35パーセント以上の株式.[Red Chips]
【红道】hóngdào 役人への道.
【红顶商人】hóngdǐng shāngrén 企業経営と党や政府機関の要職を兼務する人.
【洪都拉斯共和国】Hóngdūlāsī Gònghéguó ホンジュラス共和国；ホンジュラス.[Republic of Honduras；Honduras]

hóng — hòu

《红发少女安妮》Hóngfà Shàonǚ Ānnī「赤毛のアン」. ❖カナダの小説を原作にした,日本アニメのタイトル.[Anne of Green Gables]

《红高粱》Hónggāoliang「紅いコーリャン」. ❖中国映画のタイトル.[Red Sorghum]

【宏观经济】hóngguān jīngjì マクロ経済.[macro economy]

【宏观决策】hóngguān juécè マクロ政策決定.

【宏观调控】hóngguān tiáokòng マクロコントロール;マクロ調整.[macrocontrol]

【红客】hóngkè「レッドハッカー」;愛国心の強いハッカー;政治色の強いハッカー.

【红利】hónglì ①配当. ②賞与;ボーナス;特別手当. ❖①金融用語."股利 gǔlì"とも.[②bonus]

【宏利金融集团】Hónglì Jīnróng Jítuán マニュライフ・ファイナンシャル. ❖カナダの金融サービスグループ.[Manulife Financial]

《红菱艳》Hónglíngyàn「赤い靴」. ❖イギリス映画のタイトル.[The Red Shoes]

【红马甲】hóngmǎjiǎ ①赤いベスト;赤いチョッキ. ②〔証券取引所の〕立会人. ❖金融用語.赤いベストを着用している香港,深圳,上海などの証券取引所の立会人.

【红帽子】Hóngmàozi レッドハット. ❖アメリカのIT会社,また同社製のソフト名.[Red Hat]

《红磨坊》Hóngmófáng「ムーラン・ルージュ」. ❖アメリカ映画のタイトル.[Moulin Rouge]

【红牌】hóngpái ①レッドカード. ②〔重大な規則違反行為に対する〕処分命令. ❖①サッカーの試合で審判が選手に退場を命じるときに示す赤いカード.[red card]

【红牌伏特加】Hóngpái Fútèjiā ストリチナヤ・ウォッカ. ❖サユーズプロドインポルト(ロシア)製のウォッカ.[Stolichnaya Vodka]

【宏棋电脑】Hóngqí Diànnǎo エイサー. ❖台湾のコンピューターメーカー.[Acer]

【虹桥国际机场】Hóngqiáo Guójì Jīchǎng 虹橋国際空港. ❖中国・上海にある空港.[Hongqiao International Airport]

【红色罚款单】hóngsè fákuǎndān 赤い罰金請求書. ❖結婚披露宴の招待状のこと.一般に赤い紙に印刷されており,祝儀などの出費が伴うため,このように称される.

【红色困扰】hóngsè kùnrǎo ブルーデー;女性の生理日.

【红色网站】hóngsè wǎngzhàn 中国共産党の思想政治教育サイト.

【洪森】Hóng Sēn フン・セン. ❖カンボジアの政治家.[Hun Sen]

【红杉国家公园】Hóngshān Guójiā Gōngyuán レッドウッド国立公園. ●世界自然遺産(アメリカ).[Redwood National Park]

【红外接口】hóngwài jiēkǒu 赤外線ポート. ❖IT用語.[infrared communication port]

【宏伟计划】hóngwěi jìhuà グランドデザイン;全体構想.[grand design]

《红星报》Hóngxīng Bào「赤い星」. ❖ロシア国防省機関紙.[Red Star]

【红眼航班】hóngyǎn hángbān 夜間フライト.[red eye flight;night flight]

【宏指令】hóngzhǐlìng マクロ. ❖IT用語.[macro]

《红猪》Hóngzhū「紅《くれない》の豚」. ❖日本アニメのタイトル.[Porco Rosso]

hòu

【厚黑】hòuhēi 役人世界の処世術.

【候机大楼】hòujī dàlóu〔空港の〕ターミナルビル.[terminal building]

【候机厅】hòujītīng 空港ロビー.[waiting room]

【后进的发展中国家】hòujìn de fāzhǎnzhōng guójiā 後発発展途上国；最貧国.[least less-developed countries；LLDC]

【后门】hòumén ①裏口；勝手口. ②コネ. ③バックドア. ❖③IT用語.[③backdoor]

【后盘】hòupán 後場〈ごば〉. ❖金融用語."后市 hòushì""午盘 wǔpán"とも.

【后配股】hòupèigǔ 後配〈こうはい〉株；劣後〈れつご〉株. ❖金融用語.権利関係において,普通株より劣後的な扱いをされる株.

【后市】hòushì 後場〈ごば〉. ❖金融用語."后盘 hòupán""午盘 wǔpán"とも.

【后台处理】hòutái chǔlǐ バックグラウンド処理. ❖IT用語.[background processing]

【后台打印】hòutái dǎyìn バックグラウンド印刷. ❖IT用語.[background printing]

《后天》Hòutiān「デイ・アフター・トゥモロー」. ❖アメリカ映画のタイトル.[The Day After Tomorrow]

【后卫】hòuwèi 〔サッカーやバスケットボールなどの〕ディフェンダー；DF；フルバック；FB.[defender；fullback]

【后味】hòuwèi ラストノート. ❖香水をつけて,最後まで残る香り.[last note]

【后现代】hòuxiàndài ポストモダン.[post modern]

【后现代主义】hòuxiàndài zhǔyì ポストモダニズム.[post modernism]

【候选城市】hòuxuǎn chéngshì 候補地；候補都市.

【后缀名】hòuzhuìmíng 拡張子〈かくちょうし〉. ❖IT用語."扩展名 kuòzhǎnmíng"とも.[extension]

hū

【呼和浩特】Hūhéhàotè フフホト. ❖"内蒙古自治区 Nèiměnggǔ Zìzhìqū"(中国)の区都.略称は"呼 Hū".

【呼叫中心】hūjiào zhōngxīn コールセンター.[call center]

【呼叫转移】hūjiào zhuǎnyí〔電話の〕着信転送.

【呼拉圏】hūlāquān フラフープ.[hula hoop]

hú

【湖北省】Húběi Shěng 湖北省. ❖中国の省の1つ.別称は"鄂 È".省都は"武汉 Wǔhàn".

【蝴蝶夫人】Húdié Fūrén ミツコ. ❖ゲラン(仏)製のフレグランス名.[Mitsouko]

【胡里奥】Húlǐ'ào フリオ〔・イグレシアス〕. ❖スペインの歌手.[Julio Iglesias]

【湖南省】Húnán Shěng 湖南省. ❖中国の省の1つ.別称は"湘 Xiāng".省都は"长沙 Chángshā".

【湖人队】Húréndùi ロサンゼルス・レイカース；レイカース. ❖アメリカのバスケットボールチーム.[Los Angeles Lakers；LA Lakers；Lakers]

hǔ

【虎牌啤酒】Hǔpái Píjiǔ タイガービール. ❖アジア・パシフィック・ブルワリーズ(シンガポール)製のビール名.[Tiger Beer]

hù

【护唇】hùchún リップケア.[lip care]

【互动】hùdòng ①インタラクティブ；相互作用. ②共に参加し,相互に影響を受ける.[①interactive]

【互动广告】hùdòng guǎnggào 双方向広告；インタラクティブ広告.[interactive advertising]

【互动市场营销】hùdòng shìchǎng yíngxiāo インタラクティブマーケティング.[interactive marketing]

hù — huā

【互动演示】hùdòng yǎnshì インタラクティブデモンストレーション. ❖IT用語.[interactive demonstration]

【护发素】hùfàsù ヘアコンディショナー；ヘアリンス；ヘアトリートメント.[conditioner ; treatment]

【护发用品】hùfà yòngpǐn ヘアケア商品.[haircare products]

【护肤品】hùfūpǐn スキンケア用品.[skincare products]

【护工】hùgōng 看護助手；看護ヘルパー.

【互购】hùgòu カウンターパーチェス；見返り輸入.[counter purchase ; CP]

【互惠基金】hùhuì jījīn ミューチュアルファンド；投資信託. ❖金融用語.複数の投資家の資金を共同で運用する投資信託の一種."共同基金 gòngtóng jījīn"とも.[mutual fund]

【互惠信贷成本】hùhuì xìndài chéngběn スワップコスト. ❖金融用語."掉期费用 diàoqī fèiyong""外汇掉期费用 wàihuì diàoqī fèiyong"とも.[swap cost]

【互惠信贷交易】hùhuì xìndài jiāoyì スワップ取引. ❖金融用語."掉期交易 diàoqī jiāoyì"とも.[swap transaction]

【户籍改革】hùjí gǎigé「戸籍改革」. ❖中国における戸籍制度改革.

【护理保险】hùlǐ bǎoxiǎn 介護保険. ❖"患病老人护理保险 huànbìng lǎorén hùlǐ bǎoxiǎn"とも.

【护理床】hùlǐ chuáng 介護ベッド；介護用ベッド.

【护理假】hùlǐjià〔主として男性の〕育児休暇.

【互联网】hùliánwǎng インターネット；ネット. ❖IT用語."网际网 wǎngjìwǎng""网络 wǎngluò""因特网 yīntèwǎng"とも.[Internet ; the Net]

【互联网服务供应商】hùliánwǎng fúwù gōngyìngshāng インターネットプロバイダー；アクセスプロバイダー；プロバイダー；ISP. ❖IT用語."网络服务商 wǎngluò fúwùshāng""网络服务提供者 wǎngluò fúwù tígōngzhě""网络运营商 wǎngluò yùnyíngshāng""因特网服务提供商 yīntèwǎng fúwù tígōngshāng"とも.[internet service provider ; ISP]

【护绿】hùlǜ 緑化の保全.

【护身法宝】hùshēn fǎbǎo お守り.

【护手霜】hùshǒushuāng ハンドクリーム.[hand cream]

【护舒宝】Hùshūbǎo ウィスパー. ❖ P&G(米)製の生理用品名.[Whisper]

【护送舰队】hùsòng jiànduì 護送船団.

【互通式立交桥】hùtōngshì lìjiāoqiáo〔高速道路の〕インターチェンジ.[interchange]

【户型】hùxíng 間取り；部屋のタイプ. ❖"房型 fángxíng"とも.

【护翼卫生巾】hùyì wèishēngjīn 羽付きナプキン.[sanitary pad(napkin) with wings]

【互赢】hùyíng 共に利益を得る(こと).

huā

【花边婚】huābiānhūn レース婚式. ❖13年目の結婚記念日.

【花草水语】Huācǎo Shuǐyǔ アクア・アレゴリア. ❖ゲラン(仏)製のフレグランス名.[Aqua Allegoria]

【花粉过敏症】huāfěn guòmǐnzhèng 花粉症. ❖"花粉症 huāfěnzhèng"とも.

【花粉症】huāfěnzhèng 花粉症. ❖"花粉过敏症 huāfěn guòmǐnzhèng"とも.

【花冠】Huāguān カローラ. ❖トヨタ(日本)製の車名.[Corolla]

《花花公子》Huāhuāgōngzǐ「プレイボーイ」. ❖アメリカの男性誌.[Playboy]

【花婚】huāhūn 花婚式. ❖ 4 年目の結婚記念日.7年目という説もある.

【花季】huājì 青春期. ❖特に15〜18歳.

【花瓶】huāpíng ①花瓶.②美しいだけで

演技力のない女優.

【花旗银行】Huāqí Yínháng シティバンク. ❖アメリカの銀行.[Citibank]

【花式调酒】huāshì tiáojiǔ フレアバーテンディング.[flair bartending]

【花王】Huāwáng 花王. ❖日本の日用品,化粧品メーカー.[Kao]

《花仙子》Huāxiānzi 「花の子ルンルン」. ❖日本アニメのタイトル.

【花心】huāxīn 浮気な;節操がない;気の多い.

【花心丈夫】huāxīn zhàngfu 浮気な夫.

《花样年华》Huāyàng Niánhuá 「花様年華〈かようねんか〉」. ❖香港映画のタイトル.[In the Mood for Love]

【花中花】Huāzhōnghuā フルールドフルール. ❖ニナ・リッチ(仏)製のフレグランス名.[Fleurs de fleurs]

huá

【滑板车】Huábǎnchē キックボード. ❖'Kickboard'はK2(米)の商標.スティックボード,スクーターなどとも称される.[Kickboard]

【华表奖】Huábiǎo Jiǎng 華表賞. ❖中国の映画賞.

【滑草】huácǎo グラススキー.[grass skiing]

【华晨中国汽车控股】Huáchén Zhōngguó Qìchē Kònggǔ 華晨中国汽車控股;ブリリアンス・チャイナ・オートモーティブ ホールディングス. ❖自動車メーカー.レッドチップ企業の1つ.[Brilliance China Automotive Holdings]

【华尔街】Huá'ěr Jiē ウォール街. ❖アメリカ・ニューヨーク市にある街区.世界の金融中心地.[Wall Street]

《华尔街日报》Huá'ěrjiē Rìbào 「ウォール・ストリート・ジャーナル」. ❖アメリカの経済紙.[The Wall Street Journal]

【华歌尔】Huágē'ěr ワコール. ❖日本の下着メーカー.[Wacoal]

【划卡】huákǎ カードショッピング;カード利用.

【滑垒】huálěi スライディング.[sliding]

【华凌集团】Huálíng Jítuán 華凌集団;ファリン・ホールディングス. ❖家電メーカー.レッドチップ企業の1つ.[Hualing Holdings]

【华伦天奴】Huálúntiānnú ヴァレンティノ. ❖イタリアのファッションメーカー,ブランド.[Valentino]

【华纳兄弟】Huánà Xiōngdì ワーナー・ブラザーズ. ❖アメリカの映画配給会社.[Warner Brothers]

【滑坡】huápō ①地すべり;山崩れ. ②下降する(こと);下落する(こと);ダウンする(こと).

【华侨银行】Huáqiáo Yínháng 華僑銀行;オーバーシー・チャイニーズ銀行;OCBC. ❖シンガポールの銀行.[OCBC Bank]

【华润创业】Huárùn Chuàngyè 華潤創業;チャイナ・リソーシズ・エンタープライズ. ❖不動産投資,食品製造などを主とした複合企業.レッドチップ企業の1つ.[China Resources Enterprise]

【华润电力控股】Huárùn Diànlì Kònggǔ 華潤電力控股;チャイナ・リソーシズ・パワーホールディングス. ❖電力会社.レッドチップ企業の1つ.[China Resources Power Holdings]

【华润励致】Huárùn Lìzhì 華潤励致;チャイナ・リソーシズ・ロジック. ❖電機,電子部品メーカー.レッドチップ企業の1つ.[China Resources Logic]

【华润上华科技】Huárùn Shànghuá Kējì 華潤上華科技;CSMCテクノロジーズ. ❖電子部品メーカー.レッドチップ企業の1つ.[CSMC Technologies]

【华润水泥控股】Huárùn Shuǐní Kònggǔ 華潤水泥控股;チャイナ・リソーシズ・セメ

huá

ント・ホールディングス．❖セメントメーカー．レッドチップ企業の１つ．[China Resources Cement Holdings]

【华润万众电话】Huárùn Wànzhòng Diànhuà 華潤万衆電話；チャイナ・リソーシズ・ピープルズ・テレホン．❖通信会社．レッドチップ企業の１つ．[China Resources Peoples Telephone]

【华润置地】Huárùn Zhìdì 華潤置地；チャイナ・リソーシズ・ランド．❖不動産会社．レッドチップ企業の１つ．[China Resources Land]

【华沙】Huáshā ワルシャワ．❖ポーランドの首都．[Warszawa〔ポーランド〕；Warsaw]

【华沙历史中心】Huáshā Lìshǐ Zhōngxīn ワルシャワ歴史地区．◉世界文化遺産(ポーランド)．[Historic Centre of Warsaw]

【华盛顿哥伦比亚特区】Huáshèngdùn Gēlúnbǐyà Tèqū ワシントンD.C.．❖アメリカの首都．ワシントン・コロンビア特別区．"哥伦比亚特区 Gēlúnbǐyà Tèqū"とも．[Washington, District of Columbia；Washington, D.C.]

《华盛顿公约》Huáshèngdùn Gōngyuē「ワシントン条約」；CITES．❖1973年ワシントンで採決された《濒临绝种野生动植物国际贸易公约》Bīnlín Juézhǒng Yěshēng Dòngzhíwù Guójì Màoyì Gōngyuē(「絶滅のおそれのある野生動植物の種の国際取引に関する条約」)の通称．[Convention on International Trade in Endangered Species of Wild Fauna and Flora；CITES；Washington Convention]

【华盛顿互助银行】Huáshèngdùn Hùzhù Yínháng ワシントン・ミューチュアル．❖アメリカの金融機関．"华盛顿相互银行 Huáshèngdùn Xiānghù Yínháng"とも．[Washington Mutual]

【华盛顿相互银行】Huáshèngdùn Xiānghù Yínháng ワシントン・ミューチュアル．❖アメリカの金融機関．"华盛顿互助银行 Huáshèngdùn Hùzhù Yínháng"とも．[Washington Mutual]

《华盛顿邮报》Huáshèngdùn Yóubào「ワシントン・ポスト」．❖アメリカの日刊紙．[Washington Post]

【华盛顿州】Huáshèngdùn Zhōu ワシントン州．❖アメリカの州名．[Washington；WA]

【华氏】Huáshì ファーレンハイト．❖クリスチャンディオール(仏)製のフレグランス名．[Fahrenheit]

【滑鼠】huáshǔ〔コンピューターの〕マウス．❖IT用語．"鼠 shǔ""鼠标 shǔbiāo"とも．[mouse]

【华特・迪士尼】Huátè Díshìní ウォルト・ディズニー．❖アメリカの映画監督,実業家．[Walt Disney]

【华特迪士尼公司】Huátè Díshìní Gōngsī ウォルト・ディズニー・カンパニー．❖アメリカのエンターテインメント会社．[Walt Disney Company]

【华亭宾馆】Huátíng Bīnguǎn 華亭賓館．❖中国・上海にあるホテル．[Hua Ting Hotel And Tower Shanghai]

【华亭伊势丹】Huátíng Yīshìdān 華亭伊勢丹．❖中国・上海にある日系の百貨店．

【华为技术】Huáwéi Jìshù 華為技術；ホアウェイテクノロジーズ．❖中国の通信機器メーカー．[Huawei Technologies]

【滑翔跳伞】huáxiáng tiàosǎn パラグライダー．[paraglider]

【华信惠悦】Huáxìn Huìyuè ワトソン・ワイアット・ワールドワイド．❖アメリカのコンサルティング会社．[Watson Wyatt Worldwide]

【滑雪超级大回转】huáxuě chāojí dàhuízhuǎn アルペンスキースーパー大回転；アルペンスキー・スーパー・ジャイアント・スラローム．[super giant slalom]

【滑雪大回转】huáxuě dàhuízhuǎn アルペンスキー大回転；アルペンスキー・ジャイアント・スラローム．[giant slalom]

【滑雪回转】huáxuě huízhuǎn アルペンスキー回転；アルペンスキースラローム．[slalom]

【滑雪射击】huáxuě shèjī バイアスロン．[biathlon]

《华约》Huáyuē ①「ワシントン条約」；CITES．②ワルシャワ条約機構．❖①1973年ワシントンで採決された《濒临绝种野生动植物国际贸易公约》Bīnlín Juézhǒng Yěshēng Dòngzhíwù Guójì Màoyì Gōngyuē（「絶滅のおそれのある野生動植物の種の国際取引に関する条約」）の通称．《华盛顿公约》Huáshèngdùn Gōngyuē とも．②"华沙条约组织 Huáshā Tiáoyuē Zǔzhī"（ワルシャワ条約機構）の略．[①Convention on International Trade in Endangered Species of Wild Fauna and Flora；CITES；Washington Convention ②Warsaw Treaty Organization]

huà

《化解危机》Huàjiě Wēijī「タイムクライシス」．❖ナムコ（日本）製のゲームのタイトル．[Time Crisis]

【化名存款】huàmíng cúnkuǎn 架空名義の預金；偽名を使った預金．

【话题作文】huàtí zuòwén 小論文．

【划线支票】huàxiàn zhīpiào 線引小切手；横線〈おうせん〉小切手．❖金融用語．"横线支票 héngxiàn zhīpiào"とも．

【化学超男子】Huàxué Chāonánzǐ CHEMISTRY〈ケミストリー〉．❖日本の歌手グループ．[CHEMISTRY]

【化学物质过敏症】huàxué wùzhì guòmǐnzhèng 化学物質過敏症．

【化学需氧量】huàxué xūyǎngliàng 化学的酸素要求量；COD．[chemical oxygen demand；COD]

【话语权】huàyǔquán 発言権．

【化妆棉】huàzhuāngmián 化粧用コットン．

huái

【怀俄明州】Huái'émíng Zhōu ワイオミング州．❖アメリカの州名．[Wyoming]

【淮海路】Huáihǎi Lù 淮海路．❖中国・上海にある道路名．

huài

【坏账】huàizhàng 不良債権．❖金融用語．"不良债权 bùliáng zhàiquán""呆坏账 dāihuàizhàng"とも．

【坏账准备金】huàizhàng zhǔnbèijīn 貸倒引当金〈かしだおれひきあてきん〉．❖"备抵坏账 bèidǐ huàizhàng"とも．

huān

【欢沁】Huānqìn プレジャーズ．❖エスティローダー（米）製のフレグランス名．[Pleasures]

huán

【环保】huánbǎo 環境保全；環境保護．❖"环境保护 huánjìng bǎohù"の略．

【环保产品】huánbǎo chǎnpǐn エコグッズ；エコ商品；環境関連商品．[ecology goods]

【环保产业】huánbǎo chǎnyè 環境ビジネス；エコビジネス．[ecology business]

【环保设计】huánbǎo shèjì エコデザイン．[ecodesign]

【环保型技术】huánbǎoxíng jìshù 環境上適正な技術；EST．[Environmentally Sound Technology；EST]

huán — huǎn

【还本付息】huánběn fùxī 元利金返済. ❖金融用語.

【环城路】huánchénglù 環状線. ❖"环行道路 huánxíng dàolù"とも.

【环城线】Huánchéngxiàn「環城線」;環状線. ❖北京の地下鉄路線.

【环岛】huándǎo 環状交差点の中央に位置する施設.

【环发】huánfā 環境保全と発展;環境と発展. ❖"环境与发展 huánjìng yǔ fāzhǎn"の略.

【还价】huánjià カウンターオファー. ❖"反报价 fǎnbàojià"とも.[counteroffer]

【环境保护】huánjìng bǎohù 環境保全;環境保護. ❖略称は"环保 huánbǎo".

【环境壁垒】huánjìng bìlěi 環境障壁;環境関連貿易制限措置.

【环境标志】huánjìng biāozhì ①「環境基準適合マーク」. ②エコラベリング.[②environmental labelling]

【环境标准】huánjìng biāozhǔn 環境基準.

【环境承载力】huánjìng chéngzàilì 環境容量;環境収容能力;キャリングキャパシティ. ❖"环境容量 huánjìng róngliàng"とも.[carrying capacity]

【环境风险】huánjìng fēngxiǎn 環境リスク.[environmental risk]

【环境管理】huánjìng guǎnlǐ 環境管理.

【环境管理体系】huánjìng guǎnlǐ tǐxì 環境マネジメントシステム.[environmental management system]

【环境激素】huánjìng jīsù 環境ホルモン.[environmental endocrine dispuruters]

【环境监测】huánjìng jiāncè 環境モニタリング.[environmental monitoring]

【环境伦理】huánjìng lúnlǐ 環境倫理.

【环境难民】huánjìng nànmín 環境難民.

【环境配置】huánjìng pèizhì 環境設定;コンフィギュレーション. ❖IT用語.[configuration]

【环境评估】huánjìng pínggū 環境アセスメント. ❖"环境影响评价 huánjìng yǐngxiǎng píngjià"とも.[environmental assessment]

【环境权】huánjìngquán 環境権.

【环境容量】huánjìng róngliàng 環境容量;環境収容能力;キャリングキャパシティ. ❖"环境承载力 huánjìng chéngzàilì"とも.[carrying capacity]

【环境退化】huánjìng tuìhuà 環境劣化.

【环境污染】huánjìng wūrǎn 環境汚染.

【环境音乐】huánjìng yīnyuè 環境音楽;アンビエントミュージック.[ambient music]

【环境影响评价】huánjìng yǐngxiǎng píngjià 環境アセスメント. ❖"环境评估 huánjìng pínggū"とも.[environmental assessment]

【环境友好材料】huánjìng yǒuhǎo cáiliào 環境にやさしい素材.

【环境与发展】huánjìng yǔ fāzhǎn 環境保全と発展;環境と発展. ❖略称は"环发 huánfā".

【环球网】Huánqiúwǎng ワールド・ワイド・ウェブ;ウェブ;WWW. ❖IT用語."万围网 Wànwéiwǎng""万维网 Wànwéiwǎng"とも.[World Wide Web;WWW]

【环球小姐】Huánqiú Xiǎojie ミスユニバース.[Miss Universe]

【环球影城】Huánqiú Yǐngchéng ユニバーサルスタジオ. ❖アメリカの映画制作会社,また同社経営のアメリカ・ハリウッド,アメリカ・フロリダ,日本・大阪,中国・上海にある,映画を主題としたテーマパーク.[Universal Studio]

【环行道路】huánxíng dàolù 環状線. ❖"环城路 huánchénglù"とも.

huǎn

【缓冲存储器】huǎnchōng cúnchǔqì バッファメモリー. ❖IT用語."缓存 huǎncún"

とも.[buffer memory]

【缓冲区溢出】huǎnchōngqū yìchū バッファオーバーフロー；バッファオーバーラン. ❖ IT用語.[buffer over-flow；buffer over-run]

【缓存】huǎncún ①バッファメモリ. ②キャッシュメモリ；キャッシュ. ❖IT用語. ①"缓冲存储器 huǎnchōng cúnchǔqì"とも. [①buffer memory ②cache memory；cache]

【缓刑】huǎnxíng 執行猶予.

huàn

【换笔】huànbǐ ペンからパソコンへの切り替え.

【患病老人护理保险】huànbìng lǎorén hùlǐ bǎoxiǎn 介護保険. ❖"护理保险 hùlǐ bǎoxiǎn"とも.

【患病老人护理休假】huànbìng lǎorén hùlǐ xiūjià 介護休暇.

【幻灯放映】huàndēng fàngyìng スライドショー. ❖IT用語.[slide show]

【幻灯机】huàndēngjī スライドプロジェクター.[slide projector]

【换机不换号】huànjī bùhuànhào ナンバーポータビリティー. ❖IT用語. "号码可携带 hàomǎ kěxiédài"とも.[Number Portability；NP]

【换脑】huànnǎo 頭を切り換える；考え方を変える.

【换位思考】huànwèi sīkǎo 相手の立場に立って考える(こと)；立場を変えて考える(こと).

【换文】huànwén 交換公文.

【换血】huànxiě 人事や組織の大幅な調整と変更を行う(こと).

【幻影】Huànyǐng ファントム. ❖ロールス・ロイス(英)製の車名.[Phantom]

【换债】huànzhài 借換債〈かりかえさい〉. ❖金融用語.過去発行した債券の償還に備えるため新たに発行する債券のこと.

huāng

【荒川】Huāng Chuān 荒川〈あらかわ〉. ❖日本・関東地方を流れる川.[the Arakawa River]

【荒漠化】huāngmòhuà 砂漠化；〔環境破壊による〕土地の劣化.

huáng

【黄毒】huángdú ポルノ関連のアイテム. ❖雑誌,映像,サイトなど.

《黄飞鸿》Huáng Fēihóng 「ワンス・アポン・ア・タイム・イン・チャイナ 天地黎明」. ❖香港映画のタイトル.[Once Upon a Time in China]

【皇冠】Huángguān クラウン. ❖トヨタ(日本)製の車名.[Crown]

【皇冠伏特加】Huángguān Fútèjiā スミノフウォッカ. ❖ディアジオ(英)のウォッカブランド.[Smirnoff Vodka]

【黄河】Huáng Hé 黄河〈こうが〉. ❖中国を流れる川.[the Yellow River]

【黄昏恋】huánghūnliàn 熟年世代の恋愛.

【皇家阿霍德】Huángjiā Āhuòdé ロイヤル・アホールド. ❖オランダの小売企業.[Royal Ahold]

【皇家道尔顿】Huángjiā Dào'ěrdùn ロイヤルドルトン. ❖イギリスのテーブルウエアメーカー.[Royal Doulton]

【皇家电信】Huángjiā Diànxìn KPN. ❖オランダの通信会社.[Koninklijke KPN]

【皇家飞利浦电子】Huángjiā Fēilìpǔ Diànzǐ ロイヤル・フィリップス・エレクトロニクス. ❖オランダの電子機器,家電メーカー.[Royal Philips Electronics]

【皇家礼炮】Huángjiā Lǐpào ロイヤルサルート. ❖シーバス・ブラザーズ(英)製のスコッチウイスキー名.[Royal Salute]

huáng — huī

【皇家马德里】Huángjiā Mǎdélǐ レアルマドリード. ❖スペインのサッカーチーム.略称は"皇马 Huángmǎ".[Real Madrid]

【皇家尼泊尔航空】Huángjiā Níbó'ěr Hángkōng ロイヤルネパール航空. ❖ネパールの航空会社.コード：RA.[Royal Nepal Airlines]

【皇家太阳联合保险】Huángjiā Tàiyáng Liánhé Bǎoxiǎn ロイヤル・サンアライアンス. ❖イギリスの保険会社.[Royal&Sun Alliance Insurance]

【皇家邮政】Huángjiā Yóuzhèng ロイヤルメール. ❖イギリスの郵便事業特殊会社.[Royal Mail]

【皇家展览馆和卡尔顿园林】Huángjiā Zhǎnlǎnguǎn hé Kǎ'ěrdùn Yuánlín 王立展示館とカールトン庭園. ●世界文化遺産（オーストラリア）.[Royal Exhibition Building and Carlton Gardens]

【黄金时段】huángjīn shíduàn プライムタイム；ゴールデンタイム.[prime time]

【黄金周】huángjīnzhōu ①ゴールデンウィーク.②大型連休.

【黄脸婆】huángliǎnpó ①所帯じみた女房.②くすんだ顔色の老けて見える女性. ❖マンネリ化して顔を見るのもいやになった時に使う.

【黄龙风景名胜区】Huánglóng Fēngjǐng Míngshèngqū 黄竜の景観と歴史地域. ●世界自然遺産（中国）.[Huanglong Scenic and Historic Interest Area]

【皇马】Huángmǎ レアルマドリード. ❖スペインのサッカーチーム."皇家马德里 Huángjiā Mǎdélǐ"の略.[Real Madrid]

【黄牛党】huángniúdǎng だふ屋.

【黄牛票】huángniúpiào だふ屋のチケット.

【黄牌】huángpái ①イエローカード. ②〔規則違反の行為に対する〕注意や警告. ❖①サッカーの試合で審判が選手に警告を与える時に示す黄色いカード.[①yellow card]

【黄陂南路】Huángpí Nánlù 黄陂南路. ❖中国・上海にある道路名.

【黄色网站】huángsè wǎngzhàn アダルトサイト；ポルノサイト.[adult site；porno site]

【黄色笑话】huángsè xiàohuà 下〈しも〉ネタジョーク.[blue jokes]

【黄山】Huáng Shān 黄山. ●世界自然および文化遺産（中国）.[Mount Huangshan]

【黄石国家公园】Huángshí Guójiā Gōngyuán イエローストーン. ●世界自然遺産（アメリカ）.[Yellowstone]

《黄土地》Huángtǔdì「黄色い大地」. ❖中国映画のタイトル.[Yellow Land, Yellow Earth]

【黄页】huángyè イエローページ.[yellow pages]

huǎng

【幌子公司】huǎngzi gōngsī ダミー会社.[dummy company]

huī

【徽标】huībiāo エンブレム.[emblem]

【灰度】huīdù 白黒階調；グレースケール. ❖"灰阶 huījiē"とも.[grayscale]

【恢复精力】huīfù jīnglì リフレッシュ（する）.[refresh]

《灰姑娘》Huīgūniang「シンデレラ」. ❖アメリカアニメのタイトル.[Cinderella]

【灰阶】huījiē 白黒階調；グレースケール. ❖"灰度 huīdù"とも.[grayscale]

【灰客】huīkè「グレーハッカー」. ❖本物のハッカーほどの高度な技術や知識のないハッカー.

【灰领】huīlǐng グレーカラー. ❖高度な科学的知識とオペレーション技術を有する技術者.デジタル装置の作業員,機械測量の技

師,画像処理技術者,製造業・建設関係のデザイナーなど.[gray-collar workers]

【辉瑞】Huīruì ファイザー製薬. ❖アメリカの医薬品メーカー.[Pfizer]

【灰色地带】huīsè dìdài グレーゾーン;グレーエリア;あいまい領域. ❖"灰色区域 huīsè qūyù"とも.[gray zone]

【灰色经济】huīsè jīngjì グレーエコノミー. ❖合法と非合法の中間にある経済活動.所得を把握しにくいため税収に結びつかない経済.地下経済との関連も指摘されている.[gray economy]

【灰色区域】huīsè qūyù グレーゾーン;グレーエリア;あいまい領域. ❖"灰色地带 huīsè dìdài"とも.[gray zone]

【灰色收入】huīsè shōurù グレーエコノミーによって得た収入,所得. ❖合法と非合法の中間にある経済活動で得た所得.所得を把握されにくいため納税を免れることができる.

【辉腾】Huīténg フェートン. ❖フォルクスワーゲン(独)製の車名.[Phaeton]

huí

【回潮】huícháo ①いったん乾燥したものが再度湿る.②リバイバル(する).[②revival]

【回车键】huíchējiàn リターンキー;エンターキー;改行キー. ❖IT用語.[return key ; enter key]

【回读】huídú ①本を読み返す.②勉強をやり直す.③受験に失敗したとき,卒業した学校に戻って勉強をやり直す(こと).

【回放】huífàng リプレイ;インスタントリプレイ.[replay ; instant replay]

【回复邮件】huífù yóujiàn 返信メール(する). ❖IT用語.

【回购权】huígòuquán コールオプション. ❖金融用語.行使期間内にある一定の価格で金融商品を買うことのできる権利."看涨期权 kànzhǎng qīquán""买方期权 mǎifāng qīquán""买方选择权 mǎifāng xuǎnzéquán"とも.[call option]

【回扣】huíkòu リベート;リターンコミッション;キックバック.[rebate ; return commission ; kickback]

【回炉】huílú ①炉に戻す.②〔学校などに〕戻ってもう一度やり直す;回収して再度市場に出す.

【回聘】huípìn 再雇用(する).

【回迁】huíqiān 再入居する(こと). ❖地域開発などによりいったん立ち退いた住民が新築された場所に再入居すること.

【回声】Huíshēng エコー. ❖ダビドフ(スイス)製のフレグランス名."回音 Huíyīn"とも.[Echo]

【回收站】huíshōuzhàn 〔ウィンドウズパソコンで〕ごみ箱. ❖IT用語.[trash box]

【回头客】huítóukè リピーター.[repeater]

【回头率】huítóulǜ 注目度;すれ違う人が振り向く割合;リピート率.

【回音】Huíyīn エコー. ❖ダビドフ(スイス)製のフレグランス名."回声 Huíshēng"とも.[Echo]

【回转寿司】huízhuǎn shòusī 回転寿司.

huì

【会安古镇】Huì'ān Gǔzhèn 古都ホイアン. ●世界文化遺産(ベトナム).[Hoi An Ancient Town]

【惠比寿啤酒】Huìbǐshòu Píjiǔ エビスビール. ❖サッポロビール(日本)製のビール名.[Yebisu Beer]

【汇编程序】huìbiān chéngxù アセンブラー. ❖IT用語.コード変換プログラムの1つ."汇编器 huìbiānqì"とも.[assembler]

【汇编器】huìbiānqì アセンブラー. ❖IT用語.コード変換プログラムの1つ."汇编程序 huìbiān chéngxù"とも.[assembler]

【汇编语言】huìbiān yǔyán アセンブリー言

語. ❖IT用語.プログラミング言語の1つ. [assembly language]

【会标】huìbiāo 組織のシンボルマーク.

【汇出汇款】huìchū huìkuǎn 仕向送金為替〈しむけそうきんかわせ〉;仕向送金. ❖金融用語."国外汇款 guówài huìkuǎn"とも.

【惠而浦】Huì'ěrpǔ ワールプール. ❖アメリカの家電メーカー.[Whirlpool]

【汇丰控股】Huìfēng Kònggǔ HSBCホールディングス. ❖イギリスの金融グループの持株会社.[HSBC Holdings]

【汇丰银行】Huìfēng Yínháng 香港上海銀行. ❖イギリスの銀行.[Hongkong and Shanghai Banking]

【惠好】Huìhǎo ウェアーハウザー. ❖アメリカの森林製品供給会社.[Weyerhaeuser]

【绘画软件】huìhuà ruǎnjiàn ペイントソフト;ペイントプログラム. ❖IT用語.描画をするときに使うソフトウェア.[painting software]

【贿金】huìjīn 賄賂;裏金. ❖"贿款 huìkuǎn"とも.

【贿款】huìkuǎn 賄賂;裏金. ❖"贿金 huìjīn"とも.

【汇款单】huìkuǎndān 送金為替. ❖金融用語."汇票 huìpiào"とも.

【汇款支票】huìkuǎn zhīpiào 送金小切手. ❖金融用語.

【惠灵顿】Huìlíngdùn ウェリントン. ❖ニュージーランドの首都.[Wellington]

【汇率波动】huìlǜ bōdòng 為替相場変動. ❖金融用語.

【汇率风险】huìlǜ fēngxiǎn 為替リスク. ❖金融用語."外汇风险 wàihuì fēngxiǎn"とも.

【汇率牌价】huìlǜ páijià 公示相場;仲値;TTM. ❖金融用語.[telegraphic transfer middle rate; TTM]

【汇票】huìpiào 送金為替. ❖金融用語."汇款单 huìkuǎndān"とも.

【惠普】Huìpǔ ヒューレット・パッカード;HP. ❖アメリカのコンピューターメーカー.[Hewlett Packard; HP]

【惠氏】Huìshì ワイス. ❖アメリカの医薬品メーカー.[Wyeth]

【惠特尼・休斯顿】Huìtèní Xiūsīdùn ホイットニー・ヒューストン. ❖アメリカの歌手.[Whitney Houston]

【绘图板】huìtúbǎn ペンタブレット;グラフィックタブレット;タブレット. ❖IT用語."手写板 shǒuxiěbǎn"とも.[pen tablet; graphic tablet; tablet]

【绘图软件】huìtú ruǎnjiàn ドローソフト. ❖IT用語.作図をするときに使うソフトウェア.[drawing software]

【会议中心】huìyì zhōngxīn コンベンションセンター.[convention center]

【绘有达・芬奇最后的晚餐的圣玛丽亚感恩教堂和多明各会修道院】Huìyǒu Dá Fēnqí Zuìhòu de Wǎncān de Shèngmǎlìyà Gǎn'ēn Jiàotáng hé Duōmínggèhuì Xiūdàoyuàn レオナルド・ダ・ヴィンチの「最後の晩餐」があるサンタ・マリア・デッレ・グラツィエ教会とドメニコ会修道院. ●世界文化遺産(イタリア).[Church and Dominican Convent of Santa Maria delle Grazie with "The Last Supper" by Leonardo da Vinci]

【汇源】Huìyuán「匯源〈わいげん〉」. ❖中国の飲料大手メーカー,また同社製の果汁飲料ブランド.

【会展业】huìzhǎnyè 会議,展示会産業;展示会産業;コンベンション産業.[conference and exhibition industry; convention industry]

hūn

【婚保】hūnbǎo〔健康診断,衛生指導などの〕婚前ヘルスケア. ❖"婚前保健 hūnqián bǎojiàn"の略.

【婚变】hūnbiàn〔離婚など〕婚姻上のトラ

ブル.
【婚典】hūndiǎn 結婚式；婚礼；結婚披露宴. ❖"结婚典礼 jiéhūn diǎnlǐ"の略.
【婚假】hūnjià 結婚休暇.
【婚检】hūnjiǎn 婚前健康診断.
【婚介】hūnjiè 結婚仲介；結婚相手の紹介.
【婚介所】hūnjièsuǒ 結婚相談所.
【婚礼产业】hūnlǐ chǎnyè ブライダル産業；ウェディング産業. ❖"婚庆产业 hūnqìng chǎnyè"とも. [bridal industry]
《婚礼进行曲》Hūnlǐ Jìnxíngqǔ「結婚行進曲」；「ウェディングマーチ」. ❖メンデルスゾーン(独)作曲の楽曲. [Wedding March]
【婚内强奸】hūnnèi qiángjiān 夫婦間のレイプ.
【婚前保健】hūnqián bǎojiàn 〔健康診断,衛生指導などの〕婚前ヘルスケア. ❖略称は"婚保 hūnbǎo".
【婚前同居】hūnqián tóngjū 結婚前の同棲；婚前の同棲.
【婚庆】hūnqìng 結婚式；婚礼；結婚披露宴. ❖"结婚庆典 jiéhūn qìngdiǎn"の略.
【婚庆产业】hūnqìng chǎnyè ブライダル産業；ウェディング産業. ❖"婚礼产业 hūnlǐ chǎnyè"とも. [bridal industry]
【婚纱摄影】hūnshā shèyǐng 結婚記念写真；婚礼写真；ウェディングフォト；ブライダルフォト. [wedding photo]
【婚托】hūntuō〔結婚紹介所に雇われた〕結婚詐欺師.
【婚外恋】hūnwàiliàn 不倫；婚外恋愛. ❖"婚外情 hūnwàiqíng"とも.
【婚外情】hūnwàiqíng 不倫；婚外恋愛. ❖"婚外恋 hūnwàiliàn"とも.

hùn

【混合贷款】hùnhé dàikuǎn 混合借款. ❖公的輸出信用と援助資金を組み合わせた2国間の経済支援.
【混合动力汽车】hùnhé dònglì qìchē 混合動力自動車；ハイブリッドカー. [hybrid automobile；hybrid car]
【混合经济】hùnhé jīngjì 混合経済. ❖経済関連用語.
【混合所有制】hùnhé suǒyǒuzhì 混合所有制. ❖企業などを複数の各種経済体が所有する制度.
【混合所有制经济】hùnhé suǒyǒuzhì jīngjì 混合所有制経済. ❖企業などを複数の各種経済体が所有する,混合所有制の経済.
【混合性皮肤】hùnhéxìng pífū 混合肌.
【混凝剂】hùnníngjì 凝固剤.
【混业经营】hùnyè jīngyíng 銀証兼営. ❖金融用語.銀行業務,証券業,保険業などの金融業務を兼営すること.

huó

【活动】huódòng ①活動. ②アクティブな. [②active]
【活动窗口】huódòng chuāngkǒu アクティブウィンドウ. ❖IT用語."当前窗口 dāngqián chuāngkǒu"とも. [active window]
【活力门】Huólìmén ライブドア. ❖日本のインターネットサービス企業. [livedoor]
【活期存款】huóqī cúnkuǎn 要求払預金. ❖金融用語.
【活期贷款】huóqī dàikuǎn 当座貸付. ❖金融用語. [demand loan]
【活期贷款市场】huóqī dàikuǎn shìchǎng コール市場. ❖金融用語.金融機関が1年未満の短期資金を貸し借りする市場."短期放款市场 duǎnqī fàngkuǎn shìchǎng""短期拆放市场 duǎnqī chāifàng shìchǎng""短期投放市场 duǎnqī tóufàng shìchǎng""短期资金拆放市场 duǎnqī zījīn chāifàng shìchǎng"とも. [call market]
《活着》Huózhe「活きる」. ❖中国映画のタイトル. [To Live]

huǒ

【火】huǒ 盛況である；人気がある；ブームになる.[boom]

【伙伴关系】huǒbàn guānxi パートナーシップ.[partnership]

【火爆】huǒbào 非常に人気がある；人気急上昇.

【火狐浏览器】huǒhú liúlǎnqì ファイヤーフォックス.❖IT用語.ウェブブラウザの1つ.[Firefox]

【火炬计划】Huǒjù Jìhuà 「たいまつ計画」.❖ハイテクの産業化推進を目的とする国家発展計画.1988年スタート.

【火星探测】huǒxīng tàncè 火星探査.

huò

【货币贬值】huòbì biǎnzhí 平価切下げ.❖中央銀行が貨幣価値を引き下げる措置.[devaluation]

【货币的收入流通速度】huòbì de shōurù liútōng sùdù 貨幣の所得速度；貨幣の流通速度.

【货币掉期】huòbì diàoqī 通貨スワップ.❖金融用語."货币互换交易 huòbì hùhuàn jiāoyì"とも.[currency swap]

【货币供应量】huòbì gōngjǐliàng 通貨供給量；マネーサプライ.❖金融用語."货币供应量 huòbì gōngyìngliàng"とも.[monetary supply]

【货币供应量】huòbì gōngyìngliàng 通貨供給量；マネーサプライ.❖金融用語."货币供给量 huòbì gōngjǐliàng"とも.[monetary supply]

【货币管理制度】huòbì guǎnlǐ zhìdù 通貨管理制度.❖金融用語.

【货币互换交易】huòbì hùhuàn jiāoyì 通貨スワップ.❖金融用語."货币掉期 huòbì diàoqī"とも.[currency swap]

【货币经济】huòbì jīngjì 貨幣経済.❖金融用語.

【货币市场】huòbì shìchǎng マネーマーケット.❖金融用語.[money market]

【货币市场基金】huòbì shìchǎng jījīn マネー・マーケット・ファンド.❖金融用語.[money market mutual fund；money management fund]

【货币增值】huòbì zēngzhí 平価切上げ.❖中央銀行が貨幣価値を引き上げる措置."升值 shēngzhí"とも.[revaluation]

【货币证券】huòbì zhèngquàn 貨幣証券.❖金融用語.

【货到付款】huòdào fùkuǎn 代金引換渡〈だいきんひきかえわたし〉；キャッシュ・オン・デリバリー.[cash on delivery；c.o.d.]

【霍顿】Huòdùn ホールデン.❖オーストラリアの自動車メーカー(GM傘下).[Holden]

【霍尔托巴吉国家公园】Huò'ěrtuōbājí Guójiā Gōngyuán ホルトバージ国立公園-プッツァ.◉世界文化遺産(ハンガリー).[Hortobágy National Park-the Puszta]

【货柜船】huòguìchuán コンテナ船.[containership]

【霍贾·艾哈迈德·亚萨维陵墓】Huòjiǎ Àihāmàidé Yàsàwéi Língmù ホジャ・アフメッド・ヤサウィ廟.◉世界文化遺産(カザフスタン).[Mausoleum of Khoja Ahmed Yasawi]

【货运承运人】huòjiāo chéngyùnrén 運送人渡〈うんそうにんわたし〉.❖インコタームズ2000.[Free Carrier；FCA]

【霍拉肖维采古老村落】Huòlāxiāowěicǎi Gǔlǎo Cūnluò ホラショヴィツェの歴史地区.◉世界文化遺産(チェコ).[Holašovice Historical Village Reservation]

【霍雷祖修道院】Huòléizǔ Xiūdàoyuàn ホレズ修道院.◉世界文化遺産(ルーマニア).[Monastery of Horezu]

【获利跌落】huòlì diēluò 収益減少.❖金融用語.

【获利回吐】huòlì huítǔ 利食い.❖金融用

語.有価証券を安値で購入し,値上がりを待って売却することによって差益を稼ぐこと.

【获利年度】huòlì niándù 利益計上年度.

【霍洛克民俗村】Huòluòkè Mínsúcūn ホローケー古村落とその周辺地区. ●世界文化遺産(ハンガリー).[Old Village of Hollókö and its Surroundings]

【霍尼韦尔国际】Huòníwéi'ěr Guójì ハネウェル・インターナショナル. ❖アメリカの航空宇宙機器,自動車部品メーカー. [Honeywell International]

【霍尼亚拉】Huòníyàlā ホニアラ. ❖ソロモン諸島の首都.[Honiara]

【霍奇卡尔科考古遗迹区】Huòqíkǎ'ěrkē Kǎogǔ Yíjìqū ソチカルコの古代遺跡地帯. ●世界文化遺産(メキシコ).[Archaeological Monuments Zone of Xochicalco]

【霍塔】Huòtǎ 〔ラモス・〕ホルタ. ❖東ティモールの政治家.[Jose Ramos Horta]

【货物吞吐量】huòwù tūntǔliàng 貨物取扱量.

【货物运输报关行】huòwù yùnshū bàoguānháng 通関業者;海貨業者;〔俗に〕乙仲〈おつなか〉.

【霍亚·德赛伦考古遗址】Huòyà dé Sàilún Kǎogǔ Yízhǐ ホヤ・デ・セレンの古代遺跡. ●世界文化遺産(エルサルバドル).[Joya de Ceren Archaeological Site]

【货源】huòyuán 仕入れ先;商品の供給源.

【货主】huòzhǔ 荷主.

I

【i模式】i móshì〔俗に〕i〈アイ〉モード. ❖NTTドコモグループ(日本)が提供する,携帯電話網を利用したインターネット接続サービス.[i-mode]

【IC标签】IC biāoqiān 無線ICタグ;ICタグ. ❖IT用語.[radio frequency identification tag ; IC tag]

【IE浏览器】IE liúlǎnqì インターネットエクスプローラ;IE. ❖マイクロソフト(米)製のウェブブラウザ名."探险家浏览器 Tànxiǎnjiā liúlǎnqì""网络探险者 Wǎngluò Tànxiǎnzhě"とも.[Internet Explorer ; IE]

【IF族】IF zú 国際派の自由人. ❖"国际自由族 guójì zìyóuzú"とも.

【IOC】IOC 国際オリンピック委員会;IOC. ❖中国語では"国际奥林匹克委员会 Guójì Àolínpǐkè Wěiyuánhuì"または"国际奥委会 Guójì Àowěihuì".[International Olympic Committee ; IOC]

【IP地址】IP dìzhǐ IPアドレス. ❖IT用語.[IP address]

【IP电话】IP diànhuà IP電話. ❖IT用語.[Internet protocol phone ; IP phone]

【iPod数字式音乐播放器】IPOD Shùzìshì Yīnyuè Bōfàngqì iPod〈アイポッド〉. ❖アップルコンピュータ(米)製のハードディスク内蔵型音楽プレーヤー.[iPod]

《IQ博士》IQ Bóshì ①「Dr.スランプ」. ②「Dr.スランプアラレちゃん」;「ドクタースランプ」. ❖①日本漫画のタイトル. ②日本アニメのタイトル.[Dr.Slump]

【ISO】ISO 国際標準化機構;ISO. ❖中国語では"国际标准化组织 Guójì Biāozhǔnhuà Zǔzhī".[International Organization for Standardization ; ISO]

【ISO14001】ISO yīsìlínglíngyī ISO14001. ❖国際標準化機構(ISO)による環境マネジメントシステムの認証規格.

【ISP】ISP インターネットプロバイダー;アクセスプロバイダー;プロバイダー;ISP. ❖IT用語.中国語では"互联网服务供应商 hùliánwǎng fúwù gōngyìngshāng""网络服务商 wǎngluò fúwùshāng""网络服务提供者 wǎngluò fúwù tígōngzhě""网络运营商 wǎngluò yùnyíngshāng""因特网服务提供商 yīntèwǎng fúwù tígōngshāng".[provider ; Internet provider ; internet service provider ; ISP]

【IT】IT インフォメーションテクノロジー;情報技術;IT. ❖中国語では"信息技术 xìnxī jìshù".[information technology ; IT]

【ITS】ITS 高度道路交通システム;ITS. ❖中国語では"智能交通系统 zhìnéng jiāotōng xìtǒng""智能运输系统 zhìnéng yùnshū xìtǒng".[intelligent transportation systems ; ITS]

J

J

【ＪＡＶＡ语言】JAVA yǔyán　Java〈ジャバ〉言語；Java．❖IT用語．プログラミング言語の１つ．

【ＪＣ彭尼】JC Péngní　J.C.ペニー．❖アメリカの小売企業．[J.C.Penney]

【ＪＣＢ卡】JCB kǎ　JCBカード．❖JCB（日本）が発行するクレジットカード．[JCB card]

《ＪＯＪＯ奇妙冒险》JOJO Qímiào Màoxiǎn　「ジョジョの奇妙な冒険」．❖日本漫画のタイトル．[JOJO's Bizarre Adventure]

【ＪＰ摩根大通】JP Mógēn Dàtōng　J.P.モルガン・チェース．❖アメリカの銀行．[J.P.Morgan Chase]

【ＪＰ摩根证券】JP Mógēn Zhèngquàn　J.P.モルガン証券．❖アメリカの証券会社．[J.P.Morgan Securities]

【ＪＰＥＧ图像】JPEG túxiàng　JPEG〈ジェイペグ〉画像．❖IT用語．画像の保存形式の１つ．[JPEG image]

jī

【鸡】jī　①にわとり．②売春婦．

《基本法》Jīběnfǎ　「基本法」．❖《中华人民共和国澳门特别行政区基本法》Zhōnghuá Rénmín Gònghéguó Àomén Tèbié Xíngzhèngqū Jīběnfǎ または《中华人民共和国香港特别行政区基本法》Zhōnghuá Rénmín Gònghéguó Xiānggǎng Tèbié Xíngzhèngqū Jīběnfǎ のこと．

【基本分析】jīběn fēnxī　ファンダメンタルズ分析．❖金融用語．国の政治,経済情勢,企業業績,需給関係等をもとに行う分析．[fundamentals analysis]

【基本输入／输出系统】jīběn shūrù shūchū xìtǒng　BIOS〈バイオス〉．❖IT用語．コンピューターの周辺機器の基本的な入出力を行うためのプログラム．[basic input/output system；BIOS]

【基层管理人员】jīcéng guǎnlǐ rényuán　現場管理者．

【基层监督】jīcéng jiāndū　末端組織の監視．

【基层民主】jīcéng mínzhǔ　末端組織の民主化．

【机场巴士】jīchǎng bāshì　リムジンバス．❖"机场大巴 jīchǎng dàbā"とも．[limousine bus]

【机场大巴】jīchǎng dàbā　リムジンバス．❖"机场巴士 jīchǎng bāshì"とも．[limousine bus]

【基础产业】jīchǔ chǎnyè　基幹産業．❖"骨干产业 gǔgàn chǎnyè"とも．

【基础货币】jīchǔ huòbì　マネタリーベース；ベースマネー；ハイパワードマネー．❖金融用語．"高能货币 gāonéng huòbì""强力货币 qiánglì huòbì"とも．[high-powered money；monetary base；base money]

【基础科学】jīchǔ kēxué　基礎科学；ベーシックサイエンス．[basic science]

【基础设施】jīchǔ shèshī　インフラストラクチャー；インフラ．[infrastructure]

【机床】jīchuáng　①旋盤．②工作機械；マザーマシン．[①lathe ②mother machine]

【激打】jīdǎ　レーザープリンター．❖"激光打印机 jīguāng dǎyìnjī"の略．[laser printer]

【基地组织】Jīdì Zǔzhī　アルカイダ．❖アフガニスタンを拠点とするテロ組織．[al-Qaeda；Al-Qaeda]

【积淀】jīdiàn　①〔思想,文化,経験などの長

jī

年の〕積み重ね；積み重ねる；蓄積(する). ②長年にわたって形成された思想,文化,経験など.

【机电产品】jīdiàn chǎnpǐn 機械,電気製品.

【机顶盒】jīdǐnghé セット・トップ・ボックス；STB. ❖IT用語.サービスを利用するため,テレビに接続して使う端末機器.[set top box；STB]

【机动部队】jīdòng bùduì ①〔軍隊などの〕機動部隊；タスクフォース. ②タスクフォース；特別作業班.[task force]

【机动车驾驶执照】jīdòngchē jiàshǐ zhízhào 運転免許証. ❖"驾驶证 jiàshǐzhèng"とも.略称は"驾照 jiàzhào".

【机动车辆第三者责任保险】jīdòng chēliàng dì-sānzhě zérèn bǎoxiǎn 自動車損害賠償責任保険；自賠責保険. ❖略称は"三者险 sānzhěxiǎn".

《机动警察》Jīdòng Jǐngchá 「機動警察パトレーバー」. ❖日本アニメのタイトル.[Patlabor–The Mobile Police]

《机动战舰》Jīdòng Zhànjiàn 「機動戦艦ナデシコ」. ❖日本アニメのタイトル.[Martian Successor Nadesico]

《机动战士高达》Jīdòng Zhànshì Gāodá 「機動戦士ガンダム」. ❖日本アニメのタイトル.[Mobile Suit Gundam]

《基督教科学箴言报》Jīdūjiào Kēxué Zhēnyán Bào 「クリスチャン・サイエンス・モニター」. ❖アメリカの日刊紙.[The Christian Science Monitor]

【基督教青年会宾馆】Jīdūjiào Qīngniánhuì Bīnguǎn YMCAホテル. ❖キリスト教青年会の宿泊施設.[Young Men's Christian Association；YMCA]

【缉毒】jīdú 麻薬を取り締まる；麻薬取り締まり.

【基多】Jīduō キト. ❖エクアドルの首都.[Quito]

【基多古城】Jīduō Gǔchéng キト市街. ◉世界文化遺産(エクアドル).[City of Quito]

【积分卡】jīfēnkǎ ポイントカード.[reward card]

【基辅】Jīfǔ キエフ. ❖ウクライナの首都.[Kiev]

【基辅：圣·索菲娅教堂和佩乔尔斯克修道院】Jīfǔ Shèng Suǒfēiyà Jiàotáng hé Pèiqiáo'ěrsīkè Xiūdàoyuàn キエフ：聖ソフィア大聖堂と関連する修道院建築物群,キエフ・ペチェールスカヤ大修道院. ◉世界文化遺産(ウクライナ).[Kiev：Saint-Sophia Cathedral and Related Monastic Buildings, Kiev-Pechersk Lavra]

【机构重叠】jīgòu chóngdié 組織の重複.

【机构投资者】jīgòu tóuzīzhě 機関投資家. ❖金融用語."机关投资家 jīguān tóuzījiā"とも.[institutional investor]

【机关投资家】jīguān tóuzījiā 機関投資家. ❖金融用語."机构投资者 jīgòu tóuzīzhě"とも.[institutional investor]

【激光】jīguāng レーザー.[laser]

【激光唱机】jīguāng chàngjī CDプレーヤー.[CD player]

【激光唱片】jīguāng chàngpiàn 音楽CD；CD.[compact disc；CD]

【激光打印机】jīguāng dǎyìnjī レーザープリンター. ❖略称は"激打 jīdǎ".[laser printer]

【激光射线】jīguāng shèxiàn レーザー光線.[laser beam]

【激光视盘】jīguāng shìpán ①ビデオ・コンパクト・ディスク；ビデオCD；VCD. ②レーザーディスク；LD. ❖いずれも光ディスクの1種.[①video compact disc；VCD ②laser disc；LD]

【激光手术刀】jīguāng shǒushùdāo レーザーメス.[laser surgical knife]

【激光武器】jīguāng wǔqì レーザー兵器.[laser weapon]

【机会成本】jīhuì chéngběn 機会費用.[opportunity cost]

【激活】jīhuó ①活性化する．②アクティブにする．❖②IT用語．[activate]

【积家】Jījiā ジャガー・ルクルト．❖スイスの時計メーカー．[Jaeger-Le Coultre]

【基加利】Jījiālì キガリ．❖ルワンダの首都．[Kigali]

【基金经理】jījīn jīnglǐ ファンドマネージャー．[fund manager]

【基里巴斯共和国】Jīlǐbāsī Gònghéguó キリバス共和国；キリバス．[Republic of Kiribati；Kiribati]

【基里瓜考古公园及遗址】Jīlǐguā Kǎogǔ Gōngyuán jí Yízhǐ キリグアの遺跡公園と遺跡群．◉世界文化遺産（グアテマラ）．[Archaeological Park and Ruins of Quirigua]

【激励机制】jīlì jīzhì インセンティブ制度；インセンティブシステム．❖"激励制度 jīlì zhìdù"とも．[incentive system]

【姬龙雪】Jīlóngxuě ギ・ラロッシュ．❖フランスのファッションメーカー，ブランド．[Guy Laroche]

【基卢瓦基西瓦尼遗址和松加马纳拉遗址】Jīlúwǎ Jīxīwǎnī Yízhǐ hé Sōngjiā Mǎnàlā Yízhǐ キルワ・キシワニとソンゴ・ムナラの遺跡群．◉世界危機遺産（タンザニア）．[Ruins of Kilwa Kisiwani and Ruins of Songo Mnara]

【姬路城】Jīlù Chéng 姫路城．◉世界文化遺産（日本）．[Himeji-jo]

【基纳巴卢山公园】Jīnàbālú Shān Gōngyuán キナバル自然公園．◉世界自然遺産（マレーシア）．[Kinabalu Park]

【机内购物】jīnèi gòuwù 機内ショッピング．[in-flight sales]

【几内亚比绍共和国】Jīnèiyàbǐshào Gònghéguó ギニアビサウ共和国；ギニアビサウ．[Republic of Guinea-Bissau；Guinea-Bissau]

【几内亚共和国】Jīnèiyà Gònghéguó ギニア共和国；ギニア．[Republic of Guinea；Guinea]

【基尼系数】Jīní xìshù ジニ係数．❖所得配分の不平等の度合いを示す．[Gini coefficient]

【基努・里维斯】Jīnǔ Lǐwéisī キアヌ・リーブス．❖レバノン出身の男優．[Keanu Charles Reeves]

【机器翻译】jīqì fānyì 機械翻訳．❖略称は"机译 jīyì"．

《机器猫》Jīqìmāo「ドラえもん」．❖日本アニメのタイトル．[Doraemon]

【基钦周期】Jīqīn zhōuqī キチンの波；キチン循環；在庫循環；短期波動．❖景気循環のうち周期が約3年～4年の循環．[Kitchin cycle]

【基日岛的木结构教堂】Jīrì Dǎo de Mùjiégòu Jiàotáng キジ島の木造教会．◉世界文化遺産（ロシア）．[Kizhi Pogost]

【积水建房】Jīshuǐ Jiànfáng 積水ハウス．❖日本の住宅メーカー．[Sekisui House]

【鸡头】jītóu ①にわとりの頭．②売春組織のボス．

【鸡尾酒疗法】jīwěijiǔ liáofǎ 多剤併用療法；カクテル療法．[cocktail therapy；cocktail treatment]

【基希讷乌】Jīxīnèwù キシニョフ；キシナウ．❖モルドバの首都．[Kishinev]

【机箱】jīxiāng 筐体〈きょうたい〉．[case]

【机械臂】jīxièbì ロボットアーム．[robot arm]

【鸡心领】jīxīnlǐng Vネック．[v-neck]

【积压产品】jīyā chǎnpǐn 過剰在庫品；滞貨．

【机译】jīyì 機械翻訳．❖"机器翻译 jīqì fānyì"の略．

【基因】jīyīn 遺伝子；ジーン．[gene]

【基因重组】jīyīn chóngzǔ 遺伝子組み換え．❖"DNA 重组 DNA chóngzǔ""转基因 zhuǎnjīyīn"とも．

【基因复制】jīyīn fùzhì 遺伝子複製；遺伝

子クローニング.[cloning]

【基因工程】jīyīn gōngchéng 遺伝子工学. ❖"遗传工程 yíchuán gōngchéng"とも.

【基因克隆】jīyīn kèlóng 遺伝子クローン.[gene clone]

【基因库】jīyīnkù 遺伝子バンク.[gene bank]

【基因疗法】jīyīn liáofǎ 遺伝子療法.

【基因密码】jīyīn mìmǎ 遺伝子コード. ❖"遗传密码 yíchuán mìmǎ"とも.[genetic code]

【基因突变】jīyīn tūbiàn 遺伝子突然変異;遺伝子変異.

【基因诊断】jīyīn zhěnduàn 遺伝子診断.

【基因指纹法】jīyīn zhǐwénfǎ 遺伝子指紋法.

【基因治疗】jīyīn zhìliáo 遺伝子治療.

【基因组】jīyīnzǔ ゲノム.[genome]

【基因组学】jīyīnzǔxué ゲノム科学;ゲノムサイエンス.[genome science]

【基站】jīzhàn ベースステーション. ❖IT用語.無線LANの中継機器."无线基地站 wúxiàn jīdìzhàn"の略.[base station]

【基准测试】jīzhǔn cèshì ベンチマークテスト. ❖IT用語.[benchmark test]

【机组】jīzǔ ユニット.[unit]

jí

【吉】jí ギガ. ❖単位の接頭語.10の9乗を意味する.コンピューターでは2の30乗.記号:G.[giga;G]

【吉百利史威士】Jíbǎilì Shǐwēishì キャドバリー・シュウェップス. ❖イギリスの食品メーカー.[Cadbury Schweppes]

【疾病保险】jíbìng bǎoxiǎn 疾病〈しっぺい〉保険.

【吉卜力工作室】Jíbǔlì Gōngzuòshì スタジオジブリ. ❖日本のアニメ制作会社.[Studio Ghibli]

【吉布提】Jíbùtí ジブチ. ❖ジブチ共和国の首都.[Djibouti;Jibouti]

【吉布提共和国】Jíbùtí Gònghéguó ジブチ共和国;ジブチ.[Republic of Djibouti;Djibouti;Republic of Jibouti;Jibouti]

【即插即用】jíchā jíyòng プラグ・アンド・プレイ. ❖IT用語.[plug and play]

【集成电路】jíchéng diànlù 集積回路;IC. ❖IT用語.[integrated circuit;IC]

【集成电路卡】jíchéng diànlùkǎ ICカード. ❖IT用語.[integrated circuit card]

【集成软件】jíchéng ruǎnjiàn 統合ソフトウェア. ❖IT用語.[integrated software]

【嫉妒】jídù エンヴィ. ❖グッチ(伊)製のフレグランス名.[Envy]

【极端分子】jíduān fènzǐ 過激派.

【吉尔吉斯共和国】Jí'ěrjísī Gònghéguó キルギス共和国.[Kyrgyz Republic;Kyrgyz]

《疾风铁拳霸》Jífēng Tiěquánbà「あしたのジョー」. ❖日本漫画,アニメのタイトル.[Tomorrow's Joe]

【集换式卡牌游戏】jíhuànshì kǎpái yóuxì トレーディング・カード・ゲーム.[trading card game;collectable card game]

【极简主义】jíjiǎn zhǔyì ミニマリズム. ❖"极少主义 jíshǎo zhǔyì""简约主义 jiǎnyuē zhǔyì"とも.[minimalism]

【即开彩票】jíkāi cǎipiào スクラッチくじ. ❖"即开型刮开式彩票 jíkāixíng guākāishì cǎipiào"とも.[scratch-off lottery ticket]

【吉利号码】jílì hàomǎ ラッキーナンバー.[lucky number]

【吉列】Jíliè ジレット. ❖アメリカのひげそりメーカー.[Gillette]

【吉林省】Jílín Shěng 吉林〈きつりん〉省. ❖中国の省の1つ.略称は"吉 Jí".省都は"长春 Chángchūn".

【吉隆坡】Jílóngpō クアラルンプール. ❖マレーシアの首都.[Kuala Lumpur]

【吉马良斯历史中心】Jímǎliángsī Lìshǐ

jí — jǐ

Zhōngxīn ギマランイス歴史地区. ●世界文化遺産(ポルトガル).[Historic Centre of Guimarães]

《吉尼斯世界纪录大全》 Jínísī Shìjiè Jìlù Dàquán「ギネスブック」；「ギネス・ワールド・レコード」. ❖ギネス・ワールド・レコード社が毎年発行する,さまざまな世界一の記録集.[Guinness World Records]

【即期付款】 jíqī fùkuǎn 一覧払. ❖金融用語."见票即付 jiànpiào jífù"とも.

【即期汇率】 jíqī huìlǜ 直物相場〈じきものそうば〉；スポットレート. ❖金融用語."现汇价 xiànhuìjià""现货汇率 xiànhuò huìlǜ"とも.[spot rate]

【即期汇票】 jíqī huìpiào 一覧払為替手形. ❖金融用語.

【即期外汇】 jíqī wàihuì 直物為替〈じきものかわせ〉. ❖金融用語.

【即期信用证】 jíqī xìnyòngzhèng 一覧払信用状. ❖金融用語.[L/C at sight]

【极少主义】 jíshǎo zhǔyì ミニマリズム. ❖"极简主义 jíjiǎn zhǔyì""简约主义 jiǎnyuē zhǔyì"とも.[minimalism]

【即时】 jíshí リアルタイム. ❖"实时 shíshí"とも.[real time]

【集束炸弹】 jíshù zhàdàn クラスター爆弾.[cluster bomb]

【集体感染】 jítǐ gǎnrǎn 集団感染.

【集体谈判】 jítǐ tánpàn 団体交渉；団交.

【集体自卫权】 jítǐ zìwèiquán 集団的自衛権.

【及膝裙】 jíxīqún 膝丈〈ひざたけ〉のスカート.

【集线器】 jíxiànqì hub；ハブ. ❖IT用語."网络集线器 wǎngluò jíxiànqì"とも.[hub]

【极限运动】 jíxiàn yùndòng エクストリームスポーツ.[extreme sports]

【吉祥物】 jíxiángwù マスコット.[mascot]

【吉之岛】 Jízhīdǎo ジャスコ；JUSCO. ❖イオン(日本)の小売チェーン."佳世客 Jiāshìkè"とも.[Jusco]

【集资诈骗罪】 jízī zhàpiànzuì 詐欺的方法で資金を集めた罪. ❖中国の罪状名.

【吉字节】 jízìjié ギガバイト；GB. ❖情報を保存する量の単位.記号：GB.[gigabyte；GB]

jǐ

【挤出效应】 jǐchū xiàoyìng クラウディングアウト；押しのけ効果. ❖金融用語.国の政策による投資が増加することによって民間企業による投資効果が減少すること.[crowding out]

【济南】 Jǐnán 済南. ❖"山东省 Shāndōng Shěng"の省都.

【挤提】 jǐtí 〔預金者が〕預金を一斉に引き出すこと；〔銀行などの〕取り付け騒ぎ.

jì

【计测仪器】 jìcè yíqì 計測器.

【计程车】 jìchéngchē タクシー.[taxi；cab]

【继承法】 jìchéng fǎ 相続法.

【齐达内】 Jìdánèi 〔ジネディーヌ・〕ジダン. ❖フランスのサッカー選手.[Zinedine Zidane]

【纪梵希】 Jìfànxī ジバンシイ. ❖LVHMグループ(仏)のファッションブランド.[Givenchy]

【技工】 jìgōng 技術労働者.

【记号笔】 jìhàobǐ マーカーペン.[marker pen]

【计划单列市】 jìhuà dānlièshì「計画単列都市」. ❖中国の国家計画編成時に省と同等の計画単位として扱われたり,省と同レベルの経済活動に参加できるなどの権限がある.大連,青島,寧波,厦門〈アモイ〉,深圳の5都市(2004年).

【计划经济】 jìhuà jīngjì 計画経済.

【计划生育】 jìhuà shēngyù 計画出産；バースコントロール；産児制限. ❖略称は

jī

"计生 jīshēng".[birth control]

【计划性维修】jìhuàxìng wéixiū プロダクトメンテナンス；PM. ❖"生产维修 shēngchǎn wéixiū"とも.[productive maintenance；PM]

【计价器】jìjiàqì〔タクシーの〕料金メーター；メーター.[taximeter；meter]

【计件工资】jìjiàn gōngzī 出来高〈できだか〉給.

【季节工】jìjiégōng 季節労働者.

【季节性商品】jìjiéxìng shāngpǐn 季節商品.

【济科】Jìkē ジーコ. ❖ブラジル出身の元サッカー選手，サッカー監督.本名は'Arthur Antunes Coimbra'("阿图尔·安图内斯·科因布拉 Ātú'ěr Āntúnèisī Kēyīnbùlā"アルトゥール・アントゥネス・コインブラ).ジーコは愛称.[Zico]

【纪律检查委员会】Jìlǜ Jiǎnchá Wěiyuánhuì「規律検査委員会」；中国共産党中央規律検査委員会. ❖"纪委 Jìwěi"とも."中国共产党纪律检查委员会 Zhōngguó Gòngchǎndǎng Jìlǜ Jiǎnchá Wěiyuánhuì"の略.

【记名提单】jìmíng tídān 記名式船荷証券；ストレートB/L. ❖金融用語."直运提单 zhíyùn tídān"とも.[straight B/L]

【记名支票】jìmíng zhīpiào 記名小切手.

【纪念封】jìniànfēng 記念封筒.

【寄情水】Jìqíngshuǐ アクア・ディ・ジオ. ❖ジョルジオ・アルマーニ(伊)製のフレグランス名.[Acqua di Gio]

【计生】jìshēng 計画出産；バースコントロール；産児制限. ❖"计划生育 jìhuà shēngyù"の略.[birth control]

【寄生单身】jìshēng dānshēn パラサイトシングル.

【寄生效应】jìshēng xiàoyìng 寄生インダクタンス.[parasitic inductance]

【计生用品】jìshēng yòngpǐn 避妊用品. ❖"计划生育用品 jìhuà shēngyù yòngpǐn"とも.

【计时工资】jìshí gōngzī 時間給；時給.

【计时卡】jìshíkǎ タイムカード.[time card]

【记事本】jìshìběn メモ帳.

【寄售】jìshòu 委託販売.

【技术壁垒】jìshù bìlěi 貿易の技術的障害；TBT.[technical barriers to trade；TBT]

【技术产权交易所】jìshù chǎnquán jiāoyìsuǒ 技術財産権取引所.

【技术创新】jìshù chuàngxīn 技術革新；イノベーション. ❖"技术革新 jìshù géxīn"とも.[technological innovation]

【技术革新】jìshù géxīn 技術革新；イノベーション. ❖"技术创新 jìshù chuàngxīn"とも.[technological innovation]

【技术管理】jìshù guǎnlǐ 技術経営；MOT.[management of technology；MOT]

【计数货币】jìshù huòbì 計数貨幣.

【技术密集型产业】jìshù mìjíxíng chǎnyè 技術集約型産業.

【技术秘密】jìshù mìmì ノウハウ. ❖"专有技术 zhuānyǒu jìshù""专有知识 zhuānyǒu zhīshi"とも.[know-how]

【计数器】jìshùqì カウンター；計数器.[counter]

【技术数据】Jìshù Shùjù テックデータ. ❖アメリカのコンピューター関連機器，ソフト卸業者.[Tech Data]

【技术性分析】jìshùxìng fēnxī テクニカル分析. ❖金融用語.市場価格に対する相場の分析.データー，グラフ，出来高をもとに市場の需給状況についての予測を行う.[technical analysis]

【技术移民】jìshù yímín 技能移民. ❖語学力や技術力などの高度なスキルを持ち，他国へ移民すること.

【技术支持中心】jìshù zhīchí zhōngxīn テクニカル・サポート・センター.[technical support center]

【技术转让】jìshù zhuǎnràng 技術移転.

[technology transfer]

【计算机】jìsuànjī コンピューター. ❖IT用語.[computer]

【计算机安全】jìsuànjī ānquán コンピューターセキュリティー. ❖IT用語.[computer security]

【计算机病毒】jìsuànjī bìngdú コンピューターウイルス；ウイルス. ❖IT用語."电脑病毒 diànnǎo bìngdú"とも.[computer virus]

【计算机操作系统】jìsuànjī cāozuò xìtǒng オペレーティングシステム；OS. ❖IT用語."操作系统 cāozuò xìtǒng"とも.[operating system；OS]

【计算机辅助工程】jìsuànjī fǔzhù gōngchéng コンピューター援用エンジニアリング；CAE. ❖IT用語.[computer-aided engineering；CAE]

【计算机辅助教学】jìsuànjī fǔzhù jiāoxué コンピューター支援教育；CAI. ❖IT用語."电脑辅助教学 diànnǎo fǔzhù jiāoxué"とも.[computer-assisted instruction；CAI]

【计算机辅助设计】jìsuànjī fǔzhù shèjì コンピューター支援設計；CAD〈キャド〉. ❖IT用語."电脑辅助设计 diànnǎo fǔzhù shèjì"とも.[computer aided design；CAD]

【计算机辅助学习】jìsuànjī fǔzhù xuéxí コンピューター支援学習；CAL〈キャル〉. ❖IT用語."电脑辅助学习 diànnǎo fǔzhù xuéxí"とも.[computer aided learning；CAL]

【计算机辅助制造】jìsuànjī fǔzhù zhìzào コンピューター支援製造；CAM〈キャム〉. ❖IT用語."电脑辅助制造 diànnǎo fǔzhù zhìzào"とも.[computer aided manufacturing；CAM]

【计算机集成制造系统】jìsuànjī jíchéng zhìzào xìtǒng コンピューター統合生産システム；自動生産システム；CIMS.[computer integrated manufacturing system；CIMS]

【计算机科学公司】Jìsuànjī Kēxué Gōngsī コンピューター・サイエンス. ❖アメリカのITサービス会社.[Computer Sciences]

【计算机体层摄影】jìsuànjī tǐcéng shèyǐng コンピューター断層撮影；CTスキャン. ❖"CT扫描 CT sǎomiáo""断层扫描 duàncéng sǎomiáo"とも.[computed tomography；CT scan]

【计算机图形图像】jìsuànjī túxíng túxiàng コンピューターグラフィックス；CG. ❖IT用語."电脑图形图像 diànnǎo túxíng túxiàng"とも.[computer graphics；CG]

【计算机网络】jìsuànjī wǎngluò コンピューターネットワーク. ❖IT用語.[computer network]

【计算机中央处理器】jìsuànjī zhōngyāng chǔlǐqì 中央処理装置；CPU. ❖IT用語.[central processing unit；CPU]

【计算器】jìsuànqì 電卓.

【纪委】Jìwěi「規律検査委員会」. ❖"纪律检查委员会 Jìlǜ Jiǎnchá Wěiyuánhuì"とも.正式名称は"中国共产党纪律检查委员会 Zhōngguó Gòngchǎndǎng Jìlǜ Jiǎnchá Wěiyuánhuì".

【绩效】jìxiào 成績；業績；成果.

【继续教育】jìxù jiàoyù 継続教育；継続職能研修；CPD.[continuous professional development；CPD]

【纪伊山脉圣地和朝圣路线以及周围的文化景观】Jìyī Shānmài Shèngdì hé Cháoshèng Lùxiàn yǐjí Zhōuwéi de Wénhuà Jǐngguān 紀伊山地の霊場と参詣道. ◉世界文化遺産(日本).[Sacred Sites and Pilgrimage Routes in the Kii Mountain Range]

【记忆棒】Jìyìbàng メモリースティック. ❖IT用語.ソニー(日本)製のフラッシュメモリータイプの記憶媒体.[Memory Stick]

【记忆卡】jìyìkǎ メモリーカード. ❖IT用語.フラッシュメモリータイプのカード型記

憶媒体.[memory card]

【记帐】jìzhàng ①記帳(する). ②通帳記帳.

jiā

【加班费】jiābānfèi 残業手当.

【加班加点费】jiābān jiādiǎnfèi 時間外勤務手当.

【佳宾】Jiābīn キャビン. ❖日本たばこ産業(日本)製のタバコ名.[Cabin]

【嘉宾】jiābīn 特別ゲスト；ゲスト；来賓.[distinguished guest ; honored guest]

【夹冰器】jiābīngqì アイストング.[ice tongs]

【加餐】jiācān ①間食(をとる). ②追加する；枠を広げる.

【加床】jiāchuáng エキストラベッド.[extra bed]

【佳得乐】Jiādélè ゲータレード. ❖ペプシコ(米)のスポーツ飲料ブランド.[Gatorade]

【加德满都】Jiādémǎndū カトマンズ. ❖ネパールの首都.[Katmandu ; Kathmandu]

【加德满都谷地】Jiādémǎndū Gǔdì カトマンズの渓谷. ●世界危機遺産(ネパール).[Kathmandu Valley]

【家电大鳄】jiādiàn dà'è 家電大手；大手家電メーカー.

【加尔桥(古罗马水槽)】Jiā'ěr Qiáo (Gǔluómǎ Shuǐcáo) ポン・デュ・ガール(ローマの水道橋). ●世界文化遺産(フランス).[Pont du Gard (Roman Aqueduct)]

【加菲猫】Jiāfēimāo ガーフィールド. ❖アメリカの新聞に掲載の漫画キャラクター名.[Garfield]

【加工贸易】jiāgōng màoyì 加工貿易.

【加工中心】jiāgōng zhōngxīn マシニングセンター.[machining center]

【佳绩】jiājī 好成績；好業績.

【家教】jiājiào ①家庭教育；家庭のしつけ. ②家庭教師. ❖①"家庭教育 jiātíng jiāoyù"の略. ②"家庭教师 jiātíng jiàoshī"の略.

【家轿】jiājiào 自家用車；マイカー. ❖"家用轿车 jiāyòng jiàochē""家庭轿车 jiātíng jiàochē"の略.

【家教会】jiājiàohuì PTA. ❖"家长教师会 jiāzhǎng jiàoshīhuì" "家长教师联合会 jiāzhǎng jiàoshī liánhéhuì"の略.[Parent-Teacher Association ; PTA]

【佳洁士】Jiājiéshì クレスト. ❖ P&G(米)の口腔ケア用品ブランド.[Crest]

【家居】jiājū ①仕事がなくて暇にしている. ②住まい；暮らし；生活の場；リビングスペース.[②living space]

【夹具】jiājù ジグ. ❖機械加工の際,工作物を固定して正確かつ迅速に加工するために用いる道具.[jig]

【加拉霍艾国家公园】Jiālāhuò'ài Guójiā Gōngyuán ガラホナイ国立公園. ●世界自然遺産(スペイン).[Garajonay National Park]

【加拉加斯】Jiālājiāsī カラカス. ❖ベネズエラの首都.[Caracas]

【加拉加斯大学城】Jiālājiāsī Dàxuéchéng カラカスの大学都市. ●世界文化遺産(ベネズエラ).[Ciudad Universitaria de Caracas]

【加拉帕戈斯群岛】Jiālāpàgēsī Qúndǎo ガラパゴス諸島. ●太平洋の赤道直下にある火山島群. 正式名称は'Archipiélago de Colón'("科隆群岛 Kēlóng Qúndǎo"コロン諸島). 世界自然遺産(エクアドル).[the Galapagos Islands]

【加兰巴国家公园】Jiālánbā Guójiā Gōngyuán ガランバ国立公園. ●世界危機遺産(コンゴ民主共和国).[Garamba National Park]

【加勒比共同体】Jiālèbǐ Gòngtóngtǐ カリブ共同体；CARICOM〈カリコム〉. ❖略称は"加共体 Jiāgòngtǐ".[Caribbean Community ; CARICOM]

jiā

【加勒比开发银行】Jiālèbǐ Kāifā Yínháng カリブ開発銀行；CDB．[Caribbean Development Bank；CDB]

【家乐福】Jiālèfú カルフール．❖フランスの小売チェーン．[Carrefour]

【加勒老城及其城堡】Jiālè Lǎochéng jí Qí Chéngbǎo ゴール旧市街とその要塞群．●世界文化遺産(スリランカ)．[Old Town of Galle and its Fortifications]

【家乐氏】Jiālèshì ケロッグ．❖アメリカのシリアル食品メーカー．[Kellogg's]

【加里曼丹岛】Jiālǐmàndān Dǎo カリマンタン島．❖東南アジアにある世界で3番目に大きな島，ボルネオ島のインドネシア側からの呼称．[Kalimantan]

【加利安奴】Jiālì'ānnú ガリアーノ．❖D.R.L(伊)製のリキュール．[Galliano]

【加利福尼亚大学洛杉矶分校】Jiālìfúníyà Dàxué Luòshānjī Fēnxiào カリフォルニア大学ロサンゼルス校；UCLA．❖アメリカにある大学．略称は"加州大学洛杉矶分校 Jiāzhōu Dàxué Luòshānjī Fēnxiào"．[University of California, Los Angeles；UCLA]

【加利福尼亚州】Jiālìfúníyà Zhōu カリフォルニア州．❖アメリカの州名．[California]

【伽利略卫星系统】Jiālìlüè Wèixīng Xìtǒng ガリレオシステム．❖欧州の衛星測位システム．[Galileo system]

【佳利酿】Jiālìniàng カリニャン．❖黒ぶどう品種．[Carignan]

【嘉绿仙口香糖】Jiālǜxiān Kǒuxiāngtáng クロレッツ．❖キャドバリー・シュウェップス(英)製のガム名．[Clorets]

【佳美】Jiāměi ①カムリ．②ガメイ．❖①トヨタ(日本)製の車名．②ぶどう品種．[①Camry ②Gamay]

【加盟】jiāméng 加盟(する)；加入(する)；入会(する)．

【加密】jiāmì 暗号化(する)；エンクリプション(する)；スクランブルをかける．❖IT用語．[encrypt；scramble]

【加密频道】jiāmì píndào スクランブルチャンネル．[encoded channel]

【加拿大】Jiānádà カナダ．[Canada]

【加拿大鲍尔公司】Jiānádà Bào'ěr Gōngsī パワー・コーポレーション・オブ・カナダ．❖カナダの複合企業．[Power Corporation of Canada]

【加拿大帝国商业银行】Jiānádà Dìguó Shāngyè Yínháng カナダ・インペリアル・コマース銀行；CIBC．❖カナダの銀行．[Canadian Imperial Bank of Commerce；CIBC]

【加拿大管道公司】Jiānádà Guǎndào Gōngsī トランス・カナダ・パイプライン．❖カナダのエネルギー会社．[Trans Canada Pipelines]

【加拿大航空】Jiānádà Hángkōng エア・カナダ．❖カナダの航空会社．コード：AC．[Air Canada]

【加拿大皇家银行】Jiānádà Huángjiā Yínháng カナダ・ロイヤル銀行．❖カナダの銀行．[Royal Bank of Canada]

【加拿大俱乐部】Jiānádà Jùlèbù カナディアン・クラブ．❖ハイラム・ウォーカー(カナダ)製のウイスキー名．[Canadian Club]

【加拿大铝业】Jiānádà Lǚyè アルキャン．❖カナダのアルミメーカー．[Alcan]

【加拿大落基山脉公园群】Jiānádà Luòjī Shānmài Gōngyuánqún カナディアン・ロッキー山脈自然公園群．●世界自然遺産(カナダ)．[Canadian Rocky Mountain Parks]

【加拿大威士忌】Jiānádà wēishìjì カナディアンウイスキー．❖カナダ産のウイスキー．[Canadian Whisky]

【加拿大元】Jiānádàyuán カナダドル．❖カナダの通貨単位．コード：CAD．"加元 Jiāyuán"とも．[Canadian dollars]

【嘉娜宝】Jiānàbǎo カネボウ．❖日本の日用品，化粧品メーカー．[Kanebo]

jiā

【加纳共和国】Jiānà Gònghéguó ガーナ共和国；ガーナ．[Republic of Ghana；Ghana]

【佳能】Jiānéng キヤノン．❖日本の総合機器メーカー．[Canon]

【嘉年华】jiāniánhuá ①カーニバル；〔お祭り騒ぎの〕催し物．②(Jiāniánhuá)フィエスタ．❖②フォード(米)製の車名．[①carnival ②Fiesta]

【加蓬共和国】Jiāpéng Gònghéguó ガボン共和国；ガボン．[Gabonese Republic；Gabon]

【嘉普】Jiāpǔ ギャップ；GAP．❖アメリカのカジュアル衣料小売チェーン．[Gap]

【家禽流行性感冒】jiāqín liúxíngxìng gǎnmào 鳥インフルエンザ．❖略称は"禽流 qínliú""禽流感 qínliúgǎn"．[avian influenza；bird flu]

【加入世界贸易组织】jiārù Shìjiè Màoyì Zǔzhī WTO加盟．❖略称は"入世 rù Shì"．

【加沙地带】Jiāshā Dìdài ガザ地区．[Gaza Strip]

【嘉士伯啤酒】Jiāshìbó Píjiǔ カールスバーグ．❖デンマークのビールメーカー、また同社製のビール名．[Carlsberg]

【佳世客】Jiāshìkè ジャスコ；JUSCO．❖イオン(日本)の小売チェーン．"吉之岛 Jízhīdǎo"とも．[Jusco]

【佳斯达克】Jiāsīdákè ジャスダック；JASDAQ．❖金融用語．日本の店頭株式市場．[JASDAQ]

【迦太基遗址】Jiātàijī Yízhǐ カルタゴ遺跡．●世界文化遺産(チュニジア)．[Site of Carthage]

【家庭版】jiātíngbǎn ホームエディション．❖IT用語．[home edition]

【家庭暴力】jiātíng bàolì ドメスティックバイオレンス；DV．❖女性が夫や恋人から受ける肉体的,精神的,性的,経済的な暴力．[domestic violence；DV]

【家庭病床】jiātíng bìngchuáng 在宅看護；在宅治療；在宅診療．

【家庭夫男】jiātíng fūnán 主夫；専業主夫．❖"家庭主夫 jiātíng zhǔfū""全职妇男 quánzhí fūnán"とも．

【家庭寄宿】jiātíng jìsù ホームステイ．[homestay]

【家庭轿车】jiātíng jiàochē 自家用車；マイカー．❖"私家车 sījiāchē""私人轿车 sīrén jiàochē"とも．略称は"家轿 jiājiào"．

【家庭教师】jiātíng jiàoshī 家庭教師．❖略称は"家教 jiājiào"．

【家庭教育】jiātíng jiàoyù 家庭教育；家庭のしつけ．❖略称は"家教 jiājiào"．

【家庭介护】jiātíng jièhù 在宅介護．

【家庭联产承包责任制】jiātíng liánchǎn chéngbāo zérènzhì 世帯生産請負責任制．

【家庭影院】jiātíng yǐngyuàn ホームシアター．[home theater]

【家庭主妇】jiātíng zhǔfù 専業主婦．

【家庭自动化】jiātíng zìdònghuà ホームオートメーション；HA．[home automation；HA]

【加温】jiāwēn ①加熱する．②〔ある事象が〕ヒートアップする；加熱する；活気づく．[heat up]

【嘉信理财】Jiāxìn Lǐcái チャールズ・シュワブ．❖アメリカのオンライン証券会社．[Charles Schwab]

【加夜班】jiā yèbān 夜間残業をする；夜まで残業する；夜なべをする．

【家用轿车】jiāyòng jiàochē 自家用車；マイカー．❖"私家车 sījiāchē""私人轿车 sīrén jiàochē"とも．略称は"家轿 jiājiào"．

【加油站】jiāyóuzhàn ガソリンスタンド．[gas station；service station]

【加元】Jiāyuán カナダドル．❖カナダの通貨単位．コード：CAD．"加拿大元 Jiānádàyuán"とも．[Canadian dollars]

【家长教师会】jiāzhǎng jiàoshīhuì PTA．

❖略称は"家教会 jiājiàohuì".[Parent-Teacher Association；PTA]

【家长教师联合会】jiāzhǎng jiàoshī liánhéhuì PTA. ❖略称は"家教会 jiājiàohuì"[Parent-Teacher Association；PTA]

【家长学校】jiāzhǎng xuéxiào 父母学校；保護者向け講座.

【家政服务】jiāzhèng fúwù 家事サービス；家事代行サービス.

【加州大学伯克利分校】Jiāzhōu Dàxué Bókèlì Fēnxiào カリフォルニア大学バークレー校；UCB. ❖アメリカ・カリフォルニア州にある大学."加利福尼亚大学伯克利分校 Jiālìfúníyà Dàxué Bókèlì Fēnxiào"の略.[University of California, Berkeley；UCB]

【加州大学洛杉矶分校】Jiāzhōu Dàxué Luòshānjī Fēnxiào カリフォルニア大学ロサンゼルス校；UCLA. ❖アメリカにある大学."加利福尼亚大学洛杉矶分校 Jiālìfúníyà Dàxué Luòshānjī Fēnxiào"の略.[University of California, Los Angeles；UCLA]

【加州理工学院】Jiāzhōu Lǐgōng Xuéyuàn カリフォルニア工科大学. ❖アメリカ・カリフォルニア州にある大学."加利福尼亚理工学院 Jiālìfúníyà Lǐgōng Xuéyuàn"の略.[California Institute of Technology]

【家装】jiāzhuāng〔家の〕内装と外装.

【家族企业】jiāzú qǐyè 家族経営企業；ファミリー企業.[family firm]

jiá

【戛纳电影节】Jiánà Diànyǐngjié カンヌ国際映画祭. ❖フランスの映画祭.世界3大映画祭の1つ.[Cannes International Film Festival]

jiǎ

【假币】jiǎbì 偽造,変造通貨.

【假唱】jiǎchàng 口〈くち〉パク.

【假钞】jiǎchāo 偽札.

【假动作】jiǎdòngzuò フェイント.[pretence；deception；feint]

【贾恩茨考斯韦角及其海岸】Jiǎ'ēncí Kǎosīwěijiǎo jí Qíhǎi'àn ジャイアンツ・コーズウェーとコーズウェー海岸. ●世界自然遺産（イギリス）.[Giant's Causeway and Causeway Coast]

《甲方乙方》Jiǎfāng Yǐfāng「夢の請負人」. ❖中国映画のタイトル.

【甲府市】Jiǎfǔ Shì 甲府〈こうふ〉市. ❖山梨〈やまなし〉県("山梨县 Shānlí Xiàn")の県庁所在地.

【贾古玛】Jiǎgǔmǎ ジャヤクマール. ❖シンガポールの政治家.[Shunmugam Jayakumar]

【甲骨文】Jiǎgǔwén オラクル. ❖アメリカの企業用ソフトウェアメーカー.[Oracle]

【贾河禁猎区】Jiǎhé Jìnlièqū ジャー動物保護区. ●世界自然遺産（カメルーン）.[Dja Faunal Reserve]

【假睫毛】jiǎjiémáo つけまつげ.

【假冒商标】jiǎmào shāngbiāo 偽商標；偽ブランド.

【贾米拉】Jiǎmǐlā ジェミラ. ●世界文化遺産（アルジェリア）.[Djémila]

【贾姆回教寺院尖塔和考古遗址】Jiǎmǔ Huíjiào Sìyuàn Jiāntǎ hé Kǎogǔ Yízhǐ ジャムのミナレットと考古遺跡群. ●世界危機遺産（アフガニスタン）.[Minaret and Archaeological Remains of Jam]

【假球】jiǎqiú〔主に球技での〕八百長〈やおちょう〉試合.

【甲醛】jiǎquán ホルムアルデヒド.[formaldehyde]

【假摔】jiǎshuāi〔サッカーの〕シミュレーション；ダイビング. ❖攻撃側が,守備側の

jiǎ — jiān

チャージを受けたかのように倒れたりするなどの演技をして審判の目を欺くこと．[simulation]

【贾斯汀】Jiǎsītīng ジャスティン〔・ティンバーレイク〕．❖アメリカの歌手．姓は"汀布莱克 Tīngbùláikè"．[Justin Timberlake]

【贾特拉帕蒂・希瓦吉终点站】Jiǎtèlāpàdì Xīwǎjí Zhōngdiǎnzhàn チャトラパティ・シヴァジ・ターミナス駅(旧ヴィクトリア・ターミナス駅)．●世界文化遺産(インド)．[Chhatrapati Shivaji Terminus (formerly Victoria Terminus)]

【假脱机】jiǎtuōjī スプール．❖IT用語．[spool]

【假小子】jiǎxiǎozi おてんば．

【假帐】jiǎzhàng 不正会計．

【甲状腺肿】jiǎzhuàngxiànzhǒng 甲状腺腫〈こうじょうせんしゅ〉．

jià

【价差】jiàchā サヤ；スプレッド．❖金融用語．"利差 lìchā"とも．[spread]

【价格保证】jiàgé bǎozhèng 価格保証．

【价格反弹】jiàgé fǎntán 価格の反発．

【价格机制】jiàgé jīzhì 価格メカニズム．[price mechanism]

【价格弹性】jiàgé tánxìng 価格弾力性．

【价格听证会】jiàgé tīngzhènghuì 価格に関する公聴会．

【价格战】jiàgézhàn 激しい価格競争．

【嫁接】jiàjiē ①接ぎ木(する)．②導入(する)；結びつける；利用(する)．

【假日饭店】Jiàrì Fàndiàn ホリデイ・イン．❖インターコンチネンタル・ホテルズ・グループ(英)のホテルブランド．[Holiday Inn]

【假日经济】jiàrì jīngjì 休日経済．

【驾驶证】jiàshǐzhèng 運転免許証．❖"驾照 jiàzhào"とも．"机动车驾驶证 jīdòngchē jiàshǐzhèng"の略．

【价外】jiàwài アウト・オブ・ザ・マネー．❖金融用語．オプション取引において行使価格と比べ評価損になっている状態．"不利价格 bùlì jiàgé"とも．[out of the money；OTM]

【价位】jiàwèi 価格水準．

【驾校】jiàxiào 自動車学校；教習所．❖"汽车驾驶学校 qìchē jiàshǐ xuéxiào"の略．

【驾照】jiàzhào 運転免許証．❖"驾驶证 jiàshǐzhèng"とも．"机动车驾驶执照 jīdòngchē jiàshǐ zhízhào"の略．

【价值分析】jiàzhí fēnxī 価値分析；VA．[value analysis；VA]

【价值工程】jiàzhí gōngchéng 価値工学；VE．[value engineering；VE]

【价值观念】jiàzhí guānniàn 価値観．

jiān

【兼并收购】jiānbìng shōugòu 合併と買収；M&A．❖"并购 bìnggòu""购并 gòubìng""合并与收购 hébìng yǔ shōugòu""企业并购 qǐyè bìnggòu"とも．[merger and acquisition；M&A]

【监测】jiāncè モニタリング．[monitoring]

【监察专员】jiānchá zhuānyuán オンブズマン；行政監視員．[ombudsman]

【尖峰】jiānfēng ピーク；トップ．[peak；top]

《尖峰时刻》Jiānfēng Shíkè 「ラッシュアワー」．❖アメリカ映画のタイトル．[Rush Hour]

【监护权】jiānhùquán 監護権．

【兼容机】jiānróngjī 互換機．❖IT用語．同じOSやソフトが動くコンピューターのこと．

【兼容性】jiānróngxìng 〔コンピューターで〕相性．❖IT用語．[chemistry]

【监事】jiānshì 監査役．

【监视器】jiānshìqì モニター；監視装置．[monitor]

jiān — jiàn

【坚挺】jiāntǐng〔相場などが〕強気の；先高(さきだか)の；手堅い；上昇基調で安定した；強含(つよぶく)み．❖金融用語．

jiǎn

【简报】jiǎnbào ①ダイジェスト；簡単な書面報告．②ブリーフィング．[①digest ②briefing]

【检察机关】jiǎnchá jīguān 検察機関．

【简单主义】jiǎndān zhǔyì シンプル主義．

【减肥】jiǎnféi ①ダイエット(する)．②雇用削減(する)；〔企業規模の〕ダウンサイジング．[①diet ②downsizing]

【减幅】jiǎnfú 減少幅．

【减负】jiǎnfù〔不必要な〕負担を軽減する(こと)．

【减亏】jiǎnkuī 赤字削減(する)．

【柬埔寨王国】Jiǎnpǔzhài Wángguó カンボジア王国；カンボジア．[Kingdom of Cambodia；Cambodia]

【减让】jiǎnràng 削減(する)；引き下げる(こと)；減免(する)．

《简氏防务周刊》Jiǎnshì Fángwù Zhōukān「ジェーン・ディフェンス・ウィークリー」．❖イギリスの雑誌．[Jane's Defence Weekly]

【简式提单】jiǎnshì tídān 略式船荷証券．❖金融用語．"略式提单 lüèshì tídān"とも．[short form B/L]

【减胎】jiǎntāi 減胎．❖医学用語．

【剪贴】jiǎntiē 切り貼り(する)；カット・アンド・ペースト(する)．[clipping；cut-and-paste]

【剪贴板】jiǎntiēbǎn クリップボード．❖IT用語．[clip board]

【剪贴画】jiǎntiēhuà クリップアート．❖IT用語．[clip art]

【检验证书】jiǎnyàn zhèngshū 検査証明書．

【简约主义】jiǎnyuē zhǔyì ミニマリズム．

❖"极简主义 jíjiǎn zhǔyì""极少主义 jíshǎo zhǔyì"とも．[minimalism]

【减灾】jiǎnzāi 防災対策を講じること；減災；ミティゲーション．[mitigation]

jiàn

【间谍软件】jiàndié ruǎnjiàn スパイウェア．❖IT用語．[spyware]

【建构】jiàngòu 打ち立てる；確立する；構築する．❖抽象的な事柄に多く用いられる．

【健骨操】jiàngǔcāo 健骨体操．❖腰痛や肩こり,骨折を予防する体操．

【建行】Jiànháng 中国建設銀行．❖"中国建设银行 Zhōngguó Jiànshè Yínháng"の略．[China Construction Bank]

【舰舰导弹】jiànjiàn dǎodàn 艦対艦ミサイル；SSM．[ship-to-ship missile；SSM]

【僭建屋】jiànjiànwū〔屋上に〕違法に建築された建物．

【间接金融】jiànjiē jīnróng 間接金融．❖金融用語．

【间接证券】jiànjiē zhèngquàn 間接証券．❖金融用語．

【健康保险】jiànkāng bǎoxiǎn 疾病(しっぺい)保険．

【健康商数】jiànkāng shāngshù 健康の自己管理能力指数．❖略称は"健商 jiànshāng"．

【健康住宅】jiànkāng zhùzhái 健康住宅．❖有害物質が発生しない自然素材で建設された住宅．"绿色建筑 lǜsè jiànzhù"とも．

【舰空导弹】jiànkōng dǎodàn 艦対空ミサイル；SAM．[ship-to-air missile；SAM]

【建立】jiànlì ①築く；作り上げる．②形成(する)；確立(する)．③〔コンピューターでファイルなどを〕作成(する)．❖③IT用語．

【健力士啤酒】Jiànlìshì Píjiǔ ギネスビール．

jiàn

❖ディアジオ(英)の黒ビールブランド. [Guinness Stout]

【健美操】jiànměicāo エアロビクス. [aerobics]

【健美赛】jiànměisài ボディービルコンテスト. [body-building contest]

【健美运动】jiànměi yùndòng ボディービル. [body-building]

【健牌】Jiànpái ケント. ❖ブリティッシュ・アメリカン・タバコ(英)製のタバコ. [Kent]

【箭牌糖类】Jiànpái Tánglèi リグレー. ❖アメリカのチューインガムメーカー. [Wrigley]

【键盘】jiànpán キーボード. [keyboard]

【键盘间谍软件】jiànpán jiàndié ruǎnjiàn キーロガー. ❖IT用語. キーボードからの入力内容を記録するソフトウェア. [key logger]

【见票即付】jiànpiào jífù 一覧払. ❖金融用語. "即期付款 jíqī fùkuǎn"とも.

【见票即付支票】jiànpiào jífù zhīpiào 持参人払小切手. ❖金融用語. "来人支票 láirén zhīpiào"とも. [check to bearer]

【剑桥大学】Jiànqiáo Dàxué ケンブリッジ大学. ❖イギリス・ケンブリッジ州にある大学. [University of Cambridge]

【见俏】jiànqiào よく売れる;売れ行きがよい. ❖"走俏 zǒuqiào"とも.

【健商】jiànshāng 健康の自己管理能力指数. ❖"健康商数 jiànkāng shāngshù"の略.

【建设工程规划许可证】jiànshè gōngchéng guīhuà xǔkězhèng 建設工事計画許可証.

【建设公债】jiànshè gōngzhài 建設公債.

【建设国债】jiànshè guózhài 建設国債.

【建设用地规划许可证】jiànshè yòngdì guīhuà xǔkězhèng 建設用地計画許可証.

【建设周期】jiànshè zhōuqī 建築循環.

【健身房】jiànshēnfáng フィットネスジム;スポーツジム;ジム. [fitness gym;athletic gym;sports gym]

【健身俱乐部】jiànshēn jùlèbù フィットネスクラブ;スポーツクラブ. [fitness club;fitness center]

【健身路径】jiànshēn lùjìng 〔公共の〕トレーニング広場;体力作り広場. ❖各種トレーニング用具を備えている.

【见旺】jiànwàng ①販売好調である;売れ行きがよい. ②盛んになる;高まりをみせる.

【建伍】Jiànwǔ ケンウッド. ❖日本のオーディオ機器メーカー. [Kenwood]

【见习】jiànxí 見習い(をする);実習(をする);インターンシップ. [internship;apprenticeship]

【荐贤举能】jiànxián jǔnéng 有能な人を推薦する.

【健怡可乐】Jiànyí Kělè ダイエットコーク. ❖コカ・コーラ(米)製の飲料名. 中国における登録商標. [Diet Coke]

【荐优】jiànyōu 優秀者推薦.

【鉴真和尚】Jiànzhēn Héshang 鑑真和上〈がんじんわじょう〉. ❖聖武〈しょうむ〉天皇の招きに応じて,苦難の末,753年に来日した唐の高僧.

【建筑红线】jiànzhù hóngxiàn 敷地境界線.

【建筑间距】jiànzhù jiānjù 建物間の距離.

【建筑密度】jiànzhù mìdù 建ぺい率.

【建筑面积】jiànzhù miànjī 延床〈のべゆか〉面積;建物延面積.

【建筑师维克多・奥尔塔设计的主要城内建筑(布鲁塞尔)】Jiànzhùshī Wēikèduō Ào'ěrtǎ Shèjì de Zhǔyào Chéngnèi Jiànzhù (Bùlǔsài'ěr) 建築家ヴィクトール・オルタによる主な邸宅群(ブリュッセル). ●世界文化遺産(ベルギー). [Major Town Houses of the Architect Victor Horta (Brussels)]

【建筑物物业权益】jiànzhùwù wùyè quányì 〔不動産の〕建物に付随する権益. ❖略

jiān — jiāo

称は"物业权益 wùyè quányì""业权 yè-quán".

【健走】jiànzǒu ウォーキング.[walking]

jiāng

【姜东元】Jiāng Dōngyuán カン・ドンウォン. ❖韓国出身の男優.[Kang Dongwon]

【疆独】Jiāngdú 新疆〈しんきょう〉独立.

【将军债券】jiāngjūn zhàiquàn ショーグンボンド；ショーグン債. ❖金融用語.非居住者が日本国内で発行する外貨建て債券.[Shogun bond]

【江诗丹顿】Jiāngshīdāndùn バセロン・コンスタンチン.❖スイスの時計メーカー、また同社製の時計.[Vacheron Constantin]

【江苏省】Jiāngsū Shěng 江蘇省.❖中国の省の1つ.略称は"苏 Sū".省都は"南京 Nánjīng".

【江西省】Jiāngxī Shěng 江西省.❖中国の省の1つ.別称は"赣 Gàn".省都は"南昌 Nánchāng".

jiǎng

【讲解员】jiǎngjiěyuán 解説者；説明係；解説員.

【奖金税】jiǎngjīnshuì「賞金税」；賞与税.

【讲课】jiǎngkè レクチャー；講義.[lecture]

【奖励】jiǎnglì インセンティブ；報奨.[incentive]

【奖项】jiǎngxiàng 賞；部門賞.

jiàng

【降低成本】jiàngdī chéngběn コスト削減（をする）；コストダウン(する).[cost-cutting]

【降幅】jiàngfú 下落〈げらく〉幅；下げ幅.

【降落伞候选人】jiàngluòsǎn hòuxuǎnrén 落下傘〈らっかさん〉候補；パラシューター.❖政党の中央から選出された選挙区外出身の候補者.[parachute candidate]

【降息】jiàngxī 利下げ.❖金融用語.

jiāo

【胶棒】jiāobàng スティックのり.[glue stick]

【交叉感染】jiāochā gǎnrǎn 交差感染.❖医学関連用語.

【交叉汇率】jiāochā huìlǜ クロスレート.❖金融用語.[cross rate]

【交叉交易】jiāochā jiāoyì クロス取引.❖金融用語.[cross-trading]

【交叉违约】jiāochā wéiyuē クロスデフォルト.[cross default]

【胶带座】jiāodàizuò テープホルダー.[tape dispenser]

【交割月】jiāogēyuè 限月〈げんげつ〉.❖金融用語."交割月份 jiāogē yuèfèn"とも.

【交互式】jiāohùshì 双方向の；インタラクティブ.[interactive]

【交互式电视】jiāohùshì diànshì 双方向テレビ；インタラクティブテレビ；ITV.[interactive TV ; ITV]

【交换差额】jiāohuàn chā'é 交換尻〈こうかんじり〉.❖金融機関が手形を交換する際に発生する持ち出し高と持ち帰り高の差額のこと.

【交货期】jiāohuòqī 納期.❖"交期 jiāoqī"とも.

【交际应酬费】jiāojì yìngchoufèi 交際費.❖"应酬费 yìngchoufèi"とも.

【娇兰】Jiāolán ゲラン.❖LVMHグループ(仏)の香水,化粧品メーカー.[Guerlain]

【交流学者】jiāoliú xuézhě 交換研究員.

【胶片投影仪】jiāopiàn tóuyǐngyí オーバーヘッドプロジェクター；OHP.[overhead projector ; OHP]

【交期】jiāoqī 納期.❖"交货期 jiāohuòqī"とも.

jiāo — jiē

【骄人】jiāorén ①見下げる；ばかにする．②誇りに思う；誇らしい．

【交涉】jiāoshè 交渉(する)；ネゴシエーション；ネゴ(する)．[negotiation]

【焦土政策】jiāotǔ zhèngcè 焦土化作戦；焦土化政策．

【交钥匙工程】jiāo yàoshi gōngchéng フルターンキー工事．❖設計から調査，資材調達，施工までを一貫して請負う工事．

【交易费用】jiāoyì fèiyong 取引費用．

【交易所交易】jiāoyìsuǒ jiāoyì 取引所取引；証券取引所取引．❖金融用語．"场内交易 chǎngnèi jiāoyì"とも．

【交易员】jiāoyìyuán トレーダー．❖金融用語．[trader]

【娇韵诗】Jiāoyùnshī クラランス．❖フランスの化粧品メーカー．[Clarins]

【胶状】jiāozhuàng ジェル状．[gel]

jiǎo

【搅拌长匙】jiǎobàn chángchí バースプーン．[bar spoon]

【脚本】jiǎoběn 脚本；シナリオ；スクリプト．[script]

【角球】jiǎoqiú コーナーキック．[corner kick]

jiào

【叫板】jiàobǎn ①〔京劇などの〕台詞を長く引き，伴奏開始の合図とする．②挑戦する；挑発する；けんかを売る．

《教父》Jiàofù 「ゴッドファーザー」．❖アメリカ映画のタイトル．[The Godfather]

【教皇新堡】Jiàohuáng Xīnbǎo シャトーヌフ・デュ・パプ．❖フランス・ローヌ地方のワイン．[Châteauneuf du Pape]

【教练员】jiàoliànyuán インストラクター；コーチ．[instructor；coach]

【叫外卖】jiào wàimài 出前〈でまえ〉をとる；出前を頼む．

【叫醒服务】jiàoxǐng fúwù モーニングコール．❖"叫早服务 jiàozǎo fúwù"とも．[wake-up call]

【教育产业化】jiàoyù chǎnyèhuà 教育の産業化．

【教育贷款】jiàoyù dàikuǎn 教育ローン．[education loan]

【教育消费】jiàoyù xiāofèi 教育関連費用；教育関係の支出．

【叫早服务】jiàozǎo fúwù モーニングコール．❖"叫醒服务 jiàoxǐng fúwù"とも．[wake-up call]

jiē

【揭标】jiēbiāo 開札(する)．❖"开标 kāibiāo"とも．

【接插件】jiēchājiàn コネクター．❖IT用語．[connector]

【接发】jiēfà エクステンションヘアー；エクステンション；つけ毛．[hair extension]

【接轨】jiēguǐ ①レールを接続する．②基準に合わせる．

【街机游戏】jiējī yóuxì アーケードゲーム．[arcade game]

【街景】jiējǐng 美しい街並み；都市景観．

【接客】jiēkè 売春婦が客をとる；客引き．

【接口】jiēkǒu ①話を継ぐ；言葉を継ぐ．②つなぎ目．③インターフェース．④ポート．❖③④IT用語．[③interface ④port]

【揭牌】jiēpái 除幕(する)；創立(する)；開業(する)．

【街区】jiēqū 街区；区画；ブロック．[block]

【接入】jiērù 〔回線，ネットワークへ〕アクセス(する)．❖IT用語．[access]

【接入点】jiērùdiǎn アクセスポイント．❖IT用語．[access point；AP]

【接受】jiēshòu ①引き受ける；承認する．②アクセプタンス；引受．[①accept ②ac-

【接受者】jiēshòuzhě ①受取人；受容者．②レシピエント；臓器移植希望者；骨髄移植希望者．[②recipient]

《街头霸王》Jiētóu Bàwáng「ストリートファイター」．❖カプコン(日本)製のゲームのタイトル．[Street Fighter]

【街头表演】jiētóu biǎoyǎn ストリートパフォーマンス；大道芸．[street performance]

【街头时尚】jiētóu shíshàng ストリートファッション．[street fashion]

【街舞】jiēwǔ ストリートダンス；ヒップホップダンス．[street dance；hip-hop dance]

jié

【捷豹】Jiébào ジャガー．❖イギリスの自動車メーカー(フォード傘下)．[Jaguar]

【捷达】Jiédá ジェッタ．❖フォルクスワーゲン(独)製の車名．[Jetta]

【节点】jiédiǎn ノード．❖IT用語．"结点 jiédiǎn"とも．[node]

【结点】jiédiǎn ①ノード．②交わる場所；インターセクション．❖①IT用語．"节点 jiédiǎn"とも．[①node ②intersection]

【杰尔宾特城堡、古城和要塞】Jié'ěrbīntè Chéngbǎo Gǔchéng hé Yàosài デルベントのシタデル，古代都市，要塞建築物群．◉世界文化遺産(ロシア)．[Citadel, Ancient City and Fortress Buildings of Derbent]

【杰斐逊城】Jiéfěixùnchéng ジェファーソンシティ．❖アメリカ・ミズーリ州都．[Jefferson city]

【洁肤霜】jiéfūshuāng クレンジングクリーム．❖"卸妆霜 xièzhuāngshuāng"とも．[cleansing cream]

【结构重整】jiégòu chóngzhěng リストラクチャリング．❖"结构重组 jiégòu chóngzǔ"とも．[restructuring]

【结构重组】jiégòu chóngzǔ リストラクチャリング．❖"结构重整 jiégòu chóngzhěng"とも．[restructuring]

【结构改革】jiégòu gǎigé 構造改革．

【结构化查询语言】jiégòuhuà cháxún yǔyán SQL．❖IT用語．"SQL 语言 SQL yǔyán"とも．データベース制御用の言語の1つ．[Structured Query Language；SQL]

【结构调整】jiégòu tiáozhěng 構造調整．

【结汇】jiéhuì 為替決済；外為(がいため)決済．❖金融用語．

【结婚典礼】jiéhūn diǎnlǐ 結婚式；婚礼；結婚披露宴．❖略称は"婚典 hūndiǎn"．

【结婚庆典】jiéhūn qìngdiǎn 結婚式；婚礼；結婚披露宴．❖略称は"婚庆 hūnqìng"．

【洁净煤技术】jiéjìngméi jìshù クリーン石炭技術；クリーン・コール・テクノロジー；CCT．[clean coal technology；CCT]

【洁净室】jiéjìngshì クリーンルーム．❖"防尘室 fángchénshì""净化室 jìnghuàshì""无尘室 wúchénshì"とも．[clean room]

【洁具】jiéjù 衛生陶器；水まわり商品；サニタリーウエア．[sanitaryware]

【杰克丹尼】Jiékè Dānní ジャック・ダニエル．❖ジャック・ダニエル ディスティラリー(米)製のウイスキー名．[Jack Daniel's]

【捷克共和国】Jiékè Gònghéguó チェコ共和国；チェコ．[Czech Republic；Czech]

【捷克克鲁姆洛夫历史中心】Jiékè Kèlǔmǔluòfū Lìshǐ Zhōngxīn チェスキー・クルムロフ歴史地区．◉世界文化遺産(チェコ)．[Historic Centre of Český Krumlov]

【杰克逊】Jiékèxùn ジャクソン．❖アメリカ・ミシシッピ州都．[Jackson]

【截流】jiéliú 流れをせき止める．

【睫毛膏】jiémáogāo マスカラ．[mascara]

【睫毛夹】jiémáojiā アイラッシュカーラー；ビューラー．[eyelash curler]

【睫毛嫁接】jiémáo jiàjiē 植えまつ毛；つ毛エクステンション．[eyelash extension]

【洁面泡沫】jiémiàn pàomò 洗顔フォーム．

[cleansing foam]
【杰姆的圆形竞技场】Jiémǔ de Yuánxíng Jìngjìchǎng エル・ジェムの円形闘技場. ●世界文化遺産(チュニジア). [Amphitheatre of El Jem]
【杰内古城】Jiénèi Gǔchéng ジェンネ旧市街. ●世界文化遺産(マリ). [Old Towns of Djenné]
【杰尼斯】Jiénísī ジャニーズ. ❖日本の芸能プロダクション. [Johnnys]
【杰尼亚】Jiéníyà エルメネジルド・ゼニア. ❖イタリアの男性ファッションブランド. [Ermenegildo Zegna]
【捷奇】Jiéqí〔ジャン・ポール・〕ゴルチエ；ゴルチエ. ❖フランスのファッションメーカー、ブランド. [Jean-Paul Gaultier]
【节庆】jiéqìng 祝祭日と祝賀行事.
【结算】jiésuàn 清算；決算.
【杰伟世】Jiéwěishì 日本ビクター；ビクター. ❖日本の家電メーカー. [Victor；JVC]
【节奏布鲁斯】jiézòu bùlǔsī リズム・アンド・ブルース； R&B. [rhythm and blues]

jiě

【姐弟恋】jiědìliàn 姉さん女房カップル；女性が年上のカップル；女性が年上のカップルの恋愛.
【解读】jiědú 解読する；分析する；解剖する；理解する；体得する.
【解毒所】jiědúsuǒ 薬物更生施設；薬物依存症治療施設；薬物依存症回復施設.
《解放报》Jiěfàng Bào 「リベラシオン」. ❖フランスの日刊紙. [Liberation]
【解构】jiěgòu 脱構築；ディコンストラクション. [deconstruction]
【解决方案】jiějué fāng'àn ソリューション. [solution]
【解困】jiěkùn 困難を解決する(こと)；苦境を抜け出す(こと). ❖経済難や住宅難を解決すること.

【解码器】jiěmǎqì デコーダー. ❖IT用語. 圧縮されたり暗号化されたデータを元のデータに復元する装置、またはソフトウェア. [decoder]
【解调】jiětiáo 復調. ❖IT用語.
【解压】jiěyā〔圧縮したファイルを〕解凍(する). ❖IT用語."解压缩 jiěyāsuō"とも.

jiè

【借调】jièdiào 出向勤務.
【戒毒】jièdú 薬物依存症から回復する.
【借股费】jiègǔfèi 逆日歩(ぎゃくひぶ). ❖金融用語.信用取引で株式を借りる際に支払う品貸料."借券费用 jièquàn fèiyong""融券费用 róngquàn fèiyong"とも.
【借记卡】jièjìkǎ デビットカード. ❖預金残高内で買い物などの支払いができる金融機関のカード. [debit card]
【界面】jièmiàn ①界面. ②インターフェース. ❖②IT用語. [interface]
【借脑】jiènǎo 外部の人材を導入する(こと).
【借券费用】jièquàn fèiyong 逆日歩(ぎゃくひぶ). ❖金融用語.信用取引で、株式を借りる際に支払う品貸料."借股费 jiègǔfèi""融券费用 róngquàn fèiyong"とも.
【借入过多】jièrù guòduō オーバーボローイング；過剰借入. ❖金融用語."超借 chāojiè"とも. [over-borrowing]
【介入疗法】jièrù liáofǎ インターベンション治療. ❖カテーテルという細いチューブを血管の中に挿入して行う治療. [intervention therapy]
【介绍贿赂罪】jièshào huìlùzuì 幹旋贈収賄罪(あっせんぞうしゅうわいざい). ❖中国の罪状名.
【借债筹资】jièzhài chóuzī デットファイナンス. ❖金融用語. [debt financing]

jīn

【津巴布韦共和国】Jīnbābùwéi Gònghéguó ジンバブエ共和国；ジンバブエ．[Republic of Zimbabwe ; Zimbabwe]

【金巴斯集团】Jīnbāsī Jítuán コンパスグループ．❖イギリスの給食事業会社．[Compass Group]

【金霸王】Jīnbàwáng デュラセル．❖デュラセル(米)の電池ブランド．[Duracell]

【金百利克拉克】Jīnbǎilì Kèlākè キンバリー・クラーク．❖アメリカの製紙会社．[Kimberly-Clark]

【金宝汤】Jīnbǎotāng キャンベルスープ．❖アメリカの食品メーカー．[Campbell Soup]

【金本位制】jīn běnwèizhì 金本位制．❖金融用語．

【金边】Jīnbiān プノンペン．❖カンボジアの首都．[Phnom Penh]

【金大中】Jīn Dàzhōng キム・デジュン．❖韓国の政治家．[Kim Daejung]

【金德代克·埃尔斯豪特的风车系统】Jīndédàikè Āi'ěrsīháotè de Fēngchē Xìtǒng キンデルダイク・エルスハウトの風車群．◉世界文化遺産(オランダ)．[Mill Network at Kinderdijk-Elshout]

【金桂冠】Jīn Guìguān キム・ゲグァン；キム・ケグァン．❖北朝鮮の外交官僚．[Kim Gyegwan]

【金海国际机场】Jīnhǎi Guójì Jīchǎng キメ(金海)国際空港．❖韓国・ブサンにある空港．[Gimhae International Airport]

【金花】Jīnhuā カミュ．❖カミュ(仏)製のブランデー．[Camus]

【金婚】jīnhūn 金婚式．❖50年目の結婚記念日．

【金鸡奖】Jīnjī Jiǎng 金鶏賞．❖中国の映画賞．[Golden Rooster Awards]

【金降落伞】jīnjiàngluòsǎn ゴールデンパラシュート．❖買収,合併などで会社幹部が失職する際の巨額の退職金などの支払い契約を事前に決めること．[golden parachute]

【金酒】jīnjiǔ ジン．❖酒の種類．[gin]

【金卡】jīnkǎ ゴールドカード．❖高額利用者対象のクレジットカード．[gold card]

【金利来】Jīnlìlái ゴールドライオン．❖香港のアパレルメーカー．[Goldlion]

【金领】jīnlǐng ゴールドカラー；頭脳労働者；エリートサラリーマン；ビジネスエリート．[gold-collar ; gold-collar worker]

【金马奖】Jīnmǎ Jiǎng 金馬賞．❖台湾の映画賞．[Golden Horse Awards]

【金瓶掣签】Jīnpíng Chèqiān 「金瓶掣籤(きんぺいせいせん)」．❖チベット仏教で後継者(転生霊童)選出の際に行われるくじ引きの儀式のこと．

【金浦国际机场】Jīnpǔ Guójì Jīchǎng キンポ(金浦)国際空港．❖韓国・ソウルにある空港．[Kimpo International Airport]

【金球奖】Jīnqiú Jiǎng ゴールデン・グローブ賞．❖アメリカの映画賞．[Golden Globe Award]

【金球制胜法】jīnqiú zhìshèngfǎ 〔サッカーの〕ゴールデンゴール方式；延長Vゴール方式．

【金曲】jīnqǔ ヒット曲；名曲．[hit song]

【金日成】Jīn Rìchéng キム・イルソン．❖北朝鮮の政治家．[Kim Il Sung]

《今日美国报》Jīnrì Měiguó Bào 「USAトゥデイ」．❖アメリカの日刊紙．[USA Today]

【金融工具】jīnróng gōngjù 金融商品．❖金融用語．

【金融寡头】jīnróng guǎtóu ①金融界の大物．②財閥．

【金融缓和】jīnróng huǎnhé 金融緩和．❖金融用語．"放松银根 fàngsōng yíngēn""银根松弛 yíngēn sōngchí"とも．

【金融紧缩】jīnróng jǐnsuō 金融引き締め．❖金融用語．"紧缩银根 jǐnsuō yíngēn"

jīn

"银根紧缩 yíngēn jǐnsuō"とも.

【金融媒介机构】jīnróng méijiè jīgòu 金融仲介機関. ❖金融用語.

【金融期货交易】jīnróng qīhuò jiāoyì 金融先物取引. ❖金融用語.

《金融时报》Jīnróng Shíbào「フィナンシャル・タイムズ」. ❖イギリスのビジネス紙. [Financial Times]

【金融市场】jīnróng shìchǎng 金融市場. ❖金融用語. [financial market]

【金融危机】jīnróng wēijī 金融危機；金融クライシス. ❖金融用語. [financial crisis]

【金融衍生产品】jīnróng yǎnshēng chǎnpǐn 金融派生商品；デリバティブズ. ❖金融用語. "金融衍生商品 jīnróng yǎnshēng shāngpǐn" "金融衍生物 jīnróng yǎnshēngwù" とも. [financial derivative products]

【金融债券】jīnróng zhàiquàn 金融債. ❖金融用語.

【金融主管当局】jīnróng zhǔguǎn dāngjú 通貨当局.

【金三角】jīnsānjiǎo ①(Jīnsānjiǎo) 黄金の三角地帯；ゴールデントライアングル. ②〔経済的発展が注目される〕三角地帯. ❖①タイ,ミャンマー,ラオスの国境地帯.麻薬の生産地として知られる. [Golden Triangle]

【金沙萨】Jīnshāsà キンシャサ. ❖コンゴ民主共和国の首都. [Kinshasa]

【金山阿尔泰山】Jīn Shān Ā'ěrtài Shān アルタイのゴールデン・マウンテン. ●世界自然遺産(ロシア). [Golden Mountains of Altai]

【金哨】jīnshào〔サッカーの〕最優秀審判員；ゴールデンホイッスル. [golden whistle]

【津市】Jīn Shì 津⟨つ⟩市. ❖三重⟨みえ⟩県("三重县 Sānchóng Xiàn")の県庁所在地.

【金属玻璃】jīnshǔ bōli 金属ガラス.

【金税工程】Jīnshuì Gōngchéng「金税」プロジェクト. ❖税金徴収管理システムの改善プロジェクト. 1994年スタート.

【金斯敦】Jīnsīdūn ①キングストン. ②キングスタウン. ❖①ジャマイカの首都. ②セントビンセントおよびグレナディーン諸島の首都. [①Kingston ②Kingstown]

【金丝鸟】jīnsīniǎo ①カナリア. ②二号；愛人. [①canary]

【金穗卡】Jīnsuìkǎ 金穂カード. ❖中国農業銀行(中国)が発行する銀行系カード.

《金田一少年事件簿》Jīntiányī Shàonián Shìjiànbù「金田一少年の事件簿」. ❖日本の漫画,アニメ,テレビドラマのタイトル. [The New Kindaichi Files]

【金童玉女】jīntóng yùnǚ 美男美女カップル.

【金威啤酒集团】Jīnwēi Píjiǔ Jítuán 金威ビール集団；キングウェイ・ビール・ホールディングス. ❖飲料メーカー.レッドチップ企業の１つ. [Kingway Brewery Holdings]

【金像】Jīnxiàng オタール. ❖フランスのコニャックメーカー,また同社製のコニャック. [Otard]

【金星凌日】jīnxīng língrì 金星の太陽面通過.

【金银丝线】jīnyín sīxiàn ラメ糸；金銀糸；メタリックヤーン. [metallic yarn]

【金永南】Jīn Yǒngnán キム・ヨンナム. ❖北朝鮮の政治家. [Kim Yongnam]

【金泳三】Jīn Yǒngsān キム・ヨンサム. ❖韓国の政治家. [Kim Youngsam]

【金泽市】Jīnzé Shì 金沢⟨かなざわ⟩市. ❖石川⟨いしかわ⟩県("石川县 Shíchuān Xiàn")の県庁所在地.

【金正日】Jīn Zhèngrì キム・ジョンイル. ❖北朝鮮の政治家. [Kim Jongil]

【金钟泌】Jīn Zhōngbì キム・ジョンピル. ❖韓国の政治家. [Kim Jongpil]

【金砖四国】Jīnzhuān Sìguó BRICs；ブリックス. ❖ブラジル,ロシア,インド,中国の

4か国を指す．[BRICs]

jǐn

【锦标赛】jǐnbiāosài 選手権大会；チャンピオンシップ．[championship]

【紧肤水】jǐnfūshuǐ アストリンゼントローション；収斂〈しゅうれん〉化粧水．[astringent lotion]

【紧急进口限制】jǐnjí jìnkǒu xiànzhì 緊急輸入制限；セーフガード．❖"紧急限制进口 jǐnjí xiànzhì jìnkǒu"とも．[safeguard]

【紧急限制进口】jǐnjí xiànzhì jìnkǒu 緊急輸入制限；セーフガード．❖"紧急进口限制 jǐnjí jìnkǒu xiànzhì"とも．[safeguard]

【紧俏职业】jǐnqiào zhíyè 売り手市場の職業；人手不足の職業．

【紧缩财政】jǐnsuō cáizhèng 緊縮財政．

【紧缩银根】jǐnsuō yíngēn 金融引き締め．❖金融用語．"金融紧缩 jīnróng jǐnsuō""银根紧缩 yíngēn jǐnsuō"とも．

【紧销】jǐnxiāo 品薄．

【紧追】jǐnzhuī 後ろにくっついていく；〔～に〕続く；急迫する；ぴたりと後ろにつく．

jìn

【禁毒】jìndú 薬物禁止．❖薬物の密輸，売買，輸送，製造，乱用の禁止．

【禁放】jìnfàng 花火爆竹使用禁止．

【禁飞区】jìnfēiqū 飛行禁止空域．[no-fly zone]

【进宫】jìngōng ①宮殿に入る．②刑務所に入る．

【近畿日本铁道】Jìnjī Rìběn Tiědào 近畿日本鉄道；近鉄．❖日本の鉄道会社．[Kinki Nippon Railway；Kintetsu Corporation]

【近畿小子】Jìnjī Xiǎozǐ KinKi Kids〈キンキキッズ〉．❖日本の音楽グループ，男優．[KinKi Kids]

【进口附加税】jìnkǒu fùjiāshuì 輸入課徴金．[import surcharge]

【进口环节税】jìnkǒu huánjiéshuì 「輸入環節税」；輸入関連税．[import related taxes]

【进口配额】jìnkǒu pèi'é 輸入割当；輸入クオータ；IQ．[import quota；IQ]

【进口渗透】jìnkǒu shèntòu 輸入浸透度．[import penetration]

【进口通胀】jìnkǒu tōngzhàng 輸入インフレーション．❖金融用語．"输入通货膨胀 shūrù tōnghuò péngzhàng""输入性通货膨胀 shūrùxìng tōnghuò péngzhàng"とも．[import inflation]

【进口外汇】jìnkǒu wàihuì 輸入為替；売為替．

【禁鸣】jìnmíng クラクション禁止；クラクションを禁止する．

【禁赛】jìnsài〔競技への〕出場停止(にする)．

【进食障碍】jìnshí zhàng'ài 摂食障害．[eating disorders]

【进项税】jìnxiàngshuì 仕入れ税．

【禁行】jìnxíng 通行禁止；通行を禁止する；進入禁止；進入を禁止する．

【禁养】jìnyǎng〔動物の〕飼育禁止；飼育を禁止する．

【禁用手钩】jìnyòng shǒugōu 手鉤無用〈てかぎむよう〉．❖"不得用钩 bùdé yònggōu"とも．

【禁渔】jìnyú〔主に淡水域での〕禁漁．

jīng

【惊爆】jīngbào ①驚かせる；驚愕〈きょうがく〉させる．②驚くべきニュース；仰天ニュース．

【经常收支】jīngcháng shōuzhī 経常収支．

【京瓷】Jīngcí 京セラ〈きょうせら〉．❖日本の総合機器メーカー．[Kyocera]

jīng

【京都府】Jīngdū Fǔ 京都〈きょうと〉府．❖日本の都道府県の1つ．府庁所在地は京都〈きょうと〉市("京都市 Jīngdū Shì")．

【京都格兰比亚大饭店】Jīngdū Gélánbǐyà Dàfàndiàn ホテルグランヴィア京都．❖日本・京都にあるホテル．[Hotel Granvia Kyoto]

【京都市】Jīngdū Shì 京都〈きょうと〉市．❖京都〈きょうと〉府("京都府 Jīngdū Fǔ")の府庁所在地．

《京都议定书》Jīngdū Yìdìngshū 京都議定書〈きょうとぎていしょ〉；「気候変動に関する国際連合枠組条約の京都議定書」．❖地球温暖化を防止するための国際条約．1997年12月京都で採択．[Kyoto Protocol to the United Nations Framework Convention on Climate Change]

【精工】Jīnggōng セイコー．❖日本の精密機械メーカー．[Seiko]

【精工电子】Jīnggōng Diànzǐ セイコーインスツル；SII〈エスアイアイ〉．❖日本の半導体，電子精密機械メーカー．[Seiko Instruments Inc.；SII]

【京广新世界饭店】JīngGuǎng Xīnshìjiè Fàndiàn ジングアン・ニューワールドホテル；京広新世界飯店．❖中国・北京にあるホテル．[Jing Guang New World Hotel]

【经合组织】Jīnghé Zǔzhī 経済協力開発機構；OECD．❖"经济合作与发展组织 Jīngjì Hézuò yǔ Fāzhǎn Zǔzhī"の略．[Organisation for Economic Co-operation and Development；OECD]

【精华液】jīnghuáyè エッセンス（化粧品）．[essence]

【经济白皮书】jīngjì báipíshū 経済白書．

【经济舱】jīngjìcāng エコノミークラス．❖"普通舱 pǔtōngcāng"とも．[economy class]

【经济舱综合征】jīngjìcāng zōnghézhēng エコノミークラス症候群；ロングフライト血栓症．❖"经济舱综合症 jīngjìcāng zōnghézhèng"とも．[economy-class syndrome；ECS；long flight thrombosis]

【经济蛋糕】jīngjì dàngāo 経済のパイ；パイ．[pie]

《经济合作协定》Jīngjì Hézuò Xiédìng 経済連携協定；EPA．[economic partnership agreement；EPA]

【经济合作与发展组织】Jīngjì Hézuò yǔ Fāzhǎn Zǔzhī 経済協力開発機構；OECD．❖略称は"经合组织 Jīnghé Zǔzhī"．[Organisation for Economic Co-operation and Development；OECD]

【经济滑坡】jīngjì huápō 経済の減速；経済が減速する；不況．

【经济基本因素】jīngjì jīběn yīnsù ファンダメンタルズ；経済の基礎的条件．❖金融用語．"经济基础条件 jīngjì jīchǔ tiáojiàn"とも．[fundamentals]

【经济基础条件】jīngjì jīchǔ tiáojiàn ファンダメンタルズ；経済の基礎的条件．❖金融用語．"经济基本因素 jīngjì jīběn yīnsù"とも．[fundamentals]

【经济技术开发区】jīngjì jìshù kāifāqū 経済技術開発区．

【经济结构】jīngjì jiégòu 経済構造．

【经济开发区】jīngjì kāifāqū 経済開発区．

【经济恐慌】jīngjì kǒnghuāng 経済恐慌．

【经济普查】jīngjì pǔchá 経済統計調査；経済センサス．

【经济全球化】jīngjì quánqiúhuà グローバリゼーション；経済のグローバル化．[globalization]

【经纪人】jīngjìrén ①管理者；マネージャー．②ブローカー．❖②金融用語．[①manager ②broker]

【经济人】jīngjìrén 経済人；ホモエコノミクス．[homo economics]

【经纪商】jīngjìshāng ブローカー．[broker]

【经济失调指数】jīngjì shītiáo zhǐshù 苦痛指数；悲惨指数．❖経済の逆風を測る指数．失業率と消費者物価上昇率の和．[mis-

jīng

【经济适用房】jīngjì shìyòngfáng〔中低所得者層向け〕低価格分譲住宅.

【经济衰退】jīngjì shuāituì 景気の後退.

【经济特区】jīngjì tèqū 経済特区. ❖企業誘致のため税制などの優遇措置が講じられた特定地域.

【经济头脑】jīngjì tóunǎo ビジネスセンス. [business sense]

【经济效益】jīngjì xiàoyì 経済効率；経済効果.

【经济型轿车】jīngjìxíng jiàochē エコノミーカー. [economy car]

《经济学家》Jīngjìxuéjiā「エコノミスト」. ❖イギリスのビジネス誌.《经济学人》Jīngjìxuérén とも. [Economist]

《经济学人》Jīngjìxuérén「エコノミスト」. ❖イギリスのビジネス誌.《经济学家》Jīngjìxuéjiā とも. [Economist]

【经济与社会理事会】Jīngjì yǔ Shèhuì Lǐshìhuì 経済社会理事会；経社理；ECOSOC. ❖国連の組織の1つ. 略称は"经社理事会 Jīngshè Lǐshìhuì". [Economic and Social Council；ECOSOC]

【经济增长点】jīngjì zēngzhǎngdiǎn 成長エンジン；経済成長ポイント.

【经济增长率】jīngjì zēngzhǎnglǜ 経済成長率.

【经济总量】jīngjì zǒngliàng 経済規模.

【精加工】jīngjiāgōng 仕上げ加工.

【惊恐障碍】jīngkǒng zhàng'ài パニック障害. ❖"恐慌症 kǒnghuāngzhèng"とも. [panic disorder]

《精灵鼠小弟》Jīnglíng Shǔxiǎodì「スチュワート・リトル」. ❖アメリカ映画のタイトル. [Stuart Little]

【京骂】Jīngmà 北京方言の罵詈雑言〈ばりぞうごん〉. ❖〔特に〕サッカー場などで発せられる相手を罵倒する語.

【精密陶瓷】jīngmì táocí ファインセラミックス. ❖"先进陶瓷 xiānjìn táocí"とも. [advanced ceramics；fine ceramics]

【精品店】jīngpǐndiàn 高級品店.

【精确打击】jīngquè dǎjī 精密攻撃.

【精确制导武器】jīngquè zhìdǎo wǔqì 精密誘導兵器.

【经商习惯】jīngshāng xíguàn 商習慣. ❖"商务习惯 shāngwù xíguàn"とも.

【精深加工】jīngshēn jiāgōng 高付加価値加工.

【精神创伤】jīngshén chuāngshāng トラウマ. [trauma]

【精神分裂症】jīngshén fēnlièzhèng 統合失調症.

【精神食粮】jīngshén shíliáng 心の栄養. ❖音楽や本など, 精神をリラックスさせるもの.

【精神损害赔偿】jīngshén sǔnhài péicháng 慰謝料；精神的苦痛に対する損害賠償.

【精神外遇】jīngshén wàiyù 精神的な浮気；精神的な浮気相手.

【精神卫生】jīngshén wèishēng メンタルヘルス；精神衛生. [mental health]

【惊悚片】jīngsǒngpiàn スリラー映画；スリラー. ❖"惊险片 jīngxiǎnpiàn"とも. [thriller]

【精算】jīngsuàn〔保険, 金融などの〕計理.

【晶体三极管】jīngtǐ sānjíguǎn トランジスター. ❖IT用語. [transistor]

【京王广场饭店】Jīngwáng Guǎngchǎng Fàndiàn 京王プラザホテル. ❖日本・東京にあるホテル. [Keio Plaza Hotel]

【惊险片】jīngxiǎnpiàn スリラー映画；スリラー. ❖"惊悚片 jīngsǒngpiàn"とも. [thriller]

【经销处】jīngxiāochù 特約店；代理店. ❖"经销商 jīngxiāoshāng"とも.

【经销商】jīngxiāoshāng 特約店；代理店. ❖"经销处 jīngxiāochù"とも.

【精益生产】jīngyì shēngchǎn リーン生産方式. ❖企業活動の時間を含むすべての

jīng — jìng

資源の量の最小化を追及する生産哲学. "精良生产 jīngliáng shēngchǎn"とも. [Lean production]

【经营费用】jīngyíng fèiyong ランニングコスト. ❖"营运成本 yíngyùn chéngběn" "运行成本 yùnxíng chéngběn" "运营成本 yùnyíng chéngběn"とも.[running costs]

【经营谋略】jīngyíng móulüè 経営戦略. ❖"经营战略 jīngyíng zhànlüè"とも.

【经营战略】jīngyíng zhànlüè 経営戦略. ❖"经营谋略 jīngyíng móulüè"とも.

【经援】jīngyuán ①経済援助. ②政府開発援助；ODA.[②Official Development Assistance；ODA]

【惊蛰】jīngzhé〔二十四節気の〕啓蟄〈けいちつ〉.

【精准农业】jīngzhǔn nóngyè 精密農業.

【精子库】jīngzǐkù 精子バンク.[sperm bank]

jǐng

【警匪片】jǐngfěipiàn 刑事もの映画.
【景观水】jǐngguānshuǐ 水景施設.
【警花】jǐnghuā〔若い〕婦人警官.
【景气变动】jǐngqì biàndòng 景気変動. ❖"景气波动 jǐngqì bōdòng"とも.
【景气波动】jǐngqì bōdòng 景気変動. ❖"景气变动 jǐngqì biàndòng"とも.
【景气循环】jǐngqì xúnhuán 景気循環.
【景气指数】jǐngqì zhǐshù 景気指数.
【警区】jǐngqū〔公安当局の〕管轄区域.
【警嫂】jǐngsǎo 警察官の妻.
【警示】jǐngshì 警告(する)；注意を促す.
【警卫人员】jǐngwèi rényuán 警備員.
【警衔】jǐngxián 警察官の階級.

jìng

【劲爆】jìngbào ①驚愕〈きょうがく〉の. ②大変にぎやかな. ③ショッキングなニュースを発表する.

【竞标】jìngbiāo ①競争入札. ②オークション. ❖"竞拍 jìngpāi"とも.[②auction]

【净菜】jìngcài 洗浄済み野菜. ❖流通前に選別,洗浄,梱包された野菜のこと.

【净产值】jìngchǎnzhí 純生産額.

【净成本】jìngchéngběn 純コスト.

【静冈市】Jìnggāng Shì 静岡〈しずおか〉市. ❖静岡〈しずおか〉県("静冈县 Jìnggāng Xiàn")の県庁所在地.

【静冈县】Jìnggāng Xiàn 静岡〈しずおか〉県. ❖日本の都道府県の1つ.県庁所在地は静岡〈しずおか〉市("静冈市 Jìnggāng Shì").

【竞岗】jìnggǎng 審査,選抜を経てポストを獲得する(こと). ❖"竞争上岗 jìngzhēng shànggǎng"の略.

【净化室】jìnghuàshì クリーンルーム. ❖"防尘室 fángchénshì" "洁净室 jiéjìngshì" "无尘室 wúchénshì"とも.[clean room]

【竞价】jìngjià 価格を競り合う.

【劲减】jìngjiǎn〔価格や指数などが〕急落(する)；急下降(する).

【净利】jìnglì 純利益. ❖"净利润 jìnglìrùn"とも.

【净利润】jìnglìrùn 純利益. ❖"净利 jìnglì"とも.

【静脉注射吸毒】jìngmài zhùshè xīdú 静脈注射による薬物乱用.

【镜面人】jìngmiànrén 内臓逆位の人；内臓逆位症の人.

【竞拍】jìngpāi ①競争入札. ②オークション. ❖"竞标 jìngbiāo"とも.[②auction]

【竞聘】jìngpìn 公開試験採用；公開試験で採用する. ❖主として高級職員の採用方法.

【劲升】jìngshēng〔価格や指数などが〕急騰(する)；急上昇(する).

【净水器】jìngshuǐqì 浄水器.

【境外带料加工贸易】jìngwài dàiliào jiāgōng màoyì 域外加工貿易. ❖中国企業

が海外進出し,中国の海外現地法人などに原料を持ち込み加工生産を行うこと.

【境外金融市场】jìngwài jīnróng shìchǎng オフショア市場;オフショアマーケット. ❖金融用語.国内の金融市場と隔離形態になっている金融市場.非居住者が資金調達または資金運用を行う市場."岸金融市場lí'àn jīnróng shìchǎng""离岸市场 lí'àn shìchǎng"とも.[offshore market]

【劲舞】jìngwǔ パワーダンス.

【镜像】jìngxiàng ミラーリング. ❖IT用語.[mirroring]

【镜像站】jìngxiàngzhàn ミラーサイト. ❖IT用語."镜像站点 jìngxiàngzhàndiǎn"とも.[mirror site]

【竞选辩论】jìngxuǎn biànlùn 選挙討論.

【竞选纲领】jìngxuǎn gānglǐng マニフェスト;政権公約.[manifesto]

【竞争上岗】jìngzhēng shànggǎng 審査,選抜を経てポストを獲得する(こと). ❖略称は"竞岗 jìnggǎng".

【竞争优势】jìngzhēng yōushì 競争における優位性.

【净重】jìngzhòng 正味重量;ネットウェイト.[net weight]

【净资产】jìngzīchǎn 純資産.

jiū

【纠察】jiūchá ピケット;ピケ.[picketing; picket]

【纠错】jiūcuò デバッグ;デバグ. ❖IT用語.プログラムの誤りなどを修正する作業."调试 tiáoshì""排错 páicuò"とも.[debug]

【纠纷】jiūfēn トラブル;もめごと;紛争.[trouble]

【纠风】jiūfēng 各業界の不正取り締まり.

【纠风办】Jiūfēngbàn〔さまざまな分野や業界の〕不正取締弁公室;不正傾向是正弁公室. ❖"纠正行业不正之风办公室 Jiūzhèng Hángyè Bùzhèng Zhī Fēng Bàngōngshì"の略.

【纠约】jiūyuē ①結託する;徒党を組む.②契約上のトラブル;契約違反.[②trouble]

【纠正行业不正之风办公室】Jiūzhèng Hángyè Bùzhèng Zhī Fēng Bàngōngshì〔さまざまな分野や業界の〕不正取締弁公室;不正傾向是正弁公室. ❖略称は"纠风办 Jiūfēngbàn".

jiǔ

【酒吧】jiǔbā バー.[bar]

【九通一平】jiǔtōng yīpíng「九通一平」;〔企業誘致のための〕インフラ整備. ❖道路,雨水処理,汚水処理,水道,天然ガス,電力,通信,熱供給,ケーブルテレビ等の条件が整っており,整地されていること.

【9・11事件】Jiǔ Yī Yī Shìjiàn アメリカ同時多発テロ事件. ❖2001年9月11日,アメリカ・ニューヨークやワシントンなどで起きたテロ事件.

【九寨沟风景名胜区】Jiǔzhàigōu Fēngjǐng Míngshèngqū 九寨溝の渓谷の景観と歴史地域. ●世界自然遺産(中国).[Jiuzhaigou Valley Scenic and Historic Interest Area]

【九州电力】Jiǔzhōu Diànlì 九州電力. ❖日本の電力会社.[Kyushu Electric Power]

【九洲发展】Jiǔzhōu Fāzhǎn 九洲発展;ジウジョウディベロップメント. ❖ホテル経営,旅行会社.レッドチップ企業の1つ.[Jiuzhou Development]

【酒钻】jiǔzuàn ワインオープナー;コルクスクリュー.[wine opener; corkscrew]

jiù

【旧城改建】jiùchéng gǎijiàn 都市再開発.

jiù — jù

【就地采购】jiùdì cǎigòu 現地調達(する).

【旧金山】Jiùjīnshān サンフランシスコ. ❖アメリカ・カリフォルニア州の都市.[San Francisco]

《旧金山纪事报》Jiùjīnshān Jìshìbào「サンフランシスコ・クロニクル」. ❖アメリカの日刊紙.[San Francisco Chronicle]

【就业寒冬】jiùyè hándōng 就職難.

【就业活动】jiùyè huódòng 就職活動;就活.

【就职内定】jiùzhí nèidìng 就職内定.

jū

【居家办公】jūjiā bàngōng SOHO〈ソーホー〉.[small office home office;SOHO]

【居民税】jūmínshuì 住民税.

【居中】jūzhōng ①仲介する. ②中央に位置する. ③中央揃えにする;中央揃え;センタリング.[③centering]

【居住小区】jūzhù xiǎoqū 高級住宅地;都市部の高級居住区.

jú

【局部战争】júbù zhànzhēng 局地戦争.

【局域网】júyùwǎng ローカル・エリア・ネットワーク;LAN〈ラン〉. ❖IT用語.[local area network;LAN]

【橘园美术馆】Júyuán Měishùguǎn オランジュリー美術館. ❖フランス・パリにある美術館.[Musée de l'Orangerie]

【橘子新乐团】Júzi Xīnyuètuán ORANGE RANGE〈オレンジレンジ〉. ❖日本の音楽グループ.[ORANGE RANGE]

jǔ

【举办城市】jǔbàn chéngshì 開催都市.

【举报监督电话】jǔbào jiāndū diànhuà〔違法行為や不正行為の〕告発監督ホットライン.

【举报信箱】jǔbào xìnxiāng 告発箱;告発受付窓口;ご意見箱.

【举报中心】jǔbào zhōngxīn 告発センター;通報センター.

【举证责任倒置】jǔzhèng zérèn dàozhì 挙証責任の転換.

jù

【巨额财产来源不明罪】jù'é cáichǎn láiyuán bùmíngzuì 国家公務員が巨額の財産の出所の合法性を説明できない罪. ❖中国の罪状名.

【拒付票据】jùfù piàojù 不渡手形〈ふわたりてがた〉.

【句号】jùhào 句点〈くてん〉;まる. ❖記号は「。」.

【聚焦】jùjiāo ①ピントを合わせる. ②注目する;視線を集める;焦点をあてる.

【拒绝上学】jùjué shàngxué 登校拒否(する);不登校(になる).

【拒赔】jùpéi〔賠償金や保険金の〕支払いを拒否する(こと).

【拒聘】jùpìn 雇用拒否(する);任用拒否(する).

《巨人之星》Jùrén zhī Xīng「巨人の星」. ❖日本漫画,アニメのタイトル.

【巨石阵、埃夫伯里及其相关遗址】Jùshízhèn Āifúbólǐ jí Qí Xiāngguān Yízhǐ ストーンヘンジ,エーヴベリーと関連する遺跡群. ●世界文化遺産(イギリス).ストーンヘンジは"斯通亨奇 Sītōnghēngqí"とも. [Stonehenge, Avebury and Associated Sites]

【巨噬细胞】jùshì xìbāo マクロファージ. [macrophage]

【巨无霸】jùwúbà ①巨大なもの;モンスター. ②巨大な組織;最大手;大規模なもの;ずば抜けて優れたもの. ③(Jùwúbà)ビッグマック. ❖③マクドナルド(米)製

のハンバーガー名.[①monster ③Big Mac]
【巨星】jùxīng スーパースター.[superstar]
【拒载】jùzài〔タクシーで〕乗車拒否(する).

juān

【捐建】juānjiàn 寄付によって建設する(こと).

jué

【绝】jué サイコー；すごい.
【决标】juébiāo 落札者を決定する(こと). ❖"定标 dìngbiāo"とも.
【决策】juécè 政策決定する(こと)；意思決定する(こと).
【决策机制】juécè jīzhì 政策決定システム；意思決定メカニズム.[decision-making mechanism]
《绝地战警》Juédì Zhànjǐng「バッドボーイズ」. ❖アメリカ映画のタイトル.[Bad Boys]
《角斗士》Juédòushì「グラディエーター」. ❖アメリカ映画のタイトル.[Gladiator]
【绝对伏特加】Juéduì Fútèjiā アブソルート. ❖アブソルート(スウェーデン)製のウォッカ.[Absolut Vodka]
【绝活】juéhuó〔容易にまねできない〕いい仕事；十八番〈おはこ〉；特技.
【决明子】Juémíngzǐ ①决明子〈けつめいし〉. ②ケツメイシ. ❖①漢方薬の1つ. ②日本の音楽グループ.[②Ketsumeishi]
【角色扮演】juésè bànyǎn ①ロールプレイング. ②コスプレ. ❖①心理学用語,経済用語,またはゲームのジャンル. ②アニメやゲームなどのキャラクターの扮装をして楽しむこと.[①role playing ②cosplay；costume play]
【角色扮演游戏】juésè bànyǎn yóuxì ロール・プレイング・ゲーム；RPG.[role playing game；RPG]

【爵士音乐】juéshì yīnyuè ジャズ. ❖"爵士乐 juéshìyuè"とも.[jazz；jazz music]
【绝缘材料】juéyuán cáiliào 絶縁材.
【决战时刻】juézhàn shíkè ①攻撃開始時刻. ②決定的瞬間.
《决战猩球》Juézhàn Xīngqiú「猿の惑星」. ❖アメリカ映画のタイトル.[Planet of the Apes]

jūn

【君度】Jūndù コアントロー. ❖フランスのリキュールメーカー,また同社製のリキュール.[Cointreau]
【军队转业干部】jūnduì zhuǎnyè gànbù 退役後転職した元軍幹部. ❖略称は"军转干部 jūnzhuǎn gànbù".
【均衡字体】jūnhéng zìtǐ プロポーショナルフォント. ❖IT用語.[proportional font]
【军火走私】jūnhuǒ zǒusī 兵器弾薬の密輸入.
【均价】jūnjià 平均価格.
【军嫂】jūnsǎo 軍人の妻.
【军事分界线】jūnshì fēnjièxiàn 軍事境界線.
【军事集结】jūnshì jíjié 兵力集結.
【军事能力】jūnshì nénglì 軍事力.
【军售】jūnshòu 兵器売却.
【军团杆菌】jūntuán gǎnjūn レジオネラ菌.[legionella；legionella pneumophila]
【君威】Jūnwēi リーガル. ❖ビュイック(GM傘下)製の車名.[Regal]
【军演】jūnyǎn 軍事演習. ❖"军事演习 jūnshì yǎnxí"の略.
【君悦酒店】Jūnyuè Jiǔdiàn グランドハイアット. ❖ハイアットホテルズ・アンド・リゾーツ(米)チェーンのホテルブランド.[Grand Hyatt]
【均值】jūnzhí 平均値.
【军转干部】jūnzhuǎn gànbù 退役後転職した元軍幹部. ❖"军队转业干部 jūnduì

jùn

zhuǎnyè gànbù"の略.

jùn

【竣工仪式】jùngōng yíshì 落成式；竣工式.

【骏威汽车】Jùnwēi Qìchē 駿威汽車；デンウェイ・モーターズ. ❖自動車メーカー. レッドチップ企業の1つ. [Denway Motors]

K

K

【K书】K shū 読書(する). ❖"啃书 kěnshū"から.

【KTV】KTV ①カラオケテレビ. ②KTV；カラオケルーム.

【KTV包厢】KTV bāoxiāng カラオケボックス.[karaoke room]

kā

【喀布尔】Kābù'ěr カブール. ❖アフガニスタンの首都.[Kabul]

【喀麦隆共和国】Kāmàilóng Gònghéguó カメルーン共和国；カメルーン.[Republic of Cameroon；Cameroon]

【喀麦隆航空】Kāmàilóng Hángkōng カメルーン航空. ❖カメルーンの航空会社コード：UY.[Cameroon Airlines]

【喀山克里姆林宫的历史建筑群】Kāshān Kělǐmǔlín Gōng de Lìshǐ Jiànzhùqún カザン・クレムリンの歴史遺産群と建築物群. ●世界文化遺産(ロシア).[Historic and Architectural Complex of the Kazan Kremlin]

【喀土穆】Kātǔmù ハルツーム. ❖スーダンの首都.[Khartoum；Khartum]

kǎ

【卡碧】Kǎbì カプリ. ❖ブリティッシュ・アメリカン・タバコ(英)製のタバコ名.[Capri]

【卡布奇诺咖啡】kǎbùqínuò kāfēi カプチーノ.[cappuccino]

【卡地纳健康】Kǎdìnà Jiànkāng カーディナルヘルス. ❖アメリカの医薬品製造, 販売会社.[Cardinal Health]

【卡地亚】Kǎdìyà カルティエ. ❖リシュモングループ(スイス)の宝飾品ブランド.[Cartier]

【卡丁车】kǎdīngchē レーシングカート；ゴーカート；カート.[go-cart；cart]

【卡俄基亚土墩群历史遗址】Kǎ'éjīyà Tǔdūnqún Lìshǐ Yízhǐ カホキア墳丘群州立史跡. ●世界文化遺産(アメリカ).[Cahokia Mounds State Historic Site]

【卡恩】Kǎ'ēn 〔オリバー・〕カーン. ❖ドイツのサッカー選手.[Oliver Kahn]

【卡尔蔡司】Kǎ'ěr Càisī カール ツァイス. ❖ドイツの光学機器メーカー. "卡尔蔡斯 Kǎ'ěr Càisī"とも.[Carl Zeiss]

【卡尔加里】Kǎ'ěrjiālǐ カルガリー. ❖カナダの都市名.[Calgary]

【卡尔卡松历史城墙要塞】Kǎ'ěrkǎsōng Lìshǐ Chéngqiáng Yàosài 歴史的城塞都市カルカッソンヌ. ●世界文化遺産(フランス).[Historic Fortified City of Carcassonne]

【卡尔森公司】Kǎ'ěrsēn Gōngsī カールソン・カンパニーズ. ❖アメリカの旅行関連ビジネス会社.[Carlson Companies]

【卡尔施泰特】Kǎ'ěrshītàitè カールシュタット・クヴェレ. ❖ドイツの百貨店チェーン.[KarstadtQuelle]

【卡尔斯巴德洞穴国家公园】Kǎ'ěrsībādé Dòngxué Guójiā Gōngyuán カールズバッド洞窟群国立公園. ●世界自然遺産(アメリカ).[Carlsbad Caverns National Park]

【卡尔斯克鲁纳军港】Kǎ'ěrsīkèlǔnà Jūngǎng カールスクローナの軍港. ●世界文化遺産(スウェーデン).[Naval Port of Karlskrona]

【卡尔韦列·泽布日多夫斯基：风格主义建筑与景观合成的朝圣公园】Kǎ'ěrwéiliè Zèbùrìduōfūsījī Fēnggé Zhǔyì Jiànzhù yǔ

kǎ

Jǐngguān Héchéng de Cháoshèng Gōngyuán カルバリア・ゼブジトフスカ：マニエリスム様式の建築と公園の景観複合体と巡礼公園. ◉世界文化遺産（ポーランド）.[Kalwaria Zebrzydowska : the Mannerist Architectural and Park Landscape Complex and Pilgrimage Park]

【卡尔文・克莱恩】Kǎ'ěrwén Kèlái'ēn カルバン・クライン. ❖アメリカのファッションメーカー，ブランド."卡文・克莱 Kàwén Kèlái"とも.[Calvin Klein ; CK]

【卡夫食品】Kǎfū Shípǐn クラフトフーズ. ❖アメリカの食品メーカー.[Kraft Foods]

【卡胡兹・别加国家公园】Kǎhúzī Biéjiā Guójiā Gōngyuán カフジ・ビエガ国立公園. ◉世界危機遺産（コンゴ民主共和国）.[Kahuzi-Biega National Park]

【卡卡杜国家公园】Kǎkǎdù Guójiā Gōngyuán カカドゥ国立公園. ◉世界自然および文化遺産（オーストラリア）.[Kakadu National Park]

【卡雷拉斯】Kǎléilāsī〔ホセ・〕カレーラス. ❖スペインのオペラ歌手.[José Carreras]

【卡马特】Kǎmǎtè Kマート. ❖アメリカの小売企業."凯玛特 Kǎimǎtè"とも.[Kmart]

【卡米国家遗址纪念地】Kǎmǐ Guójiā Yízhǐ Jìniàndì カミ遺跡群国立記念物. ◉世界文化遺産（ジンバブエ）.[Khami Ruins National Monument]

【卡慕】Kǎmù カミュ. ❖フランスのブランデーメーカー，また同社製のブランデー．ブランデー名は"金花 Jīnhuā"とも.[Camus]

【卡那那斯基斯】Kǎnànàsījīsī カナナスキス. ❖カナダの都市名．サミット開催地の1つ.[Kananaskis]

【卡奈马国家公园】Kǎnàimǎ Guójiā Gōngyuán カナイマ国立公園. ◉世界自然遺産（ベネズエラ）.[Canaima National Park]

【卡内基梅隆大学】Kǎnèijī Méilóng Dàxué カーネギーメロン大学. ❖アメリカ・ペンシルバニア州にある大学.[Carnegie Mellon University]

【卡内基音乐厅】Kǎnèijī Yīnyuètīng カーネギーホール. ❖アメリカ・ニューヨークにあるコンサートホール.[Carnegie Hall]

【卡皮瓦拉山国家公园】Kǎpíwǎlā Shān Guójiā Gōngyuán カピバラ山地国立公園. ◉世界文化遺産（ブラジル）.[Serra da Capivara National Park]

【卡普空】Kǎpǔkōng カプコン. ❖日本のゲームソフトメーカー.[Capcom]

【卡齐兰加国家公园】Kǎqílánjiā Guójiā Gōngyuán カジランガ国立公園. ◉世界自然遺産（インド）.[Kaziranga National Park]

【卡萨尔的罗马别墅】Kǎsà'ěr de Luómǎ Biéshù ヴィッラ・ロマーナ・デル・カサーレ. ◉世界文化遺産（イタリア）.[Villa Romana del Casale]

【卡塞雷斯古城】Kǎsàiléisī Gǔchéng カーセレスの旧市街. ◉世界文化遺産（スペイン）.[Old Town of Cáceres]

【卡塞塔的18世纪花园皇宫、凡韦特里水渠和圣莱乌西建筑群】Kǎsàitǎ de Shíbā Shìjì Huāyuán Huánggōng Fánwéitèlǐ Shuǐqú hé Shènglái wūxī Jiànzhùqún カゼルタの18世紀の王宮と公園，ヴァンヴィテッリの水道橋とサン・レウチョ邸宅群. ◉世界文化遺産（イタリア）.[18th-Century Royal Palace at Caserta, with the Park, the Aqueduct of Vanvitelli, and the San Leucio Complex]

【卡森城】Kǎsēnchéng カーソンシティ. ❖アメリカ・ネバダ州都.[Carson City]

【卡斯特里】Kǎsītèlǐ カストリーズ. ❖セントルシアの首都.[Castries]

【卡塔尔国】Kǎtǎ'ěrguó カタール国；カタール.[State of Qatar ; Qatar]

【卡塔赫纳港口、要塞和古迹群】Kǎtǎhènà Gǎngkǒu Yàosài hé Gǔjìqún カルタヘナの港，要塞と建造物群. ◉世界文化遺産

(コロンビア).[Port, Fortresses and Group of Monuments, Cartagena]

《卡塔赫纳生物安全协定书》Kǎtǎhènà Shēngwù Ānquán Xiédìngshū「カルタヘナ議定書」;「バイオ安全議定書」.[Cartagena Protocol on Biosafety]

【卡特彼勒】Kǎtèbǐlè キャタピラー. ❖アメリカの建設機械メーカー.[Caterpillar]

【卡特尔】kǎtè'ěr カルテル.[cartel]

【卡天龙】Kǎtiānlóng キャンディーノ. ❖スイスの時計メーカー.[Candino]

【卡通】kǎtōng 漫画;アニメーション.[cartoon]

【卡文·克莱】Kǎwén Kèlái カルバン・クライン. ❖アメリカのファッションメーカー,ブランド."卡尔文·克莱恩 Kǎ'ěrwén Kèlái-'ēn"とも.[Calvin Klein ; CK]

【卡西欧】Kǎxī'ōu カシオ. ❖日本の精密機器メーカー.[Casio]

【卡赞勒克的色雷斯古墓】Kǎzànlèkè de Sèléisī Gǔmù カザンラックのトラキア人の墓地. ●世界文化遺産(ブルガリア).[Thracian Tomb of Kazanlak]

kāi

【开标】kāibiāo 開札(する). ❖"揭标 jiēbiāo"とも.

【开叉头发】kāichā tóufa 枝毛.

【开发公司】kāifā gōngsī ディベロッパー.[developer]

【开发区】kāifāqū 開発区.

【开发周期】kāifā zhōuqī 開発リードタイム.[development lead time]

【开放大学】kāifàng dàxué オープンユニバーシティ;OU〈オーユー〉.[open university ; OU]

【开放经济】kāifàng jīngjì 開放経済;開放型エコノミー. ❖"开放型经济 kāifàngxíng jīngjì"とも.[open economy]

【开放式厨房】kāifàngshì chúfáng オープンキッチン.[open kitchen]

【开放式基金】kāifàngshì jījīn オープンエンド型投資信託. ❖金融用語.[open-end investment trust]

【开放型经济】kāifàngxíng jīngjì 開放経済;開放型経済;オープンエコノミー. ❖"开放经济 kāifàng jīngjì"とも.[open economy]

【开放源码】kāifàng yuánmǎ オープンソース. ❖IT用語.[open source]

【开杆】kāigān ①ゴルフやビリヤードの試合を始める(こと).②釣りを始める(こと);釣りの試合を始める(こと).

【开工率】kāigōnglǜ〔工場の〕稼働率.

【开红灯】kāi hóngdēng 赤信号がつく;待ったがかかる;危険とみなされる.

【开后门】kāi hòumén 裏取引をする.

【开户行】kāihùháng 勘定銀行. ❖金融用語.[accounting bank]

【开汇票】kāi huìpiào〔手形の〕振り出し;〔手形を〕振り出す.

【开机】kāijī ①電源を入れる(こと).②〔特にコンピューターを〕起動(する);ブート(する);立ち上げる(こと). ❖②IT用語."启动 qǐdòng"とも.[②boot]

【开架销售】kāijià xiāoshòu セルフ販売.

【开镜】kāijìng クランクイン(する);撮影を開始する(こと). ❖"投拍 tóupāi"とも.

【开镜礼】kāijìnglǐ〔ドラマ,映画などの〕クランクインセレモニー. ❖"开镜仪式 kāijìng yíshì"とも.

【开镜仪式】kāijìng yíshì〔ドラマ,映画などの〕クランクインセレモニー. ❖"开镜礼 kāijìnglǐ"とも.

【开局】kāijú ①試合開始(する);試合の序盤.②〔仕事や活動を〕開始(する).③〔仕事や活動の〕出だし;すべり出し.

【开卷考试】kāijuàn kǎoshì 資料持ち込み可の試験;オープンブック.[open-book ex-

kāi — kǎi

amination]

【开口保单】kāikǒu bǎodān 包括予定保険証券．❖金融用語．"预约保险单 yùyuē bǎoxiǎndān"とも．

【开罗】Kāiluó カイロ．❖エジプトの首都．[Cairo]

【开拍】kāipāi ①〔ラケットを使う競技で〕試合を開始する(こと)．②〔テレビドラマの〕撮影を開始する(こと)．③オークションを行う(こと)．

【开盘】kāipán 寄り付き．❖金融用語．証券取引所におけるその日の最初の売買取引のこと．[opening]

【开盘价】kāipánjià 初値〈はじめね〉；寄り付き；寄付値〈よりつきね〉．❖金融用語．証券取引所におけるその日の最初の取引でついた値段のこと．[opening quotation]

【开衫】kāishān カーディガン．[cardigan]

【开哨】kāishào ホイッスルを鳴らす；試合開始(する)．

【开始按钮】kāishǐ ànniǔ〔ウィンドウズパソコンの〕スタートボタン．❖IT用語．[start button]

【开始菜单】kāishǐ càidān〔ウィンドウズパソコンの〕スタートメニュー．❖IT用語．[start menu]

【开涮】kāishuàn ばかにする；笑いものにする．

【开拓者】Kāituòzhě ブレイザー．❖シボレー(GM傘下)製の車名．[Blazer]

【开胃酒】kāiwèijiǔ 食前酒；アペリティフ．[aperitif]

【开箱检查】kāixiāng jiǎnchá 開梱〈かいこん〉検査．

【开小灶】kāi xiǎozào ①特別料理を作る．②特別待遇をする；優遇措置をとる．③個別指導する；特別指導をする．

【开心果】kāixīnguǒ ピスタチオナッツ．[pistachio nuts]

【开证】kāizhèng 信用状開設；L/Cオープン．❖金融用語．[open L/C]

【开证银行】kāizhèng yínháng 信用状開設銀行；開設銀行；信用状発行銀行；発行銀行．❖金融用語．

kǎi

【凯奥拉德奥国家公园】Kǎi'àolādé'ào Guójiā Gōngyuán ケオラデオ国立公園．●世界自然遺産(インド)．[Keoladeo National Park]

【凯迪迪爱】Kǎidídí'ài KDDI．❖KDDI(日本)の中国法人．[KDDI]

【凯迪拉克】Kǎidílākè キャデラック．❖GM(米)の自動車ブランド．[Cadillac]

【凯蒂猫】Kǎidīmāo ハローキティ；キティ．❖サンリオ(日本)のキャラクター名．[Hello Kitty]

【凯恩斯政策】Kǎi'ēnsī zhèngcè ケインズ政策．[Keynesian policy]

【凯歌香槟】Kǎigē Xiāngbīn ヴーヴ・クリコ．❖ヴーヴ・クリコ・ポンサルダン(仏)製のシャンパン．"凯歌皇牌香槟 Kǎigē Huángpái Xiāngbīn"とも．[Veuve Clicquot]

【凯捷安永咨询】Kǎijié Ānyǒng Zīxún キャップジェミニ・アーンスト & ヤング．❖フランスのコンサルティング会社．[Cap Gemini Ernst&Young]

【凯鲁万】Kǎilǔwàn カイルアン．●世界文化遺産(チュニジア)．[Kairouan]

【凯玛特】Kǎimǎtè Kマート．❖アメリカの小売企業．"卡马特 Kǎmǎtè"とも．[Kmart]

【凯曼群岛】Kǎimàn Qúndǎo ケイマン諸島．❖西インド諸島にあるイギリス領の島々．[the Cayman Islands]

【凯瑟琳・泽塔・琼斯】Kǎisèlín Zétǎ Qióngsī キャサリン・ゼタ＝ジョーンズ．❖イギリス出身の女優．[Catherine Zeta-Jones]

【凯特・布兰切特】Kǎitè Bùlánqiètè ケイト・ブランシェット．❖オーストラリア出身の女優．[Cate Blanchett]

【凯悦大酒店】Kǎiyuè Dàjiǔdiàn ハイアット・リージェンシー. ❖ハイアットホテルズ・アンド・リゾーツ(米)チェーンのホテルブランド. [Hyatt Regency]

kān

【勘察加半岛】Kānchájiā Bàndǎo カムチャツカ半島. ❖ロシアの半島. [the Kamchatka Peninsula]

【勘察加火山】Kānchájiā Huǒshān カムチャツカ火山群. ●世界自然遺産(ロシア). [Volcanoes of Kamchatka]

【堪培拉】Kānpéilā キャンベラ. ❖オーストラリアの首都. [Canberra]

【堪萨斯州】Kānsàsī Zhōu カンザス州. ❖アメリカの州名. [Kansas]

【看守政府】kānshǒu zhèngfǔ 暫定内閣；暫定政権.

kǎn

【侃】kǎn ①話す；しゃべる；無駄話をする；雑談する. ②ほらを吹く.

【侃大山】kǎn dàshān ①雑談する；暇に飽かしておしゃべりをする. ②冗談を言う.

【砍价】kǎnjià 値切る；値段をたたく.

【侃价】kǎnjià 値段の駆け引きをする.

【坎帕拉】Kǎnpàlā カンパラ. ❖ウガンダの首都. [Kampala]

【坎佩切卡拉科姆鲁古老的玛雅城】Kǎnpèiqiē Kǎlākēmǔlǔ Gǔlǎo de Mǎyǎchéng カンペチェ州カラクムールの古代マヤ都市. ●世界文化遺産(メキシコ). [Ancient Maya City of Calakmul, Campeche]

【坎佩切历史要塞城】Kǎnpèiqiē Lìshǐ Yàosàichéng カンペチェ歴史的要塞都市. ●世界文化遺産(メキシコ). [Historic Fortified Town of Campeche]

【坎特伯雷大教堂、圣奥斯丁教堂和圣马丁教堂】Kǎntèbóléi Dàjiàotáng Shèng'àosīdīng Jiàotáng hé Shèngmǎdīng Jiàotáng カンタベリー大聖堂、聖オーガスティン大修道院と聖マーティン教会. ●世界文化遺産(イギリス). [Canterbury Cathedral, St Augustine's Abbey, and St Martin's Church]

【侃爷】kǎnyé 口達者な男性；弁が立つ人.

kàn

【看板方式】kànbǎn fāngshì かんばん方式. ❖一般にトヨタかんばん方式のこと. "看板管理 kànbǎn guǎnlǐ"とも.

【看板管理】kànbǎn guǎnlǐ かんばん方式. ❖一般にトヨタかんばん方式のこと. "看板方式 kànbǎn fāngshì"とも.

【看不见的手】kànbujiàn de shǒu 見えざる手.

【看淡】kàndàn ①軟調(である). ②軟調に推移すると見る. ❖金融用語.

【看点】kàndiǎn ハイライト；見どころ. [highlight]

【看跌期权】kàndiē qīquán プットオプション. ❖金融用語. 行使期間内にある一定の価格で金融商品を売ることのできる権利. "卖方期权 màifāng qīquán""卖权 màiquán"とも. [put option]

【看好】kànhǎo 〔経済や市況の〕見通しがよい；期待する.

【看旺】kànwàng ①堅調(である). ②堅調に推移すると見る. ❖金融用語.

【看涨期权】kànzhǎng qīquán コールオプション. ❖金融用語. 行使期間内にある一定の価格で金融商品を買うことのできる権利. "回购权 huígòuquán""买方期权 mǎifāng qīquán""买方选择权 mǎifāng xuǎnzéquán"とも. [call option]

kāng

【康采恩】kāngcǎi'ēn コンツェルン. [Konzern〔独〕]

【康德】Kāngdé 〔イマヌエル・〕カント. ❖ドイツの哲学者. [Immanuel Kant]

【康德拉季耶夫周期】Kāngdélājìyēfū zhōuqī コンドラチェフの波；コンドラチェフ循環；長期波動. ❖景気循環のうち周期が約50年の循環. [Kondratieff Wave；Kondratieff Cycle]

【康菲石油】Kāngfēi Shíyóu コノコフィリップス. ❖アメリカの石油会社. [ConocoPhillips]

【康复】kāngfù リハビリテーション；リハビリ. ❖"复健 fùjiàn""康复训练 kāngfù xùnliàn"とも. [rehabilitation]

【康复工程】kāngfù gōngchéng リハビリテーションプロジェクト. [rehabilitation project]

【康复训练】kāngfù xùnliàn リハビリテーション；リハビリ. ❖"复健 fùjiàn""康复 kāngfù"とも. [rehabilitation]

【康复中心】kāngfù zhōngxīn リハビリテーションセンター；リハビリセンター. [recuperation center；recovery center；rehabilitation center]

【康居工程】Kāngjū Gōngchéng 「康居」住宅プロジェクト；分譲住宅品質認定システム. ❖主に都市部の中高級住宅を対象とする. "康居示范工程 Kāngjū Shìfàn Gōngchéng"とも. "国家康居住宅示范工程 Guójiā Kāngjū Zhùzhái Shìfàn Gōngchéng"の略.

【康居示范工程】Kāngjū Shìfàn Gōngchéng 「康居」住宅プロジェクト；分譲住宅品質認定システム. ❖主に都市部の中高級住宅を対象とする. "康居工程 Kāngjū Gōngchéng"とも. "国家康居住宅示范工程 Guójiā Kāngjū Zhùzhái Shìfàn Gōngchéng"の略.

【康卡斯特】Kāngkǎsītè コムキャスト. ❖アメリカのケーブルテレビ会社. [Comcast]

【康科德】Kāngkēdé コンコード. ❖アメリカ・ニューハンプシャー州都. [Concord]

【康力斯集团】Kānglìsī Jítuán コーラスグループ. ❖イギリス，オランダの鉄鋼メーカー. [Corus Group]

【康奈尔大学】Kāngnài'ěr Dàxué コーネル大学. ❖アメリカ・ニューヨーク州にある大学. アイビーリーグの1つ. [Cornell University]

【康尼格拉】Kāngnígélā コナグラ. ❖アメリカの食品メーカー. [ConAgra]

【康捏狄格州】Kāngniēdígé Zhōu コネティカット州. ❖アメリカの州名. [Connecticut]

【康泰克】Kāngtàikè コンタック. ❖グラクソスミスクライン(英)製の医薬品名. [Contac]

【康提红茶】Kāngtí hóngchá キャンディ紅茶；キャンディティー；キャンディ. [Kandy tea；Kandy]

【康提圣城】Kāngtí Shèngchéng 聖地キャンディ. ●世界文化遺産(スリランカ). [Sacred City of Kandy]

káng

【扛大梁】káng dàliáng 主要な位置を占める；中心的役割を果たす.

kàng

【抗衡】kànghéng ①対抗する. ②マッチング. [②matching]

【抗击非典】kàngjī fēidiǎn SARS〈サーズ〉撲滅.

【抗菌空调】kàngjūn kōngtiáo 抗菌エアコン.

【抗老防皱】kànglǎo fángzhòu 肌の老化，しわ予防；肌の老化，しわを防ぐ.

kàng — kē

【抗震棚】kàngzhèn péng 耐震シェルター.
【抗组胺药物】kàngzǔ'àn yàowù 抗ヒスタミン剤.[antihistaminic agent ; antihistamine agent]

kǎo

【拷贝】kǎobèi ①〔映画フィルムの〕プリント.②コピー(する).[①print ②copy]
【考博】kǎobó 博士課程受験(をする).
【考 G】kǎo G アメリカの大学院進学適正試験を受験する；GREを受験する.
【考级】kǎojí 技能検定試験；能力判定試験；昇級試験.
【考聘】kǎopìn 試験や審査による採用；試験や審査によって採用する.
【考奇】Kǎoqí コーチ.❖アメリカの皮革製品ブランド.[Coach]
【考勤机】kǎoqínjī タイムレコーダー.[time recorder]
【烤烟型卷烟】kǎoyānxíng juǎnyān バージニアタイプのタバコ.[Virginian-type cigarette]
【考研】kǎoyán 修士課程受験(をする).

kē

【科阿峡谷史前岩石艺术遗址】Kē'ā Xiágǔ Shǐqián Yánshí Yìshù Yízhǐ コア渓谷の先史時代のロック・アート遺跡群.●世界文化遺産(ポルトガル).[Prehistoric Rock-Art Sites in the Côa Valley]
【科比】Kēbǐ コービー[・ブライアント].❖アメリカのプロバスケットボール選手.[Kobe Bryant]
【柯达】Kēdá コダック.❖イーストマン・コダック(米)の撮影機材,フィルムブランド.[Kodak]
【科尔多瓦历史中心】Kē'ěrduōwǎ Lìshǐ Zhōngxīn コルドバ歴史地区.●世界文化遺産(スペイン).[Historic Centre of Córdoba]
【科尔多瓦耶稣会牧场和街区】Kē'ěrduōwǎ Yēsūhuì Mùchǎng hé Jiēqū コルドバのイエズス会管区とエスタンシアス.●世界文化遺産(アルゼンチン).[Jesuit Block and Estancias of Córdoba]
【科尔尼】Kē'ěrní A.T.カーニー.❖アメリカのコンサルティング会社.[A.T.Kearney]
【柯尔通】Kē'ěrtōng コルトン.❖フランス・ブルゴーニュ地方の地名,また同地産のワイン.[Corton]
【科幻片】kēhuànpiàn SF映画.
【科技奥运】kējì Àoyùn ハイテクオリンピック.❖2008年北京オリンピックの理念の1つ.[Hi-tech Olympics]
【科技城】kējìchéng テクノポリス.[technopolis]
【科技扶贫】kējì fúpín 科学技術による貧困地域支援.
【科技攻关】kējì gōngguān 科学技術による難問解決.
【科技股】kējìgǔ ハイテク株.❖金融用語.
【科技含量】kējì hánliàng 科学技術的要素.
【科技下乡】kējì xiàxiāng 農村部,農民への科学技術普及.
【科技园区】kējì yuánqū「科技園区」；テクノパーク；サイエンスパーク.[hi-tech park ; science park ; technology park]
【科教兴国】kējiào xīngguó 科学技術教育立国.
【科科斯岛国家公园】Kēkēsī Dǎo Guójiā Gōngyuán ココ島国立公園.●世界自然遺産(コスタリカ).[Cocos Island National Park]
【科克瓦尼迦太基古城及墓地】Kēkèwǎní Jiātàijī Gǔchéng jí Mùdì ケルクアンの古代カルタゴの町とその墓地遺跡.●世界文化遺産(チュニジア).[Punic Town of Kerkuane and its Necropolis]
【科乐美】Kēlèměi コナミ.❖日本のゲーム

kē

メーカー."柯纳米 Kēnàmǐ"とも.[Konami]

【科隆】Kēlóng ケルン.❖ドイツの都市名.サミット開催地の1つ.[Cologne]

【科隆大教堂】Kēlóng Dàjiàotáng ケルン大聖堂.◉世界危機遺産(ドイツ).[Cologne Cathedral]

【科隆群岛】Kēlóng Qúndǎo コロン諸島.❖太平洋の赤道直下にある火山島群.'Galapagos Islands'("加拉帕戈斯群岛 Jiālāpàgēsī Qúndǎo"ガラパゴス諸島)として知られる.[Archipiélago de Colón]

【科罗尔】Kēluó'ěr コロール.❖パラオの首都.[Koror]

【科罗及其港口】Kēluó jí Qí Gǎngkǒu コロとその港.◉世界文化遺産(ベネズエラ).[Coro and its Port]

【科罗拉多大峡谷】Kēluólāduō Dàxiágǔ グランドキャニオン.❖アメリカにある大峡谷.[the Grand Canyon]

【科罗拉多州】Kēluólāduō Zhōu コロラド州.❖アメリカの州名.[Colorado]

【科罗缅斯克的耶稣升天教堂】Kēluómiǎnsīkè de Yēsū Shēngtiān Jiàotáng コローメンスコエの昇天教会.◉世界文化遺産(ロシア).[Church of the Ascension, Kolomenskoye]

【科罗娜啤酒】Kēluónà Píjiǔ コロナビール.❖モデロ(メキシコ)製のビール名.[Corona Beer]

【科洛尼亚・德尔萨克拉门托的历史区】Kēluōníyà dé'ěr Sàkèlāméntuō de Lìshǐqū コロニア・デル・サクラメントの歴史的街並み.◉世界文化遺産(ウルグアイ).[Historic Quarter of the City of Colonia del Sacramento]

【科麦奇】Kēmàiqí カーマギー.❖アメリカの石油会社.[Kerr–McGee]

【科米原始森林】Kēmǐ Yuánshǐ Sēnlín コミの原生林.◉世界自然遺産(ロシア).[Virgin Komi Forests]

【科摩罗伊斯兰联邦共和国】Kēmóluó Yīsīlán Liánbāng Gònghéguó コモロ・イスラム連邦共和国;コモロ.[Federal Islamic Republic of the Comoros;the Comoros]

【科莫埃国家公园】Kēmò'āi Guójiā Gōngyuán コモエ国立公園.◉世界危機遺産(コートジボワール).[Comoé National Park]

【科莫多国家公园】Kēmòduō Guójiā Gōngyuán コモド国立公園.◉世界自然遺産(インドネシア).[Komodo National Park]

【科纳克里】Kēnàkèlǐ コナクリ.❖ギニアの首都.[Conakry]

【科纳拉克太阳神庙】Kēnàlākè Tàiyáng Shénmiào コナーラクの太陽神寺院.◉世界文化遺産(インド).[Sun Temple, Konârak]

【柯纳米】Kēnàmǐ コナミ.❖日本のゲームメーカー."科乐美 Kēlèměi"とも.[Konami]

【柯尼卡美能达】Kēníkǎ Měinéngdá コニカミノルタ.❖日本のカメラメーカー.[Konica Minolta]

【科潘玛雅遗址】Kēpān Mǎyǎ Yízhǐ コパンのマヤ遺跡.◉世界文化遺産(ホンジュラス).[Maya Site of Copán]

【科斯迈尔】Kēsī Mài'ěr コールス・マイヤー.❖オーストラリアの小売チェーン.[Coles Myer]

【科斯莫石油】Kēsīmò Shíyóu コスモ石油.❖日本の石油会社.[Cosmo Oil]

【科索沃战争】Kēsuǒwò Zhànzhēng コソボ紛争.[Kosovo Crisis]

【科特迪瓦共和国】Kētèdíwǎ Gònghéguó コートジボワール共和国;コートジボワール.[Republic of Côte d'Ivoire;Côte d'Ivoire]

【科托尔自然保护区和文化历史区】Kētuō'ěr Zìrán Bǎohùqū hé Wénhuà Lìshǐqū コトルの自然と文化,歴史地域.◉世界文化遺産(セルビア・モンテネグロ).[Natural

【科威特】Kēwēitè クウェート．❖クウェート国の首都．[Kuwait]

【科威特国】Kēwēitèguó クウェート国；クウェート．[State of Kuwait；Kuwait]

【科威特航空】Kēwēitè Hángkōng クウェート航空．❖クウェートの航空会社．コード：KU．[Kuwait Airways]

【科西嘉岛的基罗拉塔海角、波尔托海角和岩石海岸自然保护区和皮亚纳卡朗基斯】Kēxījiā Dǎo de Jīluólātǎ Hǎijiǎo Bō'ěrtuō Hǎijiǎo hé Yánshí Hǎi'àn Zìrán Bǎohùqū hé Píyànà Kǎlǎngjīsī コルシカのジロラッタ岬、ポルト岬、スカンドラ自然保護区とピアナ・カランケ．●世界自然遺産（フランス）．[Cape Girolata, Cape Porto, Scandola Nature Reserve and the Piana Calanches in Corsica]

【科学发展观】kēxué fāzhǎnguān「科学的発展観」；科学的発展ビジョン．

【科学素养】kēxué sùyǎng 科学的素養；サイエンスリテラシー．[science literacy]

【科学引文索引】kēxué yǐnwén suǒyǐn〔科学技术分野の文献の〕呼び出しコマンド；SCI．[science citation index；SCI]

《科学杂志》Kēxué Zázhì「サイエンス」．❖アメリカの科学誌．[Science]

kě

【可变现净值】kěbiànxiàn jìngzhí 正味実現可能価額．❖金融用語．販売価格から原価と販売にかかった経費を差し引いた金額．"变现价值 biànxiàn jiàzhí"とも．[net realizable value]

【可擦写光盘】kěcāxiě guāngpán CD-RW．❖光ディスクの1種．書き込んだデータを何度も書き換えることができるタイプのコンパクトディスク．"刻录盘 kèlùpán"とも．[compact disc rewritable；CD-RW]

【可采储量】kěcǎichǔliàng 可採埋蔵量．

【可撤销婚姻】kěchèxiāo hūnyīn 取り消し可能な婚姻．❖「中華人民共和国婚姻法」第11条に規定．脅迫などによる一方的な婚姻について、取消が認められている．

【可撤消信用证】kěchèxiāo xìnyòngzhèng 取消可能信用状．[revocable L/C]

【可持续发展】kěchíxù fāzhǎn 持続可能な発展．

【可穿戴电脑】kěchuāndài diànnǎo ウェアラブルコンピューター．❖IT用語．[wearable computer]

【可调换公司债券】kědiàohuàn gōngsī zhàiquàn 転換社債型新株予約権付社債；CB．❖金融用語．"可转换公司债 kězhuǎnhuàn gōngsīzhài" "可转换债券 kězhuǎnhuàn zhàiquàn"とも．[convertible bond；CB]

【可尔必思】Kě'ěrbìsī カルピス．❖日本の飲料メーカー、また同社製の飲料名．[Calpis；Calpico]

【可果美】Kěguǒměi カゴメ．❖日本の食品メーカー．[Kagome]

【可降解塑料】kějiàngjiě sùliào 生分解性プラスチック；グリーンプラスチック．❖"绿色塑料 lǜsè sùliào" "生物降解塑料 shēngwù jiàngjiě sùliào"とも．[biodegradable plastics；Green Plastics]

【可接近性】kějiējìnxìng アクセシビリティ．[accessibility]

【可刻录光碟】kěkèlù guāngdié CD-R．❖光ディスクの1種．書き込んだデータを書き換えることができないタイプのコンパクトディスク．[CD recordable；compact disc recordable；CD-R]

【可口可乐】Kěkǒu Kělè コカ・コーラ．❖アメリカの飲料メーカー、また同社製の飲料．[Coca-Cola]

【可扩展标记语言】kěkuòzhǎn biāojì yǔyán XML．❖IT用語．マークアップ言語の1つ．[extensible markup language；

kě

XML]

【可丽饼】kělìbǐng クレープ.[crape]

【可伶可俐】Kělíng Kělì クリーン & クリア. ❖ジョンソン・エンド・ジョンソン(米)のスキンケア用品ブランド.[Clean & Clear]

【可录光碟】kělù guāngdié CD-R. ❖光ディスクの1種.書き込んだデータを書き換えることができないタイプのコンパクトディスク."可刻录光碟 kěkèlù guāngdié""可录光盘 kělù guāngpán"とも.[CD recordable ; compact disc recordable ; CD-R]

【可录光盘】kělù guāngpán CD-R. ❖光ディスクの1種.書き込んだデータを書き換えることができないタイプのコンパクトディスク."可刻录光碟 kěkèlù guāngdié""可录光碟 kělù guāngdié"とも.[CD recordable ; compact disc recordable ; CD-R]

【可圈可点】kě quān kě diǎn 称賛に値する;すばらしい.

【可燃冰】kěránbīng メタンハイドレート;燃える氷.[methane hydrate]

【可视电话】kěshì diànhuà テレビ電話. ❖IT用語."电视电话 diànshì diànhuà"とも.[videophone]

【可视对讲】kěshì duìjiǎng カメラ付きインターホン.

【可视化ＢＡＳＩＣ语言】kěshìhuà BASIC yǔyán ビジュアルBASIC〈ベーシック〉. ❖IT用語.プログラミング言語の1つ.[Visual Basic]

【可诉补贴】kěsù bǔtiē 相殺〈そうさい〉措置の対象となる補助金. ❖WTO関連の用語.[actionable subsidy]

【可塑炸弹】kěsù zhàdàn プラスチック爆弾.[plastic bomb]

【可吸入颗粒物】kěxīrù kēlìwù 浮遊粒子状物質. ❖大気中に浮遊する直径10μm以下の粒子状物質.[suspended particulate matter]

【可携带性】kěxiédàixìng 携帯型(の);ポータビリティー;モビリティー. ❖"便携型 biànxiéxíng""携带型 xiédàixíng"とも.[portability ; mobility]

【可行性研究】kěxíngxìng yánjiū 事業化調査;フィージビリティスタディ;F/S.[feasibility study ; F/S]

【可疑船只】kěyí chuánzhī 不審船.

【可移动磁盘】kěyídòng cípán リムーバブルディスク. ❖IT用語.[removable disk]

【可再生资源】kězàishēng zīyuán 再生可能資源;リニューアブル資源. ❖水,生物,太陽光,風力,バイオマスなど,自然環境において持続的に再生可能なエネルギー資源.[renewable resource]

【可支配收入】kězhīpèi shōurù 可処分所得.

【可执行文件】kězhíxíng wénjiàn EXE〈エグゼ〉ファイル;実行ファイル. ❖IT用語."执行文件 zhíxíng wénjiàn"とも.[EXE file]

【可转换公司债】kězhuǎnhuàn gōngsīzhài 転換社債型新株予約権付社債;CB. ❖金融用語."可调换公司债券 kědiàohuàn gōngsī zhàiquàn""可转换债券 kězhuǎnhuàn zhàiquàn"とも.[convertible bond ; CB]

【可转换债券】kězhuǎnhuàn zhàiquàn 転換社債型新株予約権付社債;CB. ❖金融用語."可调换公司债券 kědiàohuàn gōngsī zhàiquàn""可转换公司债 kězhuǎnhuàn gōngsīzhài"とも.[convertible bond ; CB]

【可转让存款证】kězhuǎnràng cúnkuǎnzhèng 譲渡性預金;NCD;CD. ❖金融用語.第三者に譲渡可能な預金."大额可转让存单 dà'é kězhuǎnràng cúndān"とも.[negotiable certificate of deposit ; NCD ; certificate of deposit ; CD]

【可转让信用证】kězhuǎnràng xìnyòngzhèng 譲渡可能信用状. ❖金融用語.

【可自由转会】kězìyóu zhuǎnhuì フリーエ

kè

ージェント；FA．[free agent；FA]

kè

【客场比赛】kèchǎng bǐsài 遠征試合；アウェーゲーム；アウェー．[away game；away]

【客房送餐服务】kèfáng sòngcān fúwù ルームサービス．[room service]

【克夫】kèfū 夫の運を悪くする妻；さげまん．

【客户】kèhù ①取引先．②ユーザー；クライアント．[①customer；client；business partner ②user；client]

【客户端】kèhùduān 〔コンピューターで〕クライアント．❖IT用語．"客户机 kèhùjī"とも．[client]

【客户机】kèhùjī 〔コンピューターで〕クライアント．❖IT用語．"客户端 kèhùduān"とも．[client]

【客户满意度】kèhù mǎnyìdù 顧客満足度；CS．❖"顾客满意度 gùkè mǎnyìdù" "用户满意度 yònghù mǎnyìdù"とも．[customer satisfaction measurement；CSM]

【课件】kèjiàn コースウェア；教育ソフト．❖IT用語．[courseware]

【克久拉霍古迹群】Kèjiǔlāhuò Gǔjìqún カジュラーホの建造物群．◉世界文化遺産（インド）．[Khajuraho Group of Monuments]

【克拉】kèlā カラット．❖宝石の重量の単位．記号：ct；car．[carat]

【克拉科夫历史中心】Kèlākēfū Lìshǐ Zhōngxīn クラクフ歴史地区．◉世界文化遺産（ポーランド）．[Cracow's Historic Centre]

【克莱斯勒】Kèláisīlè 〔ダイムラー・〕クライスラー．❖ドイツの自動車メーカー，また同社製の自動車．[DaimlerChrysler]

【克雷塔罗的谢拉戈达圣方济各会修道院】Kèléitǎluó de Xièlā Gēdá Shèngfāngjì Gèhuì Xiūdàoyuàn ケレタロのシエラ・ゴルダのフランシスコ修道会伝道施設群．◉世界文化遺産（メキシコ）．[Franciscan Missions in the Sierra Gorda of Querétaro]

【克雷塔罗历史遗迹区】Kèléitǎluó Lìshǐ Yíjīqū ケレタロの歴史史跡地区．◉世界文化遺産（メキシコ）．[Historic Monuments Zone of Querétaro]

【克利夫兰】Kèlìfūlán クリーブランド．❖アメリカの都市名．[Cleveland]

【克丽丝汀·迪奥】Kèlìsītīng Dí'ào クリスチャンディオール．❖LVMHグループ（仏）のファッションメーカー，ブランド．[Christian Dior]

【克林顿】Kèlíndùn 〔ビル・〕クリントン．❖アメリカ第42代大統領．[Bill Clinton]

【克隆】kèlóng ①クローン（する）．②複製（する）．[clone]

【克隆堡宫】Kèlóngbǎo Gōng クロンボー城．◉世界文化遺産（デンマーク）．[Kronborg Castle]

【刻录盘】kèlùpán CD-RW．❖光ディスクの1種．書き込んだデータを何度も書き換えることができるタイプのコンパクトディスク．"可擦写光盘 kěcāxiě guāngpán"とも．[compact disc rewritable；CD-RW]

【克罗地亚共和国】Kèluódìyà Gònghéguó クロアチア共和国；クロアチア．[Republic of Croatia；Croatia]

【克罗格】Kèluógé クローガー．❖アメリカの小売チェーン．[Kroger]

【克罗梅日什花园和城堡】Kèluóméirìshí Huāyuán hé Chéngbǎo クロメジージーシュの庭園群と城．◉世界文化遺産（チェコ）．[Gardens and Castle at Kroměříž]

【克拿维考古遗址(克拿维文化遗存)】Kènáwéi Kǎogǔ Yízhǐ (Kènáwéi Wénhuà Yícún) ケルナヴェ考古学遺跡；ケルナヴェ文化保護区．◉世界文化遺産（リトアニア）．[Kernavė Archaeological Site (Cultural

kè — kōng

Reserve of Kernavė)]

【客桥】kèqiáo ボーディングブリッジ．[boarding bridge]

【克什米尔】Kèshímǐ'ěr カシミール．❖インド亜大陸北西部の地域．[Kashmir]

【克汀病】kètīngbìng クレチン症．[Cretinism]

【客席指挥】kèxí zhǐhuī ゲスト指揮者．[guest conductor]

【克星】kèxīng ①強敵．②救世主；達人．

kěn

【肯德基】Kěndéjī ケンタッキー・フライド・チキン．❖ヤム・ブランズ(米)のファーストフード店．[Kentucky Fried Chicken]

【肯迪文】Kěndíwén ケント & カーウェン；ケント & コーウェン．❖イギリスの男性ファッションブランド．[Kent&Curwen]

【肯尼迪国际机场】Kěnnídí Guójì Jīchǎng ジョン・F・ケネディ国際空港．❖アメリカ・ニューヨークにある空港．[John F.Kennedy International Airport]

【肯尼・基】Kěnní Jī ケニー・G．❖アメリカのソプラノサックス奏者．[Kenny G]

【肯尼士】Kěnníshì プロケネックス．❖アメリカのスポーツ用品メーカー，ブランド．[ProKennex]

【肯尼亚共和国】Kěnníyà Gònghéguó ケニア共和国；ケニア．[Republic of Kenya；Kenya]

【肯尼亚山国家公园／自然森林】Kěnníyà Shān Guójiā Gōngyuán Zìrán Sēnlín ケニア山国立公園／自然林．●世界自然遺産(ケニア)．[Mount Kenya National Park / Natural Forest]

【肯塔基州】Kěntǎjī Zhōu ケンタッキー州．❖アメリカの州名．[Kentucky]

【恳谈】kěntán 懇談する．

kēng

【坑口电站】kēngkǒu diànzhàn 坑口発電所．

【坑农】kēngnóng 農民に損害を与える；農民いじめ．

【铿锵玫瑰】Kēngqiāng Méigui 鉄のバラ．❖中国女子サッカー・ナショナル・チームの美称．

kōng

【空霸】kōngbà 航空機内で迷惑行為をする乗客．

【空巢家庭】kōngcháo jiātíng 空〈から〉の巣世帯．❖子供と同居していない熟年および老齢夫婦だけの家庭．

【空巢综合征】kōngcháo zōnghézhēng 空〈から〉の巣症候群．❖子育てを終えた主婦などに見られる抑うつ(鬱)症状の1種．"空巢综合症 kōngcháo zōnghézhèng"とも．

【空港】kōnggǎng 空港．❖"航空港 hángkōnggǎng"の略．[airport]

【空哥】kōnggē 男性客室乗務員；男性フライトアテンダント；男性キャビンアテンダント．[flight attendant；cabin attendant]

【空间】kōngjiān ①空間；宇宙．②空き領域．❖②IT用語．

【空间病】kōngjiānbìng 宇宙酔い．

【空间技术】kōngjiān jìshù 宇宙技術．

【空间科学】kōngjiān kēxué スペースサイエンス．[space science]

【空间垃圾】kōngjiān lājī 宇宙ごみ．❖"太空垃圾 tàikōng lājī"とも．

【空间探测器】kōngjiān tàncèqì 宇宙探査機．

【空间站】kōngjiānzhàn 宇宙ステーション．❖"太空站 tàikōngzhàn"とも．[space station]

【空姐】kōngjiě 女性客室乗務員；女性フラ

イトアテンダント；女性キャビンアテンダント．❖"空中小姐 kōngzhōng xiǎojie"の略．未婚あるいは若い乗務員．[flight attendant ; cabin attendant]

【空警】kōngjǐng 機内警察．

【空气】Kōngqì ケンゾーエア．❖ Kenzo(仏)製のフレグランス名．[KenzoAir]

【空气净化器】kōngqì jìnghuàqì 空気清浄機．

【空气幕】kōngqìmù エアカーテン；エアーカーテン．❖"风幕机 fēngmùjī"とも．[air curtain]

【空气污染指数】kōngqì wūrǎn zhǐshù 大気汚染指数；API．❖"API 指数 API zhǐshù"とも．[Air Pollution Index ; API]

【空气浴】kōngqìyù 空気浴；裸療法．

【空气质量预报】kōngqì zhìliàng yùbào 大気汚染予報．❖社会経済活動の発展に伴う大気環境(物質,運動量,熱エネルギーの拡散)の変化を予測する．

【空嫂】kōngsǎo 女性客室乗務員；女性フライトアテンダント；女性キャビンアテンダント．❖既婚,あるいは比較的年かさの乗務員．[flight attendant ; cabin attendant]

【空天飞机】kōngtiān fēijī 宇宙航空機；[次世代型]宇宙往還機．❖"航空航天飞机 hángkōng hángtiān fēijī"の略．

【空天战】kōngtiānzhàn 宇宙戦争．

【空调病】kōngtiáobìng 冷房病；クーラー病．

【空头部位】kōngtóu bùwèi ショートポジション；売り持ち．❖金融用語．[short position]

【空头票据】kōngtóu piàojù 空手形(からてがた)；融通手形．❖金融用語．"通融票据 tōngróng piàojù"とも．

【空头市场】kōngtóu shìchǎng 弱気相場；下がり相場．❖金融用語．

【空头司令】kōngtóu sīlìng 人々の意識とかけ離れた指導者；名ばかりの指導者；誰もその命令に従わない指導者．

【空运货物】kōngyùn huòwù 航空貨物；エアカーゴ．[air cargo]

【空运提单】kōngyùn tídān エアウェイビル；航空貨物運送状．❖受託荷物発送のため,航空会社と荷送人との間で交わされる証明書．"航空提单 hángkōng tídān"とも．[air waybill ; AWB]

【空中飞人】kōngzhōng fēirén ①空中で演技などをする人．②飛行機をよく利用する人．③海外出張によく行く人．❖①空中ブランコ,棒高跳びの選手などを指す．

【空中交通管制】kōngzhōng jiāotōng guǎnzhì 航空交通管制．

【空中教育】kōngzhōng jiàoyù 放送教育；遠隔教育．

【空中客车】Kōngzhōng Kèchē エアバス；エアバスインダストリー．❖欧州の航空機メーカー,また同社製の航空機のシリーズ名．[Airbus ; Airbus Industry]

【空中小姐】kōngzhōng xiǎojie 女性客室乗務員；女性フライトアテンダント；女性キャビンアテンダント．❖略称は"空姐 kōngjiě"．[flight attendant ; cabin attendant]

【空中走廊】kōngzhōng zǒuláng ①空中回廊．②航空路．

kǒng

【恐怖大亨】kǒngbù dàhēng テロ首謀者．

【恐怖活动】kǒngbù huódòng テロ活動．[terrorist activity]

【恐怖片】kǒngbùpiàn ホラー映画．[horror movie]

【恐怖组织】kǒngbù zǔzhī テロ組織．[terrorist organization ; terrorist group]

【恐高症】kǒnggāozhèng 高所恐怖症．

【孔戈尼亚斯的邦热苏斯圣殿】Kǒnggēníyàsī de Bāngrèsūsī Shèngdiàn ボン・ジェズス・ド・コンゴーニャスの聖所．●世界文

化遺産(ブラジル).[Sanctuary of Bom Jesus do Congonhas]

【恐慌症】kǒnghuāngzhèng パニック障害. ❖"惊恐障碍 jīngkǒng zhàng'ài"とも. [panic disorder]

《恐龙危机》Kǒnglóng Wēijī「ディノクライシス」. ❖カプコン(日本)製のゲームのタイトル.[Dino Crisis]

kòng

【空白票据】kòngbái piàojù 白地手形〈しらじてがた〉. ❖金融用語.

【空岗申报制度】kònggǎng shēnbào zhìdù 空きポスト申告制度. ❖失業者の再雇用促進のための制度.

【空格键】kònggéjiàn スペースキー. ❖IT用語.[space key]

【控股公司】kònggǔ gōngsī 持株〈もちかぶ〉会社;ホールディングカンパニー. ❖"持股公司 chígǔ gōngsī"とも.[holding company]

【控球率】kòngqiúlǜ〔サッカーやフットサルの〕ボール支配率.[ball possession]

【空隙战略】kòngxì zhànlüè すきま戦略;ニッチ戦略. ❖"壁龛战略 bìkān zhànlüè"とも.[niche strategy]

【空闲能力】kòngxián nénglì 余剰能力.

【空闲时间】kòngxián shíjiān アイドルタイム. ❖"停机时间 tíngjī shíjiān"とも. [idle time]

【控制键】kòngzhìjiàn コントロールキー. ❖IT用語.[control key]

【控制科学】kòngzhì kēxué サイバネティックス;サイバネティクス.[cybernetics]

【控制面板】kòngzhì miànbǎn ①〔機械設備の〕コントロールパネル. ②〔コンピューターの〕コントロールパネル. ❖IT用語.[control panel]

【控制通货膨胀】kòngzhì tōnghuò péngzhàng インフレ抑制.[inflation control]

【控制图】kòngzhìtú 管理図.

【控制字符】kòngzhì zìfú 制御文字. ❖IT用語.[control character]

kǒu

【口碑】kǒubēi 評判;口コミ.

【口袋书】kǒudàishū ポケットブック;文庫本.[pocketbook]

《口袋妖怪》Kǒudài Yāoguài「ポケットモンスター」. ❖日本の漫画,アニメ,ゲームフリーク(日本)製のゲームのタイトル. [Pokémon]

【口红护膜】kǒuhóng hùmó リップコート. [lip coat]

【口水战】kǒushuǐzhàn 舌戦;口論.

kòu

【扣发工资】kòufā gōngzī 減給.

【扣篮】kòulán ダンクシュート.[dunk shot]

kǔ

【苦果】kǔguǒ 苦い結果;辛い結果.

kù

【酷】kù かっこいい;クールな;イケてる. [cool]

【库埃瓦·德尔阿斯·马诺斯】Kù'āiwǎ Dé'ěr'āsī Mǎnuòsī リオ・ピントゥラスのクエバ・デ・ラス・マノス. ●世界文化遺産(アルゼンチン).[Cueva de las Manos, Río Pinturas]

【酷毙】kùbì サイコーにクール.

【库存股票】kùcún gǔpiào 金庫株;自己株式. ❖金融用語."库存股 kùcúngǔ""留存股票 liúcún gǔpiào"とも.[treasury stock]

【库尔尼科娃】Kù'ěrníkēwá〔アンナ・〕クル

ニコワ．❖ロシアのテニスプレーヤー．[Anna Kournikova]

【库尔斯沙嘴遗址】Kù'ěrsī Shāzuǐ Yízhǐ クルシュー砂州．●世界自然遺産(リトアニア,ロシア)．[Curonian Spit]

【酷铃】kùlíng すてきな着メロ；クールな着メロ．

【酷评】kùpíng 辛口な批評(をする)；ずばりと容赦ないコメント(をする)．

【库斯科古城】Kùsīkē Gǔchéng クスコ市街．●世界文化遺産(ペルー)．[City of Cuzco]

【库特纳霍拉历史名城中心的圣巴拉巴教堂及塞德莱茨的圣母玛利亚大教堂】Kùtènà Huòlā Lìshǐ Míngchéng Zhōngxīn de Shèngbālābā Jiàotáng jí Sàidéláicí de Shèngmǔ Mǎlìyà Dàjiàotáng クトナー・ホラ：聖バルバラ教会とセドレツの聖母マリア大聖堂のある歴史都市．●世界文化遺産(チェコ)．[Kutná Hora : Historical Town Centre with the Church of St Barbara and the Cathedral of Our Lady at Sedlec]

【库娃】Kùwá〔アンナ・〕クルニコワ．❖ロシアのテニスプレーヤー．[Anna Kournikova]

【酷站】kùzhàn〔インターネット上の〕クールサイト．❖IT用語．[cool site]

kuā

【夸大广告】kuādà guǎnggào 誇大広告．❖"夸张广告 kuāzhāng guǎnggào"とも．

【夸底・夸底沙(圣谷)和神杉林】Kuādǐ Kuādǐshā (Shènggǔ) hé Shénshānlín カディーシャ渓谷(聖なる谷)と神の杉の森(ホルシュ・アルツ・エル・ラーブ)．●世界文化遺産(レバノン)．[Ouadi Qadisha (the Holy Valley) and the Forest of the Cedars of God (Horsh Arz el-Rab)]

【夸特兰巴山脉德拉肯斯山公园】Kuātèlánbā Shānmài Délākěnsī Shān Gōngyuán ウクハランバ，ドラケンスベアク自然公園．●世界自然および文化遺産(南アフリカ)．[Ukhahlamba/Drakensberg Park]

【夸张广告】kuāzhāng guǎnggào 誇大広告．❖"夸大广告 kuādà guǎnggào"とも．

kuǎ

【垮塌】kuǎtā 倒壊(する)；崩壊(する)．

kuà

【挎包】kuàbāo ショルダーバッグ．[shoulder bag]

【跨国公司】kuàguó gōngsī 国際企業；グローバル企業；多国籍企業．❖"跨国企业 kuàguó qǐyè"とも．[global company]

【跨国婚姻】kuàguó hūnyīn 国際結婚．❖"国际婚姻 guójì hūnyīn"とも．

【跨国经营】kuàguó jīngyíng グローバル経営．[global management]

【跨国企业】kuàguó qǐyè 国際企業；グローバル企業；多国籍企業．❖"跨国公司 kuàguó gōngsī"とも．[global company]

【跨境交付】kuàjìng jiāofù 国境間供給．

【跨领域问题】kuà lǐngyù wèntí 分野を超えた問題．

【跨业公司】kuàyè gōngsī 複合企業．

【跨越式发展】kuàyuèshì fāzhǎn 飛躍的発展．

kuài

【快波睡眠】kuàibō shuìmián レム睡眠．❖"眼球快速运动睡眠 yǎnqiú kuàisù yùndòng shuìmián""异相睡眠 yìxiàng shuìmián"とも．[rapid eye movement sleep ; REM sleep]

【快餐文化】kuàicān wénhuà ファーストフードカルチャー．❖大衆迎合的でお手軽な音楽，映画，文学など．[fast-food culture]

kuài — kuāng

【快车道】kuàichēdào ①高速走行車線；追い越し車線. ②急成長；高度成長期.

【快达航空】Kuàidá Hángkōng カンタス航空. ❖オーストラリアの航空会社. コード：QF. "澳洲航空 Àozhōu Hángkōng"とも. [Qantas Airways]

【快递】kuàidì 速達；速達サービス；特急便.

【快堆】kuàiduī 高速増殖炉；FBR. ❖"快中子増殖反応堆 kuàizhōngzǐ zēngzhí fǎnyìngduī"の略. [fast breeder reactor；FBR]

【快干】kuàigān 速乾性；クイックドライ. [quick dry]

【会计年度】kuàijì niándù 会計年度. ❖"财政年度 cáizhèng niándù"とも.

【会计软件】kuàijì ruǎnjiàn 財務会計ソフト；会計ソフト. ❖"财务软件 cáiwù ruǎnjiàn"とも. [accounting software]

【快捷菜单】kuàijié càidān 〔コンピューターの〕ショートカットメニュー. ❖IT用語. [shortcut menu]

【快捷方式】kuàijié fāngshì ①ショートカット. ②早道；近道；〔目的達成のための〕手っ取り早い方法. ❖①IT用語. [shortcut]

【快捷键】kuàijiéjiàn ショートカットキー；キーボードショートカット. ❖IT用語. [shortcut key；keyboard shortcuts]

【快捷图标】kuàijié túbiāo ショートカットアイコン. ❖IT用語. [shortcut icon]

【快镜头】kuàijìngtóu クイックモーション. ❖撮影手法の1種. [quick motion]

【快乐的星期一】kuàilè de xīngqīyī 〔日本の〕ハッピーマンデー.

【快速反应部队】kuàisù fǎnyìng bùduì 即応部隊；緊急対応部隊.

【快速消费品】kuàisù xiāofèipǐn 日用消費財；FMCG；CPG. [fast moving consumer goods；FMCG；consumer packaged goods；CPG]

【快讯】kuàixùn ニュース速報.

【快中子増殖反应堆】kuàizhōngzǐ zēngzhí fǎnyìngduī 高速増殖炉；FBR. ❖略称は"快堆 kuàiduī". [fast breeder reactor；FBR]

kuān

【宽带】kuāndài ブロードバンド；広帯域. ❖IT用語. "宽频 kuānpín"とも. [broadband]

【宽带接入】kuāndài jiērù ブロードバンドアクセス. ❖IT用語. [broadband access]

【宽带网】kuāndàiwǎng ブロードバンドネットワーク. ❖IT用語. "宽网 kuānwǎng"とも. [broadband network]

【宽频】kuānpín ブロードバンド；広帯域. ❖IT用語. "宽带 kuāndài"とも. [broadband]

【宽屏】kuānpíng 〔スクリーン，ディスプレイなどの〕ワイド型.

【宽屏幕电视机】kuānpíngmù diànshìjī ワイドテレビ. [wide screen television]

【宽网】kuānwǎng ブロードバンドネットワーク. ❖IT用語. "宽带网 kuāndàiwǎng"とも. [broadband network]

【宽限期】kuānxiànqī ①〔返済の〕据え置き期間. ②猶予期間. ❖①金融用語.

kuǎn

【款爷】kuǎnyé 大富豪の男性；お金持ちの男性.

kuāng

【匡算】kuāngsuàn 概算.

【匡威】Kuāngwēi コンバース. ❖アメリカのシューズブランド. [Converse]

kuáng

【狂涨暴跌】kuángzhǎng bàodiē 乱高下〈らんこうげ〉. ❖金融用語."狂涨狂跌 kuángzhǎng kuángdiē"とも.

【狂涨狂跌】kuángzhǎng kuángdiē 乱高下〈らんこうげ〉. ❖金融用語."狂涨暴跌 kuángzhǎng bàodiē"とも.

kuàng

【框架】kuàngjià ①骨組み;枠組み. ②〔ウェブページの〕フレーム. ❖②IT用語. [frame]

【框架标记】kuàngjià biāojì 〔ウェブページの〕フレーム. ❖IT用語. [frame]

【矿井瓦斯】kuàngjǐng wǎsī 鉱山ガス.

【矿难】kuàngnàn 鉱山事故.

【矿源】kuàngyuán 鉱物資源.

kuī

【亏损企业】kuīsǔn qǐyè 赤字企業.

kuí

【魁北克】Kuíběikè ケベック. ❖カナダの都市名. [Québec]

【魁北克古城区】Kuíběikè Gǔchéngqū ケベック歴史地区. ●世界文化遺産(カナダ). [Historic District of Québec]

【奎德林堡的学院教堂、城堡和古镇】Kuídélínbǎo de Xuéyuàn Jiàotáng Chéngbǎo hé Gǔzhèn クヴェートリンブルクの聖堂参事会教会, 城と旧市街. ●世界文化遺産(ドイツ). [Collegiate Church, Castle, and Old Town of Quedlinburg]

【蝰蛇】Kuíshé バイパー. ❖ダイムラー・クライスラー(独)製の車名. ダッジバイパー. [Viper]

【奎斯特通讯】Kuísītè Tōngxùn クエスト・コミュニケーションズ. ❖アメリカの地域通信事業者. [Qwest Communications]

kuì

【馈赠税】kuìzèngshuì 贈与税.

kūn

【昆卡的洛斯里奥斯的圣安娜历史中心】Kūnkǎ de Luòsī Lǐ'àosī de Shèng'ānnà Lìshǐ Zhōngxīn サンタ・アナ・デ・ロス・リオス・クエンカの歴史地区. ●世界文化遺産(エクアドル). [Historic Centre of Santa Ana de los Ríos de Cuenca]

【昆仑表】Kūnlúnbiǎo コルム. ❖スイスの時計メーカー. [Corum]

【昆仑饭店】Kūnlún Fàndiàn クンルンホテル;崑崙飯店. ❖中国・北京にあるホテル. [Kunlun Hotel]

【昆明】Kūnmíng 昆明. ❖"云南省 Yúnnán Shěng"の省都, 略称は"昆 Kūn".

【昆士兰湿热带地区】Kūnshìlán Shīrèdài Dìqū クインズランドの湿潤熱帯地域. ●世界自然遺産(オーストラリア). [Wet Tropics of Queensland]

【昆庭】Kūntíng クリストフル. ❖フランスのテーブルウエアブランド. [Christofle]

kǔn

【捆绑软件】kǔnbǎng ruǎnjiàn バンドルソフト. ❖IT用語. [bundled software]

【捆绑式销售】kǔnbǎngshì xiāoshòu セット販売;セット売り.

kuò

【扩充槽】kuòchōngcáo 拡張スロット. ❖IT用語."扩充插槽 kuòchōng chācáo""扩展槽 kuòzhǎncáo""扩展插槽 kuòzhǎn

kuò

chācáo"とも.[expansion slot]

【扩充插槽】kuòchōng chācáo 拡張スロット. ❖IT用語."扩充槽 kuòchōngcáo""扩展槽 kuòzhǎncáo""扩展插槽 kuòzhǎn chācáo"とも.[expansion slot]

【扩大国内需求】kuòdà guónèi xūqiú 内需拡大. ❖"扩大内需 kuòdà nèixū"とも.

【扩大内需】kuòdà nèixū 内需拡大. ❖"扩大国内需求 kuòdà guónèi xūqiú"とも.

【扩权】kuòquán 「企業自主権」の拡大;「企業自主権」を拡大する. ❖国有企業改革の一環.

【扩容】kuòróng ①〔規模,範囲,数量などを〕拡大(する). ②通信設備の容量を拡大する(こと).

【扩展槽】kuòzhǎncáo 拡張スロット. ❖IT用語."扩充槽 kuòchōngcáo""扩充插槽 kuòchōng chācáo""扩展插槽 kuòzhǎn chācáo"とも.[expansion slot]

【扩展插槽】kuòzhǎn chācáo 拡張スロット. ❖IT用語."扩充槽 kuòchōngcáo""扩充插槽 kuòchōng chācáo""扩展槽 kuòzhǎncáo"とも.[expansion slot]

【扩展名】kuòzhǎnmíng 拡張子〈かくちょうし〉. ❖IT用語.俗に"后缀名 hòuzhuìmíng"とも.[extension]

【扩招】kuòzhāo 〔学生の〕募集枠を拡大する(こと).

L

L

【Linux 作业系统】Linux zuòyè xìtǒng リナックス. ❖IT用語.コンピューターのオペレーティングシステムの1つ.[Linux]

lā

【拉安斯欧克斯梅多国家历史遗址】Lā'ānsī Ōukèsī Méiduō Guójiā Lìshǐ Yízhǐ ランス・オ・メドー国定史跡. ●世界文化遺産(カナダ).[L'Anse aux Meadows National Historic Site]

【拉巴斯】Lābāsī ラパス. ❖ボリビアの首都.[La Paz]

【拉巴特】Lābātè ラバト. ❖モロッコの首都.[Rabat]

【拉博银行】Lābó Yínháng ラボバンク. ❖オランダの銀行.[Rabobank]

【拉动】lādòng 促進する;牽引する.

【拉尔夫・劳伦】Lā'ěrfū Láolún ラルフ・ローレン. ❖アメリカのファッションメーカー,ブランド.[Ralph Lauren]

【拉法基】Lāfǎjī ラファージュ. ❖フランスのセメントメーカー.[Lafarge]

【拉风】lāfēng ①かっこいい;すばらしい;すてきな;クールな;流行の;セクシーな. ②〔遠距離の〕ドライブをする;ドライブに行く.[①cool;sexy ②go for a drive]

【拉格菲尔德】Lāgéfēi'ěrdé ラガーフェルド. ❖フランスのファッションデザイナー.またフランスのファッションブランド.[Lagerfeld]

【拉古纳的圣克斯托瓦尔】Lāgǔnà de Shèngkèsītuōwǎ'ěr サン・クリストバル・デ・ラ・ラグナ. ●世界文化遺産(スペイン).[San Cristóbal de La Laguna]

【拉瓜地亚机场】Lāguādìyà Jīchǎng ラガーディア空港. ❖アメリカ・ニューヨークにある空港.[La Guardia Airport]

【拉合尔古堡和夏利玛尔公园】Lāhé'ěr Gǔbǎo hé Xiàlìmǎ'ěr Gōngyuán ラホールの城塞とシャーリマール庭園. ●世界危機遺産(パキスタン).[Fort and Shalamar Gardens in Lahore]

【拉赫玛尼诺夫】Lāhèmǎnínuòfū 〔セルゲイ・〕ラフマニノフ. ❖ロシアの作曲家,ピアニスト.[Sergej Vasil'jevich Rakhmaninov]

【垃圾分类】lājī fēnlèi ごみの分別.

【垃圾分类处理】lājī fēnlèi chǔlǐ ごみ分別処理.

【垃圾分类收集】lājī fēnlèi shōují ごみ分別収集.

【垃圾股】lājīgǔ くず株. ❖金融用語.

【垃圾留言】lājī liúyán コメントスパム. ❖IT用語."垃圾评论 lājī pínglùn"とも.[comment spam]

【垃圾评论】lājī pínglùn コメントスパム. ❖IT用語."垃圾留言 lājī liúyán"とも.[comment spam]

【垃圾融资】lājī róngzī ジャンク債による資金調達. ❖金融用語.

【垃圾食品】lājī shípǐn ジャンクフード.[junk food]

【垃圾填埋场】lājī tiánmáichǎng ごみ埋立処分場.

【垃圾邮件】lājī yóujiàn ジャンクメール;スパムメール;迷惑メール. ❖IT用語.[junk mail;spam mail]

【垃圾债券】lājī zhàiquàn ジャンクボンド;ジャンク債. ❖金融用語.[junk bond]

【拉加代尔】Lājiādài'ěr ラガルデール. ❖フランスの出版・デジタルメディア,軍需企業.[Lagardere]

lā — là

【啦啦队】lālāduì チアリーディングチーム；応援団.[cheering squad ; cheer team]

【拉利贝拉岩石教堂】Lālìbèilā Yánshí Jiàotáng ラリベラの岩窟教会群. ●世界文化遺産(エチオピア).[Rock-hewn Churches, Lalibela]

【拉力克】Lālìkè ラリック. ❖フランスのクリスタルメーカー.[Lalique]

【拉力赛】lālìsài ラリー.[rally]

【拉链工程】lāliàn gōngchéng 繰り返し行われる道路工事.

【拉拢人才】lālǒng réncái 人材を引き抜く；人材の引き抜き；ヘッドハンティング.[headhunting]

【拉卢维耶尔和勒勒的四座高架桥及周围地区】Lālúwéiyē'ěr hé Lèlè de Sì zuò Gāojiàqiáo jí Zhōuwéi Dìqū 中央運河にかかる4機の水力式リフトとその周辺のラ・ルヴィエールとル・ルー(エノー). ●世界文化遺産(ベルギー).[The Four Lifts on the Canal du Centre and their Environs, La Louvière and Le Roeulx(Hainault)]

《拉姆萨尔公约》Lāmǔsà'ěr Gōngyuē「ラムサール条約」;「特に水鳥の生息地として国際的に重要な湿地に関する条約」. ❖《关于特别是作为水禽栖息地的国际重要湿地公约》Guānyú Tèbié Shì Zuòwéi Shuǐqín Qīxīdì de Guójì Zhòngyào Shīdì Gōngyuē,《湿地公约》Shīdì Gōngyuē とも.[Ramsar Convention ; Convention on Wetlands of International Importance Especially as Waterfowl Habitat]

【拉穆古城】Lāmù Gǔchéng ラム旧市街. ●世界文化遺産(ケニア).[Lamu Old Town]

【拉尼娜现象】Lāní'nà xiànxiàng ラニーニャ現象. ❖東太平洋の赤道付近で海面水温が低い状態が続く現象.[La Niña]

【拉普人居住区】Lāpǔrén Jūzhùqū ラップ人地域. ●世界自然および文化遺産(スウェーデン).[Laponian Area]

【拉萨】Lāsà ラサ. ❖"西藏自治区 Xīzàng Zìzhìqū"の区都.

【拉萨布达拉宫历史区】Lāsà Bùdálā Gōng Lìshǐqū ラサのポタラ宮歴史地区群. ●世界文化遺産(中国).[Historic Ensemble of the Potala Palace, Lhasa]

【拉斯梅德拉斯】Lāsīméidélāsī ラス・メドゥラス. ●世界文化遺産(スペイン).[Las Médulas]

【拉斯韦加斯】Lāsīwéijiāsī ラスベガス. ❖アメリカの都市名."拉斯维加斯 Lāsīwéijiāsī"とも.[Las Vegas]

【拉脱维亚共和国】Lātuōwéiyà Gònghéguó ラトビア共和国；ラトビア.[Republic of Latvia ; Latvia]

【拉韦纳的早期基督教名胜】Lāwéinà de Zǎoqī Jīdūjiào Míngshèng ラヴェンナの初期キリスト教建築物群. ●世界文化遺産(イタリア).[Early Christian Monuments of Ravenna]

【拉希型船】lāxīxíngchuán ラッシュ船. ❖港湾業務関連用語."载驳船 zàibóchuán" "子母船 zǐmǔchuán"とも.[lighter aboard ship ; LASH]

【拉选票】lā xuǎnpiào 集票する.

【拉闸限电】lāzhá xiàndiàn 電力供給制限. ❖"限电 xiàndiàn"とも.

lǎ

【喇叭裤】lǎbakù ベルボトム.[bell bottom]

là

《蜡笔小新》Làbǐ Xiǎo Xīn「クレヨンしんちゃん」. ❖日本漫画,アニメのタイトル.[Crayon Shin-chan]

【辣妹子】làmèizi ①湖南省や四川省出身の若い女性. ②情熱的で率直な今風の女性.

【蜡像馆】làxiàngguǎn 臘〈ろう〉人形館.

lái

【莱昂·别霍遗址】Lái'áng Biéhuò Yízhǐ レオン・ビエホ遺跡．●世界文化遺産（ニカラグア）．[Ruins of León Viejo]

【莱昂纳多】Lái'ángnàduō レオナルド〔・デカプリオ〕．❖アメリカ出身の男優．[Leonardo Wilhelm DiCaprio]

【莱代尼采瓦尔季采的文化景观】Láidàinǐcǎi Wǎ'ěrjìcǎi de Wénhuà Jǐngguān レドニツェ・ヴァルティツェの文化的景観．●世界文化遺産（チェコ）．[Lednice-Valtice Cultural Landscape]

【来电显示】láidiàn xiǎnshì 発信者電話番号表示．

【莱佛士大酒店】Láifóshì Dàjiǔdiàn ラッフルズ・ホテル．❖シンガポールにあるホテル．[Raffles Hotel]

【来件装配】láijiàn zhuāngpèi ノックダウン方式；ノックダウン；KD．❖組立加工方式．[knockdown；KD]

【莱卡】Láikǎ ライカ．❖ドイツのカメラメーカー．[Leica]

【来科思】Láikēsī ライコス．❖アメリカの検索エンジンサービス会社．[Lycos]

【来料加工】láiliào jiāgōng 原材料等の提供を受けての委託加工．

【莱普蒂斯马格纳考古遗迹】Láipǔdìsī Mǎgénà Kǎogǔ Yíjī レプティス・マグナの古代遺跡．●世界文化遺産（リビア）．[Archaeological Site of Leptis Magna]

【来气】láiqì ムカつく．❖"有气 yǒuqì"とも．

【来人支票】láirén zhīpiào 持参人払小切手．❖金融用語．[check to bearer]

【莱索托王国】Láisuǒtuō Wángguó レソト王国；レソト．[Kingdom of Lesotho；Lesotho]

【来样加工】láiyàng jiāgōng サンプルと仕様書の提供を受けての委託加工．

【莱茵河】Láiyīn Hé ライン川．❖ヨーロッパ西部を流れる川．[the Rhine River；the Rhine]

【莱茵集团】Láiyīn Jítuán RWE．❖ドイツのエネルギー関連企業．[RWE Group]

lài

【赖迈尔斯堡矿和戈斯拉尔古城】Làimài'ěrsībǎo Kuàng hé Gēsīlā'ěr Gǔchéng ランメルスベルク鉱山と古都ゴスラー．●世界文化遺産（ドイツ）．[Mines of Rammelsberg and Historic Town of Goslar]

【赖谢瑙修道院之岛】Làixiènǎo Xiūdàoyuàn zhī Dǎo 僧院の島ライヒェナウ．●世界文化遺産（ドイツ）．[Monastic Island of Reichenau]

lán

【蓝宝石婚】lánbǎoshíhūn サファイア婚式．❖45年目の結婚記念日．[sapphire wedding]

【兰伯基尼】Lánbójīní ランボルギーニ．❖イタリアのスポーツカーメーカー（アウディ傘下），また同社製の自動車．[Lamborghini]

【蓝筹股】lánchóugǔ ブルーチップ．❖金融用語．香港証券取引所に上場している香港企業の株式．[blue chip]

【兰德】Lándé ランド研究所；RAND．❖アメリカのシンクタンク．[RAND]

【蓝调】lándiào ブルース．[blues]

《蓝风筝》Lánfēngzheng「青い凧」．❖中国映画のタイトル．[The Blue Kite]

【蓝光光盘】lánguāng guāngpán ブルーレイディスク．❖IT用語．[blue-ray disc]

【蓝客】lánkè「ブルーハッカー」．❖"黑客 hēikè""红客 hóngkè"と呼ばれることを嫌ったハッカーが自称する際に使用する．[bluehacker]

lán — lǎng

【兰蔻】Lánkòu ランコム．❖ロレアル(仏)の化粧品ブランド．[Lancôme]

【蓝盔人员】lánkuī rényuán 国連派遣部隊の隊員．❖青い帽子をかぶっていることから．[blue helmet personal]

【蓝领】lánlǐng ブルーカラー．[blue-collar]

【蓝领员工】lánlǐng yuángōng ブルーカラー．[blue-collar worker]

【蓝鸟】Lánniǎo ブルーバード．❖日産(日本)製の車名．[Bluebird]

【蓝旗亚】Lánqíyà ランチア．❖イタリアの自動車メーカー(フィアット傘下)，また同社製の自動車．[Lancia]

【蓝瑟】Lánsè ランサー．❖三菱(日本)製の車名．[Lancer]

【蓝色发光二极管】lánsè fāguāng èrjíguǎn 青色発光ダイオード；青色LED．❖"蓝色 LED lánsè LED"とも．[blue light-emitting diode ; blue LED]

【蓝色柑橘酒】lánsè gānjújiǔ ブルーキュラソー．[blue curaçao]

【蓝色国土】lánsè guótǔ 海洋領土．

【蓝色家电】lánsè jiādiàn ネットワーク家電．❖ネットワークに接続できる家電の総称．[network equipment]

【蓝色经济】lánsè jīngjì 海洋経済．

【蓝色ＬＥＤ】lánsè LED 青色発光ダイオード；青色LED．❖"蓝色发光二极管 lánsè fāguāng èrjíguǎn"とも．[blue light-emitting diode ; blue LED]

【蓝色农业】lánsè nóngyè 養殖,栽培漁業．

【蓝山咖啡】Lánshān kāfēi ブルーマウンテンコーヒー；ブルーマウンテン．[Blue Mountain]

【兰斯的圣母大教堂、圣雷米前修道院和塔乌宫】Lánsī de Shèngmǔ Dàjiàotáng Shèngléimǐ Qiánxiūdàoyuàn hé Tǎwū Gōng ランスのノートル・ダム大聖堂,サン・レミの旧大修道院とト宮殿．●世界文化遺産(フランス)．[Cathedral of Notre-Dame, Former Abbey of Saint-Remi and Palace of Tau, Reims]

【兰文】Lánwén ランバン．❖フランスのファッションメーカー,ブランド．[Lanvin]

【兰辛】Lánxīn ランシング．❖アメリカ・ミシガン州都．[Lansing]

【蓝牙技术】lányá jìshù ブルートゥース技術；ブルートゥース．❖IT用語．[bluetooth]

【兰州】Lánzhōu 蘭州〈らんしゅう〉．❖"甘肃省 Gānsù Shěng"の省都．略称は"兰 Lán"．

【兰姿】Lánzī ランセル．❖フランスの皮革品メーカー,ブランド．[Lancel]

lǎn

【揽储】lǎnchǔ 預金者獲得のため訪問勧誘をする(こと)．

【懒汉鞋】lǎnhànxié スリッポン；〔いわゆる〕紐〈ひも〉なし靴；カンフーシューズ．[slip-on]

làn

【烂尾楼】lànwěilóu 建設が中止された建物．

láng

【琅勃拉邦的古城】Láng Bólābāng de Gǔchéng ルアン・パバンの町．●世界文化遺産(ラオス)．[Town of Luang Prabang]

《廊桥遗梦》Lángqiáo Yímèng 「マディソン郡の橋」．❖アメリカの小説,映画のタイトル．[The Bridges of Madison County]

lǎng

【朗布伊埃】Lǎngbùyī'āi ランブイエ．❖フランスの都市名．サミット開催地の1つ．[Rambouillet]

lǎng — lǎo

【朗讯科技】Lǎngxùn Kējì ルーセント・テクノロジー. ❖アメリカの通信機器メーカー. [Lucent Technologies]

làng

【浪琴】Làngqín ロンジン. ❖スイスの時計メーカー. [Longines]

láo

【劳埃德 TSB 集团】Láo'āidé TSB Jítuán ロイズTSBグループ. ❖イギリスの金融グループ. [Lloyds TSB Group]

【劳动导弹】Láodòng Dǎodàn ノドンミサイル. ❖北朝鮮の弾道ミサイル. [Nodong; Rodong]

【劳动合同制】láodòng hétongzhì 労働契約制.

【劳动纠纷】láodòng jiūfēn 労働争議;労働紛争.

【劳动密集型产业】láodòng mìjíxíng chǎnyè 労働集約型産業.

【劳动年龄人口】láodòng niánlíng rénkǒu 生産年齢人口.

【劳动预备制度】láodòng yùbèi zhìdù 職業訓練システム. [job training system]

【劳尔】Láo'ěr ラウル〔・ゴンサレス・ブランコ〕. ❖スペインのサッカー選手. [Raul Gonzalez Blanco]

【劳健保】láojiànbǎo 社会保険. ❖雇用保険と健康保険の総称.

【劳力士】Láolìshì ロレックス. ❖スイスの時計メーカー. [Rolex]

【劳马老城】Láomǎ Lǎochéng ラウマ旧市街. ●世界文化遺産(フィンランド). [Old Rauma]

【劳氏】Láoshì ロウズ. ❖アメリカのホーム・センター・チェーン. [Lowe's]

【劳资关系】láozī guānxi 労資関係.

【劳资争议】láozī zhēngyì 労働争議.

lǎo

【老北京一条街】Lǎo Běijīng Yītiáo Jiē 老北京一条街. ❖中国・北京,東城区にあるショッピングセンター内の老舗街.

【老大】lǎodà ①〔兄弟姉妹のうちで〕一番年上の子供. ②ボス. [②boss]

【老虎】Lǎohǔ Tiger 〈タイガー〉. ❖アップルコンピュータ(米)製OSの開発コード名. [Tiger]

【老化效应】lǎohuà xiàoyìng 老化の影響;劣化現象.

【老记】lǎojì 記者さん. ❖ユーモアをこめてからかうニュアンス.

《老井》Lǎojǐng「古井戸」. ❖中国映画のタイトル. [Old Well]

【老客户】lǎokèhù 得意先.

【老龄化社会】lǎolínghuà shèhuì 高齢化社会.

【老龄委】Lǎolíngwěi 老齢工作委員会. ❖"老龄工作委员会 Lǎolíng Gōngzuò Wěiyuánhuì"の略.

【老美】lǎoMěi アメリカ人. ❖アメリカ人に対する親しみをこめた呼称.

【老年痴呆症】lǎonián chīdāizhèng 老人性認知症.

【老年大学】lǎonián dàxué 高齢者大学;老人大学.

【老年公寓】lǎonián gōngyù 高齢者向けマンション.

【老年人市场】lǎoniánrén shìchǎng シルバー市場;シルバーマーケット. ❖"银色市场 yínsè shìchǎng"とも. [market of the elderly]

【老年学校】lǎonián xuéxiào 高齢者学校.

【老弱病残孕专座】lǎoruòbìngcányùn zhuānzuò 優先席;優先座席. [priority seating; priority seat]

【老少边穷地区】lǎoshǎobiānqióng dìqū「老少边穷地区」. ❖経済発展の遅れている場所の総称.革命の根拠地,少数民族居

lǎo — léi

住地域,内陸辺境地域,および貧困地域.
【老鼠会】lǎoshǔhuì ネズミ講.
【老外】lǎowài ①おのぼりさん；田舎者. ②外国人. ③外資系企業.
【老挝人民民主共和国】Lǎowō Rénmín Mínzhǔ Gònghéguó ラオス人民民主共和国；ラオス.[Lao People's Democratic Republic ; Laos]
【老子天下第一】lǎozi tiānxià dì-yī 我こそ世界一； I am No. 1 .

lè

【乐敦】Lèdūn ロート製薬. ❖日本の医薬品メーカー.[Rohto Pharmaceutical]
【乐而雅】Lè'éryǎ ロリエ. ❖花王(日本)の生理用品名.[Laurier]
【乐高】Lègāo レゴ. ❖デンマークの玩具メーカー.[Lego]
【乐兰】Lèlán ローランド. ❖日本の電子楽器メーカー.[Roland]
【勒罗斯】Lèluósī レーロース. ◉世界文化遺産(ノルウェー).[Røros]
【勒芒24小时耐力赛】Lèmáng Èrshísì Xiǎoshí Nàilìsài ル・マン24時間耐久レース.[Le Mans 24 Hour Race]
【乐天】Lètiān ①楽天. ②ロッテ. ❖①日本のインターネットサービス企業. ②日本の食品メーカー.[①Rakuten ②Lotte]
【乐天利】Lètiānlì ロッテリア. ❖日本のファースト・フード・チェーン.[LOTTERIA]
【乐喜金星国际】Lèxǐ Jīnxīng Guójì LGインターナショナル. ❖韓国の複合企業.[LG International]

lēi

【勒紧裤带】lēijǐn kùdài ①耐乏生活をする；耐乏生活を強いられる. ②ひもじさに耐える. ③緊縮経営を行う.

léi

【雷奥普拉塔诺生物圈保留地】Léi'àopǔlātǎnuò Shēngwùquān Bǎoliúdì リオ・プラタノ生物圏保護区. ◉世界危機遺産(ホンジュラス).[Río Plátano Biosphere Reserve]
【雷达】Léidá ラドー. ❖スイスの時計メーカー.[Rado]
【雷迪森广场】Léidísēn Guǎngchǎng ラディソンプラザ. ❖ラディソンホテルズ & リゾーツ(米カールソン傘下)のホテルブランド.[Radisson Plaza]
【雷鬼】léiguǐ レゲエ.[reggae]
【雷克萨斯】Léikèsàsī レクサス. ❖トヨタ(日本)の車名.[Lexus]
【雷克雅未克】Léikèyǎwèikè レイキャビク. ❖アイスランドの首都.[Reykjavik]
【雷曼兄弟】Léimàn Xiōngdì リーマン・ブラザーズ. ❖アメリカの証券会社.[Lehman Brothers]
【雷妮】Léinī レニエ. ❖フランス・ブルゴーニュ地方,ボージョレ地区の赤ワイン.[Régnié]
《雷鸟神机队》Léiniǎo Shénjīduì「サンダーバード」. ❖アメリカ映画のタイトル.[Thunderbirds]
【雷诺】Léinuò ルノー. ❖フランスの自動車メーカー.[Renault]
【雷朋】Léipéng レイバン. ❖ルクソッティカ(伊)の眼鏡ブランド.[Ray-Ban]
【雷普索尔】Léipǔsuǒ'ěr レプソル. ❖スペインの石油ガス企業.[Repsol YPF]
【雷神】Léishén レイセオン. ❖アメリカの防衛機器メーカー."雷声 Léishēng"とも.[Raytheon]
【雷声】Léishēng レイセオン. ❖アメリカの防衛機器メーカー."雷神 Léishén"とも.[Raytheon]
【雷司令】Léisīlìng リースリング. ❖ぶどう品種,また,そのぶどうで作られた白ワイン.[Riesling]

lěi

【累积投资】lěijī tóuzī 累積投資. ❖金融用語.

【累积债务】lěijī zhàiwù 累積債務.

【累计性优先股】lěijìxìng yōuxiāngǔ 累積的優先株式. ❖金融用語.

【累进课税】lěijìn kèshuì 累進課税.

lěng

【冷点】lěngdiǎn 不人気な物事;注目されない物事.

【冷冻干燥食品】lěngdòng gānzào shípǐn フリーズドライ食品;FD食品.[freeze-dry food;freeze-dried food]

【冷和平】lěnghépíng コールドピース;冷たい平和.[cold peace]

【冷却期制度】lěngquèqī zhìdù クーリングオフ制度. ❖特定の取引に関し,一定の条件を備えていれば,契約後でも消費者が一方的に契約解除できる制度.[cooling-off;cooling-off system]

【冷水】Lěngshuǐ クールウォーター. ❖ダビドフ(スイス)製のフレグランス名."冰水 Bīngshuǐ"とも.[Cool Water]

【冷线】lěngxiàn 人気のないコース;利用者の少ないルート. ❖主として観光路線について言う.

【冷销】lěngxiāo 売れない;売れ行きの悪い;売れ行き不調;販売低迷.

lí

【离岸金融市场】lí'àn jīnróng shìchǎng オフショア市場;オフショアマーケット. ❖金融用語.国内の金融市場と隔離形態になっている金融市場.非居住者が資金調達または資金運用を行う市場."境外金融市场 jìngwài jīnróng shìchǎng""离岸市场 lí'àn shìchǎng"とも.[offshore market]

【离岸市场】lí'àn shìchǎng オフショア市場;オフショアマーケット. ❖金融用語.国内の金融市場と隔離形態になっている金融市場.非居住者が資金調達または資金運用を行う市場."境外金融市场 jìngwài jīnróng shìchǎng""离岸金融市场 lí'àn jīnróng shìchǎng"とも.[offshore market]

【离岸外包】lí'àn wàibāo オフショアアウトソーシング.[offshore outsourcing]

【黎巴嫩共和国】Líbānèn Gònghéguó レバノン共和国;レバノン.[Republic of Lebanon;Lebanon]

【篱笆墙】líbaqiáng バリア;障壁.[barrier]

【离差】líchā スプレッド. ❖金融用語.上乗せされた金利.売り値と買い値の差.[spread]

【离店结帐】lídiàn jiézhàng 〔ホテルの〕チェックアウト.[check-out]

【离婚赔偿】líhūn péicháng 離婚慰謝料.

【黎明】Lí Míng レオン・ライ;黎明. ❖中国出身の男優,歌手.[Leon Lai;Leon Lai Ming]

【离退办】lítuìbàn 退職者事務局. ❖"离退休工作办公室 lítuìxiū gōngzuò bàngōngshì"の略.

【离退休】lítuìxiū 定年退職. ❖"离休 líxiū"と"退休 tuìxiū"のこと."离休 líxiū"は"离职休养 lízhí xiūyǎng"の略で,中国建国の1949年以前に革命に参加した幹部の定年退職のこと."退离休 tuìlíxiū"とも.

【离线】líxiàn オフライン. ❖IT用語.[off-line;off line]

【离子发动机】lízǐ fādòngjī イオンエンジン.[ion engine]

【离子烫】lízǐtàng イオンパーマ.

lǐ

【里昂】Lǐ'áng リヨン. ❖フランスの都市名.サミット開催地の1つ.[Lyon]

lǐ

【里昂历史遗迹】Lǐ'áng Lìshǐ Yíjì リヨン歴史地区. ●世界文化遺産(フランス). [Historic Site of Lyons]

【里昂信贷银行】Lǐ'áng Xìndài Yínháng クレディ・リヨネ. ❖フランスの銀行. [Crédit Lyonnais]

【里昂证券】Lǐ'áng Zhèngquàn リヨン証券. ❖フランスの証券会社. [Crédit Lyonnais Securities]

【里奥阿比塞奥国家公园】Lǐ'ào'ābǐsài'ào Guójiā Gōngyuán リオ・アビセオ国立公園. ●世界自然および文化遺産(ペルー). [Río Abiseo National Park]

【礼宾员】lǐbīnyuán コンシェルジェ. [concierge]

【李秉宪】Lǐ Bǐngxiàn イ・ビョンホン. ❖韓国出身の男優. [Lee Byunghun]

【理财】lǐcái 資産運用；財テク.

【理财规划师】lǐcái guīhuàshī ファイナンシャルプランナー. ❖金融用語. [financial planner]

【理财技巧】lǐcái jìqiǎo 財テク.

【理查德・克莱德曼】Lǐchádé Kèláidémàn リチャード・クレイダーマン. ❖フランスのピアニスト. [Richard Clayderman]

【李察・基尔】Lǐchá Jī'ěr リチャード・ギア. ❖アメリカ出身の男優. [Richard Gere]

【里程】lǐchéng レジェンド. ❖ホンダ(日本)製の車名. [Legend]

【里程卡】lǐchéngkǎ マイレージカード. [mileage card]

【理光】Lǐguāng リコー. ❖日本のオフィス機器メーカー. [Ricoh]

【李光耀】Lǐ Guāngyào リー・クアンユー. ❖シンガポールの政治家. [Lee Kuan Yew]

【里海】Lǐ Hǎi カスピ海. ❖アゼルバイジャン,イラン,カザフスタン,トルクメニスタン,ロシアに囲まれた湖. [the Caspian Sea]

【李汉东】Lǐ Hàndōng イ・ハンドン. ❖韓国の政治家. [Lee Handong]

【李洪九】Lǐ Hóngjiǔ イ・ホング. ❖韓国の政治家. [Lee Hongkoo]

【理货公司】lǐhuò gōngsī 検数会社. [tally company]

【理货员】lǐhuòyuán 数取人；タリーマン. [tallyman]

【里加】Lǐjiā リガ. ❖ラトビアの首都. [Riga]

【里加历史中心】Lǐjiā Lìshǐ Zhōngxīn リガ歴史地区. ●世界文化遺産(ラトビア). [Historic Centre of Riga]

【李嘉欣】Lǐ Jiāxīn ミシェル・リー；李嘉欣. ❖香港出身の女優. [Michelle Reis]

【里拉修道院】Lǐlā Xiūdàoyuàn リラ修道院. ●世界文化遺産(ブルガリア). [Rila Monastery]

【礼来大药厂】Lǐlái Dàyàochǎng イーライリリー. ❖アメリカの医薬品メーカー. [Eli Lilly]

【锂离子电池】lǐlízǐ diànchí リチウムイオン電池. [lithium-ion battery]

【李连杰】Lǐ Liánjié ジェット・リー；李連傑. ❖中国出身のアクション男優. [Jet Li]

【理论价格】lǐlùn jiàgé 理論価格. ❖金融用語.パリティ価格のこと."理论价值 lǐlùn jiàzhí"とも.

【理论价值】lǐlùn jiàzhí 理論価格. ❖金融用語.パリティ価格のこと."理论价格 lǐlùn jiàgé"とも.

【李玟】Lǐ Mín ココ・リー；李玟. ❖香港出身の歌手. [Coco Lee]

【理念】lǐniàn 理念；概念；考え.

【理赔】lǐpéi 賠償金や保険金の支払い手続き(をする).

【里氏地震规模】Lǐshì dìzhèn guīmó マグニチュード；リヒタースケール. ❖"里氏震级 Lǐshì zhènjí"とも. [Richter magnitude Scale]

【里士满】Lǐshìmǎn リッチモンド. ❖アメリカ・バージニア州都. [Richmond]

【里氏震级】Lǐshì zhènjí マグニチュード；リヒタースケール. ❖"里氏地震规模 Lǐshì

dìzhèn guīmó"とも．[Richter magnitude Scale]

【理顺】lǐshùn 合理化する；〔問題や関係を〕適切に処理する．

【里斯本】Lǐsīběn リスボン．❖ポルトガルの首都．[Lisbon]

【里斯本哲罗姆派修道院和贝莱姆塔】Lǐsīběn Zhéluómǔpài Xiūdàoyuàn hé Běiláimǔ Tǎ リスボンのジェロニモス修道院とベレンの塔．●世界文化遺産（ポルトガル）．[Monastery of the Hieronymites and Tower of Belém in Lisbon]

【李斯特菌】lǐsītèjūn リステリア菌．❖リステリア症（人畜共通感染症）の原因菌．[listeria]

【理索纳金融控股集团】Lǐsuǒnà Jīnróng Kònggǔ Jítuán りそなホールディングス．❖日本の金融グループ．[Resona Holdings]

【里特维尔德设计的希罗德住宅】Lǐtèwéi'ěrdé Shèjì de Xīluódé Zhùzhái リートフェルト設計のシュレーテル邸．●世界文化遺産（オランダ）．[Rietveld Schröderhuis (Rietveld Schröder House)]

【李显龙】Lǐ Xiǎnlóng リー・シェンロン．❖シンガポールの政治家．[Lee Hsien Loong]

【李小龙】Lǐ Xiǎolóng ブルース・リー．❖香港出身のアクション男優．[Bruce Lee]

【理性消费】lǐxìng xiāofèi 理性的消費．

【李秀赫】Lǐ Xiùhè イ・スヒョク．❖韓国の政治家．[Lee Soohyuck]

【里亚尔】lǐyà'ěr リヤル．❖イエメン（コード：YER），オマーン（コード：OMR），カタール（コード：QAR），イラン（コード：IRR），サウジアラビア（コード：SAR）の通貨単位．[riyal]

【礼仪先生】lǐyí xiānsheng 〔式典などでの〕若い男性の接待係；式典アシスタント．

【礼仪小姐】lǐyí xiǎojie ①〔式典などでの〕若い女性の接待係；式典アシスタント；コンパニオン．②キャンペーンガール．[①companion ②promotion girl]

lì

【立邦漆】Lìbāngqī 日本ペイント．❖日本の塗料メーカー．[Nippon Paint]

【利比里亚共和国】Lìbǐlǐyà Gònghéguó リベリア共和国；リベリア．[Republic of Liberia；Liberia]

【利比亚】Lìbǐyà リビア；大リビア・アラブ社会主義人民ジャマーヒリーヤ国．❖正式名称は"大阿拉伯利比亚人民社会主义民众国 Dà'ālābó Lìbǐyà Rénmín Shèhuìzhǔyì Mínzhòngguó"．[Libya；The Great Socialist People's Libyan Arab Jamahiriya]

【利伯维尔】Lìbówéi'ěr リーブルビル．❖ガボンの首都．[Libreville]

【利差】lìchā サヤ；スプレッド．❖金融用語．"价差 jiàchā"とも．[spread]

【立春】lìchūn 〔二十四節気の〕立春〈りっしゅん〉．

【立等可取服务】lìděng kěqǔ fúwù インスタントサービス；スピード仕上げサービス；スピード審査サービス．[on-the-spot service]

【立冬】lìdōng 〔二十四節気の〕立冬〈りっとう〉．

【立顿红茶】Lìdùn Hóngchá リプトン．❖ユニリーバ（英，オランダ）の紅茶ブランド．[Lipton]

【利多】lìduō 好材料；株価が上がる要因．❖金融用語．

【立法真空】lìfǎ zhēnkōng 立法の空白．

【利改税】lì gǎi shuì 「利改税」；利潤上納制から納税制への変更．

【利根川】Lìgēn Chuān 利根川〈とねがわ〉．❖日本・関東地方を流れる川．[the Tone River]

【丽嘉酒店】Lìjiā Jiǔdiàn リッツ・カールトン・ホテル．❖ザ・リッツ・カールトン・チェーン（米）のホテルブランド．"丽思・卡尔顿酒店 Lìsī Kǎ'ěrdùn Jiǔdiàn"とも．[Ritz-

lì

Carlton Hotel]

【力加啤酒】Lìjiā Píjiǔ アンカービール. ❖アジア・パシフィック・ブルワリーズ(シンガポール)製のビール名. [Anchor Beer]

【丽江古城】Lìjiāng Gǔchéng 麗江旧市街. ◉世界文化遺産(中国). [Old Town of Lijiang]

【丽晶大酒店】Lìjīng Dàjiǔdiàn リージェントホテル. ❖リージェントインターナショナルホテルズ(香港)チェーンのホテルブランド. [Regent Hotel]

【立克次氏体】Lìkècìshìtǐ リケッチア. ❖細菌とウイルスの特徴を併せ持つ微生物. [rickettsia]

【利空】lìkōng 悪材料;株価が下がる要因. ❖金融用語.

【利口酒】lìkǒujiǔ リキュール. ❖"香甜酒 xiāngtiánjiǔ"とも. [liqueur]

【利口乐】Lìkǒulè リコラ. ❖スイスの食品メーカー. [Ricola]

【利隆圭】Lìlónguī リロングウェ. ❖マラウイの首都. [Lilongwe]

【利率掉期】lìlǜ diàoqī 金利スワップ. ❖金融用語. "利率调期 lìlǜ diàoqī""利率互换 lìlǜ hùhuàn""利率互换交易 lìlǜ hùhuàn jiāoyì"とも. [interest rate swap]

【利率调期】lìlǜ diàoqī 金利スワップ. ❖金融用語. "利率掉期 lìlǜ diàoqī""利率互换 lìlǜ hùhuàn""利率互换交易 lìlǜ hùhuàn jiāoyì"とも. [interest rate swap]

【利率互换交易】lìlǜ hùhuàn jiāoyì 金利スワップ. ❖金融用語. "利率掉期 lìlǜ diàoqī""利率调期 lìlǜ diàoqī""利率互换 lìlǜ hùhuàn"とも. [interest rate swap]

【利率曲线】lìlǜ qūxiàn 利回り曲線;イールドカーブ. ❖金融用語. "收益率曲线 shōuyìlǜ qūxiàn"とも. [yield curve]

【利率政策】lìlǜ zhèngcè 金利政策.

【利马】Lìmǎ リマ. ❖ペルーの首都. [Lima]

【利马历史中心】Lìmǎ Lìshǐ Zhōngxīn リマ歴史地区. ◉世界文化遺産(ペルー). [Historic Centre of Lima]

【栃木县】Lìmù Xiàn 栃木〈とちぎ〉県. ❖日本の都道府県の1つ.県庁所在地は宇都宮〈うつのみや〉市("宇都宫市 Yǔdūgōng Shì").

【沥青沙】lìqīngshā アスファルトサンド. [asphaltic sand]

【立秋】lìqiū 〔二十四節気の〕立秋〈りっしゅう〉.

【利润留成】lìrùn liúchéng 利益留保.

【力狮】Lìshī レガシィ. ❖富士重工業(日本)製の車名. [Legacy]

【历史名城梅克内斯】Lìshǐ Míngchéng Méikènèisī 古都メクネス. ◉世界文化遺産(モロッコ). [Historic City of Meknes]

【历史名城特罗吉尔】Lìshǐ Míngchéng Tèluójí'ěr 古都トロギール. ◉世界文化遺産(クロアチア). [Historic City of Trogir]

【历史名城托莱多】Lìshǐ Míngchéng Tuōláiduō 古都トレド. ◉世界文化遺産(スペイン). [Historic City of Toledo]

【历史遗产】lìshǐ yíchǎn 歴史遺産.

【立式】lìshì 縦型.

【力士】Lìshì ラックス. ❖ユニリーバ(英,オランダ)の衛生用品ブランド. [Lux]

【利税分流】lìshuì fēnliú 利潤と税の分離.

【丽思·卡尔顿酒店】Lìsī Kǎ'ěrdùn Jiǔdiàn リッツ・カールトン・ホテル. ❖ザ・リッツ・カールトン・チェーン(米)のホテルブランド. "丽嘉酒店 Lìjiā Jiǔdiàn"とも. [Ritz Carlton Hotel]

【立陶宛共和国】Lìtáowǎn Gònghéguó リトアニア共和国;リトアニア. [Republic of Lithuania;Lithuania]

【立体电视】lìtǐ diànshì 立体テレビ. [stereo television;STV]

【立体农业】lìtǐ nóngyè 立体農業.

【立体思考】lìtǐ sīkǎo 立体思考;3次元思考.

【利托米什尔城堡】Lìtuōmǐshí'ěr Chéngbǎo リトミシュル城. ◉世界文化遺産(チ

エコ).[Litomyšl Castle]

【力拓矿业】Lìtuò Kuàngyè リオ・ティント. ❖イギリス,オーストラリアの鉱業会社. [RioTinto]

【利维】Lìwéi リーバイス. ❖アメリカのジーンズメーカー,ブランド."利维斯 Lìwéisī"とも.[Levi's]

【利沃夫城历史中心】Lìwòfūchéng Lìshǐ Zhōngxīn リヴィフ歴史地区群. ●世界文化遺産(ウクライナ).[L'viv-the Ensemble of the Historic Centre]

【利息票】lìxīpiào 利札;クーポン. ❖金融用語.[coupon]

【利息收入】lìxī shōurù インカムゲイン. ❖金融用語.株式の配当金,債券の利子で得た収入."股息收入 gǔxī shōurù""股息收益 gǔxī shōuyì""利益所得 lìyì suǒdé""所得收益 suǒdé shōuyì"とも.[income gain]

【利息套汇】lìxī tàohuì 金利裁定取引. ❖金融用語."套利 tàolì"とも.

【立夏】lìxià〔二十四節気の〕立夏(りっか).

【立项】lìxiàng プロジェクトを立ち上げる.

【例行程序】lìxíng chéngxù ルーチン. ❖IT用語.[routine]

【利雅得】Lìyǎdé リヤド. ❖サウジアラビアの首都.[Riyadh]

【力邀】lìyāo 熱心に誘う;熱烈なラブコールを送る.

【利益所得】lìyì suǒdé インカムゲイン. ❖金融用語.株式の配当金,債券の利子で得た収入."股息收入 gǔxī shōurù""股息收益 gǔxī shōuyì""利息收入 lìxī shōurù""所得收益 suǒdé shōuyì"とも.[income gain]

【荔枝团】lìzhītuán ライチ狩りツアー.

【丽姿淘气精灵】Lìzī Táoqì Jīnglíng レベルドリッチ. ❖ニナ・リッチ(仏)製のフレグランス名.[Les Belles de Ricci]

【粒子束武器】lìzǐshù wǔqì 粒子ビーム兵器.[particle beam weapon;PBW]

【粒子状物质】lìzǐzhuàng wùzhí スス等粒子状物質;PM. ❖大気中に浮遊する粒子状物質の総称.[particle materials;PM]

lián

【联邦国民抵押协会】Liánbāng Guómín Dǐyā Xiéhuì ファニーメイ;連邦住宅抵当金庫;FNMA. ❖アメリカの金融機関.[Federal National Mortgage Association;FNMA;Fannie Mae]

【联邦基金】liánbāng jījīn フェデラルファンド;FF. ❖金融用語.連邦準備銀行(FRB)が市中銀行から預っている準備金.[federal funds;fed funds;FF]

【联邦基金市场】liánbāng jījīn shìchǎng フェドファンド市場;フェデラル・ファンド・マーケット. ❖金融用語.アメリカの金融機関が短期資金を調達する市場.[federal funds market]

【联邦快递】Liánbāng Kuàidì フェデラル・エクスプレス;フェデックス. ❖アメリカの国際宅配便企業.[Federal Express;FedEx]

【联邦住房贷款抵押】Liánbāng Zhùfáng Dàikuǎn Dǐyā フレディマック;連邦住宅貸付抵当公社;FHLMC. ❖アメリカの金融機関."弗雷德马克 Fúléidé Mǎkè"とも.[Federal Home Loan Mortgage Corporation;Freddie Mac]

【联合】liánhé 合併;統合.

【联合百货】Liánhé Bǎihuò フェデレーテッド・デパートメント・ストアーズ. ❖アメリカの百貨店.[Federated Department Stores]

【联合包裹服务】Liánhé Bāoguǒ Fúwù ユナイテッド・パーセル・サービス;UPS. ❖アメリカの貨物輸送会社.[United Parcel Service;UPS]

【联合贷款】liánhé dàikuǎn 協調融資;シンジケートローン.[syndicated loan]

lián

【联合干预】liánhé gānyù 協調介入. ❖"协调干预 xiétiáo gānyù"とも.

【联合公报】liánhé gōngbào 共同コミュニケ. [joint communiqué]

【联合国大学】Liánhéguó Dàxué 国連大学；UNU. [United Nations University；UNU]

【联合国儿童基金会】Liánhéguó Értóng Jījīnhuì 国連児童基金；ユニセフ；UNICEF. [United Nations Children's Fund；UNICEF]

【联合国高专署】Liánhéguó Gāozhuānshǔ 国連難民高等弁務官事務所；UNHCR. ❖"联合国难民事务高级专员办事处 Liánhéguó Nànmín Shìwù Gāojí Zhuānyuán Bànshìchù"の略. [Office of the United Nations High Commissioner for Refugees；UNHCR]

【联合国工发组织】Liánhéguó Gōngfā Zǔzhī 国連工業開発機関；ユニド；UNIDO. ❖"联合国工业发展组织 Liánhéguó Gōngyè Fāzhǎn Zǔzhī"の略. [United Nations Industrial Development Organization；UNIDO]

【联合国工业发展组织】Liánhéguó Gōngyè Fāzhǎn Zǔzhī 国連工業開発機関；ユニド；UNIDO. ❖略称は"联合国工发组织 Liánhéguó Gōngfā Zǔzhī". [United Nations Industrial Development Organization；UNIDO]

【联合国环境规划署】Liánhéguó Huánjìng Guīhuàshǔ 国連環境計画；ユネップ；UNEP. ❖略称は"联合国环境署 Liánhéguó Huánjìngshǔ". [United Nations Environment Programme；UNEP]

【联合国环境署】Liánhéguó Huánjìngshǔ 国連環境計画；ユネップ；UNEP. ❖"联合国环境规划署 Liánhéguó Huánjìng Guīhuà shǔ"の略. [United Nations Environment Programme；UNEP]

【联合国环境与发展大会】Liánhéguó Huánjìng yǔ Fāzhǎn Dàhuì 環境と開発に関する国連会議. ❖"地球峰会 Dìqiú Fēnghuì""联合国环境与发展会议 Liánhéguó Huánjìng yǔ Fāzhǎn Huìyì"とも.

【联合国会费】Liánhéguó huìfèi 国連分担金.

【联合国教科文组织】Liánhéguó Jiàokēwén Zǔzhī 国連教育科学文化機関；ユネスコ；UNESCO. ❖"联合国教育・科学及文化组织 Liánhéguó Jiàoyù Kēxué jí Wénhuà Zǔzhī"の略. [United Nations Educational, Scientific and Cultural Organization；UNESCO]

【联合国教育・科学及文化组织】Liánhéguó Jiàoyù Kēxué jí Wénhuà Zǔzhī 国連教育科学文化機関；ユネスコ；UNESCO. ❖略称は"联合国教科文组织 Liánhéguó Jiàokēwén Zǔzhī". [United Nations Educational, Scientific and Cultural Organization；UNESCO]

【联合国开发计划署】Liánhéguó Kāifā Jìhuàshǔ 国連開発計画；UNDP. [United Nations Development Programme；UNDP]

【联合国粮农组织】Liánhéguó Liángnóng Zǔzhī 国連食糧農業機関；ファオ；FAO. ❖"联合国粮食及农业组织 Liánhéguó Liángshi jí Nóngyè Zǔzhī"の略. [Food and Agriculture Organization of the United Nations；FAO]

【联合国粮食及农业组织】Liánhéguó Liángshi jí Nóngyè Zǔzhī 国連食糧農業機関；ファオ；FAO. ❖略称は"联合国粮农组织 Liánhéguó Liángnóng Zǔzhī". [Food and Agriculture Organization of United Nations；FAO]

【联合国贸发会议】Liánhéguó Màofā Huìyì 国連貿易開発会議；アンクタッド；UNCTAD. ❖"联合国贸易和发展会议 Liánhéguó Màoyì hé Fāzhǎn Huìyì"の略. [United Nations Conference on Trade and Development;UNCTAD]

【联合国贸易和发展会议】Liánhéguó Màoyì hé Fāzhǎn Huìyì 国連貿易開発会議；アンクタッド；UNCTAD. ❖略称は"联合国贸发会议 Liánhéguó Màofā Huìyì". [United Nations Conference on Trade and Development;UNCTAD]

【联合国秘书处】Liánhéguó Mìshūchù 国連事務局.[United Nations Secretariat]

【联合国秘书长】Liánhéguó Mìshūzhǎng 国連事務総長.[Secretary General of the United Nations]

【联合国难民事务高级专员办事处】Liánhéguó Nànmín Shìwù Gāojí Zhuānyuán Bànshìchù 国連難民高等弁務官事務所；UNHCR. ❖略称は"联合国高专署 Liánhéguó Gāozhuānshǔ".[Office of the United Nations High Commissioner for Refugees;UNHCR]

《联合国气候变化框架公约》Liánhéguó Qìhòu Biànhuà Kuāngjià Gōngyuē「国連気候変動枠組条約」；UNFCCC.[United Nations Framework Convention on Climate Change;UNFCCC]

【联合国人口活动基金】Liánhéguó Rénkǒu Huódòng Jījīn 国連人口基金；UNFPA.[United Nations Fund for Population Activities;UNFPA]

【联合国维持和平部队】Liánhéguó Wéichí Hépíng Bùduì 国連平和維持軍；PKF. ❖略称は"联合国维和部队 Liánhéguó Wéihé Bùduì".[United Nations Peacekeeping Forces;PKF]

【联合国维持和平活动】Liánhéguó Wéichí Hépíng Huódòng 国連平和維持活動；PKO. ❖略称は"联合国维和行动 Liánhéguó Wéihé Xíngdòng".[United Nations Peacekeeping Operations;PKO]

【联合国维和部队】Liánhéguó Wéihé Bùduì 国連平和維持軍；PKF. ❖"联合国维持和平部队 Liánhéguó Wéichí Hépíng Bùduì"の略.[United Nations Peacekeeping Forces;PKF]

【联合国维和行动】Liánhéguó Wéihé Xíngdòng 国連平和維持活動；PKO. ❖"联合国维持和平活动 Liánhéguó Wéichí Hépíng Huódòng"の略.[United Nations Peacekeeping Operations;PKO]

【联合国训练研究所】Liánhéguó Xùnliàn Yánjiūsuǒ 国連訓練調査研究所；UNITAR.[United Nations Institute for Training and Research;UNITAR]

【联合航空】Liánhé Hángkōng ユナイテッド航空；ユナイテッドエアライン. ❖アメリカの航空会社.コード：UA.[United Air Lines]

【联合技术】Liánhé Jìshù ユナイテッド・テクノロジーズ；UTC. ❖アメリカの重工業メーカー.[United Technologies;UTC]

【联合健康集团】Liánhé Jiànkāng Jítuán ユナイテッドヘルス・グループ. ❖アメリカの医療サービス企業.[UnitedHealth Group]

【联合利华】Liánhé Lìhuá ユニリーバ. ❖イギリス,オランダの日用品,食品メーカー.[Unilever]

【联合企业】liánhé qǐyè ①コンビナート.②複合企業.[①industrial complex]

【联合摄影专家组文件格式】liánhé shèyǐng zhuānjiāzǔ wénjiàn géshì JPEG〈ジェイペグ〉. ❖IT用語.画像のデータの圧縮方式の1つ.[Joint Photographic Experts Group;JPEG]

【联合太平洋铁路】Liánhé Tàipíngyáng Tiělù ユニオン・パシフィック鉄道. ❖アメリカの鉄道運営企業.[Union Pacific Railroad]

【联合新闻社】Liánhé Xīnwénshè〔韓国〕聯合ニュース. ❖韓国の通信社.[Yonhap News]

【莲花】Liánhuā ロータス. ❖イギリスの自動車メーカー,また同社製の自動車.[Lo-

lián — liàn

【联华电子】Liánhuá Diànzǐ UMC；聯華電子．❖台湾の半導体メーカー．[UMC]

【联机】liánjī オンライン；ネットに接続する．❖IT用語．[on-line；on line；online]

【廉价商店】liánjià shāngdiàn ディスカウントストア．[discount shop；budget store；discount store]

【廉价市场】liánjià shìchǎng ディスカウントマーケット．[bargain market；bargain center]

【连接点】liánjiēdiǎn ジャンクション．[junction]

【莲娜·丽姿】Liánnà Lìzī ニナ·リッチ．❖フランスのファッション·化粧品メーカー，ブランド．[Nina Ricci]

【廉内助】liánnèizhù 清廉な幹部の妻．

【联赛】liánsài リーグ戦．❖"循环赛 xúnhuánsài"とも．[league competition；league match；league game]

【连锁店】liánsuǒdiàn チェーンストア．❖"连锁商店 liánsuǒ shāngdiàn"とも．[chain store]

【连锁反应】liánsuǒ fǎnyìng 連鎖反応；ドミノ効果．[domino effect]

【连锁商店】liánsuǒ shāngdiàn チェーンストア．❖"连锁店 liánsuǒdiàn"とも．[chain store]

【联网】liánwǎng ①オンライン；ネットでつなぐ；オンライン化．②ネットワーキング．[①on-line；be networked ②networking]

【联系汇率制】liánxì huìlǜzhì ペッグ制．❖金融用語.通貨が他の国の通貨に連動する制度．[pegging system]

【联想集团】Liánxiǎng Jítuán 聯想集団；レノボ·グループ．❖コンピューターメーカー．レッドチップ企業の1つ．[Lenovo Group]

【联姻】liányīn ①姻戚関係を結ぶ．②提携する；同盟を結ぶ．

【联运提单】liányùn tídān 通し船荷証券；スルーB/L．❖金融用語."全程提单 quánchéng tídān"とも．[through bill of lading；through B/L]

【联展】liánzhǎn 共催の展覧会；共催の展示即売会．

【廉政承诺】liánzhèng chéngnuò クリーンな政治実現の公約．

【廉政公署】Liánzhèng Gōngshǔ「廉政公署」．❖汚職取り締まりなどの活動を行う香港，マカオの機関．[Independent Commission Against Corruption；ICAC]

【廉政建设】liánzhèng jiànshè クリーンな政治の確立；クリーンな政治を目指す．

【连字符】liánzìfú ハイフン．❖記号は「－」．"连字号 liánzìhào""连接号 liánjiēhào"とも．[hyphen]

【廉租房】liánzūfáng 低家賃の賃貸住宅．❖貧困層向け住宅．

liǎn

【脸部彩绘】liǎnbù cǎihuì フェイスペインティング；フェイスペイント．❖略称は"脸彩 liǎncǎi"．[face painting]

【脸部用】liǎnbùyòng フェイシャル．[facial]

【脸彩】liǎncǎi フェイスペインティング；フェイスペイント．❖"脸部彩绘 liǎnbù cǎihuì"の略．[face painting]

liàn

《恋爱世纪》Liàn'ài Shìjì「ラブジェネレーション」．❖日本のテレビドラマのタイトル．[Love Generation]

《恋爱中的宝贝》Liàn'àizhōng de Bǎobèi「恋爱中のベイビー」．❖中国映画のタイトル．[Baober in Love]

【恋父情结】liànfù qíngjié エレクトラコンプレックス；ファザーコンプレックス；ファザ

コン．[Electra complex]

【练歌房】liàngēfáng カラオケボックス．[karaoke room]

【链接】liànjiē リンク（する）．❖IT用語．[link]

《恋恋风尘》Liànliàn Fēngchén「恋恋風塵」〈れんれんふうじん〉．❖台湾映画のタイトル．[Dust in the wind]

【恋母情结】liànmǔ qíngjié エディプスコンプレックス；マザーコンプレックス；マザコン．[Oedipus complex]

【练摊儿】liàntānr ①露天商売をする；屋台を出す．②小さい店を出し商売をする．

【恋物癖】liànwùpǐ フェティシズム；フェチ．❖"恋物症 liànwùzhèng"とも．[fetishism]

【恋物症】liànwùzhèng フェティシズム；フェチ．❖"恋物癖 liànwùpǐ"とも．[fetishism]

liáng

【梁朝伟】Liáng Cháowěi トニー・レオン；梁朝偉．❖香港出身の男優，歌手．[Tony Leung Chiu-wai]

【良好平均品质】liánghǎo píngjūn pǐnzhì 平均中等品質；FAQ〈エフエーキュー〉．❖"中等品质 zhōngděng pǐnzhì"とも．[fair average quality；FAQ]

【梁家辉】Liáng Jiāhuī レオン・カーフェイ；梁家輝．❖香港出身の男優．[Tony Leung Ka-fai]

【粮食安全】liángshi ānquán 食糧の安全保障．[food security]

【粮食收购部门】liángshi shōugòu bùmén 食糧買い上げ機関．

【凉拖】liángtuō ミュール．❖かかと部分のベルト，ストラップのないサンダル．[mules]

【良性循环】liángxìng xúnhuán 好循環．

【粮援】liángyuán〔国際的な〕食糧援助．

liǎng

【两岸三地】liǎng'àn sāndì 台湾海峡の両岸にある大陸，台湾と香港．

【两岸直航】liǎng'àn zhíháng「両岸直航」．❖中国大陸と台湾間の直航便就航のこと．

【两弹一艇】liǎngdàn yītǐng 2つの爆弾と1つの戦艦．❖原子爆弾，水素爆弾，原子力潜水艦のこと．

【两弹一星】liǎngdàn yīxīng 2つの爆弾と1つの衛星．❖原子爆弾，水素爆弾，人工衛星のこと．

【两会】liǎnghuì 2つの会議．❖全国人民代表大会と中国人民政治協商会議．

【两人世界】liǎngrén shìjiè〔恋人や夫婦〕2人の世界；夫婦2人の世帯．❖"二人世界 èrrén shìjiè"とも．

【两头在外】liǎngtóu zàiwài「両頭在外」．❖市場や原材料を海外に依存する．部品，原料を輸入し，完成品は輸出して加工のみ行うこと．

【两位数膨胀】liǎngwèishù tōngzhàng 2桁〈ふたけた〉インフレ．

【两院院士】liǎngyuàn yuànshì 中国科学院と中国工程院の2つのアカデミー会員．

【两纵两横】Liǎng Zòng Liǎng Héng「両縦両横」．❖南北2ルート，東西2ルートの道路網整備．第10次5カ年計画の道路網重点整備プロジェクトである"五纵七横 wǔzòng qīhéng"のうち，南北間（縦），東西間（横）の各2ルート．

liàng

【靓】liàng きれいだ；美しい．

【量才录用】liàngcái lùyòng 適材適所．

【亮底牌】liàng dǐpái 事情を明らかにする；手の内を見せる．

【亮点】liàngdiǎn 優れた点；注目される点．

【量贩店】liàngfàndiàn 量販店．

【亮化】liànghuà〔照明で街を〕明るくする；ライトアップ(する).[light up ; illumination]

【谅解备忘录】liàngjiě bèiwànglù メモランダム・オブ・アンダースタンディング；MOU.[memorandum of understanding ; MOU]

【亮丽】liànglì 輝いて美しい；優美な.

【靓妹】liàngmèi 若い美女.

【靓仔】liàngzǎi ハンサム；美男子；男前〈おとこまえ〉；イケメン.[handsome ; good-looking]

【量子电脑】liàngzǐ diànnǎo 量子コンピューター. ❖IT用語.[quantum computer]

【量子纠缠】liàngzǐ jiūchán 量子連結相関；量子エンタングルメント. ❖応用物理学関連用語.[quantum entanglement]

【量子密码】liàngzǐ mìmǎ 量子暗号.

【量子隐形传态】liàngzǐ yǐnxíng chuántài 量子テレポーテーション.[quantum teleportation]

liáo

【辽宁省】Liáoníng Shěng 遼寧〈りょうねい〉省. ❖中国の省の1つ. 略称は"辽 Liáo". 省都は"沈阳 Shěnyáng".

【聊天】liáotiān ①おしゃべり(する)；雑談(する). ②チャット(する). ❖②IT用語.[chat]

【聊天室】liáotiānshì チャットルーム. ❖IT用語.[chat room]

【疗愈系】liáoyùxì 癒〈いや〉し系.

liè

【列奥纳多・达・芬奇】Liè'àonàduō Dá Fēnqí レオナルド・ダ・ヴィンチ. ❖イタリアの美術家,科学者.[Leonardo da Vinci]

【猎头】liètóu ①ヘッドハンティング；人材引き抜き. ②ヘッドハンター.[①headhunting ②headhunter ; head hunter]

【猎头公司】liètóu gōngsī ヘッドハンティング会社.[headhunting company]

【列支敦士登公国】Lièzhīdūnshìdēng Gōngguó リヒテンシュタイン公国；リヒテンシュタイン.[Principality of Liechtenstein]

lín

【临管会】Línguǎnhuì イラク統治評議会. ❖"伊拉克临时管理委员会 Yīlākè Línshí Guǎnlǐ Wěiyuánhuì"の略.[Iraqi Governing Council]

【林肯】Línkěn ①リンカーン. ②〔エイブラハム・〕リンカーン. ❖①アメリカ・ネブラスカ州都. ②アメリカの第16代大統領. 名は'Abraham'("亚伯拉罕 Yàbólāhǎn"エイブラハム).[Lincoln]

【林内】Línnèi リンナイ. ❖日本のガス機器メーカー.[Rinnai]

【林青霞】Lín Qīngxiá ブリジット・リン；林青霞. ❖台湾出身の女優.[Brigitte Lin]

【临时处分】línshí chǔfēn 仮処分.

【临时贷款】línshí dàikuǎn〔個人,学生,企業向けの〕臨時融資；緊急融資. ❖金融用語.[emergency loan ; interim loan]

【临时解雇】línshí jiěgù レイオフ.[layoff]

【临时文件】línshí wénjiàn テンポラリーファイル. ❖IT用語.[temporary file]

【临时演员】línshí yǎnyuán〔映画の〕エキストラ. ❖"群众演员 qúnzhòng yǎnyuán"とも.[extra]

【林忆莲】Lín Yìlián サンディ・ラム；林憶蓮. ❖香港の女性歌手.[Sandy Lam]

【临终关怀】línzhōng guānhuái 終末医療；ターミナルケア.[terminal care]

【林子祥】Lín Zǐxiáng ジョージ・ラム；林子祥. ❖香港の男性歌手.[George Lam Chi-cheung]

líng

【零存整取储蓄】língcúnzhěngqǔ chǔxù 定期積金；積立定期預金．❖金融用語．

【灵动】língdòng ①生き生きとした；活気に溢れた．②ひらめき．③フレキシブルな；素早くて機動性に富む．

【灵歌】línggē ソウルミュージック；ソウル．[soul music]

【零股】línggǔ 端株〈はかぶ〉．❖金融用語．株数が取引単位未満の株式．"零星股票 língxīng gǔpiào""散股 sǎngǔ".

【零关税】língguānshuì ゼロ関税．

【零和博弈】línghé bóyì ゼロサムゲーム．❖"零合博弈 línghé bóyì""零合游戏 línghé yóuxì"とも．[zero-sum game]

【零合博弈】línghé bóyì ゼロサムゲーム．❖"零和博弈 línghé bóyì""零合游戏 línghé yóuxì"とも．[zero-sum game]

【零合游戏】línghé yóuxì ゼロサムゲーム．❖"零合博弈 línghé bóyì""零和博弈 línghé bóyì"とも．[zero-sum game]

【零距离】língjùlí 非常に緊密な(状態)；障壁のない(状態)．

【零口供】língkǒugōng 供述なし；容疑者が供述せず事実を認めないこと．

【零库存】língkùcún 在庫ゼロ；ゼロストック．[zero inventory]

【零利率】línglìlǜ ゼロ金利．❖金融用語．普通預金の金利についていう．

【铃鹿 8 小时耐久赛】Línglù bāxiǎoshí nàijiǔsài 鈴鹿 8 時間耐久ロードレース；鈴鹿 8 耐．

【铃木汽车】Língmù Qìchē スズキ．❖日本の自動車メーカー．[Suzuki Motor]

【零排放】líng páifàng ゼロエミッション；廃棄物ゼロ化．[zero emission]

【零配件】língpèijiàn 予備部品とアクセサリー パーツ．[spare and accessory parts]

【零票息债券】língpiàoxī zhàiquàn ゼロクーポン債；割引債．❖金融用語．"零息债券 língxī zhàiquàn""无息债券 wúxī zhàiquàn"とも．[zero-coupon bond]

【灵巧炸弹】língqiǎo zhàdàn スマート爆弾．[smart bomb]

【零缺点】língquēdiǎn ①ゼロディフェクト；ZD；欠点ゼロ．②完璧；欠点がない．❖①生産管理方法の一つ．不良品や事故の発生をゼロにすることが目標．[①zero defects；ZD]

【零缺陷运动】língquēxiàn yùndòng ZD運動．❖製造現場などにおいて，不良品，欠陥，事故等を徹底的になくし，ゼロにしようという運動．[zero defects movement]

【铃声】língshēng ①〔電話の〕ベル．②〔携帯電話の〕着メロ．

【零售汇率】língshòu huìlǜ 対顧客相場；カスタマーズレート．❖金融用語．[customer rate；customer's rate]

【零售物价】língshòu wùjià 消費者物価．❖"消费者物价 xiāofèizhě wùjià"とも．

【零息债券】língxī zhàiquàn ゼロクーポン債；割引債．❖金融用語．"零票息债券 língpiàoxī zhàiquàn""无息债券 wúxī zhàiquàn"とも．[zero-coupon bond]

【零星股票】língxīng gǔpiào 端株〈はかぶ〉．❖金融用語．株数が取引単位未満の株式．"零股 línggǔ""散股 sǎngǔ"とも．

【零星企业】língxīng qǐyè 零細企業．

【零增长】língzēngzhǎng ゼロ成長．

lǐng

【领导班子】lǐngdǎo bānzi 経営陣；指導者グループ．

【领导能力】lǐngdǎo nénglì リーダーシップ．[leadership]

【领军】lǐngjūn ①先導隊．②リーダー的；リードする．

【领跑者】lǐngpǎozhě ①フロントランナー．②先駆者；フォアランナー．③〔マラソンなどの〕ペースメーカー．[①front-runner

lǐng — liú

②fore-runner ; pioneer ③pacemaker]

【领事发票】lǐngshì fāpiào 領事送り状.

【领头羊】lǐngtóuyáng リーダー.[leader]

【领土完整】lǐngtǔ wánzhěng 領土保全.

【领土资源】Lǐngtǔ Zīyuán ドミニオン・リソース.❖アメリカのエネルギー企業.[Dominion Resources]

【领位员】lǐngwèiyuán〔劇場などの〕客席案内係;レセプショニスト;〔レストランの〕案内係.[receptionist]

【领域】lǐngyù ①領域;分野;範囲. ②ドメイン.❖②IT用語.[②domain]

lìng

【另存为】lìngcúnwéi〔ウィンドウズパソコンで〕名前を付けて保存.❖IT用語.

【另类】lìnglèi 独自(の);独創的(な);オルタナティブ.[alternative]

【另类音乐】lìnglèi yīnyuè オルタナティブミュージック;オルタナ.[alternative music]

liú

【流标】liúbiāo 入札〈にゅうさつ〉不成立.

【流播放】liúbōfàng ストリーミング.❖IT用語."流式播放 liúshì bōfàng"とも.[streaming]

【流程图】liúchéngtú フローチャート.[flowchart]

【刘德华】Liú Déhuá アンディ・ラウ;劉德華.❖香港出身の男優,歌手.[Andy Lau Tak-wah]

【流动】liúdòng フロー.[flow]

【流动负债】liúdòng fùzhài 流動負債.

【流动人口】liúdòng rénkǒu 流動人口.

【流动性溢价】liúdòngxìng yìjià 流動性プレミアム.❖金融用語.[liquidity premium]

【流动资本】liúdòng zīběn 流動資本.❖金融用語.

【流动资产】liúdòng zīchǎn 流動資産.

【硫化合物】liú huàhéwù 硫黄〈いおう〉化合物.[sulfur compound ; sulfuric compound]

【硫磺石山要塞国家公园】Liúhuángshí Shān Yàosài Guójiā Gōngyuán ブリムストーン・ヒル要塞国立公園.●世界文化遺産(セントクリストファー・ネイヴィス).[Brimstone Hill Fortress National Park]

【刘嘉玲】Liú Jiālíng カリーナ・ラウ;劉嘉玲.❖中国出身の女優.[Carina Lau]

【浏览器】liúlǎnqì ①ブラウザー.②ウェブブラウザー.❖IT用語.[①browser ②web browser]

【流浪人员】liúlàng rényuán 浮浪者.

【流氓兔】Liúmángtù マシマロ.❖韓国生まれのウサギのキャラクター名.[MashiMaro]

【流媒体】liúméitǐ ストリーミングメディア.❖IT用語.[streaming media]

【流拍】liúpāi 落札失敗;落札に失敗する.

【琉球王国时期的遗迹和相关建筑】Liúqiú Wángguó Shíqī de Yíjì hé Xiāngguān Jiànzhù 琉球王国のグスクおよび関連遺産群.●世界文化遺産(日本).[Gusuku Sites and Related Properties of the Kingdom of Ryukyu]

【刘松仁】Liú Sōngrén ダミアン・ラウ;劉松仁.❖香港出身の男優.[Damian Lau]

【流亭国际机场】Liútíng Guójì Jīchǎng 流亭国際空港.❖中国・青島にある空港.[Liuting International Airport]

【流通】liútōng ①ネゴシエーション.②フロー.❖①金融用語.為替手形〈かわせてがた〉を買い取ること.[①negotiation ②flow]

【流通成本】liútōng chéngběn 流通コスト.[distribution cost]

【流通市场】liútōng shìchǎng 流通市場.

【榴霰弹】liúxiàndàn 榴散〈りゅうさん〉弾;榴霰〈りゅうさん〉弾.[shrapnel]

liú — lú

【刘晓庆】Liú Xiǎoqìng リウ・シャオチン；劉曉慶. ❖中国出身の女優.[Liu Xiaoqing]

【留校】liúxiào ①〔卒業後も〕母校に留まる；母校で働く. ②〔休暇中も帰省せず〕学校に残る.

《流星花园》Liúxīng Huāyuán「流星花園〜花より男子〜」. ❖日本の漫画を原作にした,台湾のテレビドラマ.[Meteor Garden]

【流行音乐】liúxíng yīnyuè ポップス.[pops]

【流行音乐排行榜】liúxíng yīnyuè páihángbǎng ヒットチャート.[hit chart]

【流行字眼】liúxíng zìyǎn 流行語.

【留言板】liúyánbǎn メッセージボード；掲示板.[message board]

【留言电话】liúyán diànhuà 留守番電話；留守電. ❖"答录电话 dálù diànhuà"とも.

【硫氧化物】liúyǎnghuàwù 硫黄〈いおう〉酸化物；SOx.[sulfur oxide]

【流转税】liúzhuǎnshuì 流通税.

liù

【六本木山庄】Liùběnmù Shānzhuāng 六本木ヒルズ. ❖日本・東京にある複合施設."六本木新城 Liùběnmù Xīnchéng"とも.[Roppongi Hills]

【六方会谈】Liùfāng Huìtán 6か国協議. ❖主として北朝鮮の核問題をめぐる北朝鮮,日本,アメリカ,韓国,中国,ロシアの多国間交渉.[Six-Party Talks]

【六角括号】liùjiǎo kuòhào 亀甲〈きっこう〉かっこ；亀甲；かめのこかっこ. ❖記号は〔 〕.

lóng

【隆鼻】lóngbí 隆鼻.

【龙的传人】lóng de chuánrén 中国人；華人.

《龙猫》Lóngmāo「となりのトトロ」. ❖日本アニメのタイトル.[My Neighbor Totoro]

【龙门石窟】Lóngmén Shíkū 竜門石窟. ●世界文化遺産(中国).[Longmen Grottoes]

【隆乳】lóngrǔ 豊乳；豊胸. ❖"隆胸 lóngxiōng"とも.

【龙舌兰酒】lóngshélán jiǔ テキーラ. ❖メキシコ産の蒸留酒.[tequila]

【龙头产品】lóngtóu chǎnpǐn 旗艦製品；フラッグシッププロダクト.[flagship product]

【龙头老大】lóngtóu lǎodà リーディングカンパニー.[leading enterprise；flagship of the industry]

【隆胸】lóngxiōng 豊胸；豊乳. ❖"隆乳 lóngrǔ"とも.

lóu

【楼花】lóuhuā 建築中の分譲物件. ❖"期房 qīfáng"とも.

【楼盘】lóupán 〔不動産物件としての〕マンション；一戸〈いっこ〉建て住宅.

【楼市】lóushì 不動産市場.

lòu

【漏损】lòusǔn 漏損；目減り；漏出；リーク.[leak]

lú

【卢奥洛】Lú'àoluò 〔フランシスコ・グテレス・〕ルオロ. ❖東ティモールの政治家.[Francisco Guterres Luolo]

【卢比】Lúbǐ ルピー. ❖インド(コード：INR),パキスタン(コード：PKR),スリランカ(コード：LKR)の通貨単位.[rupee]

lú — lù

【卢布尔雅那】Lúbù'ěryǎnà リュブリャナ. ❖スロベニアの首都. [Ljubljana]

【卢浮宫博物馆】Lúfú Gōng Bówùguǎn ルーブル美術館. ❖フランス・パリにある美術館. "罗浮宫 Luófú Gōng" とも. [Musée du Louvre]

【卢戈的罗马城墙】Lúgē de Luómǎ Chéngqiáng ルーゴのローマの城壁群. ●世界文化遺産（スペイン）. [Roman Walls of Lugo]

【卢克石油】Lúkè Shíyóu ルクオイル；ルークオイル. ❖ロシアの石油会社. [Lukoil]

【卢嫩堡旧城】Lúnènbǎo Jiùchéng ルーネンバーグ旧市街. ●世界文化遺産（カナダ）. [Old Town Lunenburg]

【卢萨卡】Lúsàkǎ ルサカ. ❖ザンビアの首都. [Lusaka]

【卢森堡】Lúsēnbǎo ルクセンブルク. ❖ルクセンブルク大公国の首都. [Luxembourg]

【卢森堡大公国】Lúsēnbǎo Dàgōngguó ルクセンブルク大公国；ルクセンブルク. [Grand Duchy of Luxembourg]

【卢森堡市、要塞及老城区】Lúsēnbǎo Shì Yàosài jí Lǎochéngqū ルクセンブルク市：その古い街並みと要塞群. ●世界文化遺産（ルクセンブルク）. [City of Luxembourg : its Old Quarters and Fortifications]

【庐山国家公园】Lú Shān Guójiā Gōngyuán 廬山国立公園. ●世界文化遺産（中国）. [Lushan National Park]

【卢梭】Lúsuō 〔ジャン・ジャック・〕ルソー. ❖フランスの思想家. [Jean Jacques Rousseau]

【卢泰愚】Lú Tàiyú ノ・テウ. ❖韓国の政治家. [Roh Taewoo]

【卢旺达共和国】Lúwàngdá Gònghéguó ルワンダ共和国；ルワンダ. [Republic of Rwanda ; Rwanda]

【卢武铉】Lú Wǔxuàn ノ・ムヒョン. ❖韓国の政治家. [Roh Moohyun]

lǔ

《鲁邦三世》Lǔbāng Sānshì「ルパン三世」. ❖日本の漫画,アニメのタイトル. [Lupin the 3rd]

《鲁冰花》Lǔbīnghuā「魯氷花」. ❖台湾映画のタイトル.

【鲁尔集团】Lǔ'ěr Jítuán RAG. ❖ドイツの鉱工業企業グループ. [RAG]

【鲁文佐里国家公园】Lǔwénzuǒlǐ Guójiā Gōngyuán ルウェンゾリ山地国立公園. ●世界自然遺産（ウガンダ）. [Rwenzori Mountains National Park]

【鲁迅公园】Lǔxùn Gōngyuán 魯迅公園. ❖上海の観光スポット. 園内に魯迅記念館がある.

lù

【露背衫】lùbèishān ベアバック. ❖背中が大きく開いた衣服. [bare back]

【路波】Lùbō ルポ. ❖フォルクスワーゲン（独）製の車名. [Lupo]

【露出狐狸尾巴】lùchū húli wěiba 化けの皮が剥〈は〉がれる.

【鹿岛建设】Lùdǎo Jiànshè 鹿島建設. ❖日本の総合建設会社. [Kajima]

【露得清】Lùdéqīng ニュートロジーナ. ❖ジョンソン・エンド・ジョンソン（米）のスキンケア用品ブランド. [Neutrogena]

【陆地巡洋舰】Lùdì Xúnyángjiàn ランドクルーザー. ❖トヨタ（日本）製の車名. [Land Cruiser]

【鹿儿岛市】Lù'érdǎo Shì 鹿児島〈かごしま〉市. ❖鹿児島〈かごしま〉県（"鹿儿岛县 Lù'érdǎo Xiàn"）の県庁所在地.

【鹿儿岛县】Lù'érdǎo Xiàn 鹿児島〈かごしま〉県. ❖日本の都道府県の1つ. 県庁所在地は鹿児島〈かごしま〉市（"鹿儿岛市 Lù'érdǎo Shì"）.

【路虎】Lùhǔ ランドローバー. ❖イギリスの

lù — lǔ

自動車メーカー(フォード傘下),また同社製の4WD車ブランド.[Land Rover]

【路虎・揽胜】Lùhǔ Lǎnshèng レンジローバー. ❖ランドローバー(英)製の車名. [Range Rover]

【露华浓】Lùhuánóng レブロン. ❖アメリカの化粧品メーカー.[Revlon]

【路检】lùjiǎn 検問. ❖"道路检查 dàolù jiǎnchá"の略.

【路径】lùjìng ①道. ②手段. ③パス. ❖③IT用語.[①③path]

【禄莱】Lùlái ローライ. ❖ドイツのカメラメーカー.[Rollei]

【露脐装】lùqízhuāng へそ出しファッション.

【录取线】lùqǔxiàn 合格ライン. ❖"分数线 fēnshùxiàn"とも.[grade cut-off point ; minimum passing score]

【陆射巡航导弹】lùshè xúnháng dǎodàn 地上発射巡航ミサイル; GLCM. [ground-launched cruise missile ; GLCM]

【鹿特丹港】Lùtèdān Gǎng ロッテルダム港. ❖オランダにある港.[Port of Rotterdam]

【露天啤酒花园】lùtiān píjiǔ huāyuán ビアガーデン.[beer garden]

【路透社】Lùtòushè ロイター. ❖イギリスの通信社.[Reuters]

【路网】lùwǎng 交通網.

【路向】lùxiàng 道路の延びる方向;ルート;方向.[route]

【路演】lùyǎn ①〔映画の〕ロードショー. ②〔投資家向け〕ロードショー. ❖②金融用語.株式を発行する前に行われる,発行体による機関投資家向けの説明会.[road show]

【路易港】Lùyìgǎng ポートルイス. ❖モーリシャスの首都.[Port Louis]

【路易斯安那州】Lùyìsī'ānnà Zhōu ルイジアナ州. ❖アメリカの州名.[Louisiana]

【路易斯・巴拉干故居和工作室】Lùyìsī Bālāgān Gùjū hé Gōngzuòshì ルイス・バラガン邸と仕事場. ◉世界文化遺産(メキシコ).[Luis Barragán House and Studio]

【路易威登】Lùyì Wēidēng ルイ・ヴィトン. ❖LVMHグループ(仏)のファッションブランド.[Louis Vuitton]

【录音棚】lùyīnpéng 録音スタジオ;レコーディングスタジオ;ダビングスタジオ.[recording studio ; dubbing studio]

【路由器】lùyóuqì ルーター. ❖IT用語.ネットワークの中継機器の1つ.[router]

lǔ

【吕贝克汉萨同盟城】Lǚbèikè Hànsà Tóngméngchéng ハンザ同盟都市リューベック. ◉世界文化遺産(ドイツ).[Hanseatic City of Lübeck]

【吕勒奥的格默尔斯塔德教堂村】Lǚlè'ào de Gēmò'ěrsītǎdé Jiàotángcūn ルーレオーのガンメルスタードの教会街. ◉世界文化遺産(スウェーデン).[Church Village of Gammelstad, Luleå]

【旅行轿车】lǚxíng jiàochē ワゴン車.[station wagon ; estate car〔英〕]

【旅行者保险】Lǚxíngzhě Bǎoxiǎn トラベラーズ・プロパティ・カジュアルティ. ❖アメリカの保険会社.[Travelers Property Casualty]

【旅游大巴】lǚyóu dàbā 大型観光バス;観光バス.

【旅游图】lǚyóutú 観光地図.

【旅游指南】lǚyóu zhǐnán 観光案内書;ガイドブック.[guidebook]

lǜ

【绿宝石婚】lǜbǎoshíhūn エメラルド婚式. ❖55年目の結婚記念日.

【绿茶】Lǜchá グリーンティー. ❖エリザベス・アーデン(米)製のフレグランス名.

lü

[Green Tea]

【绿带】lǜdài グリーンベルト；緑地帯. ❖"绿化带 lǜhuàdài""绿色带 lǜsèdài"とも. [green belt]

【绿地率】lǜdìlǜ 緑地率；緑化率.

【绿肺】lǜfèi〔都市の中心部に設置された〕緑地帯；緑化地区.

【绿化带】lǜhuàdài グリーンベルト；緑地帯. ❖"绿带 lǜdài""绿色带 lǜsèdài"とも. [green belt]

【绿箭口香糖】Lǜjiàn Kǒuxiāngtáng ダブルミント・チューインガム. ❖リグレー(米)製のチューインガム名. [Wrigley's Doublemint Chewing Gum]

【绿芥末】lǜjièmo わさび.

《绿巨人》Lǜjùrén「ハルク」. ❖アメリカ映画のタイトル. [The Hulk]

【绿卡】lǜkǎ ①グリーンカード. ②合格証書,優待証などの通称. [①green card]

【绿色奥运】Lǜsè Àoyùn グリーンオリンピック. ❖2008年北京オリンピックの理念の1つ.環境,健康,安全に配慮したオリンピック. [Green Olympic]

【绿色包装】lǜsè bāozhuāng エコ包装；環境に配慮した再利用可能なパッケージ.

【绿色壁垒】lǜsè bìlěi「グリーン障壁」；環境障壁. ❖農産物,農産加工品の輸出が,農薬残留値などの規定によって制限されること."环境壁垒 huánjìng bìlěi"とも.

【绿色标志】lǜsè biāozhì 環境マーク；エコマーク；環境ラベル.

【绿色采购】lǜsè cǎigòu〔企業,団体組織などの〕グリーン購入；グリーン仕入れ；グリーン調達. ❖環境への負荷ができるだけ少ないものを選んで購入すること. [green purchase]

【绿色产品】lǜsè chǎnpǐn 環境にやさしい製品；エコ製品；エコプロダクツ. [green product]

【绿色带】lǜsèdài グリーンベルト；緑地帯. ❖"绿带 lǜdài""绿化带 lǜhuàdài"とも.

[green belt]

【绿色电脑】lǜsè diànnǎo グリーンパソコン. ❖省エネでリサイクル性が高いパソコン.

【绿色覆盖率】lǜsè fùgàilǜ 緑化率.

【绿色观光】lǜsè guānguāng 農村ツーリズム；グリーンツーリズム. ❖農村など自然の豊かな地方での滞在型レジャー."绿色旅游 lǜsè lǚyóu"とも. [green tourism]

【绿色建筑】lǜsè jiànzhù 健康住宅. ❖有害物質が発生しない自然素材で建設された住宅."健康住宅 jiànkāng zhùzhái"とも.

【绿色科技】lǜsè kējì エコハイテク. [green science and technology]

【绿色旅游】lǜsè lǚyóu 農村ツーリズム；グリーンツーリズム. ❖農村など自然の豊かな地方での滞在型レジャー."绿色观光 lǜsè guānguāng"とも. [green tourism]

【绿色能源】lǜsè néngyuán グリーンエネルギー. [green energy resource]

【绿色农业】lǜsè nóngyè エコ農業；エコロジー農業；無公害,低農薬農業.

【绿色企业】lǜsè qǐyè ①エコロジー企業；環境,健康,安全に配慮した企業. ②台湾独立を支持する台湾企業.

【绿色汽车】lǜsè qìchē 低公害車；エコロジーカー；エコカー；クリーンカー. [eco car]

【绿色认证】lǜsè rènzhèng エコロジー商品の認定証.

【绿色食品】lǜsè shípǐn ①「绿色食品」；環境保全型農業によって栽培された農産物および食品. ②環境,健康,安全に配慮した食品.

【绿色蔬菜】lǜsè shūcài「绿色野菜」；環境保全型農業によって栽培された野菜；減農薬栽培の野菜.

【绿色塑料】lǜsè sùliào グリーンプラスチック；生分解性プラスチック. ❖"可降解塑料 kějiàngjiě sùliào""生物降解塑料 shēngwù jiàngjiě sùliào"とも. [Green

Plastics ; biodegradable plastics]

【绿色台商】lǜsè Táishāng 台湾独立を支持する台湾企業. ❖略称は"绿商 lǜ-shāng".

【绿色通道】lǜsè tōngdào ①〔空港などの〕無申告の税関通路；グリーンチャンネル. ②迅速,安全で簡便な手続き方法やルート；グリーンルート.[①green channel]

【绿色网站】lǜsè wǎngzhàn ①エコロジー,自然志向のサイト；健康志向のサイト. ②健全なサイト.

【绿色消费】lǜsè xiāofèi 〔一般消費者の〕グリーン消費；グリーン購入；環境配慮型商品の購入.

【绿色消费者】lǜsè xiāofèizhě グリーンコンシューマー. ❖環境保護に配慮した商品購入を実行する消費者.[green consumer]

【绿色艺人】lǜsè yìrén 台湾独立を支持する台湾の芸能人.

【绿色银行】lǜsè yínháng 「绿色银行」. ❖植林,造林を奨励する制度.

【绿色营销】lǜsè yíngxiāo エコマーケティング；エコロジカルマーケティング. ❖地球環境に負荷を与えない商品やサービスを提供する営業,販売姿勢.[green marketing ; environmental marketing]

【绿商】lǜshāng 台湾独立を支持する台湾企業. ❖"绿色台商 lǜsè Táishāng "の略.

【律师袍】lǜshīpáo 弁護士のローブ. ❖裁判の際に着用が義務づけられている黒いローブ.

【绿视率】lǜshìlǜ 緑視率.

luǎn

【卵磷脂】luǎnlínzhī レシチン. ❖リン脂質の1つ.[lecithin]

luàn

【乱码】luànmǎ 文字化け. ❖IT用語.

《乱世佳人》Luànshì Jiārén 「風と共に去りぬ」. ❖アメリカ映画のタイトル.[Gone with the Wind]

【乱收费】luànshōufèi みだりに諸費用を徴収する(こと). ❖地方行政機関が勝手にさまざまな名目で費用を徴収すること.

lüè

【略式提单】lüèshì tídān 略式船荷証券. ❖金融用語."简式提单 jiǎnshì tídān"とも.[short form B/L]

lún

【伦巴第贷款】Lúnbādì dàikuǎn ロンバード貸出. ❖金融用語.[Lombard lending]

【伦敦】Lúndūn ロンドン. ❖イギリスの首都.[London]

【伦敦保险人协会】Lúndūn Bǎoxiǎnrén Xiéhuì ロンドン保険業者協会.[Institute of London Underwriters ; I.L.U.]

【伦敦城】Lúndūnchéng シティ・オブ・ロンドン；シティ. ❖イギリスの特別行政区で,金融の中心地.[the City of London]

【伦敦金融时报指数】Lúndūn Jīnróng Shíbào zhǐshù FT平均株価指数；フィナンシャルタイムズ100種平均株価指数. ❖金融用語.[FTSE Index ; FTSE 100 Share Index]

【伦敦塔】Lúndūn Tǎ ロンドン塔. ●世界文化遺産(イギリス).[Tower of London]

【伦敦银行同业拆息率】Lúndūn yínháng tóngyè chāixīlǜ ロンドン銀行間取引金利；LIBOR〈ライボ；ライボー〉. ❖金融用語.[London Interbank Offered Rate ; LIBOR]

【伦敦政治经济学院】Lúndūn Zhèngzhì

lún — luó

Jīngjì Xuéyuàn ロンドン・スクール・オブ・エコノミクス・アンド・ポリティカル・サイエンス；ロンドン政治経済学院；LSE. ❖イギリス・ロンドンにあるロンドン大学を構成する研究教育機関の1つ. [London School of Economics and Political Science]

【轮岗】lúngǎng シフト勤務. [shiftwork]

【轮廓字体】lúnkuò zìtǐ アウトラインフォント. ❖IT用語. [outline font]

lùn

【论坛】lùntán 論壇；フォーラム. [forum]

【论资排辈】lùnzī páibèi 年功序列. ❖"按资排辈 ànzī páibèi"とも.

luó

【罗安达】Luó'āndá ルアンダ. ❖アンゴラの首都. [Luanda]

【罗本岛】Luóběn Dǎo ロベン島. ◉世界文化遺産(南アフリカ). [Robben Island]

【萝卜泥】luóboní 大根おろし.

【罗得岛中世纪古城】Luódé Dǎo Zhōngshìjì Gǔchéng ロードス島の中世都市. ◉世界文化遺産(ギリシャ). [Medieval City of Rhodes]

【罗得岛州】Luódédǎo Zhōu ロードアイランド州. ❖アメリカの州名. "罗德艾兰州 Luódé Àilán Zhōu"とも. [Rhode Island]

【罗尔斯・罗伊斯】Luó'ěrsī Luóyīsī ロールス・ロイス. ❖イギリスの自動車，航空機エンジンメーカー(BMW 傘下). [Rolls-Royce]

【罗孚】Luófú ローバー. ❖イギリスの自動車メーカー(南京汽車傘下). [Rover]

【罗浮宫】Luófú Gōng ルーブル美術館. ❖フランス・パリにある美術館. "卢浮宫博物馆 Lúfú Gōng Bówùguǎn"とも. [Musée du Louvre]

《罗浮宫协议》Luófú Gōng Xiéyì 「ルーブル合意」. ❖1987年2月パリのルーブル宮殿で開催されたG7において，これ以上のドル安は望ましくないとされた合意決定. [Louvre Accord]

【罗赫达斯要塞】Luóhèdásī Yàosài ロータス城塞. ◉世界文化遺産(パキスタン). [Rohtas Fort]

【罗技】Luójì ロジテック. ❖アメリカのコンピューター周辺機器メーカー. [Logitech]

【罗兰・贝格】Luólán Bèigé ローランド・ベルガー. ❖ドイツのコンサルティング会社. [Roland Berger]

【罗利】Luólì ローリー. ❖アメリカ・ノースカロライナ州都. [Raleigh]

【罗马】Luómǎ ローマ. ❖イタリアの首都. [Roma〔伊〕; Rome]

《罗马假日》Luómǎ Jiàrì 「ローマの休日」. ❖アメリカ映画のタイトル. [Roman Holiday]

【罗马历史中心(罗马教皇的地产享有治外法权)和圣保罗佛瑞尔穆拉】Luómǎ Lìshǐ Zhōngxīn (Luómǎ Jiàohuáng de Dìchǎn Xiǎngyǒu Zhìwài Fǎquán) hé Shèngbǎoluó Fóruì'ěrmùlā ローマ歴史地区，教皇領とサン・パオロ・フオーリ・レ・ムーラ大聖堂. ◉世界文化遺産(イタリア，バチカン). [Historic Centre of Rome, the Properties of the Holy See in that City Enjoying Extraterritorial Rights and San Paolo Fuori le Mura]

【罗马内・孔蒂】Luómǎnèi Kǒngdì ロマネ・コンティ. ❖フランス・ブルゴーニュ産のワインの銘柄. "罗曼尼・康帝 Luómànní Kāngdì"とも. [Romanée-Conti]

【罗马尼亚】Luómǎníyà ルーマニア. [Romania]

【罗马尼亚航空】Luómǎníyà Hángkōng タロム・ルーマニア航空. ❖ルーマニアの航空会社. コード：RO. [Tarom Romanian Air Transport]

【罗马银行】Luómǎ Yínháng ローマ銀行.

luó — luò

❖イタリアの銀行.[Banca di Roma]

【罗曼史】Luómànshǐ ロマンス.❖ラルフ・ローレン(米)製のフレグランス名.[Romance]

【罗纳尔多】Luónà'ěrduō ロナウド〔・ルイス・ナザリオ・デ・リマ〕.❖ブラジルのサッカー選手.[Ronaldo Luiz Nazario de Lima]

【罗圈腿】luóquāntuǐ O脚〈オーきゃく〉.❖"O型腿 O xíngtuǐ"とも.

【罗森】Luósēn ローソン.❖日本のコンビニエンス・ストア・チェーン.[Lawson]

【罗森泰】Luósēntài ローゼンタール.❖ドイツのテーブルウエアメーカー.[Rosenthal]

《罗生门》Luóshēng Mén「羅生門」.❖日本の小説,映画のタイトル.[Rashomon]

【罗氏制药】Luóshì Zhìyào ロシュ.❖スイスの医薬品メーカー.[Roche]

【罗斯基勒大教堂】Luósījīlè Dàjiàotáng ロスキレ大聖堂.●世界文化遺産(デンマーク).[Roskilde Cathedral]

【罗素・克洛】Luósù Kèluó ラッセル・クロウ.❖ニュージーランド出身の男優.[Russell Crowe]

【罗索】Luósuǒ ロゾー.❖ドミニカ国の首都.[Roseau]

【螺旋本】luóxuánběn スパイラルノート.❖"线圈本 xiànquānběn"とも.[spiral notebook]

【螺旋桨式飞机】luóxuánjiǎngshì fēijī プロペラ機.[propeller plane]

【螺旋藻】luóxuánzǎo 螺旋藻;スピルリナ.❖地球上で最古の海洋生物.豊富なたんぱく質を含み,栄養価が高い.[Spirulina]

【罗意威】Luóyìwēi ロエベ.❖LVMHグループ(仏)のファッションブランド.もとはスペインの老舗ブランド.[Loewe]

luǒ

【裸奔】luǒbēn 裸で走り回る(こと);ストリーキング.[streaking]

【裸机】luǒjī ①セットアップしていないコンピューター.②インターネットにアクセスできない携帯電話.❖IT用語.

luò

【落地签】luòdìqiān アライバルビザ.[visa on arrival]

【洛尔施修道院和阿尔腾蒙斯特】Luò'ěrshī Xiūdàoyuàn hé Ā'ěrténgméngsītè ロルシュの王立修道院とアルテンミュンスター.●世界文化遺産(ドイツ).[Abbey and Altenmünster of Lorsch]

【洛克希德马丁】Luòkèxīdé Mǎdīng ロッキード・マーチン.❖アメリカの戦闘機メーカー.[Lockheed Martin]

【洛伦茨国家公园】Luòlúncí Guójiā Gōngyuán ロレンツ国立公園.●世界自然遺産(インドネシア).[Lorentz National Park]

【洛美】Luòměi ロメ.❖トーゴの首都.[Lomé]

【落跑】luòpǎo 逃避する;逃げる;とんずらする.

【落聘】luòpìn 不採用(になる).

【洛杉矶】Luòshānjī ロサンゼルス.❖アメリカの都市名.[Los Angeles]

《洛杉矶时报》Luòshānjī Shíbào「ロサンゼルス・タイムズ」.❖アメリカの日刊紙.[Los Angeles Times]

【洛斯】Luòsī ロウズ.❖アメリカの金融企業.[Loews]

【洛斯卡蒂奥斯国家公园】Luòsīkǎdì'àosī Guójiā Gōngyuán ロス・カティオス国立公園.●世界自然遺産(コロンビア).[Los Katios National Park]

【骆驼】Luòtuo キャメル.❖日本たばこ産業(日本)のタバコブランド.[Camel]

M

M

【MBA】MBA 経営学修士;MBA. ❖中国語では"工商管理硕士 gōngshāng guǎnlǐ shuòshì".[master of business administration;MBA]

【MD】MD ミニディスク;MD. ❖IT用語.中国語では"迷你光盘 mínǐ guāngpán".[mini disc;MD]

【MM】MM 若い女性;お嬢さん. ❖"美眉 měiméi"とも.

【MO光盘】MO guāngpán 光磁気ディスク;MOディスク;MO. ❖IT用語.[magneto-optical disc;MO]

【MO光驱】MO guāngqū 光磁気ディスクドライブ;MOドライブ. ❖IT用語.[MO drive]

【MP3播放器】MP sān bōfàngqì MP3プレーヤー. ❖IT用語.MP3形式で保存された音声を聞くための装置.[MP3 player]

【MPA】MPA 行政修士;公共行政修士;MPA. ❖中国語では"公共管理硕士 gōnggòng guǎnlǐ shuòshì".[master of public administration;MPA]

mā

【孖烟囱】māyāncōng〔男性用の〕トランクス;短パン. ❖"孖"は広東方言で「対〈つい〉」の意味.[trunks]

má

【麻婚】máhūn 麻婚式. ❖12年目の結婚記念日.

【麻萨诸塞州】Másàzhūsài Zhōu マサチューセッツ州. ❖アメリカの州名."马萨诸塞州 Mǎsàzhūsài Zhōu""麻省 Má Shěng"とも.[Massachusetts]

【麻省理工学院】Máshěng Lǐgōng Xuéyuàn マサチューセッツ工科大学;MIT. ❖アメリカ・マサチューセッツ州にある大学.[Massachusetts Institute of Technology;MIT]

【麻省人寿】Máshěng Rénshòu マサチューセッツ・ミューチュアル・ライフ・インシュアランス. ❖アメリカの保険会社.[Massachusetts Mutual Life Insurance]

mǎ

【马埃谷地自然保护区】Mǎ'āi Gǔdì Zìrán Bǎohùqū メイ渓谷自然保護区. ●世界自然遺産(セーシェル)."玛依谷地自然保护区 Mǎyī Gǔdì Zìrán Bǎohùqū"とも.[Vallée de Mai Nature Reserve]

【马达加斯加共和国】Mǎdájiāsījiā Gònghéguó マダガスカル共和国;マダガスカル.[Republic of Madagascar;Madagascar]

【马达加斯加航空】Mǎdájiāsījiā Hángkōng マダガスカル航空. ❖マダガスカルの航空会社.コード:MD.[Air Madagascar]

【马达腊骑士浮雕】Mǎdálā Qíshì Fúdiāo マダラの騎士像. ●世界文化遺産(ブルガリア).[Madara Rider]

【马德拉群岛月桂树公园】Mǎdélā Qúndǎo Yuèguìshù Gōngyuán マデイラ諸島のラウリシルヴァ. ●世界自然遺産(ポルトガル).[Laurisilva of Madeira]

【马德里】Mǎdélǐ マドリード. ❖スペインの首都.[Madrid]

【马德里埃斯科里亚尔修道院和遗址】Mǎdélǐ Āisīkēlǐyà'ěr Xiūdàoyuàn hé Yízhǐ マドリードのエル・エスコリアル修道院とその遺跡. ●世界文化遺産(スペイン).[Monas-

mǎ

tery and Site of the Escurial, Madrid]

【马德留·克拉罗尔·配拉菲塔大峡谷文化景观】Mǎdéliú Kèlāluó'ěr Pèilāfēitǎ Dàxiágǔ Wénhuà Jǐngguān マドリュウ・ペラフィタ・クラロー渓谷. ◉世界文化遺産(アンドラ). [Madriu–Perafita–Claror Valley]

【马蒂兹】Mǎdìzī マティス. ❖大宇(GM傘下)製の車名. [Matiz]

【马爹利】Mǎdiēlì マーテル. ❖フランスのブランデーメーカー,また同社製のブランデー. [Martell]

【马丁尼】mǎdīngní マティーニ. ❖カクテル名."马天尼 mǎtiānní"とも. [martini]

【马尔堡的条顿骑士团城堡】Mǎ'ěrbǎo de Tiáodùn Qíshìtuán Chéngbǎo マルボルクのドイツ騎士団の城. ◉世界文化遺産(ポーランド). [Castle of the Teutonic Order in Malbork]

【马尔代夫共和国】Mǎ'ěrdàifū Gònghéguó モルディブ共和国;モルディブ. [Republic of Maldives; Maldives]

【马耳他共和国】Mǎ'ěrtā Gònghéguó マルタ共和国;マルタ. [Republic of Malta; Malta]

【马耳他航空】Mǎ'ěrtā Hángkōng エア・マルタ. ❖マルタの航空会社. コード:KM. [Air Malta]

【马耳他巨石庙】Mǎ'ěrtā Jùshí Miào マルタの巨石神殿群. ◉世界文化遺産(マルタ). [Megalithic Temples of Malta]

【码分多址】mǎfēn duōzhǐ 符号分割多重接続;CDMA. ❖IT用語. [code division multiple access; CDMA]

【玛格丽特·隆·雅克·蒂博国际钢琴小提琴比赛】Mǎgélìtè Lóng Yǎkè Dìbó Guójì Gāngqín Xiǎotíqín Bǐsài ロン・ティボー国際音楽コンクール. ❖フランスで開催される音楽コンクール. [Concours International de Piano et de Violon Marguerite Long–Jacques Thibaud]

【马哈蒂尔】Mǎhādì'ěr マハティール[・ビン・モハマド]. ❖マレーシアの政治家. [Mahathir bin Mohamad]

【马克杯】mǎkèbēi マグカップ. [mug]

【马克笔】mǎkèbǐ ペイントマーカー. [marker pen]

【马孔内】Mǎkǒngnèi マコネ. ❖フランス・ブルゴーニュ地方の地名,また同地産のワイン. [Mâconnais]

【马拉博】Mǎlābó マラボ. ❖赤道ギニアの首都. [Malabo]

【马拉喀什老城】Mǎlākāshí Lǎochéng マラケシ旧市街. ◉世界文化遺産(モロッコ). [Medina of Marrakesh]

【马拉穆列什的木结构教堂】Mǎlāmùlièshí de Mùjiégòu Jiàotáng マラムレシュ地方の木造教会群. ◉世界文化遺産(ルーマニア). [Wooden Churches of Maramureş]

【马拉松会议】mǎlāsōng huìyì マラソン会議. [marathon meeting]

【马拉松石油】Mǎlāsōng Shíyóu マラソン石油. ❖アメリカの石油会社. [Marathon Oil]

【马拉维共和国】Mǎlāwéi Gònghéguó マラウイ共和国;マラウイ. [Republic of Malawi; Malawi]

【马拉维湖国家公园】Mǎlāwéi Hú Guójiā Gōngyuán マラウイ湖国立公園. ◉世界自然遺産(マラウイ). [Lake Malawi National Park]

【马来西亚】Mǎláixīyà マレーシア. [Malaysia]

【马来西亚国家石油】Mǎláixīyà Guójiā Shíyóu ペトロナス. ❖マレーシアの国営石油会社. [Petronas]

【马来西亚航空】Mǎláixīyà Hángkōng マレーシア航空. ❖マレーシアの航空会社. コード:MH. [Malaysia Airlines]

【马兰士】Mǎlánshì マランツ. ❖D&M(米)の音響,映像機器のブランド. [Marantz]

【马累】Mǎlěi マーレ;マレ. ❖モルディブ

mǎ

の首都.[Malé]

【马里共和国】Mǎlǐ Gònghéguó マリ共和国；マリ.[Republic of Mali；Mali]

【马里兰州】Mǎlǐlán Zhōu メリーランド州. ❖アメリカの州名.[Maryland]

【马六甲海峡】Mǎliùjiǎ Hǎixiá マラッカ海峡. ❖マレー半島とスマトラ島の間にある海峡.[the Strait of Malacca]

【马路新闻】mǎlù xīnwén うわさ；ゴシップ.[gossip]

【马蒙丹莫奈美术馆】Mǎméngdān Mònài Měishùguǎn マルモッタン・モネ美術館；マルモッタン美術館. ❖フランス・パリにある美術館."马蒙丹美术馆 Mǎméngdān Měishùguǎn"とも.[Musée Marmottan Monet]

【玛米亚】Mǎmǐyà マミヤ. ❖日本の電子・光学機器メーカー,マミヤ・オーピーのカメラのブランド.[Mamiya]

【马默斯洞穴国家公园】Mǎmòsī Dòngxué Guójiā Gōngyuán マモス・ケーヴ国立公園. ●世界自然遺産(アメリカ).[Mammoth Cave National Park]

【马那瓜】Mǎnàguā マナグア. ❖ニカラグアの首都.[Managua]

【马纳斯野生动植物保护区】Mǎnàsī Yěshēng Dòngzhíwù Bǎohùqū マナス野生生物保護区. ●世界危機遺産(インド).[Manas Wildlife Sanctuary]

【马纳潭国家公园及萨比切沃雷旅行区】Mǎnàtán Guójiā Gōngyuán jí Sàbǐ Qièwǒléi Lǚxíngqū マナ・プールズ国立公園,サビとチュウォールのサファリ地域. ●世界自然遺産(ジンバブエ).[Mana Pools National Park, Sapi and Chewore Safari Areas]

【马尼拉】Mǎnílā マニラ. ❖フィリピンの首都.[Manila]

【马努国家公园】Mǎnǔ Guójiā Gōngyuán マヌー国立公園. ●世界自然遺産(ペルー).[Manu National Park]

【马诺沃·贡达·圣弗洛里斯国家公园】Mǎnuòwò Gòngdá Shèngfúluòlǐsī Guójiā Gōngyuán マノヴォ・グンダ・サン・フローリス国立公園. ●世界危機遺産(中央アフリカ).[Manovo–Gounda St Floris National Park]

【马篷古布韦文化景观】Mǎpénggǔbùwéi Wénhuà Jǐngguān マプングブエの文化的景観. ●世界文化遺産(南アフリカ).[Mapungubwe Cultural Landscape]

【马屁精】mǎpìjīng おべっか使い；ごますり.

【马普托】Mǎpǔtuō マプト. ❖モザンビークの首都.[Maputo]

【马其顿共和国】Mǎqídùn Gònghéguó マケドニア旧ユーゴスラビア共和国；マケドニア.[Former Yugoslav Republic of Macedonia；Macedonia]

【马丘比丘历史圣地】Mǎqiūbǐqiū Lìshǐ Shèngdì マチュ・ピチュの歴史保護区. ●世界自然および文化遺産(ペルー).[Historic Sanctuary of Machu Picchu]

【马萨达】Mǎsàdá マサダ. ●世界文化遺産(イスラエル).[Masada]

【马萨诸塞州】Mǎsàzhūsài Zhōu マサチューセッツ州. ❖アメリカの州名."麻萨诸塞州 Másàzhūsài Zhōu"とも.[Massachusetts]

【马塞卢】Mǎsāilú マセル. ❖レソトの首都.[Maseru]

【马赛克】mǎsàikè モザイク.[mosaic]

【马莎百货】Mǎshā Bǎihuò マークス・アンド・スペンサー. ❖イギリスの小売チェーン."马狮百货 Mǎshī Bǎihuò"とも.[Marks&Spencer]

【玛莎拉蒂】Mǎshālādì マセラティ.[Maserati]

【马绍尔群岛共和国】Mǎshào'ěr Qúndǎo Gònghéguó マーシャル諸島共和国；マーシャル諸島.[Republic of the Marshall Islands；Marshall Islands]

【玛氏】Mǎshì マーズ．❖アメリカの食品・飲料メーカー，また同社製の食品ブランド．[Mars]

【马士基集团】Mǎshìjī Jítuán モラー・マースク．❖デンマークの海運会社．[A.P.Moller-Maersk Group]

【马斯喀特】Mǎsīkātè マスカット．❖オマーンの首都．[Muscat]

【马斯柯】Mǎsīkē マスコ．❖アメリカの住宅,建材メーカー．[Masco]

《马斯特里赫特条约》Mǎsītèlǐhètè Tiáoyuē「マーストリヒト条約」；「欧州連合条約」．❖1993年に発効した,欧州連合(EU)創設に関する条約．[Maastricht Treaty]

【马泰拉的石窟民居】Mǎtàilā de Shíkū Mínjū マテーラの洞窟住居．●世界文化遺産(イタリア)．[I Sassi di Matera]

【马太效应】Mǎtài xiàoyìng マタイ効果．❖社会,経済の2極化が進むこと．「新約聖書」マタイ伝「持てる者はますます富み,持たざる者はますます貧しくなる」から．[Matthew Effect]

【码头工人】mǎtou gōngrén ステベドア；ステベ；荷役作業員．❖船内荷役の請負業者のこと．"装卸工人 zhuāngxiè gōngrén"とも．[stevedore]

【马托博山区】Mǎtuōbó Shānqū マトボの丘群．●世界文化遺産(ジンバブエ)．[Matobo Hills]

【马扎甘葡萄牙城】Mǎzhāgān Pútáoyáchéng マサガン(アル・ジャディーダ)のポルトガル街区．●世界文化遺産(モロッコ)．[Portuguese City of Mazagan (El Jadida)]

【马朱罗】Mǎzhūluó マジュロ．❖マーシャル諸島の首都．[Majuro]

【马自达汽车】Mǎzìdá Qìchē マツダ．❖日本の自動車メーカー．[Mazda]

【马子】mǎzi カノジョ．❖香港,台湾で使われ始めた言葉．

mái

【埋身战】máishēnzhàn 接近戦．

mǎi

【买单】mǎidān〔飲食店などで〕支払い(をする)；勘定(する)．❖"埋单 máidān"とも．

【买点】mǎidiǎn 買うメリット；買いポイント；買いのポイント．

【买断】mǎiduàn 買い取る；買い取り．

【买方】mǎifāng 買い手；買い方；バイヤー．[buyer]

【买方期权】mǎifāng qīquán コールオプション．❖金融用語.行使期間内にある一定の価格で金融商品を買うことのできる権利."回购权 huígòuquán""看涨期权 kānzhǎng qīquán""买方选择权 mǎifāng xuǎnzéquán"とも．[call option]

【买方市场】mǎifāng shìchǎng 買い手市場．

【买方信贷】mǎifāng xìndài バイヤーズクレジット．[buyers' credit]

【买方选择权】mǎifāng xuǎnzéquán コールオプション．❖金融用語.行使期間内にある一定の価格で金融商品を買うことのできる権利."回购权 huígòuquán""看涨期权 kānzhǎng qīquán""买方期权 mǎifāng qīquán"とも．[call option]

【买回】mǎihuí 買い戻し．❖金融用語．

【买汇】mǎihuì 買為替；輸出為替．❖金融用語."买入外汇 mǎirù wàihuì"とも．

【买空】mǎikōng カラ買い．❖金融用語.信用取引を行う際,証券会社から借りた資金で株式を買うこと."买空交易 mǎikōng jiāoyì"とも．

【买卖中间人】mǎimai zhōngjiānrén ブローカー．[broker]

【买盘操作】mǎipán cāozuò 買いオペレーション；買いオペ．❖金融用語.[buying

mǎi — mài

operation]
- 【买票】mǎipiào ①チケットを買う；切符を買う．②〔選挙での〕票の買収；票を買収する．
- 【买入后继续持有】mǎirùhòu jìxù chíyǒu 買い持ち．❖金融用語．保有する外貨または株式を売却せずに持っていること．
- 【买入外汇】mǎirù wàihuì 買為替；輸出為替．❖金融用語．"买汇 mǎihuì"とも．
- 【买手】mǎishǒu 買い手；買い方；バイヤー．[buyer]
- 【买一送一】mǎiyī sòngyī 1個買えばもう1個プレゼント．
- 【买主】mǎizhǔ 買い手；買い方；バイヤー．[buyer]

mài

- 【迈阿密】Mài'āmì マイアミ．❖アメリカの都市名．[Miami]
- 【迈巴赫】Màibāhè マイバッハ．❖ダイムラー・クライスラー(独)製の車名．[Maybach]
- 【卖场】màichǎng 売り場．
- 【卖出保值期货】màichū bǎozhí qīhuò つなぎ売り；保険つなぎ．❖金融用語．
- 【卖出过多】màichū guòduō 売り持ち．❖金融用語．
- 【卖出汇价】màichū huìjià 売相場．❖金融用語．
- 【卖出外汇】màichū wàihuì 売為替．❖金融用語．"卖汇 màihuì"とも．
- 【麦当劳】Màidāngláo マクドナルド．❖アメリカのファーストフードチェーン．[McDonald's]
- 【麦当娜】Màidāngnà マドンナ．❖アメリカの歌手．[Madonna]
- 【麦德龙】Màidélóng メトロ．❖ドイツの小売チェーン．[Metro]
- 【麦迪逊】Màidíxùn マディソン．❖アメリカ・ウィスコンシン州都．[Madison]
- 【卖点】màidiǎn セールスポイント．❖"售点 shòudiǎn"とも．[special feature；selling point]
- 【卖方期权】màifāng qīquán プットオプション．❖金融用語．行使期間内にある一定の価格で金融商品を売ることのできる権利．"看跌期权 kàndiē qīquán""卖权 màiquán"とも．[put option]
- 【卖方市场】màifāng shìchǎng 売り手市場．
- 【卖方信贷】màifāng xìndài サプライヤーズクレジット．❖"出口卖方信贷 chūkǒu màifāng xìndài"とも．[suppliers' credit]
- 【麦格劳・希尔】Màigéláo Xī'ěr マグロウヒル．❖アメリカの出版企業．[the McGraw-Hill Companies]
- 【卖汇】màihuì 売為替．❖金融用語．"卖出外汇 màichū wàihuì"とも．
- 【麦金利山】Màijīnlì Shān マッキンリー山．❖アメリカ・アラスカ州にある山．[Mount McKinley]
- 【麦金塔】Màijīntǎ マッキントッシュ．❖アップルコンピュータ(米)製のパソコンシリーズ名．"苹果机 Píngguǒjī"とも．[Macintosh]
- 【麦卡尔】Màikǎ'ěr マイカル．❖日本の小売店(イオン傘下)．[MYCAL]
- 【麦卡伦】Màikǎlún マッカラン．❖イギリスのウイスキーメーカー，また同社製のウイスキー名．[Macallan]
- 【迈克尔・杰克逊】Màikè'ěr Jiékèxùn マイケル・ジャクソン．❖アメリカの歌手．[Michael Jackson]
- 【迈克尔・乔丹】Màikè'ěr Qiáodān マイケル・ジョーダン．❖アメリカの元バスケットボール選手．[Michael Jordan]
- 【麦克赛尔】Màikèsài'ěr マクセル．❖日立マクセル(日本)のブランド名．[Maxell]
- 【麦克森】Màikèsēn マケッソン．❖アメリカの医療関連用品卸売企業．[McKesson]
- 【迈克・泰森】Màikè Tàisēn マイク・タイソン．❖アメリカのプロボクシング選手．

[Mike Tyson]

【麦克王啤酒】Màikèwáng Píjiǔ マックイーワンズ．❖スコティッシュ・アンド・ニューカッスル・ブルーワリー(英)製のビール名．[McEwan's]

【麦肯】Màikěn マッキャンエリクソン．❖アメリカの広告代理店．[McCann-Erickson]

【麦肯锡】Màikěnxī マッキンゼー；マッキンゼー・アンド・カンパニー．❖アメリカの経営戦略コンサルティング企業．[McKinsey；McKinsey&Company]

【卖空】màikōng カラ売り．❖信用取引で証券会社から株式を借りて売却すること．"抛空 pāokōng"とも．

【麦夸里岛】Màikuālǐ Dǎo マッコーリー島．●世界自然遺産(オーストラリア)．[Macquarie Island]

【麦纳麦】Màinàmài マナーマ．❖バーレーンの首都．[Manama]

【卖盘操作】màipán cāozuò 売りオペレーション；売りオペ．❖金融用語．[selling operation]

【卖权】màiquán プットオプション．❖金融用語．行使期間内にある一定の価格で金融商品を売ることのできる権利．"看跌期权 kàndiē qīquán""卖方期权 màifāng qīquán"とも．[put option]

【麦寒尔化石遗址】Màisài'ěr Huàshí Yízhǐ メッセル・ピット化石地域．●世界自然遺産(ドイツ)．[Messel Pit Fossil Site]

【迈森】Màisēn マイセン．❖ドイツの磁器、テーブルウエアメーカー．[Meissen]

【麦斯威尔咖啡】Màisīwēi'ěr Kāfēi マックスウェル・ハウス・コーヒー．❖マックスウェル・ハウス(米)のコーヒーブランド．[Maxwell House Coffee]

【唛头】màitóu 荷印；シッピングマーク．[shipping mark]

【迈锡尼和提那雅恩斯的考古遗址】Màixīní hé Tínàyǎ'ēnsī de Kǎogǔ Yízhǐ ミケーネとティリンスの古代遺跡群．●世界文化遺産(ギリシャ)．[Archaeological Sites of Mycenae and Tiryns]

【卖座】màizuò ①〔映画や演劇などが〕ヒット(する)．②〔大学の自習室などの〕席を売る(こと)．[①make a (great) hit；catch on]

mán

【瞒报】mánbào 事実や真相を隠蔽して報告する．

【瞒产】mánchǎn 生産量をごまかす(こと)；生産量を虚偽報告する(こと)．

mǎn

【满产】mǎnchǎn フル生産．

【满地找牙】mǎndì zhǎoyá ①〔歯が抜けるほど〕ひどく殴られる；こっぴどくやられる．②めちゃくちゃに；ひどく；死ぬほど．

【满期日】mǎnqīrì 満期日．❖金融用語．"期满日 qīmǎnrì"とも．

【满堂红】Mǎntánghóng アビルージュ．❖ゲラン(仏)製のフレグランス名．[Habit Rouge]

màn

【漫吧】mànbā 漫画喫茶．❖"漫画吧 mànhuàbā"とも．

【慢波睡眠】mànbō shuìmián ノンレム睡眠．❖"非眼球快速运动睡眠 fēiyǎnqiú kuàisù yùndòng shuìmián""正相睡眠 zhèngxiàng shuìmián"とも．[non-REM sleep]

【慢餐】màncān スローフード．[slow food]

【慢车道】mànchēdào 低速走行車線；走行車線．

【曼彻斯特联队】Mànchèsītè Liánduì マン

màn — máo

チェスターユナイテッド．❖イギリスのサッカーチーム．略称は"曼联 Mànlián"．[Manchester United]

【曼代奥拉】Màndài'àolā メテオラ．◉世界自然および文化遺産(ギリシャ)．[Meteora]

【曼恩集团】Màn'ēn Jítuán MANグループ．❖ドイツの自動車,自動車部品,産業機械メーカー．[Man Group]

【曼格纳国际】Màngénà Guójì マグナ・インターナショナル．❖カナダの自動車部品メーカー．[Magna International]

【曼谷】Màngǔ バンコク．❖タイの首都．[Bangkok]

【曼谷银行】Màngǔ Yínháng バンコク銀行．❖タイの銀行．[Bangkok Bank]

【曼哈顿】Mànhādùn マンハッタン．❖アメリカ・ニューヨーク市の中心地区．[Manhattan]

【漫画吧】mànhuàbā 漫画喫茶．❖"漫吧 mànbā"とも．

【曼联】Mànlián マンチェスターユナイテッド．❖イギリスのサッカーチーム．"曼彻斯特联队 Mànchèsītè Liánduì"の略．[Manchester United]

【慢跑】mànpǎo ジョギング．[jogging]

【曼特林咖啡】Màntèlín kāfēi マンデリンコーヒー；マンデリン．[Mandheling coffee]

【曼妥思】Màntuǒsī メントス．❖キャドバリー・シュウェップス(英)製のキャンディ名．[Mentos]

【慢性疲劳综合征】mànxìng píláo zōnghézhēng 慢性疲労症候群；CFS．❖"慢性疲劳综合症 mànxìng píláo zōnghézhèng"とも．[chronic fatigue syndrome；CFS]

【曼秀雷敦】Mànxiùléidūn メンソレータム．❖ロート製薬(日本)傘下の医薬品メーカー．[Mentholatum]

【漫游】mànyóu ①気ままに遊ぶ；気ままに旅をする．②ローミング．❖②IT用語．[②roaming]

máng

【盲点】mángdiǎn 盲点；死角．❖"盲区 mángqū"とも．

【盲区】mángqū 盲点；死角．❖"盲点 mángdiǎn"とも．

【盲人步道】mángrén bùdào 点字ブロック．

【忙音】mángyīn 電話使用中の案内音；ビジー音；話中音．

【芒种】mángzhòng 〔二十四節気の〕芒種〈ぼうしゅ〉．

māo

【猫】māo ①猫．②〔俗に〕モデム．❖②IT用語．[②modem]

【猫粮】māoliáng キャットフード．[cat food]

【猫儿腻】māornì ①隠しごと；内緒のこと；私情がからんだ事柄；情実．②不正行為；いんちきくさいこと．

【猫王】Māowáng エルヴィス・プレスリーの愛称．❖アメリカの歌手．"埃尔维斯・普雷斯利 Āi'ěrwéisī Pǔléisīlì"とも．

【猫眼】māoyǎn ①〔宝石の〕キャッツアイ．②ドアスコープ；ドアアイ．[①cat's-eye ②peephole；eyehole；spyhole]

《猫眼三姐妹》Māoyǎn Sānjiěmèi「キャッツ・アイ」．❖日本の漫画,アニメのタイトル．[Cat's Eye]

【猫纸】māozhǐ あんちょこ；とらのまき；カンニングペーパー．

máo

【毛恩特鲁瓦・皮顿山国家公园】Máo'ēn Tèlǔwǎ Pídùn Shān Guójiā Gōngyuán モゥーン・トワ・ピトン国立公園．◉世界自然遺産(ドミニカ国)．[Morne Trois Pitons National Park]

【毛尔布龙修道院】Máo'ěrbùlóng Xiūdàoyuàn マウルブロンの修道院群. ●世界文化遺産(ドイツ).[Maulbronn Monastery Complex]

【毛里求斯共和国】Máolǐqiúsī Gònghéguó モーリシャス共和国；モーリシャス.[Republic of Mauritius ; Mauritius]

【毛里塔尼亚伊斯兰共和国】Máolǐtǎníyà Yīsīlán Gònghéguó モーリタニア・イスラム共和国；モーリタニア.[Islamic Republic of Mauritania ; Mauritania]

【毛利】máolì 粗利益〈あらりえき〉；粗利〈あらり〉. ❖金融用語."毛利润 máolìrùn"とも.

【毛利润】máolìrùn 粗利益〈あらりえき〉；粗利〈あらり〉. ❖金融用語."毛利 máolì"とも.

【毛坯】máopī 半製品；半加工品. ❖"坯料 pīliào"とも.

【毛片】máopiàn ポルノ映画；ブルーフィルム.[porno ; blue film]

【毛入学率】máorùxuélǜ 在学中の学生総数と政府が定めた入学年齢人口総数との比率.

【毛重】máozhòng グロスウェイト；風袋込重量；総重量.[gross weight]

mào

【冒号】màohào コロン. ❖記号は「：」.[colon]

【冒纳凯阿火山】Màonàkǎi'ā Huǒshān マウナケア火山. ❖ハワイ(米)にある火山.[Mauna Kea]

【帽衫】màoshān フード付きの上着.

【贸易壁垒】màoyì bìlěi 貿易障壁.

【贸易不平衡】màoyì bùpínghéng 貿易不均衡；貿易アンバランス.

【贸易差额】màoyì chā'é 貿易収支. ❖"贸易收支 màoyì shōuzhī""贸易收支差额 màoyì shōuzhī chā'é"とも.

【贸易摩擦】màoyì mócā 貿易摩擦.

【贸易收支】màoyì shōuzhī 貿易収支. ❖"贸易差额 màoyì chā'é""贸易收支差额 màoyì shōuzhī chā'é"とも.

【贸易收支差额】màoyì shōuzhī chā'é 貿易収支. ❖"贸易差额 màoyì chā'é""贸易收支 màoyì shōuzhī"とも.

【贸易谈判委员会】màoyì tánpàn wěiyuánhuì 貿易交渉委員会；TNC.[Trade Negotiations Committee ; TNC]

【帽子戏法】màozi xìfǎ ハットトリック.[hat trick]

méi

【眉笔】méibǐ アイブローペンシル.[eyebrow pencil]

【煤层气】méicéngqì 炭層ガス；コール・ベッド・メタン.[coal bed methane]

【梅多克】Méiduōkè メドック. ❖フランス・ボルドー地方の地名，また同地産のワイン."梅铎 Méiduó""梅铎克 Méiduókè"とも.[Médoc]

【梅尔·吉布森】Méi'ěr Jíbùsēn メル・ギブソン. ❖アメリカ出身の男優.[Mel Gibson]

【梅格·瑞恩】Méigé Ruì'ēn メグ・ライアン. ❖アメリカ出身の女優.[Meg Ryan]

【湄公河】Méigōng Hé メコン川. ❖東南アジアを流れる川.[the Mekong River ; the Mekong]

【梅花】Méihuā チトニ. ❖スイスの時計メーカー.[Titoni]

【煤荒】méihuāng 石炭不足.

【梅加瓦蒂】Méijiāwǎdì メガワティ〔・スカルノプトゥリ〕. ❖インドネシアの政治家.[Megawati Soekarnoputri]

【媒介设备公司】Méijiè Shèbèi Gōngsī メディアセット. ❖イタリアの民放テレビ局.[Mediaset]

【媒介素养】méijiè sùyǎng メディアリテラシー. ❖メディアを使いこなす能力."媒体素养 méitǐ sùyǎng""媒体素质 méitǐ sù-

méi — měi

zhī"とも.[media literacy]

【媒介语】méijièyǔ 媒介語.

【梅里达考古群】Méilǐdá Kǎogǔqún メリダの遺跡群. ●世界文化遺産(スペイン).[Archaeological Ensemble of Mérida]

【梅隆金融】Méilóng Jīnróng メロン・ファイナンシャル. ❖アメリカの総合金融サービス会社.[Mellon Financial]

【梅洛】Méiluò メルロー. ❖黒ぶどう品種,またそのぶどうで作られたワイン."梅鹿辄 Méilùzhé"とも.[Merlot]

【湄南河】Méinán Hé メナム川. ❖タイ・バンコクを流れる川."昭披耶河 Zhāopīyē Hé"(チャオプラヤ川'Chao Phraya River')とも.[the Menam]

【梅萨维德印第安遗址】Méisà Wéidé Yìndì'ān Yízhǐ メサ・ヴェルデ. ●世界文化遺産(アメリカ).[Mesa Verde]

【梅赛德斯·奔驰】Méisàidésī Bēnchí メルセデス・ベンツ. ❖ダイムラー・クライスラー(独)製の車名.[Mercedes-Benz]

【没商量】méi shāngliáng ①これで決まり!②断りもなく;有無〈うむ〉を言わせず;断りなしに.

【眉刷】méishuā 眉ブラシ.

【媒体】méitǐ メディア. ❖"传媒 chuánméi"とも.[media]

【媒体组合】méitǐ zǔhé メディアミックス.[media mix]

《没完没了》Méi Wán Méi Liǎo 「ミレニアム・ラブ」. ❖中国映画のタイトル.[Sorry Baby]

【没戏】méixì ①可能性がない;見込みがない.②つまらない;おもしろくない.

【煤烟】méiyān 煤煙〈ばいえん〉.

【煤烟性污染】méiyānxìng wūrǎn 煤煙〈ばいえん〉汚染.

【梅艳芳】Méi Yànfāng アニタ・ムイ;梅艷芳. ❖香港出身の歌手,女優.[Anita Mui]

měi

【美宝莲纽约】Měibǎolián Niǔyuē メイベリンニューヨーク. ❖アメリカの化粧品メーカー,ブランド(ロレアル傘下).[Maybelline New York]

【美发喷雾】měifà pēnwù ヘア・トリートメント・スプレー.[hair treatment spray]

【每分钟打印页数】měifēnzhōng dǎyìn yèshù 1分あたりの印刷ページ数; ppm.[page per minute;ppm]

【美格波本】Měigé Bōběn メーカーズ・マーク. ❖メーカーズ・マーク・ディスティラリー(米)製のバーボンウイスキー名.[Maker's Mark]

【美国】Měiguó 米国;アメリカ;アメリカ合衆国. ❖"美利坚合众国 Měilìjiān Hézhòngguó"の略.[United States of America]

【美国保健公司】Měiguó Bǎojiàn Gōngsī HCA. ❖アメリカの病院チェーン.[HCA]

【美国北方信托公司】Měiguó Běifāng Xìntuō Gōngsī ノーザン・トラスト・コーポレーション. ❖アメリカの信託会社.[NorthernTrust Corporation]

【美国标准公司】Měiguó Biāozhǔn Gōngsī アメリカンスタンダード. ❖アメリカの住宅設備メーカー.[American Standard]

【美国电话电报】Měiguó Diànhuà Diànbào AT&T. ❖アメリカの通信会社.[American Telephone and Telegraph;AT&T]

【美国电力】Měiguó Diànlì アメリカン・エレクトリック・パワー. ❖アメリカの電力会社.[American Electric Power]

【美国钢铁马拉松】Měiguó Gāngtiě Mǎlāsōng USX・マラソン;USX. ❖アメリカの石油鉄鋼メーカー.[USX]

【美国广播公司】Měiguó Guǎngbō Gōngsī ABC. ❖アメリカの放送局.[American Broadcasting Company;ABC]

měi

【美国国际集团】Měiguó Guójì Jítuán AIGグループ．❖アメリカの保険,金融サービス企業．[American International Group; AIG]

【美国国家标准协会】Měiguó Guójiā Biāozhǔn Xiéhuì 米国規格協会；ANSI⟨アンシ⟩．❖アメリカの工業製品の規格を策定する組織．[American National Standards Institute; ANSI]

【美国国家橄榄球联盟】Měiguó Guójiā Gǎnlǎnqiú Liánméng ナショナル・フットボール・リーグ；NFL．[National Football League; NFL]

【美国国家航空航天局】Měiguó Guójiā Hángkōng Hángtiān Jú アメリカ航空宇宙局；NASA⟨ナサ⟩．❖"美国宇航局 Měiguó Yǔháng Jú""美国太空总署 Měiguó Tàikōng Zǒngshǔ"とも．[National Aeronautics and Space Administration; NASA]

【美国家庭人寿保险】Měiguó Jiātíng Rénshòu Bǎoxiǎn アメリカンファミリー生命保険；アフラック．❖アメリカの保険会社．[AFLAC]

【美国教师退休基金会】Měiguó Jiàoshī Tuìxiū Jījīnhuì 米教職員保険年金連合会・大学教職員退職年金基金．❖アメリカの年金基金．[Teachers Insurance and Annuity Association, College Retirement Equities Fund; TIAA-CREF]

【美国联邦储备委员会】Měiguó Liánbāng Chǔbèi Wěiyuánhuì 米連邦準備制度理事会；FRB．❖連邦準備制度(FRS)の運営機関であり,通貨,金融政策の決定などを行う．[Federal Reserve Board; FRB]

【美国联邦储备系统】Měiguó Liánbāng Chǔbèi Xìtǒng 連邦準備制度；FRS．❖アメリカの中央銀行システム．略称は"美联储 Měiliánchǔ"．[Federal Reserve System; FRS; Fed.]

【美国联邦调查局】Měiguó Liánbāng Diàochá Jú アメリカ連邦捜査局；FBI．[Federal Bureau of Investigation; FBI]

【美国联邦公开市场委员会】Měiguó Liánbāng Gōngkāi Shìchǎng Wěiyuánhuì 連邦公開市場委員会；FOMC．[Federal Open Market Committee; FOMC]

【美国联邦准备银行】Měiguó Liánbāng Zhǔnbèi Yínháng 米連邦準備銀行；FRB．❖アメリカの中央銀行システム．[Federal Reserve Bank; FRB]

【美国联合航空】Měiguó Liánhé Hángkōng ユナイテッド航空．❖アメリカの航空会社．コード：UA．[United Airlines]

【美国贸易代表办公室】Měiguó Màoyì Dàibiǎo Bàngōngshì 米国通商代表部．❖"美国贸易代表署 Měiguó Màoyì Dàibiǎo Shǔ"とも．[Office of the U.S. Trade Representative]

【美国贸易代表署】Měiguó Màoyì Dàibiǎo Shǔ 米国通商代表部．❖"美国贸易代表办公室 Měiguó Màoyì Dàibiǎo Bàngōngshì"とも．[Office of the U.S. Trade Representative]

《美国派》Měiguópài「アメリカン・パイ」．❖アメリカ映画のタイトル．[American Pie]

【美国全国广播公司】Měiguó Quánguó Guǎngbō Gōngsī NBC．❖アメリカのテレビ局．[National Broadcasting Company; NBC]

【美国商业银行】Měiguó Shāngyè Yínháng コマースバンク．❖アメリカの銀行．[Commerce Bank]

【美国食品药品管理局】Měiguó Shípǐn Yàopǐn Guǎnlǐ Jú 米国食品医薬品局；FDA．[Food and Drug Administration; FDA]

【美国太空总署】Měiguó Tàikōng Zǒngshǔ アメリカ航空宇宙局；NASA⟨ナサ⟩．❖"美国国家航空航天局 Měiguó Guójiā Hángkōng Hángtiān Jú""美国宇航局 Měiguó Yǔháng Jú"とも．[National Aero-

měi

nautics and Space Administration ; NASA]

【美国西北航空】Měiguó Xīběi Hángkōng ノースウエスト航空. ❖アメリカの航空会社. コード：NW. [Northwest Airlines ; NWA]

【美国西南航空】Měiguó Xīnán Hángkōng サウスウエスト航空. ❖アメリカの航空会社. コード：WN. [Southwest Airlines ; SWA]

《美国新闻与世界报道》Měiguó Xīnwén yǔ Shìjiè Bàodào「USニューズ & ワールドリポート」. ❖アメリカのビジネス誌. [U.S. News & World Report]

【美国信息互换标准代码】Měiguó xìnxī hùhuàn biāozhǔn dàimǎ アスキーコード；ASCIIコード. ❖IT用語. 1963年に米国規格協会(ANSI)が定めた, 情報交換用の文字コードの体系. "ASCII 码 ASCII mǎ"とも. [American Standard Code for Information Interchange ; ASCII]

【美国银行】Měiguó Yínháng バンク・オブ・アメリカ；バンカメ；BOA. ❖アメリカの銀行. "美洲银行 Měizhōu Yínháng"とも. [Bank of America ; BOA]

【美国银行公司】Měiguó Yínháng Gōngsī USバンコープ. ❖アメリカの銀行. [US Bancorp]

【美国邮政】Měiguó Yóuzhèng 米国郵政公社；USポスタルサービス；USPS. ❖アメリカの郵便事業体. [U.S. Postal Service]

【美国宇航局】Měiguó Yǔháng Jú アメリカ航空宇宙局；NASA〈ナサ〉. ❖"美国国家航空航天局 Měiguó Guójiā Hángkōng Hángtiān Jú""美国太空总署 Měiguó Tàikōng Zǒngshǔ"とも. [National Aeronautics and Space Administration ; NASA]

【美国运通公司】Měiguó Yùntōng Gōngsī アメリカン・エキスプレス. ❖アメリカのクレジットカード会社. [American Express]

【美国运通卡】Měiguó Yùntōngkǎ アメリカン・エキスプレス；アメックス. ❖アメリカン・エキスプレス社(米)が発行するクレジットカード. [American Express ; AMEX]

【美国运通银行】Měiguó Yùntōng Yínháng アメリカン・エキスプレス銀行. ❖アメリカのクレジットカード, トラベラーズチェック発行会社. [American Express Bank]

【美国在线】Měiguó Zàixiàn アメリカンオンライン；AOL. ❖アメリカのインターネットサービス企業. [America Online ; AOL]

【美国之音】Měiguó zhī Yīn ボイス・オブ・アメリカ；VOA. ❖アメリカのラジオ放送局. [Voice of America ; VOA]

【美国职棒全明星赛】Měiguó Zhíbàng Quánmíngxīng Sài MLBオールスターゲーム；アメリカ大リーグ・オールスター・ゲーム. [MLB all-star game]

【美国职业棒球大联盟】Měiguó Zhíyè Bàngqiú Dàliánméng メジャー・リーグ・ベースボール；メジャーリーグ；大リーグ；MLB. [Major League Baseball ; MLB]

【美国职业篮球联赛】Měiguó Zhíyè Lánqiú Liánsài ナショナル・バスケットボール・アソシエーション；NBA. [National Basketball Association ; NBA]

【美国中央情报局】Měiguó Zhōngyāng Qíngbào Jú アメリカ中央情報局；CIA. [Central Intelligence Agency ; CIA]

【美极】Měijí マギー. ❖ネスレ(スイス)の調味料ブランド. [Maggi]

【美甲】měijiǎ ネイルアート. [nail art]

【美津浓】Měijīnnóng ミズノ. ❖日本のスポーツ用品メーカー. [Mizuno]

【美乐时】Měilèshí ミノックス. ❖ドイツのカメラメーカー. [Minox]

【美丽】Měilì ビューティフル. ❖エスティローダー(米)製のフレグランス名. [Beautiful]

《美丽的女人》Měilì de Nǚrén「美しい人」. ❖日本のテレビドラマのタイトル.

měi

【美丽华酒店】Měilìhuá Jiǔdiàn ミラマー・ホテル．❖ミラマー・インターナショナル・ホテル・マネジメント（香港）のホテルブランド．[Miramar Hotel]

【美利坚公司】Měilìjiān Gōngsī AMRコーポレーション．❖アメリカの航空持株会社．[AMR]

【美利坚航空】Měilìjiān Hángkōng アメリカン航空．❖アメリカの航空会社．コード：AA．[American Airlines；AA]

【美利坚合众国】Měilìjiān Hézhòngguó アメリカ合衆国；アメリカ；米国．❖略称は"美国 Měiguó"．[United States of America]

《美丽境界》Měilì Jìngjiè「ビューティフル・マインド」．❖アメリカ映画のタイトル．[A Beautiful Mind]

【美丽人生】Měilì Rénshēng ドルチェ・ビータ．❖クリスチャンディオール(仏)製のフレグランス名．[Dolce Vita]

【美联储】Měiliánchǔ 連邦準備制度；FRS．❖アメリカの中央銀行システム．"美国联邦储备系统 Měiguó Liánbāng Chǔbèi Xìtǒng"の略．[Federal Reserve System；FRS；Fed.]

【美联社】Měiliánshè AP通信．❖アメリカの通信社．[Associated Press]

【美林证券】Měilín Zhèngquàn メリルリンチ証券．❖アメリカの証券会社．[Merrill Lynch]

【美禄】Měilù ミロ．❖ネスレ（スイス）製の飲料名．[Milo]

【美铝公司】Měilǚ Gōngsī アルコア．❖アメリカのアルミメーカー．[Alcoa]

【美眉】měiméi 若い女性；お嬢さん．❖もとはネット用語."MM"とも書く．

【美梦成真】Měimèng Chéngzhēn Dreams Come True〈ドリームズ・カム・トゥルー〉．❖日本の音楽グループ．[Dreams Come True]

【每秒比特数】měimiǎo bǐtèshù ビットレート．❖1秒間に再生されるデータの量．記号：bps．[bit rate]

《每日电讯报》Měirì Diànxùnbào「デイリーテレグラフ」．❖イギリスの日刊紙．[Daily Telegraph]

《每日镜报》Měirì Jìngbào「デイリーミラー」．❖イギリスのタブロイド紙．[Daily Mirror]

《每日快报》Měirì Kuàibào「デイリーエクスプレス」．❖イギリスのタブロイド紙．[Daily Express]

《每日新闻》Měirì Xīnwén ①「毎日新聞」．②「ニューズデー」．❖①日本の日刊紙．②アメリカのタブロイド紙．[①Mainichi Newspapers ②News Day]

《每日邮报》Měirì Yóubào「デイリーポスト」．❖イギリスの日刊紙．[Daily Post]

【美容】měiróng 美容；エステ．❖メイク，スキンケアなど美容全般．"全身美容 quánshēn měiróng"とも．[esthetics]

【美山寺庙】Měishān Sìmiào ミーソン聖域．●世界文化遺産（ベトナム）．[My Son Sanctuary]

【美食家】měishíjiā グルメ．[gourmet]

【美食节】měishíjié フードフェスティバル；グルメフェスティバル．[food festival；gourmet festival]

【美式期权】Měishì qīquán アメリカン・タイプ・オプション；アメリカンオプション．❖金融用語．満期日までの間いつでも権利行使できるオプション．[American type option]

【美仕唐纳滋】Měishì Tángnàzī ミスタードーナツ．❖ダスキン（日本）のファーストフード・チェーン・ブランド．[Mister Donut]

【美式足球】Měishì zúqiú アメリカンフットボール；アメフト．[American football]

【美术设计师】měishù shèjìshī グラフィックデザイナー；アートデザイナー．[graphic designer]

【美亚保险】Měiyà Bǎoxiǎn AIU．❖AIGグループ（米）の保険会社．[American Inter-

měi — měng

national Underwriters ; AIU]

【美伊娜多】Měiyīnàduō メナード. ❖日本の化粧品メーカー.[Menard]

【每英寸字符数】měiyīngcùn zìfúshù 1インチ当たりの印字文字数.[characters per inch ; CPI]

【美元】Měiyuán ドル；米ドル. ❖アメリカの通貨単位.コード：USD.[dollar]

【美洲国家组织】Měizhōu Guójiā Zǔzhī 米州機構；OAS.[Organization of American States ; OAS]

【美洲开发银行】Měizhōu Kāifā Yínháng 米州開発銀行；IDB.[Inter-American Development Bank ; IDB]

【美洲野牛涧地带】Měizhōu Yěniújiàn Dìdài ヘッド・スマッシュト・イン・バッファロー・ジャンプ. ●世界文化遺産(カナダ). [Head-Smashed-In Buffalo Jump]

mén

【门户网站】ménhù wǎngzhàn ポータルサイト；ウェブポータル. ❖IT用語.ユーザーがインターネットに接続するときの玄関になるサイト."门户站点 ménhù zhàndiǎn"とも.[portal site]

【门户站点】ménhù zhàndiǎn ポータルサイト；ウェブポータル. ❖IT用語.ユーザーがインターネットに接続するときの玄関になるサイト."门户网站 ménhù wǎngzhàn"とも.[portal site]

【门槛价格】ménkǎn jiàgé 境界価格. [threshold price]

【门路】ménlu ①要領；こつ. ②コネ；つて；人脈.

méng

【蒙彼利埃】Méngbǐlì'āi モントピリア. ❖アメリカ・バーモント州都.[Montpelier]

【蒙波斯的圣克鲁斯历史中心】Méngbōsī de Shèngkèlǔsī Lìshǐ Zhōngxīn サンタ・クルーズ・デ・モンポスの歴史地区. ●世界文化遺産(コロンビア).[Historic Centre of Santa Cruz de Mompox]

【蒙大拿州】Méngdànà Zhōu モンタナ州. ❖アメリカの州名.[Montana]

【蒙得维的亚】Méngdéwéidíyà モンテビデオ. ❖ウルグアイの首都.[Montevideo]

【蒙迪欧】Méngdí'ōu モンデオ. ❖フォード(米)製の車名.[Mondeo]

【蒙哥马利】Ménggēmǎlì モンゴメリー；モントゴメリー. ❖アメリカ・アラバマ州都. [Montgomery]

【蒙罗维亚】Méngluówéiyà モンロビア. ❖リベリアの首都.[Monrovia]

【蒙圣米歇尔及其海湾】Méngshèngmǐxiē-'ěr jí Qí Hǎiwān モン・サン・ミッシェルとその湾. ●世界文化遺産(フランス).[Mont-Saint-Michel and its Bay]

【蒙特堡】Méngtè Bǎo デル・モンテ城. ●世界文化遺産(イタリア).[Castel del Monte]

【蒙特利尔银行】Méngtèlì'ěr Yínháng バンク・オブ・モントリオール；モントリオール銀行. ❖カナダの銀行."满地可银行 Mǎndìkě Yínháng"とも.[Bank of Montreal]

měng

【蒙古国】Měnggǔguó モンゴル国；モンゴル.[Mongolia]

【蒙古航空】Měnggǔ Hángkōng ミアットモンゴル航空. ❖モンゴルの航空会社.コード：OM.[MIAT Mongolian Airlines]

【猛料】měngliào センセーショナルなニュース.

【猛烈轰炸】měngliè hōngzhà 猛爆撃.

【猛犬债券】měngquǎn zhàiquàn ブルドッグボンド；ブルドッグ債. ❖金融用語.イギリス国内においてイギリス以外の国の発行

体が発行したイギリスポンド建ての債券.[Bulldog bond]

mèng

【孟德斯鸠】Mèngdésījiū〔シャルル・〕モンテスキュー.❖フランスの法学者,文学者,思想家.[Charles Louis de Secondat, Baron de la Bréde et de Montesquieu]

【孟菲斯及其墓地金字塔】Mèngfēisī jí Qí Mùdì Jīnzìtǎ メンフィスとその墓地遺跡—ギーザからダハシュールまでのピラミッド地帯.●世界文化遺産(エジプト).[Memphis and its Necropolis-the Pyramid Fields from Giza to Dahshur]

【梦工厂】Mènggōngchǎng ドリームワークス.❖アメリカの映画製作会社.[DreamWorks]

【孟加拉航空】Mèngjiālā Hángkōng ビーマン・バングラデシュ航空.❖バングラデシュの航空会社.コード:BG.[Biman Bangladesh Airlines]

【孟加拉人民共和国】Mèngjiālā Rénmín Gònghéguó バングラデシュ人民共和国;バングラデシュ.[People's Republic of Bangladesh ; Bangladesh]

【梦之队】mèngzhīduì ドリームチーム.[dream team]

mí

【迷彩】mícǎi 迷彩;カムフラージュ;カモフラージュ.[camouflage]

【迷彩服】mícǎifú ①迷彩服.②迷彩柄の服;カモフラ柄の服.

【迷惑】míhuo ①戸惑う;迷う.②惑わす.③(Míhuo)オブセッション.❖③カルバン・クライン(米)製のフレグランス名."着迷 Zháomí"とも.[③Obsession]

【迷你光盘】mínǐ guāngpán ミニディスク;MD.❖IT用語.[mini disc ; MD]

mǐ

【米尔城堡群】Mǐ'ěr Chéngbǎoqún ミール地方の城と関連建物群.●世界文化遺産(ベラルーシ).[Mir Castle Complex]

【米菲兔】Mǐfēitù ミッフィー.❖オランダ生まれのうさぎのキャラクター名.[Miffy]

【米高梅】Mǐgāoméi メトロ・ゴールドウィン・メイヤー;MGM.❖アメリカの映画製作会社.[Metro-Goldwyn-Mayer ; MGM]

【米格罗斯】Mǐgéluósī ミグロス.❖スイスの小売チェーン.[Migros]

【米格战机】Mǐgé Zhànjī ミグ戦闘機.[MIG ; MiG ; Mig]

【米瓜莎国家公园】Mǐguāshā Guójiā Gōngyuán ミグアシャ国立公園.●世界自然遺産(カナダ).[Miguasha National Park]

【米开朗基罗】Mǐkāilǎngjīluó ミケランジェロ〔・ブオナローティ〕.❖イタリアの彫刻家,画家,建築家,詩人.[Michelangelo Buonarroti ; Michelangelo di Lodovico Buonarroti Simoni]

【米兰时装展】Mǐlán Shízhuāngzhǎn ミラノコレクション.❖"米兰时装秀 Mǐlán Shízhuāngxiù"とも.[Milan collection]

【米兰雪】Mǐlánxuě ミラ・ショーン.❖イタリアのファッションメーカー,ブランド.[Mila Schön]

【米老鼠】Mǐlǎoshǔ ミッキーマウス.❖ウォルト・ディズニー(米)のキャラクター名.[Mickey Mouse]

【米勒啤酒】Mǐlè Píjiǔ ミラービール.❖ミラー(米)製のビール名.[Miller]

【米其林】Mǐqílín ミシュラン.❖フランスのタイヤメーカー.[Michelin]

【米施泰尔的圣约翰・本尼蒂克特派修道院】Mǐshītài'ěr de Shèngyuēhàn Běnnídíkètèpài Xiūdàoyuàn ミュスタイルのベネディクト会聖ヨハネ修道院.●世界文化遺産(スイス).[Benedictine Convent of St.

mǐ — miàn

John at Müstair]
【米斯特拉斯】Mǐsītèlāsī ミストラ. ◉世界文化遺産(ギリシャ). [Mystras]
【米索尼】Mǐsuǒní ミッソーニ. ❖イタリアのファッションメーカー, ブランド. [Missoni]

mì

【密尔沃基】Mì'ěrwòjī ミルウォーキー. ❖アメリカの都市名. [Milwaukee]
【蜜罐】mìguàn ①蜂蜜のビン. ②ハニーポット；罠. ❖②IT用語.本物のシステムのように見せかけてネットワーク上に設置した,おとりのような仕組み. [honey pot]
【蜜罐技术】mìguàn jìshù ハニーポット；ハニーポット技術. ❖IT用語.本物のシステムのように見せかけてネットワーク上に設置した,おとりのような仕組み. [honey pot]
【密克罗尼西亚联邦】Mìkèluóníxīyà Liánbāng ミクロネシア連邦；ミクロネシア. [Federated States of Micronesia ; Micronesia]
【密码】mìmǎ ①暗号. ②暗証番号；パスワード. [②code number ; personal identification number ; PIN ; password]
【密码箱】mìmǎxiāng パスワードボックス. ❖IT用語. [password box]
【秘密抄送】mìmì chāosòng ブラインド・カーボン・コピー；BCC. ❖"暗送 ànsòng" "密送 mìsòng" "密件抄送 mìjiàn chāosòng"とも. [blind carbon copy ; BCC]
【秘密密钥加密系统】mìmì mìyào jiāmì xìtǒng 秘密鍵暗号方式；対称鍵暗号；共有鍵暗号；共通鍵暗号. ❖IT用語. "对称密钥加密系统 duìchèn mìyào jiāmì xìtǒng"とも. [secret key cryptosystem]
【蜜丝佛陀】Mìsīfótuó マックスファクター. ❖ P&G (米)の化粧品ブランド. [Max Factor]

【密苏里州】Mìsūlǐ Zhōu ミズーリ州. ❖アメリカの州名. [Missouri]
【密西西比州】Mìxīxībǐ Zhōu ミシシッピ州. ❖アメリカの州名. [Mississippi]
【密歇根州】Mìxiēgēn Zhōu ミシガン州. ❖アメリカの州名. [Michigan]
【密钥】mìyào 秘密鍵. ❖IT用語. [secret key]
【密钥加密技术】mìyào jiāmì jìshù 暗号化技術. ❖IT用語.

mián

【棉婚】miánhūn 綿婚式. ❖ 2年目の結婚記念日.

miǎn

【缅甸联邦】Miǎndiàn Liánbāng ミャンマー連邦；ミャンマー. [Union of Myanmar ; Myanmar]
【免费软件】miǎnfèi ruǎnjiàn 無料ソフトウェア；無料ソフト. ❖IT用語.
【免费邮箱】miǎnfèi yóuxiāng フリーメール. ❖IT用語. [free mail]
【免淘米】miǎntáomǐ 無洗米〈むせんまい〉. ❖ "免洗米 miǎnxǐmǐ"とも.
【免验放行】miǎnyàn fàngxíng 検査免除通過許可.
【缅因州】Miǎnyīn Zhōu メイン州. ❖アメリカの州名. [Maine]
【免责条款】miǎnzé tiáokuǎn 免責条項. [escape clause ; exclusion clause]

miàn

【面包超人】Miànbāo Chāorén アンパンマン. ❖日本漫画のキャラクター名.
【面包车】miànbāochē ワンボックスカー；ミニバン；バン；マイクロバス. [minivan ; van]

miàn — míng

【面部拉皮】miànbù lāpí フェイスリフト．[face-lift]

【面的】miàndī ミニバンタクシー．❖"的"は1声で発音される場合が多い．

【面额发行】miàn'é fāxíng 額面発行．❖金融用語．"面值发行 miànzhí fāxíng""按面值平价发行 àn miànzhí píngjià fāxíng"とも．

【面膜】miànmó フェイシャルマスク；フェイシャルパック．[facial mask ; facial pack]

【面市】miànshì 発売開始(する)．

【面授】miànshòu 面接授業；スクーリング．[schooling]

【面向未来】miànxiàng wèilái 未来志向型；未来志向の；未来志向で；未来に向けて．

【面值】miànzhí 額面価格；フェースバリュー．[face value]

【面值发行】miànzhí fāxíng 額面発行．❖金融用語．"面额发行 miàn'é fāxíng""按面值平价发行 àn miànzhí píngjià fāxíng"とも．

【面值股票】miànzhí gǔpiào 額面株式．❖金融用語．"额面股份 émiàn gǔfèn""有面额股票 yǒumiàn'é gǔpiào"とも．

【面值平价】miànzhí píngjià 額面価額．❖金融用語．有価証券の券面に表示されている価格．"票面价格 piàomiàn jiàgé"とも．

miè

【灭失】mièshī ①紛失(する)．②損失(する)．

mín

【民工潮】míngōngcháo ①出稼ぎブーム．②大量の出稼ぎ労働者．❖農村の出稼ぎ労働者が,都市に大量流入する現象．

【民间艺人】mínjiān yìrén 大道芸人；民間芸人．

【民间艺术】mínjiān yìshù フォークアート．[folk art]

【民企】mínqǐ 民営企業．❖"民营企业 mínyíng qǐyè"の略．

【民心工程】Mínxīn Gōngchéng 「民心」プロジェクト；国民生活向上計画．

【民意调查】mínyì diàochá アンケート調査；世論調査．[questionnaire survey ; poll]

【民营经济】mínyíng jīngjì 民間経済．

【民营企业】mínyíng qǐyè 民営企業．❖略称は"民企 mínqǐ".

【民营铁路】mínyíng tiělù 私鉄．

mǐn

【敏感商品】mǐngǎn shāngpǐn 影響重大品目；センシティブ品目．[sensitive list ; SL]

【敏感性皮肤】mǐngǎnxìng pífū 敏感肌．

【敏捷制造】mǐnjié zhìzào アジャイル生産．❖市場の変化に機敏に対応する製造方法のこと．[agile manufacturing]

【闽信集团】Mǐnxìn Jítuán 閩信集団；ミンシン・ホールディングス．❖金融,不動産投資持株会社．レッドチップ企業の1つ．[Min Xin Holdings]

míng

【明补】míngbǔ ①直接補助．②公にされる補助；表立った方法で行われる補助．❖"明贴 míngtiē"とも．

【名古屋市】Mínggǔwū Shì 名古屋〈なごや〉市．❖愛知〈あいち〉県("爱知县 Àizhī Xiàn")の県庁所在地．

【鸣海制陶】Mínghǎi Zhìtáo 鳴海製陶．❖日本の陶磁器メーカー．[Narumi China]

【名护市】Mínghù Shì 名護市．❖日本の都市名,サミット開催地の1つ．

《明镜》Míngjìng 「シュピーゲル」．❖ドイツのニュース誌．[Spiegel]

míng — mó

【名模】míngmó 人気モデル；トップモデル．[top model]

【明尼阿波利斯】Míngní'ābōlìsī ミネアポリス．❖アメリカの都市名．[Minneapolis]

【明尼苏达州】Míngnísūdá Zhōu ミネソタ州．❖アメリカの州名．[Minnesota]

【名牌】míngpái ブランド；ブランド品．[brand]

【名牌商店】míngpái shāngdiàn ブランドショップ．[brand-name shop]

【名片册】míngpiàncè 名刺ホルダー．

【名片盒】míngpiànhé 名刺入れ；名刺ボックス．

【明清故宫(北京故宫、沈阳故宫)】Míng Qīng Gùgōng (Běijīng Gùgōng Shěnyáng Gùgōng) 明，清朝の皇宮群．◉世界文化遺産(中国)．[Imperial Palaces of the Ming and Qing Dynasties in Beijing and Shenyang]

【明清皇家陵寝】Míng Qīng Huángjiā Língqǐn 明，清朝の皇帝陵墓群．◉世界文化遺産(中国)．[Imperial Tombs of the Ming and Qing Dynasties]

【鸣哨】míngshào 試合開始のホイッスル；試合を開始する．

【明十三陵】Míng Shísān Líng 明の十三陵．❖中国・北京，昌平区にある明代の皇帝の陵墓．長陵(成祖)，献陵(仁宗)，景陵(宣宗)，裕陵(英宗)，茂陵(憲宗)，泰陵(孝宗)，康陵(武宗)，永陵(世宗)，昭陵(穆宗)，定陵(神宗)，慶陵(光宗)，徳陵(熹宗)，思陵(毅宗)の13の陵墓がある．[Ming Tombs]

【名仕】Míngshì ボーム & メルシエ；B&M．❖スイスの時計メーカー．[Baume&Mercier；B&M]

【明斯克】Míngsīkè ミンスク．❖ベラルーシの首都．[Minsk]

《明星》Míngxīng「シュテルン」．❖ドイツのニュース誌．[Stern]

【名义工资】míngyì gōngzī 名目賃金．

《名侦探柯南》Míngzhēntàn Kēnán「名探偵コナン」．❖日本漫画，アニメのタイトル．[Detective Conan]

【明治安田生命】Míngzhì Āntián Shēngmìng 明治安田生命．❖日本の保険会社．[Meiji Yasuda Life Insurance]

【名嘴】míngzuǐ 名司会者；名アナウンサー；名キャスター；人気キャスター．

mǐng

【酩悦香槟】Mǐngyuè Xiāngbīn モエ・エ・シャンドン．❖フランスのワイン，シャンパンメーカー．[Moët&Chandon]

mìng

《命令与征服》Mìnglìng yǔ Zhēngfú「コマンド・アンド・コンカー」．❖エレクトロニック・アーツ(米)製のゲームのタイトル．[Command & Conquer]

mó

【模板】móbǎn テンプレート；ひな型．[template]

【磨床】móchuáng 研磨機．

【摩德纳的大教堂、市民塔和大广场】Módénà de Dàjiàotáng Shìmín Tǎ hé Dàguǎngchǎng モデナの大聖堂，トッレ・チヴィカとグランデ広場．◉世界文化遺産(イタリア)．[Cathedral, Torre Civica and Piazza Grande, Modena]

《摩登时代》Módēng Shídài「モダン・タイムス」．❖アメリカ映画のタイトル．[Modern Times]

【摩尔定律】Mó'ěr dìnglǜ ムーアの法則．❖IT用語．ゴードン・ムーア博士が提唱した半導体に関する法則．[Moore's Law]

【摩尔多瓦共和国】Mó'ěrduōwǎ Gònghéguó モルドバ共和国；モルドバ．[Republic of Moldova；Moldova]

【摩尔多瓦教堂】Mó'ěrduōwǎ Jiàotáng モルドヴィア地方の教会群. ●世界文化遺産（ルーマニア）.[Churches of Moldavia]

《魔法门》Mófǎmén「マイト・アンド・マジック」. ❖スリーディーオーカンパニー（米）製のゲームのタイトル.[Might and Magic]

【摩凡陀】Mófántuó モバード. ❖スイスの時計メーカー.[Movado]

【模仿秀】mófǎngxiù 物真似ショー.

【摩根船长】Mógēn Chuánzhǎng キャプテンモルガン. ❖ディアジオ（英）のラム酒ブランド.[Captain Morgan]

【摩根汽车】Mógēn Qìchē モーガン. ❖イギリスの自動車メーカー.[Morgan Motor Company]

【摩根士丹利】Mógēn Shìdānlì モルガン・スタンレー. ❖アメリカの証券会社.[Morgan Stanley]

【魔鬼】Móguǐ ディアブロ. ❖ランボルギーニ（伊）製の車名."鬼怪 Guǐguài"とも.[Diablo]

【磨合】móhé ①新しい機械が使っているうちになじむ（こと）. ②一定の摩擦や不一致を経た後理解する（こと）；摩擦と理解. ③新しい事へ適応する（こと）.

【摩亨朱达罗考古遗址】Móhēngzhūdáluó Kǎogǔ Yízhǐ モヘンジョダロの遺跡群. ●世界文化遺産（パキスタン）.[Archaeological Ruins at Moenjodaro]

【模糊】móhu ①ぼんやりしている；あいまいである. ②ファジー.[fuzzy]

【模糊技术】móhu jìshù ファジー技術；ファジーテクノロジー.[fuzzy technology]

【模糊逻辑】móhu luójí ファジー論理；ファジー理論.[fuzzy logic；fuzzy theory]

【摩加迪沙】Mójiādíshā モガディシュ. ❖ソマリアの首都.[Mogadishu]

【摩卡咖啡】Mókǎ kāfēi モカコーヒー；モカ.[Mocha coffee；Mocha]

《魔卡少女樱》Mókǎ Shàonǚ Yīng「カードキャプターさくら」. ❖日本アニメのタイトル.[Cardcaptor Sakura]

【模块】mókuài モジュール. ❖機械やシステムなどを構成する，機能的にまとまった部分.[module]

【模块技术】mókuài jìshù モジュール技術.

【摩洛哥王国】Móluògē Wángguó モロッコ王国；モロッコ.[Kingdom of Morocco；Morocco]

【摩纳哥】Mónàgē モナコ. ❖モナコの首都.[Monaco]

【摩纳哥公国】Mónàgē Gōngguó モナコ公国；モナコ.[Principality of Monaco；Monaco]

【模拟】mónǐ ①まねる；模擬；シミュレーション. ②アナログ.[①simulation ②analog]

《模拟城市》Mónǐ Chéngshì「シムシティ」. ❖エレクトロニック・アーツ（米）製のゲームのタイトル.[Sim City]

【模拟器】mónǐqì シミュレーター. ❖"模拟装置 mónǐ zhuāngzhì"とも.[simulator]

《模拟人生》Mónǐ Rénshēng「シムピープル」. ❖エレクトロニック・アーツ（米）製のゲームのタイトル.[Sim People]

【模拟通信】mónǐ tōngxìn アナログ通信；アナログコミュニケーション. ❖IT用語.[analog communication]

【模拟移动电话】mónǐ yídòng diànhuà アナログ携帯電話；アナログ移動電話.

【模拟装置】mónǐ zhuāngzhì シミュレーター. ❖"模拟器 mónǐqì"とも.[simulator]

《魔女的条件》Mónǚ de Tiáojiàn「魔女の条件」. ❖日本のテレビドラマのタイトル.

【磨砂膏】móshāgāo スクラブ.[scrub]

【模式】móshì ①モデル；パターン. ②スキーマ. ❖②IT用語.[①model；pattern ②schema]

【摩丝】mósī 泡状のもの；ムース.[mousse]

【模特儿】mótèr 〔ファッション〕モデル.[model]

mó — mò

【摩托车越野赛】mótuōchē yuèyěsài モトクロス.[motocross]

【摩托罗拉】Mótuōluólā モトローラ.❖アメリカの通信機器メーカー.[Motorola]

【摩托艇】mótuōtǐng モーターボート.[motor boat]

mǒ

【抹胸】mǒxiōng チューブトップ.[tube top]

mò

【墨带】mòdài インクリボン.[ink ribbon]

【莫尔斯比港】Mò'ěrsībǐgǎng ポートモレスビー.❖パプアニューギニアの首都.[Port Moresby]

【墨粉】mòfěn トナー.[toner]

【莫高窟】Mògāokū 莫高窟.◉世界文化遺産(中国).[Mogao Caves]

【默哈伯利布勒姆古迹群】Mòhābólìbùlèmǔ Gǔjìqún マハーバリプラムの建造物群.◉世界文化遺産(インド).[Group of Monuments at Mahabalipuram]

【墨盒】mòhé インクカートリッジ.[ink cartridge]

【默克】Mòkè メルク.❖アメリカ,ドイツの医薬品メーカー.[Merck]

【莫雷利亚历史中心】Mòléilìyà Lìshǐ Zhōngxīn モレリア歴史地区.◉世界文化遺産(メキシコ).[Historic Centre of Morelia]

【莫罗尼】Mòluóní モロニ.❖コモロの首都.[Moroni]

【默认值】mòrènzhí 既定値;デフォルト;デフォルト値.[default]

【末日论者】mòrì lùnzhě 終末論者.

【莫桑比克岛】Mòsāngbǐkè Dǎo モザンビーク島.◉世界文化遺産(モザンビーク).[Island of Mozambique]

【莫桑比克共和国】Mòsāngbǐkè Gònghéguó モザンビーク共和国;モザンビーク.[Republic of Mozambique ; Mozambique]

【莫师汉堡】Mòshī Hànbǎo モスバーガー.❖日本のファーストフードチェーン.[Mos Burger]

【莫斯科】Mòsīkē モスクワ.❖ロシアの首都.[Moscow]

【莫斯科克里姆林宫和红场】Mòsīkē Kèlǐmǔlín Gōng hé Hóngchǎng モスクワのクレムリンと赤の広場.◉世界文化遺産(ロシア).[Kremlin and Red Square, Moscow]

【莫斯奇诺】Mòsīqínuò モスキーノ.❖イタリアのファッションメーカー,ブランド.[Moschino]

【末位淘汰】mòwèi táotài 最低評価の人を切り捨てる.

【莫文蔚】Mò Wénwèi カレン・モク;莫文蔚.❖香港の歌手,女優.[Karen Mok]

【莫西奥图尼亚瀑布】Mòxī'àotúníyà Pùbù モシ・オ・トゥニャ.◉世界自然遺産(ザンビア,ジンバブエ).ザンビアとジンバブエとの国境にある滝."维多利亚瀑布 Wéiduōlìyà Pùbù"(ヴィクトリアの滝)とも.[Mosioa-Tunya ; Victoria Falls]

【墨西哥城】Mòxīgēchéng メキシコ・シティ.❖メキシコの首都.[Mexico City]

【墨西哥城历史中心及霍奇米尔科区】Mòxīgēchéng Lìshǐ Zhōngxīn jí Huòqímǐ'ěrkēqū メキシコ・シティ歴史地区とソチミルコ.◉世界文化遺産(メキシコ).[Historic Centre of Mexico City and Xochimilco]

【墨西哥合众国】Mòxīgē Hézhòngguó メキシコ合衆国;メキシコ.[United Mexican States ; Mexico]

【墨西哥石油】Mòxīgē Shíyóu メキシコ国有石油会社;PEMEX(ペメックス).❖メキシコの国営石油会社.[PEMEX]

【莫宰羊】mòzǎiyáng 覚えていない;知ら

ない；わからない．❖台湾方言から．
【末制导】mòzhìdǎo 終末誘導．[terminal guidance]

mú

【模具】mújù 金型〈かながた〉．❖"模"は mó と発音する場合が多い．

mǔ

【姆巴巴内】Mǔbābānèi ムババーネ．❖スワジランド王国の首都．[Mbabane]
【姆茨赫塔古城的宗教建筑】Mǔcíhètǎ Gǔchéng de Zōngjiào Jiànzhù ムツヘタの都市－博物館保護区．●世界文化遺産（グルジア）．[City-Museum Reserve of Mtskheta]
【牡丹卡】Mǔdānkǎ 牡丹カード．❖中国工商銀行(中国)が発行するクレジットカード．[Peony card]
【母公司】mǔgōngsī 親会社．
【母盘制作】mǔpán zhìzuò マスタリング．❖IT用語．[mastering]
【母亲河】mǔqīnhé 母なる川；マザーリバー．[mother river]
【母婴传播】mǔyīng chuánbō 母子感染．
【姆扎卜山谷】Mǔzhābǔ Shāngǔ ムザブの谷．●世界文化遺産（アルジェリア）．[M'Zab Valley]
【拇指文化】mǔzhǐ wénhuà 親指文化．❖携帯電話のショートメッセージサービスを頻繁に利用する人たちの文化．

mù

【目标跟踪雷达】mùbiāo gēnzōng léidá 目標追尾レーダー．[target tracking radar；TTR]
【目标管理】mùbiāo guǎnlǐ 目標管理；MBO．[management by objective；MBO]
【目标家教】mùbiāo jiājiào 目標請け負い家庭教師．❖具体的な成績アップや志望大学の合格を保証し，目標が達成できない場合は報酬カットなどのペナルティーを条件とする家庭教師．
【木村拓哉】Mùcūn Tuòzāi 木村拓哉；キムタク．❖日本の歌手，男優．[KIMURA Takuya]
【穆迪投资服务】Mùdí Tóuzī Fúwù ムーディーズ・インベスターズ・サービス．❖アメリカの格付け会社．[Moody's Investors Service]
【目的港船上交货】mùdìgǎng chuánshàng jiāohuò 本船持込渡〈ほんせんもちこみわたし〉．❖インコタームズ 2000．[delivered ex ship；DES]
【目的港码头交货】mùdìgǎng mǎtou jiāohuò 埠頭持込渡〈ふとうもちこみわたし〉．❖インコタームズ 2000．[delivered ex quay；DEQ]
【目黑雅叙园】Mùhēi Yǎxùyuán 目黒雅叙園．❖日本・東京にあるホテル，結婚式場．[Meguro Gajoen]
【幕后花絮】mùhòu huāxù 舞台裏；裏話．
【木婚】mùhūn 木婚式．❖5年目の結婚記念日．
【木浆纤维】mùjiāng xiānwéi セルロース繊維．[cellulose fiber]
【目录】mùlù ①目録；目次．②ディレクトリー．❖②IT用語．[②directory]
【木马病毒】mùmǎ bìngdú トロイの木馬；トロイの木馬型ウイルス．❖コンピュータープログラムの1種．他のプログラムに潜伏し，破壊活動などを行うもの．[Trojan horse]
【慕尼黑】Mùníhēi ミュンヘン．❖ドイツの都市名．サミット開催地の1つ．[Munich]
【慕尼黑再保险】Mùníhēi Zàibǎoxiǎn ミュンヘン再保険．❖ドイツの再保険会社．[Munich Re]
【木偶净琉璃戏】mù'ǒu jìngliúlíxì 文楽．

mù

❖"文乐 wényuè"とも.

《木偶奇遇记》Mù'ǒu Qíyùjì「ピノキオ」. ❖アメリカアニメのタイトル.[Pinocchio]

【木偶戏】mù'ǒuxì 人形劇.

【木桥】Mùqiáo ウッドブリッジ. ❖ロバート・モンダヴィ(米)製のワイン.[Wood Bridge]

【穆斯考尔公园】Mùsīkǎo'ěr Gōngyuán ムスカウ公園;ムザコフスキー公園.(ドイツ,ポーランド) ●世界文化遺産(ドイツとポーランドによる共同申請).[Muskauer Park;Park Muzakowski]

【木糖醇】mùtángchún キシリトール.[xylitol]

【牧田】Mùtián マキタ. ❖日本の総合電動工具メーカー.[Makita]

【沐浴露】mùyùlù シャワーソープ;ボディーシャンプー.[bath form]

【木曽川】Mùzēng Chuān 木曾川〈きそがわ〉. ❖日本・中部地方を流れる川.[the Kiso River]

【木质地板】mùzhì dìbǎn フローリング.[flooring]

N

N

【N股】N gǔ ニューヨーク株；N株．❖中国本土企業がニューヨーク証券取引所に上場している株式のこと．

【NC】NC ①数値制御．②ネットワークコンピューター；NC．❖①中国語では"数控 shùkòng""数字控制 shùzì kòngzhì"．②中国語では"网络计算机 wǎngluò jìsuànjī"．[①numerical control；NC ②network computer；NC]

【NEET族】NEET zú ニート；無業者．❖就業も，就学も，職業訓練もしていない人．[NEET；not in employment, education or training]

【NMD】NMD 国家ミサイル防衛；NMD．❖中国語では"国家导弹防御系统 Guójiā Dǎodàn Fángyù Xìtǒng"．[National Missile Defense；NMD]

【NTT数据】NTT Shùjù NTTデータ．❖日本のIT関連企業．[NTT Data Corporation]

【NTT移动通讯】NTT Yídòng Tōngxùn エヌ・ティ・ティ・ドコモ；NTTドコモ．❖日本の移動通信会社の通称．同じく通称で"日本电信电话・都科摩 Rìběn Diànxìn Diànhuà Dūkēmó"とも．[NTT DoCoMo]

ná

【拿破仑】Nápòlún ①ナポレオン〔・ボナパルト〕．②クルボアジェ・ナポレオン．❖①フランスの皇帝．②フランスのブランデーメーカー，また同社製のコニャック．[①Napoleon Bonaparte ②Courvoisier]

【拿骚】Násāo ナッソー．❖バハマの首都．[Nassau]

【拿铁咖啡】nátiě kāfēi カフェラテ．❖"奶特咖啡 nǎitè kāfēi"とも．[caffè latte；café latte]

nà

【那霸市】Nàbà Shì 那覇〈なは〉市．❖沖縄〈おきなわ〉県（"冲绳县 Chōngshéng Xiàn"）の県庁所在地．

【纳贝斯克】Nàbèisīkè ナビスコ．❖アメリカの食品メーカー（アルトリアグループ傘下）．[Nabisco]

【那不勒斯】Nàbùlèsī ナポリ．❖イタリアの都市名．サミット開催地の1つ．[Naples]

【那不勒斯历史中心】Nàbùlèsī Lìshǐ Zhōngxīn ナポリ歴史地区．●世界文化遺産（イタリア）．[Historic Centre of Naples]

【纳汉尼国家公园】Nàhànní Guójiā Gōngyuán ナハニ国立公園．●世界自然遺産（カナダ）．[Nahanni National Park]

【纳米比亚共和国】Nàmǐbǐyà Gònghéguó ナミビア共和国；ナミビア．[Republic of Namibia；Namibia]

【纳米技术】nàmǐ jìshù ナノテクノロジー；ナノテク．[nanotechnology]

【纳米科学】nàmǐ kēxué ナノサイエンス．[nanoscience]

【纳米气泡】nàmǐ qìpào ナノバブル．[nano bubble]

【纳米生物材料】nàmǐ shēngwù cáiliào ナノバイオ材料．

【纳米水】nàmǐshuǐ ナノウォーター．[nano water]

《纳尼亚传奇》Nàníyà Chuánqí 「ナルニア国物語」．❖イギリスの小説を原作にした，アメリカ映画のタイトル．[The Chronicles of Narnia]

【纳什维尔】Nàshíwéi'ěr ナッシュビル．❖アメリカ・テネシー州都．[Nashville]

【納税能力】nàshuì nénglì 担税力. ❖"賦税能力 fùshuì nénglì"とも.

【納税人】nàshuìrén 納税者.

【纳斯达克】Nàsīdákè ナスダック. ❖金融用語.アメリカにある多くの新興企業が上場している店頭株式市場；株価気配自動表示システム.[NASDAQ；National Association of Securities Dealers Automated Quotations]

【纳斯卡和胡马纳草原的线条图】Nàsīkǎ hé Húmǎnà Cǎoyuán de Xiàntiáotú ナスカとフマナ平原の地上絵. ◉世界文化遺産（ペルー）.[Lines and Geoglyphs of Nasca and Pampas de Jumana]

【那英】Nà Yīng ナー・イン；那英. ❖中国の歌手.[Na Ying]

nǎi

【奶酪】nǎilào ①チーズ. ②最終目標；目標. ❖②スペンサー・ジョンソン著"Who Moved My Cheese?"（《谁动了我的奶酪？》Shéi Dòng le Wǒ de Nǎilào?,邦題「チーズはどこへ消えた？」）から.[①cheese]

【奶昔】nǎixī シェイク；シェーク.[milk shake]

nài

【耐甲氧西林金黄色葡萄球菌】nàijiǎyǎngxīlín jīnhuángsè pútaoqiújūn メチシリン耐性黄色ブドウ球菌；MRSA〈マーサ〉.[methicillin resistant staphylococcus aureus；MRSA]

【耐克】Nàikè ナイキ. ❖アメリカのスポーツ用品メーカー.[Nike]

【奈良市】Nàiliáng Shì 奈良〈なら〉市. ❖奈良〈なら〉県（"奈良县 Nàiliáng Xiàn"）の県庁所在地.

【奈良县】Nàiliáng Xiàn 奈良〈なら〉県. ❖日本の都道府県の1つ.県庁所在地は奈良〈なら〉市（"奈良市 Nàiliáng Shì"）.

nán

【男扮女角】nánbàn nǚjué 男性が女役を演じる；男優が女性に扮する.

【南部小波兰的木造教堂群】Nánbù Xiǎo Bōlán de Mùzào Jiàotángqún 南部小ポーランドの木造教会群. ◉世界文化遺産（ポーランド）.[Wooden Churches of Southern Little Poland]

【南昌】Nánchāng 南昌. ❖"江西省 Jiāngxī Shěng"の省都.略称は"昌 Chāng".

【楠达德维国家公园】Nándá Déwéi Guójiā Gōngyuán ナンダ・デヴィ国立公園. ◉世界自然遺産（インド）.[Nanda Devi National Park]

【南达科他州】Nándákētā Zhōu サウスダコタ州. ❖アメリカの州名.[South Dakota]

【南厄兰岛的农业风景区】Nán'èlán Dǎo de Nóngyè Fēngjǐngqū エーランド島南部の農業景観. ◉世界文化遺産（スウェーデン）.[Agricultural Landscape of Southern Öland]

【南方公司】Nánfāng Gōngsī サザン・カンパニー. ❖アメリカの電力会社.[Southern Company]

【南非共和国】Nánfēi Gònghéguó 南アフリカ共和国；南アフリカ.[Republic of South Africa；South Africa]

【南海酒店】Nánhǎi Jiǔdiàn 南海酒店. ❖中国・広東省にあるホテル.[Nanhai Hotel]

【南京】Nánjīng 南京. ❖"江苏省 Jiāngsū Shěng"の省都.別称は"宁 Níng".

【南京路】Nánjīng Lù 南京路. ❖中国・上海,天津などにある道路名.

【南卡罗来纳州】Nánkǎluóláinà Zhōu サウスカロライナ州. ❖アメリカの州名.[South Carolina]

【男科】nánkē 男性科；男性機能専門科.

【南南合作】nánnán hézuò 南南協力.

【南宁】Nánníng 南寧. ❖"广西壮族自治区 Guǎngxī Zhuàngzú Zìzhìqū"の区都. 別称は"邕 Yōng".

【男权主义思想】nánquán zhǔyì sīxiǎng 男権主義.

【难燃纤维】nánrán xiānwéi 難燃繊維. ❖"阻燃纤维 zǔrán xiānwéi"とも.

【男生】nánshēng ①男子学生. ②男性.

【南天群星】Nántiān Qúnxīng サザンオールスターズ. ❖日本のロックグループ. [Southern All Stars]

【南通社】Nántōngshè タンユグ通信. ❖セルビア・モンテネグロの通信社.[Tanjug News Agency]

【南锡的斯坦尼斯拉斯广场、卡里埃勒广场和阿莱恩斯广场】Nánxī de Sītǎnnísīlāsī Guǎngchǎng Kǎlǐ'āilè Guǎngchǎng hé Ālái'ēnsī Guǎngchǎng ナンシーのスタニスラス広場,カリエール広場,アリアンス広場. ●世界文化遺産(フランス).[Place Stanislas, Place de la Carrière and Place d'Alliance in Nancy]

【南猿人骨化石遗迹】Nányuánréngǔ Huàshí Yíjì スタークフォンテン,スワートクランス,クロムドライおよび周辺地域の人類化石遺跡群. ●世界文化遺産(南アフリカ). [Fossil Hominid Sites of Sterkfontein, Swartkrans, Kromdraai, and Environs]

【南运河】Nán Yùnhé ミディ運河. ●世界文化遺産(フランス).[Canal du Midi]

nàn

【难民营】nànmínyíng 難民キャンプ.

nǎo

【脑库】nǎokù シンクタンク. ❖"思维集团 sīwéi jítuán""思想库 sīxiǎngkù""智库 zhìkù""智囊团 zhīnángtuán"とも.[think tank]

【瑙鲁共和国】Nǎolǔ Gònghéguó ナウル共和国 ; ナウル.[Republic of Nauru ; Nauru]

【脑民】nǎomín 頭脳労働者. ❖頭脳を資本とする職業に従事する人.コンサルタント,アドバイザー,シンクタンクの研究員など.

【脑死】nǎosǐ 脳死. ❖"脑死亡 nǎosǐwáng"とも.

【脑死亡】nǎosǐwáng 脳死. ❖"脑死 nǎosǐ"とも.

nào

【闹猛】nàoměng にぎやか;活気がある;大人気.

né

《哪吒闹海》Nézhā Nàohǎi 「ナーザの大暴れ」. ❖中国アニメのタイトル.

nèi

【内比奥罗】Nèibǐ'àoluó ネッビオーロ. ❖黒ぶどう品種,またそのぶどうで作られたワイン.[Nebbiolo]

【内宾】nèibīn 国内の客;国内の旅行客.

【内部交易】nèibù jiāoyì インサイダー取引. ❖金融用語."内幕交易 nèimù jiāoyì"とも.[insider trading]

【内布拉斯加州】Nèibùlāsījiā Zhōu ネブラスカ州. ❖アメリカの州名.[Nebraska]

【内部网】nèibùwǎng 企業内ネットワーク;イントラネット. ❖IT用語."内联网 nèiliánwǎng""企业内部网 qǐyè nèibùwǎng"とも.[intranet]

【内存】nèicún 〔コンピューターの〕メモリー;メモリー量. ❖IT用語.[memory]

【内分泌障碍】nèifēnmì zhàng'ài 内分泌障害.

【内功】nèigōng ①身体内部を鍛える気功や武術など．②資質や実力．

【内耗】nèihào ①〔機械の〕内部消耗．②内輪もめ；内部抗争．

【内核】nèihé 核；カーネル．❖IT用語．[kernel]

【内华达州】Nèihuádá Zhōu ネバダ州．❖アメリカの州名．[Nevada]

【内窥镜】nèikuījìng 内視鏡．

【内联企业】nèilián qǐyè「内連企業」．❖中国の国内資本同士が提携した企業．

【内联网】nèiliánwǎng 企業内ネットワーク；イントラネット．❖IT用語．"内部网 nèibùwǎng""企业内部网 qǐyè nèibùwǎng"とも．[intranet]

【内罗毕】Nèiluóbì ナイロビ．❖ケニアの首都．[Nairobi]

【内蒙古自治区】Nèiměnggǔ Zìzhìqū 内蒙古自治区．❖中国の自治区の1つ．略称は"内蒙古 Nèiměnggǔ"．区都は"呼和浩特 Hūhéhàotè"．

【内姆鲁特达格考古遗址】Nèimǔlǔtè Dágé Kǎogǔ Yízhǐ ネムルット・ダー．◉世界文化遺産(トルコ)．[Nemrut Dağ]

【内幕交易】nèimù jiāoyì インサイダー取引．❖金融用語．"内部交易 nèibù jiāoyì"とも．[insider trading]

【内容】nèiróng 内容；コンテンツ．[contents]

【内容产业】nèiróng chǎnyè コンテンツ産業．[contents industry]

【内塞巴尔古城】Nèisàibā'ěr Gǔchéng 古代都市ネセバル．◉世界文化遺産(ブルガリア)．[Ancient City of Nessebar]

【内水】nèishuǐ 領海の基線から海岸線までの海域．

【内退】nèituì 早期退職．❖"企业内退出岗位休养 qǐyènèi tuìchū gǎngwèi xiūyǎng"とも．

【内向型】nèixiàngxíng ①〔性格が〕内向的．②国内志向型．

【内向型经济】nèixiàngxíng jīngjì 内向型経済；内需主導型経済．

【内销公寓】nèixiāo gōngyù 国内販売向けマンション．

【内销权】nèixiāoquán 国内販売権．

【内需】nèixū 内需．[domestic demand]

【内在价值】nèizài jiàzhí 真正価値；本質的価値；本源的価値；内在的価値．

【内在美】nèizàiměi ①内面的な美しさ．② (nèi zài Měi) 妻がアメリカにいること．❖②"内人在美国 nèirén zài Měiguó"から．

【内在稳定器】nèizài wěndìngqì ビルトインスタビライザー；自動安定化装置．[built-in stabilizer]

【内招】nèizhāo 内部募集；縁故募集．

【内置】nèizhì 内蔵(する)．

néng

【能见度】néngjiàndù ①視程；大気の透明度．②視界．❖①気象用語．

【能量纸业】Néngliàng Zhǐyè パワーペーパー．❖イスラエルの紙状電池開発会社．[Power Paper]

【能源安全】néngyuán ānquán エネルギーの安定供給．[stable energy supply]

nī

【妮可・基德曼】Nīkě Jīdémàn ニコール・キッドマン．❖アメリカ出身の女優．[Nicole Kidman]

【妮维雅】Nīwéiyǎ ニベア．❖バイヤスドルフ(独)のスキンケア用品ブランド．[Nivea]

ní

【尼奥科洛巴国家公园】Ní'àokēluò Kēbā Guójiā Gōngyuán ニオコロ・コバ国立公園．◉世界自然遺産(セネガル)．[Niokolo-

ní — niǎo

Koba National Park]

【尼泊尔王国】Níbó'ěr Wángguó ネパール王国；ネパール.[Kingdom of Nepal ; Nepal]

【尼采】Nícǎi〔フリードリヒ・ウィルヘルム・〕ニーチェ. ❖ドイツの哲学者.[Friedrich Wilhelm Nietzsche]

【尼尔森】Ní'ěrsēn ニールセン. ❖アメリカの市場,視聴率調査企業.[Nielsen]

【尼古丁中毒】nígǔdīng zhòngdú ニコチン中毒.

【尼古拉斯・凯奇】Nígǔlāsī Kǎiqí ニコラス・ケイジ. ❖アメリカ出身の男優.[Nicolas Cage]

【尼加拉瓜共和国】Níjiālāguā Gònghéguó ニカラグア共和国；ニカラグア.[Republic of Nicaragua ; Nicaragua]

【尼康】Níkāng ニコン. ❖日本のカメラメーカー.[Nikon]

【尼科西亚】Níkēxīyà ニコシア. ❖キプロスの首都.[Nicosia]

【尼克松冲击】Níkèsōng chōngjī ニクソンショック.[Nixon Shock]

【尼罗河】Níluó Hé ナイル川. ❖アフリカ北東部を流れる川.[the Nile River ; the Nile]

【尼日尔共和国】Nírì'ěr Gònghéguó ニジェール共和国；ニジェール.[Republic of Niger ; Niger]

【尼日尔河】Nírì'ěr Hé ニジェール川. ❖アフリカ西部を流れる川.[the Niger River ; the Niger]

【尼日尔"W"国家公园】Nírì'ěr W Guójiā Gōngyuán ニジェールのW国立公園. ◉世界自然遺産(ニジェール).[W National Park of Niger]

【尼日利亚联邦共和国】Nírìlìyà Liánbāng Gònghéguó ナイジェリア連邦共和国；ナイジェリア.[Federal Republic of Nigeria ; Nigeria]

【泥石流】níshíliú 土石流.

【尼亚加拉瀑布】Níyàjiālā Pùbù ナイアガラの滝. ❖アメリカとカナダの国境にある滝."尼亚加拉大瀑布 Níyàjiālā Dàpùbù"とも.[the Niagara Falls]

【尼亚美】Níyàměi ニアメ. ❖ニジェールの首都.[Niamey]

nì

【逆差】nìchā 輸入超過；貿易赤字.

【昵称】nìchēng ①ニックネーム. ②ハンドルネーム；ハンドル名；ハンドル.❖IT用語.[①nickname ②handle]

【逆反心理】nìfǎn xīnlǐ マイナス心理；反抗心.

【逆市】nìshì 市況の流れに相反する.

nián

【年初开市】niánchū kāishì 大発会〈だいはっかい〉. ❖金融用語.日本の証券市場で年初の取引開始日のこと.

【年度收入】niándù shōurù 歳入.

【年利达律师事务所】Niánlìdá Lǜshī Shìwùsuǒ リンクレーターズ. ❖イギリスの法律事務所.[Linklaters]

【年利率】niánlìlǜ 年利. ❖金融用語."年息 niánxī"とも.

【年末收市】niánmò shōushì 大納会. ❖金融用語.日本の証券市場で年末の取引最終日のこと.

【年同比】niántóngbǐ 前年同期比. ❖"同比 tóngbǐ"とも.

【年息】niánxī 年利. ❖金融用語."年利率 niánlìlǜ"とも.

【年薪】niánxīn 年俸.

niǎo

【鸟取市】Niǎoqǔ Shì 鳥取〈とっとり〉市. ❖鳥取〈とっとり〉県("鸟取县 Niǎoqǔ Xiàn")の

niǎo — nóng

県庁所在地.

【鸟取县】Niǎoqǔ Xiàn 鳥取〈とっとり〉県. ❖日本の都道府県の1つ.県庁所在地は鳥取〈とっとり〉市("鸟取市 Niǎoqǔ Shì").

niào

【尿检】niàojiǎn 尿検査.

niè

【镍镉电池】niègé diànchí ニッカド電池. [NiCd battery]

níng

【宁巴山自然保护区】Níngbā Shān Zìrán Bǎohùqū ニンバ山厳正自然保護区. ●世界危機遺産(コートジボワール,ギニア). [Mount Nimba Strict Nature Reserve]

【凝聚力】níngjùlì 結束力;団結力.

【宁夏回族自治区】Níngxià Huízú Zìzhìqū 寧夏回族自治区. ❖中国の自治区の1つ.略称は"宁 Níng".区都は"银川 Yínchuān".

niú

【牛津大学】Niújīn Dàxué オックスフォード大学. ❖イギリス・オックスフォード市にある大学.[University of Oxford]

【牛市】niúshì ブルマーケット;上がり相場. ❖金融用語.[bull market]

niǔ

【纽巴伦】Niǔbālún ニューバランス. ❖アメリカのスポーツ用品メーカー.[New Balance]

【扭曲现象】niǔqū xiànxiàng ねじれ現象.

【纽瓦克自由国际机场】Niǔwǎkè Zìyóu Guójì Jīchǎng ニューアーク・リバティー国際空港. ❖アメリカ・ニュージャージー州にある空港.[Newark Liberty International Airport]

《纽约每日新闻》Niǔyuē Měirì Xīnwén 「ニューヨーク・デイリーニュース」. ❖アメリカのタブロイド紙.[New York Daily News]

【纽约人寿保险】Niǔyuē Rénshòu Bǎoxiǎn ニューヨーク・ライフ保険. ❖アメリカの保険会社.[New York Life Insurance]

《纽约时报》Niǔyuē Shíbào 「ニューヨーク・タイムズ」. ❖アメリカの代表的な新聞. [New York Times]

【纽约银行】Niǔyuē Yínháng バンク・オブ・ニューヨーク. ❖アメリカの銀行.[Bank of New York]

【纽约证券交易所】Niǔyuē zhèngquàn Jiāoyìsuǒ ニューヨーク証券取引所. ❖アメリカにある証券取引所.略称は"纽约证交所 Niǔyuē Zhèngjiāosuǒ".[New York Stock Exchange]

【纽约州】Niǔyuē Zhōu ニューヨーク州. ❖アメリカの州名.[New York]

nóng

【农场工业】Nóngchǎng Gōngyè ファームランド・インダストリー. ❖アメリカの養豚生産者協同組合.[Farmland Industries]

【农德孟】Nóng Démèng ノン・ドゥック・マイン. ❖ベトナムの政治家.[Nong Duc Manh]

【农行】Nóngháng 中国農業銀行. ❖"中国农业银行 Zhōngguó Nóngyè Yínháng"の略.[Agricultural Bank of China]

【农家乐】nóngjiālè 農業体験ツアー;田舎生活体験ツアー.

【农垦】nóngkěn 農業開拓.

【农林间作】nónglín jiānzuò 混農林業;アグロフォレストリー.[agroforestry]

【农林中央金库】Nónglín Zhōngyāng Jīnkù 農林中央金庫. ❖日本の金融機関. [Norinchukin Bank]

【农药残留】nóngyào cánliú 残留農薬.

【农业产业化经营】nóngyè chǎnyèhuà jīngyíng 農業の産業化；農業インテグレーション. ❖農業を生産から販売までの一貫システムの中で行うこと. [agricultural integration]

【农业增加值】nóngyè zēngjiāzhí 農業増加値.

【农转非】nóng zhuǎn fēi 農村戸籍を非農村戸籍に切り換える；農村戸籍を都市戸籍に切り換える. ❖中国の戸籍制度改革の一環.

nǔ

【努库阿洛法】Nǔkù'āluòfǎ ヌクアロファ. ❖トンガの首都. [Nuku'alofa；Nukualofa]

【努瓦克肖特】Nǔwǎkèxiàotè ヌアクショット. ❖モーリタニアの首都. [Nouakchott]

【努沃勒埃利耶茶】Nǔwòlè'āilìyēchá ヌワラエリア紅茶；ヌワラエリアティー；ヌワラエリア. [Nuwara Eliya tea]

nǚ

【女权主义者】nǚquán zhǔyìzhě フェミニスト. [feminist]

【女生】nǚshēng ①女子学生. ②女性.

【女子十二乐坊】Nǚzǐ Shí'èr Yuèfāng 女子十二楽坊. ❖中国の音楽グループ.

nuó

【挪尔·肯普夫墨卡多国家公园】Nuó'ěr Kěnpǔfū Mòkǎduō Guójiā Gōngyuán ノエル・ケンプ・メルカード国立公園. ●世界自然遺産(ボリビア). [Noel Kempff Mercado National Park]

【挪威国家石油】Nuówēi Guójiā Shíyóu スタットオイル. ❖ノルウェーの石油会社. "挪威石油 Nuówēi Shíyóu"とも. [Statoil]

【挪威水电】Nuówēi Shuǐdiàn ノルスク・ハイドロ. ❖ノルウェーの化学品メーカー,エネルギー関連企業. [Norsk Hydro]

【挪威王国】Nuówēi Wángguó ノルウェー王国；ノルウェー. [Kingdom of Norway；Norway]

【挪占】nuózhàn 横領する.

nuò

【诺贝尔奖】Nuòbèi'ěr Jiǎng ノーベル賞. ❖略称は"诺奖 Nuòjiǎng". [Nobel Prize；Nobel prize]

【诺顿】Nuòdùn ノートン. ❖シマンテック(米)製のコンピューター・セキュリティー・ソフト名. [Norton]

【诺夫哥罗德及其周围的历史古迹】Nuòfūgēluódé jí Qí Zhōuwéi de Lìshǐ Gǔjì ノブゴロドの文化財とその周辺地区. ●世界文化遺産(ロシア). [Historic Monuments of Novgorod and Surroundings]

【诺富特】Nuòfùtè ノボテル. ❖アコー(仏)のホテルブランド. [Novotel]

【诺华制药】Nuòhuá Zhìyào ノバルティスファーマ. ❖スイスの医薬品メーカー. [Novartis]

【诺基亚】Nuòjīyà ノキア. ❖フィンランドの携帯端末機器メーカー. [Nokia]

【诺奖】Nuòjiǎng ノーベル賞. ❖"诺贝尔奖 Nuòbèi'ěr Jiǎng"の略. [Nobel Prize；Nobel prize]

【诺斯洛普·格鲁曼】Nuòsīluòpǔ Gélǔmàn ノースロップ・グラマン；NOC. ❖アメリカの防衛関連機器メーカー. [Northrop Grumman；NOC]

【诺威】Nuòwēi ノベル. ❖アメリカのネットワークコンサルティング企業. [Novell]

O — ōu

O

【O型腿】O xíngtuǐ O脚〈オーきゃく〉．❖"罗圈腿 luóquāntuǐ"とも．

【OEM】OEM 相手先ブランド生産；OEM．❖中国語では"定牌生产 dìngpái shēngchǎn""贴牌生产 tiēpái shēngchǎn".[original equipment manufacturing；OEM]

ōu

【欧宝】Ōubǎo オペル．❖ドイツの自動車メーカー(GM傘下).[Opel]

【欧捷利】Ōujiélì アジラ．❖オペル(GM傘下)製の車名(スズキワゴンRのOEM供給).[Agila]

【欧莱雅集団】Ōuláiyǎ Jítuán ロレアル．❖フランスの化粧品メーカー.[L'Oréal]

【欧鲁普雷图历史名镇】Ōulǔ Pǔléitú Lìshǐ Míngzhèn 古都オウロ・プレト．●世界文化遺産(ブラジル).[Historic Town of Ouro Preto]

【欧美佳】Ōuměijiā オメガ．❖オペル(GM傘下)製の車名.[Omega]

【欧盟】Ōuméng 欧州連合；EU．❖"欧洲联盟 Ōuzhōu Liánméng"の略.[European Union；EU]

【欧米茄】Ōumǐjiā オメガ．❖スイスの時計メーカー.[Omega]

【欧姆龙】Ōumǔlóng オムロン．❖日本の制御機器メーカー.[Omron]

【欧佩克】Ōupèikè 石油輸出国機構；OPEC〈オペック〉．❖"石油输出国组织 Shíyóu Shūchūguó Zǔzhī"とも.[Organization of Petroleum Exporting Countries；OPEC]

【欧尚】Ōushàng オーシャン．❖フランスの小売チェーン.[Auchan]

【欧特克】Ōutèkè オートデスク．❖アメリカのコンピューター・ソフトウェア・メーカー.[Autodesk]

【欧翁】Ōuwēng イーオン；エーオン．❖ドイツのエネルギー関連企業.[E.On]

【欧亚大陆桥】ŌuYà Dàlùqiáo ユーラシア・ランド・ブリッジ．❖中国・江蘇省連雲港から西安,ウルムチおよび中央アジアを経由して,オランダのアムステルダムまで鉄道を敷設する計画.[Eurasian Land Bridge；Eurasian Land-Bridge]

【欧元】Ōuyuán ユーロ．❖欧州連合(EU)の統一通貨単位．コード：EUR.[euro]

【欧洲电影节】Ōuzhōu Diànyǐngjié ヨーロッパ映画祭．❖欧州で開かれる映画祭,または欧州映画上映祭.

【欧洲复兴开发银行】Ōuzhōu Fùxīng Kāifā Yínháng 欧州復興開発銀行；EBRD.[European Bank for Reconstruction and Development；EBRD]

【欧洲航空防务与航天公司】Ōuzhōu Hángkōng Fángwù yǔ Hángtiān Gōngsī EADS．❖オランダに本社を置く航空宇宙企業.[European Aeronautic Defence and Space Company；EADS]

【欧洲货币】Ōuzhōu huòbì ユーロカレンシー.[Eurocurrency]

【欧洲经济与货币联盟】Ōuzhōu Jīngjì yǔ Huòbì Liánméng 欧州経済通貨統合；EMU.[Economic and Monetary Union；EMU]

【欧洲空中客车工业】Ōuzhōu Kōngzhōng Kèchē Gōngyè エアバスインダストリー；エアバス．❖欧州の航空機メーカー.[Airbus Industry；Airbus]

【欧洲联盟】Ōuzhōu Liánméng 欧州連合；EU．❖略称は"欧盟 Ōuméng".[European Union；EU]

ōu — ǒu

《欧洲联盟条约》Ōuzhōu Liánméng Tiáoyuē「欧州連合条約」;「マーストリヒト条約」. ❖1993年に発効した,欧州連合(EU)創設に関する条約.[Treaty of European Union ; Maastricht Treaty]

【欧洲日元债券】Ōuzhōu Rìyuán zhàiquàn ユーロ円債.[Euroyen bond]

【欧洲投资银行】Ōuzhōu Tóuzī Yínháng 欧州投資銀行;EIB.[European Investment Bank ; EIB]

【欧洲委员会】Ōuzhōu Wěiyuánhuì 欧州委員会. ❖"欧盟委员会 Ōuméng Wěiyuánhuì"とも.[European Commission]

【欧洲债券】Ōuzhōu zhàiquàn ユーロボンド;ユーロ債. ❖金融用語.発行している通貨の国内市場ではないユーロ市場で発行される債券.[Eurobond]

【欧洲中央银行】Ōuzhōu Zhōngyāng Yínháng 欧州中央銀行;ECB. ❖ユーロ圏全体の金融政策を担っている中央銀行. "欧洲央行 Ōuzhōu Yāngháng"とも.[European Central Bank ; ECB]

【欧洲自由贸易联盟】Ōuzhōu Zìyóu Màoyì Liánméng 欧州自由貿易連合;エフタ;EFTA.[European Free Trade Association ; EFTA]

ǒu

【偶像】ǒuxiàng ①アイドル. ②吐き気がする相手. ❖②"呕吐的对象 ǒutù de duìxiàng"のもじり.[①idol]

P

P

- 【PC外设】PC wàishè パソコン周辺機器. ❖IT用語.
- 【PET】PET ポジトロン断層撮影法；ポジトロンCT；PET〈ペット〉. ❖がん検査法の1種.中国語では"正电子发射断层扫描 zhèngdiànzǐ fāshè duàncéng sǎomiáo". [positron emission tomography；PET]
- 【POLA宝丽】POLA Bǎolì ポーラ. ❖日本の化粧品メーカー.[POLA]
- 【POP邮件】POP yóujiàn POP〈ポップ〉メール. ❖IT用語.[post office protocol mail；POP mail]
- 【POS机】POS jī POS〈ポス〉端末. ❖IT用語.販売時点情報管理システム(POS)に対応したレジスター."销售点终端机 xiāoshòudiǎn zhōngduānjī"とも.
- 【POS系统】POS xìtǒng POS〈ポス〉システム. ❖IT用語.[point of sales system；POS system]
- 【PSA标致雪铁龙】PSA Biāozhì Xuětiělóng PSAプジョー・シトロエン. ❖フランスの自動車メーカー.[PSA Peugeot Citröen]

pā

- 【趴趴熊】Pāpāxióng たれぱんだ. ❖サンエックス(日本)のキャラクター名.
- 【趴窝】pā wō ①〔鳥などが〕卵を抱いて温めること.②車両が立ち往生すること.

pá

- 【扒金库】pájīnkù パチンコ.

pà

- 【帕多瓦植物园】Pàduōwǎ Zhíwùyuán パードヴァの植物園(オルト・ボタニコ). ●世界文化遺産(イタリア).[Botanical Garden (Orto Botanico), Padua]
- 【帕妃】Pàfēi PUFFY〈パフィー〉. ❖日本の音楽グループ.[PUFFY]
- 【帕福斯】Pàfúsī パフォス. ●世界文化遺産(キプロス).[Paphos]
- 【帕格尼尼】Pàgéníní 〔ニコロ・〕パガニーニ. ❖イタリアの作曲家,バイオリン奏者.名前は"尼科洛 Níkēluò".[Niccolò Paganini]
- 【帕哈尔布尔的佛教毗诃罗遗址】Pàhā'ěrbù'ěr de Fójiào Píhēluó Yízhǐ パハルプールの仏教寺院遺跡群. ●世界文化遺産(バングラデシュ).[Ruins of the Buddhist Vihara at Paharpur]
- 【帕杰罗】Pàjiéluó パジェロ. ❖三菱(日本)製の車名.Montero はパジェロのアメリカでの販売名.[Pajero；Montero]
- 【帕金森病】Pàjīnsēnbìng パーキンソン病. ❖"帕金森氏症 Pàjīnsēnshìzhèng""帕金森氏病 Pàjīnsēnshìbìng"とも.[Parkinsonism；Parkinson's disease]
- 【帕拉马里博】Pàlāmǎlǐbó パラマリボ. ❖スリナムの首都.[Paramaribo]
- 【帕拉马里博的古内城】Pàlāmǎlǐbó de Gǔnèichéng パラマリボ市街歴史地区. ●世界文化遺産(スリナム).[Historic Inner City of Paramaribo]
- 【帕劳共和国】Pàláo Gònghéguó パラオ共和国；パラオ.[Republic of Palau；Palau]
- 【帕雷托图】Pàléituōtú パレート図. ❖品質管理(QC)関連の用語."排列图 Páilièitú"とも.[Pareto chart；Pareto graph]
- 【帕利基尔】Pàlìjī'ěr パリキール. ❖ミクロネシアの首都.[Palikir]

【帕伦克古城与国家公园】Pàlúnkè Gǔchéng yǔ Guójiā Gōngyuán 古代都市パレンケと国立公園. ●世界文化遺産(メキシコ). [Pre-Hispanic City and National Park of Palenque]

【帕米尔高原】Pàmǐ'ěr Gāoyuán パミール高原. ❖中央アジア南東部にある高原. [the Pamirs; Pamir Mountains]

【帕诺哈尔马千年本笃会修道院及周边自然环境】Pànuòhā'ěrmǎ Qiānnián Běndǔhuì Xiūdàoyuàn jí Zhōubiān Zìrán Huánjìng パンノンハルマのベネディクト会修道院とその自然環境. ●世界文化遺産(ハンガリー). [Millenary Benedictine Abbey of Pannonhalma and its Natural Environment]

【帕萨尔加德】Pàsà'ěrjiādé パサルガディ. ●世界文化遺産(イラン). [Pasargadae]

【帕萨特】Pàsàtè パサート. ❖フォルクスワーゲン(独)製の車名. [Passat]

【帕塔达卡尔建筑群】Pàtǎdákǎ'ěr Jiànzhùqún パッタダカルの建造物群. ●世界文化遺産(インド). [Group of Monuments at Pattadakal]

【帕特莫斯岛的天启洞穴和圣约翰修道院】Pàtèmòsī Dǎo de Tiānqǐ Dòngxué hé Shèngyuēhàn Xiūdàoyuàn パトモス島の神学者聖ヨハネ修道院と黙示録の洞窟の歴史地区(コーラ). ●世界文化遺産(ギリシャ). [Historic Centre (Chorá) with the Monastery of Saint John "the Theologian" and the Cave of the Apocalypse on the Island of Pátmos]

【帕瓦罗蒂】Pàwǎluódì 〔ルチアーノ・〕パヴァロッティ. ❖イタリアのオペラ歌手. 名は'Luciano'("卢恰诺 Lúqiànuò"ルチアーノ). [Luciano Pavarotti]

pāi

【拍档】pāidàng ①パートナー. ②組み合わせ;コーディネート. [①partner ②coordinate]

【拍价】pāijià 落札価格.

【拍品】pāipǐn オークションに出品される物品;競売品.

【拍拖】pāituō 男女が付き合う;デートする.

【拍胸脯】pāi xiōngpú 胸をたたく. ❖保証する,任せておけ,という意味のジェスチャー.

pái

【排查】páichá 厳重なチェック;綿密な検査.

【排斥反应】páichì fǎnyìng 〔臓器移植手術後の〕拒絶反応.

【排错】páicuò デバッグ;デバグ. ❖IT用語. プログラムの誤りなどを修正する作業. "调试 tiáoshì""纠错 jiūcuò"とも. [debug]

【排放标准】páifàng biāozhǔn 排出基準.

【排放控制】páifàng kòngzhì 排出規制. [emission control]

【排放权】páifàngquán 排出権.

【排放权交易】páifàngquán jiāoyì 排出権取引.

【排富】páifù 〔政府が福利手当を支給する際に〕富裕層を除外する(こと).

【排行榜】páihángbǎng ランキング;番付. [rating; ranking]

【排黑】páihēi 〔政府や政党が人材登用する際に〕犯罪関係者を除外する(こと).

【排列图】Páiliètú パレート図. ❖品質管理(QC)関連の用語. "帕雷托图 Pàléituōtú"とも. [Pareto chart; Pareto graph]

【排污】páiwū 汚染物質を排出する.

【排污费】páiwūfèi 汚染物質排出料金. ❖産業廃棄物の中に含まれる汚染物質の種類と量に基づき徴収される料金.

【排污权】páiwūquán 汚染物質排出権.

pái — páng

【排污收费制度】páiwū shōufèi zhìdù 廃棄物処理有料化制度.

【排序】páixù 一定の順序に並べること；並べ替え；ソート.[sort]

pài

【派对】pàiduì パーティー.[party]
【派发】pàifā ばらまく.
【派克】Pàikè パーカー. ❖ニューウェルラバーメイド(米)の筆記具ブランド名.[Parker]
【派拉蒙电影】Pàilāměng Diànyǐng パラマウント映画. ❖アメリカの映画制作会社.[Paramount Pictures]
【派生商品】pàishēng shāngpǐn 派生商品；デリバティブ. ❖金融用語.[derivative]
【派送】pàisòng ①派遣する. ②販売促進用に配る.
【派通】Pàitōng ぺんてる. ❖日本の文房具メーカー.[Pentel]
【派息率】pàixīlǜ 配当性向；配当流出率. ❖金融用語.利益の中から配当金に回す比率."股息支付比 gǔxī zhīfùbǐ"とも.

pān

【攀冰】pānbīng アイスクライミング.[ice climbing]
【攀升】pānshēng ①高いところへ登る. ②[価格や数値が]上昇する.
【潘塔奈尔保护区】Pāntǎnài'ěr Bǎohùqū パンタナル自然保全地域. ●世界自然遺産(ブラジル).[Pantanal Conservation Area]
【潘婷】Pāntíng パンテーン. ❖ P&G(米)のヘアケア用品ブランド.[Pantene]
【潘文凯】Pān Wénkǎi ファン・ヴァン・カイ. ❖ベトナムの政治家.[Phan Van Khai]

【攀岩】pānyán ロッククライミング.[rock-climbing]

pán

【盘点存货】pándiǎn cúnhuò 棚卸し(をする).
【盘符】pánfú ドライブ名. ❖ IT 用語.[drive name]
【盘活存量资产】pánhuó cúnliàng zīchǎn 遊休資産の活用.
【盘局】pánjú 持ち合い〈もちあい〉. ❖金融用語.売り注文と買い注文が拮抗して株価が動かない状態.
【盘软】pánruǎn ゆるむ. ❖金融用語.上昇している相場が下落傾向になること.
【盘挺】pántǐng 小確り〈こじっかり〉；小高い. ❖金融用語.
【盘中交易】pánzhōng jiāoyì ザラバ；ざら場. ❖金融用語.寄り付きから引けまでの間.

pàn

【判上判】pànshàngpàn 孫請け.

páng

【庞巴迪】Pángbādí ボンバルディア. ❖カナダの重工業メーカー.[Bombardier]
【庞蒂克】Pángdìkè ポンティアック. ❖アメリカの自動車メーカー(GM 傘下).[Pontiac]
【庞培、赫库兰尼姆和托雷安农齐亚塔考古地区】Pángpéi Hèkùlánnímǔ hé Tuōléi Ānnóngqíyàtǎ Kǎogǔ Dìqū ポンペイ、エルコラーノおよびトッレ・アヌンツィアータの遺跡地域. ●世界文化遺産(イタリア).[Archaeological Areas of Pompeii, Herculaneum and Torre Annunziata]
【旁氏】Pángshì ポンズ. ❖ユニリーバ(英、

オランダ)のスキンケア用品ブランド．[Pond's]

pāo

【抛汇】pāohuì カバー取引．❖金融用語．"补进外汇 bǔjìn wàihuì"とも．[covering transaction]

【抛空】pāokōng カラ売り．❖信用取引で証券会社から株式を借りて売却すること．"卖空 màikōng"とも．

【抛盘操作】pāopán cāozuò 売りオペレーション；売りオペ．❖金融用語．[selling operation]

【抛物面天线】pāowùmiàn tiānxiàn パラボラアンテナ．❖俗に"大锅 dàguō"とも．[parabola ; parabolic antenna]

pǎo

【跑步机】pǎobùjī ランニングマシン；ルームランナー．[treadmill]

【跑步鞋】pǎobùxié ランニングシューズ；ジョギングシューズ．[running shoes ; jogging shoes]

【跑车】pǎochē スポーツカー．[sports car]

【跑卫】pǎowèi 〔アメリカンフットボールの〕ランニングバック；RB．[running back ; RB]

【跑者】pǎozhě ランナー；走者．[runner]

pào

【泡吧】pàobā バーに入り浸る．

【泡芙】pàofú シュークリーム．[cream puff]

【泡沫】pàomò フォーム；バブル；泡．[foam]

【泡沫经济】pàomò jīngjì バブル経済．[bubble economy]

【泡沫浴】pàomòyù バブルバス．[bubble bath]

【泡妞】pàoniū 〔女性を〕ナンパ(する)．

péi

【陪产】péichǎn 出産に立ち会う．
【赔付】péifù ①補償する．②保証金の支払い．
【陪护】péihù 付き添い看護(する)．
【陪酒小姐】péijiǔ xiǎojie 〔スナックなどの〕ホステス．[bar hostess]
【陪老】péilǎo 高齢者の付き添い；高齢者の身の回りの世話をすること．❖主として高齢者宅を訪問し,家事援助,買物の付き添いや代行,話し相手をすることを指す．
【陪同人员】péitóng rényuán 随行員；同行者．
【培训】péixùn トレーニング(する)；育成訓練(する)；養成訓練(する)．[training]
【裴勇俊】Péi Yǒngjùn ペ・ヨンジュン．❖韓国出身の俳優．[Bae Yongjoon]
【培智】péizhì 知的障害児教育(を行う)．

pèi

【配股】pèigǔ 株式配当．❖金融用語．
【配件】pèijiàn スペアパーツ．[spare parts]
【佩里侬】Pèilǐnóng ドン・ペリニヨン．❖モエ・エ・シャンドン(仏)製のシャンパン．"香槟王 Xiāngbīnwáng"とも．[Dom Pérignon]
【配偶权】pèi'ǒuquán 配偶者の権利．
【佩奇的早期基督教陵墓】Pèiqí de Zǎoqī Jīdūjiào Língmù ペーチ市にある初期キリスト教墓地遺跡(ソピアネ)．●世界文化遺産(ハンガリー)．[Early Christian Necropolis of Pécs(Sopianae)]
【配送】pèisòng 配送(する)．
【佩泰耶韦西老教堂】Pèitàiyēwěixī Lǎojiàotáng ペタヤヴェシの古い教会．●世界文化遺産(フィンランド)．[Petäjävesi

pèi — pí

Old Church]

【配套条件】pèitào tiáojiàn 付帯条件. ❖"附带条件 fùdài tiáojiàn"とも.

【配套政策】pèitào zhèngcè 関連政策.

【佩特拉】Pèitèlā ペトラ. ●世界文化遺産（ヨルダン）. [Petra]

【配音棚】pèiyīnpéng ダビングスタジオ；アフレコスタジオ. [dubbing studio]

【配音演员】pèiyīn yǎnyuán 声優.

pēn

【喷笔】pēnbǐ エアブラシ. [airbrush]

【喷墨打印机】pēnmò dǎyìnjī インクジェットプリンター. [inkjet printer]

【喷气式飞机】pēnqìshì fēijī ジェット機. [jet plane]

【喷泉修道院遗址和斯塔德利皇家公园】Pēnquán Xiūdàoyuàn Yízhǐ hé Sītǎdélì Huángjiā Gōngyuán ファウンティンズ修道院遺跡群を含むスタッドリー王立公園. ●世界文化遺産（イギリス）. [Studley Royal Park including the Ruins of Fountains Abbey]

péng

【彭博社】Péngbóshè ブルームバーグ. ❖アメリカのコンサルティング，メディア会社. [Bloomberg]

【膨化】pénghuà 膨張（する）.

【膨化食品】pénghuà shípǐn 膨化食品；膨化菓子. ❖スポンジ状に膨らませたスナック菓子の1種.

【朋克】péngkè ①パンクロック；パンク. ②〔態度やファッションが〕反逆的で過激な人. [①punk]

【蓬皮杜中心】Péngpídù Zhōngxīn ポンピドゥーセンター. ❖フランス・パリにある複合文化施設. [Pompidou Centre]

【膨胀性衰退】péngzhàngxìng shuāituì スタグフレーション. ❖"停滞膨胀 tíngzhì péngzhàng""停滞性通货膨胀 tíngzhìxìng tōnghuò péngzhàng""滞胀 zhìzhàng"とも. [stagflation]

pěng

【捧杯】pěngbēi 優勝カップを手にする；最優秀に輝く.

pèng

【碰头会】pèngtóuhuì 打ち合わせ；〔簡単な〕ミーティング. [brief meeting]

pī

【批】pī ロット. ❖工業製品の生産単位，または注文単位. [lot]

【批捕】pībǔ 逮捕許可（する）.

【批处理】pīchǔlǐ バッチ処理；一括処理. ❖IT用語. [batch process]

【批处理文件】pīchǔlǐ wénjiàn バッチファイル. ❖IT用語. [batch file]

【批发商】pīfāshāng 卸売業；卸売業者.

【批发物价】pīfā wùjià 卸売物価.

《霹雳娇娃》Pīlì Jiāowá「チャーリーズ・エンジェル」. ❖アメリカ映画のタイトル. [Charlie's Angels]

【霹雳舞】pīlìwǔ ブレークダンス. [break dance]

【坯料】pīliào 半製品；半加工品. ❖"毛坯 máopī"とも.

【批租】pīzū 用地賃貸の許可.

pí

【皮埃尔·巴尔曼】Pí'āi'ěr Bā'ěrmàn ピエール・バルマン. ❖フランスのファッションメーカー，ブランド. [Pierre Balmain]

【皮埃蒙特及伦巴第圣山】Pí'āiméngtè jí

Lúnbādī Shèngshān ピエモンテとロンバルディアのサクリ・モンティ. ●世界文化遺産(イタリア).[Sacri Monti of Piedmont and Lombardy]

【皮包公司】píbāo gōngsī ペーパーカンパニー. ❖"皮包商 píbāoshāng"とも.[dummy company]

【皮草】pícǎo レザーとファー；皮革毛皮製品.

【皮恩扎历史中心】Pí'ēnzā Lìshǐ Zhōngxīn ピエンツァ市街の歴史地区. ●世界文化遺産(イタリア).[Historic Centre of the City of Pienza]

【皮尔】Pí'ěr ピア. ❖アメリカ・サウスダコタ州都.[Pierre]

【皮尔・卡丹】Pí'ěr Kǎdān ピエール・カルダン. ❖フランスのファッションメーカー,ブランド.[Pierre Cardin]

【皮尔斯・布鲁斯南】Pí'ěrsī Bùlǔsīnán ピアース・ブロスナン. ❖アイルランド出身の男優.[Pierce Brosnan]

【皮革婚】pígéhūn 革婚式. ❖3年目の結婚記念日.

【啤酒肚】píjiǔdù ビール腹.

【皮具】píjù 革製品；皮革製品.

【皮卡丘】Píkǎqiū ピカチュウ. ❖日本漫画,アニメのキャラクター名.

【皮库岛葡萄园文化景观】Píkù Dǎo Pútaoyuán Wénhuà Jǐngguān ピコ島の葡萄園文化の景観. ●世界文化遺産(ポルトガル).[Landscape of the Pico Island Vineyard Culture]

【皮林国家公园】Pílín Guójiā Gōngyuán ピリン国立公園. ●世界自然遺産(ブルガリア).[Pirin National Park]

【疲软】píruǎn ①だるい. ②軟調；ぼける；弱含み. ❖②金融用語.

【疲软股票】píruǎn gǔpiào 値下がり株. ❖金融用語.

【疲态】pítài ①疲労している状態. ②〔株や金融などの相場が〕弱気である(こと)；下落する見通しである(こと). ❖②金融用語.

【皮艇】pítǐng カヤック.[kayak]

【皮重】pízhòng 風袋〈ふうたい〉；風袋の重量.

pǐ

【匹配】pǐpèi ①夫婦になる. ②〔男女が〕お似合いである；釣り合いがとれている. ③マッチング；整合. ④〔人材などの〕マッチング.[③④matching]

【匹兹堡】Pǐzībǎo ピッツバーグ. ❖アメリカの都市名.[Pittsburgh]

piān

【偏差】piānchā ばらつき.

【偏科】piānkē ある特定の教科だけ勉強する(こと)；科目に好き嫌いがある(こと).

piàn

【骗保】piànbǎo 保険金詐欺(を働く). ❖"骗赔 piànpéi"とも.

【片酬】piànchóu 〔俳優の〕出演料；ギャラ.

【骗贷】piàndài ローン詐欺(を働く).

【片花】piànhuā 〔映画の審査,予告,宣伝などに用いられる〕フィルムクリップ；予告編.[trailer]

【骗汇】piànhuì 架空の貿易取引で外貨を不法に入手する(こと)；外貨詐欺.

【片警】piànjǐng 地域警官；交番警官.

【骗赔】piànpéi 保険金詐欺(を働く). ❖"骗保 piànbǎo"とも.

【片医】piànyī 地域担当医.

piāo

【飘红】piāohóng 上げ足. ❖金融用語.株

価が値上りし,電光掲示板で赤く表示されていること.
【漂流】piāoliú ①漂流する;放浪する. ②ラフティング.[②rafting]
【飘绿】piāolǜ 下げ足. ❖金融用語.株価が値下がりし,電光掲示板で緑色に表示されていること.
【飘柔】Piāoróu リジョイ. ❖ P&G(米)のヘアケア用品ブランド.[Rejoy]
【飘一代】piāoyīdài 自由人. ❖既存のルールにとらわれず,仕事を転々としながら自分の力を頼りに道を切り拓こうとする人. "飘族 piāozú"とも.
【飘族】piāozú 自由人. ❖既存のルールにとらわれず,仕事を転々としながら自分の力を頼りに道を切り拓こうとする人. "飘一代 piāoyīdài"とも.

piào

【票贩子】piàofànzi だふ屋.
【票汇】piàohuì 送金為替手形. ❖金融用語.
【票据交换】piàojù jiāohuàn 手形交換. ❖金融用語.
【票据买卖】piàojù mǎimai 手形オペレーション;手形オペ. ❖金融用語.
【票据市场】piàojù shìchǎng 手形売買市場. ❖金融用語. "短期票据市场 duǎnqī piàojù shìchǎng"とも.
【票据贴现市场】piàojù tiēxiàn shìchǎng 手形割引市場. ❖金融用語.
【票面价格】piàomiàn jiàgé 額面価額. ❖金融用語.有価証券の券面に表示されている価格. "面值平价 miànzhí píngjià"とも.
【票选】piàoxuǎn 観客投票;投票で選ぶ.

pīn

【拼写检查】pīnxiě jiǎnchá スペルチェック.[spell check]

pín

【频带】píndài 周波数帯.
【贫富悬殊】pínfù xuánshū 貧富の差が著しい.
【贫化铀】pínhuàyóu 劣化ウラン.[depleted uranium]
【贫困县】pínkùnxiàn 貧困「県」.
【贫困线】pínkùnxiàn 貧困ライン.[poverty line]
【贫水】pínshuǐ 水資源不足.
【贫铀弹】pínyóudàn 劣化ウラン弾.

pǐn

【品读】pǐndú〔本や芸術,名所などを〕味わう;鑑賞する.
【品管】pǐnguǎn 品質管理;QC. ❖"品质管理 pǐnzhì guǎnlǐ"の略. "质管 zhìguǎn""质量管理 zhìliàng guǎnlǐ"とも.[quality control;QC]
【品检】pǐnjiǎn 品質検査. ❖"品质检查 pǐnzhì jiǎnchá"の略.
【品客薯片】Pǐnkè Shǔpiàn プリングルズ. ❖ P&G(米)製のポテトチップス.[Pringles]
【品类杀手】pǐnlèi shāshǒu カテゴリーキラー. ❖マーケティング関連用語.[category killer]
【品丽珠】Pǐnlìzhū カベルネフラン. ❖赤ワイン用のぶどう品種,またそのぶどうで作られた赤ワイン.[Cabernet Franc]
【品目】pǐnmù アイテム;品目.[item]
【品牌】pǐnpái ブランド.[brand]
【品牌安全】pǐnpái ānquán ブランドセキュリティー.[brand security]
【品牌机】pǐnpáijī メーカー製パソコン. ❖IT用語.
【品牌形象】pǐnpái xíngxiàng ブランドイメージ.[brand image]
【品位】pǐnwèi ①〔鉱物や鉱石の〕品位. ②

教養レベル；物の品質；文芸作品の質；センス；スタイル.[②taste；sense；style]

【品质检查】pǐnzhì jiǎnchá 品質検査. ❖略称は"品检 pǐnjiǎn".

【品 种】pǐnzhǒng 品種；銘柄.[brand name]

píng

【平安险】píng'ānxiǎn 単独海損不担保；分損不担保；FPA. ❖貿易実務,海上保険関連用語."单独海损不赔 dāndú hǎisǔn bùpéi"とも.[free from particular average；FPA]

【屏保】píngbǎo スクリーンセーバー. ❖IT用語."屏幕保护程序 píngmù bǎohù chéngxù"の略.[screen saver]

【平仓】píngcāng 手じまい. ❖金融用語.売りまたは買いのポジションを手放す；利益あるいは損失が出て反対売買でポジションをなくすこと.

《平等地位条款》píngděng dìwèi tiáokuǎn パリ・パス条項；社債間同順位特約. ❖金融用語.[pari passu clause〔ラテン〕]

【评分机】píngfēnjī ①スコアリングマシン.②判定機.[①scoring machine]

【苹果白兰地】Píngguǒ Báilándì カルヴァドス. ❖フランス,カルヴァドス産の,リンゴから造るブランデー.[Calvados；calvados]

【苹果操作系统】Píngguǒ Cāozuò Xìtǒng マックOS；Mac OS. ❖IT用語.アップルコンピュータ(米)のマッキントッシュに搭載されているOS.[Mac OS]

【苹果电脑】Píngguǒ Diànnǎo アップルコンピュータ. ❖アメリカのコンピューターメーカー.[Apple Computer]

【苹果机】Píngguǒjī マッキントッシュ. ❖アップルコンピュータ(米)製のパソコンシリーズ名."麦金塔 Màijīntǎ"とも.[Macintosh]

【平衡表】pínghéngbiǎo 貸借対照表；バランスシート；B/S.[balance sheet；B/S]

【平衡酸碱】pínghéng suānjiǎn〔スキンケアの〕バランシング.[balancing]

【平衡预算】pínghéng yùsuàn 均衡予算.

【评级】píngjí 格付け；レーティング. ❖金融用語."信用评级 xìnyòng píngjí"とも.[rating]

【评级机构】píngjí jīgòu 格付機関；格付け会社；レーティングエージェンシー.[rating agency；credit rating agency]

【平记录】píngjìlù タイ記録；記録に並ぶ.[equal record]

【评价】píngjià ①評価；査定.②アセスメント.[assessment]

【平角裤】píngjiǎokù ボクサーパンツ.[boxer shorts]

【瓶颈】píngjǐng ボトルネック.[bottleneck]

【瓶颈制约】píngjǐng zhìyuē ボトルネック；制約；制約条件.[bottleneck restriction]

【平均成本法】píngjūn chéngběnfǎ ドルコスト平均法. ❖金融用語.[dollar cost averaging；DCA]

【平均收益率】píngjūn shōuyìlǜ 単純平均利回り. ❖金融用語.

【评劣】pínglìè 能力の劣る人,品質の悪い物を判定する.

【平面人】píngmiànrén 薄っぺらな人；中身のない人.

【平面设计师】píngmiàn shèjìshī グラフィックデザイナー.[graphic designer]

【平民赛车】píngmín sàichē 大衆向けスポーツカー.

【屏幕】píngmù スクリーン.[screen]

【屏幕保护】píngmù bǎohù スクリーンセーバー. ❖IT用語."屏幕保护程序 píngmù bǎohù chéngxù"の略.[screen saver]

【屏幕保护程序】píngmù bǎohù chéngxù スクリーンセーバー. ❖IT用語.略称は"屏保 píngbǎo""屏幕保护 píngmù bǎohù".[screen saver]

píng

【平壤】Píngrǎng ピョンヤン．❖朝鮮民主主義人民共和国の首都．[Pyongyang]

【平台】píngtái ①〔作業の足場となる〕平たい台．②〔コンピューターの〕プラットホーム．③〔活動の〕場；足場；舞台；環境．❖②IT用語．[②platform]

【平遥古城】Píngyáo Gǔchéng 平遥古城．◉世界文化遺産(中国)．[Ancient City of Ping Yao]

【评优】píngyōu 優秀な人，良質な物を選出する．

【评职】píngzhí 職務評価．

pō

【坡跟鞋】pōgēnxié ウェッジソールの靴；船底型の靴．

pó

【婆罗浮屠寺庙群】Póluófútú Sìmiàoqún ボロブドゥル寺院遺跡群．◉世界文化遺産(インドネシア)．[Borobudur Temple Compounds]

【婆罗洲岛】Póluó Zhōu Dǎo ボルネオ島．❖東南アジアにある，世界で3番目に大きな島．[Borneo；Borneo Island]

【婆婆】pópo ①姑〈しゅうとめ〉．②〔比喩的に〕下級機関に対して干渉の多い上級機関や幹部．

pò

【破产】pòchǎn 倒産．

【破产程序】pòchǎn chéngxù 破産手続き；倒産手続き．

【破产管理人】pòchǎn guǎnlǐrén 破産管財人．

【破坏罢工】pòhuài bàgōng スト破り．[strike breaking]

【破坏环境资源保护罪】pòhuài huánjìng zīyuán bǎohù zuì 環境資源破壊罪．❖中国の罪状名．

【破坏选举罪】pòhuài xuǎnjǔ zuì 選挙妨害の罪．❖中国の罪状名．日本の選挙妨害罪に相当する．

pú

【葡萄牙电信】Pútáoyá Diànxìn ポルトガル・テレコム．❖ポルトガルの通信会社．[Portugal Telecom]

【葡萄牙共和国】Pútáoyá Gònghéguó ポルトガル共和国；ポルトガル．[Portuguese Republic；Portugal]

【葡萄牙航空】Pútáoyá Hángkōng TAPポルトガル航空．❖ポルトガルの航空会社．コード：TP．[TAP Portugal]

【葡萄酒产区上杜罗】Pútaojiǔ Chǎnqū Shàngdùluó アルト・ドウロ・ワイン生産地域．◉世界文化遺産(ポルトガル)．[Alto Douro Wine Region]

【菩提伽耶的摩诃菩提寺】Pútíjiāyē de Móhē Pútí Sì ブッダガヤの大菩提寺．◉世界文化遺産(インド)．[Mahabodhi Temple Complex at Bodh Gaya]

pǔ

【普埃布拉历史中心】Pǔ'āibùlā Lìshǐ Zhōngxīn プエブラ歴史地区．◉世界文化遺産(メキシコ)．[Historic Centre of Puebla]

【普遍服务】pǔbiàn fúwù ユニバーサルサービス．❖全国均質サービス．すべての人に行き渡るべき郵政，電信などの行政サービス．[universal service]

【普遍化优惠关税制度】pǔbiànhuà yōuhuì guānshuì zhìdù 一般特恵関税制度；GSP．❖略称は"普惠制 pǔhuìzhì"．[generalized system of preferences；GSP]

【浦东国际机场】Pǔdōng Guójì Jīchǎng

pǔ

浦東国際空港. ❖中国・上海にある空港. [Pudong International Airport]

【普尔斯马特】Pǔ'ěrsīmǎtè プライススマート. ❖アメリカの小売チェーン. 略称は"普马 Pǔmǎ". [Pricesmart]

【普法】pǔfǎ 法知識の普及.

【普华永道】Pǔhuáyǒngdào プライスウォーターハウスクーパース；PwC. ❖アメリカのコンサルティング会社. [PricewaterhouseCoopers；PwC]

【普惠制】pǔhuìzhì 一般特恵関税制度；GSP. ❖"普遍化优惠关税制度 pǔbiànhuà yōuhuì guānshuì zhìdù"の略. [generalized system of preferences；GSP]

【普及计算】pǔjí jìsuàn ユビキタスコンピューティング. ❖IT用語."泛在计算 fànzài jìsuàn""普适计算 pǔshì jìsuàn"とも. [ubiquitous computing；pervasive ubiquitous computing；PUC]

【普京】Pǔjīng 〔ウラジーミル・ウラジーミロヴィチ・〕プーチン. ❖ロシアの政治家. [Vladimir Vladimirovich Putin]

【普九】pǔjiǔ 9年制義務教育の普及. ❖"普及九年义务教育 pǔjí jiǔnián yìwù jiàoyù"の略.

【普拉达】Pǔlādá プラダ. ❖イタリアのファッションメーカー, ブランド. [Prada]

【普拉多】Pǔlāduō プラド. ❖トヨタ(日本)製の車名. [Prado]

【普拉多博物馆】Pǔlāduō Bówùguǎn プラド美術館. ❖スペイン・マドリードにある美術館."普拉多美术馆 Pǔlāduō Měishùguǎn"とも. [Museo del Prado]

【普拉亚】Pǔlāyà プライア. ❖カーボヴェルデ共和国の首都. [Praia]

【普兰巴南寺庙群】Pǔlánbānán Sìmiàoqún プランバナン寺院遺跡群. ●世界文化遺産(インドネシア). [Prambanan Temple Compounds]

【普利昂】pǔlì'áng プリオン. ❖感染性のある蛋白粒子.異常型のプリオンが狂牛病やヤコブ病の原因とされる."朊毒体 ruǎndútǐ"とも. [prion]

【普利策奖】Pǔlìcè Jiǎng ピュリッツアー賞. [Pulitzer Prize]

【普力马】Pǔlìmǎ プレマシー. ❖マツダ(日本)製の車名. [Premacy]

【普利司通】Pǔlìsītōng ブリヂストン. ❖日本のタイヤメーカー. [Bridgestone]

【普林塞萨港地下河国家公园】Pǔlínsàisà Gǎng Dìxiàhé Guójiā Gōngyuán プエルト・プリンセサ地下河川国立公園. ●世界自然遺産(フィリピン). [Puerto-Princesa Subterranean River National Park]

【普林斯顿大学】Pǔlínsīdùn Dàxué プリンストン大学. ❖アメリカ・ニュージャージー州にある大学.アイビーリーグの1つ. [Princeton University]

【普林体】pǔlíntǐ プリン体. [purine bodies]

【普罗万城】Pǔluówànchéng 中世市場都市プロヴァンス. ●世界文化遺産(フランス). [Provins, Town of Medieval Fairs]

【普罗维登斯】Pǔluówéidēngsī プロビデンス. ❖アメリカ・ロードアイランド州都. [Providence]

【普马】Pǔmǎ プライススマート. ❖アメリカの小売チェーン."普尔斯马特 Pǔ'ěrsīmǎtè"の略. [PriceSmart]

【普锐斯】Pǔruìsī プリウス. ❖トヨタ(日本)製の車名."先驱 Xiānqū"とも. [Prius]

【普适计算】pǔshì jìsuàn ユビキタスコンピューティング. ❖IT用語."泛在计算 fànzài jìsuàn""普及计算 pǔjí jìsuàn"とも. [ubiquitous computing；pervasive ubiquitous computing；PUC]

【普通舱】pǔtōngcāng エコノミークラス. ❖"经济舱 jīngjìcāng"とも. [economy class]

【普通车用汽油】pǔtōng chēyòng qìyóu レギュラーガソリン. ❖"普通汽油 pǔtōng qìyóu"とも. [regular gasoline]

【普通车用无铅汽油】pǔtōng chēyòng wú-

pǔ

qiān qìyóu レギュラー無鉛ガソリン.

【普通存款】pǔtōng cúnkuǎn 普通預金. ❖金融用語.

【普通股】pǔtōnggǔ 普通株. ❖金融用語.

【普通股利】pǔtōng gǔlì 普通配当. ❖金融用語."普通股息 pǔtōng gǔxī""正常股利 zhèngcháng gǔlì"とも.

【普通股息】pǔtōng gǔxī 普通配当. ❖金融用語."普通股利 pǔtōng gǔlì""正常股利 zhèngcháng gǔlì"とも.

【普通交易】pǔtōng jiāoyì 普通取引. ❖金融用語.

【普通汽油】pǔtōng qìyóu レギュラーガソリン. ❖"普通车用汽油 pǔtōng chēyòng qìyóu"とも.[regular gasoline]

【普通债券】pǔtōng zhàiquàn 普通社債; SB. ❖金融用語.[straight bond ; SB]

【普希金】Pǔxījīn 〔アレクサンドル・セルゲーヴィチ・〕プーシキン. ❖ロシアの詩人,作家.[Alexander Sergeevich Pushkin]

【浦项制铁】Pǔxiàng Zhìtiě ポスコ. ❖韓国の鉄鋼メーカー.[POSCO]

【蹼泳】pǔyǒng フィンスイミング.[fin swimming]

Q

Q

《Q太郎》Q Tàiláng「オバケのQ太郎」. ❖日本アニメのタイトル.

【QC】QC 品質管理；QC. ❖中国語では"品管 pǐnguǎn""品质管理 pǐnzhì guǎnlǐ""质管 zhìguǎn""质量管理 zhìliàng guǎnlǐ"とも.[quality control；QC]

【QC小组】QC xiǎozǔ 品質管理活動；QCサークル.[quality control circle；QCC]

【QSL卡】QSL kǎ 受信確認証；QSLカード；ベリカード；ベリフィケーションカード. ❖"无线电信号收信确认卡 wúxiàn diànxìnhào shōuxìn quèrènkǎ"とも.[verification card；QSL card]

qī

【期初存货】qīchū cúnhuò 初期在庫.

【期房】qīfáng 建築中の分譲物件. ❖"楼花 lóuhuā"とも.

【欺负】qīfu いじめ；いじめる；侮〈あなど〉る. ❖"欺侮 qīwǔ"とも.

【期股】qīgǔ ストックオプション対象株券. ❖金融用語."期权股 qīquángǔ""期权股份 qīquán gǔfèn"とも.

【欺行霸市】qīháng bàshì 強引な手段で市場を牛耳る；市場を支配する.

【期货行情】qīhuò hángqíng 先物〈さきもの〉相場. ❖金融用語."期货行市 qīhuò hángshì"とも.

【期货行市】qīhuò hángshì 先物〈さきもの〉相場. ❖金融用語."期货行情 qīhuò hángqíng"とも.

【期货汇率】qīhuò huìlǜ フォワードレート. ❖金融用語."远期汇率 yuǎnqī huìlǜ"とも.[forward rate]

【期货价格】qīhuò jiàgé 先物〈さきもの〉価格. ❖金融用語.[forward price]

【期货交易】qīhuò jiāoyì フューチャーズ；先物〈さきもの〉取引. ❖金融用語.[futures trading；futures transaction]

【期货市场】qīhuò shìchǎng 先物〈さきもの〉市場. ❖金融用語.[futures market]

【期货外汇】qīhuò wàihuì 先物為替〈さきものかわせ〉. ❖金融用語."远期外汇 yuǎnqī wàihuì"とも.

【期刊盒】qīkānhé〔定期刊行物などを入れる縦型の〕ファイルボックス.[file box]

《七龙珠》Qīlóngzhū「ドラゴンボール」. ❖日本の漫画,アニメのタイトル.[Dragon Ball]

【期满日】qīmǎnrì 満期日. ❖金融用語."满期日 mǎnqīrì"とも.

【期末存货】qīmò cúnhuò 期末在庫.

【期票】qīpiào 約束手形.

【期权】qīquán オプション. ❖金融用語.[option]

【期权持权人】qīquán chíquánrén オプションの買い手；オプションバイヤー. ❖金融用語."期权买方 qīquán mǎifāng"とも.[option buyer]

【期权股】qīquángǔ ストックオプション対象株券. ❖金融用語."期股 qīgǔ""期权股份 qīquán gǔfèn"とも.

【期权股份】qīquán gǔfèn ストックオプション対象株券. ❖金融用語."期股 qīgǔ""期权股 qīquángǔ"とも.

【期权交易】qīquán jiāoyì オプション取引. ❖金融用語."选择权交易 xuǎnzéquán jiāoyì"とも.

【期权立权人】qīquán lìquánrén オプションの売り手；オプションセラー. ❖金融用語."期权买方 qīquán mǎifāng"とも.[option seller]

【期权买方】qīquán mǎifāng オプションの

qī — qí

買い手；オプションバイヤー．❖金融用語．"期权持权人 qīquán chíquánrén"とも．[option buyer]

【期权卖方】qīquán màifāng オプションの売り手；オプションセラー．❖金融用語．"期权立权人 qīquán lìquánrén"とも．[option seller]

【期权执行价格】qīquán zhíxíng jiàgé 権利行使価格；行使価格．❖金融用語．"权利执行价格 quánlì zhíxíng jiàgé""行权价格 xíngquán jiàgé""行使价格 xíngshǐ jiàgé"とも．

【7-11便利店】Qī Shíyī Biànlìdiàn セブン-イレブン．❖セブン-イレブン・ジャパン（日本）のコンビニエンスストア．[Seven-Eleven]

【七通一平】qītōng yīpíng「七通一平」．❖工場用地のインフラ整備基準．道路，電気，通信，上下水道，ガス，熱供給，整地等の条件が整備されていること．

【期望寿命】qīwàng shòumìng 寿命．

【期望值】qīwàngzhí ①期待値．②期待度．

【七味辣椒粉】qīwèi làjiāofěn 七味唐辛子．

【欺侮】qīwǔ いじめ；いじめる；侮〈あなど〉る．❖"欺负 qīfu"とも．

【七星】Qīxīng セブンスター．❖日本たばこ産業（日本）製のタバコ．[Seven Star]

qí

【脐带血】qídàixuě 臍帯血〈さいたいけつ〉．

【奇峰朗姆】Qífēng Lǎngmǔ マウント・ゲイ．❖マウント・ゲイ・ディスティラリーズ（バルバドス）製のラム酒名．[Mount Gay Rum]

【岐阜市】Qífù Shì 岐阜〈ぎふ〉市．❖岐阜〈ぎふ〉県（"岐阜县 Qífù Xiàn"）の県庁所在地．

【岐阜县】Qífù Xiàn 岐阜〈ぎふ〉県．❖日本の都道府県の1つ．県庁所在地は岐阜〈ぎふ〉市（"岐阜市 Qífù Shì"）．

《棋魂》Qíhún「ヒカルの碁」．❖日本漫画，アニメのタイトル．[Hikaru No Go]

【奇基托斯耶稣会传教区】Qíjītuōsī Yēsūhuì Chuánjiàoqū チキトスのイエズス会伝道施設群．●世界文化遺産（ボリビア）．[Jesuit Missions of the Chiquitos]

【奇迹】Qíjì ミ・ラ・ク．❖ランコム（仏）製のフレグランス名．[Miracle]

【旗舰】qíjiàn ①旗艦．②〔ある業界や分野における〕主力．

【旗舰店】qíjiàndiàn 旗艦店；フラッグシップショップ．[flagship store]

【骑警】qíjǐng 騎馬警察．❖"骑马警察 qímǎ jǐngchá"の略．

【奇骏】Qíjùn エクストレイル．❖日産（日本）製の車名．[X-trail]

【麒麟啤酒】Qílín Píjiǔ キリンビール．❖日本の飲料メーカー，また同社製のビール名．[Kirin]

【奇伦托和迪亚诺河谷国家公园和帕埃斯图姆和韦利亚的考古遗址以及切尔托萨・迪・帕杜拉】Qílúntuō hé Díyànuò Hégǔ Guójiā Gōngyuán hé Pà'āisītúmǔ hé Wéilìyà de Kǎogǔ Yízhǐ yǐjí Qiè'ěrtuōsà dí Pàdùlā パエストゥムとヴェリアの古代遺跡群を含むチレントとディアノ渓谷国立公園とパドゥーラのカルトジオ修道院．●世界文化遺産（イタリア）．[Cilento and Vallo di Diano National Park with the Archeological sites of Paestum and Velia, and the Certosa di Padula]

【奇洛埃教堂】Qíluò'āi Jiàotáng チロエの教会群．●世界文化遺産（チリ）．[Churches of Chiloé]

【祁门红茶】Qímén Hóngchá キーマン紅茶；キーマンティー；キーマン．[Keemun；Keemun tea]

【奇巧】Qíqiǎo キットカット．❖ネスレ（スイス）のチョコレート菓子．[Kit Kat]

【奇琴伊察古城】Qíqín Yīchá Gǔchéng 古代都市チチェン・イッツァ．●世界文化遺

産（メキシコ）.[Pre-Hispanic City of Chichen-Itza]

【奇瑞】Qíruì 奇瑞；チェリー. ❖中国の自動車メーカー.[Chery Automobile]

【奇特旺皇家国家公园】Qítèwàng Huángjiā Guójiā Gōngyuán ロイヤル・チトワン国立公園. ●世界自然遺産（ネパール）.[Royal Chitwan National Park]

《奇天烈百科全书》Qítiānliè Bǎikē Quánshū「キテレツ大百科」. ❖日本漫画,アニメのタイトル.

【耆卫公司】Qíwèi Gōngsī オールド・ミューチュアル. ❖イギリスの保険会社.[Old Mutual]

【埼玉市】Qíyù Shì さいたま市. ❖埼玉〈さいたま〉県（"埼玉县 Qíyù Xiàn"）の県庁所在地.

【埼玉县】Qíyù Xiàn 埼玉〈さいたま〉県. ❖日本の都道府県の1つ.県庁所在地はさいたま市（"埼玉市 Qíyù Shì"）.

【旗帜广告】qízhì guǎnggào バナー広告. ❖IT用語.ウェブページ上に画像として設置される,通常細長い広告."横幅广告 héngfú guǎnggào""广告条 guǎnggàotiáo"とも.[banner advertising]

【旗帜鲜明】qízhì xiānmíng 立場がはっきりしている.

qǐ

【起搏器】qǐbóqì ペースメーカー；心臓ペースメーカー. ❖"心脏起搏器 xīnzàng qǐbóqì"とも.[pacemaker；cardiac pacemaker]

【启动】qǐdòng ①電源を入れる（こと）. ②〔コンピューターを〕起動（する）；立ち上げる（こと）；ブート（する）. ❖②IT用語."开机 kāijī"とも.[②boot]

【启动盘】qǐdòngpán 起動ディスク. ❖IT用語.[startup disk]

【起飞】qǐfēi ①離陸する；〔飛行機が〕飛び立つ. ②〔経済が〕離陸する；離陸；テイクオフ.[take off]

【企管】qǐguǎn 企業管理. ❖"企业管理 qǐyè guǎnlǐ"の略.

【企划】qǐhuà 企画. ❖日本語の「企画」から.

【乞力马扎罗国家公园】Qǐlìmǎzhāluó Guójiā Gōngyuán キリマンジャロ国立公園. ●世界自然遺産（タンザニア）.[Kilimanjaro National Park]

【乞力马扎罗咖啡】Qǐlìmǎzhāluó kāfēi キリマンジャロコーヒー；キリマンジャロ.[Kilimanjaro coffee]

【乞力马扎罗山】Qǐlìmǎzhāluó Shān キリマンジャロ山. ❖タンザニアにある山.[Mount Kilimanjaro]

【绮年华】Qǐniánhuá エテルナ. ❖スイスの時計メーカー.[Eterna]

【起拍】qǐpāi 競売を開始する；オークションを開始する.

【起跑器】qǐpǎoqì スターティングブロック.[starting block]

【起亚】Qǐyà キア. ❖韓国の自動車メーカー.[Kia]

【企业标识】qǐyè biāozhì コーポレートロゴマーク.[corporate logo]

【企业并购】qǐyè bìnggòu 合併と買収；M&A. ❖"并购 bìnggòu""购并 gòubìng""合并与收购 hébìng yǔ shōugòu""兼并收购 jiānbìng shōugòu"とも.[merger and acquisition；M&A]

【企业产权】qǐyè chǎnquán 企業の財産権.

【企业重组】qǐyè chóngzǔ 事業再構築；コーポレートリストラクチャリング.[corporate restructuring]

【企业孵化器】qǐyè fūhuàqì インキュベーター. ❖起業の支援をする組織や団体.[enterprise incubator]

【企业管理】qǐyè guǎnlǐ 企業管理. ❖略称は"企管 qǐguǎn".

qǐ — qì

【企业集团】qǐyè jítuán 企業グループ.

【企业内部网】qǐyè nèibùwǎng 企業内ネットワーク；イントラネット. ❖IT用語."内部网 nèibùwǎng""内联网 nèiliánwǎng"とも.[intranet]

【企业社会责任】qǐyè shèhuì zérèn 企業の社会的責任；CSR. ❖企業が経営理念などに基づき社会にさまざまな貢献をし,責任を果たすこと.[corporate social responsibility；CSR]

【企业识别】qǐyè shíbié コーポレートアイデンティティー；CI.[corporate identity；CI]

【企业视觉识别】qǐyè shìjué shíbié ビジュアルアイデンティティー；VI.[visual identity；VI]

【企业形象】qǐyè xíngxiàng 企業イメージ.

【企业圆桌会议】qǐyè yuánzhuō huìyì ビジネス・ラウンド・テーブル；ビジネス円卓会議；BRT.[business round table；BRT]

【企业债券】qǐyè zhàiquàn 事業債；社債. ❖金融用語.

【企业转型外包】qǐyè zhuǎnxíng wàibāo ビジネス・トランスフォーメーション・アウトソーシング；BTO.[business transformation outsourcing；BTO]

【企业转制】qǐyè zhuǎnzhì 企業システムの改革.

【企业自主权】qǐyè zìzhǔquán「企業自主権」.

【起义】Qǐyì インティファーダ. ❖パレスチナの武装民衆蜂起.[Intifada]

qì

【汽车安全气囊】qìchē ānquán qìnáng〔自動車の〕エアバッグ. ❖"安全气囊 ānquán qìnáng"とも.[air bag]

【汽车贷款】qìchē dàikuǎn オートローン；自動車ローン；マイカーローン. ❖略称は"车贷 chēdài".[car loan；auto loan]

【汽车导航系统】qìchē dǎoháng xìtǒng カー・ナビゲーション・システム；カーナビ. ❖"卫星导航系统 wèixīng dǎoháng xìtǒng"とも.[car navigation system]

【汽车驾驶学校】qìchē jiàshǐ xuéxiào 自動車学校；教習所. ❖略称は"驾校 jiàxiào".

【汽车拉力赛】qìchē lālìsài カーラリー；自動車ラリー；ラリー.[car rally；rally]

【汽车旅馆】qìchē lǚguǎn モーテル.[motel]

【汽车普及化】qìchē pǔjíhuà モータリゼーション；車社会化.[motorization]

【汽车生活】qìchē shēnghuó カーライフ.

【汽车尾气】qìchē wěiqì 自動車排気ガス；自動車排ガス.

【汽车尾气排放标准】qìchē wěiqì páifàng biāozhǔn〔自動車の〕排気ガス排出基準；排ガス基準.

【汽车卫星定位系统】qìchē wèixīng dìngwèi xìtǒng 自動車GPS位置情報提供追跡システム.

【汽车召回】qìchē zhàohuí 自動車のリコール.

【气垫鞋】qìdiànxié エアソールシューズ. ❖ガスが注入された衝撃吸収のための靴底を採用した靴.[air sole shoes]

【契呵夫】Qìhēfū〔アントン・パブロビチ・〕チェーホフ. ❖ロシアの小説家,劇作家."契诃夫 Qìhēfū""契柯夫 Qìkēfū"とも.[Anton Pavlovich Chekhov；Anton Pavlovich Chekov]

【契诃夫】Qìhēfū〔アントン・パブロビチ・〕チェーホフ. ❖ロシアの小説家,劇作家."契呵夫 Qìhēfū""契柯夫 Qìkēfū"とも.[Anton Pavlovich Chekhov；Anton Pavlovich Chekov]

【器件】qìjiàn デバイス. ❖IT用語.[device]

【契柯夫】Qìkēfū〔アントン・パブロビチ・〕チェーホフ. ❖ロシアの小説家,劇作家."契

呵夫 Qìhēfū""契诃夫 Qìhēfū"とも. [Anton Pavlovich Chekhov ; Anton Pavlovich Chekov]

【气凝胶】qìníngjiāo エアロゲル. ❖空気のように軽い,半透明の物質.[aerogel]

【契税】qìshuì 不動産譲渡税；〔不動産譲渡時の〕契約税.

【气象监测预警】qìxiàng jiāncè yùjǐng 気象警報.

【器泳】qìyǒng 〔フィンスイミング競技の〕イマージョン.[immersion]

qiǎ

【卡纸】qiǎ zhǐ 紙詰まり(する).

qià

【恰高·占比尔】Qiàgāo Zhānbǐ'ěr チョガ・ザンビール. ●世界文化遺産(イラン).[Tchogha Zanbil]

【恰克与飞鸟】Qiàkè yǔ Fēiniǎo チャゲ＆飛鳥〈あすか〉. ❖日本の音楽グループ.[CHAGE and ASKA]

【洽谈会】qiàtánhuì 商談会.

qiān

【千赫】qiānhè キロヘルツ. ❖周波数の単位.記号： kHz.[kilohertz]

《千里走单骑》Qiānlǐ Zǒu Dānqí 「単騎、千里を走る。」. ❖中国映画のタイトル.[Riding Alone for Thousands of Miles]

【千曲川】Qiānqū Chuān 千曲川〈ちくまがわ〉. ❖日本・長野県を流れる川.新潟県に入ると信濃川〈しなのがわ〉となる.[the Chikuma River]

【牵手】qiānshǒu 連携(する)；提携(する).

【签售】qiānshòu サイン即売；サイン即売会.

【千禧控股】Qiānxǐ Kònggǔ ミレアホールディングス. ❖日本の保険持株会社.[Millea Holdings]

【千叶市】Qiānyè Shì 千葉〈ちば〉市. ❖千葉〈ちば〉県("千叶县 Qiānyè Xiàn")の県庁所在地.

【千叶县】Qiānyè Xiàn 千葉〈ちば〉県. ❖日本の都道府県の1つ.県庁所在地は千葉〈ちば〉市("千叶市 Qiānyè Shì").

《千与千寻》Qiān yǔ Qiānxún 「千と千尋の神隠し」. ❖日本アニメのタイトル.[Spirited Away]

【签账】qiānzhàng クレジットカード決済；カード決済；クレジットカード支払い.[credit-card transactions]

【签字笔】qiānzìbǐ サインペン.[felt-tipped pen]

【千字节】qiānzìjié キロバイト. ❖ハードディスクやメモリーの容量の大きさを表す単位.記号：KB.[kilo byte]

qián

【钱袋子】qiándàizi 資金の出所；財布；資金源.

【前进保险】Qiánjìn Bǎoxiǎn プログレッシブ. ❖アメリカの保険会社.[Progressive]

【潜亏】qiánkuī 目に見えない損失；隠れ損失.

【潜能】qiánnéng 潜在能力；可能性；ポテンシャル.[potential]

【前桥市】Qiánqiáo Shì 前橋〈まえばし〉市. ❖群馬〈ぐんま〉県("群马县 Qúnmǎ Xiàn")の県庁所在地.

【前卫】qiánwèi ①〔軍隊の〕前衛. ②アバンギャルド.[②avant-garde]

【前味】qiánwèi トップノート. ❖香水をつけた瞬間にする香り.[top note]

【前沿科学】qiányán kēxué 先端科学；フロンティアサイエンス.[leading-edge science]

【潜意识广告】qiányìshí guǎnggào サブリミナル広告．[subliminal advertising]

【前瞻】qiánzhān 展望；予測．

【潜质】qiánzhì 素質；潜在的能力；ポテンシャル．[potential]

qiǎn

【浅蓝】Qiǎnlán ライトブルー．❖ドルチェ＆ガッバーナ(伊)製のフレグランス名．[Light Blue]

qiàn

【倩碧】Qiànbì クリニーク．❖アメリカの化粧品メーカー．[Clinique]

《倩女幽魂》Qiànnǚ Yōuhún「チャイニーズ・ゴースト・ストーリー」．❖香港映画のタイトル．[A Chinese Ghost Story]

【欠收】qiànshōu 減収(する)；減少(する)．

qiāng

【枪版】qiāngbǎn 〔映画館などで〕盗撮した海賊版のVCDやDVD．

【枪手】qiāngshǒu ①射撃手．②替え玉；身代わり受験請負人．③ゴーストライター．❖②③の場合，"手"は軽声で発音する．[③ghostwriter]

qiáng

【强暴】qiángbào ①強暴である；強暴な勢力．②暴行(する)；レイプ(する)．[②rape]

【强档】qiángdàng プライムタイム；ゴールデンタイム；ベストな時期．[prime time]

【强化食品】qiánghuà shípǐn 栄養強化食品．

【强强联手】qiángqiáng liánshǒu ウィン・ウィン・パートナーシップ．[win-win partnership；win-win cooperation]

【强生】Qiángshēng ジョンソン・エンド・ジョンソン．❖アメリカの医薬品メーカー．[Johnson&Johnson]

【强势】qiángshì ①上り調子；発展の勢い．②強力なパワー．

【强势股】qiángshìgǔ 強気株．❖金融用語．株価が上昇を続けている株式．

【强势群体】qiángshì qúntǐ ①社会的強者．②勝ち組．

【强项】qiángxiàng 得意分野．

【墙纸】qiángzhǐ ①壁紙．②〔パソコンの〕壁紙．❖②IT用語．"壁纸 bìzhǐ"とも．[wall paper]

【强制结束】qiángzhì jiéshù 強制終了．❖IT用語．[forced termination]

【强制转换】qiángzhì zhuǎnhuàn 強制転換．

qiǎng

【抢答题】qiǎngdátí 早押しクイズ．

【抢得先机】qiǎngdé xiānjī ①トップを奪う．②先駆けとなる．

【抢红灯】qiǎng hóngdēng 赤信号を走り抜ける；信号無視をする．

【强迫交易罪】qiǎngpò jiāoyìzuì 脅迫取引の罪．❖中国の罪状名．

【抢摊】qiǎngtān ①〔軍事〕陣地を奪う．②シェアを奪う；ある分野の競争に参入する．

【抢眼】qiǎngyǎn 注目される；目を引く；目立つ．

qiāo

【敲竹杠】qiāo zhúgàng ぼったくる；巻き上げる．

qiáo

【乔丹】Qiáodān〔マイケル・〕ジョーダン．❖アメリカの元プロバスケットボール選手．名は"迈克尔 Màikè'ěr"．[Michael Jordan]

【乔戈里峰】Qiáogēlǐ Fēng K2．❖パキスタン，中国のカラコルム山脈にある山．[K2；Chogori；Godwin Austen]

【侨联】Qiáolián 帰国華僑連合会．❖"归国华侨联合会 Guīguó Huáqiáo Liánhéhuì"の略．

【乔伊鲁科蒂亚】Qiáoyīlǔkēdìyà キロキティア．◉世界文化遺産（キプロス）．[Choirokoitia]

【乔治・阿玛尼】Qiáozhì Āmǎní ジョルジオ・アルマーニ．❖イタリアのファッションメーカー，ブランド．[Giorgio Armani]

【乔治敦】Qiáozhìdūn ジョージタウン．❖ガイアナの首都．[Georgetown]

【乔治・卢卡斯】Qiáozhì Lúkǎsī ジョージ・ルーカス．❖アメリカの映画監督．[George Lucus]

【乔治威斯顿】Qiáozhì Wēisīdùn ジョージ・ウェストン．❖カナダの小売チェーン．[George Weston]

【乔治亚太平洋】Qiáozhìyà Tàipíngyáng ジョージア・パシフィック．❖アメリカの紙製品，パッケージ製品，建材関連の企業．[Georgia-Pacific]

qiào

【俏销】qiàoxiāo 人気がある；売れ行き好調．

qiē

【切花】qiēhuā 切り花．
【切换】qiēhuàn ①切り換える；切り換え．②ハンドオーバー．❖②IT用語．[②handover]

【切汇】qiēhuì 両替詐欺．
【切入】qiērù〔ある一点から〕入り込む；切り込む．
【切入点】qiērùdiǎn 突破口となるポイント；切り口．

qiè

【切诺基】Qiènuòjī チェロキー．❖ダイムラー・クライスラー（独）製の車名．[Cherokee]
【切勿倒置】qièwù dàozhì 天地無用．❖輸送用語．

qīn

【侵犯商业秘密罪】qīnfàn shāngyè mìmì zuì 商業秘密を侵害する罪．❖中国の罪状名．
【亲水住宅】qīnshuǐ zhùzhái ウォーターフロント住宅．
【侵占罪】qīnzhànzuì 不法占有の罪．❖中国の罪状名．
【亲子鉴定】qīnzǐ jiàndìng 親子鑑定．

qín

【勤地】Qíndì キアンティ；キャンティ．❖イタリア・トスカーナの地名，また同地産のワイン．"奇扬第 Qíyángdì""奇昂帝 Qí'ángdì"とも．[Chianti]

【勤工助学】qíngōng zhùxué 学生アルバイト．

【禽流】qínliú 鳥インフルエンザ．❖"家禽流行性感冒 jiāqín liúxíngxìng gǎnmào"の略．[avian influenza；bird flu]

【禽流感】qínliúgǎn 鳥インフルエンザ．❖"家禽流行性感冒 jiāqín liúxíngxìng gǎnmào"の略．[avian influenza；bird flu]

【秦始皇陵及兵马俑坑】Qín Shǐhuáng Língjí Bīngmǎyǒng Kēng 秦の始皇陵．◉世界文化遺産（中国）．[Mausoleum of the

qīng

First Qin Emperor]

qīng

【清仓大甩卖】qīngcāng dàshuǎimài クリアランスセール.[final clear out ; clearance sale]

【清产核资】qīngchǎn hézī 国有企业の資産整理.

【清场】qīngchǎng 補導(をする);警察の手入れ.

【青城山与都江堰】Qīngchéng Shān yǔ Dūjiāngyàn 青城山と都江堰〈とこうえん〉水利(灌溉)施設.●世界文化遺産(中国).[Mount Qingcheng and the Dujiangyan Irrigation System]

【倾城之魅】Qīngchéng zhī Mèi ①アリュール.②ヴェリィ・イレジスティブル.❖①シャネル(仏)製のフレグランス名."魅力 Mèilì"とも.②ジバンシイ(仏)製のフレグランス名.[①Allure ②Very Irresistible]

【青春痘】qīngchūndòu ニキビ.

【青春痘用品】qīngchūndòu yòngpǐn ニキビケア用品.

【青春饭】qīngchūnfàn 若さを売り物にする職業;若者にしか就けない職業.❖IT関連の職業,テレビカメラマン,雑誌記者などが該当するとされる.

《青春祭》Qīngchūnjì「青春祭」.❖中国映画のタイトル.[Sacrificed Youth]

【清单】qīngdān ①明細書;目録.②チェックリスト.[②checklist]

【青岛啤酒】Qīngdǎo Píjiǔ 青島〈チンタオ〉ビール.❖中国のビールメーカー,また同社製のビール名.

【轻轨】qīngguǐ ライト・レール・トランジット;LRT.❖市内と近郊を結ぶ電車."轻型轨道交通 qīngxíng guǐdào jiāotōng"の略.[light rail transit ; LRT]

【青海省】Qīnghǎi Shěng 青海省.❖中国の省の1つ.略称は"青 Qīng".省都は"西宁 Xīníng".

【清洁能源】qīngjié néngyuán クリーンエネルギー.[clean energy]

【清洁燃料】qīngjié ránliào クリーン燃料.

【清洁生产】qīngjié shēngchǎn クリーン生産.

【清洁提单】qīngjié tídān 無故障船荷証券;クリーンB/L.[clean B/L]

【清洁用】qīngjiéyòng クレンジング用.

【清明】qīngmíng〔二十四節気の〕清明〈せいめい〉.

【氢能】qīngnéng 水素エネルギー.[hydrogen energy]

【清啤酒】qīngpíjiǔ ピルス;ピルスナー.❖ビールの種類."比尔森啤酒 bǐ'ěrsēn píjiǔ""比尔斯 bǐ'ěrsī"とも.[Pils ; Pilsner]

【清欠】qīngqiàn 未払い賃金の清算.

【青森市】Qīngsēn Shì 青森〈あおもり〉市.❖青森〈あおもり〉県("青森县 Qīngsēn Xiàn")の県庁所在地.

【青森县】Qīngsēn Xiàn 青森〈あおもり〉県.❖日本の都道府県の1つ.県庁所在地は青森〈あおもり〉市("青森市 Qīngsēn Shì").

【轻水堆】qīngshuǐduī 軽水炉.❖"轻水反应堆 qīngshuǐ fǎnyīngduī"とも.

【轻水反应堆】qīngshuǐ fǎnyīngduī 軽水炉.❖"轻水堆 qīngshuǐduī"とも.

【清水建设】Qīngshuǐ Jiànshè 清水建設.❖日本の総合建設会社.[Shimizu]

【清算结算】qīngsuàn jiésuàn 清算.❖金融用語.

【青瓦台】Qīngwǎ Tái 青瓦台〈チョンワデ〉.❖韓国の大統領府.[Chongwadae ; Blue House]

【轻微脑功能失调】qīngwēi nǎogōngnéng shītiáo 微細脳機能不全;MBD.❖多動性障害の1種.[minimal brain dysfunction ; MBD]

【倾销】qīngxiāo ダンピング.[dumping]

【清新之水】Qīngxīn zhī Shuǐ オー・ソバージュ.❖クリスチャンディオール(仏)製のフ

qīng

レグランス名.[Eau Sauvage]

【轻型汽车】qīngxíng qìchē 軽自動車.

qíng

【情窦】Qíngdòu ベビードール. ❖イヴ・サンローラン(仏)製のフレグランス名.[Baby Doll]

【情感消费】qínggǎn xiāofèi 感情消費.

【鼷基·德·贝马拉哈自然保护区】Qíngjī dé Bēimǎlāhā Zìrán Bǎohùqū ツィンギ・デ・ベマラハ厳正自然保護区. ●世界自然遺産(マダガスカル).[Tsingy de Bemaraha Strict Nature Reserve]

【情结】qíngjié コンプレックス；心のしこり. ❖精神分析で,無意識に,心の中で抑圧されている強い感情などを指す.[complex]

【情侣旅馆】qínglǚ lǚguǎn ラブホテル. ❖"爱情旅馆 àiqíng lǚguǎn""情人旅馆 qíngrén lǚguǎn"とも.[love hotel；love motel]

【情人旅馆】qíngrén lǚguǎn ラブホテル. ❖"爱情旅馆 àiqíng lǚguǎn""情侣旅馆 qínglǚ lǚguǎn"とも.[love hotel；love motel]

【情商】qíngshāng 情動指数；EQ.[emotional quotient；EQ]

《情书》Qíngshū「Love Letter〈ラブレター〉」. ❖日本映画のタイトル.

【情绪指数】qíngxù zhǐshù センチメント指数. ❖経済関連用語.[sentiment index]

qǐng

【请示去留】qǐngshì qùliú 進退伺い.

qìng

【庆州历史区】Qìngzhōu Lìshǐqū キョンジュ(慶州)歴史地域. ●世界文化遺産(韓国).[Gyeongju Historic Areas]

qióng

【琼瑶浆】Qióngyáojiāng トラミネール. ❖白ぶどう品種,またそのぶどうで作られた白ワイン.[Traminer]

qiū

【丘比】Qiūbǐ キューピー. ❖日本の調味料メーカー.[Kewpie]

【秋分】qiūfēn 〔二十四節気の〕秋分〈しゅうぶん〉.

【秋田市】Qiūtián Shì 秋田〈あきた〉市. ❖秋田〈あきた〉県("秋田县 Qiūtián Xiàn")の県庁所在地.

【秋田县】Qiūtián Xiàn 秋田〈あきた〉県. ❖日本の都道府県の1つ.県庁所在地は秋田〈あきた〉市("秋田市 Qiūtián Shì").

qiú

【球道】qiúdào フェアウエイ. ❖ゴルフ場で,ティーとグリーンの間の芝生が刈り込まれた区域.[fair way]

【囚歌】qiúgē 囚人の歌. ❖囚人が自分の犯した罪を悔やむ心情を表現した歌.

【球市】qiúshì 球技スポーツのチケットの売れ行き；球技スポーツ業界の景気.

【球探】qiútàn ①〔球技スポーツ選手の〕スカウト. ②〔球技スポーツで〕情報収集担当. [①scout]

【球僮】qiútóng 〔ゴルフの〕キャディー；キャディ. ❖"杆弟 gǎndì"とも.[caddie；caddy]

【球星】qiúxīng 球技スポーツのスター選手.

qū

【屈臣氏】Qūchénshì ワトソンズ. ❖香港

のドラッグストアチェーン.[Watson's]

【驱动程序】qūdòng chéngxù〔コンピューター周辺機器の〕ドライバー.❖IT用語.周辺機器を制御するためのソフトウェア.[driver]

【驱动器】qūdòngqì〔コンピューターの〕ドライブ.❖IT用語.記憶メディアを読み出したり,書き込んだりできる装置.[drive]

【曲阜孔庙、孔林、孔府】Qūfù Kǒngmiào Kǒnglín Kǒngfǔ 曲阜の孔廟,孔林,孔府.●世界文化遺産(中国).[Temple and Cemetery of Confucius and the Kong Family Mansion in Qufu]

【区间车】qūjiānchē ①シャトルバス；区間運行バス.②各駅停車；ローカル.[①shuttle bus ②local]

【趋冷】qūlěng 熱が冷める；ブームが去る；クールダウンする.[cool down]

《驱魔人》Qūmórén「エクソシスト」.❖アメリカ映画のタイトル.[The Exorcist]

【趋热】qūrè 流行する；ブームになる；ヒートアップする.[heat up]

【趋势】Qūshì 動向；傾向；趨勢〈すうせい〉；トレンド.[trend]

【趋势科技】Qūshì Kējì トレンドマイクロ.❖アメリカのコンピューター・ソフトウェア・メーカー.[Trend Micro]

【趋同】qūtóng 同じ方向へ向かう；同調する.

【区位码】qūwèimǎ ①〔電話の〕市外局番.②リージョンコード.❖②DVDソフトと再生機器双方に割り振られた地域コード.[②region code]

【趋新】qūxīn 流行を追う；トレンドを追う.

【区域贸易安排】Qūyù Màoyì Ānpái 地域貿易協定；RTA.❖自由貿易協定(FTA)と関税同盟をあわせたものを指す.[Regional Trade Arrangements；RTA]

【区域生产总值】qūyù shēngchǎn zǒngzhí 域内総生産；GRP.❖"区域内生产总值 qūyùnèi shēngchǎn zǒngzhí"とも.[Gross Regional Product；GRP]

qǔ

【取得成本】qǔdé chéngběn 取得原価.❖金融用語."购置成本 gòuzhì chéngběn"とも.

【取向】qǔxiàng 選択；傾向.

【取消】qǔxiāo ①取り消す；取り消し；キャンセル(する).②アンドゥー.❖②IT用語."撤消 chèxiāo"とも.[①cancel ②undo]

【取消国籍】qǔxiāo guójí 国籍剥奪.

【取样频率】qǔyàng pínlǜ サンプリング周波数；サンプリングレート.❖IT用語."采样频率 cǎiyàng pínlǜ"とも.[sampling frequency]

qù

【去角质】qù jiǎozhì 角質除去.

quān

【圈外人士】quānwài rénshì 非関係者；非業界関係者.

【圈子】quānzi ①業界.②サークル；グループ.[②circle；group]

quán

【全程提单】quánchéng tídān 通し船荷証券；スルーB/L.❖金融用語."联运提单 liányùn tídān"とも.[through bill of lading；through B/L]

【全方位】quánfāngwèi 全方位の；多方面の；オールラウンドの.[all-round]

【全封闭循环系统】quánfēngbì xúnhuán xìtǒng 完全クローズドシステム.

【全国人民代表大会】Quánguó Rénmín

Dàibiǎo Dàhuì 全国人民代表大会；全人代．❖略称は"全国人大 Quánguó Réndà""人大 Réndà"．

【全国性品牌】quánguóxìng pǐnpái ナショナルブランド．[national brand]

【全国政治协商会议】Quánguó Zhèngzhì Xiéshāng Huìyì 全国政治協商会議；全国政協．

【全景式】quánjǐngshì ①全景；パノラマ．②多面的な；多角的な；全方位の．③徹底的な．[①panorama]

【全科医生】quánkē yīshēng 一般医；GP；一般開業医；開業医；ホームドクター．❖"家庭医生 jiātíng yīshēng""全科医师 quánkē yīshī""通科医生 tōngkē yīshēng"とも．[general practitioner；GP；family doctor]

【全科医学】quánkē yīxué 総合医療；プライマリーケア；地域医療；家庭医学．[primary care]

【权利跌落】quánlì diēluò 権利落ち．❖金融用語．配当基準日が過ぎて従来受けられる株式配当の権利を失うこと．"除权 chúquán"とも．

【权利执行价格】quánlì zhíxíng jiàgé 権利行使価格；行使価格．❖金融用語．"期权执行价格 qīquán zhíxíng jiàgé""行权价格 xíngquán jiàgé""行使价格 xíngshǐ jiàgé"とも．

【全面健康检查】quánmiàn jiànkāng jiǎnchá 人間ドック．

【全面教育】quánmiàn jiàoyù 総合教育．

【全面禁止核试验】quánmiàn jìnzhǐ héshìyàn 核実験全面禁止．❖略称は"核禁试 héjìnshì"．[comprehensive nuclear-test-ban]

《全面禁止试验条约》Quánmiàn Jìnzhǐ Héshìyàn Tiáoyuē「包括的核実験禁止条約」；CTBT．[Comprehensive Test Ban Treaty；CTBT]

【全面生产维护】Quánmiàn Shēngchǎn Wéihù 全員参加の生産保全；全社的生産保全；TPM．❖"全面生产管理 Quánmiàn Shēngchǎn Guǎnlǐ"とも．[Total Productive Maintenance；TPM]

【全面运转】quánmiàn yùnzhuǎn フル稼働．

【全面质量管理】quánmiàn zhìliàng guǎnlǐ 総合的品質管理；TQM．[total quality management；TQM]

【全民公决】quánmín gōngjué 国民投票；国民評決；レファレンダム．❖"公民投票 gōngmín tóupiào"とも．[referendum]

《全民健身计划》Quánmín Jiànshēn Jìhuà「国民健康増進計画」．

【全明星赛】quánmíngxīngsài オールスターゲーム．[All-Star Game]

【全能银行】quánnéng yínháng ユニバーサルバンク．❖金融用語．銀証券兼営（銀行業務,証券業,保険業など金融業務の兼営）をする銀行．"综合银行 zōnghé yínháng"とも．[universal bank]

【全陪】quánpéi ①スルーガイドによる観光案内．②スルーガイド；添乗員；ツアーコンダクター．[②tour conductor]

【全屏幕】quánpíngmù 全画面；フルスクリーン．❖IT用語．[full screen]

【全球变暖】quánqiú biànnuǎn 地球温暖化．

【全球标准】quánqiú biāozhǔn グローバルスタンダード．[global standard]

【全球定位系统】quánqiú dìngwèi xìtǒng 全地球測位システム；GPS．[global positioning system；GPS]

【全球多边贸易体系】quánqiú duōbiān màoyì tǐxì 多角的貿易システム；多国間貿易システム．

【全球海上遇险与安全系统】quánqiú hǎishàng yùxiǎn yǔ ānquán xìtǒng 全世界の海上遭難安全システム；GMDSS．[global maritime distress and safety system；GMDSS]

【全球化】quánqiúhuà グローバル化.
【全球人寿】Quánqiú Rénshòu エイゴン. ❖オランダの保険会社.[Aegon]
【全球通】Quánqiútōng「全球通」. ❖チャイナモバイル(中国)のGSM方式携帯電話の登録商標.
【全球移动通信系统】quánqiú yídòng tōngxìn xìtǒng 通信用グローバルシステム；GSM. ❖IT用語.[Global System for Mobile；GSM]
【全日工作职位】quánrì gōngzuò zhíwèi フルタイムの職務；常勤の職務.
【全日空】Quánrìkōng 全日本空輸；全日空. ❖日本の航空会社.コード：NH.[All Nippon Airways]
【全日空饭店集团】Quánrìkōng Fàndiàn Jítuán 全日空ホテルズ. ❖全日空ホテルズ(日本)のホテルブランド.[ANA Hotels]
【全身美容】quánshēn měiróng 全身美容；エステ；美容. ❖"美容 měiróng"とも.[esthetics]
【全顺】Quánshùn トランジット. ❖フォード(米)製の車名.[Transit]
【全损险】quánsǔnxiǎn 全損のみ担保；TLO. ❖"全损赔偿险 quánsǔn péichángxiǎn"の略.[total loss only；t.l.o.]
【全天候】quántiānhòu ①全天候用の；全天候型の. ②いかなる環境にも左右されない；影響を受けない.
【全托】quántuō 寄宿制保育.
【全息图】quánxītú ホログラム.[hologram]
【全险】quánxiǎn 全危険担保；オールリスク. ❖"一切险 yīqièxiǎn""综合险 zōnghéxiǎn"とも.[all risks]
【权相宇】Quán Xiāngyǔ クォン・サンウ. ❖韓国出身の男優.[Kwon Sangwoo]
【全薪】quánxīn ①有給. ②給与の全額.
【全薪假期】quánxīn jiàqī 有給休暇. ❖給与の全額が支給される有給休暇.
【全优工程】quányōu gōngchéng すべてにおいて優秀なプロジェクト.
【全职】quánzhí ①常勤(の)；専業(の)；フルタイム(の). ②常勤者；専業者；フルタイム.[full-time worker]
【全职太太】quánzhí tàitai 専業主婦.
【全资】quánzī 全額出資；100パーセント出資.

quàn

【券商】quànshāng 証券会社. ❖金融用語.

quē

【缺量】quēliàng ①重量不足；数量不足. ②目減り. ❖②金融用語.
【缺省】quēshěng デフォルト；初期設定. ❖IT用語.[default]
【缺失】quēshī ①欠如(する)；不足(する)；不十分(だ). ②欠陥；不備.
【缺席判决】quēxí pànjué 欠席裁判.

què

【雀巢】Quècháo ネスレ. ❖スイスの食品メーカー.[Nestlé]
【雀巢咖啡】Quècháo Kāfēi ネスカフェ. ❖ネスレ(スイス)の飲料ブランド.[Nescafé]
【鹊桥会】quèqiáohuì お見合いパーティー；マッチング.[matchmaking party]
【确认键】quèrènjiàn エンターキー. ❖IT用語.[enter key]

qún

【群件】qúnjiàn グループウェア. ❖IT用語.[groupware]
【群落生境】qúnluò shēngjìng ビオトープ.[biotope]
【群马县】Qúnmǎ Xiàn 群馬〈ぐんま〉県. ❖

日本の都道府県の1つ.県庁所在地は前橋〈まえばし〉市("前桥市 Qiánqiáo Shì").
【群星荟萃】qúnxīng huìcuì オールスターキャスト.[all-star cast]

【群众演员】qúnzhòng yǎnyuán〔映画の〕エキストラ.❖"临时演员 línshí yǎnyuán"とも.[extra]

R — rè

R

【RAM】RAM ランダム・アクセス・メモリー；RAM〈ラム〉．❖IT用語．中国語は"随机存储器 suíjī cúnchǔqì""随机存取存储器 suíjī cúnqǔ cúnchǔqì".[random access memory；RAM]

【RMB】RMB 人民元〈じんみんげん〉；RMB．❖中国の通貨．中国語では"人民币 rénmínbì"．コード：CNY．

【RSS格式】RSS géshi RSS．❖IT用語．文書の記述形式の1つ．[rich site summary；RSS]

rán

【燃料电池】ránliào diànchí 燃料電池．[fuel cell]

【燃料循环】ránliào xúnhuán 燃料リサイクル．

【燃油附加税】rányóu fùjiāshuì 燃料付加税．❖自動車や航空機用燃料などに課される税金．

rǎn

【染发】rǎnfà〔髪の〕カラーリング．[hair coloring]

【染发剂】rǎnfàjì ヘアダイ；ヘアカラー；毛染め剤．[hairdye；hair coloring]

ràng

【让利】rànglì 値引き販売；割り引き販売．

rǎo

【扰乱法庭秩序罪】rǎoluàn fǎtíng zhìxùzuì 法廷秩序攪乱の罪．❖中国の罪状名．

【扰码】rǎomǎ スクランブル（をかける）．❖IT用語．[scramble]

【扰民】rǎomín 住民に影響を与える；住民に迷惑をかける．

rào

【绕月卫星】ràoyuè wèixīng 月周回衛星．

rè

【热播】rèbō 人気番組を放送する；絶賛放送中；頻繁に放送する．

【热插拔】rèchābá 活線挿抜〈かっせんそうばつ〉；ホットスワップ．❖IT用語．[hot swap；hot-plugging]

【热炒】rèchǎo 過剰な報道（をする）；過熱報道をする．

【热车】rèchē ①人気車種．②〔出発前に〕車のエンジンをかけて暖める．

【热岛效应】rèdǎo xiàoyìng ヒートアイランド効果．[heat island effect]

【热点】rèdiǎn ①注目されている事柄や場所；ホットな事柄や場所．②ホットスポット．❖②IT用語．[hot spot]

【热核弹头】rèhé dàntóu 熱核弾頭．

【热键】rèjiàn ホットキー．❖IT用語．キーを押すことで動作を実行できる機能．[hot key]

【热辣】rèlà ①ひりひりとした；ほてるような；熱くて辛い．②激しい；にぎやかな；にぎにぎしい．

【热络】rèluò 活発である；盛んである；活況（を呈している）．

【热卖】rèmài 飛ぶように売れる；よく売れる；売れ行きがよい．❖"热销 rèxiāo"とも．

【热门股】rèméngǔ 人気株. ❖金融用語.

【热门话题】rèmén huàtí ホットな話題.

【热那亚】Rènàyà ジェノバ. ❖イタリアの都市名.サミット開催地の1つ.[Genoa]

【热评】rèpíng 論評する(こと);活発に批評し論じる(こと).

【热钱】rèqián 遊休資本;投機的資金;ホットマネー. ❖金融用語.国際金融市場で動く投機的短期資金のこと."国际游资 guójì yóuzī""游资 yóuzī"とも.[hot money]

【热身】rèshēn ウォーミングアップ(する).[warm-up]

【热污染】rèwūrǎn 熱汚染.

【热线】rèxiàn ①ホットライン;緊急用電話回線.②混雑路線;〔観光の〕人気路線.[①hot line]

【热销】rèxiāo 飛ぶように売れる;よく売れる;売れ行きがよい. ❖"热卖 rèmài"とも.

【热映】rèyìng ①絶賛上映中.②こぞって上映する.

【热转移印花机】rèzhuǎnyí yìnhuājī 熱圧着機;熱プレス機.

rén

【人才安全】réncái ānquán 人材の流動化に伴うセキュリティー.

【人才储备】réncái chǔbèi 人材確保;人材蓄積.

【人才高地】réncái gāodì 優秀な人材が集まる場所.

【人才回流】réncái huíliú 人材の回帰;人材のリターン.

【人才结构】réncái jiégòu 人材構造.

【人才库】réncái kù 人材バンク.

【人才流失】réncái liúshī 頭脳流出;人材流出. ❖"人才外流 réncái wàiliú"とも.

【人才市场】réncái shìchǎng ①人材市場.②雇用サービス機関.

【人才外流】réncái wàiliú 頭脳流出;人材流出. ❖"人才流失 réncái liúshī"とも.

【人才战】réncái zhàn 人材獲得競争.

【仁川国际机场】Rénchuān Guójì Jīchǎng インチョン(仁川)国際空港. ❖韓国・ソウルにある空港.[Incheon International Airport]

【人大】Réndà ①全国人民代表大会;全人代.②人民代表大会.③中国人民大学. ❖①"全国人民代表大会 Quánguó Rénmín Dàibiǎo Dàhuì"の略.②"人民代表大会 Rénmín Dàibiǎo Dàhuì"の略.③"中国人民大学 Zhōngguó Rénmín Dàxué"の略.

【人防工程】rénfáng gōngchéng 人民防空プロジェクト. ❖中国の国防建設の一環."人民防空工程 rénmín fángkōng gōngchéng"の略.

【人工降雨】réngōng jiàngyǔ 人工降雨.

【人工器官】réngōng qìguān 人工臓器.

【人工智能】réngōng zhìnéng 人工知能;AI.[artificial intelligence;AI]

【人工智能武器】réngōng zhìnéng wǔqì 人工知能搭載兵器;ハイテク兵器. ❖略称は"智能武器 zhìnéng wǔqì".

《人鬼情未了》Rén Guǐ Qíng Wèiliǎo 「ゴースト ニューヨークの幻」. ❖アメリカ映画のタイトル.[Ghost]

【人机交互】rénjī jiāohù 人とコンピューターの相互作用;インタラクション.[human-computer interaction]

【人际交往】rénjì jiāowǎng ヒューマンコミュニケーション;人とのつきあい;社交.[human communication]

【人均国民收入】rénjūn guómín shōurù 国民1人当たり所得.

【人均期望寿命】rénjūn qīwàng shòumìng 平均寿命.

【人均住房面积】rénjūn zhùfáng miànjī 1人当たり居住面積.

【人口断层】rénkǒu duàncéng 人口ピラミ

rén

【人口负增长】rénkǒu fùzēngzhǎng 人口のマイナス成長.

【人口高峰】rénkǒu gāofēng 人口のピーク；ベビーブーム.[population peak；baby boom]

【人口净密度】rénkǒu jìngmìdù ネット人口密度. ❖総人口を宅地総面積で割った価のこと.[net population density]

【人口老龄化】rénkǒu lǎolínghuà 高齢化.

【人口毛密度】rénkǒu máomìdù グロス人口密度. ❖総人口を総面積で割った価のこと.

【人口年龄金字塔】rénkǒu niánlíng jīnzìtǎ 人口ピラミッド.

【人口普查】rénkǒu pǔchá 人口センサス；人口調査；国勢調査.[census]

【人口少子老龄化】rénkǒu shǎozǐ lǎolínghuà 少子高齢化. ❖"少子高龄化 shǎozǐ gāolínghuà"とも.

【人类工程学】rénlèi gōngchéngxué 人間工学.

【人类基因图谱】rénlèi jīyīn túpǔ ヒトゲノムマップ.[human genome map；map of the human genome]

【人类基因组计划】rénlèi jīyīnzǔ jìhuà ヒトゲノムプロジェクト；ヒトゲノム解析計画.[human genome project]

【人类免疫缺陷病毒】rénlèi miǎnyì quēxiàn bìngdú HIVウイルス；ヒト免疫不全ウイルス.[human immunodeficiency virus；HIV]

【人类胚胎干细胞】rénlèi pēitāi gànxìbāo ヒト万能細胞；胚性幹細胞；ES細胞.[human embryonic stem cell]

【人力资源】rénlì zīyuán マンパワー.[manpower]

【人力资源管理】rénlì zīyuán guǎnlǐ ヒューマン・リソース・マネジメント；HRM.[human resource management；HRM]

【人民币】rénmínbì 人民元〈じんみんげん〉；RMB. ❖中国の通貨.コード：CNY.

【人民大会堂】Rénmín Dàhuìtáng 人民大会堂. ❖中国・北京,市街中心部にある.日本の国会議事堂にあたる.[Great Hall of the People]

《人民日报》Rénmín Rìbào「人民日報」. ❖中国の日刊紙.中国共産党の機関紙でもある.[People's Dairy]

【人气】rénqì 人気. ❖日本語から.

【人情债】rénqíng zhài つきあいや義理などによる出費；冠婚葬祭に伴う出費.

【人蛇】rénshé 密航者. ❖"偷渡者 tōudùzhě"とも.

【人身保险】rénshēn bǎoxiǎn 保険. ❖生命保険,疾病〈しっぺい〉保険,傷害保険を含む.

【人身攻击】rénshēn gōngjī 個人攻撃.

【人身意外保险】rénshēn yìwài bǎoxiǎn 傷害保険. ❖"人身意外伤害保险 rénshēn yìwài shānghài bǎoxiǎn"とも.

【人身意外伤害保险】rénshēn yìwài shānghài bǎoxiǎn 傷害保険. ❖"人身意外保险 rénshēn yìwài bǎoxiǎn"とも.

【人事考核】rénshì kǎohé 人事考課.

【人寿保险】rénshòu bǎoxiǎn 生命保険；生保. ❖略称は"寿险 shòuxiǎn".

【人体彩绘】réntǐ cǎihuì ボディーペインティング. ❖略称は"体绘 tǐhuì".[body painting]

【人体盾牌】réntǐ dùnpái 人間の盾.

【人体工学设计】réntǐ gōngxué shèjì エルゴデザイン.[ergonomics design]

【人体艺术】réntǐ yìshù ①ボディアート. ②ヌード.[①body art ②nude]

【人体炸弹】réntǐ zhàdàn 人間爆弾；自爆テロリスト.

【人头马】Réntóumǎ E.レミー・マルタン；レミー・マルタン. ❖フランスのコニャックメーカー,また同社製のコニャック.[Rémy Martin]

【人头马俱乐部】Réntóumǎ Jùlèbù レミ

【人文奥运】Rénwén Àoyùn ヒューマニズムオリンピック．❖北京オリンピック開催理念の1つ．[people friendly Olympic]

【人文关怀】rénwén guānhuái ヒューマンケア．[human care]

【人性化】rénxìnghuà ヒューマナイズ；ヒューマナイズする；人に優しい．[humanize]

【人性化管理】rénxìnghuà guǎnlǐ ヒューマンマネジメント；人間性に基づく管理．[human-based management]

【人妖】rényāo ニューハーフ．

《人猿泰山》Rényuán Tàishān「類猿人ターザン」．❖アメリカ映画のタイトル．[Tarzan, the Ape Man]

【人造金刚石】rénzào jīngāngshí 人造ダイヤモンド．[synthetic diamond；artificial diamond]

【人造美女】rénzào měinǚ 整形美人．

【人造丝】rénzàosī レーヨン．[rayon]

【人渣】rénzhā 人間のくず．

《人证》Rénzhèng「人間の証明 Proof of the Man」．❖日本映画のタイトル．[Proof of the Man]

【人质事件】rénzhì shìjiàn 人質事件．

rèn

【认购者收益率】rèngòuzhě shōuyìlǜ 応募者利回り．❖金融用語．

【认股权】rèngǔquán 新株引受権．❖金融用語．

【认股权证】rèngǔquánzhèng 新株予約権付社債．❖金融用語．ある一定の株価で株式を買うことができる社債．"附带认股权的债券 fùdài rèngǔquán de zhàiquàn""附新股认购权公司债 fùxīngǔ rèngòuquán gōngsīzhài"とも．[warrant；warrant bond]

一・マルタン・クラブ・スペシャル．❖E.レミー・マルタン(仏)製のコニャック．[Rémy Martin Club Special]

【认捐】rènjuān 寄付を申し出る(こと)．

【任天堂】Rèntiāntáng 任天堂．❖日本のゲームメーカー．[Nintendo]

【任务栏】rènwùlán タスクバー．❖IT用語．[task bar]

【任意偿还】rènyì chánghuán 任意償還．❖金融用語．

【任意球】rènyìqiú フリーキック．[free kick]

【认证】rènzhèng 認証(する)．

【认知科学】rènzhī kēxué 認知科学．

rì

【日本财产保险公司】Rìběn Cáichǎn Bǎoxiǎn Gōngsī 損害保険ジャパン；損保ジャパン．❖日本の保険会社．[Sompo Japan Insurance]

【日本电气】Rìběn Diànqì 日本電気；NEC．❖日本のコンピューターメーカー．[Nippon Electronics Company；NEC]

【日本电视广播网公司】Rìběn Diànshì Guǎngbōwǎng Gōngsī 日本テレビ放送網；NTV．❖日本のテレビ局．[Nippon Television Network；NTV]

【日本电信电话】Rìběn Diànxìn Diànhuà 日本電信電話；NTT．❖日本の電話通信会社．[Nippon Telegraph and Telephone；NTT]

【日本电信电话・都科摩】Rìběn Diànxìn Diànhuà Dūkēmó エヌ・ティ・ティ・ドコモ；NTTドコモ．❖日本の移動通信会社の通称.同じく通称で"NTT移动通讯 NTT Yídòng Tōngxùn"とも．[NTT DoCoMo]

【日本电信公司】Rìběn Diànxìn Gōngsī 日本テレコム．❖日本の電話通信会社．[Japan Telecom]

【日本电影旬报奖】Rìběn Diànyǐng Xúnbào Jiǎng キネマ旬報賞．❖日本の映画賞．

rì

【日本工业规格】Rìběn Gōngyè Guīgé 日本工业规格;JIS⟨ジス⟩.[Japanese Industrial Standards;JIS]

【日本广播协会】Rìběn Guǎngbō Xiéhuì 日本放送协会;NHK. ❖日本の放送局.[Japan Broadcasting;Nippon Hoso Kyokai;NHK]

【日本国】Rìběnguó 日本国;日本.[Japan]

【日本国际交流基金会】Rìběn Guójì Jiāoliú Jījīnhuì 国际交流基金;ジャパンファウンデーション.[Japan Foundation]

【日本国际协力机构】Rìběn Guójì Xiélì Jīgòu 国际协力机构;ジャイカ;JICA.[Japan International Cooperation Agency;JICA]

【日本航空】Rìběn Hángkōng 日本航空. ❖日本の航空会社.コード:JL.[Japan Airlines;JAL]

【日本货运航空】Rìběn Huòyùn Hángkōng 日本货运航空. ❖日本の航空货物会社.コード:KZ.[Nippon Cargo Airlines;NCA]

【日本经济团体联合会】Rìběn Jīngjì Tuántǐ Liánhéhuì 日本经济团体连合会;日本经团连.[Nippon Keidanren]

《日本经济新闻》Rìběn Jīngjì Xīnwén「日本经济新闻」. ❖日本の经济纸.[Nihon Keizai Shimbun]

【日本贸易振兴机构】Rìběn Màoyì Zhènxīng Jīgòu 日本贸易振兴机构;ジェトロ;JETRO.[Japan External Trade Organization;JETRO]

【日本能源】Rìběn Néngyuán ジャパンエナジー. ❖日本の石油会社.[Japan Energy]

【日本农林规格】Rìběn Nónglín Guīgé 日本农林规格;JAS⟨ジャス⟩.[Japanese Agricultural Standards;JAS]

【日本生命】Rìběn Shēngmìng 日本生命;ニッセイ. ❖日本の保险会社.[Nippon Life Insurance;Nissay]

【日本铁路通行证】Rìběn Tiělù tōngxíngzhèng ジャパンレールパス. ❖外国人观光客向けの特别企画乘车券.[Japan Rail Pass]

【日本通运】Rìběn Tōngyùn 日本通运;日通. ❖日本の运送会社.[Nippon Express]

【日本亚细亚航空】Rìběn Yàxìyà Hángkōng 日本アジア航空. ❖日本の航空会社.コード:EG.[Japan Asia Airways]

【日本烟草产业】Rìběn Yāncǎo Chǎnyè 日本たばこ产业;JT. ❖日本のタバコメーカー.[Japan Tobacco;JT]

【日本银行】Rìběn Yínháng 日本银行;日银. ❖日本の中央银行.[Bank of Japan]

【日本邮船】Rìběn Yóuchuán 日本邮船. ❖日本の海运会社.[Nippon Yusen]

【日本邮政公社】Rìběn Yóuzhèng Gōngshè 日本邮政公社. ❖日本の国营邮便事业体.[Japan Post]

【日本职棒总冠军赛】Rìběn zhíbàng zǒngguànjūnsài〔野球の〕日本シリーズ.

【日本职业棒球联盟】Rìběn Zhíyè Bàngqiú Liánméng 日本プロ野球リーグ.

【日本职业足球联赛】Rìběn Zhíyè Zúqiú Liánsài Jリーグ.[J League]

【日产汽车】Rìchǎn Qìchē 日产自动车;ニッサン. ❖日本の自动车メーカー.[Nissan Motor]

【日场】rìchǎng 昼间兴行;昼の部;マチネ.[matinée]

【日光的神殿与庙宇】Rìguāng de Shéndiàn yǔ Miàoyǔ 日光の社寺. ●世界文化遗产(日本).[Shrines and Temples of Nikko]

【日航酒店】Rìháng Jiǔdiàn ホテル日航. ❖JALホテルズ(日本)のホテルブランド.[Hotel Nikko]

【日间护理】rìjiān hùlǐ デイケア.[day care]

【日间用】rìjiān yòng 昼用. ❖化妆品用语.

【日经平均股价指数】Rìjīng píngjūn gǔjià zhǐshù 日经平均株价指数. ❖金融用语.

略称は"日经指数 Rìjīng zhǐshù".[Nikkei Stock Average Index ; Nikkei Index]

【日经指数】Rìjīng zhǐshù 日経平均株価指数. ❖金融用語."日经平均股价指数 Rìjīng píngjūn gǔjià zhǐshù"の略.[Nikkei Stock Average Index ; Nikkei Index]

【日立】Rìlì 日立製作所；日立. ❖日本の家電メーカー.[Hitachi]

《日美安全保障条约》Rì Měi Ānquán Bǎozhàng Tiáoyuē「日米安全保障条約」.[Japan-U.S. Security Treaty]

《日美防卫合作指针》Rì Měi Fángwèi Hézuò Zhǐzhēn「日米防衛協力ガイドライン」.[Japan-U.S. defense cooperation guidelines]

【日清食品】Rìqīng Shípǐn 日清食品. ❖日本の食品メーカー.[Nissin Food Products]

【日晒后用品】rìshàihòu yòngpǐn 日焼けケア用品.

【日 霜】rìshuāng デイクリーム.[day cream]

【日托】rìtuō 全日保育.

【日息】rìxī 日歩〈ひぶ〉. ❖金融用語.

【日语能力考试】Rìyǔ Nénglì Kǎoshì 日本語能力試験. ❖財団法人日本国際教育支援協会が実施する、日本語を母語としない外国人を対象とした日本語能力試験.独立行政法人国際交流基金が国外での実施を担当している.[Japanese Language Proficiency Test]

【日元】Rìyuán 円；日本円. ❖日本の通貨単位.コード：JPY.[yen]

【日元贬值】Rìyuán biǎnzhí 円安. ❖金融用語.

【日元贷款】Rìyuán dàikuǎn 円借款.

【日元计价外债】Rìyuán jìjià wàizhài 円貨建て外債；円建て外債. ❖金融用語.

【日元升值】Rìyuán shēngzhí 円高. ❖金融用語.

【日元债券】Rìyuán zhàiquàn 円債. ❖金融用語.

【日照标准】rìzhào biāozhǔn 日照の基準.

róng

【容积率】róngjīlǜ 容積率.

【容量安全数字记忆卡】róngliàng ānquán shùzì jìyìkǎ SDメモリーカード. ❖IT用語."SD 记忆卡 SD jìyìkǎ"とも.[secure digital memory card ; SD memory card]

《容器包装再生法》Róngqì Bāozhuāng Zàishēngfǎ「容器包装リサイクル法」. ❖日本の法律.正式には「容器包装に係る分別収集および再商品化の促進等に関する法律」.

【融券费用】róngquàn fèiyong 逆日歩〈ぎゃくひぶ〉. ❖金融用語.信用取引で,株式を借りる際に支払う品貸料."借股费 jiègǔfèi""借券费用 jièquàn fèiyong"とも.

【融券市场】róngquàn shìchǎng 貸株市場. ❖金融用語.

【荣山国际】Róng Shān Guójì 栄山国際；ウィンシャン・インターナショナル. ❖エネルギー関連企業.レッドチップ企業の1つ.[Wing Shan International]

《荣誉勋章》Róngyù Xūnzhāng「メダルオブオナー」. ❖エレクトロニックアーツ(米)製のゲームのタイトル.[Medal of Honor]

【融资】róngzī 融資(する). ❖金融用語.[financing]

【融资费用】róngzī fèiyong 融資費用. ❖金融用語.

【融资渠道】róngzī qúdào 資金調達ルート.

【融资融券交易股票】róngzī róngquàn jiāoyì gǔpiào 貸借銘柄. ❖金融用語.

【融资租赁】róngzī zūlìn ファイナンスリース；リース. ❖金融用語.[finance lease ; lease]

róu

【柔肤水】róufūshuǐ 柔軟化粧水.

róu

【柔和佳宾】Róuhé Jiābīn キャビン・マイルド. ❖JT（日本）製のタバコ名.[Cabin Mild]

【柔和七星】Róuhé Qīxīng マイルドセブン. ❖JT（日本）のタバコブランド.[Mildseven]

【柔顺剂】róushùnjì 柔軟剤.

【柔性】róuxìng ①柔性；しなやかさを有する. ②フレキシブル（な）；柔軟である；柔軟性がある；融通がきく.[flexible]

【柔性管理】róuxìng guǎnlǐ ソフトマネジメント.[soft management]

【柔性生产系统】róuxìng shēngchǎn xìtǒng フレキシブル生産システム；FMS. ❖"灵活生产系统 línghuó shēngchǎn xìtǒng""柔性制造系统 róuxìng zhìzào xìtǒng"とも.[flexible manufacturing system；FMS]

【柔性制造系统】róuxìng zhìzào xìtǒng フレキシブル生産システム；FMS. ❖"灵活生产系统 línghuó shēngchǎn xìtǒng""柔性生产系统 róuxìng shēngchǎn xìtǒng"とも.[flexible manufacturing system；FMS]

rú

【蠕虫病毒】rúchóng bìngdú ワーム. ❖IT用語.[worm]

【儒商】rúshāng 教養あるビジネスパーソン.

【如新】Rúxīn ニュースキン. ❖アメリカの化粧品メーカー.[Nuskin]

rǔ

【乳香之路】Rǔxiāng zhī Lù フランキンセンス・トレイル. ●世界文化遺産（オマーン）. [The Frankincense Trail]

rù

【入场券】rùchǎngquàn ①入場券；切符. ②〔競技や活動への〕参加資格.

【入轨】rùguǐ 軌道に乗る.

【入门费】rùménfèi イニシャルフィー.[initial fee]

【入侵者】rùqīnzhě クラッカー；ハッカー. ❖IT用語.コンピューターに侵入してシステムやデータの破壊などを行う者."骇客 hàikè""黑客 hēikè"とも.[cracker；hacker]

【入世】rù Shì WTO加盟. ❖"加入世界贸易组织 jiārù Shìjiè Màoyì Zǔzhī"の略.

【入世冲击】rù Shì chōngjī WTO加盟による打撃.

【入市干预】rùshì gānyù インターベンション. ❖金融用語.中央銀行が為替相場に介入すること."央行入市干预 yāngháng rùshì gānyù"とも.[intervention]

【入网许可证】rùwǎng xǔkězhèng ネットワーク・アクセス・ライセンス. ❖IT用語. [network access license]

【入围】rùwéi ①参入する（こと）；参加資格を得る（こと）. ②入選する（こと）；入賞する（こと）；ノミネートされる（こと）.

【入住】rùzhù 入居（する）.

ruǎn

【软包装】ruǎnbāozhuāng ソフト包装；ソフトパッキング.[soft-packing]

【软贷款】ruǎndàikuǎn ソフトローン；長期低利貸付. ❖金融用語."优惠贷款 yōuhuì dàikuǎn"とも.[soft loan]

【朊毒体】ruǎndútǐ プリオン. ❖感染性のある蛋白粒子.異常型のプリオンが狂牛病やヤコブ病の原因とされる."普利昂 pǔlì'áng"とも.[prion]

【软广告】ruǎnguǎnggào 記事体広告.

【软环境】ruǎnhuánjìng ソフト面の環境.

[soft environment]

【软货币】ruǎnhuòbì 軟貨；ソフトカレンシー．❖金融用語．"软通货 ruǎntōnghuò"とも．[soft currency]

【软件】ruǎnjiàn ソフトウェア．❖IT用語．[software]

【软件狗】ruǎnjiàngǒu ドングル．❖IT用語．ソフトウェア不正コピー防止のためのハードウェアキーの1つ．[dongle]

【软件银行】Ruǎnjiàn Yínháng ソフトバンク．❖日本の情報通信会社．略称は"软银 Ruǎnyín"．[Soft Bank]

【软科学】ruǎnkēxué ソフトサイエンス．[soft science]

【软盘】ruǎnpán フロッピーディスク；フロッピー；FD．❖IT用語．[floppy disk；FD]

【软盘驱动器】ruǎnpán qūdòngqì フロッピー・ディスク・ドライブ；FDD．❖IT用語．略称は"软驱 ruǎnqū".[floppy disk drive；FDD]

【软驱】ruǎnqū フロッピー・ディスク・ドライブ；FDD．❖IT用語．"软盘驱动器 ruǎnpán qūdòngqì"の略．[floppy disk drive；FDD]

【软杀伤】ruǎnshāshāng ソフトキル．❖軍事関連用語．[soft kill]

【软式排球】ruǎnshì páiqiú ①ソフトバレーボール．②ソフトバレーボール用のボール．[soft volleyball]

【软通货】ruǎntōnghuò 軟貨；ソフトカレンシー．❖金融用語．"软货币 ruǎnhuòbì"とも．[soft currency]

【软席】ruǎnxí グリーン席．

【软新闻】ruǎnxīnwén ソフトニュース．❖生活情報や芸能関連などのニュース．[soft news]

【阮怡年】Ruǎn Yínián グエン・ジー・ニエン．❖ベトナムの政治家．[Nguyen Dy Nien]

【软银】Ruǎnyín ソフトバンク．❖日本の情報通信会社．"软件银行 Ruǎnjiàn Yínháng"の略．[Soft Bank]

【软饮料】ruǎnyǐnliào 清涼飲料水；ソフトドリンク．[soft drink]

【软资源】ruǎnzīyuán ソフト資源．❖科学，技術，情報などの資源を指す．

ruì

【锐步】Ruìbù リーボック．❖アメリカのスポーツ用品メーカー．[Reebok]

【瑞典克朗】Ruìdiǎn Kèlǎng クローナ．❖スウェーデンの通貨単位．コード；SEK．[krona]

【瑞典王国】Ruìdiǎn Wángguó スウェーデン王国；スウェーデン．[Kingdom of Sweden；Sweden]

【瑞吉红塔】Ruìjí Hóngtǎ セント・レジス上海．❖中国・上海にあるホテル．[St. Regis Shanghai]

【锐减】ruìjiǎn 激減（する）．

【瑞士电信】Ruìshì Diànxìn スイスコム．❖スイスの通信会社．[Swisscom]

【瑞士法郎】Ruìshì Fǎláng スイスフラン．❖スイスの通貨単位．コード：CHF．[Swiss franc]

【瑞士国际航空】Ruìshì Guójì Hángkōng スイス国際航空；スイスインターナショナルエアラインズ．❖スイスの航空会社（ルフトハンザ・ドイツ航空傘下）．コード：LX．[Swiss International Air Lines]

【瑞士联邦】Ruìshì Liánbāng スイス連邦；スイス．[Swiss Confederation；Switzerland]

【瑞士联合银行】Ruìshì Liánhé Yínháng UBS銀行．❖スイスの銀行．[Union Bank of Switzerland；UBS]

【瑞士信贷第一波士顿】Ruìshì Xìndài Dì-yī Bōshìdùn クレディ・スイス・ファースト・ボストン証券．❖スイスの証券会社．[Credit Suisse First Boston]

【瑞士再保险】Ruìshì Zàibǎoxiǎn スイス再

ruì — ruò

保険. ❖スイスの再保険会社.[Swiss Reinsurance]

【瑞穂实业银行】Ruìsuì Shíyè Yínháng みずほコーポレート銀行. ❖日本の銀行. [Mizuho Corporate Bank]

【瑞穂银行】Ruìsuì Yínháng みずほ銀行. ❖日本の銀行.[Mizuho Bank]

【瑞穂证券】Ruìsuì Zhèngquàn みずほ証券. ❖日本の証券会社.[Mizuho Securities]

【锐舞】ruìwǔ レイブ. ❖野外で行われるダンス,またはダンスパーティー.[rave]

rùn

【润唇膏】rùnchúngāo リップクリーム.[lip balm ; chap stick]

【润发露】rùnfàlù リンス;ヘアリンス.[conditioner]

【润肤露】rùnfūlù ボディーローション.[body lotion]

【润喉片】rùnhóupiàn 〔のど治療用の〕トローチ.[troche]

ruò

【弱旅】ruòlǚ 弱小チーム.

【弱势】ruòshì ①下降傾向;減少傾向. ②弱者;弱小勢力;弱い立場.

【弱势群体】ruòshì qúntǐ ①社会的弱者;恵まれない人々. ②負け組.

【弱项】ruòxiàng 弱点;泣き所;ウィークポイント;苦手分野.[weak point]

S

S

【SCI】SCI〔科学技術分野の文献の〕呼び出しコマンド;SCI. ❖中国語は"科学引文索引 kēxué yǐnwén suǒyǐn".[science citation index;SCI]

【SD记忆卡】SD jìyìkǎ SDメモリーカード. ❖IT用語."容量安全数字记忆卡 róngliàng ānquán shùzì jìyìkǎ"とも.[secure digital memory card;SD memory card]

【Shift键】SHIFT jiàn シフトキー. ❖IT用語."上档键 shàngdàngjiàn"とも.[shift key]

【SIM卡】SIM kǎ SIM〈シム〉カード;契約者識別カード. ❖IT用語.携帯電話の契約者識別に使うICカード.[subscriber identity module card;SIM card]

【SK电信】SK Diànxìn SKテレコム. ❖韓国の移動通信会社.[SKTelecom]

【SOHO】SOHO SOHO〈ソーホー〉. ❖中国語では"居家办公 jūjiā bàngōng""小型家居办公室 xiǎoxíng jiājū bàngōngshì""小型家庭办公室 xiǎoxíng jiātíng bàngōngshì".[small office home office;SOHO]

【SOHO一族】SOHO yīzú SOHO〈ソーホー〉族;SOHO事業者.[small office home office;SOHO]

【SOS儿童村】SOS értóngcūn SOS子供村. ❖世界各地にある一種の孤児院.

【SQL语言】SQL yǔyán SQL. ❖IT用語.データベース制御用の言語の1つ."结构化查询语言 jiégòuhuà cháxún yǔyán"とも.[Structured Query Language;SQL]

【ST板块】ST bǎnkuài〔中国株式市場における〕ST銘柄. ❖金融用語.中国の上場企業の業績が2年連続赤字の場合,その銘柄の先頭にSTの文字が付く.'*ST'は'ST'よりもさらに上場廃止の危険性が高い.[special treatment;ST]

【*ST板块】*ST bǎnkuài〔中国株式市場における〕*〈スター〉ST銘柄. ❖金融用語.中国の上場企業の業績が2年連続赤字の場合,その銘柄の先頭にSTの文字が付く.'*ST'は'ST'よりもさらに上場廃止の危険性が高い.

【STD】STD 性感染症;STD. ❖中国語では"性传播疾病 xìngchuánbō jíbìng".[sexually transmitted disease;STD]

【Sun公司】SUN Gōngsī サン・マイクロシステムズ. ❖アメリカのコンピューターメーカー.[Sun Microsystems]

sā

【撒哈拉沙漠】Sāhālā Shāmò サハラ砂漠. ❖アフリカ大陸北部にある砂漠.[the Sahara Desert;the Sahara;the Desert of Sahara]

sà

【萨博】Sàbó サーブ. ❖スウェーデンの自動車メーカー(GM傘下).[Saab]

【萨达姆·侯赛因】Sàdámǔ Hóusàiyīn サダム・フセイン. ❖イラクの元大統領.[Saddam Hussein]

【萨尔茨堡市历史中心】Sà'ěrcíbǎo Shì Lìshǐ Zhōngxīn ザルツブルク市街の歴史地区. ●世界文化遺産(オーストリア).[Historic Centre of the City of Salzburg]

【萨尔茨堡音乐节】Sà'ěrcíbǎo Yīnyuèjié ザルツブルク音楽祭.[Salzburg Music Festival]

【萨尔瓦多共和国】Sà'ěrwǎduō Gònghéguó エルサルバドル共和国；エルサルバドル．[Republic of El Salvador; El Salvador]

【萨夫兰博卢城】Sàfūlánbólú Chéng サフランボル市街．●世界文化遺産(トルコ)．[City of Safranbolu]

【萨格勒布】Sàgélèbù ザグレブ．❖クロアチアの首都．[Zagreb]

【萨加玛塔国家公园】Sàjiāmǎtǎ Guójiā Gōngyuán サガルマータ国立公園．●世界自然遺産(ネパール)．[Sagarmatha National Park]

【萨卡特卡斯历史中心】Sàkǎtèkǎsī Lìshǐ Zhōngxīn サカテカス歴史地区．●世界文化遺産(メキシコ)．[Historic Centre of Zacatecas]

【萨克拉门托】Sàkèlāméntuō サクラメント．❖アメリカ・カリフォルニア州都．[Sacramento]

【萨拉曼卡古城】Sàlāmànkǎ Gǔchéng サラマンカ旧市街．●世界文化遺産(スペイン)．[Old City of Salamanca]

【萨拉热窝】Sàlārèwō サラエヴォ．❖ボスニア・ヘルツェゴビナの首都．[Sarajevo]

【萨隆加国家公园】Sàlōngjiā Guójiā Gōngyuán サロンガ国立公園．●世界危機遺産(コンゴ民主共和国)．[Salonga National Park]

【萨马兰奇】Sàmǎlánqí〔ファン・アントニオ・〕サマランチ．❖国際オリンピック委員会(IOC)第7代会長．[Juan Antonio Samaranch]

【萨迈帕塔考古遗址】Sàmàipàtǎ Kǎogǔ Yízhǐ サマイパタの砦．●世界文化遺産(ボリビア)．[Fuerte de Samaipata]

【萨摩斯岛的毕达哥利翁及赫拉神殿】Sàmósī Dǎo de Bìdágēlìwēng jí Hèlā Shéndiàn サモス島のピタゴリオンとヘラ神殿．●世界文化遺産(ギリシャ)．[Pythagoreion and Heraion of Samos]

【萨摩亚独立国】Sàmóyà Dúlìguó サモア独立国；サモア．[Independent State of Samoa; Samoa]

【萨那】Sànà サナア；サヌア．❖イエメンの首都．[San'a; Sanaa]

【萨那古城】Sànà Gǔchéng サナア旧市街．●世界文化遺産(イエメン)．[Old City of Sana'a]

【萨特】Sàtè〔ジャン・ポール・〕サルトル．❖フランスの哲学者,文学者．"沙特 Shātè"とも．[Jean-Paul Sartre]

【萨沃王宫】Sàwò Wánggōng サヴォイア王家の王宮群．●世界文化遺産(イタリア)．[Residences of the Royal House of Savoy]

sāi

【塞车】sāichē 交通渋滞．

【腮红】sāihóng ほお紅；チークカラー．❖"修容饼 xiūróngbǐng""修容粉 xiūróngfěn"とも．[cheek color; blusher; rouge]

【塞牙缝】sāi yáfèng ①歯のすきまに食べ物がはさまる．②雀の涙；微々たるもののたとえ．③まったくついていないことのたとえ；何をやってもだめなことのたとえ．

sài

【赛百味】Sàibǎiwèi サブウェイ．❖アメリカのサンドイッチチェーン．[Subway]

【塞班岛】Sàibān Dǎo サイパン島．❖アメリカの主権下にある内政自治領．正式名称はアメリカ合衆国自治領北マリアナ諸島．[Saipan; Saipan Island]

【赛贝斯软件】Sàibèisī Ruǎnjiàn サイベース．❖アメリカのコンピューター・ソフトウェア・メーカー．[Sybase]

【塞卜拉泰考古遗址】Sàibǔlātài Kǎogǔ Yízhǐ サブラータの古代遺跡．●世界文化遺産(リビア)．[Archaeological Site of

Sabratha]

【赛车女郎】sàichē nǚláng レースクイーン.

【赛点】sàidiǎn マッチポイント.[match point]

《塞尔达传说》Sài'ěrdá Chuánshuō 「ゼルダの伝説」.❖任天堂(日本)製のゲームのタイトル.[Legend of Zelda]

【塞尔维托里和塔尔奎尼亚的伊特鲁里亚人公墓】Sài'ěrwéituōlǐ hé Tǎ'ěrkuíníyà de Yītèlǔlǐyàrén Gōngmù チェルヴェテリとタルクィニアのエトルリア墳墓群.◉世界文化遺産(イタリア).[Etruscan Necropolises of Cerveteri and Tarquinia]

【塞尔维亚和黑山】Sài'ěrwéiyà hé Hēishān セルビア・モンテネグロ.[Serbia and Montenegro]

【塞哥维亚古城及其输水道】Sàigēwéiyà Gǔchéng jí Qí Shūshuǐdào セゴビア旧市街とローマ水道橋.◉世界文化遺産(スペイン).[Old Town of Segovia and its Aqueduct]

【赛季】sàijì スポーツシーズン.[sports competition season]

【塞拉多保护区:查帕达·多斯·韦阿代鲁斯和艾玛斯国家公园】Sàilāduō Bǎohùqū Chápàdá Duōsī Wéi'ādàilǔsī hé Àimǎsī Guójiā Gōngyuán セラード保護地域:ヴェアデイロス平原国立公園とエマス国立公園.◉世界自然遺産(ブラジル).[Cerrado Protected Areas : Chapada dos Veadeiros and Emas National Parks]

【塞拉利昂共和国】Sàilālì'áng Gònghéguó シエラレオネ共和国;シエラレオネ.[Republic of Sierra Leone ; Sierra Leone]

【塞勒姆】Sàilēmǔ セーラム.❖アメリカ・オレゴン州都.[Salem]

【赛利卡】Sàilìkǎ セリカ.❖トヨタ(日本)製の車名.[Celica]

【塞卢斯禁猎区】Sàilúsī Jìnlièqū セルー・ゲーム・リザーブ.◉世界自然遺産(タンザニア).[Selous Game Reserve]

【塞露迪】Sàilùdí セルッティ.❖イタリアのファッションブランド,また同社製のフレグランス.[Cerruti]

【塞伦盖蒂国家公园】Sàilúngàidì Guójiā Gōngyuán セレンゲティ国立公園.◉世界自然遺産(タンザニア).[Serengeti National Park]

【赛门铁克】Sàiméntiěkè シマンテック.❖アメリカのコンピューター・ソフトウェア・メーカー.[Symantec]

【塞默灵铁路】Sàimòlíng Tiělù ゼメリング鉄道.◉世界文化遺産(オーストリア).[Semmering Railway]

【塞姆奥拉德恩麦基青铜时代葬地】Sàimǔ-'āolādé'ēnmàijī Qīngtóng Shídài Zàngdì サンマルラハデンマキの青銅器時代の石塚群.◉世界文化遺産(フィンランド).[Bronze Age Burial Site of Sammallahdenmäki]

【塞纳河】Sàinà Hé セーヌ川.❖フランスを流れる川.[the Seine River ; the Seine]

【塞内加尔共和国】Sàinèijiā'ěr Gònghéguó セネガル共和国;セネガル.[Republic of Senegal ; Senegal]

【赛诺菲·安万特】Sàinuòfēi Ānwàntè サノフィ・アベンティス.❖フランスの医薬品メーカー.[Sanofi Aventis]

【赛欧】Sài'ōu セイル.❖上海GM(中国)製の「ビュイック」シリーズの車名.[Sail]

【塞浦路斯共和国】Sàipǔlùsī Gònghéguó キプロス共和国;キプロス.[Republic of Cyprus ; Cyprus]

【塞浦路斯航空】Sàipǔlùsī Hángkōng キプロス航空.❖キプロスの航空会社.コード:CY.[Cyprus Airways]

【塞萨洛尼基的古基督教和拜占庭遗址】Sàisàluòníjī de Gǔjīdūjiào hé Bàizhàntíng Yízhǐ テッサロニーキの初期キリスト教とビザンチン様式の建造物群.◉世界文化遺産(ギリシャ).[Paleochristian and Byzantine Monuments of Thessalonika]

【塞舌尔共和国】Sàishé'ěr Gònghéguó セーシェル共和国；セーシェル．[Republic of Seychelles; Seychelles]

【赛威】Sàiwēi セビル．❖GM（米）製の車名．[Seville]

【塞维利亚大教堂、城堡和西印度群岛档案馆】Sàiwéilìyà Dàjiàotáng Chéngbǎo hé Xīyìndù Qúndǎo Dàng'ānguǎn セビージャの大聖堂，アルカサルとインディアス古文書館．●世界文化遺産（スペイン）．[Cathedral, Alcázar and Archivo de Indias in Seville]

【赛扬】Sàiyáng セレロン．❖インテル（米）製のCPU名．[Celeron]

sān

【三爱时装】Sān'ài Shízhuāng 三愛．❖日本の衣料小売チェーン．[San-ai]

【三八红旗手】Sān Bā hóngqíshǒu 女性指導者；模範となる女性．

【三八线】SānBā Xiàn 北緯38度線；38度線．❖韓国と北朝鮮の軍事境界線．

【360度环幕电影】sānbǎiliùshí dù huánmù diànyǐng 360度スクリーンの映画．

【三包】sān bāo ①孫請け．②品質保証．❖②品質保証期間中，修理，部品交換，返品に応じる．"包修 bāoxiū""包换 bāohuàn""包退 bāotuì"から．

【三宝乐】Sānbǎolè サッポロビール；サッポロ．❖サッポロビール（日本）の中国でのブランド名．[Sapporo]

【三步走战略】sānbùzǒu zhànlüè 3段階発展戦略．❖鄧小平が提起した，3段階を経て経済発展と近代化建設を実現させようという戦略．

【三产】sānchǎn 第3次産業．❖"第三产业 dì-sān chǎnyè"とも．

【三重县】Sānchóng Xiàn 三重〈みえ〉県．❖日本の都道府県の1つ．県庁所在地は津〈つ〉市（"津市 Jīn Shì"）．

【3D鼠标】sān D shǔbiāo 3Dマウス．❖IT用語．[3D mouse]

【三大法宝】sān dà fǎbǎo 3つの有効な方法；3つの切り札．

【三大作风】sān dà zuòfēng 3大行動指針．❖中国共産党員に対する指導．理論と実践を結びつける，一般大衆と密接に関わる，自己批判をする，の3つの指針．

【三得利】Sāndélì サントリー．❖日本の飲料メーカー．[Suntory]

【三得利啤酒】Sāndélì Píjiǔ サントリー・ビール．❖サントリー（日本）製のビール名．[Suntory Beer]

【三废】sān fèi 「三廃」；3種類の工業廃棄物．❖廃液，廃水，排ガスの3つの廃棄物のこと．

【三分钟热度】sānfēnzhōng rèdù 熱しやすく冷めやすいこと；三日〈みっか〉坊主．

【3G手机】sān G shǒujī 第3世代携帯電話；3G．❖IT用語．"第三代手机 dì-sāndài shǒujī"とも．[3G cellular phone; third generation cellular phone]

【三高农业】sān gāo nóngyè 「三高農業」；産出高，品質，収益が高い農業形態．

【三个代表】sān ge dàibiǎo 3つの代表．❖江沢民が打ち出した中国共産党の指導思想．「中国共産党は先進的生産力の発展要求，先進的文化の前進方向，広範な人民の基本的利益を代表する」．

【三个有利于】sān ge yǒulìyú 3つの有利．❖鄧小平が提唱した「社会主義的生産力の発展，総合国力の発展，人民の生活向上に有利か」の3点から政策決定を行なうべきとする思想．

【三好学生】sān hǎo xuésheng 「三好学生」；模範学生．❖"品德 pǐndé","学习 xuéxí""身体 shēntǐ"が優れている学生のこと．

【三级片】sānjípiàn ポルノ映画．[porno]

【三讲】sān jiǎng 「三講」．❖江沢民が提起

した中国共産党幹部教育の理念.理論学習,政治意識,正しい行為を重視するというもの.

【三讲教育】sān jiǎng jiàoyù「三講教育」. ❖江沢民が提起した,理論学習,政治意識,正しい行為を重んじる教育.

【三角债】sānjiǎozhài「三角債」;債務の付け回し. ❖仕入れ代金を支払わず,債務として第三者に回すこと.

《三角洲部队》Sānjiǎozhōu Bùduì「デルタフォース」. ❖ゲームのシリーズ名.[Delta Force]

【三井不动产】Sānjǐng Bùdòngchǎn 三井不動産. ❖日本の不動産会社.[Mitsui Fudosan]

【三井化学】Sānjǐng Huàxué 三井化学. ❖日本の化学品メーカー.[Mitsui Chemicals]

【三井生命保险】Sānjǐng Shēngmìng Bǎoxiǎn 三井生命. ❖日本の保険会社.[Mitsui Life Insurance]

【三井物产】Sānjǐng Wùchǎn 三井物産. ❖日本の総合商社.[Mitsui]

【三井住友海上火灾保险】Sānjǐng Zhùyǒu Hǎishàng Huǒzāi Bǎoxiǎn 三井住友海上. ❖日本の保険会社.[Mitsui Sumitomo Insurance]

【三井住友银行】Sānjǐng Zhùyǒu Yínháng 三井住友銀行. ❖日本の銀行.[Sumitomo Mitsui Banking]

【三孔文件夹】sānkǒng wénjiànjiā 3穴〈けつ〉フォルダー.

【三来一补企业】sānlái yībǔ qǐyè「三来一補企業」;委託加工企業. ❖「三来」とは外国企業から原材料,サンプル・仕様,部品の提供を受けること,「一補」とは補償貿易のこと.

【三丽鸥】Sānlì'ōu サンリオ. ❖日本のキャラクターグッズなどの企画販売会社.[Sanrio]

【三菱东京联合银行】Sānlíng Dōngjīng Liánhé Yínháng 三菱東京UFJ銀行. ❖日本の銀行.[Bank of Tokyo-Mitsubishi UFJ; MUFG]

【三连冠】sānliánguàn 3連覇.

【三菱电机】Sānlíng Diànjī 三菱電機. ❖日本の総合電気機器メーカー.[Mitsubishi Electric]

【三菱化学】Sānlíng Huàxué 三菱化学. ❖日本の石油化学メーカー.[Mitsubishi Chemical]

【三菱汽车】Sānlíng Qìchē 三菱自動車. ❖日本の自動車メーカー.[Mitsubishi Motors]

【三菱商事】Sānlíng Shāngshì 三菱商事. ❖日本の総合商社.[Mitsubishi]

【三菱重工业】Sānlíng Zhònggōngyè 三菱重工業. ❖日本の総合重機メーカー.[Mitsubishi Heavy Industries]

【三菱综合材料】Sānlíng Zōnghé Cáiliào 三菱マテリアル. ❖日本の非鉄金属メーカー.[Mitsubishi Materials]

【3M公司】Sān M Gōngsī 3M;スリーエム. ❖アメリカの日用品,工業用品メーカー.[3M]

【三美电机】Sānměi Diànjī ミツミ電機. ❖日本の電子部品メーカー.[Mitsumi Electric]

【三年展】sānniánzhǎn トリエンナーレ.[triennial]

【三农】sān nóng「三農」;農業・農村・農民.

【三农问题】sān nóng wèntí「三農問題」. ❖農業の低生産性,農村の疲弊,農民の低所得の3つの問題.

【三陪】sān péi 娯楽施設の女性従業員が行う3つのサービス. ❖"陪唱 péichàng"(一緒に歌う),"陪喝 péihē"(一緒にお酒を飲む)または"陪吃 péichī"(一緒に食事をする),"陪舞 péiwǔ"(一緒に踊る).風俗的なサービスを指すこともある.

【三权分立】sānquán fēnlì 三権分立.

sān — sǎn

【三通】sān tōng「三通」.❖中国大陸と台湾の間で直接的な通信,通航,通商を解禁すること.

【三通一平】sāntōng yīpíng「三通一平」;〔企業誘致のための〕基本的なインフラ整備.❖水道,電気,道路が整備され,整地されていること.

【三网合一】sānwǎng héyī 3つのネットワークの統合;ネットワークインテグレーション.❖電気通信網,インターネット,放送網の統合(インテグレーション).[network integration]

【三维电影】sānwéi diànyǐng 立体映画;3D映画.

【三维动画】sānwéi dònghuà 3Dアニメ.

【三维图像】sānwéi túxiàng 3D画像.

【三无产品】sānwú chǎnpǐn「三無製品」.❖生産許可証と製品検査合格証がなく,生産工場名および所在地が明記されていない製品.

【三无企业】sānwú qǐyè「三無企業」.❖資金,土地,経営に見合った組織機構・人員を持たない企業.

【三峡大坝】Sānxiá Dàbà 三峡ダム.

【三峡工程】Sānxiá Gōngchéng 三峡ダムプロジェクト.

【三险】sān xiǎn〔広義の〕社会保険.

【三项教育】sānxiàng jiàoyù「三項教育」.❖公安部に対する思想および法制教育.

【三薪】sānxīn〔基本賃金の〕3倍の休日出勤手当.

【三星电子】Sānxīng Diànzǐ サムスン電子.❖韓国の電子機器メーカー.[Samsung Electronics]

【三星集团】Sānxīng Jítuán サムスングループ.❖韓国の企業グループ.[Samsung Group]

【三星生命保险】Sānxīng Shēngmìng Bǎoxiǎn サムスン生命保険.❖韓国の保険会社.[Samsung Life Insurance]

【三洋】Sānyáng 三洋電機;サンヨー.❖三洋電機(日本)の家電ブランド.[SANYO]

【三洋电机】Sānyáng Diànjī 三洋電機;サンヨー.❖日本の家電メーカー.[SANYO Electric ; SANYO]

《三一万能侠》Sān Yī Wànnéngxiá「ゲッターロボ」.❖日本アニメのタイトル.[Getter Robot]

【三宅一生】Sānzhái Yīshēng イッセイミヤケ.❖日本のアパレルメーカー,ブランド.[Issey Miyake]

【三者险】sānzhěxiǎn 自動車損害賠償責任保険;自賠責保険.❖"机动车辆第三者责任保险 jīdòng chēliàng dì-sānzhě zérèn bǎoxiǎn"の略.

【三只手】sānzhīshǒu スリ.

【三资企业】sānzī qǐyè「三資企業」.❖100パーセント外資企業,外国資本との合弁企業,共同経営企業の総称.

【三自原则】sānzì yuánzé「三自原則」.❖文章を書く際に自主性を重んじること.自分で主張する内容を決め,文体を選び,テーマを決める.

【三坐标测量仪】sānzuòbiāo cèliángyí 3次元測定器.

sǎn

【散粉】sǎnfěn ルースパウダー;フィニッシュパウダー.❖"蜜粉 mìfěn""定妆粉 dìngzhuāngfěn"とも.[loose powder]

【散股】sǎngǔ 端株〈はかぶ〉.❖金融用語.株数が取引単位未満の株式."零股 línggǔ""零星股票 língxīng gǔpiào"とも.

【散户】sǎnhù 個人投資家.❖金融用語.

【散客】sǎnkè 個人旅行客.

【散装船】sǎnzhuāngchuán ばら積み船;バルク船;バルクキャリアー.❖"散装货轮 sǎnzhuāng huòlún"とも.[bulk carrier]

【散装货轮】sǎnzhuāng huòlún ばら積み船;バルク船;バルクキャリアー.❖"散装船 sǎnzhuāngchuán"とも.[bulk carrier]

sǎn — sēn

【散装品】sǎnzhuāngpǐn バルク品. ❖IT用語.[bulk]

sàn

【散热片】sànrèpiàn 放熱板；ヒートシンク.[heat sink]

sāng

【桑盖国家公园】Sānggài Guójiā Gōngyuán サンガイ国立公園. ●世界自然遺産（エクアドル）.[Sangay National Park]

【桑吉佛教古迹】Sāngjí Fójiào Gǔjì サーンチーの仏教建造物群. ●世界文化遺産（インド）.[Buddhist Monuments at Sanchi]

【桑吉兰早期人类遗址】Sāngjílán Zǎoqī Rénlèi Yízhǐ サンギラン初期人類遺跡. ●世界文化遺産（インドネシア）.[Sangiran Early Man Site]

【桑给巴尔石头城】Sānggěibā'ěr Shítoucheng ザンジバル島のストーン・タウン. ●世界文化遺産（タンザニア）.[Stone Town of Zanzibar]

【桑娇维塞】Sāngjiāowéisè サンジョヴェーゼ. ❖黒ぶどう品種.[Sangiovese]

【桑拿浴】sāngnáyù サウナ.[sauna]

【桑斯博里】Sāngsībólǐ J.セインズベリ. ❖イギリスの小売チェーン.[J.Sainsbury]

【桑索斯和莱顿遗址】Sāngsuǒsī hé Láidùn Yízhǐ クサントス・レトーン. ●世界文化遺産（トルコ）.[Xanthos-Letoon]

【桑塔纳】Sāngtǎnà サンタナ. ❖フォルクスワーゲン（独）製の車名.[Santana]

【桑坦德银行】Sāngtǎndé Yínháng サンタンデール・セントラル・イスパノ銀行；BSCH. ❖スペインの銀行.[Banco Santander Central Hispano；BSCH]

sāo

【骚】sāo ①〔女性が〕みだらである. ②セクシー.[②sexy]

sǎo

【扫黑】sǎohēi 暴力的犯罪組織を一掃する.

【扫黄】sǎohuáng ①風俗店を取り締まる. ②ポルノ一掃.

【扫黄打非】sǎo huáng dǎ fēi ポルノと不法出版物を一掃する.

【扫描】sǎomiáo 走査；スキャニング；スキャン.[scanning；scan]

【扫描仪】sǎomiáoyí スキャナー. ❖IT用語.[scanner]

sè

【色彩搭配师】sècǎi dāpèishī カラーコーディネーター.[color coordinator]

【涩谷109】Sègǔ Yīlíngjiǔ 渋谷109〈いちまるきゅう〉. ❖東京・渋谷にあるファッション関連の店が入ったビル.

【色狼】sèláng 女たらし；色魔；痴漢；スケベ.

【瑟琳】Sèlín セリーヌ. ❖LVMHグループ（仏）のファッションブランド.[Celine]

【瑟门国家公园】Sèmén Guójiā Gōngyuán シミエン国立公園. ●世界危機遺産（エチオピア）.[Simien National Park]

【色情涂鸦】Sèqíng Túyā ポルノグラフィティ. ❖日本の音楽グループ.[Porno Graffitti]

sēn

【森伯加】sēnbójiā サンブーカ. ❖イタリアのリキュール.[sambuca]

《森林大帝》Sēnlín Dàdì「ジャングル大

sēn — shān

帝」.❖日本漫画,アニメのタイトル.[Kimba, the White Lion]

【森林覆盖率】sēnlín fùgàilǜ 森林被覆率；森林面積の割合.

【森林人】Sēnlínrén フォレスター.❖富士重工業(日本)製の車名.[Forester]

《森林王子》Sēnlín Wángzǐ「ジャングル・ブック」.❖アメリカアニメのタイトル.[Jungle Book]

shā

【沙尘暴】shāchénbào〔黄砂期の〕砂嵐.

【莎当妮】Shādāngnī シャルドネ.❖白ぶどう品種,またそのぶどうから作られたワイン."霞多丽 Xiáduōlì"とも.[Chardonnay]

【杀毒】shā dú〔コンピューターの〕ウイルスを駆除する(こと).❖IT用語.

【杀毒软件】shādú ruǎnjiàn アンチウイルスソフト；ウイルス対策ソフト；ワクチンソフト.❖IT用語."反病毒软件 fǎnbìngdú ruǎnjiàn"とも.[antivirus software]

【沙赫利苏伯兹历史中心】Shāhèlìsūbózī Lìshǐ Zhōngxīn シャフリサブス歴史地区.●世界文化遺産(ウズベキスタン).[Historic Centre of Shakhrisyabz]

【杀狐球】shāhúqiú ①シャッフルボード.②シャッフルボードで使用する円盤またはディスク.❖専用コートを使用する日本のものとは異なり,中国のシャッフルボードは卓上ゲーム.[shuffle board]

【沙坑】shākēng バンカー.❖ゴルフコースに作られた窪地や砂場.[bunker]

【莎拉波娃】Shālābōwá〔マリア・〕シャラポワ.❖ロシアのテニスプレーヤー.[Maria Sharapova]

【莎朗・斯通】Shālǎng Sītōng シャロン・ストーン.❖アメリカ出身の女優.[Sharon Stone]

【沙林毒气】shālín dúqì サリンガス.[sarin gas]

【沙龙】Shālóng〔アリエル・〕シャロン.❖イスラエルの政治家.[Ariel Sharon]

【砂轮机】shālúnjī グラインダー.[grinder]

【沙漠化】shāmòhuà 砂漠化.

【沙琪玛】shāqímǎ「サチマ」.❖満州族の伝統的な菓子.

【沙丘】Shāqiū デューン.❖クリスチャンディオール(仏)製のフレグランス名.[Dune]

【杀手锏】shāshǒujiǎn 切り札；奥の手.

【杀熟】shāshú 商売で知人や友人を騙す.

【沙滩排球】shātān páiqiú ①ビーチバレーボール；ビーチバレー.②ビーチバレー用のボール.[beach volleyball]

【沙特】Shātè〔ジャン・ポール・〕サルトル.❖フランスの哲学者,文学者."萨特 Sàtè"とも.[Jean-Paul Sartre]

【沙特阿拉伯王国】Shātè Ālābó Wángguó サウジアラビア王国；サウジアラビア.[Kingdom of Saudi Arabia；Saudi Arabia]

【沙宣】Shāxuān ヴィダルサスーン.❖P&G(米)のヘアケア用品ブランド.[Vidal Sassoon]

shān

【删除】shānchú 削除(する)；デリート(する).[delete]

【删除键】shānchújiàn 削除キー；デリートキー；Delキー.❖IT用語.[delete key；Del key]

【山地车】shāndìchē マウンテンバイク；MTB.[mountain bike；MTB]

【山东省】Shāndōng Shěng 山東省.❖中国の省の1つ.別称は"鲁 Lǔ""齐 Qí".省都は"济南 Jǐnán".

【珊瑚婚】shānhúhūn 珊瑚(さんご)婚式.❖35年目の結婚記念日.

【山间徒步】shānjiān túbù トレッキング.[trekking]

shān — shāng

【山口市】Shānkǒu Shì 山口〈やまぐち〉市. ❖山口〈やまぐち〉県("山口県 Shānkǒu Xiàn")の県庁所在地.

【山口県】Shānkǒu Xiàn 山口〈やまぐち〉県. ❖日本の都道府県の1つ.県庁所在地は山口〈やまぐち〉市("山口市 Shānkǒu Shì").

【山梨県】Shānlí Xiàn 山梨〈やまなし〉県. ❖日本の都道府県の1つ.県庁所在地は甲府〈こうふ〉市("甲府市 Jiǎfǔ Shì").

【煽情】shānqíng ①心を揺さぶる;感銘を受ける. ②感動的な;感動.

【山西省】Shānxī Shěng 山西省. ❖中国の省の1つ.別称は"晋 Jìn".省都は"太原 Tàiyuán".

【山形市】Shānxíng Shì 山形〈やまがた〉市. ❖山形〈やまがた〉県("山形県 Shānxíng Xiàn")の県庁所在地.

【山形県】Shānxíng Xiàn 山形〈やまがた〉県. ❖日本の都道府県の1つ.県庁所在地は山形〈やまがた〉市("山形市 Shānxíng Shì").

shǎn

【闪存】shǎncún フラッシュメモリー. ❖IT用語.[flash memory]

【闪存卡】shǎncúnkǎ フラッシュカード. ❖IT用語."闪卡 shǎnkǎ"とも.[flash card]

【闪存盘】shǎncúnpán フラッシュディスク. ❖IT用語."闪盘 shǎnpán"とも.[flash disk]

【闪电战】shǎndiànzhàn 電撃戦. ❖特に空襲攻撃のこと.

【闪卡】shǎnkǎ フラッシュカード. ❖IT用語."闪存卡 shǎncúnkǎ"とも.[flash card]

【闪客】shǎnkè 〔コンピューターの〕フラッシュ画像などの愛好者.

【闪盘】shǎnpán フラッシュディスク. ❖IT用語."闪存盘 shǎncúnpán"とも.[flash disk]

【陕西省】Shǎnxī Shěng 陕西〈せんせい〉省. ❖中国の省の1つ.略称は"陕 Shǎn",別称は"秦 Qín".省都は"西安 Xī'ān".

shàn

【扇区】shànqū セクター. ❖IT用語.[sector]

【汕头金海湾大酒店】Shàntóu Jīnhǎiwān Dàjiǔdiàn スワトウゴールデンガルフホテル;汕頭〈スワトウ〉金海湾大酒店. ❖中国・広東省にあるホテル.[Golden Gulf Hotel]

【善意第三人】shànyì dì-sānrén 善意の第三者. ❖法律用語.

shāng

【商办工业企业】shāngbàn gōngyè qǐyè 商業部門が経営する工業企業.

【商标】shāngbiāo ①商標. ②ブランド. [①trade mark ②brand]

【商标冒用】shāngbiāo màoyòng 商標権侵害.

【商标条款】shāngbiāo tiáokuǎn 商標に関する条項.

【商标专利权】shāngbiāo zhuānlìquán 商標の専用使用権.

【商场】shāngchǎng ショッピングアーケード.[shopping arcade]

【商潮】shāngcháo ビジネスの波.

【商德】shāngdé ビジネス倫理.

【商房】shāngfáng 分譲,賃貸用住宅;分譲,賃貸用物件. ❖"商品房 shāngpǐnfáng"の略.

【商机】shāngjī 商機;ビジネスチャンス. [business chance]

【商家对客户】shāngjiā duì kèhù 企業と一般消費者の取引;対消費者取引;B2C,BtoC〈ビートゥーシー〉.[business to consumer]

【商家对商家】shāngjiā duì shāngjiā 企業間取引;B2B,BtoB〈ビートゥービー〉.[business to business]

shāng — shàng

【商品步行街】shāngpǐn bùxíngjiē ショッピングモール.[shopping mall]

【商品陈列室】shāngpǐn chénlièshì ショールーム. ❖"产品陈列室 chǎnpǐn chénlièshì"とも.[showroom]

【商品储备】shāngpǐn chǔbèi 商品備蓄;商品ストック.

【商品房】shāngpǐnfáng 分譲,賃貸用住宅;分譲,賃貸用物件. ❖一般住宅,オフィス用,工業用を含む.略称は"商房 shāngfáng".

【商品供应计划】shāngpǐn gōngyīng jìhuà マーチャンダイジング.[merchandising]

【商品货币】shāngpǐn huòbì 商品貨幣.

【商品名称及编码协调制度】shāngpǐn míngchēng jí biānmǎ xiétiáo zhìdù 国際統一商品分類システム;ハーモナイズドコード;HS. ❖略称は"协调制度 xiétiáo zhìdù".[harmonized commodity description and coding system;HS]

【商品条码】shāngpǐn tiáomǎ 商品バーコード;バーコード.[bar code]

【商品业务员】shāngpǐn yèwùyuán マーチャンダイザー. ❖"采购员 cǎigòuyuán"とも.[merchandiser]

【商品周转率】shāngpǐn zhōuzhuǎnlǜ 商品回転率.

【商气】shāngqì ビジネスが盛んな雰囲気.

【商圈】shāngquān オフィス街;ビジネス街.

【商务舱】shāngwùcāng ビジネスクラス. ❖"公务舱 gōngwùcāng"とも.[business class]

【商务旅游】shāngwù lǚyóu 出張;ビジネストリップ.[business trip]

【商务模式】shāngwù móshì ビジネスモデル.[business model]

【商务习惯】shāngwù xíguàn 商習慣. ❖"经商习惯 jīngshāng xíguàn"とも.

【商务行为】shāngwù xíngwéi 企業行動.

【商务中心】shāngwù zhōngxīn ビジネスセンター.[business center]

【商演】shāngyǎn 商業公演.

【商业模式专利】shāngyè móshì zhuānlì ビジネスモデル特許.

【商业片】shāngyèpiàn 商業映画.

【商业票据】shāngyè piàojù コマーシャルペーパー;CP. ❖金融用語.[commercial paper;CP]

【商业区位】shāngyè qūwèi 商業地.

《商业周刊》Shāngyè Zhōukān「ビジネスウィーク」. ❖アメリカのビジネス雑誌.[BusinessWeek]

【商业周期的低潮】shāngyè zhōuqī de dīcháo 景気の谷.

【商用飞机】shāngyòng fēijī 商用ジェット機.

【商誉】shāngyù ビジネス上の信用.

【商战】shāngzhàn 商戦.

【商住楼】shāngzhùlóu オフィス住宅複合ビル.

【商住住宅】shāngzhù zhùzhái オフィス併用住宅;SOHO〈ソーホー〉型住宅.

shàng

【上班族】shàngbānzú サラリーマン;OL;会社員;給与所得者. ❖"薪金阶层 xīnjīn jiēcéng"とも.[office worker;white-collar worker]

【上榜】shàngbǎng ランク入り(する);ランクイン(する);番付(にのる).[be ranked]

【尚贝丹】Shàngbèidān シャンベルタン. ❖フランス・ブルゴーニュ地方産ワインの銘柄."香贝丹 Xiāngbèidān"とも.[Chambertin]

【上传】shàngchuán アップロード(する). ❖IT用語."上载 shàngzǎi"とも.[upload]

【上大号】shàng dàhào 〔大の方の〕用を足す.

【上档键】shàngdàngjiàn シフトキー. ❖I

shàng

T用語．"Shift 键 SHIFT jiàn"とも．[shift key]

【上浮】shàngfú〔物価,利率,給与などが〕上がる．

【上岗】shànggǎng ①ポストに就く．②〔軍の警備担当者や交通警察官などが〕持ち場につく．

【上馆子】shàng guǎnzi 外食する；レストランに行く．❖"下馆子 xià guǎnzi"とも．

【上海宝钢集团】Shànghǎi Bǎogāng Jítuán 上海宝鋼集団．❖中国の鉄鋼メーカー．[Shanghai Baosteel Group]

【上海博物馆】Shànghǎi Bówùguǎn 上海博物館．❖中国・上海にある博物館．

【上海动物园】Shànghǎi Dòngwùyuán 上海動物園．❖中国・上海にある動物園．

【上海国际电影节】Shànghǎi Guójì Diànyǐngjié 上海国際映画祭．❖中国の映画祭．[Shanghai International Film Festival]

【上海国际赛车场】Shànghǎi Guójì Sàichēchǎng 上海国際サーキット．❖中国・上海市にある20万人収容のサーキット．

【上海合作组织】Shànghǎi Hézuò Zǔzhī 上海協力機構．

【上海花园饭店】Shànghǎi Huāyuán Fàndiàn オークラガーデンホテル上海．❖中国・上海にあるホテル．[Okura Garden Hotel]

【上海锦沧文华大酒店】Shànghǎi Jǐncāng Wénhuá Dàjiǔdiàn 上海JCマンダリンホテル．❖中国・上海にあるホテル．[Shanghai JC Mandarin]

《上海骑士》Shànghǎi Qíshì「シャンハイ・ナイト」．❖アメリカ映画のタイトル．[Shanghai Knights]

【上海汽车工业】Shànghǎi Qìchē Gōngyè 上海汽車．❖中国の自動車メーカー．[Shanghai Automotive Industry]

【上海实业控股】Shànghǎi Shíyè Kònggǔ 上海実業控股；シャンハイ・インダストリアル・ホールディングス．❖不動産投資,日用品,自動車部品メーカー．レッドチップ企業の1つ．[Shanghai Industrial Holdings]

【上海市】Shànghǎi Shì 上海市．❖中国の直轄市の1つ．別称は"沪 Hù""申 Shēn"．

【上海喜来登豪达太平洋大饭店】Shànghǎi Xǐláidēng Háodá Tàipíngyáng Dàfàndiàn シェラトン・グランド太平洋ホテル・上海．❖中国・上海にあるホテル．[Sheraton Grand Tai Ping Yang Hotel Shanghai]

【上海香港广场】Shànghǎi Xiānggǎng Guǎngchǎng 上海香港広場．❖中国・上海,淮海路にあるビル．

【上海新锦江大酒店】Shànghǎi Xīnjǐnjiāng Dàjiǔdiàn ジンジャン・タワー・ホテル；新錦江大酒店．❖中国・上海にあるホテル．[Jin Jiang Tower]

【上海新亚汤臣洲际大酒店】Shànghǎi Xīnyàtāngchén Zhōujì Dàjiǔdiàn インターコンチネンタル浦東・上海．❖中国・上海にあるホテル．[Hotel InterContinental Pudong Shanghai]

【上海证券交易所股票价格综合指数】Shànghǎi Zhèngquàn Jiāoyìsuǒ Gǔpiào Jiàgé Zōnghé Zhǐshù 上海証券取引所総合株価指数．❖金融用語．略称は"上证综合指数 Shàngzhèng Zōnghé Zhǐshù""上证指数 Shàngzhèng Zhǐshù"．[Shanghai Composite Index]

【上佳】shàngjiā すばらしい；優れた；優秀な．

【上镜】shàngjìng ①〔映画,テレビに〕出演(する)．②テレビ映りのよい；カメラ映りのよい；フォトジェニック；フォトジェニックな．[①appear on ②photogenic]

【上门推销员】shàngmén tuīxiāoyuán 訪問セールスマン；訪問販売員．

【尚庞・巴瓦加德考古公园】Shàngpáng Bāwǎjiādé Kǎogǔ Gōngyuán チャンパネル・パヴァガドゥ考古学公園．●世界文化遺産（インド）．[Champaner-Pavagadh Archaeological Park]

【上市】shàngshì ①〔市場に〕出回る．②上場(する)．❖②金融用語．

【上市公司】shàngshì gōngsī 上場企業．❖金融用語．

【上市股票】shàngshì gǔpiào 上場株式．❖金融用語．

【上斯瓦涅茨】Shàng Sīwǎniècí アッパー・スヴァネティ．●世界文化遺産(グルジア)．[Upper Svaneti]

【上网】shàngwǎng オンライン．❖IT用語．[on-line；on line；online]

【上网费】shàngwǎngfèi インターネット接続料．

【上网卡】shàngwǎngkǎ プリペイド式インターネットカード．

【尚未付款】shàngwèi fùkuǎn 未払い．

【上小号】shàng xiǎohào〔小の方の〕用を足す．

【上新台阶】shàng xīntáijiē 新たなレベルに達する；新たな段階に達する．

【上星】shàngxīng 衛星放送に接続する．

【上扬】shàngyáng〔価格や数値などが〕上昇する．

【上一号】shàng yīhào トイレに行く；用を足す．

【上瘾】shàngyǐn やみつきになる；癖〈くせ〉になる；中毒になる．

【上游】shàngyóu ①〔河川の〕上流．②川上〈かわかみ〉；先頭．③アップストリーム．❖③IT用語．[③upstream]

【上载】shàngzǎi アップロード(する)．❖IT用語．"上传 shàngchuán"とも．[upload]

【上证指数】Shàngzhèng Zhǐshù 上海証券取引所平均株価指数．❖金融用語．"上海证券交易所股票价格综合指数 Shànghǎi Zhèngquàn Jiāoyìsuǒ gǔpiào jiàgé zōnghé zhǐshù"の略．[Shanghai Composite Index]

【上证综合指数】Shàngzhèng Zōnghé Zhǐshù 上海証券取引所総合指数．❖金融用語．"上海证券交易所股票价格综合指数 Shànghǎi Zhèngquàn Jiāoyìsuǒ Gǔpiào Jiàgé Zōnghé Zhǐshù"の略．[Shanghai Composite Index]

shǎo

《少数派报告》Shǎoshùpài Bàogào「マイノリティ・リポート」．❖アメリカ映画のタイトル．[Minority Report]

【少子高龄化】shǎozǐ gāolínghuà 少子高齢化．❖"人口少子老龄化 rénkǒu shǎozǐ lǎolínghuà"とも．

shào

【少儿不宜】shào'ér bùyí 成人向け．

【少儿不宜影片】shào'ér bùyí yǐngpiàn 年齢制限指定のある映画．❖"儿童不宜影片 értóng bùyí yǐngpiàn"とも．

《少林足球》Shàolín Zúqiú「少林サッカー」．❖香港映画のタイトル．[Shaolin Soccer]

《少年阿虎》Shàonián Āhǔ「ファイターズ・ブルース」．❖香港映画のタイトル．[A Fighter's Blues]

《少年跳跃》Shàonián Tiàoyuè「少年ジャンプ」．❖日本の漫画雑誌名．[Weekly Jump]

【少女峰・阿莱奇・比奇峰地区】Shàonǚ Fēng Āláiqí Bǐqí Fēng Dìqū ユングフラウ・アレッチュ・ビーチホルン．●世界自然遺産(スイス)．[Jungfrau-Aletsch-Bietschhorn]

《少女革命》Shàonǚ Gémìng「少女革命ウテナ」．❖日本アニメのタイトル．[Revolutionary Girl Utena]

【少女课堂】shàonǚ kètáng 女子学生向け思春期講座；性教育．

【少爷】shàoye ①坊ちゃん；若旦那．②〔スナックなどの〕ホスト．[②host；male

companion]

shé

【蛇头】shétóu スネークヘッド；蛇頭組織；蛇頭.[snakehead]

shè

【涉案】shè'àn 事件に関与する．
【社保】shèbǎo 社会保障．❖"社会保障 shèhuì bǎozhàng"の略．
【设备】shèbèi ①〔設備を〕備え付ける．②設備．③デバイス；周辺装置．❖③IT用語.[③device]
【设备运转率】shèbèi yùnzhuǎnlǜ 設備稼働率．
【舍宾】shèbīn シェイピング．❖英語'shaping'の音訳．シェイプアップ，ボディーメイキングなどを含む美しい体形を作るためのシステム．[shaping]
【涉毒】shèdú 麻薬犯罪に関与する．
【社工】shègōng ソーシャルワーカー；ソシアルワーカー．❖"社会工作者 shèhuì gōngzuòzhě"の略.[social worker]
【涉黑】shèhēi 暴力的犯罪組織に関与する．
【涉黄】shèhuáng わいせつ犯罪に関与する．
【社会办学】shèhuì bànxué 〔中国の〕民間教育事業．❖企業やその他団体組織，あるいは個人が，開発区内で教育機関を創設し経営する活動をいう．
【社会保障】shèhuì bǎozhàng 社会保障．❖略称は"社保 shèbǎo".
【社会福利彩票】shèhuì fúlì cǎipiào 社会福祉くじ．
【社会抚养费】shèhuì fǔyǎngfèi 社会扶養費．❖産児制限政策に違反した家庭から徴収する費用．
【社会公众股】shèhuì gōngzhòngǔ 公開株式．❖金融用語．不特定多数の投資家に公開されている株式．
【社会工作者】shèhuì gōngzuòzhě ソーシャルワーカー；ソシアルワーカー．❖略称は"社工 shègōng".[social worker]
【社会化服务体系】shèhuìhuà fúwù tǐxì 社会サービスシステム．
【社会名流】shèhuì míngliú セレブリティ；セレブ.[celebrity]
【社会性别】shèhuì xìngbié ジェンダー；社会的な性.[gender]
【社会性网络服务】shèhuìxìng wǎngluò fúwù ソーシャル・ネットワーキング・サービス；SNS.[social networking service；SNS]
【社会责任投资】shèhuì zérèn tóuzī 社会的責任投資；SRI．❖財務状況だけではなく，法令遵守や人権問題，社会への貢献度などについても評価したうえで企業に投資すること.[socially responsible investment；SRI]
【涉老】shèlǎo 高齢者の権益保護に関する；高齢者に関する．
【涉密】shèmì 機密に関わる．
【涉农】shènóng 農業に関する；農民生活に関する．
【社情民意】shèqíng mínyì 社会情勢と民意．
【社区】shèqū コミュニティー；地域；地域社会.[community]
【社区服务】shèqū fúwù コミュニティーサービス；地域サービス.[community services]
【社区医院】shèqū yīyuàn 地域の医療機関；一次医療機関．
【社群】shèqún 社会的集団；社会階層．
【设施农业】shèshī nóngyè 施設農業；工業化農業．
【涉税】shèshuì 税務に関する．
【涉外宾馆】shèwài bīnguǎn 外国人旅行客を宿泊させてよいホテル．❖華僑，台湾，香港，マカオからの旅行客を含む．

【涉外婚姻】shèwài hūnyīn 国際結婚．❖華僑,台湾,香港,マカオの人を含む外国人との婚姻．

【涉外经济】shèwài jīngjì「渉外経済」；対外ビジネス．

【摄像头】shèxiàngtóu ネットワークカメラ；ウェブカメラ；PCカメラ．[network camera]

【涉性】shèxìng 性に関する；セックスに関する．

【设置】shèzhì ①設定(する)；設置する．②セットアップ(する)．❖②IT用語．[②setup]

shēn

【申奥】shēn'ào オリンピック招致．

【申办城市】shēnbàn chéngshì 開催立候補都市；立候補都市．

【绅宝】Shēnbǎo サーブ．❖スウェーデンの自動車メーカー(GM傘下)の通称．正式名称は"萨博 Sàbó"．[Saab]

【申布伦宫殿及花园】Shēnbùlún Gōngdiàn jí Huāyuán シェーンブルン宮殿と庭園群．●世界文化遺産(オーストリア)．[Palace and Gardens of Schönbrunn]

【深层文化】shēncéng wénhuà 深層文化；ディープカルチャー．[deep culture]

【身份证】shēnfenzhèng アイディーカード；IDカード．[ID card]

《申根协定》Shēngēn Xiédìng「シェンゲン協定」．❖1995年にスタートしたヨーロッパの協定加盟国間の出入国手続き簡素化に関する協定．[Schengen Convention]

【深红】Shēnhóng ディープ・レッド．❖ヒューゴボス(独)製のフレグランス名．[Deep Red]

【深加工】shēn jiāgōng 高付加価値加工；精密加工．

【深空探测】shēnkōng tàncè 深宇宙探査．

【申论】shēnlùn ①説明する；論述する；論証する．②〔国家公務員試験の〕記述試験．

【申请付款】shēnqǐng fùkuǎn 請求払い．

《绅士刑警》Shēnshì Xíngjǐng「古畑任三郎」．❖日本のテレビドラマのタイトル．

【身体素质】shēntǐ sùzhì 体力；身体能力．

【身体艺术】shēntǐ yìshù ボディアート．[body art]

【身心病】shēnxīnbìng 心身症．❖"心身疾病 xīnshēn jíbìng"とも．

【深亚微米】shēnyàwēimǐ ディープサブミクロン；DSM．[DSM]

【申银万国(香港)】Shēnyín Wànguó (Xiānggǎng) 申銀万国(香港)；シェンイン・ワングオ(ホンコン)．❖証券会社．レッドチップ企業の1つ．[Shenyin Wanguo (HK)]

【伸展运动】shēnzhǎn yùndòng ストレッチ運動．

【深圳国际控股】Shēnzhèn Guójì Kònggǔ 深圳国際控股；シェンジェン・インターナショナル・ホールディングス．❖運輸,不動産投資持株会社．レッドチップ企業の1つ．[Shenzhen International Holdings]

【深圳科技控股】Shēnzhèn Kējì Kònggǔ 深圳科技控股；シンセン・ハイテク・ホールディングス．❖不動産投資,IT関連の持株会社．レッドチップ企業の1つ．[Shenzhen High-Tech Holdings]

【深圳控股】Shēnzhèn Kònggǔ 深圳控股；シェンジェン・インベストメント．❖不動産投資を主とした複合企業．レッドチップ企業の1つ．[Shenzhen Investment]

【深圳证券交易所股票价格平均指数】Shēnzhèn Zhèngquàn Jiāoyìsuǒ Gǔpiào Jiàgé Píngjūn Zhǐshù 深圳証券取引所平均株価指数．❖金融用語．略称は"深证综合指数 Shēnzhèng Zōnghé Zhǐshù""深证指数 Shēnzhèng Zhǐshù"．[Shenzhen Composite Index]

【深证指数】Shēnzhèng Zhǐshù 深圳証券

取引所平均株価指数. ❖金融用語. "深圳证券交易所股票价格平均指数 Shēnzhèn Zhèngquàn Jiāoyìsuǒ Gǔpiào Jiàgé Píngjūn Zhǐshù"の略. [Shenzhen Composite Index]

【深证综合指数】Shēnzhèng Zōnghé Zhǐshù 深圳证券取引所平均株価指数. ❖金融用語. "深圳证券交易所股票价格平均指数 Shēnzhèn Zhèngquàn Jiāoyìsuǒ Gǔpiào Jiàgé Píngjūn Zhǐshù"の略. [Shenzhen Composite Index]

shén

《神啊！请多给一些时间》Shén A Qǐng Duō Gěi Yīxiē Shíjiān「神様，もう少しだけ」. ❖日本のテレビドラマのタイトル.

【神达】Shéndá マイタック. ❖台湾のコンピューターメーカー. [MiTAC International]

《神鬼传奇》Shénguǐ Chuánqí「ハムナプトラ 失われた砂漠の都」. ❖アメリカ映画のタイトル. [The Mummy]

【神户市】Shénhù Shì 神戸〈こうべ〉市. ❖兵庫〈ひょうご〉県 ("兵库县 Bīngkù Xiàn")の県庁所在地.

【神户制钢】Shénhù Zhìgāng 神戸製鋼. ❖日本の鉄鋼メーカー. [Kobe Steel]

【神经官能症】shénjīng guānnéngzhèng ノイローゼ. ❖"神经症 shénjīngzhèng"の通称. [neurosis]

【神经症】shénjīngzhèng ノイローゼ. [neurosis]

【神奈川县】Shénnàichuān Xiàn 神奈川〈かながわ〉県. ❖日本の都道府県の1つ. 県庁所在地は横浜〈よこはま〉市 ("横滨市 Héngbīn Shì").

《神隐少女》Shényǐn Shàonǚ「千と千尋の神隠し」. ❖日本アニメのタイトル. [Spirited Away]

【神舟号】Shénzhōu Hào 神舟号. ❖中国の宇宙船の名前.

【神州数码控股】Shénzhōu Shùmǎ Kònggǔ 神州数碼控股；デジタル・チャイナ・ホールディングス. ❖IT関連会社. レッドチップ企業の1つ. [Digital China Holdings]

shěn

【沈阳】Shěnyáng 瀋陽〈しんよう〉. ❖"辽宁省 Liáoníng Shěng"の省都. 略称は"沈 Shěn".

shèn

【甚高频】shèngāopín VHF. [very high frequency; VHF]

shēng

【升班马】shēngbānmǎ〔サッカーや卓球での上部リーグへの〕昇格チーム.

【声波资料】shēngbō zīliào WAV〈ワノ〉ファイル；WAVEファイル. ❖IT用語. ウィンドウズの音声ファイル形式の1つ. [WAV; WAV file]

【生产成本】shēngchǎn chéngběn 生産コスト；生産原価；製造原価.

【生产费用】shēngchǎn fèiyong 製造費.

【生产工序】shēngchǎn gōngxù 製造工程.

【生产管理】shēngchǎn guǎnlǐ 生産管理.

【生产计划】shēngchǎn jìhuà 生産計画；生産プラン.

【生产维修】shēngchǎn wéixiū プロダクトメンテナンス；PM. ❖"计划性维修 jìhuàxìng wéixiū"とも. [productive maintenance; PM]

【生产线】shēngchǎnxiàn 生産ライン；製造ライン.

【生产性投资】shēngchǎnxìng tóuzī 生産的投資.

shēng

【生产要素】shēngchǎn yàosù 生产要素.
【生产资料】shēngchǎn zīliào 生産財.
【生存权】shēngcúnquán 生存権.
【生存手册】shēngcún shǒucè サバイバルマニュアル. [survival manual]
【升幅】shēngfú 上昇幅；上げ幅.
《生化危机》Shēnghuà Wēijī 「バイオハザード」. ❖カプコン(日本)製のゲームのタイトル. [Bio Hazard]
【生化需氧量】shēnghuà xūyǎngliàng 生物化学的酸素要求量；BOD. [biochemical oxygen demand；BOD]
【生活补助】shēnghuó bǔzhù 生活補助；生活補助金.
【生活方式病】shēnghuó fāngshìbìng 生活習慣病.
【升级】shēngjí アップグレードし，バージョンアップする；アップグレード(する)；バージョンアップ(する). [upgrade；version up]
【升级版】shēngjíbǎn アップグレード版. ❖IT用語. [upgrade version]
【升级换代】shēngjí huàndài アップグレードし，バージョンアップする；アップグレード(する)；バージョンアップ(する). [upgrade；version up]
【生计问题】shēngjì wèntí 生計の問題；暮らし向きの問題.
【生境】shēngjìng 生息環境；生息区域.
【声卡】shēngkǎ サウンドカード. ❖IT用語. [sound card]
【生力啤酒】Shēnglì Píjiǔ サンミゲルビール；サンミゲル. ❖サンミゲル(フィリピン)製のビール名. [San Miguel]
【生猛】shēngměng ①生きのよい. ②激しい；無鉄砲(な). ③活気に満ちた.
【生命银行】shēngmìng yínháng 「生命銀行」. ❖臓器バンクや臍帯血〈さいたいけつ〉バンクなど，移植関連業務を行う組織の総称.
【生命周期】shēngmìng zhōuqī ライフサイクル. ❖"寿命周期 shòumìng zhōuqī"とも. [life cycle]
【生啤】shēngpí 生ビール. ❖"生啤酒 shēngpíjiǔ""鲜啤 xiānpí"とも.
【生啤酒】shēngpíjiǔ 生ビール. ❖"生啤 shēngpí""鲜啤 xiānpí"とも.
【升水】shēngshuǐ プレミアム. ❖金融用語."溢价 yìjià"とも. [premium]
【生态环境】shēngtài huánjìng 生態環境；生態系；エコシステム. [ecological system；ecosystem]
【生态活动】shēngtài huódòng エコ活動；生態系保護活動.
【生态建筑】shēngtài jiànzhù エコロジカル建築；エコロジー建築；エコ建築.
【生态科学】shēngtài kēxué 生態科学.
【生态旅游】shēngtài lǚyóu エコツアー；エコツーリズム. [eco-tourism]
【生态农业】shēngtài nóngyè エコ農業；エコロジー農業.
【生态塑料】shēngtài sùliào バイオプラスティック. [bioplastic]
【生态系统】shēngtài xìtǒng 生態系；エコシステム. [ecological system；ecosystem]
【生态住宅】shēngtài zhùzhái 環境共生住宅；エコロジカル住宅.
【声望价格】shēngwàng jiàgé 名声価格；威光価格；プレステージ価格.
【升位】shēngwèi 電話番号の桁〈けた〉数を増やす.
【升温】shēngwēn ①温度が上がる. ②加速する；加熱する；エスカレートする. [②escalate]
【声纹分析仪】shēngwén fēnxīyí 声紋分析機.
【声纹鉴定】shēngwén jiàndìng 声紋鑑定.
【生物安全】shēngwù ānquán ①生物災害管理. ②バイオセーフティー. ❖②生態系や生物多様性が遺伝子組み換え生物から悪影響を受けないようにする措置. [bio safety]

【生物多样性】shēngwù duōyàngxìng 生物多様性.

【生物工程】shēngwù gōngchéng 生物工学；バイオテクノロジー.[biotechnology]

【生物工程学】shēngwù gōngchéngxué 生物工学；バイオテクノロジー.[biotechnology]

【生物技术】shēngwù jìshù 生物工学；バイオテクノロジー.[biotechnology]

【生物降解塑料】shēngwù jiàngjiě sùliào 生分解性プラスチック；グリーンプラスチック. ❖"可降解塑料 kějiàngjiě sùliào""绿色塑料 lǜsè sùliào"とも.[biodegradable plastics ; Green Plastics]

【生物恐怖主义】shēngwù kǒngbù zhǔyì バイオテロリズム；バイオテロ.[bioterrorism]

【生物库】shēngwù kù バイオバンク. ❖ヒトの血液DNAを収集し,分析研究する機関.[bio bank]

【生物量】shēngwùliàng バイオマス.[biomass]

【生物疗法】shēngwù liáofǎ バイオセラピー.[biotherapy]

【生物农药】shēngwù nóngyào 生物農薬. ❖病害虫や雑草を防除するための微生物や天敵昆虫などを指す.

【生物认证】shēngwù rènzhèng バイオメトリクス認証；生体認証. ❖指紋や声紋などの身体的特徴によって,本人確認を行う認証方式."生物特征认证 shēngwù tèzhēng rènzhèng"とも.[biometrics authentication]

【生物入侵】shēngwù rùqīn 生物学的侵入. ❖外来種などの帰化生物が自然生態系に定着すること.

【生物识别】shēngwù shíbié 生体識別；バイオメトリクス.[biometrics]

【生物特征认证】shēngwù tèzhēng rènzhèng バイオメトリクス認証；生体認証. ❖指紋や声紋などの身体的特徴によって,本人確認を行う認証方式."生物认证 shēngwù rènzhèng"とも.[biometrics authentication]

【生物芯片】shēngwù xīnpiàn バイオチップ.[biochip]

【生物信息学】shēngwù xìnxīxué バイオ情報学.

【生物修复】shēngwù xiūfù バイオレメディエーション. ❖微生物を利用した環境浄化."生物整治 shēngwù zhěngzhì"とも.[bioremediation]

【生物质能】shēngwù zhīnéng バイオマスエネルギー.[biomass energy]

【生物钟】shēngwùzhōng 体内時計；生物時計.

【升息】shēngxī 利上げ. ❖金融用語.

【声讯台】shēngxùntái 情報サービスセンター.

【声音邮件】shēngyīn yóujiàn ボイスメール. ❖IT用語."语音邮件 yǔyīn yóujiàn"とも.[voice mail]

【生育高峰】shēngyù gāofēng ベビーブーム.[baby boom]

【生育权】shēngyùquán 出産決定の権利と育てる権利.

【生殖健康】shēngzhí jiànkāng リプロダクティブヘルス；リプロヘルス；性と生殖に関する健康.[reproductive health]

shěng

【省略号】shěnglüèhào [記号の]リーダー. ❖記号は「……」.

shèng

【圣艾米伦区】Shèng'àimǐlún Qū サン・テミリオン地域. ●世界文化遺産(フランス).[Jurisdiction of Saint-Emilion]

【胜安航空】Shèng'ān Hángkōng シルクエアー. ❖シンガポールの航空会社.コード：

shēng

MI.[Silk Air]

【圣奥古斯丁考古公园】Shèng'àogǔsīdīng Kǎogǔ Gōngyuán サン・アグスティン遺跡公園. ●世界文化遺産(コロンビア).[San Agustín Archeological Park]

【圣保罗】Shèngbǎoluó セントポール. ❖アメリカ・ミネソタ州都.[St.Paul]

【圣彼得堡】Shèngbǐdébǎo サンクト・ペテルブルク. ❖ロシアの都市名.[Saint Petersburg]

【圣彼得堡历史中心及其相关的古迹群】Shèngbǐdébǎo Lìshǐ Zhōngxīn jí Qí Xiāngguān de Gǔjìqún サンクト・ペテルブルク歴史地区と関連建造物群. ●世界文化遺産(ロシア).[Historic Centre of Saint Petersburg and Related Groups of Monuments]

【胜出】shèngchū 勝利する;勝つ.

【圣代】shèngdài サンデー. ❖アイスクリームを生クリームや果物のソース,チョコレートなどで飾ったもの.[sundae]

【圣丹斯电影节】Shèngdānsī Diànyǐngjié サンダンス・フィルム・フェスティバル;サンダンス映画祭. ❖アメリカの映画祭.[Sundance Film Festival]

【圣地亚哥】Shèngdìyàgē サンティアゴ. ❖チリの首都.[Santiago]

【圣地亚哥・德・孔波斯特拉朝圣之路】Shèngdìyàgē dé Kǒngbōsītèlā Cháoshèng zhī Lù サンティアゴ・デ・コンポステーラの巡礼路. ●世界文化遺産(スペイン).[Route of Santiago de Compostela]

【圣地亚哥・德・孔波斯特拉城古镇】Shèngdìyàgē dé Kǒngbōsītèlāchéng Gǔzhèn サンティアゴ・デ・コンポステーラ(旧市街). ●世界文化遺産(スペイン).[Santiago de Compostela (Old Town)]

【圣地亚哥的圣佩德罗德拉罗卡堡】Shèngdìyàgē de Shèngpèidéluó dé lā Luókǎ Bǎo サンティアゴ・デ・クーバのサン・ペドロ・デ・ラ・ロカ城. ●世界文化遺産(キューバ).[San Pedro de la Roca Castle, Santiago de Cuba]

【圣迭戈】Shèngdiégē サン・ディエゴ. ❖アメリカの都市名.[San Diego]

《圣斗士星矢》Shèngdòushì Xīngshǐ 「聖闘士星矢〈セイントせいや〉」. ❖日本漫画,アニメのタイトル.[Saint Seiya]

【圣多美】Shèngduōměi サントメ. ❖サントメ・プリンシペの首都.[São Tomé]

【圣多美和普林西比民主共和国】Shèngduōměi hé Pǔlínxībǐ Mínzhǔ Gònghéguó サントメ・プリンシペ民主共和国;サントメ・プリンシペ.[Democratic Republic of São Tomé and Príncipe;São Tomé and Príncipe]

【圣多明各】Shèngduōmínggè サントドミンゴ. ❖ドミニカ共和国の首都.[Santo Domingo]

【圣多明各殖民城市】Shèngduōmínggè Zhímín Chéngshì サントドミンゴの植民都市. ●世界文化遺産(ドミニカ共和国).[Colonial City of Santo Domingo]

【圣菲】Shèngfēi サンタフェ. ❖アメリカ・ニューメキシコ州都.[Santa Fe]

【圣弗朗西斯科山脉岩画】Shèngfúlǎngxīsīkē Shānmài Yánhuà サンフランシスコ山地の岩絵. ●世界文化遺産(メキシコ).[Rock Paintings of the Sierra de San Francisco]

【盛冈市】Shènggāng Shì 盛岡〈もりおか〉市. ❖岩手〈いわて〉県("岩手县 Yánshǒu Xiàn")の県庁所在地.

【圣戈班】Shèng Gēbān サンゴバン. ❖フランスのガラスメーカー.[Saint-Gobain]

【胜果】shèngguǒ 勝利の成果.

【圣何塞】Shènghésài サン・ホセ. ❖コスタリカの首都.[San José]

【圣胡安】Shènghú'ān サンフアン. ❖アメリカ自治領プエルト・リコの都市名.サミット開催地の1つ.[San Juan]

【圣火】shènghuǒ 聖火.

shēng — shī

【圣基茨和尼维斯】Shèngjīcí hé Níwéisī セントクリストファー・ネーヴィス．[Saint Christopher and Nevis]

【圣基尔达岛】Shèngjī'ěrdá Dǎo セント・キルダ．◉世界自然遺産（イギリス）．[St. Kilda]

【圣吉米尼亚诺历史中心】Shèngjímǐníyànuò Lìshǐ Zhōngxīn サン・ジミニャーノ歴史地区．◉世界文化遺産（イタリア）．[Historic Centre of San Gimignano]

【圣加仑修道院】Shèngjiālún Xiūdàoyuàn ザンクト・ガレンの修道院．◉世界文化遺産（スイス）．[Convent of St Gall]

【圣卡安】Shèngkǎ'ān シアン・カアン．◉世界自然遺産（メキシコ）．[Sian Ka'an]

【圣凯瑟琳地区】Shèngkǎisèlín Dìqū 聖カトリーナ修道院地域．◉世界文化遺産（エジプト）．[Saint Catherine Area]

【圣卢西亚】Shènglúxīyà セントルシア．[Saint Lucia]

【圣路易岛】Shènglùyì Dǎo サン・ルイ島．◉世界文化遺産（セネガル）．[Island of Saint-Louis]

【圣路易斯】Shènglùyìsī セントルイス．❖アメリカの都市名．[St. Louis]

【圣路易斯历史中心】Shènglùyìsī Lìshǐ Zhōngxīn サン・ルイス歴史地区．◉世界文化遺産（ブラジル）．[Historic Centre of São Luís]

【胜率】shènglǜ 勝率．

【圣马力诺】Shèngmǎlìnuò サンマリノ．❖サンマリノの首都．[San Marino]

【圣马利诺共和国】Shèngmǎlìnuò Gònghéguó サンマリノ共和国；サンマリノ．[Republic of San Marino；San Marino]

【圣米兰的尤索和素索修道院】Shèngmǐlán de Yóusuǒ hé Sùsuǒ Xiūdàoyuàn サン・ミジャン・ユソ修道院群とサン・ミジャン・ス ソ修道院群．◉世界文化遺産（スペイン）．[San Millán Yuso and Suso Monasteries]

【圣乔治】Shèngqiáozhì セントジョージズ．❖グレナダの首都．[Saint George's]

【圣乔治山】Shèngqiáozhì Shān サン・ジョルジオ山．◉世界自然遺産（スイス）．[Monte San Giorgio]

【胜任能力】shèngrèn nénglì コンピテンシー．[competency]

【圣萨尔瓦多】Shèngsà'ěrwǎduō サンサルバドル．❖エルサルバドルの首都．[San Salvador]

【圣萨万・梭尔・加尔唐普教堂】Shèngsàwàn Suō'ěr Jiā'ěrtángpǔ Jiàotáng サン・サヴァン・シュール・ガルタンプの教会．◉世界文化遺産（フランス）．[Church of Saint-Savin sur Gartempe]

【圣莎拉】Shèngshālā サムサラ．❖ゲラン（仏）製のフレグランス名．[Samsara]

【圣山】Shèng Shān アトス山．◉世界自然および文化遺産（ギリシャ）．[Mount Athos]

【圣堂教父】Shèngtáng Jiàofù ゴスペラーズ．❖日本の音楽グループ．[Gospellers]

【胜腾】Shèngténg センダント．❖アメリカの不動産，ホテル，レンタカー等サービス会社．[Cendant]

【圣文森特和格林纳丁斯群岛】Shèngwénsēntè hé Gélínnàdīngsī Qúndǎo セントビンセントおよびグレナディーン諸島．[Saint Vincent and the Grenadines]

【剩余价值】shèngyú jiàzhí 残存価額；残存価値．❖"残余价值 cányú jiàzhí"とも．[salvage value；residual value]

【圣约翰】Shèngyuēhàn セントジョンズ．❖アンティグア・バーブーダの首都．[Saint John's]

【圣战】shèngzhàn ①聖戦．②ジハード．[②jihad]

shī

【湿地】shīdì 湿原；湿地．

shī — shí

《湿地公约》Shīdì Gōngyuē「ラムサール条約」;「特に水鳥の生息地として国際的に重要な湿地に関する条約」. ❖《关于特别是作为水禽栖息地的国际重要湿地公约》Guānyú Tèbié Shì Zuòwéi Shuǐqín Qīxīdì de Guójì Zhòngyào Shīdì Gōngyuē,《拉姆萨尔公约》Lāmǔsà'ěr Gōngyuē とも. [Ramsar Convention; Convention on Wetlands of International Importance Especially as Waterfowl Habitat]

【失范】shīfàn ①規範喪失(する);基準を失う. ②規則違反(する).

【诗芬】Shīfēn シフォネ. ❖上海花王(中国)のヘアケア用品ブランド. [Sifoné]

【失婚】shīhūn〔離婚や配偶者と死別後に〕再婚しない.

【施乐】Shīlè ゼロックス. ❖アメリカの事務機器メーカー. [Xerox]

【施罗德】Shīluódé〔ゲアハルト・〕シュレーダー. ❖ドイツの政治家. "施若德 Shīruòdé"とも. [Gerhard Schröder]

【施罗德集团】Shīluódé Jítuán シュローダー・グループ. ❖イギリスの金融グループ. [Schroders]

【施派尔大教堂】Shīpài'ěr Dàjiàotáng シュパイヤー大聖堂. ●世界文化遺産(ドイツ). [Speyer Cathedral]

【诗情爱意】Shīqíng Àiyì ポエム. ❖ランコム(仏)製のフレグランス名. [Poême]

【施若德】Shīruòdé〔ゲアハルト・〕シュレーダー. ❖ドイツの政治家. "施罗德 Shīluódé"とも. [Gerhard Schröder]

【施坦威】Shītǎnwēi スタインウェイ. ❖アメリカの楽器メーカー. [Steinway&Sons]

【施特拉尔松德与维斯马两座老城】Shītèlā-'ěrsōngdé yǔ Wéisīmǎ Liǎngzuò Lǎochéng シュトラールズントおよびヴィスマールの歴史地区. ●世界文化遺産(ドイツ). [Historic Centres of Stralsund and Wismar]

【狮王】Shīwáng ライオン. ❖日本の日用品メーカー. [Lion]

【失效提单】shīxiào tídān 時期経過船荷証券. ❖金融用語. "过期提单 guòqī tídān"とも.

【失序】shīxù 無秩序になる;秩序を失う.

【失业保险】shīyè bǎoxiǎn 失業保険.

【失业救济金】shīyè jiùjǐjīn 失業手当.

【湿纸巾】shīzhǐjīn ウェットティッシュ;ウェットナップ;紙おしぼり. [wet wipe]

【失重状态】shīzhòng zhuàngtài 無重力状態.

【狮子大开口】shīzi dàkāikǒu 法外な値段をふっかける.

《狮子王》Shīziwáng「ライオン・キング」. ❖アメリカアニメ,ミュージカルのタイトル. [The Lion King]

【湿租】shīzū ウェットリース. ❖航空機や乗務員,燃料代などを含めてリースする契約. [wet lease]

shí

【石川岛播磨重工业】Shíchuāndǎo Bōmó Zhònggōngyè 石川島播磨重工業. ❖日本の総合重工業メーカー. [Ishikawajima-Harima Heavy Industries]

【石川图】Shíchuāntú 特性要因図;魚骨図. ❖発生している問題とその要因との関連をまとめた図. "树形图 shùxíngtú" "树枝图 shùzhītú" "特性要因图 tèxìng yàoyīntú" "因果图 yīnguǒtú" "鱼刺图 yúcìtú"とも.

【石川县】Shíchuān Xiàn 石川〈いしかわ〉県. ❖日本の都道府県の1つ. 県庁所在地は金沢〈かなざわ〉市("金泽市 Jīnzé Shì").

《时代报》Shídài Bào「タイムズ」. ❖イギリスの日刊紙.《泰晤时报》Tàiwù Shíbào《泰晤士报》Tàiwùshì Bào とも. [Times]

【时代感】shídàigǎn 現代的センス;現代的感覚.

【时代华纳】Shídài Huánà タイム・ワーナ

一．❖アメリカの総合メディア企業．[Time Warner]

《时代周刊》Shídài Zhōukān「タイム」．❖アメリカのニュース誌．[Time]

【实得工资】shídé gōngzī 実質賃金．

【时改】shígǎi 労働時間制度改革．

【实际到位金额】shíjì dàowèi jīn'é〔主として直接投資契約の〕実際に資金投入された金額；実行ベース．❖"到位金额 dàowèi jīn'é"とも．

【实际利率】shíjì lìlǜ 実質金利．

【石家庄】Shíjiāzhuāng 石家荘〈せっかそう〉．❖"河北省 Héběi Shěng"の省都．略称は"石 Shí"．

【时价】shíjià 時価．

【实价】shíjià ファームオファー．❖"实盘 shípán"とも．[firm offer；FO]

【时价发行】shíjià fāxíng 時価発行．❖金融用語．"按时值发行 àn shízhí fāxíng""市价发行 shìjià fāxíng"とも．

【时间差】shíjiānchā ①〔バレーボールの〕時間差攻撃．②時間差；時間のずれ．

【时间旅行】shíjiān lǚxíng タイムトラベル．[time travel]

【石窟庵和佛国寺】Shíkū Ān hé Fóguó Sì ソックラム（石窟庵）とブルグクサ（仏国寺）．●世界文化遺産（韓国）．[Seokguram Grotto and Bulguksa Temple]

【实况转播】shíkuàng zhuǎnbō 実況中継；ライブ中継．[live coverage]

【石棉】shímián 石綿；アスベスト．[asbestos]

《十面埋伏》Shímiàn Máifu「LOVERS」．❖中国映画のタイトル．[Lovers]

【石漠化】shímòhuà 石漠化；砂漠化．❖"石质荒漠化 shízhì huāngmòhuà"の略．

【石墨炸弹】shímò zhàdàn グラファイト爆弾．[graphite bomb]

【实盘】shípán ファームオファー．❖"实价 shíjià"とも．[firm offer；FO]

【食品安全】shípǐn ānquán 食の安全．

【食品添加剂】shípǐn tiānjiājì 食品添加物．

《时尚・先生》Shíshàng Xiānsheng「エスクァイア」．❖アメリカの男性ファッション誌の中国版の名称．[Esquire]

【时尚杂志】shíshàng zázhì ファッション雑誌．[fashion magazine]

【实时】shíshí リアルタイム．❖"即时 jíshí"とも．[real time]

【实时操作系统内核】shíshí cāozuò xìtǒng nèihé TRON；トロン．❖IT用語．"TRON 操作系统 TRON cāozuò xìtǒng"とも．[the real-time operating system nucleus；TRON]

【实时达账】shíshí dázhàng 即時決済．

【时事通讯社】Shíshì Tōngxùnshè 時事通信社．❖日本の通信社．[Jiji Press]

【石狩川】Shíshòu Chuān 石狩川〈いしかりがわ〉．❖日本・北海道〈ほっかいどう〉を流れる川．[the Ishikari River]

【时蔬】shíshū 旬の野菜；季節の野菜．

【实体经济】shítǐ jīngjì 実体経済．

【实物报酬】shíwù bàochou 現物給与．

【实物担保】shíwù dānbǎo 物上担保．❖金融用語．

【实物货币】shíwù huòbì 物品貨幣．

【实物投资】shíwù tóuzī 実物投資．

【时恤】shíxù 流行のTシャツ；最新のTシャツ．

【什叶派】Shíyèpài〔イスラム教〕シーア派．[Shiah；Shia]

【实用程序】shíyòng chéngxù ユーティリティーソフト；ユーティリティ．❖IT用語．"实用软件 shíyòng ruǎnjiàn"とも．[utility software]

【实用软件】shíyòng ruǎnjiàn ユーティリティーソフト；ユーティリティ．❖IT用語．"实用程序 shíyòng chéngxù"とも．[utility software]

【石油美元】shíyóu Měiyuán オイルダラー．[oil dollars]

【石油砂】shíyóushā オイルサンド．❖"油

shí — shì

砂 yóushā"とも.[oil sand]

【石油输出国组织】Shíyóu Shūchūguó Zǔzhī 石油輸出国機構；OPEC〈オペック〉. ❖"欧佩克 Ōupèikè"とも.[Organization of Petroleum Exporting Countries；OPEC]

【时韵】Shíyùn ストリーム. ❖ホンダ（日本）製の車名.[Stream]

【时钟频率】shízhōng pínlǜ クロック周波数. ❖IT用語.[clock frequency]

【时装城】shízhuāngchéng ファッションビル. ❖"时装大厦 shízhuāng dàshà"とも. [fashion building]

【时装大厦】shízhuāng dàshà ファッションビル. ❖"时装城 shízhuāngchéng"とも. [fashion building]

【时装秀】shízhuāngxiù ファッションショー.[fashion show]

shǐ

【史蒂芬·霍金】Shǐdìfēn Huòjīn スティーブン・ホーキング. ❖イギリスの理論物理学者."斯蒂芬·霍金 Sīdìfēn Huòjīn"とも. [Stephen William Hawking]

【史蒂夫·乔布斯】Shǐdìfū Qiáobùsī スティーブ・ジョブス. ❖アップルコンピュータ（米）の創設者の1人.[Steve Jobs]

【史克威尔艾尼克斯】Shǐkèwēi'ěr Àiníkèsī スクウェア・エニックス. ❖日本のゲームソフトメーカー.[Square Enix]

【史密森博物馆】Shǐmìsēn Bówùguǎn スミソニアン博物館. ❖アメリカ・ワシントンD.C.にある博物館."史密尼博物馆 Shǐmìsēnní Bówùguǎn"とも.[Smithsonian Museum]

《史密森协定》Shǐmìsēn Xiédìng「スミソニアン協定」. ❖1971年12月の10ヵ国蔵相会議で合意された国際通貨に関する措置. [Smithsonian Agreement]

【史努比】Shǐnǔbǐ スヌーピー. ❖アメリカ漫画「ピーナッツ」のキャラクター.[Snoopy]

《史瑞克》Shǐruìkè「シュレック」. ❖アメリカアニメのタイトル.[Shrek]

【史泰龙】Shǐtàilóng〔シルベスター・〕スタローン. ❖アメリカ出身の男優.名前は"西尔维斯特 Xī'ěrwéisītè".[Sylvester Stallone]

【使用寿命】shǐyòng shòumìng 耐用年数. ❖"折旧年限 zhéjiù niánxiàn"とも.

shì

【视保屏】shìbǎopíng〔コンピューターモニター用の〕フィルター. ❖IT用語.[filter]

【世博会】Shìbóhuì 万国博覧会；万博. ❖"世界博览会 Shìjiè Bólǎnhuì"の略.

【饰材】shìcái 装飾建材.

【市场份额】shìchǎng fèn'é 市場シェア；マーケットシェア；シェア. ❖"市场占有率 shìchǎng zhànyǒulǜ"とも.[market share]

【市场风险】shìchǎng fēngxiǎn マーケットリスク；市場リスク. ❖金融用語.[market risk]

【市场机制】shìchǎng jīzhì 市場メカニズム.[market mechanism]

【市场调节】shìchǎng tiáojié 市場調整；市場規制.

【市场营销策略】shìchǎng yíngxiāo cèlüè マーケティング戦略. ❖"营销策略 yíngxiāo cèlüè""营销战略 yíngxiāo zhànlüè"とも.[marketing strategy]

【市场占有率】shìchǎng zhànyǒulǜ 市場シェア；マーケットシェア；シェア. ❖"市场份额 shìchǎng fèn'é"とも.[market share]

【市场准入】shìchǎng zhǔnrù 市場アクセス；マーケットアクセス.[market access]

【试车】shìchē 試乗.

【视窗操作系统】Shìchuāng Cāozuò Xìtǒng ウィンドウズ；Windows. ❖IT用語.マイクロソフト（米）製のOS名.[Win-

【视点】shìdiǎn 视点；着眼点.

【试点】shìdiǎn モデル；試行；実験.[model]

【试点项目】shìdiǎn xiàngmù 実験プロジェクト.

【试点学校】shìdiǎn xuéxiào モデル校；実験校.[model school]

【释法】shìfǎ ①法の解釈.②「中華人民共和国香港特別行政区基本法」の解釈.

【试岗】shìgǎng 試行雇用；トライアル雇用.

【试管婴儿】shìguǎn yīng'ér 試験管ベビー.

【世行】Shìháng 世界銀行；世銀. ❖"世界银行 Shìjiè Yínháng"の略.

【市话】shìhuà 市内通話.

【试婚】shìhūn 試験結婚；結婚前提の同棲〈どうせい〉.

【世嘉】Shìjiā セガ. ❖日本のゲームソフトメーカー.[Sega]

【市价】shìjià マーケットレート；市場レート；市価. ❖金融用語.[market rate]

【市价发行】shìjià fāxíng 時価発行. ❖金融用語."按时值发行 àn shízhí fāxíng""时价发行 shíjià fāxíng"とも.

【市价委托】shìjià wěituō 成行〈なりゆき〉注文. ❖金融用語.価格を決めないで出す注文.

【市价原则】shìjià yuánzé 時価主義. ❖金融用語.

【视界】shìjiè 視界；視野.

《世界报》Shìjiè Bào 「ル・モンド」. ❖フランスの日刊紙.[Le Monde]

【世界杯赛】Shìjièbēisài ワールドカップ.[World Cup]

【世界杯足球赛】Shìjièbēi Zúqiúsài サッカー・ワールド・カップ.[FIFA World Cup；Soccer World Cup]

【世界波】shìjièbō [サッカーの]スーパーゴール.

【世界博览会】Shìjiè Bólǎnhuì 万国博覧会；万博. ❖略称は"世博会 Shìbóhuì".

【世界大学生运动会】Shìjiè Dàxuéshēng Yùndònghuì ユニバーシアード. ❖略称は"大运会 Dàyùnhuì".[Universiade；college students' athletics meet]

【世界海关组织】Shìjiè Hǎiguān Zǔzhī 世界税関機構.[World Customs Organization；WCO]

【世界经济论坛】Shìjiè Jīngjì Lùntán 世界経済フォーラム.[World Economic Forum；WEF]

【世界贸易组织】Shìjiè Màoyì Zǔzhī 世界貿易機関；WTO. ❖略称は"世贸组织 Shìmào Zǔzhī".[World Trade Organization；WTO]

【世界气象组织】Shìjiè Qìxiàng Zǔzhī 世界気象機関；WMO.[World Meteorological Organization；WMO]

【世界特殊奥林匹克运动会】Shìjiè Tèshū Àolínpǐkè Yùndònghuì スペシャルオリンピックス. ❖略称は"特殊奥运会 Tèshū Àoyùnhuì".[Special Olympics；Special Olympic Games]

【世界卫生组织】Shìjiè Wèishēng Zǔzhī 世界保健機関；WHO.[World Health Organization；WHO]

【世界系列赛】Shìjiè Xìlièsài ワールドシリーズ.[World Series]

【世界小姐】Shìjiè Xiǎojie ミスワールド.[Miss World]

【世界银行】Shìjiè Yínháng 世界銀行；世銀. ❖略称は"世行 Shìháng".

【世界知识产权组织】Shìjiè Zhīshi Chǎnquán Zǔzhī 世界知的所有権機関；WIPO〈ワイポ〉.[World Intellectual Property Organization；WIPO]

【试镜】shìjìng スクリーンテスト.[screen test]

【视觉传达】shìjué chuándá ビジュアルコミュニケーション.[visual communication]

shì — shōu

【视觉系】shìjuéxì ビジュアル系.

【视康】Shìkāng チバビジョン. ❖アメリカのコンタクトレンズメーカー.[Ciba Vision]

【士力架】Shìlìjià スニッカーズ. ❖マーズ(米)製のチョコレート菓子ブランド.[Snickers]

【世贸组织】Shìmào Zǔzhī 世界貿易機関;WTO. ❖"世界贸易组织 Shìjiè Màoyì Zǔzhī"の略.[World Trade Organization;WTO]

【室内环境】shìnèi huánjìng 室内環境;屋内環境.

【室内剧】shìnèijù 室内劇;スタジオドラマ.

【室内空气污染】shìnèi kōngqì wūrǎn 室内空気汚染;シックハウス.[sick house]

【室内装潢】shìnèi zhuānghuáng 室内装飾;インテリアデコレーション.[interior decoration]

【室内装饰】shìnèi zhuāngshì インテリア.[interior]

【室内足球】shìnèi zúqiú フットサル. ❖"五人制足球 wǔrénzhì zúqiú"とも.[futsal]

【适配器】shìpèiqì アダプター. ❖IT用語."接插件 jiēchājiàn"とも.[adapter]

【试片会】shìpiànhuì 試写会.

【视频采集卡】shìpín cǎijíkǎ ビデオ・キャプチャー・ボード. ❖IT用語.[video capture board]

【视频点播】shìpín diǎnbō ビデオ・オン・デマンド;VOD. ❖IT用語.[video on demand;VOD]

【视频电子标准协会】Shìpín Diànzǐ Biāozhǔn Xiéhuì ベサ;VESA.[Video Electronics Standards Association;VESA]

【视频光盘】shìpín guāngpán ビデオ・コンパクト・ディスク;ビデオCD;VCD. ❖光ディスクの1種.[video compact disc;VCD]

【视频会议】shìpín huìyì テレビ会議. ❖"电视会议 diànshì huìyì"とも.[video-conference]

【视频图形阵列】shìpín túxíng zhènliè VGA. ❖IT用語.[VGA]

【试水】shìshuǐ 試行する.

【视图】shìtú ビュー. ❖IT用語.[view]

【事先疏通】shìxiān shūtōng 根回し.

《事先知情同意》Shìxiān Zhīqíng Tóngyì 事前通報同意;事前インフォームドコンセント;プライアー・インフォームド・コンセント;有害化学物質などの輸出入の事前同意;PIC;ピック. ❖農薬や化学製品の国際取引において,輸入国の同意を確認してから貿易取引を進めるための手続きを指す.[prior informed consent;PIC]

【试销点】shìxiāodiǎn アンテナショップ.[antenna shop]

【适销对路】shìxiāo duìlù 市場ニーズに合致した;売れる.

【事业部制】shìyèbùzhì 事業部制.

【事业计划】shìyè jìhuà 事業計画. ❖"营业计划 yíngyè jìhuà"とも.

【市盈率】shìyínglǜ 株価収益率;PER. ❖金融用語."本益比 běnyìbǐ""股价收益率 gǔjià shōuyìlǜ"とも.[price earnings ratio;PER]

【适用法律】shìyòng fǎlǜ 準拠法.

【室友】shìyǒu ルームメイト.[roommate]

【市域】shìyù 市の管轄地域.

【市政工程】shìzhèng gōngchéng 地方公共事業.

【市值】shìzhí 時価;市価.

【试制品】shìzhìpǐn 試作品.

shōu

【收藏夹】shōucángjiā 〔ウェブブラウザの〕お気に入り. ❖IT用語.

【收费处】shōufèichù 料金所;料金徴収所.

【收费公路】shōufèi gōnglù 有料道路.

shōu — shǒu

【收购兼并】shōugòu jiānbìng M&A；合併と買収.[merger and acquisition；M&A]

【收货人】shōuhuòrén 荷受人；コンサイニー.[consignee]

【收件箱】shōujiànxiāng 受信箱；受信トレイ；インボックス. ❖IT用語."收信箱 shōuxìnxiāng"とも.[in-box]

【收据】shōujù 受領証；領収書；レシート.[receipt]

【收拍】shōupāi〔試合が〕閉幕(する)；試合終了(する).

【收盘】shōupán 大引け. ❖金融用語.

【收盘价】shōupánjià 引値〈ひけね〉. ❖金融用語.最後にできた取引の値段.[closing quotation]

【收盘走低】shōupán zǒudī 安値〈やすね〉引け. ❖金融用語.

【收视率】shōushìlǜ 視聴率.

【收信箱】shōuxìnxiāng 受信箱；受信トレイ；インボックス. ❖IT用語."收件箱 shōujiànxiāng"とも.[in-box]

【收益率】shōuyìlǜ 利回り. ❖金融用語.

【收益率曲线】shōuyìlǜ qūxiàn 利回り曲線；イールドカーブ. ❖金融用語."利率曲线 lìlǜ qūxiàn"とも.[yield curve]

【收银台】shōuyíntái レジカウンター；レジ.[cash desk]

shǒu

【手包】shǒubāo ハンドバッグ.[handbag]

【首次公开发行股票】shǒucì gōngkāi fāxíng gǔpiào 新規公開株式. ❖金融用語.

【首次公开募集】shǒucì gōngkāi mùjí 新規公開. ❖金融用語.未上場会社が証券取引所に上場する際,不特定多数の投資家向けに株式の募集を行うこと.

【手动挡车】shǒudòng dǎngchē マニュアル車；MT車.[stick shift]

【首发阵容】shǒufā zhènróng 先発メンバー；スターティングメンバー.[starting line-up]

【首付】shǒufù 頭金；頭金を支払う.

【首付款】shǒufùkuǎn 頭金.

【手擀荞麦面】shǒugǎn qiáomàimiàn 手打ちそば.

【手机】shǒujī 携帯電話；モバイルフォン.[mobile phone；cell phone]

【手机博客】shǒujī bókè モブログ. ❖IT用語."移动博客 yídòng bókè"とも.[moblog]

【手机充值】shǒujī chōngzhí 携帯電話のリチャージ.

【手机电视】shǒujī diànshì 携帯電話についているテレビ；携帯電話のテレビ受信機能.

【手机挂件】shǒujī guàjiàn 携帯電話のストラップ；携帯ストラップ.[cell phone strap]

【手机链】shǒujīliàn 携帯電話のストラップ；携帯ストラップ. ❖チェーン付きのストラップ.

【手机铃声】shǒujī língshēng〔携帯電話の〕着メロ.

【手机皮带】shǒujī pídài 携帯電話のストラップ；携帯ストラップ. ❖皮紐〈かわひも〉付きのストラップ.

【手机入网费】shǒujī rùwǎngfèi 携帯電話のインターネット接続費用.

【手机上网】shǒujī shàngwǎng 携帯電話によるインターネットアクセス.

【首席财务官】shǒuxí cáiwùguān 最高財務責任者；CFO.[chief financial officer；CFO]

【首席技术官】shǒuxí jìshùguān 最高技術責任者；CTO.[chief technology officer；CTO]

【首席市场官】shǒuxí shìchǎngguān 最高マーケティング責任者；CMO.[chief marketing officer；CMO]

【首席物流官】shǒuxí wùliúguān 最高ロジ

shǒu — shòu

スティクス責任者；CLO.[chief logistics officer；CLO]

【首席信息官】shǒuxí xìnxīguān 最高情報責任者；CIO.[chief information officer；CIO]

【首席行政官】shǒuxí xíngzhèngguān 最高管理責任者；最高総務責任者；CAO.[chief administrative officer；CAO]

【首席运营官】shǒuxí yùnyíngguān 最高執行責任者；COO.[chief operating officer；COO]

【首席执行官】shǒuxí zhíxíngguān 最高経営責任者；CEO.[chief executive officer；CEO]

【手写板】shǒuxiěbǎn ペンタブレット；グラフィックタブレット；タブレット．❖IT用語．"绘图板 huìtúbǎn"とも．[pen tablet；graphic tablet；tablet]

【手写笔】shǒuxiěbǐ タブレット用ペン；電子ペン；スタイラスペン．❖IT用語．[stylus pen]

【手写输入】shǒuxiě shūrù 手書き入力．❖IT用語．

【首页】shǒuyè ①最初のページ；トップページ．②[サイトの]トップページ；ホームページ．❖②IT用語．[top page ②homepage]

【首映式】shǒuyìngshì ［映画の］プレミア；プレミアショー．[film premiere]

【首长宝佳集团】Shǒuzhǎng Bǎojiā Jítuán 首長宝佳集団；ショウガン・コンコード・センチュリー・ホールディングス．❖鉄鋼・非鉄金属販売,不動産投資持株会社．レッドチップ企業の1つ．[Shougang Concord Century Holdings]

【首長国际企业】Shǒuzhǎng Guójì Qǐyè 首長国际企业；ショウガン・コンコード・インターナショナル・エンタプライズ．❖鉄鋼,建設資材メーカー．レッドチップ企業の1つ．[Shougang Concord International Enterprises]

【首长科技集团】Shǒuzhǎng Kējì Jítuán 首長科技集団；ショウガン・コンコード・テクノロジー・ホールディングス．❖重工業メーカー．レッドチップ企業の1つ．[Shougang Concord Technology Holdings]

【首长四方（集团）】Shǒuzhǎng Sìfāng (Jítuán) 首長四方（集団）；ショウガン・コンコード・グランド（グループ）．❖不動産投資会社．レッドチップ企業の1つ．[Shougang Concord Grand (Group)]

【手冢治虫】Shǒuzhǒng Zhìchóng 手塚治虫〈てづか おさむ〉．❖日本の漫画家．[TEZUKA Osamu]

shòu

【寿百年】Shòubǎinián ソブラニー．❖ギャラハー（英）製のタバコブランド．[Sobranie]

【受打击】shòu dǎjī 落ち込む；へこむ．

【售点】shòudiǎn セールスポイント．❖"卖点 màidiǎn"とも．[special feature；selling point]

【售后服务】shòuhòu fúwù アフターサービス．[after-sales service]

【寿命周期】shòumìng zhōuqī ライフサイクル．❖"生命周期 shēngmìng zhōuqī"とも．[life cycle]

《受难曲》Shòunànqǔ「パッション」．❖アメリカ映画のタイトル．[The Passion of the Christ]

【售罄】shòuqìng 売り切れ；売り尽くす．

【瘦身】shòushēn ①痩身；スリムになる．②細身の；ほっそりとした；細く見える．③削減（する）；スリム化（する）．

【寿险】shòuxiǎn 生命保険；生保．❖"人寿保险 rénshòu bǎoxiǎn"の略．

【授信额度】shòuxìn édù 与信枠；与信限度額．❖金融用語．"信贷额度 xìndài édù"とも．

【授信业务】shòuxìn yèwù 与信業務．❖

金融用語."信贷业务 xìndài yèwù"とも.
【受益权】shòuyìquán 受益権. ❖金融用語.
【受益人】shòuyìrén 受取人;受益者.
【受益证券】shòuyì zhèngquàn 受益証券. ❖金融用語.
【受众】shòuzhòng〔文化や情報の〕受け取り手. ❖読者,視聴者,聴衆および観衆の総称.
【受助】shòuzhù 援助を受ける;支援を受ける.

shū

【书吧】shūbā ブックカフェ. ❖古本屋,新刊書店と喫茶店を合わせた形式の店. [book cafe]
【叔本华】Shūběnhuá〔アルトゥール・〕ショーペンハウアー;ショーペンハウエル. ❖ドイツの哲学者. [Arthur Schopenhauer]
【舒柏特】Shūbótè〔フランツ・ペーター・〕シューベルト. ❖オーストリアの作曲家. [Franz Peter Schubert]
【书城】shūchéng ブックセンター;書店.
【书虫】shūchóng 本の虫;読書好きな人.
【输出】shūchū ①送り出す;輸出(する). ②出力(する);アウトプット(する). ③〔データを〕エクスポート(する). ❖②③IT用語. [②output ③export]
【输错密码】shūcuò mìmǎ 暗証番号の入力を間違える(こと).
【书挡】shūdǎng ブックエンド. [book ends]
【书店街】shūdiànjiē 本屋街.
【舒肤佳】Shūfūjiā セイフガード. ❖ P&G (米)の石けんブランド. [Safeguard]
【舒洁】Shūjié クリネックス. ❖キンバリー・クラーク(米)製のティッシュペーパー名. [Kleenex]
【疏离】shūlí 疎遠になる.
【枢纽】shūniǔ ①中枢;要〈かなめ〉. ②ジャンクション. [②junction]
【枢纽港】shūniǔ gǎng ハブ港;拠点大型港. [hub port]
【枢纽工程】shūniǔ gōngchéng 重要プロジェクト.
【枢纽机场】shūniǔ jīchǎng ハブ空港;拠点大型空港. ❖"航空枢纽港 hángkōng shūniǔgǎng"とも. [hub airport]
【书签】shūqiān ①しおり. ②〔ブラウザの〕ブックマーク. ❖②IT用語. [bookmark]
【输入】shūrù ①持ち込む;輸入(する). ②インプット(する). ③〔データを〕インポート(する). ❖②③IT用語. [②input ③import]
【输入法编辑器】shūrùfǎ biānjíqì インプット・メソッド・エディター;IME. ❖IT用語. [input method editor;IME]
【输入通货膨胀】shūrù tōnghuò péngzhàng 輸入インフレーション. ❖金融用語."进口通胀 jìnkǒu tōngzhàng""输入性通货膨胀 shūrùxìng tōnghuò péngzhàng"とも. [import inflation]
【输入性通货膨胀】shūrùxìng tōnghuò péngzhàng 輸入インフレーション. ❖金融用語."进口通胀 jìnkǒu tōngzhàng""输入通货膨胀 shūrù tōnghuò péngzhàng"とも. [import inflation]
【书市】shūshì ①ブックフェア;図書展示会. ②出版市場;書籍販売市場. [①book fair]
【舒适环境】shūshì huánjìng アメニティー. [amenity]
【舒适性】shūshìxìng 快適性;快適な;アメニティー. [amenity]
【舒爽】shūshuǎng 爽やかで心地よい;快適で元気になる.
【书业】shūyè 書籍業界.
【殊誉】shūyù 特別な栄誉.
【疏运】shūyùn 円滑に輸送する.
【书展】shūzhǎn ブックフェア;図書展示会. [book fair]

shǔ

【鼠】shǔ 〔コンピューターの〕マウス.❖IT用語."滑鼠 huáshǔ""鼠标 shǔbiāo"とも.[mouse]

【鼠标】shǔbiāo 〔コンピューターの〕マウス.❖IT用語."滑鼠 huáshǔ""鼠 shǔ"とも.[mouse]

【鼠标垫】shǔbiāodiàn マウスパッド.❖IT用語.[mouse pad]

【暑促】shǔcù サマーセール；夏期販売促進企画.[summer sale]

【曙光】Shǔguāng プルミエジュール.❖ニナ・リッチ(仏)製のフレグランス名."晨曦 Chénxī"とも.[Premier Jour]

【数秒】shǔmiǎo 秒読み(する)；カウントダウン.[countdown]

【署名权】shǔmíngquán 氏名表示権.

【薯条】shǔtiáo ポテトフライ；フライドポテト.[French fries]

【属性】shǔxìng ①属性；特徴；性質.②〔コンピューターで〕プロパティー.❖②IT用語.[②property]

【暑运】shǔyùn 夏期休暇期間の旅客輸送.

shù

【数据包】shùjùbāo パケット.❖IT用語."信息包 xìnxībāo"とも.[packet]

【数据播放】shùjù bōfàng データ放送.❖IT用語.

【数据库】shùjùkù データベース；データバンク.❖IT用語."资料库 zīliàokù"とも.[data bank；databank；database]

【数据通信】shùjù tōngxìn データ通信.❖IT用語.

【数控】shùkòng 数値制御；NC.❖"数字控制 shùzì kòngzhì"とも.[numerical control；NC]

【数控机床】shùkòng jīchuáng NC工作機.[numerical control machine tool]

【漱口水】shùkǒushuǐ 洗口剤；マウスウォッシュ.[mouthwash]

【数理逻辑】shùlǐ luóji 数理論理.

【数量扩大】shùliàng kuòdà 量的拡大.

【数码冲印】shùmǎ chōngyìn デジタルプリント.[digital print]

【数码盗窃】shùmǎ dàoqiè デジタル万引き.❖書籍・雑誌を購入することなく,カメラ付き端末で紙面を盗撮し,情報を入手すること.

【数码港】shùmǎgǎng サイバーポート.❖IT用語.[cyberport]

【数码化】shùmǎhuà デジタル化.❖IT用語."数字化 shùzìhuà"とも.[digitization；digitalization]

【数码摄像机】shùmǎ shèxiàngjī デジタルビデオカメラ.[digital video camera]

【数码双频彩电】shùmǎ shuāngpín cǎidiàn デジタル双方向テレビ.[digital interactive TV]

【数码相机】shùmǎ xiàngjī デジタルカメラ；デジカメ.❖"数码照相机 shùmǎ zhàoxiàngjī""数位相机 shùwèi xiàngjī""数字相机 shùzì xiàngjī"とも.[digital still camera；digital camera]

【数码照相机】shùmǎ zhàoxiàngjī デジタルカメラ；デジカメ.❖"数码相机 shùmǎ xiàngjī""数位相机 shùwèi xiàngjī""数字相机 shùzì xiàngjī"とも.[digital still camera；digital camera]

【数码证书】shùmǎ zhèngshū 電子証明書.❖IT用語."数字证书 shùzì zhèngshū"とも.[digital certificate]

【数位相机】shùwèi xiàngjī デジタルカメラ；デジカメ.❖"数码相机 shùmǎ xiàngjī""数码照相机 shùmǎ zhàoxiàngjī""数字相机 shùzì xiàngjī"とも.[digital still camera；digital camera]

【树形图】shùxíngtú 特性要因図；魚骨図.❖発生している問題とその要因との関連をまとめた図."石川图 Shíchuāntú""树

枝图 shùzhītú""特性要因图 tèxìng yàoyīntú""因果图 yīnguǒtú""鱼刺图 yúcìtú"とも.

【树葬】shùzàng 樹木葬；植樹葬. ❖墓石を建てずに樹木などを植えて墓標とし供養するもの.

【树枝图】shùzhītú 特性要因図；魚骨図. ❖発生している問題とその要因との関連をまとめた図."石川图 Shíchuāntú""树形图 shùxíngtú""特性要因图 tèxìng yàoyīntú""因果图 yīnguǒtú""鱼刺图 yúcìtú"とも.

【数字播放】shùzì bōfàng デジタル放送. [digital broadcasting]

【数字城市】shùzì chéngshì デジタル都市；デジタルシティー. ❖新しいメディアを利用してネットワークを結び,情報を提供する都市.[digital city]

【数字电视】shùzì diànshì デジタルテレビ. [digital television]

【数字蜂窝移动通信】shùzì fēngwō yídòng tōngxìn デジタルモバイル通信. ❖IT用語.

【数字鸿沟】shùzì hónggōu デジタルデバイド；デジタルディバイド；情報格差. ❖IT用語.[digital divide]

【数字化】shùzìhuà デジタル化. ❖"数码化 shùmǎhuà"とも.[digitization；digitalization]

【数字化电子产品】shùzìhuà diànzǐ chǎnpǐn デジタル電子製品.

【数字化战场】shùzìhuà zhànchǎng デジタル戦場；デジタル化戦場.

【数字激光视盘】shùzì jīguāng shìpán DVD. ❖光ディスクの１種.[digital versatile disc；DVD]

【数字家电】shùzì jiādiàn デジタル家電. [digital consumer electronics]

【数字控制】shùzì kòngzhì 数値制御；NC. ❖"数控 shùkòng"とも.[numerical control；NC]

【数字签名】shùzì qiānmíng デジタル署名；デジタルシグネチャー. ❖IT用語. [digital signature]

【数字声广播】shùzìshēng guǎngbō デジタル音声放送.

【数字视盘】shùzì shìpán ①DVD. ②ビデオ・コンパクト・ディスク；ビデオCD；VCD. ❖光ディスクの１種.[①digital versatile disc；DVD ②video compact disc；VCD]

【数字锁定键】shùzì suǒdìngjiàn Num Lock キー；ナム・ロック・キー. ❖IT用語. コンピューターのキーボード上にある,テンキー入力を切り替えるためのキー.[Num Lock key]

【数字通信】shùzì tōngxìn デジタル通信；デジタルコミュニケーション. ❖IT用語. [digital communication]

【数字图书馆】shùzì túshūguǎn デジタルライブラリー；デジタル図書館. ❖IT用語. [digital library]

【数字显示器】shùzì xiǎnshìqì デジタルディスプレイ. ❖IT用語.[digital display]

【数字相机】shùzì xiàngjī デジタルカメラ；デジカメ. ❖"数码相机 shùmǎ xiàngjī""数码照相机 shùmǎ zhàoxiàngjī""数位相机 shùwèi xiàngjī"とも.[digital still camera；digital camera]

【数字压缩】shùzì yāsuō デジタル圧縮. ❖IT用語.

【数字移动电话】shùzì yídòng diànhuà デジタル通信方式の携帯電話. ❖IT用語.中国では"GSM"のこと.他に,日本の"PDC",アメリカの"cdmaOne"などがある.

【数字影像】shùzì yǐngxiàng デジタルビジュアル；DV. ❖IT用語.[digital visual；DV]

【数字证书】shùzì zhèngshū 電子証明書. ❖IT用語."数码证书 shùmǎ zhèngshū"とも.[digital certificate]

shuā

【刷卡】shuākǎ カード決済(する);カード確認(する). ❖磁気カード情報により身分の認証や口座引き落しをする.

shuǎ

【耍大牌】shuǎ dàpái 偉そうに振る舞う;大物ぶる;スター気取り(になる).

shuài

【帅】shuài かっこいい.
【帅哥】shuàigē イケメン.

shuāng

【双边关系】shuāngbiān guānxi 2国間関係.
【双边主义】shuāngbiān zhǔyì バイラテラリズム;2国間主義;2国間交渉主義.[bilateralism]
【双层大巴】shuāngcéng dàbā 2階建てバス;ダブルデッカーバス. ❖"双层公共汽车 shuāngcéng gōnggòng qìchē"とも.[double-decker]
【双层公共汽车】shuāngcéng gōnggòng qìchē 2階建てバス;ダブルデッカーバス. ❖"双层大巴 shuāngcéng dàbā"とも.[double-decker]
【双重标准】shuāngchóng biāozhǔn ダブルスタンダード;二重基準.[double standard]
【双重遏制政策】shuāngchóng èzhì zhèngcè 二重封じ込め政策. ❖アメリカのイランおよびイラクに対する政策.
【双重国籍】shuāngchóng guójí 二重国籍.
【双重货币债券】shuāngchóng huòbì zhàiquàn 二重通貨建て債;デュアルカレンシー債. ❖金融用語.[dual currency bonds]
【双方选择】shuāngfāng xuǎnzé 互いに相手を選ぶ(こと);相互選択. ❖略称は"双选 shuāngxuǎn".
【双飞】shuāngfēi 飛行機で往復する;往復とも飛行機利用.
【双规】shuāngguī 定められた時間と場所で事の顛末〈てんまつ〉を釈明する. ❖"规定的时间和规定的地点 guīdìng de shíjiān hé guīdìng de dìdiǎn"を略した言い方.
【双轨制】shuāngguǐzhì「双軌制」;二重構造;体制の二重構造. ❖中国がさまざまな改革を進める過程において採用している移行措置のこと.
【双基】shuāngjī 基礎知識の理解と基本的技能の訓練. ❖"基础知识与基本技能 jīchǔ zhīshi yǔ jīběn jìnéng"の略.
【双击】shuāngjī ダブルクリック(する). ❖IT用語.[double click]
【双夹】shuāngjiā ①クリップ2個のバインダー. ②クリップ2個の髪留め.
【霜降】shuāngjiàng〔二十四節気の〕霜降〈そうこう〉.
【双立人亨克斯】Shuānglìrén Hēngkèsī ツヴィリングJ.A.ヘンケルス. ❖ドイツの刃物・調理用品メーカー.[Zwilling J.A. Henckels]
【双面胶】shuāngmiànjiāo 両面テープ.
【双模】shuāngmó デュアルモード. ❖IT用語.[dual mode]
【双年展】shuāngniánzhǎn ビエンナーレ.[biennale]
【双频】shuāngpín デュアルバンド. ❖IT用語.[dual band]
【双歧杆菌】shuāngqí gǎnjūn ビフィズス菌.[bifidus;bifidobacteria]
《双旗镇刀客》Shuāngqí Zhèn Dāokè「双旗鎮刀客」. ❖中国映画のタイトル.[The Swordsman in Double-Flag Town]
【双人房】shuāngrénfáng ツインルーム.[twin room]

shuāng — shuǐ

【双刃剑】shuāngrènjiàn 諸刃〈もろは〉の剣.

【双日】Shuāngrì 双日．❖日本の総合商社．[Sojitz]

【双色球】shuāngsèqiú 2色ボールの抽選宝くじ．❖赤青2色のボールに記された数字の組み合わせで抽選される宝くじ．

【双杀】shuāngshā ダブルプレー．[double play]

【双书名号】shuāngshūmínghào 二重山がたかっこ；二重ギュメ．❖記号は《 》．

【双顺差】shuāngshùnchā 双子の黒字．❖経常収支と貿易収支が共に黒字である状態．

【双向收费】shuāngxiàng shōufèi 双方から料金を徴収すること；ツーウェイチャージ．[two-way charge system]

【双向选择】shuāngxiàng xuǎnzé ①相互に選択する(こと)；双方向選択；インタラクティブセレクション．②〔就職活動における〕労使の相互選択．❖②中国における新しい就業と雇用のスタイル．[①two-way selection；interactive selection]

【双效】shuāngxiào ①社会効果と経済効果．②2つの効果；ダブル効果．

【双校族】shuāngxiàozú ダブルスクール族．

【双性恋】shuāngxìngliàn バイセクシャル．[bisexual]

【双休日】shuāngxiūrì〔週休2日制の〕週末；土日．

【双选会】shuāngxuǎnhuì 就職面接会；合同就職面接会．❖"双方选择洽谈会 shuāngfāng xuǎnzé qiàtánhuì"の略．

【双学位】shuāngxuéwèi 二重学位；ダブルディグリー；デュアルディグリー．[double degree]

【双眼皮胶】shuāngyǎnpíjiāo 二重〈ふたえ〉まぶた用液．

【双引号】shuāngyǐnhào 二重引用符；ダブルクォーテーション．❖記号は" "．[double quotation]

【双赢】shuāngyíng ウィン・ウィン；winwin；双方共に利益を得る．[win-win]

【双赢局面】shuāngyíng júmiàn ウィン・ウィンの局面；winwinの局面；双方共に利益を得る局面．[win-win situation]

【双语】shuāngyǔ バイリンガル(の)．[bilingual]

【双语教学】shuāngyǔ jiāoxué バイリンガル教育．

【双增双节】shuāngzēng shuāngjié 2つの増加と2つの節約．❖"增产节约、增收节支 zēngchǎn jiéyuē zēngshōu jiézhī"を略した言い方．

【双职工】shuāngzhígōng 共働き；ワーキングカップル．[working couple]

【双周日】shuāngzhōurì 週末；〔一般的な休日として〕土日．

shuǎng

【爽】shuǎng ①心地よい；明朗である．②痛快(な)；嬉しい；スッキリした．

【爽肤水】shuǎngfūshuǐ トーニングローション．[toning lotion]

【爽花蕾】Shuǎnghuālěi サワデー．❖小林製薬(日本)の芳香剤ブランド．[Sawaday]

shuǐ

【水吧】shuǐbā ①ウォーターバー．②ソフトドリンクのみを提供するカフェ．[①water bar]

【水床】shuǐchuáng ウォーターベッド．[water bed；waterbed]

【水果餐】shuǐguǒcān 果物をメインにした料理．

【水户市】Shuǐhù Shì 水戸〈みと〉市．❖茨城〈いばらき〉県("茨城县 Cíchéng Xiàn")の県庁所在地．

【水毁】shuǐhuǐ 洪水による損壊．

【水货】shuǐhuò 並行輸入品；密輸品．

shuǐ — sī

【水晶婚】shuǐjīnghūn 水晶婚式. ❖15年目の結婚記念日.
【水警】shuǐjǐng ①河川域と海上の警備. ②水上パトロール；水上警察. ❖"水上警察 shuǐshàng jǐngchá"の略.
【水景】shuǐjǐng 水のある風景.
【水疗】shuǐliáo 温泉療法.
【水面蹼泳】shuǐmiàn pǔyǒng 〔フィンスイミング競技の〕サーフィス. [surface]
【水幕】shuǐmù ウォータースクリーン. [water screen]
【水泥森林】shuǐní sēnlín コンクリートジャングル. [concrete jungle]
【水培】shuǐpéi ハイドロカルチャー；水耕栽培. [hydroculture ; hydroponics]
【水溶彩铅】shuǐróng cǎiqiān 水性色鉛筆.
【水上警察】shuǐshàng jǐngchá ①河川域と海上の警備. ②水上パトロール；水上警察. ❖略称は"水警 shuǐjǐng".
【水下导弹】shuǐxià dǎodàn 水中ミサイル.
【水下通信】shuǐxià tōngxìn 水中通信.
【水星】Shuǐxīng ①水星；マーキュリー. ②マーキュリー. ❖②フォード(米)の自動車ブランド. [Mercury]
【水原的华城】Shuǐyuán de Huáchéng ファソン(華城). ●世界文化遺産(韓国). [Hwaseong Fortress]
【水之恋】Shuǐ zhī Liàn ローパケンゾー. ❖Kenzo(仏)製のフレグランス名. [L'eau par Kenzo]
【水质污染】shuǐzhì wūrǎn 水質汚染.
【水渍险】shuǐzìxiǎn 分損担保；WA. [with average ; WA]

shuì

【税负】shuìfù 税負担.
【税改】shuìgǎi 税収制度の改革.
【税后利润】shuìhòu lìrùn 税引後利益.
【睡眠呼吸暂停综合征】shuìmián hūxī zàntíng zōnghézhēng 睡眠時無呼吸症候群；SAS. ❖"睡眠呼吸暂停综合症 shuìmián hūxī zàntíng zōnghézhèng"とも. [sleep apnea syndrome ; SAS]
【睡眠状态】shuìmián zhuàngtài 休止状態；ハイバネーション. ❖IT用語. [hibernation]

shùn

【顺差】shùnchā 輸出超過；貿易黒字.
【顺风威士忌】Shùnfēng Wēishìjì カティサーク. ❖ベリー・ブラザーズ & ラッド(英)製のウイスキー名. [Cutty Sark]
【顺化历史建筑群】Shùnhuà Lìshǐ Jiànzhùqún フエの建造物群. ●世界文化遺産(ベトナム). [Complex of Hué Monuments]
【顺汇】shùnhuì 順為替；並為替；送金為替. ❖金融用語.
【瞬间】Shùnjiān ランスタン. ❖ゲラン(仏)製のフレグランス名. [L'Instant]

shuō

【说唱】shuōchàng ラップ；ラップミュージック. [rap ; rap music]
【说实在的】shuō shízàide 本当のところ；ぶっちゃけ.

shuò

【硕导】shuòdǎo 〔修士課程の〕大学院生のチューター；指導教官. ❖"硕士生导师 shuòshìshēng dǎoshī"の略.

sī

【斯巴鲁】Sībālǔ スバル. ❖富士重工業(日本)の自動車ブランド. [Subaru]
【斯伯丁】Sībódīng スポルディング. ❖アメリカのスポーツ用品メーカー. [Spalding]
【私车】sīchē マイカー；乗用車.

【斯道拉恩索】Sīdàolā Ēnsuǒ ストラエンソ. ❖フィンランドの製紙会社. [Stora Enso]

【斯德哥尔摩】Sīdégē'ěrmó ストックホルム. ❖スウェーデンの首都. [Stockholm]

【司法救助】sīfǎ jiùzhù 訴訟費用の援助(をする). ❖民事,刑事事件で合法性が証明され,かつ経済的に困難な当事者に対し,減額,全額の支払猶予などを行う.

【丝婚】sīhūn 絹婚式. ❖12年目の結婚記念日.

【私家车】sījiāchē マイカー.

【斯凯利格・迈克尔岛】Sīkǎilìgé Màikè'ěr Dǎo スケリッグ・マイケル. ●世界文化遺産(アイルランド). [Skellig Michael]

【斯堪的纳维亚半岛】Sīkāndìnàwéiyà Bàndǎo スカンジナビア半島. ❖ヨーロッパ北部にある半島. [the Scandinavian Peninsula]

【司考】sīkǎo 司法試験. ❖"国家司法考试 guójiā sīfǎ kǎoshì"の略.

【斯柯达】Sīkēdá スコダ. ❖チェコの自動車メーカー(フォルクスワーゲン傘下). [Škoda]

【斯科兰岛和周边地区】Sīkēlán Dǎo hé Zhōubiān Dìqū スホクラントとその周辺. ●世界文化遺産(オランダ). [Schokland and Surroundings]

【斯科普里】Sīkēpǔlǐ スコピエ. ❖マケドニアの首都. [Skopje]

【斯科契扬溶洞】Sīkēqìyáng Róngdòng シュコツィアン洞窟群. ●世界自然遺産(スロベニア). [Škocjan Caves]

【斯科斯累格加登公墓】Sīkēsīlěigéjiādēng Gōngmù スクーグシュルコゴーデン. ●世界文化遺産(スウェーデン). [Skogskyrkogården]

【思科系统】Sīkē Xìtǒng シスコ・システムズ. ❖アメリカのコンピューター周辺機器メーカー. [Cisco Systems]

【斯雷巴尔纳自然保护区】Sīléibā'ěrnà Zìrán Bǎohùqū スレバルナ自然保護区. ●世界自然遺産(ブルガリア). [Srebarna Nature Reserve]

【斯里巴加湾市】Sīlǐbājiāwān Shì バンダル・スリ・ブガワン. ❖ブルネイの首都. [Bandar Seri Begawan]

【斯里贾亚瓦德纳普拉科提】Sīlǐ Jiǎyàwǎdénàpǔlā Kētí スリ・ジャヤワルダナプラ・コッテ. ❖スリランカの首都. [Sri Jayawardenepura Kotte]

【斯里兰卡航空】Sīlǐlánkǎ Hángkōng スリランカ航空. ❖スリランカの航空会社. コード:UL. [SriLankan Airlines]

【斯里兰卡民主社会主义共和国】Sīlǐlánkǎ Mínzhǔ Shèhuìzhǔyì Gònghéguó スリランカ民主社会主義共和国;スリランカ. [Democratic Socialist Republic of Sri Lanka;Sri Lanka]

【斯伦贝谢】Sīlúnbèixiè シュルンベルジェ. ❖アメリカのエネルギー開発企業. [Schlumberger]

【斯洛伐克共和国】Sīluòfákè Gònghéguó スロバキア共和国;スロバキア. [Slovak Republic;Slovakia]

【斯洛文尼亚共和国】Sīluòwénníyà Gònghéguó スロベニア共和国;スロベニア. [Republic of Slovenia;Slovenia]

【私密】sīmì ①プライバシー. ②プライベート. [①privacy ②private]

【私募债】sīmùzhài 私募債;非公募債. ❖金融用語.

【斯皮尔伯格】Sīpí'ěrbógé [スティーブン・]スピルバーグ. ❖アメリカの映画監督. 名は"史蒂文 Shǐdìwén". [Steven Spielberg]

【斯皮什城和相关文化遗址】Sīpíshíchéng hé Xiāngguān Wénhuà Yízhǐ スピシュスキー城とその関連文化財. ●世界文化遺産(スロバキア). [Spišský Hrad and its Associated Cultural Monuments]

【斯皮耶纳新石器时代的燧石矿】Sīpíyēnà Xīn Shíqì Shídài de Suìshíkuàng スピエ

sī — sǐ

ンヌの新石器時代の火打石の鉱山発掘地（モンス市）．●世界文化遺産（ベルギー）．[Neolithic Flint Mines at Spiennes (Mons)]

【斯普利特古建筑群及戴克里先宫殿】Sīpǔlìtè Gǔjiànzhùqún jí Dàikèlǐxiān Gōngdiàn スプリットの史跡群とディオクレティアヌス宮殿．●世界文化遺産（クロアチア）．[Historical Complex of Split with the Palace of Diocletian]

【斯普林菲尔德】Sīpǔlínfēi'ěrdé スプリングフィールド．❖アメリカ・イリノイ州都．[Springfield]

【斯普林特】Sīpǔlíntè スプリント．❖アメリカの携帯通信事業者．[Sprint]

【私企】sīqǐ 私営企業．❖"私営企業 sīyíng qǐyè"の略．

【私人轿车牌照】sīrén jiàochē páizhào 自家用車のナンバープレート．

【私人军事公司】sīrén jūnshì gōngsī 民間軍事会社；PMC．❖"私営军事公司 sīyíng jūnshì gōngsī"とも．[private military company；PMC]

【私人募集】sīrén mùjí 縁故募集．

【私人医生】sīrén yīshēng 個人医；開業医；ホームドクター．❖"家庭医生 jiātíng yīshēng""全科医生 quánkē yīshēng""通科医生 tōngkē yīshēng"の通称．[general practitioner；GP；family doctor]

【私人游资】sīrén yóuzī 個人遊休資産．

【斯塔里斯和索波查尼修道院】Sītǎlǐsī hé Suǒbōchání Xiūdàoyuàn スタリ・ラスとソポチャニ．●世界文化遺産（セルビア・モンテネグロ）．[Stari Ras and Sopoćani]

【斯坦福大学】Sītǎnfú Dàxué スタンフォード大学．❖アメリカ・カリフォルニア州にある大学．[Stanford University]

【斯特拉斯堡大岛】Sītèlāsībǎo Dàdǎo ストラスブールのグラン・ディル．●世界文化遺産（フランス）．[Strasbourg-Grande île]

【斯特普尔斯】Sītèpǔ'ěrsī ステープルズ．❖アメリカの事務用品チェーン．[Staples]

【斯图德尼察修道院】Sītúdénícchá Xiūdàoyuàn ストゥデニツァ修道院．●世界文化遺産（セルビア・モンテネグロ）．[Studenica Monastery]

【斯威士兰王国】Sīwēishìlán Wángguó スワジランド王国；スワジランド．[Kingdom of Swaziland；Swazilang]

【思维集团】sīwéi jítuán シンクタンク．❖"脑库 nǎokù""思想库 sīxiǎngkù""智库 zhìkù""智囊团 zhìnángtuán"とも．[think tank]

【斯韦什塔里的色雷斯人墓】Sīwéishítǎlǐ de Sèléisīrén Mù スヴェシュタリのトラキア人の墳墓．●世界文化遺産（ブルガリア）．[Thracian Tomb of Sveshtari]

【斯沃琪】Sīwòqí スウォッチ．❖スイスの時計メーカー．[Swatch]

【私下交易】sīxià jiāoyì ①個人取引．②談合．

【思想包袱】sīxiǎng bāofu 心の重荷；プレッシャー；精神的負担．[pressure]

【思想僵硬】sīxiǎng jiāngyìng 知の硬直化；融通のきかない考え．

【思想库】sīxiǎngkù シンクタンク．❖"脑库 nǎokù""思维集团 sīwéi jítuán""智库 zhìkù""智囊团 zhìnángtuán"とも．[think tank]

【私营军事公司】sīyíng jūnshì gōngsī 民間軍事会社；PMC．❖"私人军事公司 sīrén jūnshì gōngsī"とも．[private military company；PMC]

【私营企业】sīyíng qǐyè 私営企業．❖略称は"私企 sīqǐ"．

【思域】Sīyù シビック．❖ホンダ（日本）製の車名．[Civic]

sǐ

【死工资】sǐgōngzī 基本給；決まった額の給与．

sǐ

【死机】sǐjī〔コンピューターが〕フリーズ(する);ハングアップ(する).❖IT用語.[freeze;hang-up]

【死亡教育】sǐwáng jiàoyù 命の教育.

【死账】sǐzhàng 不良負債;不良貸付.❖金融用語.

sì

【四川省】Sìchuān Shěng 四川〈しせん〉省.❖中国の省の1つ.略称は"川 Chuān",別称は"蜀 Shǔ".省都は"成都 Chéngdū".

【四大天王】Sìdà Tiānwáng 四天王;四大スター.❖香港で人気の男性スター.アンディ・ラウ,レオン・ライ,アーロン・クォック,ジャッキー・チョンの4人の総称.

【四坏球】sìhuàiqiú〔野球の〕フォアボール.[base on balls;walk]

【四季酒店】Sìjì Jiǔdiàn フォーシーズンズホテル.❖フォーシーズンズホテルズ & リゾーツ(カナダ)のホテルブランド.[Four Seasons Hotel]

【四玫瑰】Sìméigui フォアローゼズ.❖フォア・ローゼズ・ディスティラリー・LLC.(米)製のバーボンウイスキー名.[Four Roses]

【40尺标准箱】sìshí chǐ biāozhǔnxiāng FEU.❖40フィートコンテナに換算した貨物取り扱い量の単位."40尺标准集装箱 sìshí chǐ biāozhǔn jízhuāngxiāng"とも.[forty-foot equivalent units;FEU]

【四通控股】Sìtōng Kònggǔ 四通控股;ストーン・グループ・ホールディングス.❖IT関連メーカー.レッドチップ企業の1つ.[Stone Group Holdings]

sōng

【松糕鞋】sōnggāoxié 厚底靴.

【松江市】Sōngjiāng Shì 松江〈まつえ〉市.❖島根〈しまね〉県("岛根县 Dǎogēn Xiàn")の県庁所在地.

【松山市】Sōngshān Shì 松山〈まつやま〉市.❖愛媛〈えひめ〉県("爱媛县 Àiyuán Xiàn")の県庁所在地.

【松下电工】Sōngxià Diàngōng 松下電工.❖日本の電器メーカー.[Matsushita Electric Works]

【松下电器】Sōngxià Diànqì 松下電器産業.❖日本の総合電器メーカー.[Matsushita Electric Industrial]

sòng

【送饭上门】sòngfàn shàngmén 出前〈でまえ〉;〔料理などの〕宅配.

【送货服务】sònghuò fúwù 配送サービス.[delivery service;distribution service]

【送货上门】sònghuò shàngmén デリバリー;宅配.[delivery]

【送温暖工程】Sòngwēnnuǎn Gōngchéng 思いやりプロジェクト.❖中華全国総工会を中心に行われている福祉事業.

sōu

【搜索结果条数】sōusuǒ jiéguǒ tiáoshù〔検索エンジンの〕ヒット数;検索結果数.❖IT用語.[search result]

【搜索引擎】sōusuǒ yǐnqíng 検索エンジン;サーチエンジン.❖IT用語.[search engine]

sū

【苏奥曼斯纳城堡】Sū'àomànsīnà Chéngbǎo スオメンリンナの要塞群.●世界文化遺産(フィンランド).[Fortress of Suomenlinna]

【苏丹共和国】Sūdān Gònghéguó スーダン共和国;スーダン.[Republic of the Sudan;Sudan]

【苏丹航空】Sūdān Hángkōng スーダン航

sū — sù

空．❖スーダンの航空会社．コード：SD．[Sudan Airways]

【苏菲】Sūfēi ソフィ．❖ユニ・チャーム(日本)製の生理用品ブランド．[Sofy]

【苏弗里耶尔】Sūfúlǐyē'ěr ピトン管理地域．◉世界自然遺産(セントルシア)．[Pitons Management Area]

【苏富比】Sūfùbǐ サザビーズ．❖イギリスのオークション会社．[Sotheby's]

【苏格拉底】Sūgélādǐ ソクラテス．❖古代ギリシャの哲学者．[Socrates]

【苏格兰】Sūgélán スコットランド．❖イギリス・大ブリテン島北部を占める地域．[Scotland]

【苏格兰哈里法克斯银行】Sūgélán Hālǐfǎkèsī Yínháng HBOS．❖イギリスの金融機関．[HBOS]

【苏格兰皇家银行】Sūgélán Huángjiā Yínháng ロイヤル・バンク・オブ・スコットランド；RBS．❖イギリスの銀行．[Royal Bank of Scotland；RBS]

【苏格兰威士忌】Sūgélán Wēishìjì スコッチウイスキー．❖スコットランドのウイスキー．[Scotch wiskey]

【苏格兰银行】Sūgélán Yínháng スコットランド銀行．❖イギリスの銀行．[Bank of Scotland]

【苏哈托】Sūhātuō スハルト．❖インドネシアの政治家．[Soeharto；Suharto]

【苏克雷历史城】Sūkèléi Lìshǐchéng 古都スクレ．◉世界文化遺産(ボリビア)．[Historic City of Sucre]

【苏黎世保险】Sūlíshì Bǎoxiǎn チューリッヒ保険．❖スイスの保険会社．[Zurich]

【苏黎世金融服务集团】Sūlíshì Jīnróng Fúwù Jítuán チューリッヒ・ファイナンシャル・サービシズ．❖スイスの金融グループ．[Zurich Financial Services Group]

【苏里南共和国】Sūlǐnán Gònghéguó スリナム共和国；スリナム．[Republic of Suriname；Suriname]

【苏里南中心自然保护区】Sūlǐnán Zhōngxīn Zìrán Bǎohùqū 中部スリナム自然保護区．◉世界自然遺産(スリナム)．[Central Suriname Nature Reserve]

【苏门答腊岛】Sūméndálà Dǎo スマトラ島．❖インドネシアにある島．[Sumatra Island]

【苏门答腊热带雨林】Sūméndálà Rèdài Yǔlín スマトラの熱帯雨林遺産．◉世界自然遺産(インドネシア)．[Tropical Rainforest Heritage of Sumatra]

【苏塞古城】Sūsè Gǔchéng スース旧市街．◉世界文化遺産(チュニジア)．[Medina of Sousse]

【苏瓦】Sūwǎ スバ．❖フィジーの首都．[Suva]

《苏维埃俄罗斯报》Sūwéi'āi Éluósī Bào「ソビエツカヤ・ロシア」．❖ロシアの日刊紙．[Sovetskaya Rossiya]

【苏伊士公司】Sūyīshì Gōngsī スエズ．❖フランスの水供給企業．[Suez]

【苏伊士运河】Sūyīshì Yùnhé スエズ運河．❖エジプトにある運河．[the Suez Canal]

【苏州古典园林】Sūzhōu Gǔdiǎn Yuánlín 蘇州古典園林．◉世界文化遺産(中国)．[Classical Gardens of Suzhou]

《苏州河》Sūzhōu Hé「ふたりの人魚」．❖中国映画のタイトル．[Suzhou River]

sù

【～速】sù ～倍速．

【速递】sùdì スピード配達；エクスプレスデリバリー．[express delivery]

【速度滑冰】sùdù huábīng スピードスケート．❖略称は"速滑 sùhuá"．[speed skating]

【速滑】sùhuá スピードスケート．❖"速度滑冰 sùdù huábīng"の略．[speed skating]

【速降滑雪】sùjiàng huáxuě アルペンスキ

一滑降；アルペンスキーダウンヒル.[alpine skiing ; downhill]

【素可泰历史名城及相关城镇】Sùkětài Lìshǐ Míngchéng jí Xiāngguān Chéngzhèn 古代都市スコタイと周辺の古代都市群. ●世界文化遺産（タイ）.[Historic Town of Sukhotai and Associated Historic Towns]

【宿库卢文化景观】Sùkùlú Wénhuà Jǐngguān スクルの文化的景観. ●世界文化遺産（ナイジェリア）.[Sukur Cultural Landscape]

【速遣费】sùqiǎnfèi 早出〈はやで〉料；デスパッチ. ❖港湾業務関連用語.[dispatch money]

【诉求】sùqiú ①請願(する)；申し立て(をする). ②訴求(する). ③要求(する)；追求(する).

【塑身】sùshēn シェイプアップ(する). [shape up]

【速食】sùshí ファストフード；ファーストフード. ❖"快餐 kuàicān"とも.[fast food]

【素养】sùyǎng リテラシー.[literacy]

【溯源性】sùyuánxìng トレーサビリティー；追跡可能性.[traceability]

suān

【酸沉降】suānchénjiàng 〔大気中にある〕酸性の汚染物質が沈降する(こと).

【酸雨】suānyǔ 酸性雨.

【酸雨控制区】suānyǔ kòngzhìqū 酸性雨汚染対策地域.

suàn

【算法】suànfǎ ①計算方法. ②アルゴリズム.[②algorithm]

suí

【随机存储器】suíjī cúnchǔqì ランダム・アクセス・メモリー；RAM〈ラム〉. ❖IT用語."随机存取存储器 suíjī cúnqǔ cúnchǔqì"とも.[random access memory ; RAM]

【随机存取存储器】suíjī cúnqǔ cúnchǔqì ランダム・アクセス・メモリー；RAM〈ラム〉. ❖IT用語."随机存储器 suíjī cúnchǔqì"とも.[random access memory ; RAM]

【随礼】suílǐ 〔慣習に従い〕祝儀や香典を包む；〔慣習に従い包んだ〕祝儀や香典. ❖形を変えた賄賂の場合もある.

【随迁】suíqiān 転勤に伴って家族が引っ越す(こと). ❖"随同迁移 suítóng qiānyí"の略.

【随身电脑】suíshēn diànnǎo ポケットPC. ❖IT用語.[pocket PC]

【随身听】suíshēntīng ポータブル・オーディオ・プレーヤー；ウォークマン. ❖「ウォークマン」はソニー（日本）の商標.[portable player ; Walkman]

【随时偿还】suíshí chánghuán 随時償還. ❖金融用語.

【随同迁移】suítóng qiānyí 転勤に伴って家族が引っ越す(こと). ❖略称は"随迁 suíqiān".

【随团旅游】suítuán lǚyóu 団体旅行；グループ旅行. ❖"团队旅游 tuánduì lǚyóu"とも.[group travel ; group tour]

suì

【碎片整理】suìpiàn zhěnglǐ デフラグメンテーション；デフラグ；ディスクの最適化. ❖IT用語.ハードディスク内の断片化されたデータを整理、再配置すること. [defragmentation]

《岁月的童话》Suìyuè de Tónghuà 「おもひでぽろぽろ」. ❖日本アニメのタイトル. [Only Yesterday]

sūn

【孙德尔本斯国家公园】Sūndé'ěrběnsī Guójiā Gōngyuán スンダルバンス国立公園；ジュンドルボン．●世界自然遺産（インド，バングラデシュ）．[Sundarbans National Park ; The Sundarbans]

sǔn

【损失补偿】sǔnshī bǔcháng 損失補塡．

【损益表】sǔnyìbiǎo 損益計算書．❖"损益计算书 sǔnyì jìsuànshū"とも．

【损益计算书】sǔnyì jìsuànshū 損益計算書．❖"损益表 sǔnyìbiǎo"とも．

【损益平衡点】sǔnyì pínghéngdiǎn 損益分岐点．❖"保本点 bǎoběndiǎn"とも．

suō

【缩进】suōjìn インデント；字下げ．[indent]

【缩略图】suōlüètú サムネイル．❖IT用語．[thumbnail]

【缩水】suōshuǐ ①洗濯により繊維が縮む（こと）．②〔規模，数量，価格などが〕異常に減少，下降する（こと）．

【缩头乌龟】suōtóu wūguī ①卑怯者〈ひきょうもの〉．②役立たず．

【缩位拨号】suōwèi bōhào 短縮番号；短縮ダイヤル．

【缩小货币面值单位】suōxiǎo huòbì miànzhí dānwèi デノミネーション；デノミ．[denomination]

suǒ

【所得收益】suǒdé shōuyì インカムゲイン．❖金融用語．株式の配当金,債券の利子で得た収入．"股息收入 gǔxī shōurù""股息收益 gǔxī shōuyì""利息收入 lìxī shōurù""利益所得 lìyì suǒdé"とも．[income gain]

【索迪斯联合】Suǒdísī Liánhé ソドゥー・アリアンス．❖フランスのケータリング企業．[Sodexho Alliance]

【锁定】suǒdìng 確定(する)；固定(する)．

【索尔泰尔】Suǒ'ěrtài'ěr ソルテア．●世界文化遺産（イギリス）．[Saltaire]

【索菲娜】Suǒfēinà ソフィーナ．❖花王（日本）のスキンケア用品ブランド．[Sofina]

【索菲特大酒店】Suǒfēitè Dàjiǔdiàn ホテル・ソフィテル．❖アコーグループ（仏）のホテルブランド．[Hotel Sofitel]

【索非亚】Suǒfēiyà ソフィア．❖ブルガリアの首都．[Sofia]

【索汇】suǒhuì 仕向為替〈しむけかわせ〉．❖金融用語．

【所罗门群岛】Suǒluómén Qúndǎo ソロモン諸島．[Solomon Islands]

【所罗门兄弟】Suǒluómén Xiōngdì ソロモンブラザーズ．❖アメリカの証券会社．[Salomon Brothers]

【索洛维茨基群岛的历史建筑群】Suǒluówéicíjī Qúndǎo de Lìshǐ Jiànzhùqún ソロヴェツキー諸島の文化と歴史遺産群．●世界文化遺産（ロシア）．[Cultural and Historic Ensemble of the Solovetsky Islands]

【索马里共和国】Suǒmǎlǐ Gònghéguó ソマリア民主共和国；ソマリア．[Somali Democratic Republic ; Somalia]

【索纳塔】Suǒnàtǎ ソナタ．❖北京現代汽車製の車名．[Sonata]

【索尼】Suǒní ソニー．❖日本の総合電子機器メーカー．[Sony]

【索尼爱立信移动通讯公司】Suǒní Àilìxìn Yídòng Tōngxùn Gōngsī ソニー・エリクソン・モバイルコミュニケーションズ．❖英，日本合弁の携帯電話端末メーカー．[Sony

suǒ

Ericsson Mobile Communications]

【索尼电脑娱乐】Suǒní Diànnǎo Yúlè ソニー・コンピュータエンタテインメント；SCEI. ❖日本のテレビゲームメーカー. [Sony Computer Entertainment Inc. ; SCEI]

【索尼亚·里基尔】Suǒníyà Lǐjī'ěr ソニア・リキエル. ❖フランスのファッションメーカー,ブランド. [Sonia Rykiel]

【索赔】suǒpéi クレーム. [complaint]

【索泰尔纳】Suǒtài'ěrnà ソーテルヌ. ❖フランス・ボルドー地方の地名,また同地産のワイン. [Sauternes]

【索维拉城(原摩加多尔)】Suǒwéilā Chéng (Yuán Mójiāduō'ěr) エッサウィラのメディナ(旧モガドール). ●世界文化遺産(モロッコ). [Medina of Essaouira (formerly Mogador)]

T

T

【T型台】T xíngtái 張り出し舞台；エプロンステージ．[apron stage]

【T恤衫】T xùshān Tシャツ．[T-shirt]

【Tab键】TAB jiàn Tab キー；タブキー．❖IT用語．"制表键 zhìbiǎojiàn"とも．[tab key]

【TCL多媒体科技控股】TCL Duōméitǐ Kējì Kònggǔ TCL多媒体科技控股；TCLマルチメディア・テクノロジー・ホールディングス．❖家電,電子機器メーカー．レッドチップ企業の1つ．[TCL Multimedia Technology Holdings]

【TCL通讯科技控股】TCL Tōngxùn Kējì Kònggǔ TCL通訊科技控股；TCLコミュニケーション・テクノロジー・ホールディングス．❖通信機器メーカー．レッドチップ企業の1つ．[TCL Communication Technology Holdings]

【TMD】TMD 戦域ミサイル防衛；戦域弾道ミサイル防衛システム；TMD．❖中国語では"战区导弹防御系统 zhànqū dǎodàn fángyù xìtǒng".[theater missile defense；TMD]

【TOTO卫浴】TOTO Wèiyù 東陶機器；TOTO．❖日本の住宅設備メーカー．"东陶机器 Dōngtáo Jīqì"とも．[TOTO]

【TQC】TQC TQC；総合的品質管理；全社的品質管理．❖中国語では"综合质量管理 zōnghé zhìliàng guǎnlǐ".[total quality control；TQC]

【TQM】TQM TQM；総合的品質管理．❖中国語では"全面质量管理 quánmiàn zhìliàng guǎnlǐ".[total quality management；TQM]

【TRON操作系统】TRON cāozuò xìtǒng TRON；トロン．❖IT用語．"实时操作系统内核 shíshí cāozuò xìtǒng nèihé"とも．[the real-time operating system nucleus；TRON]

tā

【他律】tālǜ 他律.

tǎ

【塔德拉尔特・阿卡库斯岩画遗址】Tǎdélā-ěrtè Ākǎkùsī Yánhuà Yízhǐ タドラット・アカクスのロック・アート遺跡群．●世界文化遺産（リビア）．[Rock-Art Sites of Tadrart Acacus]

【塔夫拉达・德・乌马瓦卡】Tǎfūlādá dé Wūmǎwǎkǎ ケブラーダ・デ・ウマワーカ．●世界文化遺産（アルゼンチン）．[Quebrada de Humahuaca]

【塔赫特・苏莱曼】Tǎhètè Sūláimàn タハテ・スレマーン．●世界文化遺産（イラン）．[Takht-e Soleyman]

【塔吉克斯坦共和国】Tǎjíkèsītǎn Gònghéguó タジキスタン共和国；タジキスタン．[Republic of Tajikistan；Tajikistan]

【塔吉特】Tǎjítè ターゲット．❖アメリカの小売チェーン．[Target]

【塔克特・伊・巴依佛教遗址和萨尔・依・巴赫洛遗址】Tǎkètè Yī Bāyī Fójiào Yízhǐ hé Sà'ěr Yī Bāhèluò Yízhǐ タフテ・バヒーの仏教遺跡群とサライ・バロールの近隣都市遺跡群．●世界文化遺産（パキスタン）．[Buddhist Ruins of Takht-i-Bahi and Neighbouring City Remains at Sahr-i-Bahlol]

【塔克西拉】Tǎkèxīlā タキシラ．●世界文化遺産（パキスタン）．[Taxila]

【塔拉戈纳考古遗址】Tǎlāgēnà Kǎogǔ Yí-

tǎ — tāi

zhǐ タラゴーナの遺跡群．◉世界文化遺産（スペイン）．[Archaeological Ensemble of Tárraco]

【塔拉哈西】Tǎlāhāxī タラハシー．❖アメリカ・フロリダ州都．[Tallahassee]

【塔拉曼卡仰芝、拉阿米斯泰德保护区】Tǎlāmànkǎyǎngzhī Lā'āmǐsītàidé Bǎohùqū タラマンカ地方ラ・アミスター保護区群；ラ・アミスター国立公園．◉世界自然遺産（コスタリカ，パナマ）．[Talamanca Range-La Amistad Reserves/La Amistad National Park]

【塔拉瓦】Tǎlāwǎ タラワ．❖キリバスの首都．[Tarawa]

【塔利班】Tǎlìbān タリバン；タリバーン．❖アフガニスタンを実質支配していたイスラム原理主義武装勢力．[Taliban]

【塔林】Tǎlín タリン．❖エストニアの首都．[Tallinn]

【塔林历史中心（老城）】Tǎlín Lìshǐ Zhōngxīn (Lǎochéng) タリン歴史地区（旧市街）．◉世界文化遺産（エストニア）．[Historic Centre (Old Town) of Tallinn]

【塔姆加雷考古景观岩刻】Tǎmǔjiāléi Kǎogǔ Jǐngguān Yánkè タムガリの考古学的景観内のペトログラフ．◉世界文化遺産（カザフスタン）．[Petroglyphs within the Archaeological Landscape of Tamgaly]

【塔那那利佛】Tǎnànàlìfó アンタナナリボ．❖マダガスカルの首都．[Antananarivo]

【塔努姆的岩刻画】Tǎnǔmǔ de Yánkèhuà タヌムの線刻画群．◉世界文化遺産（スウェーデン）．[Rock Carvings in Tanum]

【塔琴希尼阿尔塞克河、克卢恩国家公园、兰格尔圣伊莱亚斯国家公园和冰河湾国家公园】Tǎqínxīní Ā'ěrsèkè Hé Kèlú'ēn Guójiā Gōngyuán Lángé'ěr Shèngyīláiyàsī Guójiā Gōngyuán hé Bīnghé Wān Guójiā Gōngyuán クルエーン，ランゲル・セント・イライアス，グレイシャー・ベイ，タッチェンシニー・アルセク．◉世界自然遺産（カナダ，アメリカ）．[Kluane/Wrangell-St. Elias/Glacier Bay/Tatshenshini-Alsek]

【塔裙】tǎqún 切り替えのあるフレアスカート．

【塔什干】Tǎshígān タシケント．❖ウズベキスタンの首都．[Tashkent]

【塔什干峰会】Tǎshígān Fēnghuì 上海協力機構タシケント首脳会議．❖2004年に開催され，経済協力や国際テロ対策の強化などを骨子とする「タシケント宣言」を採択．

【塔斯马尼亚野生动植物保护区】Tǎsīmǎníyà Yěshēng Dòngzhíwù Bǎohùqū タスマニア原生地域．◉世界自然および文化遺産（オーストラリア）．[Tasmanian Wilderness]

【塔斯社】Tǎsīshè イタル・タス通信社；タス通信．❖ロシアの通信社．[Itar-Tass Russian News Agency]

【塔瓦兰格的耶稣和巴拉那的桑蒂西莫-特立尼达耶稣会传教区】Tǎwǎlángé de Yēsū hé Bālānà de Sāngdìxīmò Tèlìnídá Yēsūhuì Chuánjiàoqū ラ・サンティシマ・トリニダード・デ・パラナとヘスース・デ・タバランゲのイエズス会伝道施設群．◉世界文化遺産（パラグアイ）．[Jesuit Missions of La Santísima Trinidad de Paraná and Jesús de Tavarangue]

【塔希提岛】Tǎxītí Dǎo タヒチ島．❖南太平洋ソシエテ諸島の主島．[Tahiti Island]

【塔伊国家公园】Tǎyī Guójiā Gōngyuán タイ国立公園．◉世界自然遺産（コートジボワール）．[Taï National Park]

tà

【踏访】tàfáng 現地取材（する）．

tāi

【胎毛笔】tāimáobǐ 胎毛筆．

【胎死腹中】tāi sǐ fùzhōng ①子宮内胎児

死亡．②〔計画が実施前に〕中止になる(こと)；沙汰止〈さたや〉みになる(こと)．

tái

【台胞】Táibāo 台湾同胞．❖"台湾同胞 Táiwān tóngbāo"の略．

【台北】Táiběi 台北．❖"台湾省 Táiwān Shěng"の省都．

【台北金马影展】Táiběi Jīnmǎ Yǐngzhǎn 台北金馬映画祭．❖台湾の映画祭．[Taipei Golden Horse Film Festival]

【台独】Táidú 台湾独立．

【台阶】táijiē ①石段；階段；〔昇降のための〕段．②段階；ステップ．[step]

【台联】Táilián 全国台湾同胞聯誼会．❖"中华全国台湾同胞联谊会 Zhōnghuá Quánguó Táiwān Tóngbāo Liányìhuì"の略．

【抬升】táishēng 上昇(する)．

【台式电脑】táishì diànnǎo デスクトップパソコン．❖IT用語．"台式机 táishìjī"とも．[desktop PC]

【台式机】táishìjī デスクトップパソコン．❖IT用語．"台式电脑 táishì diànnǎo"とも．[desktop PC]

【台湾省】Táiwān Shěng 台湾省．❖略称は"台 Tái"．省都は"台北 Táiběi"．

【台湾同胞】Táiwān tóngbāo 台湾同胞．❖略称は"台胞 Táibāo"．

tài

【泰迪熊】Tàidíxióng テディベア．[Teddy Bear]

【泰尔茂】Tài'ěrmào テルモ．❖日本の医療機器メーカー．[Terumo]

【泰尔奇历史中心】Tài'ěrqí Lìshǐ Zhōngxīn テルチ歴史地区．◉世界文化遺産(チェコ)．[Historic Centre of Telč]

【泰格·伍兹】Tàigé Wǔzī タイガー・ウッズ．❖アメリカ出身のプロゴルファー．[Tiger Woods]

【泰国】Tàiguó タイ王国；タイ．❖"泰王国 Tài Wángguó"の略．[Kingdom of Thailand；Thailand]

【泰国国际航空】Tàiguó Guójì Hángkōng タイ国際航空．❖タイの航空会社．コード：TG．[Thai Airways International]

【泰姬陵】Tàijī Líng タージ・マハル．◉世界文化遺産(インド)．[Taj Mahal]

【泰科国际】Tàikē Guójì タイコ・インターナショナル．❖アメリカの複合企業．[Tyco International]

【太空垃圾】tàikōng lājī 宇宙ごみ．❖"空间垃圾 kōngjiān lājī"とも．

【太空时代】tàikōng shídài 宇宙時代．

【太空梭】tàikōngsuō スペースシャトル．❖"航天飞机 hángtiān fēijī"とも．[space shuttle]

【太空行走】tàikōng xíngzǒu 宇宙遊泳．

【太空葬】tàikōngzàng 宇宙葬．

【太空站】tàikōngzhàn 宇宙ステーション．❖"空间站 kōngjiānzhàn"とも．[space station]

【太空战】tàikōngzhàn 宇宙戦；宇宙戦争．

【泰雷兹集团】Tàiléizī Jítuán タレスグループ．❖フランスの電機企業グループ．[Thales Group]

【态貌】tàimào 姿勢；態度；ふるまい．

【太平洋百货】Tàipíngyáng Bǎihuò 太平洋百貨店．❖台湾系の百貨店．

【太平洋航空】Tàipíngyáng Hángkōng エア・パシフィック航空．❖フィジーの航空会社．コード：FJ．[Air Pacific]

【太平洋健康系统】Tàipíngyáng Jiànkāng Xìtǒng パシフィケア・ヘルス・システムズ．❖アメリカのヘルスケア機関．[PacifiCare Health Systems]

【太平洋卡】Tàipíngyángkǎ 太平洋カード．❖交通銀行発行のクレジットカード．

【太平洋联盟】Tàipíngyáng Liánméng 〔日

tài — tān

本のプロ野球の〕パ・リーグ.[Pacific League]

【太平洋煤气电力】Tàipíngyáng Méiqì Diànlì パシフィック・ガス・アンド・エレクトリック；PG&E. ❖アメリカのエネルギー関連企業.[Pacific Gas and Electric；PG&E]

【泰森食品】Tàisēn Shípǐn タイソン・フーズ. ❖アメリカの食肉加工会社.[Tyson Foods]

【泰山】Tài Shān 泰山. ◉世界自然および文化遺産(中国).[Mount Taishan]

《泰坦尼克号》Tàitǎnníkè Hào「タイタニック」. ❖アメリカ映画のタイトル.[Titanic]

【泰特美术馆】Tàitè Měishùguǎn テイト・ギャラリー；テートギャラリー. ❖イギリス・ロンドンにある美術館."泰特画廊 Tàitè Huàláng"とも.[Tate Gallery]

【泰王国】Tài Wángguó タイ王国；タイ. ❖略称は"泰国 Tàiguó".[Kingdom of Thailand；Thailand]

《泰晤时报》Tàiwù Shíbào「タイムズ」. ❖イギリスの日刊紙.《时代报》Shídài Bào,《泰晤士报》Tàiwùshì Bào とも.[Times]

《泰晤士报》Tàiwùshì Bào「タイムズ」. ❖イギリスの日刊紙.《时代报》Shídài Bào,《泰晤时报》Tàiwù Shíbào とも.[Times]

【泰晤士河】Tàiwùshì Hé テムズ河. ❖イギリス・ロンドンの中心を流れる川.[River Thames；the Thames]

《太阳报》Tàiyáng Bào「サン」. ❖イギリスのタブロイド紙.[Sun]

【太阳花】Tàiyánghuā サンフラワー. ❖エリザベス・アーデン(米)製のフレグランス名.[Sunflower]

【太阳能】tàiyángnéng 太陽エネルギー；ソーラーエネルギー.[solar energy]

【太阳能汽车】tàiyángnéng qìchē ソーラーカー.[solar car]

【太阳神号探测器】Tàiyángshén Hào Tàncèqì 太陽探査機ヘリオス号. ❖アメリカと旧西ドイツにより共同開発された.

【太阳生命】Tàiyáng Shēngmìng 太陽生命. ❖日本の保険会社.[Taiyo Life Insurance]

【太阳石油】Tàiyáng Shíyóu サン石油；SUNOCO. ❖アメリカの石油会社.[Sunoco]

【太阳微系统】Tàiyáng Wēixìtǒng サン・マイクロシステムズ. ❖アメリカのコンピューターメーカー.中国語での正式名称は"Sun公司 SUN Gōngsī".[Sun Microsystems]

【太原】Tàiyuán 太原. ❖"山西省 Shānxī Shěng"の省都.別称は"并 Bīng".

【泰铢】Tàizhū バーツ；タイバーツ. ❖タイの通貨単位.コード：THB.

【太子党】tàizǐdǎng「太子党」. ❖共産党の高級幹部の2世で,政界,経済界で高い地位を得ている子女の総称.

【太子港】Tàizǐgǎng ポルトープランス. ❖ハイチの首都.[Port-au-Prince]

【汰渍】Tàizì タイド. ❖P&G(米)の洗剤ブランド.[Tide]

【太字节】tàizìjié テラバイト. ❖IT用語.情報を保存する量の単位.記号：TB.[terabyte]

tān

【摊点】tāndiǎn ブース；売店；露店.[booth]

【贪内助】tānnèizhù 収賄を煽(あお)る役人の妻.

【摊平】tānpíng ナンピン. ❖金融用語.買い増すことにより所有する有価証券の価値の平均値を下げること.

【贪食症】tānshízhèng 過食症. ❖"暴食症 bàoshízhèng"とも.[bulimia]

【摊市】tānshì 屋台；出店.

【摊位】tānwèi ①〔展示会場などの〕ブース；区画. ②〔屋台や露店の〕区画.[①booth]

tán

【弹出式菜单】tánchūshì càidān ポップアップメニュー．❖IT用語．"弹出菜单 tánchū càidān"とも．[pop-up menu]

【弹出式窗口】tánchūshì chuāngkǒu ポップアップウィンドウ．❖IT用語．"弹出窗口 tánchū chuāngkǒu"とも．[pop-up window]

【弹力裤】tánlìkù ストレッチパンツ．[stretch pants]

【谈判】tánpàn 交渉(する)；ネゴシエーション；ネゴ(する)．[negotiation]

【谈判筹码】tánpàn chóumǎ 交渉の切り札．

【弹升】tánshēng〔下がった後〕上昇する；反発する．

《谈谈情,跳跳舞》Tántan Qíng Tiàotiao Wǔ「Shall We ダンス？」．❖日本映画のタイトル．[Shall We Dance?]

【檀香山】Tánxiāngshān ホノルル．❖アメリカ・ハワイ州都．"火奴鲁鲁 Huǒnúlǔlǔ"とも．[Honolulu]

【弹性工作时间】tánxìng gōngzuò shíjiān フレックスタイム．[flextime]

【弹性工作时间制】tánxìng gōngzuò shíjiānzhì フレックスタイム制．[flextime system]

【弹性就业】tánxìng jiùyè 弾力的で多様な就業形態．

【弹性外交】tánxìng wàijiāo「弾性外交」．❖近年,台湾が積極的に推進している外交戦略．

tǎn

【坦贾武尔的布里哈迪斯瓦拉神庙】Tǎnjiǎwǔ'ěr de Bùlǐhādísīwǎlā Shénmiào タンジャーヴールのブリハディーシュヴァラ寺院．●世界文化遺産(インド)．[Brihadisvara Temple, Thanjāvur]

【坦桑尼亚联合共和国】Tǎnsāngníyà Liánhé Gònghéguó タンザニア連合共和国；タンザニア．[United Republic of Tanzania；Tanzania]

tàn

【叹号】tànhào 感嘆符；エクスクラメーションマーク．❖記号は「！」．[exclamation point]

【炭黑】tànhēi カーボンブラック．[carbon black]

【炭疽杆菌】tànjū gǎnjūn 炭疽菌〈たんそきん〉．

【碳纳米管】tànnàmǐguǎn カーボンナノチューブ；CNT．[carbon nanotube；CNT]

【探亲外交】tànqīn wàijiāo 親族訪問外交．

【碳烧咖啡】tànshāo kāfēi 炭焼コーヒー．❖"炭烧咖啡 tànshāo kāfēi"とも．[charcoal roasted coffee]

【炭烧咖啡】tànshāo kāfēi 炭焼コーヒー．❖"碳烧咖啡 tànshāo kāfēi"とも．[charcoal roasted coffee]

【碳酸饮料】tànsuān yǐnliào 炭酸飲料．

【探索频道】Tànsuǒ Píndào ディスカバリーチャンネル．❖ディスカバリー・コミュニケーションズ(米)によるドキュメンタリー専門チャンネル．[Discovery Channel]

【探索者】Tànsuǒzhě エクスプローラー．❖フォード(米)製の車名．[Explorer]

【探望权】tànwàngquán〔離婚後〕子供と面会する権利．

【碳纤维】tànxiānwéi カーボンファイバー；炭素繊維．[carbon fiber]

【探险家浏览器】Tànxiǎnjiā liúlǎnqì インターネットエクスプローラ；IE．❖マイクロソフト(米)製のウェブブラウザ名．"IE 浏览器 IE liúlǎnqì""网络探险者 Wǎngluò Tànxiǎnzhě"とも．[Internet Explorer；IE]

【探月车】tànyuèchē 月面探査車．

tāng

【汤臣】Tāngchén トムソン.❖中国の不動産デベロッパー.[Tomson]

【汤加里罗国家公园】Tāngjiālǐluó Guójiā Gōngyuán トンガリロ国立公園.●世界自然および文化遺産(ニュージーランド).[Tongariro National Park]

【汤加王国】Tāngjiā Wǎngguó トンガ王国;トンガ.[Kingdom of Tonga;Tonga]

【汤米・希尔费格】Tāngmǐ Xī'ěrfèigé トミー・ヒルフィガー.❖アメリカのファッションメーカー,ブランド.[Tommy Hilfiger]

【汤姆・汉克斯】Tāngmǔ Hànkèsī トム・ハンクス.❖アメリカ出身の男優.[Tom Hanks]

【汤姆・克鲁斯】Tāngmǔ Kèlǔsī トム・クルーズ.❖アメリカ出身の男優.[Tom Cruise]

táng

【唐老鸭】Tánglǎoyā ドナルドダック.❖ウォルト・ディズニー(米)のキャラクター名.[Donald Duck]

【唐娜・卡兰】Tángnà Kǎlán ダナ・キャラン.❖LVMHグループ(仏)のファッションブランド.[Donna Karan]

【糖尿病】tángniàobìng 糖尿病.

【唐氏综合征】Tángshì zōnghézhēng ダウン症候群.❖"Down 综合征 DOWN zōnghézhēng""Down 综合症 DOWN zōnghézhēng""唐氏综合症 Tángshì zōnghézhēng"とも.[Down syndrome]

【唐装】tángzhuāng 中国の伝統的な民族衣装をアレンジしたファッション.

tàng

【烫发器】tàngfàqì ヘアアイロン.[hair iron]

tāo

【掏心挖肺】tāo xīn wā fèi 心をこめて;真心から.

táo

【淘大】Táodà AMOY;アモイ.❖香港の調味料メーカー,ブランド(ダノン傘下).[AMOY]

【逃票】táopiào 無賃入場(する);無賃乗車(する).

【逃票者】táopiàozhě 無賃入場者;無賃乗車する人.

【陶器婚】táoqìhūn 陶器婚式.❖9年目の結婚記念日.

【逃生装置】táoshēng zhuāngzhì 脱出システム;脱出装置.

【陶氏化学】Táoshì Huàxué ダウ・ケミカル.❖アメリカの化学企業.[Dow Chemical]

【逃税】táoshuì 脱税.

【陶斯印第安村】Táosī Yìndì'ān Cūn プエブロ・デ・タオス.●世界文化遺産(アメリカ).[Pueblo de Taos]

【陶艺】táoyì ①陶芸.②陶芸品.

tǎo

【讨厌】tǎoyàn わずらわしい;迷惑だ;うっとうしい;うざい.

【讨债公司】tǎozhài gōngsī 借金取立会社.

tào

【套餐】tàocān ①定食;セットメニュー.②セットアップされた製品やサービス;セットプラン.[set menu;table d'hôte]

tào — tè

【套购保值】tàogòu bǎozhí 買いつなぎ. ❖金融用語.現物を売って,先物で買い建てすること.

【套换】tàohuàn 不正取得；不法交換.

【套汇】tàohuì 〔外貨管理法に違反し〕不法に外貨を獲得,所持する(こと).

【套汇汇率】tàohuì huìlǜ 裁定相場. ❖金融用語.

【套汇交易】tàohuì jiāoyì 裁定取引. ❖金融用語."套汇业务 tàohuì yèwù"とも.

【套汇业务】tàohuì yèwù 裁定取引. ❖金融用語."套汇交易 tàohuì jiāoyì"とも.

【套牢】tàoláo 〔株価が〕塩漬け(になる). ❖金融用語.株式を買った後に株価が大きく値下がりし,売れなくなった状態.

【套利】tàolì 金利裁定取引. ❖金融用語."利息套汇 lìxī tàohuì"とも.

【套买】tàomǎi つなぎ買い. ❖金融用語.

【套卖】tàomài つなぎ売り；保険つなぎ. ❖金融用語.

【套期保值】tàoqī bǎozhí ①リスクヘッジ. ②つなぎ. ❖金融用語.[①risk hedge]

【套期交易】tàoqī jiāoyì 掛つなぎ；保険つなぎ. ❖金融用語."套头交易 tàotóu jiāoyì"とも.

【套书】tàoshū シリーズ本；セット本.

【套题】tàotí 試験対策問題集.

【套头交易】tàotóu jiāoyì 掛つなぎ；保険つなぎ. ❖金融用語."套期交易 tàoqī jiāoyì"とも.

【套头衫】tàotóushān プルオーバー.[sweater；pullover]

tè

【特奥蒂瓦坎古城】Tè'àodìwǎkǎn Gǔchéng 古代都市テオティワカン. ●世界文化遺産(メキシコ).[Pre-Hispanic City of Teotihuacan]

【特别处理】tèbié chǔlǐ 〔中国株式市場における〕特別処理. ❖金融用語.業績不振により株主権益に影響を及ぼす恐れのある中国の上場企業の株式について,取引所がとる処置.

【特别存款】tèbié cúnkuǎn 別段預金；雑預金. ❖金融用語."专用存款 zhuānyòng cúnkuǎn"とも.

【特别红利】tèbié hónglì 特別配当. ❖金融用語."额外股息 éwài gǔxī""额外配股 éwài pèigǔ"とも.

【特别提款权】tèbié tíkuǎnquán 特別引出権；SDR. ❖金融用語.[special drawing rights；SDR]

【特别小组】tèbié xiǎozǔ タスクフォース；特別作業班. ❖"机动小组 jīdòng xiǎozǔ"とも.[task force]

【特菜】tècài 新種野菜. ❖外国品種や改良種などの珍しい野菜."特种蔬菜 tèzhǒng shūcài"の略.

【特长生】tèchángshēng 〔芸術,スポーツ,科学等の分野で〕特に優れた才能を有する学生.

【特达城的历史建筑】Tèdáchéng de Lìshǐ Jiànzhù タッターの文化財. ●世界文化遺産(パキスタン).[Historical Monuments of Thatta]

《特工小子》Tègōng Xiǎozǐ「スパイキッズ」. ❖アメリカ映画のタイトル.[Spy Kids]

【特古西加尔巴】Tègǔxījiā'ěrbā テグシガルパ. ❖ホンジュラスの首都.[Tegucigalpa]

【特行】tèháng「特殊業種」. ❖犯罪に利用されやすいホテル・旅館業,印刷業,印章業,古物業,修理業などの業種のこと.営業には中国公安機関の許可証が必要."特种行业 tèzhǒng hángyè"の略.

【特惠】tèhuì 特別優遇；特別サービス；スペシャルオファー. ❖"特殊优惠 tèshū yōuhuì"の略.[special offer]

【特技演员】tèjì yǎnyuán スタントマン. ❖"特技替身演员 tèjì tìshēn yǎnyuán"とも.[stunt person]

【特价机票】tèjià jīpiào 格安航空券.

【特教】tèjiào 特殊教育. ❖"特殊教育 tèshū jiàoyù"の略.

【特快专递】Tèkuài Zhuāndì 国際スピード郵便；国際エクスプレスメール；EMS. ❖"国际快递 guójì kuàidì"とも. [express mail service；EMS]

【特困】tèkùn 非常に貧しい；要支援の.

【特困生】tèkùnshēng 支援の必要な貧しい学生.

【特拉华州】Tèlāhuá Zhōu デラウェア州. ❖アメリカの州名. [Delaware]

【特拉科塔尔潘历史遗迹区】Tèlākētǎ'ěrpān Lìshǐ Yíjìqū トラコタルパンの歴史遺跡地帯. ●世界文化遺産 (メキシコ). [Historic Monuments Zone of Tlacotalpan]

【特拉维夫白城的现代建筑】Tèlāwéifū Báichéng de Xiàndài Jiànzhù テル・アビブのホワイト・シティー―近代化運動. ●世界文化遺産 (イスラエル). [White City of Tel Aviv-the Modern Movement]

【特拉维夫·雅法】Tèlāwéifū Yǎfǎ テル・アビブ・ヤッフォ. ❖イスラエルの都市名. [Tel Aviv-Jaffa]

【特兰西瓦尼亚村落及其设防的教堂】Tèlánxīwǎníyà Cūnluò jí Qí Shèfáng de Jiàotáng トランシルヴァニア地方の要塞教会群のある集落. ●世界文化遺産 (ルーマニア). [Villages with Fortified Churches in Transylvania]

【特里尔的古罗马建筑和教堂】Tèlǐ'ěr de Gǔluómǎ Jiànzhù hé Jiàotáng トリーアのローマ遺跡群, 聖ペテロ大聖堂と聖母マリア教会. ●世界文化遺産 (ドイツ). [Roman Monuments, Cathedral of St. Peter and Church of Our Lady in Trier]

【特立尼达和多巴哥共和国】Tèlìnídá hé Duōbāgē Gònghéguó トリニダード・トバゴ共和国；トリニダード・トバゴ. [Republic of Trinidad and Tobago；Trinidad and Tobago]

【特立尼达和洛斯因赫尼奥斯山谷】Tèlìnídá hé Luòsī Yīnhènī'àosī Shāngǔ トリニダードとロス・インヘニオス渓谷. ●世界文化遺産 (キューバ). [Trinidad and the Valley de los Ingenios]

【特鲁西埃】Tèlǔxī'āi〔フィリップ・〕トルシエ. ❖フランス出身のサッカー監督. [Philippe Troussier]

【特伦顿】Tèlúndùn トレントン. ❖アメリカ・ニュージャージー州都. [Trenton]

【特罗多斯地区的彩绘教堂】Tèluóduōsī Dìqū de Cǎihuì Jiàotáng トロードス地方の壁画教会群. ●世界文化遺産 (キプロス). [Painted Churches in the Troodos Region]

《特洛伊》Tèluòyī「トロイ」. ❖アメリカ映画のタイトル. [Troy]

【特洛伊考古遗址】Tèluòyī Kǎogǔ Yízhǐ トロイの古代遺跡. ●世界文化遺産 (トルコ). [Archaeological Site of Troy]

【特卖】tèmài 大安売り；特売.

【特批】tèpī 特別認可；特別承認；特別許可.

【特聘】tèpìn ①特別招待；特別招聘. ②特別採用.

【特区】tèqū ①特区. ②特別行政区. ❖政治や経済などの分野で, 優遇措置が適用されたり, 特別な政策が採られたりする地域. ②"特别行政区 tèbié xíngzhèngqū"の略.

【特热比奇城的犹太社区与圣普罗科皮乌斯大教堂】Tèrèbǐqíchéng de Yóutài Shèqū yǔ Shèngpǔluókēpíwūsī Dàjiàotáng トジェビーチのユダヤ人街とプロコピウス聖堂. ●世界文化遺産 (チェコ). [Jewish Quarter and St Procopius' Basilica in Třebíč]

【特首】Tèshǒu 特別行政区行政長官. ❖"特别行政区行政长官 Tèbié Xíngzhèngqū Xíngzhèng Zhǎngguān"のこと.

【特殊教育】tèshū jiàoyù 特殊教育. ❖略

tè — tí

称は"特教 tèjiào".

【特殊演员】tèshū yǎnyuán 特殊な役者；タレント. ❖有名人のそっくりさん,特技の持ち主,動物タレントなど.

【特殊优惠】tèshū yōuhuì 特別優遇；特別サービス；スペシャルオファー. ❖略称は"特惠 tèhuì".[special offer]

【特威尔】Tèwēi'ěr TVR. ❖イギリスの自動車メーカー.[TVR]

【特型演员】tèxíng yǎnyuán そっくりさん俳優.

【特性要因图】tèxìng yàoyīntú 特性要因図；魚骨図. ❖発生している問題とその要因との関連をまとめた図."石川图 Shíchuāntú""树形图 shùxíngtú""树枝图 shùzhītú""因果图 yīnguǒtú""鱼刺图 yúcìtú"とも.

【特需】tèxū 特需.

【特许经营】tèxǔ jīngyíng フランチャイズ.[franchise]

【特异功能】tèyì gōngnéng 超能力.

【特易购】Tèyìgòu テスコ. ❖イギリスの小売チェーン.[Tesco]

【特招生】tèzhāoshēng 特待生.

【特质】tèzhì 特質.

【特种部队】tèzhǒng bùduì 特殊部隊.

【特种功能材料】tèzhǒng gōngnéng cáiliào 高機能新素材.

【特种行业】tèzhǒng hángyè 「特殊業種」. ❖犯罪に利用されやすいホテル・旅館業,印刷業,印章業,古物業,修理業などの業種のこと.営業には中国公安機関の許可証が必要.略称は"特行 tèháng".

【特种蔬菜】tèzhǒng shūcài 新種野菜. ❖外国品種や改良種などの珍しい野菜.略称は"特菜 tècài".

tī

【梯次】tīcì ①段階的(に)；ステップごとに；順次. ②ランク；段階. ❖"梯度 tīdù"とも.[①step by step ②rank；step]

【梯度】tīdù ①傾斜；傾斜度；勾配. ②段階的(に)；ステップごとに；順次. ③ランク；段階. ❖②③"梯次 tīcì"とも.[②step by step ③rank；step]

【踢皮球】tī píqiú たらい回しにする.

tí

【提成费】tíchéngfèi ロイヤリティー；ロイヤルティー. ❖"专利使用费 zhuānlì shǐyòngfèi"とも.[royalty]

【提存储备比率】tícún chǔbèi bǐlǜ 支払準備率；預金準備率；法定準備率；準備率. ❖金融用語.

【提单】tídān 船荷証券；B/L〈ビーエル〉. ❖金融用語."海运提单 hǎiyùn tídān"とも.[bill of lading；B/L]

【提尔城】Tí'ěrchéng ティール. ●世界文化遺産(レバノン).[Tyre]

【题库】tíkù 試験問題のデータベース.

【提款】tíkuǎn 現金の引き出し.

【提款卡】tíkuǎnkǎ キャッシュカード. ❖金融用語."现金卡 xiànjīnkǎ""自动提款卡 zìdòng tíkuǎnkǎ"とも.[ATM card；cash card]

【提姆加德】Tímǔjiādé ティムガッド. ●世界文化遺産(アルジェリア).[Timgad]

【提帕萨】Típàsà ティパサ. ●世界危機遺産(アルジェリア).[Tipasa]

【提前偿还】tíqián chánghuán 任意償還；繰り上げ償還；随時償還. ❖金融用語.

【提升】tíshēng 引き上げ；引き上げる；向上(させる).

【提示】tíshì ①アドバイス(する)；助言(する)；提案(する)；サジェスチョン(を与える). ②プロンプト. ❖②IT用語.[①advise；suggest ②prompt]

【提速】tísù スピードアップする；加速する.[speed-up]

【提现】tíxiàn 現金を引き出す；現金引き

tǐ — tiáo

tǐ

【体彩】tǐcǎi スポーツくじ. ❖"体育彩票 tǐyù cǎipiào"の略.

【体绘】tǐhuì ボディーペインティング. ❖"人体彩绘 réntǐ cǎihuì"の略.[body painting]

【体悟】tǐwù 体得する;悟る;触れる.

【体系结构】tǐxì jiégòu アーキテクチャー. ❖IT用語.[architecture]

【体育彩票】tǐyù cǎipiào スポーツくじ. ❖略称は"体彩 tǐcǎi".

【体育人口】tǐyù rénkǒu スポーツ人口.

【体育舞蹈】tǐyù wǔdǎo 競技ダンス.

tì

【替死鬼】tìsǐguǐ 身代わり.

tiān

【天安门广场】Tiān'ānmén Guǎngchǎng 天安門広場. ❖中国・北京市街中心部に位置する広場.[Tiananmen Square]

《天地英雄》Tiāndì Yīngxióng「ヘブン・アンド・アース 天地英雄」. ❖中国映画のタイトル.[Warriors of Heaven and Earth]

【天合汽车】Tiānhé Qìchē TRW. ❖アメリカの自動車部品メーカー.[TRW Automotive]

【天后】tiānhòu 女性スーパースター.

【添加剂】tiānjiājì 添加剂;添加物.

【天津发展控股】Tiānjīn Fāzhǎn Kònggǔ 天津発展控股;ティエンジン・デベロップメント・ホールディングス. ❖複合企業.レッドチップ企業の1つ.[Tianjin Development Holdings]

【天津市】Tiānjīn Shì 天津〈てんしん〉市. ❖中国の直轄市の1つ.略称は"津 Jīn".

【天军】tiānjūn 宇宙部隊.

《天空之城》Tiānkōng zhī Chéng「天空の城ラピュタ」. ❖日本アニメのタイトル.[Catsle in the Sky]

【天籁】Tiānlài ティアナ. ❖日産(日本)製の車名.[Teana]

【天量】tiānliàng 最高の;最高の量;最高額.

【天美时】Tiānměishí タイメックス. ❖アメリカの時計メーカー.[Timex]

【天然沥青】tiānrán lìqīng 天然アスファルト.[native asphalt]

【天丝】tiānsī テンセル. ❖セルロース系の繊維の1種であるリヨセル繊維.商標.[Tencel]

【天梭】Tiānsuō ティソ. ❖スイスの時計メーカー.[Tissot]

【天王】tiānwáng 男性スーパースター.

《天兆》Tiānzhào「サイン」. ❖アメリカ映画のタイトル.《灵异象限》Língyì Xiàngxiàn,《麦田符号》Màitián Fúhào とも.[Signs]

tián

【甜蜜梦境】Tiánmì Mèngjìng スイドリームス. ❖アナスイ(米)製のフレグランス名.[Sui Dreams]

《甜蜜蜜》Tiánmìmì「ラヴソング」. ❖香港映画のタイトル.[Comrades, Almost A Love Story]

【田纳西州】Tiánnàxī Zhōu テネシー州. ❖アメリカの州名.[Tennessee]

【田园城市】tiányuán chéngshì ガーデンシティー.[garden city]

tiáo

【调低】tiáodī 低くする;下げる;下方修正する.

【调高】tiáogāo 高くする;上げる;上方

修正する.

【调减】tiáojiǎn 調整して減らす.

【调酒杯】tiáojiǔbēi ミキシンググラス.[mixing glass]

【调酒匙】tiáojiǔchí バースプーン.[bar spoon]

【调酒壶】tiáojiǔhú カクテルシェーカー；シェーカー. ❖"调酒器 tiáojiǔqì""雪克壶 xuěkèhú"とも.[shaker]

【调酒器】tiáojiǔqì カクテルシェーカー；シェーカー. ❖"调酒壶 tiáojiǔhú""雪克壶 xuěkèhú"とも.[shaker]

【调酒师】tiáojiǔshī バーテンダー.[bartender]

【条码】tiáomǎ バーコード. ❖"条形码 tiáoxíngmǎ"の略.[bar code]

【条码扫描仪】tiáomǎ sǎomiáoyí バーコードスキャナー. ❖"条形码扫描仪 tiáoxíngmǎ sǎomiáoyí"とも.[bar code scanner]

【条码阅读器】tiáomǎ yuèdúqì バーコードリーダー. ❖"条形码阅读器 tiáoxíngmǎ yuèdúqì"とも.[bar code reader]

【调试】tiáoshì デバッグ；デバグ. ❖IT用語.プログラムの誤りなどを修正する作業."纠错 jiūcuò""排错 páicuò"とも.[debug]

【调谐器】tiáoxiéqì チューナー.[tuner]

【条形码】tiáoxíngmǎ バーコード. ❖略称は"条码 tiáomǎ".[bar code]

【条形码阅读器】tiáoxíngmǎ yuèdúqì バーコードリーダー. ❖"条码阅读器 tiáomǎ yuèdúqì"とも.[barcode reader]

【调整型内衣】tiáozhěngxíng nèiyī 補整下着.

【调制解调器】tiáozhì jiětiáoqì モデム. ❖IT用語.[modem]

【条子】tiáozi ①メモ；書き付け. ②サツ；デカ. ❖②警察官を指す隠語.[①memo]

tiǎo

【挑大梁】tiǎo dàliáng ①主役を務める. ②中核を担う；中核の担い手となる；大黒柱となる.

tiào

【跳槽】tiàocáo 転職(する).

【跳级】tiàojí 飛び級(する).

【跳楼价】tiàolóujià 〔原価割れの〕破格値.

【跳伞】tiàosǎn スカイダイビング.[skydiving]

《跳跃大搜查线》Tiàoyuè Dà Sōucháxiàn 「踊る大捜査線」. ❖日本のテレビドラマのタイトル.

【跳蚤市场】tiàozao shìchǎng フリーマーケット；蚤⟨のみ⟩の市；フリマ.[flea market]

tiē

【贴牌生产】tiēpái shēngchǎn 相手先ブランド生産；OEM. ❖"定牌生产 dìngpái shēngchǎn"とも.[original equipment manufacturing；OEM]

【贴水债券】tiēshuǐ zhàiquàn 割引債. ❖金融用語."贴现债券 tiēxiàn zhàiquàn"とも.

【贴现公司】tiēxiàn gōngsī 手形割引会社. ❖金融用語.

【贴现金融债券】tiēxiàn jīnróng zhàiquàn 割引金融債. ❖金融用語.

【贴现现值】tiēxiàn xiànzhí ディスカウント・キャッシュ・フロー；割引現在価値. ❖金融用語."现金流量贴现 xiànjīn liúliàng tiēxiàn"とも.[discount cash flow]

【贴现债券】tiēxiàn zhàiquàn 割引債. ❖金融用語."贴水债券 tiēshuǐ zhàiquàn"とも.

【贴现政府债券】tiēxiàn zhèngfǔ zhàiquàn

割引国債. ❖金融用語.

【贴纸机】tiēzhǐjī 写真シール機；プリクラ機. ❖「プリクラ」はアトラス(日本)の登録商標."贴纸相机 tiēzhǐ xiàngjī"とも.

【贴纸相机】tiēzhǐ xiàngjī 写真シール機；プリクラ機. ❖「プリクラ」はアトラス(日本)の登録商標."贴纸机 tiēzhǐjī"とも.

【贴纸照】tiēzhǐzhào 写真シール；プリクラ. ❖「プリクラ」はアトラス(日本)の登録商標.

tiě

《铁臂阿童木》Tiěbì Ātóngmù「鉄腕アトム」. ❖日本漫画,アニメのタイトル. [Astroboy]

【铁哥们】tiěgēmen 盟友.

【铁公鸡】tiěgōngjī ドケチ.

【铁婚】tiěhūn 鉄婚式. ❖6年目の結婚記念日.

【铁警】tiějǐng 鉄道警察. ❖"铁路警察 tiělù jǐngchá"の略.

【铁拉登特罗国家考古公园】Tiělādēngtèluó Guójiā Kǎogǔ Gōngyuán ティエラデントロの国立遺跡公園. ●世界文化遺産 (コロンビア). [National Archaeological Park of Tierradentro]

【铁路警察】tiělù jǐngchá 鉄道警察. ❖略称は"铁警 tiějǐng".

【铁桥峡】Tiěqiáoxiá アイアンブリッジ峡谷. ●世界文化遺産(イギリス). [Ironbridge Gorge]

【铁人三项】tiěrén sānxiàng トライアスロン. [triathlon]

【铁三角】Tiěsānjiǎo オーディオテクニカ. ❖日本の音響,光学機器メーカー. [AudioTechnica]

【帖子】tiězi 〔インターネット掲示板への〕書き込み；スレッド. ❖IT用語. [thread]

tīng

【汀布拉茶】Tīngbùlāchá ディンブラ紅茶；ディンブラティー；ディンブラ. [Dimbula tea]

【听残】tīngcán 聴覚障害.

【听证会】tīngzhènghuì 公聴会；ヒアリング. [hearing ; public hearing]

tíng

【廷巴克图】Tíngbākètú トンブクトゥ. ●世界文化遺産(マリ). [Timbuktu]

【廷布】Tíngbù ティンプー. ❖ブータンの首都. [Thimphu ; Thimbu ; Thimphou]

【停产整顿】tíngchǎn zhěngdùn 操業停止と点検整備.

【停机时间】tíngjī shíjiān アイドルタイム. ❖"空闲时间 kòngxián shíjiān"とも. [idle time]

【停牌】tíngpái 売買停止. ❖金融用語.

【庭审】tíngshěn 法廷審理.

【停薪留职】tíngxīn liúzhí 雇用関係は継続するが,賃金の支払いを停止すること.

【庭院经济】tíngyuàn jīngjì「庭院経済」；休閑地有効利用経済. ❖郊外における休閑地や余剰労働力の有効利用をはかる経済.

【停止交易处分】tíngzhǐ jiāoyì chǔfèn 取引停止処分.

【停滞膨胀】tíngzhì péngzhàng スタグフレーション. ❖"膨胀性衰退 péngzhàngxìng shuāituì""停滞性通货膨胀 tíngzhìxìng tōnghuò péngzhàng""滞胀 zhìzhàng"とも. [stagflation]

【停滞性通货膨胀】tíngzhìxìng tōnghuò péngzhàng スタグフレーション. ❖"膨胀性衰退 péngzhàngxìng shuāituì""停滞膨胀 tíngzhì péngzhàng""滞胀 zhìzhàng"とも. [stagflation]

tōng

【通艾、会・卡肯野生生物保护区】Tōng'ài Huì Kǎkěn Yěshēng Shēngwù Bǎohùqū トゥンヤイ・ファイ・カ・ケン野生生物保護区. ◉世界自然遺産(タイ).[Thungyai - Huai Kha Khaeng Wildlife Sanctuaries]

【通关】tōngguān 通関.

【通汇银行】tōnghuì yínháng コルレス銀行. ❖金融用語."代理行 dàilǐháng""代理银行 dàilǐ yínháng""往来银行 wǎnglái yínháng"とも.[correspondent bank]

【通货混合】tōnghuò hùnhé 通貨混合.

【通货紧缩差距】tōnghuò jǐnsuō chājù デフレギャップ.[deflationary spiral]

【通货紧缩的恶性循环】tōnghuò jǐnsuō de èxìng xúnhuán デフレスパイラル.[deflation spiral]

【通货膨胀差距】tōnghuò péngzhàng chājù インフレギャップ.[inflationary gap]

【通货膨胀会计】tōnghuò péngzhàng kuàijì インフレーション会計.

【通货再膨胀】tōnghuò zàipéngzhàng リフレーション;通貨再膨張. ❖金融用語.[reflation]

【通科医生】tōngkē yīshēng 一般医;GP;一般開業医;ホームドクター. ❖"家庭医生 jiātíng yīshēng""全科医生 quánkē yīshēng"とも.[general practitioner; GP; family doctor]

【通配符】tōngpèifú ワイルドカード. ❖IT用語.[wildcard character]

【通缩】tōngsuō デフレーション;デフレ. ❖"通货紧缩 tōnghuò jǐnsuō"の略.[deflation]

【通天阁】Tōngtiān Gé 通天閣(つうてんかく). ❖日本・大阪にあるタワー.[Tsutenkaku]

【通信光缆】tōngxìn guānglǎn 〔通信用〕光ファイバーケーブル. ❖IT用語.[fiber optic cable; optical fiber cable]

【通信频道】tōngxìn píndào 通信回線. ❖IT用語."通信线路 tōngxìn xiànlù"とも.

【通信速度】tōngxìn sùdù 通信速度. ❖IT用語."速率 sùlǜ"とも.

【通信线路】tōngxìn xiànlù 通信回線. ❖IT用語."通信频道 tōngxìn píndào"とも.

【通用串行总线】tōngyòng chuànxíng zǒngxiàn USB. ❖IT用語.周辺機器とコンピューターをつなぐための規格の1つ.[universal serial bus; USB]

【通用电气】Tōngyòng Diànqì ゼネラル・エレクトリック. ❖アメリカの総合電機メーカー.[General Electric; GE]

【通用动力】Tōngyòng Dònglì ゼネラル・ダイナミクス. ❖アメリカの防衛関連企業.[General Dynamics]

【通用分组无线业务】tōngyòng fēnzǔ wúxiàn yèwù GPRS. ❖IT用語.第3世代移動通信への移行に向けて開発された規格.[general packet radio service; GPRS]

【通用汽车】Tōngyòng Qìchē ゼネラルモーターズ;GM. ❖アメリカの自動車メーカー.[General Motors; GM]

【通用设计】tōngyòng shèjì ユニバーサルデザイン. ❖すべての人に利用しやすいデザイン.[universal design]

【通用资源定位器】tōngyòng zīyuán dìngwèiqì 〔インターネットの〕URL. ❖IT用語.[uniform resource locator; URL]

【通胀】tōngzhàng インフレーション;インフレ. ❖"通货膨胀 tōnghuò péngzhàng"の略.[inflation]

【通知存款】tōngzhī cúnkuǎn 通知預金.

【通知放款】tōngzhī fàngkuǎn コール市場の資金;コールマネー;コールローン. ❖金融用語.資金提供側から言うとコールマネー,資金を受け取る側から言うとコールローン.[call money; call loan]

tǒng

【铜氨丝】tóng'ānsī キュプラ．❖化学繊維の1つ．銅アンモニアを使用して製造するセルロース繊維．"铜氨纤维 tóng'ān xiānwéi"とも．[cupra]

【铜氨纤维】tóng'ān xiānwéi キュプラ．❖化学繊維の1つ．銅アンモニアを使用して製造するセルロース繊維．"铜氨丝 tóng'ānsī"とも．[cupra]

【同比】tóngbǐ 前年同期比．❖"年同比 niántóngbǐ"とも．

【同步辐射】tóngbù fúshè シンクロトロン放射．[synchrotron radiation]

【铜婚】tónghūn 銅婚式．❖7年目の結婚記念日．

【童书】tóngshū 児童書．

【同台竞技】tóngtái jìngjì 同じ舞台で競い合う．

【同性恋】tóngxìngliàn 同性愛．

【同业拆借】tóngyè chāijiè 銀行間取引．❖金融用語．

《同一屋檐下》Tóngyī Wūyánxià「ひとつ屋根の下」．❖日本のテレビドラマのタイトル．

【同志】tóngzhì ①同志．②同性愛者．

【同志酒吧】tóngzhì jiǔbā 同性愛者が集まるバー．

【同轴电缆】tóngzhóu diànlǎn 同軸ケーブル．❖IT用語．[coaxial cable]

tǒng

【筒靴】tǒngxuē ブーツ．[boots]
【统一市场】tǒngyī shìchǎng 単一市場．
【筒子楼】tǒngzilóu「筒子楼」；長屋式住宅．❖以前事務棟や教室だった建物を住宅に転用したもの．

tōu

【偷渡】tōudù 密航(する)．
【偷渡者】tōudùzhě 密航者．❖"人蛇 rénshé"とも．

tóu

【投保】tóubǎo 保険に加入する(こと)．
【投保人】tóubǎorén 保険契約者．
【投币式】tóubìshì コイン式の．
【投币式存放柜】tóubìshì cúnfàngguì コインロッカー．[coin-operated locker]
【投币箱】tóubìxiāng〔バスなどの〕料金箱；運賃箱．
【投标】tóubiāo ①応札(する)．②入札(する)．
【投产】tóuchǎn 操業を開始する．
【头寸】tóucùn ポジション．❖金融用語．保有している有価証券の残高．[position]
【头寸紧】tóucùn jǐn 金融逼迫；資金不足．❖金融用語．[credit crunch]
【头寸松】tóucùn sōng 信用緩和．❖金融用語．[credit ease]
【头大】tóudà ①最初の子供．②頭を悩ませる；頭を使う．
【投档】tóudàng〔合格ラインに達した〕受験生の身上調書を受験先に送付する(こと)．
【头等舱】tóuděngcāng ファーストクラス．[first class]
【头号种子】tóuhào zhǒngzi トップシード．[top seed]
【投机性股票】tóujīxìng gǔpiào 仕手株．❖金融用語．投機目的で商いされている株式．
【投机性买卖】tóujīxìng mǎimai ①投機的な売買．②報道や宣伝を繰り返し行うこと．
【头脑风暴法】tóunǎo fēngbàofǎ ブレーンストーミング．[brainstorming]
【投拍】tóupāi クランクイン(する)；撮影を

tóu — tú

開始する(こと). ❖"开镜 kāijìng"とも.

【投票权】tóupiàoquán 議決権；投票権.

【头球】tóuqiú ヘディング. [heading]

【投入产出】tóurù chǎnchū 投入产出；産業連関；I/O. [input-output；I/O]

【头市】tóushì 前場〈ぜんば〉. ❖金融用語. "早盘 zǎopán"とも.

【投手板】tóushǒubǎn ピッチャープレート. [pitcher's plate]

【投诉】tóusù 訴える；苦情を申し立てる.

《头文字D》Tóuwénzì D 『頭文字〈イニシャル〉D』. ❖日本の漫画を原作にした香港映画のタイトル. [Initial D]

【投影机】tóuyǐngjī オーバーヘッドプロジェクター；OHP. [overhead projector；OHP]

【投运】tóuyùn 〔発電所などの〕運転を開始する；操業開始する.

【投资风险】tóuzī fēngxiǎn 投資リスク. ❖金融用語.

【投资顾问】tóuzī gùwèn 投資顧問. ❖金融用語.

【投资人关系】tóuzīrén guānxi インベスターリレーションズ；IR. ❖企業が株主や投資家に対して行う広報活動. [investor relations；IR]

【投资收益率】tóuzī shōuyìlǜ 投資収益率. ❖金融用語.

【投资主体】tóuzī zhǔtǐ 投資主体；投資プレイヤー. ❖金融用語.

【投资组合】tóuzī zǔhé ポートフォリオ. ❖金融用語.保有する各種の有価証券資産. "证券组合 zhèngquàn zǔhé"とも. [portfolio]

tòu

【透明度】tòumíngdù ①透明度. ②〔状況の〕透明度；公開の程度.

【透明夹】tòumíngjiā クリアフォルダー. [clear plastic folder]

【透支】tòuzhī 当座貸越〈とうざかしこし〉；当座借越〈とうざかりこし〉；オーバードラフト. ❖金融用語. [overdraft]

【透支生命】tòuzhī shēngmìng 寿命を縮める.

tū

【凸版印刷】Tūbǎn Yìnshuā 凸版〈とっぱん〉印刷. ❖日本の印刷会社. [Toppan Printing]

【突击提干】tūjī tígàn 突然の大抜擢；一気に重要ポストに昇進,抜擢する(こと).

【突尼斯】Tūnísī チュニス. ❖チュニジアの首都. [Tunis]

【突尼斯共和国】Tūnísī Gònghéguó チュニジア共和国；チュニジア. [Republic of Tunisia；Tunisia]

【突尼斯航空】Tūnísī Hángkōng チュニスエアー. ❖チュニジアの航空会社.コード：TU. [Tunis Air]

【突尼斯老城】Tūnísī Lǎochéng チュニス旧市街. ●世界文化遺産(チュニジア). [Medina of Tunis]

【突然爽约】tūrán shuǎngyuē 土壇場〈どたんば〉になってキャンセルする；どたキャン.

【凸显】tūxiǎn はっきりと現れる.

【凸现】tūxiàn はっきりと現れる.

tú

【图案设计】tú'àn shèjì 図面デザイン；意匠；デザイン. [design]

【图巴塔哈群礁海洋公园】Túbātǎhā Qúnjiāo Hǎiyáng Gōngyuán トゥバタハ岩礁海中公園. ●世界自然遺産(フィリピン). [Tubbataha Reef Marine Park]

【图标】túbiāo アイコン. ❖IT用語. [icon]

【图层】túcéng レイヤー. ❖IT用語. "层 céng"とも. [layer]

【图尔卡纳湖国家公园】Tú'ěrkǎnà Hú Guó-

tú — tuán

jiā Gōngyuán トゥルカナ湖国立公園群. ●世界自然遺産(ケニア). [Lake Turkana National Parks]

【图尔奈的圣母大教堂】Tú'ěrnài de Shèngmǔ Dàjiàotáng トゥルネーのノートル・ダム大聖堂. ●世界文化遺産(ベルギー). [Notre-Dame Cathedral in Tournai]

【涂改带】túgǎidài 修正用ホワイトテープ；修正用テープ.

【涂改液】túgǎiyè 修正液. ❖"修正液 xiūzhèngyè"とも.

【屠格涅夫】Túgénièfū 〔イワン・セルゲーヴィチ・〕ツルゲーネフ. ❖ロシアの作家. [Ivan Sergeevich Turgenev；Ivan Sergeevich Turgeneff]

【图们江】Túmén Jiāng 図們江〈ともんこう〉. ❖中国と朝鮮民主主義人民共和国との国境を流れる川. 北朝鮮側の呼称は"豆满江 Dòumǎn Jiāng". [Tumen River]

【图书展】túshūzhǎn ブックフェア；図書展示会. [book fair]

【图瓦卢】Túwǎlú ツバル. [Tuvalu]

【图文电视】túwén diànshì 文字放送.

【图像捕获】túxiàng bǔhuò スクリーンキャプチャー；スクリーンショット；画面キャプチャー；画面取り込み. ❖IT用語. "图像捕捉 túxiàng bǔzhuō"とも. [screen capturing]

【图像捕捉】túxiàng bǔzhuō スクリーンキャプチャー；スクリーンショット；画面キャプチャー；画面取り込み. ❖IT用語. "图像捕获 túxiàng bǔhuò"とも. [screen capturing]

【图像处理软件】túxiàng chǔlǐ ruǎnjiàn 画像処理ソフト. ❖IT用語.

【图像地图】túxiàng dìtú イメージマップ. ❖IT用語. "图像映射 túxiàng yìngshè"とも. [image map]

【图像映射】túxiàng yìngshè イメージマップ. ❖IT用語. "图像地图 túxiàng dìtú"とも. [image map]

【图形加速器】túxíng jiāsùqì グラフィックスアクセラレーター. ❖IT用語. [graphics accelerator]

【图形交换格式】túxíng jiāohuàn géshì GIF〈ジフ〉. ❖IT用語. 画像の保存形式の1つ. [graphics interchange format；GIF]

【图形用户界面】túxíng yònghù jièmiàn グラフィカル・ユーザー・インターフェース；GUI. ❖IT用語. [graphical user interface；GUI]

【途易集团】Túyì Jítuán TUIグループ. ❖ドイツの旅行会社. [TUI]

tǔ

【土地承包期】tǔdì chéngbāoqī 土地請負期間.

【土地沙化】tǔdì shāhuà 土地の砂漠化.

【土耳其共和国】Tǔ'ěrqí Gònghéguó トルコ共和国；トルコ. [Republic of Turkey；Turkey]

【土耳其航空】Tǔ'ěrqí Hángkōng トルコ航空. ❖トルコの航空会社. コード：TK. [Turkish Airlines]

【土库曼斯坦】Tǔkùmànsītǎn トルクメニスタン. [Turkmenistan]

【土老帽】tǔlǎomào 田舎者；田舎の無骨者.

【土壤流失】tǔrǎng liúshī 土壌流失.

【吐司】tǔsī トースト. [toast]

【土特产】tǔtèchǎn 特産物；特産品.

tuán

【团队精神】tuánduì jīngshén 団体精神；団結心.

【团队旅游】tuánduì lǚyóu 団体旅行；グループ旅行. ❖"随团旅游 suítuán lǚyóu"とも. [group travel；group tour]

【团购】tuángòu 共同購入；グループ購入.

【团险】tuánxiǎn 団体保険.

tuī

【推出】tuīchū〔新しい物事を〕世に出す；リリース(する).[release]

【推介】tuījiè 推奨(する)；レコメンデーション；プレゼンテーション.[recommendation ; presentation]

【推销】tuīxiāo 販売(する)；セールス(を行う).[sales]

【推展】tuīzhǎn ①前進(する)；推進(する)；進展(する)；発展(する).②販売促進(する)；販促；プロモーション(する).[②promotion]

tuì

【退保】tuìbǎo 保険の解約(をする).

【退出键】tuìchūjiàn エスケープキー；Escキー.❖IT用語."Esc 键 ESC jiàn"とも.[escape key ; Esc key]

【退格键】tuìgéjiàn〔ウィンドウズパソコンの〕バックスペースキー.❖IT用語.[backspace key]

【退耕还林】Tuìgēng Huánlín「退耕還林」プロジェクト.❖耕地を森林に戻す,山間部の緑化プロジェクト.

【褪黒素】tuìhēisù メラトニン.[melatonin]

【退市】tuìshì 上場廃止.❖金融用語.

【退税】tuìshuì 税金の還付(をする).

【退养】tuìyǎng〔病気や老齢などの理由による〕早期退職休養.

tuō

【脱产培训】tuōchǎn péixùn オフ・ザ・ジョブ・トレーニング；Off JT.[off-the-job training ; off-JT]

【托蒂】Tuōdì〔フランチェスコ・〕トッティ.❖イタリアのサッカー選手.[Francesco Totti]

【拖动】tuōdòng ドラッグ(する).❖IT用語.[drag]

【托尔斯泰】Tuō'ěrsītài〔レフ・ニコラエヴィチ・〕トルストイ.❖ロシアの作家.[Count Lev Nikolayevich Tolstoi ; Count Lev Nikolayevich Tolstoy]

【拖放】tuōfàng ドラッグ・アンド・ドロップ(する).❖IT用語.[drag and drop]

【托福】Tuōfú トフル；トーフル；TOEFL.❖ETS(米)による,英語を母語としない人のための英語学力検定テスト."托福考试 Tuōfú Kǎoshì"とも.[Test of English as a Foreign Language ; TOEFL]

【托福考试】Tuōfú Kǎoshì トフル；トーフル；TOEFL.❖ETS(米)による,英語を母語としない人のための英語学力検定テスト."托福 Tuōfú"とも.[Test of English as a Foreign Language ; TOEFL]

【托管】tuōguǎn 保護預かり.❖金融用語.

【托管费】tuōguǎn fèi 保護預かり料.❖金融用語.

【托管服务】tuōguǎn fúwù エスクローサービス.❖商品と代金のやりとりを第三者に委託するサービス.[escrow service]

【托管机构】tuōguǎn jīgòu カストディアン.❖金融用語.機関投資家の代理人や専門機関のこと."保管机构 bǎoguǎn jīgòu""保管人 bǎoguǎnrén"とも.[custodian]

【托管收据】tuōguǎn shōujù 保護預かり証.❖金融用語.

【脱机】tuōjī オフライン.❖IT用語.[off-line ; off line]

【托卡伊葡萄酒产地历史文化景观】Tuōkǎyī Pútaojiǔ Chǎndì Lìshǐ Wénhuà Jǐngguān トカイ地方のワイン産地の歴史的文化的景観.◉世界文化遺産(ハンガリー).[Tokaj Wine Region Historic Cultural Landscape]

【托考伊葡萄酒】Tuōkǎoyī pútaojiǔ トカイワイン.❖ハンガリー・トカイ地方産の白ワイン.[Tokay]

【脱口秀】tuōkǒuxiù トークショー.[talk

tuō — tuò

show]

【脱困】tuōkùn 〔企業が経営不振などの〕苦境から脱却する(こと).

【托老所】tuōlǎosuǒ 老人ホーム.

【脱硫】tuōliú 脱硫.

【托马尔的基督教女修道院】Tuōmǎ'ěr de Jīdūjiào Nǚxiūdàoyuàn トマールのキリスト教修道院. ●世界文化遺産(ポルトガル).[Convent of Christ in Tomar]

【脱毛膏】tuōmáogāo 脱毛クリーム.

【托皮卡】Tuōpíkǎ トピカ. ❖アメリカ・カンザス州都.[Topeka]

【脱贫】tuōpín 貧困から脱却する(こと).

【拖欠工资】tuōqiàn gōngzī 給与遅配;給与を遅配する;賃金遅配;賃金を遅配する.

【托儿】tuōr 〔露店などで客を装う〕さくら.

【托收】tuōshōu 取立為替〈とりたてかわせ〉. ❖金融用語.

【托斯卡纳】Tuōsīkǎnà トスカーナ. ❖イタリアの地名.[Toscana]

【脱星】tuōxīng ポルノ女優.

【脱氧核糖核酸】tuōyǎng hétáng hésuān デオキシリボ核酸;DNA.[deoxyribonucleic acid;DNA]

【托业考试】Tuōyè Kǎoshì 国際コミュニケーション英語能力テスト;TOEIC〈トーイック〉. ❖ETS(米)による英語を母語としない人のための,英語によるコミュニケーション能力検定テスト.[Test of English for International Communication;TOEIC]

【拖油瓶】tuōyóupíng 連れ子.

tuò

【拓扑】tuòpū トポロジー.[topology]

【拓销】tuòxiāo 市場開拓;販路開拓.

【拓展】tuòzhǎn 開拓して発展する.

【拓展培训】tuòzhǎn péixùn 野外体験型研修. ❖"拓展训练 tuòzhǎn xùnliàn"とも.[outward-bound training]

【拓展训练】tuòzhǎn xùnliàn 野外体験型研修. ❖"拓展培训 tuòzhǎn péixùn"とも.[outward-bound training]

U

【UFO】UFO 未確認飛行物体；UFO⟨ユーフォー⟩．❖中国語では"不明飞行物 bùmíng fēixíngwù".[unidentified flying object；UFO]

【Unicode码】Unicode mǎ ユニコード．❖文字コード体系の1つ.[Unicode]

【Unix操作系统】Unix cāozuò xìtǒng ユニックスOS；Unix OS．❖IT用語.[Unix Operating System]

【U盘】U pán USBフラッシュディスク；USBフラッシュメモリー．❖IT用語.[USB flash disk；USB flash memory]

V

【VDR】VDR ①ビデオディスクレコーダー；VDR．②航海情報記録装置；VDR．❖②「船のブラックボックス」とも言われ，航空機のフライトレコーダーなどと同様の働きをする.[①videodisc recorder；VDR ②voyage data recorder；VDR]

【VL总线】VL zǒngxiàn VLバス．❖IT用語.[VL-Bus；VESA Local Bus]

W

W

【WAP】WAP WAP(ワップ). ❖IT用語.携帯端末間の通信プロトコル.中国語では"无线应用协议 wúxiàn yìngyòng xiéyì".[wireless application protocol; WAP]

【WTO】WTO 世界貿易機関;WTO. ❖中国語名は"世界贸易组织 Shìjiè Màoyì Zǔzhī".[World Trade Organization; WTO]

wā

【挖岗】wāgǎng 職探しをする(こと).

【挖角】wājiǎo ヘッドハンティング.[head-hunting]

【哇噻】wāsai すごい.

wá

【娃哈哈】Wáhāhā ワハハ. ❖中国の清涼飲料水のブランド名.

wǎ

【瓦丹、欣盖提、提希特和瓦拉塔古镇】Wǎdān Xīngàití Tíxītè hé Wǎlātǎ Gǔzhèn ウワダン,シンゲッティ,ティシットとウアラタの古い集落. ●世界文化遺産(モーリタニア).[Ancient Ksour of Ouadane, Chinguetti, Tichitt and Oualata]

【瓦杜兹】Wǎdùzī ファドゥーツ. ❖リヒテンシュタインの首都.[Vaduz]

【瓦尔贝里无线电台】Wǎ'ěrbèilǐ Wúxiàn Diàntái ヴァルベルイの無線通信所. ●世界文化遺産(スウェーデン).[Varberg Radio Station]

【瓦尔德斯半岛】Wǎ'ěrdésī Bàndǎo バルデス半島. ●世界自然遺産(アルゼンチン).[Península Valdés]

【瓦尔·迪奥西亚公园文化景观】Wǎ'ěr Dí'àoxīyà Gōngyuán Wénhuà Jǐngguān オルチャ渓谷;ヴァルドルチャ. ●世界文化遺産(イタリア).[Val d'Orcia]

【瓦尔卡莫尼卡岩画】Wǎ'ěrkǎmòníkǎ Yánhuà ヴァルカモニカの岩絵群. ●世界文化遺産(イタリア).[Rock Drawings in Valcamonica]

【瓦尔帕莱索港口城市历史区】Wǎ'ěrpàlái-suǒ Gǎngkǒu Chéngshì Lìshǐqū バルパライソの海港都市の歴史的街並み. ●世界文化遺産(チリ).[Historic Quarter of the Seaport City of Valparaíso]

【瓦尔特堡城堡】Wǎ'ěrtèbǎo Chéngbǎo ヴァルトブルク城. ●世界文化遺産(ドイツ).[Wartburg Castle]

【瓦哈卡历史中心与阿尔班山考古遗址】Wǎhākǎ Lìshǐ Zhōngxīn yǔ Ā'ěrbān Shān Kǎogǔ Yízhǐ オアハカ歴史地区とモンテ・アルバンの古代遺跡. ●世界文化遺産(メキシコ).[Historic Centre of Oaxaca and Archaeological Site of Monte Albán]

【瓦豪文化景观】Wǎháo Wénhuà Jǐngguān ヴァッハウ渓谷の文化的景観. ●世界文化遺産(オーストリア).[Wachau Cultural Landscape]

【瓦加杜古】Wǎjiādùgǔ ワガドゥグ. ❖ブルキナファソの首都.[Ouagadougou; Wagadugu]

【瓦莱塔】Wǎláitǎ バレッタ;ヴァレッタ. ❖マルタの首都.[Valletta]

【瓦莱塔古城】Wǎláitǎ Gǔchéng ヴァレッタ市街. ●世界文化遺産(マルタ).[City of Valletta]

【瓦力格航空】Wǎlìgé Hángkōng ヴァリグ・ブラジル航空. ❖ブラジルの航空会社.

wǎ — wài

コード：RG．[Varig Brazilian Airlines]

【瓦伦西亚】Wǎlúnxīyà バレンシア．❖スペインのサッカーチーム．[Valencia ; Valencia Club de Fútbol〔スペイン〕]

【瓦努阿图共和国】Wǎnǔ'ātú Gònghéguó バヌアツ共和国；バヌアツ．[Republic of Vanuatu ; Vanuatu]

【瓦斯卡兰国家公园】Wǎsīkǎlán Guójiā Gōngyuán ワスカラン国立公園．◉世界自然遺産（ペルー）．[Huascaran National Park]

【瓦希德】Wǎxīdé〔アブドゥルラフマン・〕ワヒッド．❖インドネシアの政治家．[Abdurrahman Wahid]

wāi

【歪才】wāicái ①悪知恵．②偏った才能の持ち主．

wài

【外八字腿】wàibāzì tuǐ X脚．
【外币存款】wàibì cúnkuǎn 外貨預金．❖金融用語．
【外币计价债券】wàibì jìjià zhàiquàn 外貨建て債券．❖金融用語．"外币债券 wàibì zhàiquàn"とも．
【外币债券】wàibì zhàiquàn 外貨建て債券．❖金融用語．"外币计价债券 wàibì jìjià zhàiquàn"とも．
【外部存储器】wàibù cúnchǔqì 外部記憶装置；ストレージ．❖IT用語．[external storage ; external storage unit]
【外部环境】wàibù huánjìng 外部環境．
【外部设备】wàibù shèbèi 周辺装置；周辺機器．❖IT用語．"外围设备 wàiwéi shèbèi"とも．[peripheral equipment]
【外带】wàidài 持ち帰り；持ち帰る；テイクアウト（する）．❖"外卖 wàimài"とも．[takeout]

【外购件】wàigòujiàn 外注部品．
【外挂程序】wàiguà chéngxù プラグインソフト；プラグイン；アドオン．❖IT用語．"插件 chājiàn"とも．[plug-in software ; plug-in ; add-on]
【外观设计】wàiguān shèjì 外観デザイン；意匠；デザイン．[design]
【外国汇票】wàiguó huìpiào 外国為替手形．❖金融用語．
【外国债券】wàiguó zhàiquàn 外債．❖金融用語．
【外汇波动】wàihuì bōdòng 外国為替変動．❖金融用語．
【外汇掉期费用】wàihuì diàoqī fèiyong スワップコスト．❖金融用語．"掉期费用 diàoqī fèiyong""互惠信贷成本 hùhuì xìndài chéngběn"とも．[swap cost]
【外汇掉期交易】wàihuì diàoqī jiāoyì 為替スワップ；為替スワップ取引．❖金融用語．
【外汇风险】wàihuì fēngxiǎn 為替リスク．❖金融用語．"汇率风险 huìlǜ fēngxiǎn"とも．
【外汇管制】wàihuì guǎnzhì 外貨管理．❖金融用語．
【外汇汇率】wàihuì huìlǜ 外国為替相場．❖金融用語．
【外汇汇率波动】wàihuì huìlǜ bōdòng 為替相場変動．❖金融用語．
【外汇收益】wàihuì shōuyì 為替差益．❖金融用語．
【外汇通知付款】wàihuì tōngzhī fùkuǎn 通知払い（外国為替）．❖金融用語．
【外汇外流】wàihuì wàiliú 外貨流出．
【外交庇护】wàijiāo bìhù 外交的庇護．
【外交途径】wàijiāo tújìng 外交ルート．
【外教】wàijiāo ①外国人教師．②外国人コーチ．
【外劳】wàiláo 外国人労働者．❖"外国劳工 wàiguó láogōng"とも．
【外卖】wàimài 持ち帰り；持ち帰る；テイ

wài — wǎn

クアウト(する). ❖"外带 wàidài"とも. [takeout]

【外贸店】wàimàodiàn 輸出商品の中国国内販売店.

【外贸自营权】wàimào zìyíngquán 対外貿易自営権.

【外脑】wàinǎo 外部や外国の人材.

【外派】wàipài 外国に派遣する；外部に派遣する.

【外婆】wàipó ①母方の祖母. ②浮気相手.

【外企】wàiqǐ 外資系企業. ❖"外资企业 wàizī qǐyè"の略.

【外设】wàishè 周辺装置；周辺機器. ❖IT用語. "外围设备 wàiwéi shèbèi"の略. [peripheral equipment]

【外税局】wàishuìjú 対外税務局.

【外滩】Wàitān 外灘(ワイタン)；バンド. ❖中国・上海の地名. [the Bund]

【外围部件互连】wàiwéi bùjiàn hùlián PCI；PCIバス. ❖IT用語. [peripheral component interconnect；peripheral component interface；PCI]

【外围设备】wàiwéi shèbèi 周辺装置；周辺機器. ❖IT用語. "外部设备 wàibù shèbèi"とも. 略称は"外设 wàishè". [peripheral equipment]

【外向型经济】wàixiàngxíng jīngjì 輸出指向の経済；輸出重視型経済.

【外销公寓】wàixiāo gōngyù 外国人向けマンション.

【外销员】wàixiāoyuán 輸出販売担当.

【外需】wàixū 外需.

【外援】wàiyuán ①外部からの援助. ②外国人選手；助っ人；外国人コーチ.

【外智】wàizhì 外部や外国の技術,人材.

【外置】wàizhì 外付け. ❖IT用語.

【外资企业】wàizī qǐyè 外資系企業. ❖略称は"外企 wàiqǐ".

wán

【玩不转】wánbuzhuàn 手にあまる；使いこなせない.

【丸大厦】Wán Dàshà 丸ビル. ❖日本・東京にある「丸の内ビルディング」の略称.

【完好货币】wánhǎo huòbì 健全な通貨.

【丸红】Wánhóng 丸紅. ❖日本の総合商社. [Marubeni]

【玩家】wánjiā テレビゲーム,パソコンゲームの愛好者；ゲームの分析や紹介をする人；ゲーマー. [gamer]

【玩具反斗城】Wánjù Fǎndòuchéng トイザらス. ❖アメリカの玩具専門小売チェーン. [Toys "R" Us]

【完全金本位】wánquán jīnběnwèi 完全金本位制.

【完全垄断】wánquán lǒngduàn 完全独占.

【完税后交货】wánshuìhòu jiāohuò 関税込持込渡(かんぜいこみもちこみわたし). ❖インコタームズ 2000. [delivered duty paid；DDP]

【完税价格】wánshuì jiàgé 〔中国税関の〕課税価格. ❖中国税関が従価税の対象となる輸出入品の関税額を決める標準となる価格のこと. 輸入はCIF価格,輸出はFOB価格がそれぞれ課税価格となる.

【完整提单】wánzhěng tídān 完全式船荷証券. ❖金融用語. "繁式提单 fánshì tídān"とも.

wǎn

【皖南古村落：西递、宏村】Wǎnnán Gǔcūnluò Xīdì Hóngcūn 安徽南部の古村落－西遞,宏村. ●世界文化遺産(中国). [Ancient Villages in Southern Anhui-Xidi and Hongcun]

【晚期的巴洛克城镇-瓦拉迪·诺托】Wǎnqī de Bāluòkè Chéngzhèn Wǎlādí Nuòtuō

wǎn — wáng

ヴァル・ディ・ノートの後期バロック様式の町々(シチリア島南東部). ●世界文化遺産(イタリア).[Late Baroque Towns of the Val di Noto (South-eastern Sicily)]

【晚霜】wǎnshuāng ナイトクリーム.[night cream]

wàn

【万艾可】Wàn'àikě バイアグラ. ❖ファイザー製薬(米)のED治療薬.[Viagra]

【万宝龙】Wànbǎolóng モンブラン. ❖ドイツの筆記具,時計,ジュエリーメーカー.[Montblanc]

【万宝路】Wànbǎolù マルボロ. ❖フィリップモリス(アルトリアグループ傘下)製のタバコ名.[Marlboro]

【万宝盛华】Wànbǎoshènghuá マンパワー. ❖アメリカの人事,組織コンサルティング企業.[Manpower]

【万宝至马达】Wànbǎozhì Mǎdá マブチモーター. ❖日本の電機モーターメーカー.

【万国表】Wànguóbiǎo インターナショナル・ウォッチ・カンパニー;IWC. ❖スイスの時計メーカー.[International Watch Company ; IWC]

【万国邮联】Wànguó Yóulián 万国郵便連合;UPU. ❖"万国邮政联盟 Wànguó Yóuzhèng Liánméng"の略.[Universal Postal Union ; UPU]

《万国邮政公约》Wànguó Yóuzhèng Gōngyuē「万国郵便連合条約」;「UPU条約」.[Universal Postal Convention]

【万国邮政联盟】Wànguó Yóuzhèng Liánméng 万国郵便連合;UPU. ❖略称は"万国邮联 Wànguó Yóulián".[Universal Postal Union ; UPU]

【万豪国际】Wànháo Guójì マリオット・インターナショナル. ❖アメリカのホテル運営企業.[Marriott International]

【万豪酒店】Wànháo Jiǔdiàn マリオットホテル. ❖マリオット・インターナショナル(米)のホテルブランド.[Marriott Hotel]

【万洁灵】Wànjiélíng マジックリン. ❖花王(日本)の洗浄剤ブランド.[Magiclean]

【万客隆】Wànkèlóng マクロ. ❖オランダの小売りチェーン.[Makro]

【万事达卡】Wànshìdákǎ マスターカード. ❖アメリカのクレジットカード会社,また同社発行のクレジットカード.[MasterCard]

【万围网】Wànwéiwǎng ワールド・ワイド・ウェブ;ウェブ;WWW. ❖IT用語."环球网 Huánqiúwǎng""万维网 Wànwéiwǎng"とも.[World Wide Web ; WWW]

【万维网】Wànwéiwǎng ワールド・ワイド・ウェブ;ウェブ;WWW. ❖IT用語."环球网 Huánqiúwǎng""万围网 Wànwéiwǎng"とも.[World Wide Web ; WWW]

【万象】Wànxiàng ビエンチャン. ❖ラオスの首都.[Vientiane]

【万有制药】Wànyǒu Zhìyào 万有製薬. ❖日本の医薬品メーカー.[Banyu Pharmaceutical]

【万梓良】Wàn Zǐliáng アレックス・マン;萬梓良. ❖香港出身の男優.[Alex Man]

wāng

【汪明荃】Wāng Míngquán リサ・ウォン;汪明荃. ❖香港出身の女優,歌手.[Liza Wong]

wáng

【王朝酒业集团】Wángcháo Jiǔyè Jítuán 王朝酒業集団;ダイナスティ・ファイン・ワイン・グループ. ❖飲料メーカー.レッドチップ企業の1つ.[Dynasty Fine Wines Group]

【王朝葡萄酒】Wángcháo Pútaojiǔ 王朝ワイン;ダイナスティ. ❖王朝酒業(中国,仏)製のワイン.[Dynasty ; Dynasty

Wine]
【王菲】Wáng Fēi フェイ・ウォン；王菲．❖中国出身の歌手，女優．[Faye Wong]
【王府饭店】Wángfǔ Fàndiàn ザ・ペニンシュラ・パレス北京；王府飯店．❖中国・北京にあるホテル．[The Peninsula Palace Beijing]
【王府井大街】Wángfǔjǐng Dàjiē 王府井⟨ワンフーチン⟩大街．❖中国・北京にある道路名．
《王牌大贱谍》Wángpái Dàjiàndié 「オースティン・パワーズ」．❖アメリカ映画のタイトル．[Austin Powers]
【王子大饭店】Wángzǐ Dàfàndiàn プリンスホテル．❖日本のホテル運営企業，また同社のホテルブランド．[Prince Hotels]
【王子制纸】Wángzǐ Zhǐzhǐ 王子製紙．❖日本の製紙会社．[Oji Paper]
【王祖贤】Wáng Zǔxián ジョイ・ウォン；王祖賢．❖台湾出身の女優．[Joey Wong]

wǎng

【网吧】wǎngbā インターネットカフェ；ネットカフェ．❖IT用語．[internet cafe；Internet cafe]
【网虫】wǎngchóng インターネット中毒；ネット中毒；インターネットおたく．❖"网迷 wǎngmí"とも．
【网德】wǎngdé インターネット上の道徳；インターネットモラル；ネットモラル．
【网点】wǎngdiǎn〔ネット上の〕サイト．❖IT用語．[site]
【网钓】wǎngdiào フィッシング．❖メールやウェブサイトを通じて個人情報をだましとる詐欺のこと．"网络钓鱼 wǎngluò diàoyú""网页仿冒 wǎngyè fǎngmào"とも．[phishing]
【网关】wǎngguān ①〔ネットワークの〕入口；通路．②(Wǎngguān)ゲートウェイ．❖②アメリカのコンピューターメーカー．[①gateway ②Gateway]
【网管】wǎngguǎn ①ネットワークマネジメント．②ネット管理者．❖IT用語．①"网络管理 wǎngluò guǎnlǐ"の略．②"网络管理员 wǎngluò guǎnlǐyuán"の略．[①network management ②network administrator]
【网际网】wǎngjìwǎng インターネット；ネット．❖IT用語．"互联网 hùliánwǎng""网络 wǎngluò""因特网 yīntèwǎng"とも．[internet；Internet]
【网教】wǎngjiào eラーニング．❖IT用語．"网络教育 wǎngluò jiàoyù"の略．[e-learning]
【网警】wǎngjǐng インターネット警察．❖IT用語．"网络警察 wǎngluò jǐngchá"の略．
【网景导航者】Wǎngjǐng Dǎohángzhě ネットスケープ・ナビゲーター．❖ネットスケープ・コミュニケーションズ(米)製のウェブブラウザ名．"网景导航者浏览器 Wǎngjǐng Dǎohángzhě Liúlǎnqì"とも．[Netscape Navigator]
【网卡】wǎngkǎ ネットワーク・インターフェース・カード；ネットワークカード．❖IT用語．"网络接口卡 wǎngluò jiēkǒukǎ"の略．[network interface card；network card]
【往来银行】wǎnglái yínháng コルレス銀行．❖金融用語．"代理行 dàilǐháng""代理银行 dàilǐ yínháng""通汇银行 tōnghuì yínháng"とも．[correspondent bank]
【网恋】wǎngliàn ネット恋愛．
【网龄】wǎnglíng インターネット歴．
【网络】wǎngluò ①ネットワーク．②インターネット；ネット．❖IT用語．②"互联网 hùliánwǎng""网际网 wǎngjìwǎng""因特网 yīntèwǎng"とも．[①network ②internet；Internet]
【网络安全】wǎngluò ānquán ネットワークセキュリティー；インターネットセキュリティー．❖IT用語．[network security；in-

wǎng

【网络出版】wǎngluò chūbǎn オンライン出版. ❖IT用語.

【网络电话】wǎngluò diànhuà インターネット電話. ❖IT用語.[Internet phone]

【网络钓鱼】wǎngluò diàoyú フィッシング. ❖メールやウェブサイトを通じて個人情報をだましとる詐欺のこと."网钓 wǎngdiào""网页仿冒 wǎngyè fǎngmào"とも.[phishing]

【网络犯罪】wǎngluò fànzuì サイバー犯罪. ❖IT用語.

【网络服务商】wǎngluò fúwùshāng インターネットプロバイダー；アクセスプロバイダー；プロバイダー；ISP. ❖IT用語."互联网服务供应商 hùliánwǎng fúwù gōngyìngshāng""网络服务提供者 wǎngluò fúwù tígōngzhě""网络运营商 wǎngluò yùnyíngshāng""因特网服务提供商 yīntèwǎng fúwù tígōngshāng"とも.[provider；Internet provider；internet service provider；ISP]

【网络服务提供者】wǎngluò fúwù tígōngzhě インターネットプロバイダー；アクセスプロバイダー；プロバイダー；ISP. ❖IT用語."互联网服务供应商 hùliánwǎng fúwù gōngyìngshāng""网络服务商 wǎngluò fúwùshāng""网络运营商 wǎngluò yùnyíngshāng""因特网服务提供商 yīntèwǎng fúwù tígōngshāng"とも.[provider；Internet provider；internet service provider；ISP]

【网络购物】wǎngluò gòuwù オンラインショッピング；ネットショッピング. ❖IT用語."网上购物 wǎngshàng gòuwù"とも.[internet shopping；online shopping；Internet shopping]

【网络股】wǎngluògǔ ネット関連株. ❖金融用語.

【网络管理】wǎngluò guǎnlǐ ネットワークマネジメント. ❖IT用語.略称は"网管 wǎngguǎn".[network management]

【网络广告联盟系统】wǎngluò guǎnggào liánméng xìtǒng アフィリエイトプログラム. ❖Webサイトから企業サイトへリンクを貼り,訪問者が製品を購入すると,Webサイトの管理者にマージンが支払われる仕組みのこと.[affiliate program]

【网络化】wǎngluòhuà ネットワーキング. ❖IT用語.[networking]

【网络黄页】wǎngluò huángyè インターネットイエローページ. ❖IT用語.[Internet Yellow Page]

【网络会议】wǎngluò huìyì インターネット会議；e 会議；ネットミーティング. ❖IT用語.[e-meeting；internet meeting；Internet meeting]

【网络婚姻】wǎngluò hūnyīn インターネットで知り合って結婚する(こと).

【网络集线器】wǎngluò jíxiànqì hub；ハブ. ❖IT用語."集线器 jíxiànqì"とも.[hub]

【网络计算】wǎngluò jìsuàn ネットワークコンピューティング. ❖IT用語.[network computing]

【网络计算机】wǎngluò jìsuànjī ネットワークコンピューター；NC. ❖IT用語.[network computer；NC]

【网络教育】wǎngluò jiàoyù eラーニング. ❖略称は"网教 wǎngjiào".[e-learning]

【网络接口卡】wǎngluò jiēkǒukǎ ネットワーク・インターフェース・カード；ネットワークカード. ❖IT用語.略称は"网卡 wǎngkǎ".[network interface card；network card]

【网络经济】wǎngluò jīngjì サイバー経済. ❖IT用語.

【网络警察】wǎngluò jǐngchá インターネット警察. ❖IT用語.略称は"网警 wǎngjǐng".

【网络恐怖主义】wǎngluò kǒngbù zhǔyì サイバーテロリズム；サイバーテロ. ❖IT

用語.[cyberterrorism ; cyberattack]

【网络聊天室】wǎngluò liáotiānshì チャットルーム. ❖IT用語.[chat room]

【网络拍卖】wǎngluò pāimài ネットオークション. ❖IT用語."网上竞标 wǎngshàng jìngbiāo""网上竞拍 wǎngshàng jìngpāi"とも.[net auction ; Internet auction]

【网络企业】wǎngluò qǐyè インターネット関連企業.

【网络软件】wǎngluò ruǎnjiàn オンラインソフト. ❖IT用語.[online software]

【网络摄像机】wǎngluò shèxiàngjī ウェブカメラ. ❖IT用語.[web camera]

【网络探险者】Wǎngluò Tànxiǎnzhě インターネットエクスプローラ ; IE. ❖マイクロソフト(米)製のウェブブラウザ名."IE 浏览器 IE Liúlǎnqì""探险家浏览器 Tànxiǎnjiā Liúlǎnqì"とも.[Internet Explorer ; IE]

【网络文明工程】Wǎngluò Wénmíng Gōngchéng「ネット文明」プロジェクト. ❖インターネットの健全な運営,利用を目的としたプロジェクト.

【网络文学】wǎngluò wénxué ネット文学.

【网络学校】wǎngluò xuéxiào eスクール. ❖IT用語.略称は"网校 wǎngxiào".[e-school]

【网络寻呼机】wǎngluò xúnhūjī ICQ. ❖IT用語.ICQ社(AOL傘下)が開発したインスタントメッセージングソフト.[I seek you ; ICQ]

【网络银行】wǎngluò yínháng インターネットバンク ; ネットバンク. ❖IT用語."网上银行 wǎngshàng yínháng"とも.[internet bank ; Internet bank ; e-bank]

【网络营销】wǎngluò yíngxiāo インターネット通販 ; インターネット販売 ; ネット販売. ❖IT用語.

【网络游戏】wǎngluò yóuxì オンラインゲーム ; ネットゲーム. ❖IT用語.[online game ; Internet game]

【网络运营商】wǎngluò yùnyíngshāng インターネットプロバイダー ; アクセスプロバイダー ; プロバイダー ; ISP. ❖IT用語."互联网服务供应商 hùliánwǎng fúwù gōngyìngshāng""网络服务商 wǎngluò fúwùshāng""网络服务提供者 wǎngluò fúwù tígōngzhě""因特网服务提供商 yīntèwǎng fúwù tígōngshāng"とも.[provider ; Internet provider ; internet service provider ; ISP]

【网络战】wǎngluòzhàn サイバー戦争 ; サイバーウォー ; ネット戦争 ; インターネット戦争. ❖IT用語.[cyberwar]

【网络综合征】wǎngluò zōnghézhēng インターネット依存症. ❖"网络综合症 wǎngluò zōnghézhèng"とも.

【网迷】wǎngmí インターネット中毒 ; ネット中毒 ; インターネットおたく. ❖"网虫 wǎngchóng"とも.

【网民】wǎngmín ネットシチズン ; ネチズン. ❖IT用語.[netizen]

《网球甜心》Wǎngqiú Tiánxīn「エースをねらえ!」. ❖日本漫画,アニメのタイトル.[Aim for the Ace!]

【网上】wǎngshàng オンライン. ❖IT用語.[on-line ; on line ; online]

【网上冲浪】wǎngshàng chōnglàng ネットサーフィン. ❖IT用語.[net surfing]

【网上购物】wǎngshàng gòuwù オンラインショッピング ; ネットショッピング. ❖IT用語."网络购物 wǎngluò gòuwù"とも.[online shopping ; internet shopping ; Internet shopping]

【网上交易】wǎngshàng jiāoyì オンライン取引 ; オンライントレード. ❖IT用語.[on-line trade]

【网上交易平台】wǎngshàng jiāoyì píngtái オンライン取引プラットフォーム. ❖IT用語.

【网上竞标】wǎngshàng jìngbiāo ネットオークション. ❖IT用語."网络拍卖 wǎngluǒ pāimài""网上竞拍 wǎngshàng jīngpāi"とも.[net auction ; Internet auction]

【网上竞拍】wǎngshàng jīngpāi ネットオークション. ❖IT用語."网络拍卖 wǎngluǒ pāimài""网上竞标 wǎngshàng jīngbiāo"とも.[net auction ; Internet auction]

【网上录取】wǎngshàng lùqǔ〔人材の〕インターネット採用;ネット採用.

【网上情人】wǎngshàng qíngrén インターネットで知り合った恋人.

【网上书店】wǎngshàng shūdiàn オンライン書店;ネット書店. ❖IT用語.

【网上双选】wǎngshàng shuāngxuǎn インターネット求人就職活動.

【网上银行】wǎngshàng yínháng インターネットバンク;ネットバンク. ❖IT用語."网络银行 wǎngluǒ yínháng"とも.[internet bank ; Internet bank ; e-bank]

【网上阅卷】wǎngshàng yuèjuàn インターネット採点. ❖IT用語.インターネットを通じて大学入試の採点をするシステム.

【网上支付】wǎngshàng zhīfù オンライン決済. ❖IT用語.[online payment]

【网校】wǎngxiào eスクール. ❖IT用語."网络学校 wǎngluǒ xuéxiào"の略.[e-school]

【网眼袜】wǎngyǎnwà 網タイツ.

【网页】wǎngyè ①ウェブページ;Webページ. ②ホームページ. ❖IT用語.[①web page ②homepage]

【网页仿冒】wǎngyè fǎngmào フィッシング. ❖メールやウェブサイトを通じて個人情報をだましとる詐欺のこと."网钓 wǎngdiào""网络钓鱼 wǎngluǒ diàoyú"とも.[phishing]

【网页快照】wǎngyè kuàizhào スナップショット;キャッシュ. ❖IT用語.[snap shot ; cache]

【网友】wǎngyǒu ネット仲間;ネット友だち;ネットフレンド;インターネット仲間.[net friend]

【网友见面会】wǎngyǒu jiànmiànhuì オフ会. ❖IT用語.インターネットを通じて知り合った人々が直接集まる会合.

【网站】wǎngzhàn ウェブサイト;Webサイト;サイト. ❖IT用語."站点 zhàndiǎn"とも.[web site ; website]

【网站导览】wǎngzhàn dǎolǎn サイトマップ. ❖IT用語."网站地图 wǎngzhàn dìtú""站点地图 zhàndiǎn dìtú"とも.[site map ; sitemap]

【网站地图】wǎngzhàn dìtú サイトマップ. ❖IT用語."网站导览 wǎngzhàn dǎolǎn""站点地图 zhàndiǎn dìtú"とも.[site map ; sitemap]

【网站地址】wǎngzhàn dìzhǐ〔インターネットの〕アドレス;URL. ❖IT用語."网址 wǎngzhǐ"とも.[uniform resource locator ; URL]

【网站邮件】wǎngzhàn yóujiàn ウェブメール;Webメール. ❖IT用語.[webmail]

【网址】wǎngzhǐ〔インターネットの〕アドレス;URL. ❖IT用語."网站地址 wǎngzhàn dìzhǐ"とも.[uniform resource locator ; URL]

wàng

【旺市】wàngshì 大商い. ❖金融用語.
【旺势】wàngshì 好調.

wēi

【微波武器】wēibō wǔqì マイクロウェーブ兵器;マイクロ波兵器.

【威驰】Wēichí ヴィオス. ❖天津トヨタ(中国)製の車名.[Vios]

【微创手术】wēichuāng shǒushù 低侵襲手術.[minimally invasive surgery]

【威达】Wēidá ベクトラ. ❖オペル(GM傘

下)製の車名.[Vectra]

【威达信集团】Wēidáxìn Jítuán マーシュ・アンド・マクレナン；MMC. ❖アメリカの保険仲介会社.[Marsh&McLennan；MMC]

【危地马拉】Wēidìmǎlā グアテマラ・シティ. ❖グアテマラの首都.[Guatemala City]

【危地马拉共和国】Wēidìmǎlā Gònghéguó グアテマラ共和国；グアテマラ.[Republic of Guatemala；Guatemala]

【微电子学】wēidiànzǐxué マイクロエレクトロニクス.[microelectronics]

【危房】wēifáng 倒壊の危険がある家屋,建物.

【危改】wēigǎi 倒壊の危険がある家屋,建物の建て替え.

【微观搞活】wēiguān gǎohuó ミクロ経済の活性化.

【微观经济】wēiguān jīngjì ミクロ経済.

【危害分析与关键控制点】wēihài fēnxī yǔ guānjiān kòngzhìdiǎn HACCP〈ハサップ/ハセップ〉；危害分析重要管理点. ❖食品製造過程の危害発生要因を分析し,効率的に管理できる箇所を監視する管理手法のこと.[hazard analysis and critical control point；HACCP]

【微机】wēijī ①マイクロコンピューター. ②パソコン. ❖IT用語.①は"微型计算机 wēixíng jìsuànjī"の略.[①microcomputer ②personal computer]

【微机电系统】wēijīdiàn xìtǒng マイクロマシン；MEMS. ❖"微机械 wēijīxiè"とも. [micromachine；micro-electro-mechanical systems；MEMS]

【微机械】wēijīxiè マイクロマシン；MEMS. ❖"微机电系统 wēijīdiàn xìtǒng"とも. [micromachine；micro-electro-mechanical systems；MEMS]

【威兰德拉湖区】Wēilándélā Húqū ウィランドラ湖群地域. ●世界自然および文化遺産(オーストラリア).[Willandra Lakes Region]

【威立雅环保集团】Wēilìyǎ Huánbǎo Jítuán ヴェオリア. ❖フランスの水道事業会社.[Veolia Environnement]

【威廉斯堡】Wēiliánsībǎo ウィリアムズバーグ. ❖アメリカの都市名.サミット開催地の1つ.[Williamsburg]

【威廉斯塔德、内城及港口历史区】Wēiliánsītǎdé Nèichéng jí Gǎngkǒu Lìshǐqū 港町ヴィレムスタット歴史地域. ●世界文化遺産(オランダ).[Historic Area of Willemstad, Inner City and Harbour, Netherlands Antilles]

【威娜】Wēinà ウエラ. ❖P&G(米)のヘアケア用品ブランド.[Wella]

【威尼斯】Wēinísī ヴェネツィア. ❖イタリアの都市名.サミット開催地の1つ. [Venezia〔伊〕；Venice]

【威尼斯电影节】Wēinísī Diànyǐngjié ヴェネツィア国際映画祭. ❖イタリアの映画祭.世界3大映画祭の1つ.[Venice International Film Festival]

【威尼斯及泻湖】Wēinísī jí Xièhú ヴェネツィアとその潟. ●世界文化遺産(イタリア).[Venice and its Lagoon]

【危棚房】wēipéngfáng 倒壊の危険がある家屋,建物. ❖"危房 wēifáng"とも.

【威雀威士忌】Wēiquè Wēishìjì フェイマス・グラウス. ❖マシュー・グローグ＆サン(英)製のスコッチウイスキー名.[Famous Grouse]

【微软】Wēiruǎn マイクロソフト. ❖アメリカのコンピューター・ソフトウェア・メーカー.[Microsoft]

【微软网络】Wēiruǎn Wǎngluò マイクロソフト・ネットワーク；MSN. ❖マイクロソフト(米)が運営するポータルサイト名. [Microsoft Network；MSN]

【威斯康星州】Wēisīkāngxīng Zhōu ウィスコンシン州. ❖アメリカの州名.[Wisconsin]

wēi — wéi

【威斯敏斯特宫、大教堂和圣玛格丽特教堂】Wēisīmǐnsītè Gōng Dàjiàotáng hé Shèngmǎgélìtè Jiàotáng ウェストミンスター宮殿,ウェストミンスター大寺院と聖マーガレット教会. ●世界文化遺産(イギリス).[Westminster Palace, Westminster Abbey and Saint Margaret's Church]

【威斯汀】Wēisītīng ウェスティン. ❖スターウッドホテルアンドリゾート(米)のホテルブランド.[Westin]

【微缩景观】wēisuō jǐngguān ミニチュア模型の建築物や景観.

【威望迪环球】Wēiwàngdí Huánqiú ビベンディ・ユニバーサル. ❖フランスのメディア企業.[Vivendi Universal]

【危险】wēixiǎn ①危険(な). ②ヤバい.

【危险废物】wēixiǎn fèiwù 危険廃棄物. ❖人,動物,植物などに危害を与える可能性がある廃棄物.

【微笑服务】wēixiào fúwù スマイルサービス.

【微型计算机】wēixíng jìsuànjī マイクロコンピューター. ❖IT用語.略称は"微机 wēijī".[microcomputer]

【微型面包车】wēixíng miànbāochē ミニバン.[minivan]

【威姿】Wēizī ヴィッツ. ❖トヨタ(日本)製の車名.[Vitz]

wéi

【围标】wéibiāo 入札談合. ❖"串标 chuànbiāo"とも.

【维多利亚】Wéiduōlìyà ヴィクトリア. ❖セーシェルの首都.[Victoria]

【维多利亚和阿尔伯特博物馆】Wéiduōlìyà hé Ā'ěrbótè Bówùguǎn ヴィクトリア・アンド・アルバート美術館. ❖イギリス・ロンドンにある美術館."维多利亚与艾伯特博物馆 Wéiduōlìyà yǔ Àibótè Bówùguǎn"とも.[Victoria and Albert Museum]

【维多利亚瀑布】Wéiduōlìyà Pùbù ヴィクトリアの滝. ●ジンバブエとザンビアとの国境にある滝."莫西奥图尼亚瀑布 Mòxī-àotúníyà Pùbù"(モシ・オ・トゥニャ)とも.[the Victoria Falls]

【维尔茨堡宫、宫廷花园和广场】Wéi'ěrcíbǎo Gōng Gōngtíng Huāyuán hé Guǎngchǎng ヴュルツブルク司教館,その庭園群と広場. ●世界文化遺産(ドイツ).[Würzburg Residence with the Court Gardens and Residence Square]

【韦尔吉纳的考古遗址】Wéi'ěrjínà de Kǎogǔ Yízhǐ ヴェルギナの古代遺跡. ●世界文化遺産(ギリシャ).[Archaeological Site of Vergina]

【维尔京群岛】Wéi'ěrjīng Qúndǎo バージン諸島. ❖西インド諸島,カリブ海にある島.イギリス領とアメリカ領がある.[the Virgin Islands]

【韦尔拉磨木纸板厂】Wéi'ěrlā Mómù Zhǐbǎnchǎng ヴェルラ砕木,板紙工場. ●世界文化遺産(フィンランド).[Verla Groundwood and Board Mill]

【维尔纽斯】Wéi'ěrniǔsī ビリニュス. ❖リトアニアの首都.[Vilnius]

【维尔纽斯历史中心】Wéi'ěrniǔsī Lìshǐ Zhōngxīn ビリニュスの歴史地区. ●世界文化遺産(リトアニア).[Vilnius Historic Centre]

【维甘历史古城】Wéigān Lìshǐ Gǔchéng 古都ビガン. ●世界文化遺産(フィリピン).[Historic Town of Vigan]

【维和】wéihé 平和維持. ❖"维护和平 wéihù hépíng"の略.

【维加岛文化景观】Wéijiā Dǎo Wénhuà Jǐngguān ヴェガオヤン・ヴェガ群島. ●世界文化遺産(ノルウェー).[Vegaøyan–The Vega Archipelago]

【违建】wéijiàn 違法建築;違法建築物. ❖"违章建筑 wéizhāng jiànzhù"の略.

【维拉港】Wéilāgǎng ポートビラ. ❖バヌア

wéi — wěi

ツの首都. [Port-Vila]

【维利奇卡盐矿】Wéilìqíkǎ Yánkuàng ヴィエリチカ岩塩坑. ●世界文化遺産(ポーランド). [Wieliczka Salt Mine]

【维龙加国家公园】Wéilóngjiā Guójiā Gōngyuán ヴィルンガ国立公園. ●世界危機遺産(コンゴ民主共和国). [Virunga National Park]

【维罗纳城】Wéiluónàchéng ヴェローナ市. ●世界文化遺産(イタリア). [City of Verona]

【韦内港、五村镇以及沿海群岛】Wéinèi-lěi Gǎng Wǔcūn Zhèn yǐjí Yánhǎi Qúndǎo ポルトヴェーネレ, チンクエ・テッレと小島群;パルマリア, ティーノとティネット島. ●世界文化遺産(イタリア). [Portovenere, Cinque Terre, and the Islands (Palmaria, Tino and Tinetto)]

【维尼纶】wéinílún ビニロン. ❖"维纶 wéilún"とも. [vinylon]

《维尼熊》Wéiníxióng 「クマのプーさん」. ❖イギリスの児童文学,またアメリカアニメのタイトル. [Winnie the Pooh]

【维琴察城和威尼托的帕拉迪恩别墅】Wéiqínchácháng hé Wēinítuō de Pàlādí'ēn Biéshù ヴィチェンツァ市街とヴェネト地方のパッラーディオ様式の邸宅群. ●世界文化遺産(イタリア). [City of Vicenza and the Palladian Villas of the Veneto]

【维权】wéiquán 合法的権益の保護.

【维萨卡】Wéisàkǎ ビザカード. ❖アメリカのクレジット会社,また同社発行のクレジットカード. 正式名称は"VISA 卡 VISA kǎ". [VISA Card]

【维斯教堂】Wéisī Jiàotáng ヴィースの巡礼教会. ●世界文化遺産(ドイツ). [Pilgrimage Church of Wies]

【违宪】wéixiàn 違憲.

【维亚康姆】Wéiyàkāngmǔ バイアコム. ❖アメリカのメディア企業. [Viacom]

【维也纳】Wéiyěnà ウィーン. ❖オーストリアの首都. [Wien〔独〕; Vienna]

【维也纳历史中心】Wéiyěnà Lìshǐ Zhōngxīn ウィーン歴史地区. ●世界文化遺産(オーストリア). [Historic Centre of Vienna]

【违约】wéiyuē ①違約(する). ②契約違反(する). ③債務不履行;デフォルト. [③default]

【违约风险】wéiyuē fēngxiǎn デフォルトリスク;貸倒れリスク. ❖金融用語. [default risk]

【韦泽尔峡谷洞穴群】Wéizé'ěr Xiágǔ Dòngxuéqún ヴェゼール渓谷の洞窟壁画群. ●世界文化遺産(フランス). [Decorated Grottoes of the Vézère Valley]

【维珍航空】Wéizhēn Hángkōng ヴァージン・アトランティック航空. ❖英国の航空会社. コード:VS. [Virgin Atlantic Airways]

【韦兹莱教堂和山丘】Wéizīlái Jiàotáng hé Shānqiū ヴェズレーの教会と丘. ●世界文化遺産(フランス). [Vézelay, Church and Hill]

wěi

【尾巴工程】wěiba gōngchéng やりかけ工事;未完成の工事.

【伟创力国际】Wěichuànglì Guójì フレクストロニクス・インターナショナル. ❖シンガポールの電子機器メーカー. [Flextronics International]

【伟哥】Wěigē バイアグラ. ❖ファイザー製薬(米)のED治療薬. [Viagra]

【委内瑞拉共和国】Wěinèiruìlā Gònghéguó ベネズエラ・ボリバル共和国;ベネズエラ. [Bolivarian Republic of Venezuela; Venezuela]

【委内瑞拉焦油】Wěinèiruìlā jiāoyóu オリノコタール. ❖ベネズエラのオリノコ川流域に埋蔵される超重質油. "奥里诺科焦油

Àolínuòkē jiāoyóu"とも.[Orinoco tar]

【委内瑞拉石油】Wěinèiruìlā Shíyóu ベネズエラ石油公社. ❖ベネズエラの国営石油会社.[PDVSA]

【委培】wěipéi 委託養成；委託教育；委託訓練.

【尾气排放】wěiqì páifàng 自動車排気ガス；自動車排ガス.

【尾气污染物】wěiqì wūrǎnwù 自動車排気ガス汚染物質.

【尾气再循环装置】wěiqì zàixúnhuán zhuāngzhì 排出ガス再循環装置；EGR. [exhaust gas recirculation；EGR]

【尾市】wěishì 取引終盤. ❖金融用語.

【伟世通】Wěishìtōng ビステオン. ❖アメリカの自動車部品メーカー.[Visteon]

【委托保证金】wěituō bǎozhèngjīn 委託保証金. ❖金融用語.日本で信用取引を行う際に必要とする保証金.

【委托交易】wěituō jiāoyì 委託売買業務；委託取引.

【委托商品】wěituō shāngpǐn 委託商品.

【委外服务】wěiwài fúwù アウトソーシング.[outsourcing]

wèi

【位】wèi ビット. ❖コンピューターの情報量を表す最小単位.記号：b."比特 bǐtè"とも.[bit]

《卫报》Wèi Bào「ガーディアン」. ❖イギリスの日刊紙.[Guardian]

【味而多】Wèi'érduō プティ・ヴェルド. ❖黒ぶどう品種.[Petit Verdot]

【为国争光】wèi guó zhēngguāng 国のために栄誉を勝ち取る.

【味好美】Wèihǎoměi マコーミック. ❖アメリカの調味料メーカー.[McCormick]

【魏玛和德绍的包豪斯建筑及其遗址】Wèimǎ hé Déshào de Bāoháosī Jiànzhù jí Qí Yízhǐ ヴァイマールとデッサウのバウハウスとその関連遺産群. ●世界文化遺産（ドイツ）.[Bauhaus and its Sites in Weimar and Dessau]

【味美思】wèiměisī ベルモット. ❖食前酒の1種.[vermouth]

【卫冕冠军】wèimiǎn guànjūn ディフェンディング・チャンピオン.[defending champion]

【卫冕战】wèimiǎnzhàn タイトル防衛戦；トップの座を守る戦い.

【未披露信息】wèipīlù xìnxī 非開示情報；開示されない情報.[undisclosed information]

【为亲友非法牟利罪】wèi qīnyǒu fēifǎ móulìzuì 親戚や友人のために不法利益を得る罪. ❖中国の罪状名.国有事業体などの職員が,職務上の地位を利用して国家利益に損失を与えることに関する罪状.

【卫生洁具】wèishēng jiéjù バス,サニタリー用品.

【卫生巾】wèishēngjīn 生理用ナプキン. [sanitary napkin]

【卫生筷】wèishēngkuài 割り箸〈わりばし〉. ❖"一次性筷子 yīcìxìng kuàizi"とも.

【卫视】wèishì 衛星テレビ. ❖"卫星电视 wèixīng diànshì"の略.

【位图】wèitú ビットマップ. ❖IT用語. [bitmap]

【未完税交货】wèiwánshuì jiāohuò 関税抜持込渡〈かんんぜいぬきもちこみわたし〉. ❖インコタームズ2000.[delivered duty unpaid；DDU]

【为我型】wèiwǒxíng 私利的；利己的.

【卫洗丽】Wèixǐlì ウォシュレット. ❖東陶機器(日本)製の洗浄機能付き便座の商品名.[Washlet]

【卫星城】wèixīngchéng 衛星都市；ベッドタウン；ニュータウン.[satellite town；satellite city]

【卫星导航】wèixīng dǎoháng 衛星ナビゲーション.

wèi — wén

【卫星导航系统】wèixīng dǎoháng xìtǒng カー・ナビゲーション・システム；カーナビ．❖"汽车导航系统 qìchē dǎoháng xìtǒng"とも．[car navigation system]

【卫星电视】wèixīng diànshì 衛星テレビ．❖略称は"卫视 wèishì".

【卫星广播】wèixīng guǎngbō 衛星放送．

【卫星厅】wèixīngtīng サテライト．[satellite]

【卫星通信】wèixīng tōngxìn 衛星通信．

【味之素】Wèizhīsù 味の素．❖日本の調味料,食品メーカー．[Ajinomoto]

wēn

【温饱工程】Wēnbǎo Gōngchéng 「温饱工程」．❖最低限度の衣食問題を解決するプロジェクト．

【温布尔登网球公开赛】Wēnbù'ěrdēng Wǎngqiú Gōngkāisài 全英オープンテニス；ウィンブルドン選手権．❖テニスの選手権の1つ."温布尔登网球锦标赛 Wēnbù'ěrdēng Wǎngqiú Jǐnbiāosài"とも．略称は"温网 Wēnwǎng".[Wimbledon Championship；Wimbledon Tennis Tournament]

【温布尔登网球锦标赛】Wēnbù'ěrdēng Wǎngqiú Jǐnbiāosài 全英オープンテニス；ウィンブルドン選手権．❖テニスの選手権の1つ."温布尔登网球公开赛 Wēnbù'ěrdēng Wǎngqiú Gōngkāisài"とも．略称は"温网 Wēnwǎng".[Wimbledon Championship；Wimbledon Tennis Tournament]

【温得和克】Wēndéhékè ウィントフック．❖ナミビアの首都．[Windhoek]

【温迪亚山脉的比莫贝卡特石窟】Wēndíyà Shānmài de Bǐmòbèikǎtè Shíkū ビンベットカのロック・シェルター群．●世界文化遺産（インド）．[Rock Shelters of Bhimbetka]

【温哥华】Wēngēhuá バンクーバー．❖カナダの都市名．[Vancouver]

【温和通货膨胀】wēnhé tōnghuò péngzhàng クリーピングインフレーション；忍び寄るインフレ．[creeping inflation]

【温柔毒药】Wēnróu Dúyào タンドール・プワゾン．❖クリスチャンディオール（仏）製のフレグランス名．[Tendre Poison]

【温室效应】wēnshì xiàoyìng 温室効果．

【温室栽培】wēnshì zāipéi 温室栽培．

【温网】Wēnwǎng 全英オープンテニス；ウィンブルドン選手権．❖テニスの選手権の1つ."温布尔登网球公开赛 Wēnbù'ěrdēng Wǎngqiú Gōngkāisài""温布尔登网球锦标赛 Wēnbù'ěrdēng Wǎngqiú Jǐnbiāosài"の略．[Wimbledon Championship；Wimbledon Tennis Tournament]

wén

【文案撰稿人】wén'àn zhuàngǎorén コピーライター．❖"广告文案撰稿人 guǎnggào wén'àn zhuàngǎorén""广告撰文员 guǎnggào zhuànwényuán"とも．[copywriter]

【文本】wénběn ①文書；テキスト．②テキスト．❖②IT用語．[text]

【文本编辑器】wénběn biānjíqì テキストエディター．❖IT用語．[text editor]

【文本短信服务】wénběn duǎnxìn fúwù ショート・メッセージ・サービス；SMS．❖IT用語．[short message service；SMS]

【文本文件】wénběn wénjiàn テキストファイル．❖IT用語．[text file]

【文唇】wénchún 唇に入れ墨をする；唇の入れ墨．❖"纹唇 wénchún"とも．

【文档】wéndàng 文書；ドキュメント．[file；document]

【文华东方酒店】Wénhuá Dōngfāng Jiǔdiàn マンダリン・オリエンタル・ホテル．❖マンダリン・オリエンタル・インターナショナ

ル(香港)のホテルブランド.[Mandarin Oriental Hotel]

【文化产业】wénhuà chǎnyè カルチャー産業.

【文化冲击】wénhuà chōngjī カルチャーショック.[cultural shock]

【文化底蕴】wénhuà dǐyùn 文化的基盤；文化的土壌.

【文化快餐】wénhuà kuàicān ①名作のダイジェスト版；名作の漫画版.②大衆に迎合した文芸作品；お手軽な文化.

【文化娱乐】wénhuà yúlè アミューズメント.[amusement]

【文件】wénjiàn ①文書.②〔コンピューターの〕ファイル.❖②IT用語.[②file]

【文件传输协议】wénjiàn chuánshū xiéyì FTP.❖IT用語."文件传送协议 wénjiàn chuánsòng xiéyì"とも.[file transfer protocol；FTP]

【文件传送协议】wénjiàn chuánsòng xiéyì FTP.❖IT用語."文件传输协议 wénjiàn chuánshū xiéyì"とも.[file transfer protocol；FTP]

【文件大小】wénjiàn dàxiǎo ファイルサイズ.❖IT用語.[file size]

【文件分配表】wénjiàn fēnpèibiǎo ファイル・アロケーション・テーブル.❖IT用語.[file allocation table；FAT]

【文件格式】wénjiàn géshi ファイル形式；ファイルフォーマット.❖IT用語.[file format]

【文件柜】wénjiànguì〔引き出し式の〕書類箱.

【文件夹】wénjiànjiā フォルダー.[folder]

【文件交换软件】wénjiàn jiāohuàn ruǎnjiàn ファイル交換ソフト.❖IT用語.

【文件类型】wénjiàn lèixíng〔コンピューターで〕ファイルタイプ.❖IT用語.[file type]

【文件名】wénjiànmíng〔コンピューターで〕ファイル名.❖IT用語.[file name]

【文件转换器】wénjiàn zhuǎnhuànqì ファイルコンバーター.❖IT用語.[file converter]

【文莱达鲁萨兰国】Wénlái Dálǔsàlánguó ブルネイ・ダルサラーム国；ブルネイ.[Negara Brunei Darussalam；Brunei]

【文莱皇家航空】Wénlái Huángjiā Hángkōng ロイヤルブルネイ航空.❖ブルネイの航空会社.コード：BI.[Royal Brunei Airlines]

【文联】Wénlián 文学芸術界連合会.❖"文学艺术界联合会 Wénxué Yìshùjiè Liánhéhuì"の略.

【文眉】wénméi アートメイク；眉の入れ墨.❖"纹眉 wénméi"とも.

【文明礼貌月】wénmíng lǐmàoyuè モラル、マナー向上月間.

【文明社区】wénmíng shèqū モデルコミュニティー.[model community]

【文凭主义】wénpíng zhǔyì 学歴偏重主義.

【纹身】wénshēn 入れ墨；タトゥー.❖"刺青 cìqīng""文身 wénshēn"とも.[tattoo]

【纹身贴纸】wénshēn tiēzhǐ タトゥーシール.

【文韬武略】wén tāo wǔ lüè 民間人と軍人の知恵と戦略.

【文胸】wénxiōng ブラジャー.[brassiere；bra]

【文艺复兴城市费拉拉城以及波河三角洲】Wényì Fùxīng Chéngshì Fèilālāchéng yǐjí Bō Hé Sānjiǎozhōu フェッラーラ：ルネサンス期の市街とポー川デルタ地帯.◉世界文化遺産(イタリア).[Ferrara, City of the Renaissance, and its Po Delta]

【文员】wényuán 事務職員；事務員.

【文乐】wényuè 文楽.❖"木偶净琉璃戏 mù'ǒu jìngliúlíxì"とも.

【文字表情】wénzì biǎoqíng 顔文字.❖IT用語.[emoticon；smiley]

【文字处理软件】wénzì chǔlǐ ruǎnjiàn ワープロソフト.❖IT用語.[word processing

wěn

【稳定股东】wěndìng gǔdōng 安定株主. ❖金融用語.

【稳定压倒一切】wěndìng yādǎo yīqiè 安定はすべてに優先する；安定こそ最優先される. ❖鄧小平理論の1つ.

wèn

【问号】wènhào 疑問符；クエスチョンマーク. ❖記号は「?」.[question mark]

【问卷调查】wènjuàn diàochá アンケート調査.[questionnaire survey]

【问题少年】wèntí shàonián 問題児；非行少年.

wō

【窝里斗】wōlǐdòu 内部抗争；内輪もめ.

wǒ

【我的电脑】wǒ de diànnǎo マイコンピュータ. ❖IT用語.ウィンドウズパソコンにあらかじめ設けられているファイル名の1つ. [my computer]

《我的父亲母亲》Wǒ de Fùqin Mǔqin 「初恋のきた道」. ❖中国映画のタイトル. [The Road Home]

《我的野蛮女友》Wǒ de Yěmán Nǚyǒu 「猟奇的な彼女」. ❖韓国映画のタイトル. [My Sassy Girl]

《我是谁》Wǒ Shì Shuí 「WHO AM I?」. ❖香港映画のタイトル.[Who am I?]

wò

【卧舱式旅店】wòcāngshì lǚdiàn カプセルホテル.[tube hotel]

【沃达丰】Wòdáfēng ボーダフォン. ❖イギリスの移動通信会社.[Vodafone]

【沃达蒸汽泵站】Wòdá Zhēngqì Bèngzhàn I.D.F.ヴァウダヘマール(D.F.ヴァウダ蒸気水揚げポンプ場). ●世界文化遺産（オランダ）.[Ir.D.F. Woudagemaal (D.F. Wouda Steam Pumping Station)]

【卧底】wòdǐ ①スパイ. ②潜入(する)；潜入捜査(する).[①spy]

【卧底警察】wòdǐ jǐngchá 潜入捜査官.

【沃尔格林】Wò'ěrgélín ウォルグリーン. ❖アメリカのドラッグストアチェーン. [Walgreens；WAG]

【沃尔玛商店】Wò'ěrmǎ Shāngdiàn ウォルマート・ストアーズ. ❖アメリカの小売チェーン.[Wal-Mart Stores]

【沃尔特及大阿克拉等中西部各州的城堡式要塞】Wò'ěrtè jí Dà'ākèlā děng Zhōngxībù Gèzhōu de Chéngbǎoshì Yàosài 中西部地域のヴォルタ・グレーター・アクラの城塞群. ●世界文化遺産（ガーナ）. [Forts and Castles, Volta Greater Accra, Central and Western Regions]

【沃尔沃】Wò'ěrwò ボルボ. ❖スウェーデンの自動車メーカー（フォード傘下）、また同社製の自動車."富豪 Fùháo"とも. [Volvo]

《卧虎藏龙》Wò Hǔ Cáng Lóng 「グリーン・ディスティニー」. ❖アメリカ,中国合作映画のタイトル.[Crouching Tiger, Hidden Dragon]

【沃吕比利斯考古遗址】Wòlǔbǐlìsī Kǎogǔ Yízhǐ ヴォルビリスの古代遺跡. ●世界文化遺産（モロッコ）.[Archaeological Site of Volubilis]

【渥太华】Wòtàihuá オタワ. ❖カナダの首都.[Ottawa]

【沃特顿冰川国际和平公园】Wòtèdùn Bīngchuān Guójì Hépíng Gōngyuán ウォータートン・グレイシャー国際平和自然公園.

◉世界自然遺産(カナダ,アメリカ).[Waterton Glacier International Peace Park]

wū

【乌巴红茶】Wūbā hóngchá ウバ紅茶；ウバティー；ウバ.[Uva tea]

【乌布苏湖盆地】Wūbùsū Hú Péndì ウヴス・ヌール盆地.◉世界自然遺産(モンゴル,ロシア).[Uvs Nuur Basin]

【屋顶花园】wūdǐng huāyuán 屋上ガーデン.

【乌冬面】wūdōngmiàn うどん.

【乌尔比诺历史中心】Wū'ěrbǐnuò Lìshǐ Zhōngxīn ウルビーノ歴史地区.◉世界文化遺産(イタリア).[Historic Centre of Urbino]

【乌菲至兹美术馆】Wūfēizhìzī Měishùguǎn ウフィツィ美術館.❖イタリア・フィレンツェにある美術館."乌菲兹美术馆 Wūfēizī Měishùguǎn"とも.[Uffizi Gallery]

【乌干达共和国】Wūgāndá Gònghéguó ウガンダ共和国；ウガンダ.[Republic of Uganda；Uganda]

【屋久岛】Wūjiǔ Dǎo 屋久島.◉世界自然遺産(日本).[Yakushima]

【乌克兰】Wūkèlán ウクライナ.[Ukraine]

【乌拉圭东岸共和国】Wūlāguī Dōng'àn Gònghéguó ウルグアイ東方共和国；ウルグアイ.[Oriental Republic of Uruguay；Uruguay]

【乌拉圭回合】Wūlāguī Huíhé ウルグアイラウンド.[Uruguay Round]

【乌兰巴托】Wūlánbātuō ウランバートル.❖モンゴルの首都.[Ulan Bator；Ulaanbaatar]

【乌龙球】wūlóngqiú 自殺点；オウンゴール.[own goal]

【乌卢鲁·卡塔曲塔国家公园】Wūlúlǔ Kǎtǎ Qūtǎ Guójiā Gōngyuán ウルル・カタ・ジュタ国立公園.◉世界自然および文化遺産(オーストラリア).[Uluru-Kata Tjuta National Park]

【乌鲁木齐】Wūlǔmùqí ウルムチ.❖"新疆维吾尔自治区 Xīnjiāng Wéiwú'ěr Zìzhìqū"の区都.略称は"乌 Wū".[Urumqi；Ürümqi；Wulumuqi；Wu-lu-mu-ch'i]

【巫鲁山国家公园】Wūlǔ Shān Guójiā Gōngyuán グヌン・ムル国立公園.◉世界自然遺産(マレーシア).[Gunung Mulu National Park]

【乌姆赖萨斯考古遗址】Wūmǔ Làisàsī Kǎogǔ Yízhǐ ウム・エル・ラサス(カストロン・メファー).◉世界文化遺産(ヨルダン).[Umer-Rasas (Kastrom Mefa'a)]

【污泥】wūní へどろ.

【污染物】wūrǎnwù 汚染物質.

【污染指数】wūrǎn zhǐshù 汚染指数.

【污染转移】wūrǎn zhuǎnyí 汚染源の移転.

【乌戎库隆国家公园】Wūróng Kùlóng Guójiā Gōngyuán ウジュン・クロン国立公園.◉世界自然遺産(インドネシア).[Ujung Kulon National Park]

《巫山云雨》Wū Shān Yúnyǔ 「沈む街」.❖中国映画のタイトル.[Rainclouds Over Wushan]

【乌斯马尔古城】Wūsīmǎ'ěr Gǔchéng 古代都市ウシュマル.◉世界文化遺産(メキシコ).[Pre-Hispanic Town of Uxmal]

【乌韦达和巴埃萨城文艺复兴时期的建筑群】Wūwěidá hé Bā'āisàchéng Wényì Fùxīng Shíqī de Jiànzhùqún ウベダとバエーサのルネッサンス様式の記念碑的建造物群.◉世界文化遺産(スペイン).[Renaissance Monumental Ensembles of Úbeda and Baeza]

【乌兹别克斯坦共和国】Wūzībiékèsītǎn Gònghéguó ウズベキスタン共和国；ウズベキスタン.[Republic of Uzbekistan；

Uzbekistan]

【乌兹别克斯坦航空】Wūzībiékèsītǎn Hángkōng ウズベキスタン国営航空. ❖ウズベキスタンの航空会社. コード: HY. [Uzbekistan Airways]

wú

【无被害人犯罪】wúbèihàirén fànzuì 被害者なき犯罪. ❖賭博, 売春など.

【无表决权股】wú biǎojuéquángǔ 無議決権株式. ❖金融用語.

【无偿献血】wúcháng xiànxuè〔自発的な〕献血.

【无偿增资】wúcháng zēngzī 無償増資. ❖金融用語.

【无尘室】wúchénshì クリーンルーム. ❖"防尘室 fángchénshì""洁净室 jiéjìngshì""净化室 jìnghuàshì"とも. [clean room]

【无担保公司债】wúdānbǎo gōngsīzhài 無担保社債. ❖金融用語.

【无店铺销售】wúdiànpù xiāoshòu 無店舗販売.

【无纺布】wúfǎngbù 不織布.

【无缝网络】wúfèng wǎngluò シームレスネットワーク. ❖通信網, 組織など異なるネットワーク同士を継ぎ目なくつなぐこと. [seamless network]

【无氟】wúfú ノンフロン. [nonaerosol]

【无氟冰箱】wúfú bīngxiāng ノンフロン冷蔵庫. [non-CFC refrigerator]

【吴哥遗址群】Wúgē Yízhǐqún アンコール. ●世界文化遺産(カンボジア). [Angkor]

【无跟单信用证】wúgēndān xìnyòngzhèng 無担保信用状; クリーン信用状. ❖金融用語. "光票信用证 guāngpiào xìnyòngzhèng"とも. [clean L/C]

【无公害蔬菜】wúgōnghài shūcài 無公害野菜. ❖減農薬有機栽培の野菜.

【无红利股票】wúhónglì gǔpiào 無配株.

❖金融用語. "无息股 wúxīgǔ"とも.

【无级变速】wújí biànsù 無段変速; CVT. [continuously variable transmission; CVT]

《无间道》Wújiāndào「インファナル・アフェア」. ❖香港映画のタイトル. [Infernal Affairs]

【吴建豪】Wú Jiànháo ヴァネス・ウー; 呉建豪. ❖台湾のアイドルグループF4のメンバー. [Vanness Wu]

《无尽的任务》Wújìn de Rènwu「エバークエスト」. ❖ソニー・オンライン・エンターテインメント(米)製のゲームのタイトル. [EverQuest]

【无酒精】wújiǔjīng アルコールフリー. [alcohol-free]

【吴君如】Wú Jūnrú サンドラ・ン; 呉君如. ❖香港出身の女優. [Sandra Ng]

【无空转系统】wúkōngzhuǎn xìtǒng アイドリング・ストップ・システム. [idling stop system]

【无赖国家】wúlài guójiā ならず者国家.

【无厘头】wúlítóu ナンセンス(な); ばかげた. [nonsense]

【无磷洗衣粉】wúlín xǐyīfěn 無リン洗剤.

【无领】wúlǐng ①襟なし; ノーカラー. ②〔ホワイトカラーなどに対して〕ノーカラー; 自由業; 無職. ❖②ホワイトカラーにもブルーカラーにも属さない階層を指す. [no-collar]

【无硫化】wúliúhuà サルファーフリー. [sulfur-free]

【吴孟达】Wú Mèngdá ン・マンタ; 呉孟達. ❖香港出身の喜劇俳優. [Ng Man-Tat]

【无面值股票】wúmiànzhí gǔpiào 無額面株式. ❖金融用語.

【吴奇隆】Wú Qílóng ニッキー・ウー; 呉奇隆. ❖台湾出身の男優. [Nicky Wu; Nicholas Wu]

【无铅】wúqiān 鉛フリー; 鉛レス. [lead-

wú

free]

【无铅汽油】wúqiān qìyóu 無鉛ガソリン. ❖"车用无铅汽油 chēyòng wúqiān qìyóu"とも.

【无人航空器】wúrén hángkōngqì 無人航空機;UAV. ❖略称は"无人机 wúrénjī".[Unmanned Aerial Vehicle;UAV]

【无人机】wúrénjī 無人航空機;UAV. ❖"无人航空器 wúrén hángkōngqì"の略.[Unmanned Aerial Vehicle;UAV]

【无人售票】wúrén shòupiào 無人チケット販売.

【无人售票车】wúrén shòupiàochē ワンマンバス.[one-man bus;one-man operated bus]

【无人银行】wúrén yínháng 銀行の無人店舗. ❖"自助银行 zìzhù yínháng"とも.

【无绳电话】wúshéng diànhuà コードレス電話;コードレスホン.[cordless telephone;cordless phone]

【无损压缩】wúsǔn yāsuō 可逆圧縮;ロスレス圧縮. ❖IT用語.[lossless compression]

【无所不在】wú suǒ bù zài ユビキタス. ❖IT用語."泛在 fànzài"とも.[ubiquitous]

【无土栽培】wútǔ zāipéi 水耕栽培.

【无污染】wūwūrǎn クリーン;環境を汚染しない;無公害.[clean]

【无息股】wúxīgǔ 無配株. ❖金融用語."无红利股票 wúhónglì gǔpiào"とも.

【无息债券】wúxī zhàiquàn ゼロクーポン債;割引債. ❖金融用語."零票息债券 língpiàoxī zhàiquàn""零息债券 língxī zhàiquàn"とも.[zero-coupon bond]

【无限】Wúxiàn インフィニティ. ❖日産(日本)の海外向け自動車ブランド.[Infiniti]

【无线电信号收信确认卡】wúxiàn diànxìnhào shōuxìn quèrènkǎ 受信確認証;QSLカード;ベリカード;ベリフィケーションカード. ❖"QSL卡 QSL kǎ"とも.[verification card;QSL card]

【无线基地站】wúxiàn jīdìzhàn ベースステーション. ❖IT用語.無線LANの中継機器.略称は"基站 jīzhàn".[base station]

【无线局域网】wúxiàn júyùwǎng 無線LAN〈ラン〉. ❖IT用語.[wireless local area network;WLAN]

【无线局域网接入点】wúxiàn júyùwǎng jiērùdiǎn 〔無線〕アクセスポイント. ❖IT用語."无线网络桥接器 wúxiàn wǎngluò qiáojiēqì""无线网络接入点 wúxiàn wǎngluò jiērùdiǎn"とも.[access point;AP]

【无线麦克风】wúxiàn màikèfēng ワイヤレスマイク.[wireless microphone]

【无线市话】wúxiàn shìhuà 簡易型携帯電話;PHS.[personal handyphone system;PHS]

【无线网卡】wúxiàn wǎngkǎ 無線LAN〈ラン〉カード. ❖IT用語.[wireless LAN card;WLAN card]

【无线网络接入点】wúxiàn wǎngluò jiērùdiǎn 〔無線〕アクセスポイント. ❖IT用語."无线局域网接入点 wúxiàn júyùwǎng jiērùdiǎn""无线网络桥接器 wúxiàn wǎngluò qiáojiēqì"とも.[access point;AP]

【无线网络桥接器】wúxiàn wǎngluò qiáojiēqì 〔無線〕アクセスポイント. ❖IT用語."无线局域网接入点 wúxiàn júyùwǎng jiērùdiǎn""无线网络接入点 wúxiàn wǎngluò jiērùdiǎn"とも.[access point;AP]

【无线因特网】wúxiàn yīntèwǎng 無線インターネット. ❖IT用語.

【无线应用协议】wúxiàn yīngyòng xiéyì WAP〈ワップ〉. ❖IT用語.携帯端末用の通信プロトコル.[wireless application protocol;WAP]

【无效婚姻】wúxiào hūnyīn 無効な婚姻. ❖法律の禁止規定に反する婚姻.

【无形贸易】wúxíng màoyì 貿易外取引.

【无袖衫】wúxiùshān タンクトップ;ノースリーブシャツ.[tank top;sleeveless shirt]

【无烟工业】wúyān gōngyè「無煙産業」.

❖主として観光産業,展示会産業,金融など,エネルギー消費が少なく,環境に優しく,比較的高い経済効果をもたらす産業全般を指す.

【无氧运动】wúyǎng yùndòng 無酸素運動.

【无印良品】Wúyìn Liángpǐn 無印良品. ❖良品計画(日本)の衣料,日用品ブランド.[MUJI]

【无障碍】wúzhàng'ài バリアフリー(の).[barrier-free]

【无障碍设计】wúzhàng'ài shèjì バリアフリー設計.[barrier-free design]

【无纸化交易】wúzhǐhuà jiāoyì 電子データ交換;電子データ情報交換;EDI. ❖IT用語."电子数据交换 diànzǐ shùjù jiāohuàn""无纸贸易 wúzhǐ màoyì"とも.[electronic data interchange;EDI]

【无纸贸易】wúzhǐ màoyì 電子データ交換;電子データ情報交換;EDI. ❖IT用語."电子数据交换 diànzǐ shùjù jiāohuàn""无纸化交易 wúzhǐhuà jiāoyì"とも.[electronic data interchange;EDI]

【无罪推定】wúzuì tuīdìng 無罪推定.

【吴作栋】Wú Zuòdòng ゴー・チョクトン. ❖シンガポールの政治家.[Goh Chok Tong]

wǔ

【武当山古建筑群】Wǔdāng Shān Gǔjiànzhùqún 武当山の古代建築物群. ●世界文化遺産(中国).[Ancient Building Complex in the Wudang Mountains]

【伍德布法罗国家公园】Wǔdébùfǎluó Guójiā Gōngyuán ウッド・バッファロー国立公園. ●世界自然遺産(カナダ).[Wood Buffalo National Park]

【武汉】Wǔhàn 武漢. ❖"湖北省 Húběi Shěng"の省都.略称は"汉 Hàn".

【五角大楼】Wǔjiǎo Dàlóu ペンタゴン. ❖米国防総省のこと.建物が五角形のため,この名前がついた.[Pentagon]

【伍爵园】Wǔjuéyuán クロ・ド・ヴージョ. ❖フランス・ブルゴーニュ産ワインの銘柄.[Clos de Vougeot]

【武陵源风景名胜区】Wǔlíngyuán Fēngjǐng Míngshèngqū 武陵源の自然景観と歴史地域. ●世界自然遺産(中国).[Wulingyuan Scenic and Historic Interest Area]

【午盘】wǔpán 後場〈ごば〉. ❖金融用語."后盘 hòupán""后市 hòushì"とも.

【五人制足球】wǔrénzhì zúqiú フットサル. ❖"室内足球 shìnèi zúqiú"とも.[futsal]

【五十铃汽车】Wǔshílíng Qìchē いすゞ自動車. ❖日本の自動車メーカー.[Isuzu Motors]

【武士债券】wǔshì zhàiquàn サムライボンド;サムライ債. ❖金融用語.海外の発行体が日本国内で発行している円貨建て債券.[samurai bond]

【五天工作制】wǔtiān gōngzuòzhì 週休2日制. ❖"一周五天工作制 yīzhōu wǔtiān gōngzuòzhì"とも.

【武田药品】Wǔtián Yàopǐn 武田薬品工業. ❖日本の医薬品メーカー.[Takeda Pharmaceutical]

【武侠片】wǔxiápiàn 武俠映画;俠客映画.

【武夷山】Wǔyí Shān 武夷山. ●世界自然および文化遺産(中国).[Mount Wuyi]

【五纵七横】Wǔ Zòng Qī Héng「五縦七横」. ❖第10次5カ年計画の主要高速道路網整備計画.南北間(縦)に5ルート,東西間(横)に7ルートある.

wù

【误导】wùdǎo 誤った方向へ導く(こと);ミスリード;ミスリーディング.[mislead;misleading]

【戊肝】wùgān E型肝炎. ❖"戊型病毒性肝

wù

炎 wùxíng bìngdúxìng gānyán"の略. [hepatitis E]

【物件导向语言】wùjiàn dǎoxiàng yǔyán オブジェクト指向言語. ❖IT用語. [object-oriented language]

【物料需求计划】wùliào xūqiú jìhuà 資材所要量計画；MRP. [material requirements planning ; MRP]

【物流】wùliú 物流；ロジスティックス. [logistics]

【物流管理】wùliú guǎnlǐ ロジスティックス；ロジスティックマネジメント. [logistics]

【物流中心】wùliú zhōngxīn 物流センター；集配送センター.

【误区】wùqū 誤解；間違った認識；間違ったやり方.

【物权】wùquán 物権. ❖所有権, 受益権, 担保権を含む.

【戊型病毒性肝炎】wùxíng bìngdúxìng gānyán E型肝炎. ❖略称は"戊型肝炎 wùxíng gānyán""戊肝 wùgān".[hepatitis E]

【戊型肝炎】wùxíng gānyán E型肝炎. ❖"戊型病毒性肝炎 wùxíng bìngdúxìng gānyán"の略. [hepatitis E]

【务虚会】wùxūhuì 政治,思想,政策,理論の分野で研究討論する会議.

【物业管理】wùyè guǎnlǐ ①不動産管理. ②ビルマネジメント；ビルメンテナンス. [②building management ; building maintenance]

【物业权益】wùyè quányì 〔不動産の〕建物に付随する権益. ❖"业权 yèquán"とも. "建筑物物业权益 jiànzhùwù wùyè quányì"の略.

【物语】wùyǔ ①物語. ②〔特定の話題に関する〕意見.

【物资平衡】wùzī pínghéng 物資の需給バランス.

X

X

【Xbox游戏机】XBOX Yóuxìjī Xbox〈エックスボックス〉. ❖マイクロソフト(米)製のゲーム機名.[X-box]

【XML语言】XML yǔyán XML. ❖IT用語."可扩展标记语言 kěkuòzhǎn biāojì yǔyán"とも.マークアップ言語の1つ.[extensible markup language;XML]

【X型腿】X xíngtuǐ X脚.

《X战警》X Zhànjǐng「X—メン」. ❖アメリカ映画のタイトル.[X-Men]

xī

【西安】Xī'ān 西安. ❖"陕西省 Shǎnxī Shěng"の省都.

【西澳大利亚沙克湾】Xī'àodàlìyà Shākè Wān 西オーストラリアのシャーク湾. ◉世界自然遺産(オーストラリア).[Shark Bay, Western Australia]

【西班牙】Xībānyá スペイン.[Spain]

【西班牙电话】Xībānyá Diànhuà テレフォニカ. ❖スペインの通信社.[Telefónica]

【西班牙港】Xībānyágǎng ポート・オブ・スペイン. ❖トリニダード・トバゴの首都.[Port-of-Spain]

【西班牙航空】Xībānyá Hángkōng イベリア・スペイン航空. ❖スペインの航空会社.コード:IB.[Iberia Lineas Aereas de Espana]

【西班牙足球甲级联赛】Xībānyá Zúqiú Jiǎjí Liánsài リーガ・エスパニョーラ. ❖スペインのサッカー1部リーグ.略称は"西甲 Xījiǎ".[Liga Española〔スペイン〕]

【西贝尼克的圣詹姆斯大教堂】Xībèiníkè de Shèngzhānmǔsī Dàjiàotáng シベニクの聖ヤコブ大聖堂. ◉世界文化遺産(クロアチア).[The Cathedral of St. James in Šibenik]

【西部大开发】Xībù Dàkāifā「西部大開発」. ❖社会・経済発展の立ち遅れた中国西部地区へ開発の重点を移行させるという発展戦略.

【惜贷】xīdài 貸し渋り.

【西德意志银行】Xīdéyìzhì Yínháng 西ドイツ銀行;ウェストLB. ❖ドイツの州立銀行.[WestLB]

【西点军校】Xīdiǎn Jūnxiào ウエストポイント陸軍士官学校. ❖アメリカ・ニューヨーク州にある陸軍士官学校'United States Military Academy'("美国陆军军官学校 Měiguó Lùjūn Jūnguān Xuéxiào")の通称.[West Point Academy]

【西电东送】Xī Diàn Dōng Sòng「西電東送」プロジェクト. ❖西部の電力を東部へ送電する,国家レベルの電力プロジェクト.

【吸毒】xīdú 薬物を使用する(こと).

【吸毒窝点】xīdú wōdiǎn ドラッグの巣窟;麻薬常習者の溜まり場.

【希尔德斯海姆的圣玛利亚大教堂和圣米迦洛教堂】Xī'ěrdésīhǎimǔ de Shèngmǎlìyà Dàjiàotáng hē Shèngmǐjiāluò Jiàotáng ヒルデスハイムの聖マリア大聖堂と聖ミカエル教会. ◉世界文化遺産(ドイツ).[St. Mary's Cathedral and St. Michael's Church at Hildesheim]

【希尔顿酒店】Xī'ěrdùn Jiǔdiàn ヒルトンホテル. ❖ヒルトンホテルズ・チェーン(米)のホテルブランド.[Hilton Hotels]

【西尔斯罗巴克】Xī'ěrsī Luóbākè シアーズ・ローバック. ❖アメリカの百貨店.[Sears Roebuck]

【犀飞利】Xīfēilì シェーファー. ❖アメリカの筆記具メーカー.[Sheaffer]

【西弗吉尼亚州】Xīfújínìyà Zhōu ウェスト

【西高加索山】Xīgāojiāsuǒ Shān 西コーカサス山脈. ●世界自然遺産(ロシア).[Western Caucasus]

【矽谷】Xīgǔ シリコンバレー. ❖IT産業都市として知られるアメリカ・カリフォルニア州の都市名. もともとは台湾での言い方. 一般的には"硅谷 Guīgǔ".[Silicon Valley]

【硒鼓】xīgǔ トナーカートリッジ.[toner cartridge]

【西哈努克】Xīhānǔkè 〔ノロドム・〕シアヌーク. ❖カンボジアの国王, 政治家. [Norodom Sihanouk]

【锡婚】xīhūn 錫婚式. ❖10年目の結婚記念日.

【锡吉里亚古城】Xījílǐyà Gǔchéng 古代都市シギリヤ. ●世界文化遺産(スリランカ). [Ancient City of Sigiriya]

【锡吉什瓦拉历史中心】Xījíshíwǎlā Lìshǐ Zhōngxīn シギショアラ歴史地区. ●世界文化遺産(ルーマニア).[Historic Centre of Sighişoara]

【西甲】Xījiǎ リーガ・エスパニョーラ. ❖"西班牙足球甲级联赛 Xībānyá Zúqiú Jiǎjí Liánsài"の略. スペインのサッカーリーグ. [Liga Española〔スペイン〕]

【希捷技术】Xījié Jìshù シーゲート・テクノロジー. ❖アメリカのハードディスク・ドライブ・メーカー.[Seagate Technology]

【西科姆】Xīkēmǔ セコム. ❖日本の警備会社.[Secom]

【西裤】xīkù スラックス；パンツ.[pants]

【西拉】Xīlā シラー. ❖黒ぶどう品種, またそのぶどうから作られた赤ワイン.[Syrah]

【希拉波利斯和帕慕克卡莱】Xīlābōlìsī hé Pàmùkèkǎlái ヒエラポリス・パムッカレ. ●世界自然および文化遺産(トルコ). [Hierapolis–Pamukkale]

【希拉克】Xīlākè 〔ジャック・〕シラク. ❖フランスの政治家. 名前は"雅克 Yǎkè"(ジャック).[Jacques Chirac]

【希拉里】Xīlālǐ ヒラリー〔・クリントン〕. ❖姓は"克林顿 Kèlíndùn". クリントンアメリカ第42代大統領夫人, 政治家.[Hillary Clinton]

【希腊共和国】Xīlà Gònghéguó ギリシャ共和国；ギリシャ.[Hellenic Republic；Greece]

【希腊国家银行】Xīlà Guójiā Yínháng ナショナル・バンク・オブ・グリース. ❖ギリシャの銀行.[National Bank of Greece]

【锡兰红茶】Xīlán hóngchá セイロン紅茶；セイロンティー.[Ceylon tea]

【昔兰尼考古遗址】Xīlánní Kǎogǔ Yízhǐ クーリナの古代遺跡. ●世界文化遺産(リビア).[Archaeological Site of Cyrene]

【希露博】Xīlùbó シルーブル. ❖フランス・ブルゴーニュ地方, ボージョレ地区の赤ワイン.[Chiroubles]

【西门子】Xīménzǐ シーメンス. ❖ドイツの情報通信機器メーカー.[Siemens]

【吸纳】xīnà ①吸収する. ②受け入れる；取り入れる.

【西南贝尔电讯】Xīnán Bèi'ěr Diànxùn SBCコミュニケーションズ. ❖アメリカの地域通信会社.[SBC Communications]

【西宁】Xīníng 西寧. ❖"青海省 Qīnghǎi Shěng"の省都.

【惜赔】xīpéi 〔賠償金や保険金の〕払い渋り；〔賠償金, 保険金の〕支払いを渋る.

【西气东输】Xī Qì Dōng Shū「西気東輸」プロジェクト. ❖西部の天然ガスを東部へ輸送する. 国家レベルの大型天然ガスプロジェクト.

【稀缺经济】xīquē jīngjì 不足経済；欠乏経済.

【西日本铁路】Xīrìběn Tiělù JR西日本. ❖日本の鉄道会社.[West Japan Railway]

【吸收存款】xīshōu cúnkuǎn 預金獲得.

【希思黎】Xīsīlí シスレー. ❖フランスの化

粧品メーカー．[Sisley]

【希思罗机场】Xīsīluó Jīchǎng ヒースロー空港．❖イギリス・ロンドンにある空港．[Heathrow Airport]

【西太平洋银行】Xītàipíngyáng Yínháng ウエストパック・バンキング．❖オーストラリアの銀行．[Westpac Banking]

【西铁城】Xītiěchéng シチズン．❖日本の時計,情報電子機器などのメーカー．[Citizen]

【稀土元素】xītǔ yuánsù レア・アース；希土類元素．[rare earth]

【希望工程】Xīwàng Gōngchéng 「希望」プロジェクト；「希望工程」．❖1989年からスタートした,中国の辺境・貧困地域の未就学児童を援助し就学させるという義務教育普及計画のメインプロジェクト．

【西西里岛】Xīxīlǐ Dǎo シチリア島．❖イタリアにある島．[Sicily Island]

《西线无战事》Xīxiàn Wúzhànshì「西部戦線異状なし」．❖アメリカ映画のタイトル．[All Quiet on the Western Front]

【西雅图】Xīyǎtú シアトル．❖アメリカの都市名．[Seattle]

【西雅图最佳咖啡】Xīyǎtú Zuìjiā Kāfēi シアトルズ・ベスト・コーヒー．❖アメリカのコーヒーチェーン店．[Seattle's Best Coffee]

【西亚特】Xīyàtè セアト．❖スペインの自動車メーカー(フォルクスワーゲン傘下)．"西雅特 Xīyǎtè"とも．[Seat]

【夕阳产业】xīyáng chǎnyè 斜陽産業．

【锡耶纳历史中心】Xīyēnà Lìshǐ Zhōngxīn シエナ歴史地区．●世界文化遺産(イタリア)．[Historic Centre of Siena]

【息影】xīyǐng ①隠居する．②〔俳優が〕休業する．

【吸油纸】xīyóuzhǐ あぶら取り紙．

【稀有金属】xīyǒu jīnshǔ レアメタル；希少金属．[rare metal]

【西藏自治区】Xīzàng Zìzhìqū チベット自治区．❖中国の自治区の1つ．略称は"藏 Zàng"．区都は"拉萨 Lāsà"．

【吸脂手术】xīzhī shǒushù 脂肪吸引手術．

xí

【席琳・迪翁】Xílín Díwēng セリーヌ・ディオン．❖カナダの歌手．[Celine Dion]

xǐ

【喜达屋】Xǐdáwū スターウッドホテルアンドリゾート．❖アメリカのホテル運営会社．[Starwood Hotels & Resort]

【洗发露】xǐfàlù シャンプー．❖"洗发水 xǐfàshuǐ""香波 xiāngbō"とも．[shampoo]

【洗发水】xǐfàshuǐ シャンプー．❖"洗发露 xǐfàlù""香波 xiāngbō"とも．[shampoo]

【喜来登酒店】Xǐláidēng Jiǔdiàn シェラトンホテル．❖スターウッドホテルアンドリゾート(米)のホテルブランド．[Sheraton Hotel]

【喜力啤酒】Xǐlì Píjiǔ ハイネケン．❖オランダのビールメーカー,また同社製のビール名．[Heineken]

【禧玛诺】Xǐmǎnuò シマノ．❖日本の自転車部品,釣具メーカー．[Shimano]

【洗面奶】xǐmiànnǎi 洗顔ミルク．

【洗牌】xǐpái ①牌を混ぜる；トランプを切る；シャッフル(する)．②再調整(する)；新たに組み合わせる(こと)．[①shuffle]

【洗盘】xǐpán 値洗(ねあらい)．❖金融用語．有価証券の現在価値を再評価すること．

【洗钱】xǐqián マネーロンダリング．[money laundering]

【洗手液】xǐshǒuyè ①液体ハンドソープ；手洗い用液体石けん．②手洗い用消毒液．

【洗碗机】xǐwǎnjī 食器洗い機；食洗機．

【洗血】xǐxuè 血液透析．❖人工透析の1種．"血液透析 xuèyè tòuxī"の俗称．

《喜宴》Xǐyàn 「ウェディング・バンケット」．❖台湾映画のタイトル．[The Wedding

Banquet]
- 【喜忧参半】xǐyōucānbàn 喜びと憂いが半々である.
- 【喜悦】Xǐyuè ジョイ. ❖ジャン·パトゥ(仏)製のフレグランス名.[Joy]
- 《洗澡》Xǐzǎo「こころの湯」. ❖中国映画のタイトル.[Shower]

xì

- 【细胞凋亡】xìbāo diāowáng アポトーシス. ❖多細胞生物体を良好な状態に維持するために起こる細胞の自発的な死.[apoptosis]
- 【细胞工程】xìbāo gōngchéng 細胞工学.
- 【细胞移植】xìbāo yízhí 細胞移植.
- 【细化】xìhuà 細分化(する).
- 【系列产品】xìliè chǎnpǐn シリーズ商品.
- 【细条纹】xìtiáowén ピンストライプ. ❖細い縦縞模様のこと.[pinstripe]
- 【系统操作员】xìtǒng cāozuòyuán システムオペレーター;シスオペ. ❖IT用語.[system operator]
- 【系统工程】xìtǒng gōngchéng システム工学;システムエンジニアリング.[system engineering;SE]
- 【系统工程师】xìtǒng gōngchéngshī システムエンジニア;SE. ❖IT用語.[system engineer;SE]
- 【系统故障】xìtǒng gùzhàng システムダウン. ❖IT用語.[system down]
- 【系统管理】xìtǒng guǎnlǐ システム管理. ❖IT用語.[system administration]
- 【系统管理员】xìtǒng guǎnlǐyuán システムアドミニストレーター;シスアド. ❖IT用語.[system administrator]
- 【系统集成】xìtǒng jíchéng システムインテグレーション;SI. ❖IT用語.[system integration;SI]
- 【系统开发】xìtǒng kāifā システム開発. ❖IT用語.
- 【系统设计】xìtǒng shèjì システム設計. ❖IT用語.[system design]
- 【系统文件夹】xìtǒng wénjiànjiā システムフォルダ. ❖IT用語.[system folder]

xiá

- 【暇步士】Xiábùshì ハッシュパピー. ❖アメリカのシューズブランド.[Hush Puppies]
- 【霞多丽】Xiáduōlì シャルドネ. ❖白ぶどう品種.またそのぶどうで作られた白ワイン."莎当妮 Shādāngnī"とも.[Chardonnay]

xià

- 【夏布利】Xiàbùlì シャブリ. ❖フランスの地名,また同地産の白ワイン.[Chablis]
- 【下挫】xiàcuò〔価格や為替相場などが〕下がる;下落する.
- 【下凡】xiàfán ①神仏が人間界に下る. ②天下〈あまくだり〉.
- 【下浮】xiàfú〔物価,利率,給与などが〕下がる.
- 【下岗】xiàgǎng 一時帰休;レイオフ.[layoff]
- 【下岗职工】xiàgǎng zhígōng レイオフ労働者;失業者.
- 【下馆子】xià guǎnzi 外食する;レストランに行く. ❖"上馆子 shàng guǎnzi"とも.
- 【下海】xiàhǎi ①アマチュアの京劇愛好者がプロになる(こと). ②公務員が民間へ転職する(こと). ③脱サラ(する).
- 【下划线】xiàhuàxiàn アンダーライン.[under line]
- 【下课】xiàkè ①授業が終わる. ②〔監督やコーチが〕解雇される;更迭される;辞任する. ③〔ある地位を〕退く;〔市場など競争の場から〕撤退する.
- 【下拉菜单】xiàlā càidān ドロップダウンメニュー;プルダウンメニュー. ❖IT用語.

xià — xiān

"下拉式菜单 xiàlāshì càidān"とも.[pull-down menu]

【下拉式菜单】xiàlāshì càidān ドロップダウンメニュー；プルダウンメニュー. ❖IT用語."下拉菜单 xiàlā càidān"とも.[pull-down menu]

【夏朗】Xiàlǎng シャラン. ❖フォルクスワーゲン(独)製の車名.[Sharan]

【下龙湾】Xiàlóng Wān ハロン湾. ●世界自然遺産(ベトナム).[Ha Long Bay]

【夏洛茨维尔的蒙蒂塞洛和弗吉尼亚大学】Xiàluòcíwéi'ěr de Méngdìsàiluó hé Fújíníyà Dàxué シャーロットヴィルのモンティセロとヴァージニア大学. ●世界文化遺産(アメリカ).[Monticello and the University of Virginia in Charlottesville]

【夏纳纳·古斯芒】Xiànànà Gǔsīmáng シャナナ・グスマン. ❖東ティモールの政治家.[Kay Rala Xanana Gusmão]

【夏奈尔】Xiànài'ěr シャネル. ❖フランスの香水・ファッションメーカー,ブランド."夏内尔 Xiànèi'ěr""香奈儿 Xiāngnài'ěr"とも.[Chanel]

【夏奈尔5号】Xiànài'ěr Wǔ Hào シャネルNo.5. ❖シャネル(仏)製のフレグランス名.[Chanel No.5]

【夏内尔】Xiànèi'ěr シャネル. ❖フランスの香水・ファッションメーカー,ブランド."夏奈尔 Xiànài'ěr""香奈儿 Xiāngnài'ěr"とも.[Chanel]

【夏普】Xiàpǔ シャープ. ❖日本の総合電器メーカー.[Sharp]

【夏特尔大教堂】Xiàtè'ěr Dàjiàotáng シャルトル大聖堂. ●世界文化遺産(フランス)."沙特尔大教堂 Shātè'ěr Dàjiàotáng"とも.[Chartres Cathedral]

【下网】xiàwǎng オフライン. ❖IT用語."下线 xiàxiàn"とも.[off-line；off line]

【夏威夷火山国家公园】Xiàwēiyí Huǒshān Guójiā Gōngyuán ハワイ火山国立公園. ●世界自然遺産(アメリカ).[Hawaii Volcanoes National Park]

【夏威夷可娜咖啡】Xiàwēiyí Kěnà kāfēi ハワイ・コナ・コーヒー；コナ. ❖"夏威夷可纳咖啡 Xiàwēiyí Kěnà kāfēi"とも.[Cona coffee]

【夏威夷州】Xiàwēiyí Zhōu ハワイ州. ❖アメリカの州名.[Hawaii]

【下线】xiàxiàn オフライン. ❖IT用語."下网 xiàwǎng"とも.[off-line；off line]

【夏延】Xiàyán シャイアン. ❖アメリカ・ワイオミング州都.[Cheyenne]

【下一步】xiàyībù ①次の段階. ②〔コンピューター画面などの表示で〕次へ. ❖②IT用語.

【下游】xiàyóu ①〔河川の〕下流. ②川下. ③ダウンストリーム. ❖③IT用語.[downstream]

【下游行业】xiàyóu hángyè 川下産業.

【下载】xiàzǎi ダウンロード(する). ❖IT用語.[download；DL]

【夏至】xiàzhì 〔二十四節気の〕夏至〈げし〉.

xiān

【仙黛尔】Xiāndài'ěr シャンテル. ❖フランスの下着メーカー,ブランド.[Chantelle]

【先锋】Xiānfēng パイオニア. ❖日本の家電メーカー.[Pioneer]

【先机】xiānjī 主導権；イニシアチブ.[initiative]

【先进陶瓷】xiānjìn táocí ファインセラミックス. ❖"精密陶瓷 jīngmì táocí"とも.[advanced ceramics；fine ceramics]

【鲜京】Xiānjīng SKコーポレーション. ❖韓国の石油精製会社.[SK]

【先灵葆雅】Xiānlíng Bǎoyǎ シェリング・プラウ. ❖アメリカの医薬品メーカー.[Schering-Plough]

【鲜啤】xiānpí 生ビール. ❖"生啤 shēngpí""生啤酒 shēngpíjiǔ"とも.

【鲜切花】xiānqiēhuā 切り花.

xiān — xiàn

【先驱】xiānqū ①トップランナー;先駆け. ②(Xiānqū)プリウス. ❖②トヨタ(日本)製の車名."普锐斯 Pǔruìsī"とも.[②Prius]

【仙台市】Xiāntái Shì 仙台〈せんだい〉市. ❖宮城〈みやぎ〉県("宫城县 Gōngchéng Xiàn")の県庁所在地.

【纤体】xiāntǐ 減量して痩せる;スリムになる;スリムな体.

【纤维光学】xiānwéi guāngxué ファイバー光学.[fiber optics]

【先孕后婚】xiānyùn hòuhūn できちゃった結婚;おめでた婚.

xián

【嫌犯】xiánfàn 容疑者. ❖"疑犯 yífàn"とも.

【咸明太鱼子】xiánmíngtàiyúzǐ タラコ(鱈子).

【闲散土地】xiánsǎn tǔdì 休閑地;遊閑地.

【咸阳国际机场】Xiányáng Guójì Jīchǎng 咸阳〈かんよう〉国際空港. ❖中国・咸阳にある空港.[Xianyang International Airport]

xiǎn

【显卡】xiǎnkǎ ビデオカード. ❖IT用語."显示卡 xiǎnshìkǎ"とも.[video card]

【显示】xiǎnshì 〔マッキントッシュパソコンで〕開く. ❖IT用語.[open]

【显示卡】xiǎnshìkǎ ビデオカード. ❖IT用語."显卡 xiǎnkǎ"とも.[video card]

【显示器】xiǎnshìqì ディスプレイ. ❖IT用語.[display]

xiàn

【现场表演】xiànchǎng biǎoyǎn ライブパフォーマンス.[live performance]

【现场采访】xiànchǎng cǎifǎng 現地取材.

【线程】xiànchéng スレッド. ❖IT用語.[thread]

【现代】Xiàndài ヒュンダイ. ❖韓国の企業グループ.[Hyundai]

【现代服务业】xiàndài fúwùyè 〔中国における〕近代的サービス業. ❖情報,金融,コンサルティング,法律など,中国では比較的新しいサービス業のこと.

【现代农业】xiàndài nóngyè 近代的農業.

【现代企业制度】xiàndài qǐyè zhìdù 近代的企業制度.

【现代汽车】Xiàndài Qìchē ヒュンダイモーター;现代自動車. ❖韓国の自動車メーカー.[Hyundai Motor]

【现代思潮】xiàndài sīcháo 近代的思想傾向.

【现代题材】xiàndài tícái 現代的テーマ.

【限电】xiàndiàn 電力供給制限. ❖"拉闸限电 lāzhá xiàndiàn"とも.

【限定下单】xiàndìng xiàdān 指値〈さしね〉注文. ❖金融用語.決めた価格で売買注文を出すこと."限价订单 xiànjià dìngdān""限价委托 xiànjià wěituō""限价下单 xiànjià xiàdān"とも.

【现房】xiànfáng 引き渡し可能な物件;即時入居可能な物件.

【县改市】xiàngǎishì 〔中国の行政区域名称の〕「県」から「市」への変更.

【现汇】xiànhuì 直物為替〈じきものかわせ〉. ❖金融用語.

【现汇价】xiànhuìjià 直物相場〈じきものそうば〉;スポットレート. ❖金融用語."即期汇率 jíqī huìlǜ""现货汇率 xiànhuò huìlǜ"とも.[spot rate]

【现货汇率】xiànhuò huìlǜ 直物相場〈じきものそうば〉;スポットレート. ❖金融用語."即期汇率 jíqī huìlǜ""现汇价 xiànhuìjià"とも.[spot rate]

【现货价格】xiànhuò jiàgé 直物〈じきもの〉価格;スポット価格.[spot price]

xiàn

【现货交割】xiànhuò jiāogē 現引き．❖金融用語．売買代金をもって担保となっている有価証券を引き取ること．

【县级市】xiànjíshì「県級市」；「県」レベルの「市」．

【限价订单】xiànjià dìngdān 指値〈さしね〉注文．❖金融用語．決めた価格で売買注文を出すこと．"限定下单 xiàndìng xiàdān""限价委托 xiànjià wěituō""限价下单 xiànjià xiàdān"とも．[limit order]

【限价委托】xiànjià wěituō 指値〈さしね〉注文．❖金融用語．決めた価格で売買注文を出すこと．"限定下单 xiàndìng xiàdān""限价订单 xiànjià dìngdān""限价下单 xiànjià xiàdān"とも．[limit order]

【限价下单】xiànjià xiàdān 指値〈さしね〉注文．❖金融用語．決めた価格で売買注文を出すこと．"限定下单 xiàndìng xiàdān""限价订单 xiànjià dìngdān""限价委托 xiànjià wěituō"とも．[limit order]

【现金存款】xiànjīn cúnkuǎn 本源的預金．❖金融用語．

【现金订单】xiànjīn dìngdān 現金注文．

【现金卡】xiànjīnkǎ キャッシュカード．❖金融用語．"提款卡 tíkuǎnkǎ""自动提款卡 zìdòng tíkuǎnkǎ"とも．[ATM card；cash card]

【现金流动】xiànjīn liúdòng キャッシュフロー．❖金融用語．"现金流量 xiànjīn liúliàng""现款流转 xiànkuǎn liúzhuǎn"とも．[cash flow]

【现金流量】xiànjīn liúliàng キャッシュフロー．❖金融用語．"现金流动 xiànjīn liúdòng""现款流转 xiànkuǎn liúzhuǎn"とも．[cash flow]

【现金流量贴现】xiànjīn liúliàng tiēxiàn ディスカウント・キャッシュ・フロー；割引現在価値．❖金融用語．"贴现现值 tiēxiàn xiànzhí"とも．[discount cash flow]

【现金外流】xiànjīn wàiliú 現金流出．

【现款流转】xiànkuǎn liúzhuǎn キャッシュフロー．❖金融用語．"现金流动 xiànjīn liúdòng""现金流量 xiànjīn liúliàng"とも．[cash flow]

【线圈本】xiànquānběn スパイラルノート．❖"螺旋本 luóxuánběn"とも．[spiral notebook]

【线人】xiànrén 情報提供者．

【线上】xiànshàng オンライン．❖IT用語．[on-line；on line；online]

【现时价值】xiànshí·jiàzhí 時価．

【限速】xiànsù 最高制限速度；制限速度．

【现玩】xiànwán 現代の鑑賞物；モダンアンティーク．[modern antique]

【限行】xiànxíng 通行制限(する)；進入制限(する)．

【现行规章】xiànxíng guīzhāng 現行規則．

【现行利息】xiànxíng lìxī 現行利息．

【献演】xiànyǎn 上演(する)；公演(する)；演じる．

【限养】xiànyǎng 動物飼育を制限する(こと)．

【现用文件】xiànyòng wénjiàn アクティブファイル．❖IT用語．"当前文件 dāngqián wénjiàn"とも．[active file]

【现有企业】xiànyǒu qǐyè 既存企業．

【县域经济】xiànyù jīngjì「県」レベルの地域経済．❖中国の行政区画の１つである「県」レベルの地域経済．

【限值】xiànzhí 規制値．

【现值】xiànzhí 時価．

【限制军备】xiànzhì jūnbèi 軍備制限．

【限制类商品】xiànzhìlèi shāngpǐn 制限類商品．❖加工貿易輸入商品のうち，国内外の価格差が大きく，税関が管理しにくい商品のこと．

【限制性贷款】xiànzhìxìng dàikuǎn タイドローン；紐〈ひも〉付き融資．❖金融用語．"附带条件的贷款 fùdài tiáojiàn de dàikuǎn""附有条件贷款 fùyǒu tiáojiàn dàikuǎn"とも．[tied loan]

【限制战略武器会谈】xiànzhì zhànlüè wǔqì

xiāng

huìtán 戦略兵器制限交渉；SALT⟨ソルト⟩. [Strategic Arms Limitation Talks ; SALT]

xiāng

【香贝丹】Xiāngbèidān シャンベルタン. ❖フランス・ブルゴーニュ地方産ワインの銘柄."尚貝丹 Shàngbèidān"とも. [Chambertin]

【香槟王】Xiāngbīnwáng ドン・ペリニヨン. ❖モエ・エ・シャンドン(仏)製のシャンパン."佩里尼翁 Pèilǐníwēng"とも. [Dom Pérignon]

【香波】xiāngbō シャンプー. ❖"洗发露 xǐfàlù""洗发水 xǐfàshuǐ"とも. [shampoo]

【香车美女】xiāngchē měinǚ モーターショーの外国車とコンパニオン；カーレースの外国車とレースクイーン.

【相乘效应】xiāngchéng xiàoyìng 相乗効果.

【香川县】Xiāngchuān Xiàn 香川⟨かがわ⟩県. ❖日本の都道府県の1つ.県庁所在地は高松⟨たかまつ⟩市("高松市 Gāosōng Shì").

【乡村音乐】xiāngcūn yīnyuè カントリーミュージック. [country music]

【香氛】xiāngfēn フレグランス；アロマ. [fragrance]

【香氛疗法】xiāngfēn liáofǎ アロマセラピー. ❖"芳香疗法 fāngxiāng liáofǎ"とも. [aromatherapy]

【香港电影金像奖】Xiānggǎng Diànyǐng Jīnxiàng Jiǎng 香港電影金像賞. ❖香港の映画賞. [Hong Kong Film Awards]

【香港电影评论学会奖】Xiānggǎng Diànyǐng Pínglùn Xuéhuì Jiǎng 香港映画評論学会賞. ❖香港の映画賞. [Hong Kong Film Critics Society Awards]

【香港建设(控股)】Xiānggǎng Jiànshè (Kònggǔ) 香港建設(控股)；ホンコン・コンストラクション(ホールディングス). ❖建設・不動産関連持株会社.レッドチップ企業の1つ. [Hong Kong Construction (Holdings)]

【香港特别行政区】Xiānggǎng Tèbié Xíngzhèngqū 香港特別行政区. ❖中国の特別行政区の1つ.略称は"港区 Gǎng Qū""港Gǎng". [Hong Kong Special Administrative Region ; HKSAR]

【香港中旅国际投资】Xiānggǎng Zhōnglǚ Guójì Tóuzī 香港中旅国際投資；チャイナ・トラベル・インベストメント・ホンコン. ❖旅行会社.レッドチップ企業の1つ. [China Travel International Investment H.K.]

【香格里拉大酒店】Xiānggélǐlā Dàjiǔdiàn シャングリ・ラ・ホテル. ❖シャングリ・ラ・ホテルズアンドリゾーツ(香港)のホテルブランド. [Shangri-la]

【相互持股】xiānghù chígǔ 〔株の〕持合⟨もちあい⟩. ❖金融用語.企業同士がお互いに株式を持ち合うこと."相互交叉持股 xiānghù jiāochā chígǔ"とも.

【相互勾结】xiānghù gōujié 談合.

【香蕉球】xiāngjiāoqiú 〔サッカーの〕バナナシュート. [banana shot]

【香蕉人】xiāngjiāorén 西洋かぶれの東洋人. ❖外(=皮膚)は黄色く,中(=思想や文化)は白いことからくる蔑称.

【相邻效应】xiānglín xiàoyìng 近隣効果. ❖他人の行動により自身の行動を決めることを指す.

【香奈儿】xiāngnài'ěr シャネル. ❖フランスの香水・ファッションメーカー,ブランド."夏奈尔 Xiànài'ěr""夏内尔 Xiànèi'ěr"とも. [Chanel]

【乡企】xiāngqǐ 「郷鎮企業⟨ごうちんきぎょう⟩」. ❖農村地域の郷や鎮(中国の末端行政単位)にあり,自治体や個人が経営する企業の総称."乡镇企业 xiāngzhèn qǐyè"の略.

【香甜酒】xiāngtiánjiǔ リキュール. ❖"利口酒 lìkǒujiǔ"とも. [liqueur]

【乡土文学】xiāngtǔ wénxué 郷土文学.

【香榭丽舍大街】Xiāngxièlìshè Dàjiē シャンゼリゼ通り. ❖フランス・パリにある道路名. [Champs-Élysées]

【乡镇企业】xiāngzhèn qǐyè「郷鎮企業〈ごうちんきぎょう〉」. ❖農村地域の郷や鎮(中国の末端行政単位)にあり,自治体や個人が経営する企業の総称.略称は"乡企 xiāngqǐ".

xiàng

【向导】xiàngdǎo ①ガイド;案内人;案内役. ②ウィザード. ❖②IT用語. [②wizard]

【相夫教子】xiàng fū jiào zǐ 夫を支え,子供をしつける.

【项目】xiàngmù アイテム;項目;プロジェクト;案件. [item ; project]

【项目贷款】xiàngmù dàikuǎn プロジェクトローン. ❖金融用語. [project loan]

【项目管理】xiàngmù guǎnlǐ プロジェクトマネジメント;PM. [project management ; PM]

【项目经理】xiàngmù jīnglǐ プロジェクトマネージャー. [project manager]

【项目立项】xiàngmù lìxiàng プロジェクトの立案.

【项目评价】xiàngmù píngjià プロジェクトの評価.

【项目融资】xiàngmù róngzī プロジェクトファイナンス. ❖金融用語. [project finance]

【项目申报】xiàngmù shēnbào プロジェクトの申告.

【项目小组】xiàngmù xiǎozǔ プロジェクトチーム. [project team]

【橡皮子弹】xiàngpí zǐdàn ゴム弾. [rubber bullet]

【向上兼容】xiàngshàng jiānróng 上位互換. ❖IT用語. [upper compatibility]

【像素】xiàngsù 画素;ピクセル. ❖IT用語.デジタル画像を構成する最小単位."像元 xiàngyuán"とも. [picture element ; pixel]

【象形图】xiàngxíngtú ピクトグラム. [pictogram]

【象牙婚】xiàngyáhūn 象牙婚式. ❖14年目の結婚記念日.

【像元】xiàngyuán 画素;ピクセル. ❖IT用語.デジタル画像を構成する最小単位. "像素 xiàngsù"とも. [picture element ; pixel]

xiāo

【萧邦】Xiāobāng ショパール. ❖スイスの時計メーカー,また同社製のフレグランス名. [Chopard]

《消法》Xiāofǎ「中華人民共和国消費者権益保護法」. ❖《中华人民共和国消费者权益保护法》Zhōnghuá Rénmín Gònghéguó Xiāofèizhě Quányì Bǎohùfǎ の略.

【消防喷淋】xiāofáng pēnlín スプリンクラー. [sprinkler]

【消费结构】xiāofèi jiégòu 消費構造.

【消费品价格指数】xiāofèipǐn jiàgé zhǐshù 消耗品価格指数.

【消费税】xiāofèishuì 消費税.

【消费信贷】xiāofèi xìndài 消費者ローン. ❖金融用語.

【消费者金融】xiāofèizhě jīnróng 消費者金融. ❖金融用語.

【消费者权益日】xiāofèizhě quányìrì 世界消費者権利デー. ❖1983年から実施.毎年3月15日.

【消费者物价】xiāofèizhě wùjià 消費者物価. ❖"零售物价 língshòu wùjià"とも.

【消费者物价指数】xiāofèizhě wùjià zhǐshù 消費者物価指数.

【消费者主义】xiāofèizhě zhǔyì 消費者主義;消費者中心主義;コンシューマーリズ

xiāo — xiǎo

ム.[consumerism]

【消化】xiāohuà ①〔食べ物を〕消化(する). ②〔余剰人員を〕吸収(する);〔問題を〕解決(する).

【消納】xiāonà 〔ごみや廃棄物を〕処理(する).

【削皮刀】xiāopídāo ピーラー;皮むき器.[peeler]

【销品茂】xiāopǐnmào ショッピングモール.[shopping mall]

【消遣小说】xiāoqiǎn xiǎoshuō 大衆小説,娯楽小説.

《肖申克的救赎》Xiāoshēnkè de Jiùshú 「ショーシャンクの空に」. ❖アメリカ映画のタイトル.[The Shawshank Redemption]

【销势】xiāoshì 売れ行き.

【销售】xiāoshòu ①売る;販売(する). ②〔株式の〕売り出し. ❖②金融用語.既に上場している会社の株式を投資家向けに売り出すこと.

【销售成本】xiāoshòu chéngběn 売上原価.

【销售点广告】xiāoshòudiǎn guǎnggào ポップ広告;POP広告.[point of purchase;POP]

【销售点系统】xiāoshòudiǎn xìtǒng 販売時点情報管理システム;POS〈ポス〉システム;POS. ❖IT用語. "销售系统 xiāoshòu xìtǒng"とも.[point of sale system;point-of-sale system;POS system]

【销售点终端机】xiāoshòudiǎn zhōngduānjī POS〈ポス〉端末. ❖IT用語.販売時点情報管理システム(POS)に対応したレジスター. "POS机 POS jī"とも.[point of sale terminal;point-of-sale terminal;POS terminal]

【销售额】xiāoshòu'é 売上高;売り上げ.

【销售费用】xiāoshòu fèiyong 販売費.

【销售经理】xiāoshòu jīnglǐ セールスマネージャー.[sales manager]

【销售区域】xiāoshòu qūyù 販売テリトリー.

【销售渠道】xiāoshòu qúdào 販売ルート.

【销售网】xiāoshòuwǎng 販売網;販売ネットワーク.

【销售系统】xiāoshòu xìtǒng 販売時点情報管理システム;POS〈ポス〉システム;POS. ❖IT用語. "销售点系统 xiāoshòudiǎn xìtǒng"とも.[point of sale system;point-of-sale system;POS system]

【销售战略】xiāoshòu zhànlüè 販売戦略;マーケティング戦略.

【销售指数】xiāoshòu zhǐshù 販売指数.

【销售总利润】xiāoshòu zǒnglìrùn 売上総利益.

《消息报》Xiāoxi Bào 「イズベスチヤ」. ❖ロシアの日刊紙.[Izvestiya]

《逍遥法外》Xiāoyáo Fǎwài 「キャッチ・ミー・イフ・ユー・キャン」. ❖アメリカ映画のタイトル.[Catch Me If You Can]

【消肿】xiāozhǒng ①腫〈は〉れを治す;腫れがひく. ②〔企業組織を〕簡素化(する);〔人員を〕削減(する).

xiǎo

【小白领】xiǎobáilǐng 若いホワイトカラー;若いサラリーマン.

【小贝】Xiǎo Bèi 〔デビッド・〕ベッカム. ❖イギリスのサッカー選手"贝克汉姆 Bèikèhànmǔ"の愛称.[David Beckham]

【小布什】Xiǎo Bùshí 〔ジョージ・W・〕ブッシュ. ❖アメリカ第43代大統領."布什 Bùshí"とも.父親の第41代大統領は"老布什 Lǎo Bùshí".[George W. Bush]

【小叮当】Xiǎo Dīngdāng ドラえもん. ❖日本の漫画,アニメのキャラクター名.[Doraemon]

【小儿多动症】xiǎo'ér duōdòngzhèng 子供の多動性障害. ❖微細脳機能不全(MB

xiǎo

D). 多動性障害の1種.

【小儿科】xiǎo'érkē ①小児科. ②些細なこと；簡単に片づくこと；容易にできること. ③けち；こせこせしている.

【小广告】xiǎoguǎnggào 〔手で配る〕ビラ；ちらし；フライヤー.[handbill; flyer; leaflet]

【小孩先生】Xiǎohái Xiānsheng Mr. Children〈ミスター・チルドレン〉；ミスチル. ❖日本の音楽グループ.[Mr.Children]

【小寒】xiǎohán 〔二十四節気の〕小寒〈しょうかん〉.

【小皇帝】xiǎohuángdì 1人っ子. ❖「小さな皇帝」のように大切にされ甘やかされて育つ子供.

【小姐】xiǎojie ①未婚の若い女性に対する呼称. ②水商売や風俗業に従事する女性の呼称.

【小剧场】xiǎojùchǎng ミニシアター；小劇場.[little theater]

【小康目标】xiǎokāng mùbiāo ややゆとりのある社会を実現するという目標.

【小康社会】xiǎokāng shèhuì ややゆとりのある社会.

【小款】xiǎokuǎn 小金持ち.

【小灵通】xiǎolíngtōng 簡易型携帯電話. ❖IT用語. PHS技術を応用した地域無線電話.[personal access system; PAS]

《小鹿班比》Xiǎolù Bānbǐ「バンビ」. ❖アメリカアニメのタイトル.[Bambi]

【小罗纳尔多】Xiǎoluónà'ěrduō ロナウジーニョ. ❖ブラジルのサッカー選手.[Ronaldinho Gaucho; Ronaldo de Assis Moreira]

【小满】xiǎomǎn 〔二十四節気の〕小満〈しょうまん〉.

《小美人鱼》Xiǎoměirényú「リトル・マーメイド」. ❖アメリカアニメのタイトル.[The Little Mermaid]

【小蜜】xiǎomì 〔金持ちや社会的地位のある人の〕若い愛人.

【小鸟球】xiǎoniǎoqiú 〔ゴルフの〕バーディー.[birdie]

【小气候】xiǎoqìhòu ①微気候. ②〔狭い範囲の〕環境や条件.

【小区】xiǎoqū 〔生活サービス施設が整った〕居住区.

【小石城】Xiǎoshíchéng リトルロック. ❖アメリカ・アーカンソー州都.[Little Rock]

【小时工】xiǎoshígōng アルバイター；アルバイト；パートタイマー；パートタイム；時間給労働者. ❖"钟点工 zhōngdiǎngōng"とも.[part-timer]

【小事乐团】Xiǎoshì Yuètuán Every Little Thing〈エヴリ・リトル・シング〉；ELT. ❖日本の音楽グループ.[Every Little Thing; ELT]

【小暑】xiǎoshǔ 〔二十四節気の〕小暑〈しょうしょ〉.

《小双侠》Xiǎoshuāngxiá「タイムボカン」. ❖日本アニメのタイトル.[Time Bokan]

【小水电】xiǎoshuǐdiàn 小規模水力発電所.

【小私】xiǎosī 生活の質やスタイルにこだわること；生活の質やスタイルにこだわる人. ❖高学歴の高所得層が自分流のライフスタイルにこだわり,自分専用の物に囲まれた生活を追求すること.

【小天后】xiǎotiānhòu 女性スーパーアイドル.

【小天王】xiǎotiānwáng 男性スーパーアイドル.

【小甜饼】xiǎotiánbǐng クッキー. ❖IT用語. Webページを閲覧した際に,サーバーから閲覧者のブラウザ閲覧履歴などのデータを送る仕組み,またそのデータ.[cookie]

【小甜甜布兰妮】Xiǎotiántian Bùlánnī ブリトニー・スピアーズ. ❖アメリカの歌手. "布兰妮・斯皮尔斯 Bùlánnī Sīpí'ěrsī"とも.[Britney Spears]

【小贴士】xiǎotiēshì 豆知識；ミニ知識；ミニ情報.

xiǎo — xié

《小武》Xiǎo Wǔ「一瞬の夢」. ❖中国,香港合作映画のタイトル. [Xiao Wu]

【小西红柿】xiǎoxīhóngshì ミニトマト；プチトマト. [cherry tomato]

【小心安放】xiǎoxīn ānfàng 取扱注意. ❖貨物輸送用語. "小心轻放 xiǎoxīn qīngfàng"とも.

【小心轻放】xiǎoxīn qīngfàng 取扱注意. ❖貨物輸送用語. "小心安放 xiǎoxīn ānfàng"とも.

【小心易碎】xiǎoxīn yìsuì 壊れ物注意.

【小型计算机系统接口】xiǎoxíng jìsuànjī xìtǒng jiēkǒu SCSI〈スカジー〉. ❖IT用語. 周辺機器とコンピューターをつなぐための規格の1つ. [small computer system interface; SCSI]

【小型家居办公室】xiǎoxíng jiājū bàngōngshì SOHO〈ソーホー〉. ❖"小型家庭办公室 xiǎoxíng jiātíng bàngōngshì"とも. [small office home office; SOHO]

【小型家庭办公室】xiǎoxíng jiātíng bàngōngshì SOHO〈ソーホー〉. ❖"小型家居办公室 xiǎoxíng jiājū bàngōngshì"とも. [small office home office; SOHO]

【小雪】xiǎoxuě〔二十四節気の〕小雪〈しょうせつ〉.

【小应用程序】xiǎoyīngyòng chéngxù アプレット. ❖IT用語. [applet]

【小雨衣】xiǎoyǔyī コンドーム. ❖"安全套 ānquántào"とも. [condom]

【小众】xiǎozhòng マイノリティー；少数；少数派. [minority]

【小周期】xiǎozhōuqī 小循環. ❖金融用語.

【小资】xiǎozī ブルジョア志向の若者；プチブル；小市民.

xiào

《笑傲江湖》Xiào'ào Jiānghú「スウォーズマン」. ❖香港映画のタイトル. [Swordsman]

【校办企业】xiàobàn qǐyè 大学が経営する企業. ❖略称は"校企 xiàoqǐ".

【校企】xiàoqǐ ①大学が経営する企業. ②大学と企業. ❖①"校办企业 xiàobàn qǐyè"の略.

【校企合作】xiàoqǐ hézuò 産学連携. ❖"校企联合 xiàoqǐ liánhé"とも.

【校企联合】xiàoqǐ liánhé 産学連携. ❖"校企合作 xiàoqǐ hézuò"とも.

【肖像权】xiàoxiàngquán 肖像権.

【笑星】xiàoxīng お笑い芸人；お笑いスター.

【校衣】xiàoyī 学校の制服；校服.

【效益工资】xiàoyì gōngzī ボーナス給；歩合制給料.

【效益农业】xiàoyì nóngyè 経済効果をあげる農業；経済効果の高い農業.

【校园暴力】xiàoyuán bàolì 校内暴力.

【校园数字化】xiàoyuán shùzìhuà キャンパスのデジタル化. ❖IT用語.

【校园网】xiàoyuánwǎng 学内LAN〈ラン〉；学内ネットワーク；キャンパスネットワーク. ❖IT用語.

【校园文化】xiàoyuán wénhuà キャンパス文化.

【孝子孝女】xiàozǐ xiàonǚ ①親孝行な子供. ②親ばか. ❖②"孝顺儿子女儿的父母 xiàoshùn érzi nǚ'ér de fùmǔ"のこと.

xié

【携带型】xiédàixíng 携帯型(の)；ポータビリティー；モビリティー. ❖"便携型 biànxiéxíng""可携带性 kěxiédàixìng"とも. [portability; mobility]

【协定关税】xiédìng guānshuì 協定関税.

【协和客机】Xiéhé Kèjī コンコルド. [Concorde]

【邪教】xiéjiào カルト宗教.

【邪教组织】xiéjiào zǔzhī カルト教団；邪

教集団.

【斜拉桥】xiélāqiáo 斜張橋. ❖"斜拉索桥 xiélāsuǒqiáo"とも.

【斜拉索桥】xiélāsuǒqiáo 斜張橋. ❖"斜拉桥 xiélāqiáo"とも.

【斜体】xiétǐ イタリック;斜体. [italic]

【协调干预】xiétiáo gānyù 協調介入. ❖"联合干预 liánhé gānyù"とも.

【协调人】xiétiáorén コーディネーター. [coordinator]

【协调世界时】xiétiáo shìjièshí 協定世界時;UTC. [Coordinated Universal Time;UTC]

【协同效应】xiétóng xiàoyìng シナジー効果;シナジー. [synergy]

【谐星】xiéxīng お笑いスター;コメディアン.

【协议】xiéyì ①取り決め;協議. ②プロトコル. ❖②IT用語.データ通信を行うための取り決め. [②protocol]

【协议离婚】xiéyì líhūn 協議離婚.

【协议书】xiéyìshū 合意書.

【协作】xiézuò ①協力(する);提携(する). ②コラボレーション;コラボ. ❖"合作 hézuò"とも. [collaboration]

xiě

【血头】xiětóu 売血営利組織.

【写真】xiězhēn 写真;ブロマイド;ポートレート. ❖人物主体の撮影、またはその作品のこと.日本の「写真」よりも意味が限定されている.

【写字板】xiězìbǎn ワードパッド. ❖IT用語.マイクロソフト(米)のWindowsOSに付属するアプリケーションソフト名. [WordPad]

【写字楼】xiězìlóu オフィスビル. [office building]

xiè

【谢尔吉圣三一大修道院】Xiè'ěrjí Shēngsānyī Dàxiūdàoyuàn セルギエフ・ポサドのトロイツェ・セルギー大修道院の建造物群. ●世界文化遺産(ロシア). [Architectural Ensemble of the Trinity Sergius Lavra in Sergiev Posad]

【卸货】xièhuò 荷揚げ.

【卸货港】xièhuògǎng 荷揚げ港.

【谢幕】xièmù カーテンコール. [curtain call]

【谢娜】Xiènà シェナ. ❖フランス・ブルゴーニュ地方、ボージョレ地区の赤ワイン. [Chénas]

【谢霆锋】Xiè Tíngfēng ニコラス・ツェ;謝霆鋒. ❖香港出身の歌手、男優. [Nicholas Tse]

【卸载】xièzǎi アンインストール(する). ❖IT用語. [uninstall]

【卸载软件】xièzǎi ruǎnjiàn アンインストーラー. ❖IT用語. [uninstaller]

【卸妆】xièzhuāng 化粧をおとす;化粧おとし;クレンジング. [makeup remover]

【卸妆乳】xièzhuāngrǔ クレンジングミルク. [cleansing milk]

【卸妆霜】xièzhuāngshuāng クレンジングクリーム. ❖"洁肤霜 jiéfūshuāng"とも. [cleansing cream]

【卸妆油】xièzhuāngyóu クレンジングオイル. [cleansing oil]

xīn

【新安全观】xīn ānquánguān 新安全保障概念;新安全保障観.

【新奥尔良】Xīn'ào'ěrliáng ニューオーリンズ. ❖アメリカの都市名. [New Orleans]

【新白云国际机场】Xīnbáiyún Guójì Jīchǎng 新白雲国際空港. ❖中国・広州にある空港. [Guangzhou New Baiyun In-

xīn

ternational Airport]

【新保守主义者】xīn bǎoshǒu zhǔyìzhě ネオコンサバティブ；ネオコン；新保守主義者．[neo-conservative]

【新材料】xīncáiliào 新素材．

【新材料技术】xīncáiliào jìshù 新素材技術．

【新产品试销】xīnchǎnpǐn shìxiāo テストマーケティング．[test marketing]

【新宠】xīnchǒng 新たに人気が出た人；新たに人気が出た物；新たに人気が出た事象．

【新大谷饭店】Xīndàgǔ Fàndiàn ホテルニューオータニ．❖ニューオータニ(日本)グループのホテルブランド．[Hotel New Otani]

《辛德勒的名单》Xīndélè de Míngdān 「シンドラーのリスト」．❖アメリカ映画のタイトル．[Schindler's List]

【新德里】Xīndélǐ ニュー・デリー．❖インドの首都．[New Delhi]

【新低】xīndī 新安値；安値更新；最低新記録．

【辛迪加贷款】xīndíjiā dàikuǎn シンジケートローン．❖金融用語．企業などに対し，複数の金融機関が協調し，同一の契約内容で行う融資方法．"银团贷款 yíntuán dàikuǎn"とも．[syndicated loan]

【新地】xīndì サンデー．❖マクドナルド(米)が中国国内店舗で販売する商品名．[Sundae]

【新发行股票】xīn fāxíng gǔpiào 新規発行株式．❖金融用語．

【新概念】xīngàiniàn ニューコンセプト．[new concept]

【新概念车】xīngàiniànchē ニュー・コンセプト・カー．[new concept car]

【新概念武器】xīngàiniàn wǔqì 新概念の兵器；新型兵器；〔いわゆる〕ハイテク兵器．

【新干线】xīngànxiàn 新幹線．

【新高】xīngāo 新高値；高値更新；新しい最高記録．

【辛格韦德利国家公园】Xīngéwéidélì Guójiā Gōngyuán シングヴェトリル国立公園．◉世界文化遺産(アイスランド)．[Pingvellir National Park]

【新股认购权】xīngǔ rèngòuquán ①新株予約権．②新株引受権．❖金融用語．

【新股预购权证】xīngǔ yùgòuquán zhèng 新株予約権証券．❖金融用語．

【辛哈拉加森林保护区】Xīnhālājiā Sēnlín Bǎohùqū シンハラジャ森林保護区．◉世界自然遺産(スリランカ)．[Sinharaja Forest Reserve]

【新罕布什尔州】Xīnhǎnbùshí'ěr Zhōu ニューハンプシャー州．❖アメリカの州名．[New Hampshire]

【新华社】Xīnhuáshè 新華社．❖中国の通信社．[Xinhua；Xinhuashe]

【新婚市场】xīnhūn shìchǎng ①ブライダルマーケット．②売買が活発な市場．[①bridal market]

【新纪元音乐】xīn jìyuán yīnyuè ニューエイジミュージック．[New Age Music]

【新加坡电信】Xīnjiāpō Diànxìn シンガポール・テレコム；シングテル．❖シンガポールの通信会社．[Singapore Telecom；SingTel]

【新加坡共和国】Xīnjiāpō Gònghéguó シンガポール共和国；シンガポール．[Republic of Singapore；Singapore]

【新加坡航空】Xīnjiāpō Hángkōng シンガポール航空．❖シンガポールの航空会社．コード：SQ．[Singapore Airlines]

【新加坡元】Xīnjiāpōyuán シンガポールドル．❖シンガポールの通貨単位．コード：SGD．略称は"新元 Xīnyuán"．[Singapore Dollar]

【新建】xīnjiàn ①新築する；新築の．②〔コンピューターで〕新規作成(する)．❖②IT用語．"创建 chuàngjiàn"とも．

【新鉴真号】Xīn Jiànzhēn Hào 新鑑真号．

❖中日国際輪渡有限公司(中国,日本)が運行する国際貨客船.

【新疆维吾尔自治区】Xīnjiāng Wéiwú'ěr Zìzhìqū 新疆(しんきょう)ウイグル自治区. ❖中国の自治区の1つ.略称は"新 Xīn".区都は"乌鲁木齐 Wūlǔmùqí".

【薪金阶层】xīnjīn jiēcéng サラリーマン;OL;会社員;給与所得者. ❖"上班族 shàngbānzú"とも.[office worker; white-collar worker]

【新经济】xīnjīngjì ニューエコノミー.[new economy]

【新九通一平】xīn jiǔtōng yīpíng 「新九通一平」. ❖企業誘致のためのソフトインフラ整備.情報,市場,法規,付属施設,物流,資金,人材,技術,サービス面の整備,および電子商取引などの関連システムを構築すること.

【新军】xīnjūn 新戦力.

【新拉纳克】Xīn Lānàkè ニュー・ラナーク. ●世界文化遺産(イギリス).[New Lanark]

【新浪潮】xīn làngcháo ニューウエーブ.[new wave]

【心理素质】xīnlǐ sùzhì 心理の素質.

【心理医生】xīnlǐ yīshēng 心療内科医.

【心理治疗师】xīnlǐ zhìliáoshī 心理療法士.

【心理咨询】xīnlǐ zīxún 心理カウンセリング.

【心理咨询师】xīnlǐ zīxúnshī 心理カウンセラー.

【心灵感应】xīnlíng gǎnyìng テレパシー.[telepathy]

【新墨西哥州】Xīnmòxīgē Zhōu ニューメキシコ州. ❖アメリカの州名.[New Mexico]

【新纳粹】xīnnàcuì ネオナチ;ネオナチス.[neo-Nazi]

【新能源技术】xīnnéngyuán jìshù 新エネルギー技術;新エネルギーテクノロジー.

【新盘】xīnpán 新しい物件;新物件;新モデルの物件.

【芯片】xīnpiàn チップ. ❖IT用語.[chip]

【芯片组】xīnpiànzǔ チップセット. ❖IT用語.[chipset]

【新奇士】Xīnqíshì サンキスト. ❖アメリカの柑橘フルーツ生産団体,また同団体の果実ブランド.[Sunkist]

【新千岁机场】Xīnqiānsuì Jīchǎng 新千歳(しんちとせ)空港. ❖日本・北海道,札幌にある空港.[New Chitose Airport]

【新人类】xīnrénlèi ①新人類. ②ニューハーフ. ❖①1960年代末から1970年代生まれの者のこと.

【新日本石油】Xīnrìběn Shíyóu 新日本石油. ❖日本の石油会社.[Nippon Oil]

【新日矿控股】Xīnrìkuàng Kònggǔ 新日鉱ホールディングス. ❖日本の持株会社.[Nippon Mining Holdings]

【新日铁】Xīnrìtiě 新日本製鉄. ❖日本の鉄鋼メーカー.[Nippon Steel]

【新锐】xīnruì ①新進気鋭の;新鋭の. ②新進気鋭の人;新鋭の物.

【心身疾病】xīnshēn jíbìng 心身症. ❖"身心病 shēnxīnbìng"とも.

【新生代】xīnshēngdài 新世代;ニュージェネレーション.[new generation]

【新圣女修道院】Xīnshèngnǚ Xiūdàoyuàn ノヴォデヴィチ修道院の建築物群. ●世界文化遺産(ロシア).[Ensemble of the Novodevichy Convent]

《新世纪福音战士》Xīn Shìjì Fúyīn Zhànshì 「新世紀エヴァンゲリオン」. ❖日本アニメのタイトル.[Neon Genesis Evangelion]

【新台币】xīntáibì 新台湾ドル;ニュー台湾ドル. ❖台湾の通貨単位.コード:TWD.[New Taiwan Dollar]

【辛特拉文化景观】Xīntèlā Wénhuà Jǐngguān シントラの文化的景観. ●世界文化遺産(ポルトガル).[Cultural Landscape of Sintra]

《心跳回忆》Xīntiào Huíyì 「ときめきメモリアル」. ❖コナミ(日本)製のゲームのタイト

xīn

ル.[Tokimeki Memorial]

【辛烷值】xīnwánzhí オクタン価.❖ガソリンのエンジン内でのノッキングの起こりにくさ(耐ノック性,アンチノック性)を示す数値.[octane number；octane rating；octane value]

【新闻发布】xīnwén fābù プレスリリース.[press release]

【新闻发布会】xīnwén fābùhuì 記者会見；プレスコンファレンス.[press conference]

【新闻集团】Xīnwén Jítuán ニューズ・コーポレーション.❖アメリカのメディア企業.[News Corporation]

【新闻来源】xīnwén láiyuán ニュースソース.[news source]

《新闻女郎》Xīnwén Nǚláng「ニュースの女」.❖日本のテレビドラマのタイトル.

《新闻周刊》Xīnwén Zhōukān「ニューズウィーク」.❖アメリカのニュース週刊誌.[Newsweek]

【新闻组】xīnwénzǔ ニュースグループ.❖IT用語.[newsgroup]

【新锡德尔湖与费尔特湖地区文化景观】Xīnxīdé'ěr Hú yǔ Fèi'ěrtè Hú Dìqū Wénhuà Jǐngguān フェルテー湖,ノイジードラー湖の文化的景観.◉世界文化遺産(オーストリア,ハンガリー).[Fertö/Neusiedlersee Cultural Landscape]

【新西兰】Xīnxīlán ①ニュージーランド.②(Xīn Xī Lán)新疆〈しんきょう〉,チベット,蘭州.❖②"新疆 Xīnjiāng""西藏 Xīzàng""兰州 Lánzhōu"の略.[①New Zealand]

【新西兰次南极区群岛奥克兰群岛】Xīnxīlán Cìnánjíqū Qúndǎo Àokèlán Qúndǎo ニュージーランドの亜南極諸島.◉世界自然遺産(ニュージーランド).[New Zealand Sub-Antarctic Islands]

【新西兰航空】Xīnxīlán Hángkōng ニュージーランド航空.❖ニュージーランドの航空会社.コード：NZ.[Air New Zealand]

【新西兰元】Xīnxīlányuán ニュージーランドドル.❖ニュージーランドの通貨単位.コード：NZD.[New Zealand Dollar]

【新潟市】Xīnxì Shì 新潟〈にいがた〉市.❖新潟〈にいがた〉県("新潟县 Xīnxì Xiàn")の県庁所在地.

【新潟县】Xīnxì Xiàn 新潟〈にいがた〉県.❖日本の都道府県の1つ.県庁所在地は新潟〈にいがた〉市("新潟市 Xīnxì Shì").

【新鲜血液】xīnxiān xuèyè 新戦力.

《心香》Xīnxiāng「心の香り」.❖中国映画のタイトル.[The True Hearted]

【辛辛那提】Xīnxīnnàtí シンシナティ.❖アメリカの都市名.[Cincinnati]

【新新人类】xīnxīn rénlèi 新新人類.❖1970年代末から1980年代生まれの者のこと.

【新兴市场】xīnxīng shìchǎng 新興市場.

【新一代移动通信系统】xīnyīdài yídòng tōngxìn xìtǒng 新世代移動通信システム.❖IT用語.

【新一轮多边贸易谈判】xīnyīlún duōbiān màoyì tánpàn 新多角的貿易交渉；新ラウンド.

【新艺术】xīnyìshù アールヌーボー.[art nouveau；Art Nouveau]

【心语】xīnyǔ 本音.

【新元】Xīnyuán シンガポールドル.❖シンガポールの通貨単位.コード：SGD."新加坡元 Xīnjiāpōyuán"の略.[Singapore Dollar]

【新员工】xīnyuángōng 新人職員；新入社員；新人.

【心脏起搏器】xīnzàng qǐbóqì ペースメーカー；心臓ペースメーカー.❖"起搏器 qǐbóqì"とも.[pacemaker；cardiac pacemaker]

【心脏死亡】xīnzàng sǐwáng 心臓死.

【新泽西州】Xīnzéxī Zhōu ニュージャージー州.❖アメリカの州名.[New Jersey]

【心智】xīnzhì ①知力；知恵；知慮.②精神；品性；人格.

【薪资成本】xīnzī chéngběn 人件費.

【薪资联盟】xīnzī liánméng〔新卒者による〕給与交渉同盟. ❖新卒の学生が就職活動の際,企業側と給与交渉をするための組織.

xīn

【信贷额度】xìndài édù 与信枠;与信限度額. ❖金融用語."授信额度 shòuxìn édù"とも.

【信贷业务】xìndài yèwù 与信業務. ❖金融用語."授信业务 shòuxìn yèwù"とも.

【信贷支持】xìndài zhīchí 貸付援助.

【信贷指导限额】xìndài zhǐdǎo xiàn'é 貸付ガイドライン. ❖金融用語.

【信得过单位】xìndeguò dānwèi 信用できる部門;信用できる企業;信用できる会社.

【信汇】xìnhuì 文書送金. ❖金融用語. [mail transfer]

【信浓川】Xìnnóng Chuān 信濃川〈しなのがわ〉. ❖日本・中部地方を流れる川. [the Shinano River]

【信诺】Xìnnuò シグナ. ❖アメリカの保険会社. [Cigna]

【信骚扰】xìnsāorǎo メールによる嫌がらせ. ❖"性骚扰 xìngsāorǎo"(性的いやがらせ,セクハラ)から派生した語.

【信息安全】xìnxī ānquán 情報の安全対策;インフォメーションセキュリティー. [information security]

【信息包】xìnxībāo パケット. ❖IT用語."数据包 shùjùbāo"とも. [packet]

【信息产业】xìnxī chǎnyè 情報産業;IT産業. ❖IT用語.

【信息服务】xìnxī fúwù 情報サービス;インフォメーションサービス. [information service]

【信息港】xìnxīgǎng 情報の港;インフォポート;サイバーポート;ハイテク産業基地. ❖IT用語. [cyberport]

【信息高速公路】xìnxī gāosù gōnglù 情報スーパーハイウェイ. ❖IT用語. [information superhighway]

【信息革命】xìnxī gémìng 情報革命.

【信息含量】xìnxī hánliàng 情報コンテンツ.

【信息化】xìnxīhuà 情報化.

【信息技术】xìnxī jìshù インフォメーションテクノロジー;情報技術;IT. ❖IT用語. [information technology; IT]

【信息技术外包策略】xìnxī jìshù wàibāo cèlüè ITアウトソーシング戦略.

【信息家电】xìnxī jiādiàn 情報家電. ❖IT用語.

【信息检索】xìnxī jiǎnsuǒ 情報検索.

【信息经济】xìnxī jīngjì 情報経済.

【信息科学】xìnxī kēxué 情報科学;インフォメーションサイエンス. [information science]

【信息库】xìnxīkù 情報ベース;インフォメーションベース. [information base]

【信息流】xìnxīliú 情報の流れ.

【信息披露】xìnxī pīlù ディスクロージャー. ❖企業,法人の経営内容等を公開すること. [disclosure]

【信息社会】xìnxī shèhuì 情報化社会. [information society]

【信息素养】xìnxī sùyǎng 情報リテラシー. ❖"信息素质 xìnxī sùzhì"とも. [information literacy]

【信息素质】xìnxī sùzhì 情報リテラシー. ❖"信息素养 xìnxī sùyǎng"とも. [information literacy]

【信息台】xìnxītái 電話情報サービス;テレホンサービス. ❖"电话信息服务台 diànhuà xìnxī fúwùtái"の略. [telephone information service]

【信息战】xìnxīzhàn 情報戦;インフォメーションウォーフェア. [information warfare]

【信箱】xìnxiāng メールボックス;郵便受け. [mailbox; letter box]

xìn — xīng

【信仰危机】xìnyǎng wēijī 信仰の危機．❖マルクス主義,社会主義,共産主義信仰に対するゆらぎ,失望のこと．

【信用产生】xìnyòng chǎnshēng 信用創造．❖金融用語."信用创造 xìnyòng chuàngzào"とも．

【信用创造】xìnyòng chuàngzào 信用創造．❖金融用語."信用产生 xìnyòng chǎnshēng"とも．

【信用创造职能】xìnyòng chuàngzào zhínéng 信用創造機能．❖金融用語．

【信用调查】xìnyòng diàochá 信用調査．❖金融用語．

【信用合作社】xìnyòng hézuòshè「信用合作社」；信用協同組合；信用組合．❖略称は"信用社 xìnyòngshè"．

【信用货币】xìnyòng huòbì 信用貨幣；不換紙幣．❖金融用語."信用通货 xìnyòng tōnghuò"とも．

【信用交易】xìnyòng jiāoyì 信用取引．❖金融用語．

【信用金库】xìnyòng jīnkù 信用金庫．

【信用紧缩】xìnyòng jǐnsuō クレジットクランチ．[credit crunch]

【信用卡】xìnyòngkǎ クレジットカード．[credit card]

【信用膨胀】xìnyòng péngzhàng 信用インフレーション．

【信用评级】xìnyòng píngjí 格付け；レーティング．❖金融用語."评级 píngjí"とも．[rating]

【信用社】xìnyòngshè「信用合作社」；信用協同組合；信用組合．❖"信用合作社 xìnyòng hézuòshè"の略．

【信用通货】xìnyòng tōnghuò 信用貨幣；不換紙幣．❖金融用語."信用货币 xìnyòng huòbì"とも．

【信用文化】xìnyòng wénhuà クレジット文化．

【信用协会】xìnyòng xiéhuì 信用組合．

【信用证】xìnyòngzhèng 信用状；L/C〈エルシー〉．❖金融用語．[letter of credit；L/C]

xīng

【星巴克咖啡】Xīngbākè Kāfēi スターバックスコーヒー；スターバックス；スタバ．❖アメリカのコーヒーショップチェーン．[Starbucks Coffee]

【兴奋剂】xīngfènjì 興奮剤．

【兴奋剂检查】xīngfènjì jiǎnchá ドーピング検査；薬物検査．

【星号】xīnghào 星印；アステリスク．❖記号は「*」．[asterisk]

【星号 ST 股】xīnghào ST gǔ〔中国株式市場における〕*〈スター〉ST銘柄．❖金融用語．中国の上場企業の業績が2年連続赤字の場合,その銘柄の先頭にSTの文字が付く．'*ST'は'ST'よりもさらに上場廃止の危険性が高い．

【星火计划】Xīnghuǒ Jìhuà「星火計画」．❖科学技術によって農村経済の振興を目指す計画．1986年より実施．

【星级】xīngjí ①ホテルのランク．②ハイレベルな；高級な；高水準の．③スター級の．❖①1～5つ星．北京市では2004年,最上級の"白金五星级 báijīn wǔxīngjí"(プラチナ5つ星)を新たに設定した．

《星际迷航》Xīngjì Míháng「スター・トレック」．❖アメリカ映画のタイトル．[Star Trek]

《星际争霸》Xīngjì Zhēngbà「スタークラフト」．❖ブリザードエンターテインメント(米)製のゲームのタイトル．[StarCraft]

【星空传媒】Xīngkōng Chuánméi サテライト・テレビジョン・アジアン・リージョン；スターテレビ．❖香港の衛星テレビ局．[Satellite Television Asian Region；Star TV]

【星期日工程师】xīngqīrì gōngchéngshī サイドビジネスを行う技術者；サンデーエンジニア．❖工業都市に勤務先を持つ技術者が,日曜日に都市郊外や地方にある民間

企業の技術指導などを行うこと.

《**星球大战**》Xīngqiú Dàzhàn「スターウォーズ」. ❖アメリカ映画のタイトル. [Star Wars]

【**星球大战计划**】Xīngqiú Dàzhàn Jìhuà「スターウォーズ計画」. ❖アメリカの戦略防衛構想. 1983年, レーガン大統領(当時)が提唱. 'Strategic Defense Initiative' ("战略防御计划 Zhànlüè Fángyù Jìhuà"戦略防衛構想)の通称. [Star Wars; Star Wars program]

【**兴旺**】xīngwàng 盛んである; 栄える; 繁盛する; 好況である.

【**星运**】xīngyùn ①〔星占いの〕運勢. ②スターになる運; スター運.

【**星展银行**】Xīngzhǎn Yínháng シンガポール開発銀行; DBS. ❖シンガポールの銀行. [DBS Bank]

《**星之金币**》Xīng zhī Jīnbì「星の金貨」. ❖日本のテレビドラマのタイトル.

xíng

【**行动计划**】xíngdòng jìhuà アクションプラン; 行動計画. [action plan]

【**行动通讯**】xíngdòng tōngxùn モバイル通信. ❖IT用語. [mobile communication]

【**刑拘**】xíngjū 逮捕する. ❖刑事訴訟法にもとづく重要被疑者あるいは現行犯に対する強制措置. "刑事拘留 xíngshì jūliú"の略.

【**行权价格**】xíngquán jiàgé 権利行使価格; 行使価格. ❖金融用語. "期权执行价格 qīquán zhíxíng jiàgé" "权利执行价格 quánlì zhíxíng jiàgé" "行使价格 xíngshǐ jiàgé"とも.

【**行使价格**】xíngshǐ jiàgé 権利行使価格; 行使価格. ❖金融用語. "期权执行价格 qīquán zhíxíng jiàgé" "权利执行价格 quánlì zhíxíng jiàgé" "行权价格 xíngquán jiàgé"とも.

【**行使权利**】xíngshǐ quánlì 権利行使.

【**行使认股权后的公司债部分**】xíngshǐ réngǔquánhòu de gōngsīzhài bùfen ポンカス債; エクスワラント. ❖金融用語. 権利行使後に残った社債の部分. [ex warrant; ex-warrant]

【**刑释**】xíngshì 刑期満了後に釈放する.

【**刑事拘留**】xíngshì jūliú 逮捕する. ❖刑事訴訟法にもとづく重要被疑者あるいは現行犯に対する強制措置. 略称は"刑拘 xíngjū".

【**行为干预**】xíngwéi gānyù 行動介入. ❖医学用語.

【**行为科学**】xíngwéi kēxué 行動科学.

【**行为医学**】xíngwéi yīxué 行動医学.

【**形象大使**】xíngxiàng dàshǐ イメージキャラクター; イメージ大使.

【**形象代言人**】xíngxiàng dàiyánrén イメージキャラクター.

【**形象工程**】xíngxiàng gōngchéng イメージアッププロジェクト; イメージアップ工事.

【**形象设计**】xíngxiàng shèjì 企業イメージデザイン.

【**形象设计师**】xíngxiàng shèjìshī スタイリスト. [stylist]

【**形象先生**】xíngxiàng xiānsheng 〔男性の〕イメージキャラクター.

【**形象小姐**】xíngxiàng xiǎojie 〔女性の〕イメージキャラクター.

【**行政处罚**】xíngzhèng chǔfá 行政処分.

【**行政复议**】xíngzhèng fùyì 行政再審議. ❖市民や法人組織が行政に対して不服申し立てをした場合, 行政側が再度審議すること.

【**行政监察专员**】xíngzhèng jiānchá zhuānyuán オンブズマン; 行政監視員. [ombudsman]

【**行政楼**】xíngzhènglóu 管理棟; 事務棟.

【**行政诉讼**】xíngzhèng sùsòng 行政訴訟.

【**形状记忆合金**】xíngzhuàng jìyì héjīn 形

状記憶合金.

xìng

【性別歧視】xìngbié qíshì 性差別.

【性別失衡】xìngbié shīhéng 男女の出生比率不均衡.

【性传播疾病】xìngchuánbō jíbìng 性感染症；STD.[sexually transmitted disease；STD]

《幸福时光》Xìngfú Shíguāng「至福のとき」. ❖中国映画のタイトル.[Happy Times]

【性贿赂】xìnghuìlù 性的贿赂.

【性伙伴】xìnghuǒbàn セックスパートナー；セックスフレンド.

【性价比】xìng jià bǐ 価格性能比；コストパフォーマンス. ❖"性能价格比 xìngnéng jiàgébǐ"の略.[cost performance]

【姓名权】xìngmíngquán 姓名権.

【性能价格比】xìngnéng jiàgé bǐ 価格性能比；コストパフォーマンス. ❖略称は"性价比 xìng jià bǐ".[cost performance]

【性骚扰】xìngsāorǎo 性的いやがらせ；セクシャルハラスメント；セクハラ.[sexual harassment]

【性用品】xìngyòngpǐn アダルトグッズ.[adult goods；sex toy]

【兴致很高】xìngzhì hěn gāo 絶好調；ノリノリ.

xiōng

【胸卡】xiōngkǎ〔身につけるタイプの〕身分証；IDカード.

【匈牙利共和国】Xiōngyálì Gònghéguó ハンガリー共和国；ハンガリー.[Republic of Hungary；Hungary]

【匈牙利航空】Xiōngyálì Hángkōng マレブ・ハンガリー航空. ❖ハンガリーの航空会社.コード：MA.[Malév Hungarian Airlines]

xióng

【熊本市】Xióngběn Shì 熊本《くまもと》市. ❖熊本《くまもと》県("熊本县 Xióngběn Xiàn")の県庁所在地.

【熊本县】Xióngběn Xiàn 熊本《くまもと》県. ❖日本の都道府県の1つ.県庁所在地は熊本《くまもと》市("熊本市 Xióngběn Shì").

【雄猫战斗机】Xióngmāo Zhàndòujī トムキャット；F14戦闘機.[Tomcat；F14A]

【熊市】xióngshì ベアマーケット. ❖金融用語.相場が下落し,弱気になっている状態.[bear market]

xiū

【修保】xiūbǎo 修理(する)；補修(する)；リペア(する).[repair]

【修补】xiūbǔ ①継ぎを当てる；継ぎ. ②パッチ(を当てる). ❖②IT用語.プログラムの1部を修正すること."补丁 bǔdīng"とも.[patch]

【修改】xiūgǎi 修正(する)；改訂(する)；リバイズ(する)；アメンド(する).[revise；amend]

【修护】xiūhù 手入れ(する)；トリートメント(する).[treantment]

【修理】xiūlǐ ①修理(する)；直す. ②こらしめる.

【修眉镊子】xiūméi nièzi 眉用毛抜き.

【休眠】xiūmián ハイバネーション；休止状態. ❖IT用語.[hibernation]

【休眠模式】xiūmián móshì〔コンピューターの〕スリープモード；スリープ. ❖IT用語.[sleep mode]

【休牧】xiūmù 休牧(する)；放牧を休止する.

【修容饼】xiūróngbǐng ①パウダーシャドウ. ②ほお紅；チークカラー. ❖①②"修容粉

xiūrǒngfěn"とも. ②"腮红 sāihóng"とも. [①shading powder ②cheek color ; blusher ; rouge]

【休市】xiūshì 取引所や取引市場の休日.

【休斯敦】Xiūsīdūn ヒューストン. ❖アメリカの都市名.サミット開催地の1つ.[Houston]

【休闲】xiūxián ①休耕;〔主として田畑を〕遊ばせておく. ②レジャー;余暇.[②leisure]

【休闲产业】xiūxián chǎnyè レジャー産業. ❖"休闲业 xiūxiányè"とも.

【休闲地产】xiūxián dìchǎn レジャー,リゾート向け不動産.

【休闲服】xiūxiánfú カジュアルウェア.[casual wear ; casual clothes]

【休闲胜地】xiūxián shèngdì リゾート;リゾート地. ❖"度假胜地 dùjià shèngdì"とも.[resort]

【休闲业】xiūxiányè レジャー産業. ❖"休闲产业 xiūxián chǎnyè"とも.

【休闲装】xiūxiánzhuāng カジュアルファッション;カジュアルウェア.[casual wear ; casual fashion]

【修宪】xiūxiàn 憲法改正(する). ❖"修改宪法 xiūgǎi xiànfǎ"の略.

【修学游】xiūxuéyóu 修学旅行.

【休渔】xiūyú 休漁.

【修正液】xiūzhèngyè 修正液. ❖"涂改液 túgǎiyè"とも.

【修正预算】xiūzhèng yùsuàn 予算の修正;予算を修正する.

xiù

【秀】xiù ①見せる. ②ショー.[②show]

xū

【虚高】xūgāo 不当な高値;不当に高い.
【虚假广告】xūjiǎ guǎnggào 虚偽広告.

【虚假盈利】xūjiǎ yínglì 水増し利益.

【虚假账务】xūjiǎ zhàngwù 裏帳簿. ❖"虚假帐务 xūjiǎ zhàngwù"とも.

【虚拟】xūnǐ 仮想;バーチャル.[virtual]

【虚拟存储器】xūnǐ cúnchǔqì 仮想記憶装置;バーチャルストレージ. ❖IT用語.[virtual storage]

【虚拟存款】xūnǐ cúnkuǎn 粉飾預金. ❖金融用語.

【虚拟经济】xūnǐ jīngjì バーチャル経済;仮想経済.

【虚拟旅游】xūnǐ lǚyóu バーチャルツアー;仮想旅行. ❖IT用語.[virtual tour]

【虚拟内存】xūnǐ nèicún 仮想記憶;仮想メモリー;バーチャルメモリー. ❖IT用語.[virtual memory]

【虚拟人】xūnǐrén 仮想人間;バーチャルヒューマン;アバター. ❖IT用語."虚拟人物 xūnǐ rénwù"とも.[virtual human ; avatar]

【虚拟人物】xūnǐ rénwù 仮想人間;バーチャルヒューマン;アバター. ❖IT用語."虚拟人 xūnǐrén"とも.[virtual human ; avatar]

【虚拟社区】xūnǐ shèqū バーチャルコミュニティー.[virtual community]

【虚拟市场】xūnǐ shìchǎng 仮想市場;バーチャルマーケット.[virtual market]

【虚拟天文台】xūnǐ tiānwéntái バーチャル天文台.

【虚拟网】xūnǐwǎng バーチャルネット.[virtual network]

【虚拟现实】xūnǐ xiànshí バーチャルリアリティー;仮想現実;VR.[virtual reality;VR]

【虚拟现实技术】xūnǐ xiànshí jìshù バーチャルリアリティー技術.[virtual reality technology]

【虚拟银行】xūnǐ yínháng 仮想銀行;バーチャルバンク;バーチャル銀行.[virtual bank]

【虚拟主持人】xūnǐ zhǔchírén バーチャルキャスター；バーチャルアナウンサー．[virtual anchor ; virtual newscaster ; virtual announcer]

【嘘声】xūshēng ブーイング．[booing]

xù

【旭电】Xùdiàn ソレクトロン．❖アメリカの電子機器受託製造会社．[Solectron]

【序号】xùhào シリアルナンバー；通し番号．[serial number]

【旭化成】Xùhuàchéng 旭化成．❖日本の総合化学メーカー．[Asahi Kasei]

【叙利亚】Xùlìyà シリア；シリア・アラブ共和国．❖"阿拉伯叙利亚共和国 Ālābó Xùlìyà Gònghéguó"の略．[Syrian Arab Republic ; Syria]

【叙利至沙洛讷之间的卢瓦尔河谷】Xùlì zhī Shāluònè zhī Jiān de Lúwǎ'ěr Hégǔ シュリー・シュル・ロワールとシャロンヌの間のロワール渓谷．●世界文化遺産（フランス）．[The Loire Valley between Sully-sur-Loire and Chalonnes]

【续闻】xùwén 続報；追跡記事．

【旭硝子】Xùxiāozǐ 旭硝子．❖日本のガラスメーカー．[Asahi Glass]

xuān

【宣传口号】xuānchuán kǒuhào ①宣伝スローガン．②キャッチコピー．

【轩尼诗】Xuānníshī ヘネシー．❖LVMHグループ（仏）の酒造メーカー，ブランド．[Hennessy]

xuán

【悬疑片】xuányípiàn サスペンス映画．

【旋转餐厅】xuánzhuǎn cāntīng 回転レストラン．

xuǎn

【选单】xuǎndān ①〔コンピューターの〕メニュー．②サービス内容の一覧．❖①IT用語．[①menu]

【选聘】xuǎnpìn 選考して招聘〈しょうへい〉する．

【选项】xuǎnxiàng オプション．❖金融用語では"期权 qīquán"とも．[option]

【选秀】xuǎnxiù ドラフト；選抜．

【选秀制度】xuǎnxiù zhìdù ドラフト制度．

【选择权交易】xuǎnzéquán jiāoyì オプション取引．❖金融用語．"期权交易 qīquán jiāoyì"とも．

【选址意见书】xuǎnzhǐ yìjiànshū 土地使用許可書；土地使用許可証．

xuàn

【渲染】xuànrǎn レンダリング．❖IT用語．数値データを画像化すること．[rendering]

xuē

《削减战略武器条约》Xuējiǎn Zhànlüè Wǔqì Tiáoyuē「戦略兵器削減条約」；START〈スタート〉．[Strategic Arms Reduction Talks ; START]

xué

【学而优则仕】xué ér yōu zé shì 大学を卒業して役人になる．❖「論語」の"学而优则仕 xué ér yōu zé shì"（学びて優れたるはすなわち仕う）から．

【学科带头人】xuékē dàitóurén アカデミックリーダー．[academic leader]

【学历教育】xuélì jiàoyù 学歴取得教育．

【学前教育】xuéqián jiàoyù 就学前教育．

【学生减负】xuéshēng jiǎnfù 学生の負担軽減．

【学习障碍】xuéxí zhàng'ài 学習障害；LD.[learning disability；LD]

【学校恐怖症】xuéxiào kǒngbùzhèng 登校拒否症.

xuě

【雪碧】Xuěbì スプライト. ❖コカ・コーラ(米)製の飲料名.[Sprite]

【雪藏】xuěcáng ①冷凍保存（する）；冷蔵保存（する）.②奥に秘める；深くしまう.

【雪佛兰】Xuěfólán シボレー. ❖GM(米)の自動車ブランド.[Chevrolet]

【雪佛龙德士古】Xuěfólóng Déshìgǔ シェブロン・テキサコ. ❖アメリカの石油会社.[Chevron Texaco]

【雪糕壳】xuěgāoké アイスクリームサーバー；アイスクリームディッシャー.[ice cream scoop]

【雪克壶】xuěkèhú シェーカー. ❖"调酒壶 tiáojiǔhú"とも.[shaker]

【雪利酒】xuělìjiǔ シェリー酒；シェリー. ❖スペイン，ヘレス（英語名'sherry'）産のワイン."雪莉酒 xuělìjiǔ"とも.[sherry]

【雪莉酒】xuělìjiǔ シェリー酒；シェリー. ❖スペイン，ヘレス（英語名'sherry'）産のワイン."雪利酒 xuělìjiǔ"とも.[sherry]

【雪橇】xuěqiāo リュージュ.[luge]

【雪铁龙】Xuětiělóng シトロエン. ❖フランスの自動車メーカー.[Citroën]

【雪印乳业】Xuěyìn Rǔyè 雪印乳業. ❖日本の食品メーカー.[Snow Brand Milk Products]

xuè

【血检】xuèjiǎn 血液検査. ❖"血液检查 xuèyè jiǎnchá"の略.特にドーピング検査で行われる血液検査のこと.

【血液检查】xuèyè jiǎnchá 血液検査. ❖特にドーピング検査で行われる血液検査のこと.略称は"血检 xuèjiǎn".

【血液透析】xuèyè tòuxī 血液透析. ❖人工透析の1種."洗血 xǐxuè"の正式名称.[hemodialysis]

《血疑》Xuèyí「赤い疑惑」. ❖日本のテレビドラマのタイトル.

xún

【寻道时间】xúndào shíjiān シークタイム. ❖IT用語.[seek time]

【巡堤查险】xúndī cháxiǎn 堤防の巡回検査.

【寻根】xúngēn ルーツをさぐる.

【寻根文学】xúngēn wénxué ルーツ文学. ❖中国現代文学のジャンルの1つ.

【巡航导弹】xúnháng dǎodàn 巡航ミサイル.

【寻呼机】xúnhūjī ページャー. ❖IT用語.[pager]

【循环经济】xúnhuán jīngjì 循環型経済；持続型経済.

【循环赛】xúnhuánsài リーグ戦. ❖"联赛 liánsài"とも.[league competition；league match；league game]

【循环信贷】xúnhuán xìndài リボルビングクレジット；リボルビング. ❖金融用語.[revolving credit]

【循环信用证】xúnhuán xìnyòngzhèng 回転信用状. ❖金融用語.[revolving L/C；revolving letter of credit；RLC]

【循环再生】xúnhuán zàishēng リサイクル. ❖"再循环利用 zàixúnhuán lìyòng"とも.[recycling]

【循环制】xúnhuánzhì ①リーグ方式.②ラウンドロビン. ❖②IT用語.[round robin system]

【巡回招聘】xúnhuí zhāopìn 企業が大学を回り求職者を募る；巡回求人. ❖企業が大学などを巡回し，求職者を募ること.

【询价】xúnjià 引き合い；価格の問い合わ

せ.
【巡演】xúnyǎn ツアー；巡回公演．[tour]
【巡展】xúnzhǎn 巡回展示；巡回展．
【寻职】xúnzhí 求職．

xùn

【迅驰】Xùnchí セントリーノ．❖インテル(米)製のCPUブランド．[Centrino]

【讯价制】xùnjiàzhì ブックビルディング方式．❖金融用語．新たに発行する株式の公募価格を決めるときに用いる方法．"簿记建档方式 bùjì jiàndàng fāngshì"とも．
【逊尼派】Xùnnípài〔イスラム教〕スンニ派．[Sunni]
【迅销】Xùnxiāo ファーストリテイリング．❖日本のアパレルメーカー．[Fast Retailing]

Y

yā

【鸭】yā ①アヒル.②男娼.
【压产】yāchǎn 生産規制;生産調整.
【压电陶瓷】yādiàn táocí 圧電セラミック.
【压锭】yādìng 紡績業の生産規模縮小.
【押汇汇票】yāhuì huìpiào 荷為替手形〈にがわせてがた〉;ドキュメンタリービル.❖金融用語."跟单汇票 gēndān huìpiào"とも.[documentary bill;documentary draft]
【押汇信用证】yāhuì xìnyòngzhèng 荷為替〈にがわせ〉信用状.❖金融用語."跟单信用证 gēndān xìnyòngzhèng"とも.[documentary L/C]
【押汇银行】yāhuì yínháng 買取銀行;割引銀行.❖金融用語."议付银行 yìfù yínháng"とも.
【鸦片】yāpiàn ①アヘン.②(Yāpiàn)オピウム.❖②イヴ・サンローラン(仏)製のフレグランス名.[②Opium]
【压水花技术】yāshuǐhuā jìshù ノースプラッシュ.❖水泳跳び込み競技で,入水時ほとんど水しぶきをたてない技術.
【压缩】yāsuō ①圧縮(する).②〔ファイルなどを〕圧縮(する).❖②IT用語.
【压凸印】yātūyìn エンボス.[embossment]
【压轴戏】yāzhòuxì 最後から2番目の出し物.

yá

【牙买加】Yámǎijiā ジャマイカ.[Jamaica]
【牙买加航空】Yámǎijiā Hángkōng エアージャマイカ.❖ジャマイカの航空会社.コード:JM.[Air Jamaica]

yǎ

【雅典】Yǎdiǎn ①アテネ.②ユリス・ナルダン.❖①ギリシャの首都.②スイスの時計メーカー.[①Athens ②Ulysse Nardin]
【雅典卫城】Yǎdiǎn Wèichéng アテネのアクロポリス.●世界文化遺産(ギリシャ).[Acropolis, Athens]
【雅芳】Yǎfāng エイボン.❖アメリカの化粧品メーカー.[Avon]
【雅高酒店集团】Yǎgāo Jiǔdiàn Jítuán アコー;アコーグループ.❖フランスのホテル運営会社.ノボテル,ソフィテルなどのブランドを持つ.[Accor Group]
【雅阁】Yǎgé アコード.❖ホンダ(日本)製の車名.[Accord]
【雅格狮丹】Yǎgéshīdān アクアスキュータム.❖イギリスのファッションメーカー,ブランド.[Aquascutum]
【雅虎】Yǎhǔ Yahoo!〈ヤフー〉.❖アメリカのIT企業,また同社が運営するポータルサイト名.[Yahoo!]
【雅加达】Yǎjiādá ジャカルタ.❖インドネシアの首都."椰城 Yēchéng"とも.[Jakarta]
【雅马哈】Yǎmǎhā ヤマハ.❖日本の楽器,バイクメーカー.[Yamaha]
【雅男士】Yǎnánshì アラミス.❖エスティローダー(米)の男性用総合化粧品ブランド.[Aramis]
【雅培制药】Yǎpéi Zhìyào アボット・ラボラトリーズ.❖アメリカの医薬品メーカー.[Abbott Laboratories]
【雅皮士】yǎpíshì ヤッピー.[young urban professionals;yuppie]
【雅诗兰黛】Yǎshī Lándài エスティローダー.❖アメリカの化粧品メーカー.[Estée Lauder]

yǎ — yà

【雅思】Yǎsī アイエルツ；IELTS. ❖英語を母語としない外国人向けの英語能力判定テスト.イギリス連邦諸国で採用されている.[International English Language Testing System ; IELTS]

【雅特】Yǎtè アストラ. ❖オペル(GM傘下)製の車名.[Astra]

【雅温得】Yǎwēndé ヤウンデ. ❖カメルーンの首都.[Yaoundé ; Yaunde]

【雅西卡】Yǎxīkǎ ヤシカ. ❖京セラ(日本)のカメラブランド.[Yashica]

yà

【亚琛大教堂】Yàchēn Dàjiàotáng アーヘン大聖堂. ●世界文化遺産(ドイツ).[Aachen Cathedral]

【亚得里亚海】Yàdélǐyà Hǎi アドリア海. ❖イタリア半島とバルカン半島にはさまれた海.[the Adriatic Sea]

【亚的斯亚贝巴】Yàdìsī Yàbèibā アディスアベバ. ❖エチオピアの首都.[Addis Ababa]

【亚行】Yàháng アジア開発銀行. ❖"亚洲开发银行 Yàzhōu Kāifā Yínháng"の略.[Asian Development Bank ; ADB]

【亚健康】yàjiànkāng 半健康人；半健康状態.

【亚拉巴马州】Yàlābāmǎ Zhōu アラバマ州. ❖アメリカの州名.[Alabama]

【亚里士多德】Yàlǐshìduōdé アリストテレス. ❖古代ギリシャの哲学者.[Aristotle]

【亚利桑那州】Yàlìsāngnà Zhōu アリゾナ州. ❖アメリカの州名.[Arizona]

【亚丽诗】Yàlìshī アトラス. ❖日本のゲーム用ソフト,アミューズメント機器製造,運営メーカー.[Atlus]

【亚伦区】Yàlúnqū ヤレン. ❖ナウルの政庁所在地.[Yaren District]

【亚马孙河】Yàmǎsūn Hé アマゾン川. ❖南アメリカ大陸を流れる川.[the Amazon River ; the Amazon]

【亚马孙河中心综合保护区】Yàmǎsūn Hé Zhōngxīn Zōnghé Bǎohùqū 中央アマゾン保全地域群. ●世界自然遺産(ブラジル).[Central Amazon Conservation Complex]

【亚马逊】Yàmǎxùn アマゾン・ドット・コム. ❖アメリカのインターネット小売業者.[Amazon.com]

【亚美尼亚共和国】Yàměiníyà Gònghéguó アルメニア共和国；アルメニア.[Republic of Armenia ; Armenia]

【亚眠大教堂】Yàmián Dàjiàotáng アミアン大聖堂. ●世界文化遺産(フランス).[Amiens Cathedral]

【亚穆苏克罗】Yàmùsūkèluó ヤムスクロ. ❖コートジボワールの首都.[Yamoussoukro]

【亚佩克】Yàpèikè アジア太平洋経済協力会議；APEC〈エイペック〉. ❖"亚洲太平洋经济合作组织 Yàzhōu Tàipíngyáng Jīngjì Hézuò Zǔzhī"の略.[Asia–Pacific Economic Cooperation ; Asia Pacific Economic Cooperation ; APEC]

【亚述古城】Yàshù Gǔchéng アッシュール(カラット・シェルカット). ●世界危機遺産(イラク).[Ashur (Qal'at Sherqat)]

【亚松森】Yàsōngsēn アスンシオン. ❖パラグアイの首都.[Asuncion]

【亚速尔群岛英雄港中心区】Yàsù'ěr Qúndǎo Yīngxióng Gǎng Zhōngxīnqū アゾレス諸島のアングラ・ド・エロイズモの町の中心地区. ●世界文化遺産(ポルトガル).[Central Zone of the Town of Angra do Heroismo in the Azores]

【亚太经合会】YàTài Jīnghéhuì アジア太平洋経済協力会議；APEC〈エイペック〉. ❖"亚洲太平洋经济合作组织 Yàzhōu Tàipíngyáng Jīngjì Hézuò Zǔzhī"の略.[Asia–Pacific Economic Cooperation ; Asia Pacific Economic Cooperation ; APEC]

yà — yán

【亚太经合组织】YàTài Jīnghé Zǔzhī アジア太平洋経済協力会議；APEC〈エイペック〉. ❖"亚洲太平洋经济合作组织 Yàzhōu Tàipíngyáng Jīngjì Hézuò Zǔzhī"の略. [Asia-Pacific Economic Cooperation；Asia Pacific Economic Cooperation；APEC]

【亚太经济合作组织】YàTài Jīngjì Hézuò Zǔzhī アジア太平洋経済協力会議；APEC〈エイペック〉. ❖"亚洲太平洋经济合作组织 Yàzhōu Tàipíngyáng Jīngjì Hézuò Zǔzhī"の略. [Asia-Pacific Economic Cooperation；Asia Pacific Economic Cooperation；APEC]

【亚太卫星控股】YàTài Wèixīng Kònggǔ 亜太衛星控股；APTサテライト・ホールディングス. ❖通信,技術サービス会社.レッドチップ企業の1つ. [APT Satellite Holdings]

【亚太影展】YàTài yǐngzhǎn アジア太平洋映画祭. ❖アジア太平洋地域各国が毎年持ち回りで開催する映画祭. [Asian Pacific Film Festival]

【亚特兰大】Yàtèlándà アトランタ. ❖アメリカ・ジョージア州都. [Atlanta]

【亚文化】yàwénhuà サブカルチャー. [subculture]

【亚沃尔和希维德尼察和平教堂】Yàwò'ěr hé Xīwéidénǐchá Hépíng Jiàotáng ヤヴォルとシフィドニツァの平和教会群. ●世界文化遺産（ポーランド）. [Churches of Peace in Jawor and Swidnica]

【亚油酸】yàyóusuān リノール酸. [linoleic acid]

【亚运会】Yàyùnhuì アジア競技大会. ❖"亚洲运动会 Yàzhōu Yùndònghuì"の略. [Asian Games]

【亚洲开发银行】Yàzhōu Kāifā Yínháng アジア開発銀行. ❖略称は"亚行 Yàháng". [Asian Development Bank；ADB]

【亚洲太平洋经济合作组织】Yàzhōu Tàipíngyáng Jīngjì Hézuò Zǔzhī アジア太平洋経済協力会議；APEC〈エイペック〉. ❖略称は"亚佩克 Yàpèikè""亚太经合会 YàTài Jīnghéhuì""亚太经合组织 YàTài Jīnghé Zǔzhī""亚太经济合作组织 YàTài Jīngjì Hézuò Zǔzhī". [Asia-Pacific Economic Cooperation；Asia Pacific Economic Cooperation；APEC]

【亚洲卫星控股】Yàzhōu Wèixīng Kònggǔ 亜洲衛星控股；アジア・サテライト・テレコミュニケーションズ・ホールディングス. ❖通信関連サービス会社.レッドチップ企業の1つ. [Asia Satellite Telecommunications Holdings]

【亚洲运动会】Yàzhōu yùndònghuì アジア競技大会. ❖略称は"亚运会 Yàyùnhuì". [Asian Games]

yān

【烟感】yāngǎn 煙センサー；煙探知機.

【燕京啤酒】Yānjīng Píjiǔ 燕京ビール. ❖中国の飲料メーカー,また同社製のビール名. [Yan Jing Beer]

【烟民】yānmín 愛煙家；喫煙者；スモーカー. [smoker]

yán

【延长赛】yánchángsài プレーオフ；延長戦. [playoff]

【言承旭】Yán Chéngxù ジェリー・イェン；言承旭. ❖台湾のアイドルグループF4のメンバー. [Jerry Yan]

【严打】yándǎ 犯罪取り締まり強化；犯罪取り締まりを強化する.

【严打斗争】yándǎ dòuzhēng 犯罪取り締まり強化キャンペーン.

【严岛神殿】Yándǎo Shéndiàn 厳島神社. ●世界文化遺産（日本）. [Itsukushima

yán — yǎn

Shinto Shrine]

【研发】yánfā 研究開発；R&D. ❖"研究与开发 yánjiū yǔ kāifā"の略.[research and development；R&D]

【严格法纪】yángé fǎjì 法律と紀律の厳格な施行.

【沿海管辖权】yánhǎi guǎnxiáquán 沿岸国管轄権.

【沿海经济开发区】yánhǎi jīngjì kāifāqū「沿海経済開発区」.

【盐湖城】Yánhúchéng ソルトレークシティ. ❖アメリカ・ユタ州都.[Salt Lake City]

【延缓偿付期】yánhuǎn chángfùqī 債務支払猶予；モラトリアム.[moratorium]

【研究金】yánjiūjīn フェローシップ；研究奨学金.[fellowship]

【研究生成绩考试】yánjiūshēng chéngjì kǎoshì GRE. ❖アメリカの大学院入学適性試験.[Graduate Record Examination；GRE]

【研究与开发】yánjiū yǔ kāifā 研究開発；R&D. ❖略称は"研发 yánfā".[research and development；R&D]

【延期付款】yánqī fùkuǎn 延払〈のべばらい〉.

【延期付款方式】yánqī fùkuǎn fāngshì 延払〈のべばらい〉方式.

【岩手县】Yánshǒu Xiàn 岩手〈いわて〉県. ❖日本の都道府県の1つ.県庁所在地は盛岡〈もりおか〉市（"盛冈市 Shènggāng Shì"）.

【研讨会】yántǎohuì シンポジウム.[symposium]

【研修】yánxiū ①研修（する）.②研究のため大学院に進学する.

【盐野义制药】Yányěyì Zhìyào シオノギ製薬. ❖日本の医薬品メーカー.[Shionogi]

【延滞费】yánzhìfèi 滞船料；デマレージ；デマ. ❖"滞期费 zhìqīfèi"とも.[demurrage]

【严重急性呼吸系统综合征】yánzhòng jíxìng hūxī xìtǒng zōnghézhèng 重症急性呼吸器症候群；新型肺炎；サーズ；SARS. ❖"严重急性呼吸系统综合症 yánzhōng jíxìng hūxī xìtǒng zōnghézhèng""传染性非典型肺炎 chuánrǎnxìng fēidiǎnxíng fèiyán"とも.[severe acute respiratory syndrome；SARS]

【严重警告】yánzhòng jǐnggào 厳重警告.

【严重违约】yánzhòng wéiyuē 重大な契約違反.

yǎn

【眼胶】yǎnjiāo アイジェル.[eye gel]

【眼睛吃冰激淋】yǎnjing chī bīngjilín 目の保養になる.

【眼库】yǎnkù アイバンク.[eye bank]

【眼膜】yǎnmó 目元用パック；アイパック.[eye mask treatment]

【眼球】yǎnqiú ①眼球.②注意；視線.

【眼球快速运动睡眠】yǎnqiú kuàisù yùndòng shuìmián レム睡眠. ❖"快波睡眠 kuàibō shuìmián""异相睡眠 yìxiàng shuìmián"とも.[rapid eye movement sleep；REM sleep]

【演示】yǎnshì プレゼンテーション；デモンストレーション.[presentation；demonstration]

【眼霜】yǎnshuāng アイクリーム.[eye cream]

【眼窝】yǎnwō アイホール；眼窩〈がんか〉.[eyehole]

【眼线】yǎnxiàn ①〔化粧で〕アイライン.②内通者；スパイ.[①eyeline ②spy]

【眼线笔】yǎnxiànbǐ アイライナー.[eyeliner]

【演绎】yǎnyì ①演繹（する）.②話す；表現する；示す.

【演艺】yǎnyì 演芸；エンターテインメント；エンターテイメント.[entertainment]

【演艺界】yǎnyìjiè 芸能界.[show business；show biz]

【眼影】yǎnyǐng アイシャドー.[eye shad-

ow]
【眼罩】yǎnzhào アイマスク；眼帯.[eye mask]

yàn

【验钞机】yànchāojī 偽札鑑定器.
【厌食症】yànshízhèng 拒食症.
【验收】yànshōu 検収；受入検査.
【验资】yànzī 資金調査(する)；資産調査(する).

yāng

【央行】yāngháng 中央銀行. ❖"中央银行 zhōngyāng yínháng"の略.
【央行入市干预】yāngháng rùshì gānyù インターベンション. ❖金融用語.中央銀行が為替相場に介入すること."入市干预 rùshì gānyù"とも.[intervention]
【央视】Yāngshì 中央電視台；中国中央テレビ局；CCTV. ❖中国の国営テレビ局."中国中央电视台 Zhōngguó Zhōngyāng Diànshìtái"の略.[China Central Television；CCTV]

yáng

【阳春】yángchūn ①陽春；暖かく明るい春. ②もっとも経済的な；余計な機能やサービスがついていない.
【阳光】yángguāng ①日光. ②健康で朗らかである；潑剌⟨はつらつ⟩としている. ③公然の；透明な. ④(Yángguāng)サニー. ❖④日産(日本)製の車名.[④Sunny]
【阳光板】yángguāngbǎn ポリカーボネート樹脂板；PC板.[polycarbonate board]
【阳光采购】yángguāng cǎigòu 公開買付；公開調達.
《阳光灿烂的日子》Yángguāng Cànlàn de Rìzi「太陽の少年」. ❖中国,香港合作映画のタイトル.[In the Heat of the Sun]
【阳光操作】yángguāng cāozuò 公開審理；公開処理；公開操作.
【阳光产业】yángguāng chǎnyè 成長産業.
【阳光大厦】Yángguāng Dàshà サンシャインビル. ❖東京(池袋)にある商業ビル.[Sunshine Building]
【阳光地带】Yángguāng Dìdài サンベルト. ❖アメリカ南部の温暖な地帯.[Sun Belt]
【阳光酒店】Yángguāng Jiǔdiàn サンシャインホテル；陽光酒店. ❖中国・広東省,四川省にあるホテル.[Sunshine Hotel]
【阳光权】yángguāngquán 日照権. ❖"采光权 cǎiguāngquán"とも.
【阳光政策】yángguāng zhèngcè 太陽政策；包容政策. ❖韓国のキム・デジュン元大統領が打ち出した対北朝鮮政策.転じて包容力のある温情主義,経済支援などを前面に打ち出した政策全般を指す.[Sunshine Policy]
【阳光作业】yángguāng zuòyè 透明性が高く,公正かつ効率的なやり方.
【扬基债券】Yángjī zhàiquàn ヤンキーボンド；ヤンキー債. ❖金融用語.アメリカ以外の居住者がアメリカ国内で発行している米ドル建て債券のこと.[Yankee bond]
【洋麻】yángmá ケナフ. ❖アオイ科の1年草植物.二酸化炭素を多く吸収する.また,紙の材料としても使われる.[kenaf]
【洋名】yángmíng 横文字の名前.
【洋妞】yángniū 外国人女性.
【阳伞效应】yángsǎn xiàoyìng パラソル効果；日傘効果. ❖厚い雲や浮遊微粒子などが日傘のように日射を遮り,地面の加熱を妨げること.
【杨森制药】Yángsēn Zhìyào ヤンセン ファーマ. ❖ベルギーの医薬品メーカー(ジョンソン・エンド・ジョンソン傘下).[Janssen Pharmaceuticals]
【扬升】yángshēng 上昇(する).

yáng — yē

【阳线】yángxiàn 陽線；上げ足．❖金融用語．チャートの1種．寄り付きより引値〈ひけね〉が高いことを表す．

【杨紫琼】Yáng Zǐqióng ミシェル・ヨー；楊紫瓊．❖マレーシア出身のアクション女優．[Michelle Yeoh]

yǎng

【氧吧】yǎngbā 酸素バー．

【仰光】Yǎngguāng ヤンゴン．❖ミャンマーの首都．[Yangon]

【养老保险】yǎnglǎo bǎoxiǎn 養老保険．❖国家規定の社会保険．日本の年金に相当．

【养老年金保险】yǎnglǎo niánjīn bǎoxiǎn 年金保険．

【养乐多】Yǎnglèduō ヤクルト．❖日本の飲料メーカー，また同社製の乳酸菌飲料のブランド．"益力多 Yìlìduō"とも．[Yakult]

【氧疗】yǎngliáo 酸素治療．

【氧气面罩】yǎngqì miànzhào 酸素マスク．❖"氧气面具 yǎngqì miànjù"とも．

【养小鸟】yǎng xiǎoniǎo ①小鳥を飼う(こと)．②若い女性を囲う(こと)．

【养眼】yǎngyǎn 目を楽しませる；目の保養(になる)．

yàng

【样板房】yàngbǎnfáng モデルハウス；モデルルーム．[showroom]

【样板房间】yàngbǎn fángjiān モデルルーム．[showroom]

【样式表】yàngshìbiǎo スタイルシート．❖IT用語．[style sheet]

yāo

【邀请赛】yāoqǐngsài 招待試合．

yáo

【遥感器】yáogǎnqì リモートセンサー．[remote sensor]

【姚明】Yáo Míng ①ヤオ・ミン；姚明．②〔比喩的に〕巨人；大きな人．❖①中国のバスケットボール選手．中国人初のNBAプレーヤー．[Yao Ming]

【摇头丸】yáotóuwán エクスタシー；MDMA；"摇头丸"．❖合成麻薬やその錠剤の俗称．[Ecstasy；XTC；MDMA]

yào

【药谷】yàogǔ ①メディスンバレー；バイオ医薬品研究製造地区；製薬基地．②〔漢方薬の原材料が多く自生する〕薬の宝庫．[①medicine valley]

【药检】yàojiǎn 薬物検査；ドーピング検査．❖"药物检查 yàowù jiǎnchá"の略．[doping test；dope test]

【要人】yàorén 要人；VIP．[very important person；VIP]

【要塞据点】yàosài jùdiǎn 要塞拠点．

【钥匙挂圈】yàoshi guàquān キーホルダー．[key ring]

【药物检查】yàowù jiǎnchá 薬物検査；ドーピング検査．❖略称は"药检 yàojiǎn"．[doping test；dope test]

yē

【耶灵墓地、古北欧石刻和教堂】Yēlíng Mùdì Gǔ Běi'ōu Shíkè hé Jiàotáng イェリング墳墓群，ルーン文字石碑群と教会．◉世界文化遺産(デンマーク)．[Jelling Mounds, Runic Stones and Church]

【耶鲁大学】Yēlǔ Dàxué イェール大学；エール大学．❖アメリカ・コネチカット州にある大学．アイビーリーグの1つ．[Yale University]

yē — yè

【耶路撒冷】Yēlùsālěng エルサレム．❖イスラエルにある，ユダヤ，キリスト，イスラム教の聖地．[Jerusalem]

【耶路撒冷古城及其城墙】Yēlùsālěng Gǔchéng jí Qí Chéngqiáng エルサレムの旧市街とその城壁群．●世界危機遺産（エルサレム）．ヨルダンによる申請遺産．[Old City of Jerusalem and its Walls]

yě

【野村证券】Yěcūn Zhèngquàn 野村證券．❖日本の証券会社．[Nomura Securities]

【野导】yědǎo 無資格の観光ガイド．

【野马】Yěmǎ マスタング．❖フォード（米）製の車名．[Mustang]

【野猫战斗机】Yěmāo Zhàndòujī ワイルドキャット；F4F戦闘機．[Wildcat；F4F]

【也门共和国】Yěmén Gònghéguó イエメン共和国；イエメン．[Republic of Yemen；Yemen]

【野生动物园】yěshēng dòngwùyuán サファリパーク．[wildlife park；safari park]

yè

【夜场】yèchǎng 夜間興行；夜の部；ソワレ．[soirée；soiree]

【夜大】yèdà 夜間大学．

【液化天然气】yèhuà tiānránqì 液化天然ガス；LNG．[liquefied natural gas；LNG]

【业绩报表】yèjī bàobiǎo 業績レポート．

【页脚】yèjiǎo 〔文書の〕フッター．[footer]

【业界】yèjiè 業界．

【液晶】yèjīng 液晶．

【液晶显示屏】yèjīng xiǎnshìpíng 液晶ディスプレイ；LCD．❖"液晶显示器 yèjīng xiǎnshìqì"とも．[liquid crystal display；LCD]

【液晶显示器】yèjīng xiǎnshìqì 液晶ディスプレイ；LCD．❖"液晶显示屏 yèjīng xiǎnshìpíng"とも．[liquid crystal display；LCD]

【页眉】yèméi 〔文書の〕ヘッダー．[header]

【页面】yèmiàn ウェブページ；Webページ．❖IT用語．[web page]

【页面布局】yèmiàn bùjú ページレイアウト．[page layout]

《夜魔侠》Yèmóxiá「デアデビル」．❖アメリカ映画のタイトル．[Daredevil]

【业内人士】yènèi rénshì 内部の人；会員；内情に明るい人；業界内の人．

【叶尼塞河】Yènísài Hé エニセイ川．❖ロシアを流れる川．[the Yenisei River；the Yenisei；the Yenisey]

【夜丘区】Yèqiūqū コート・ド・ニュイ．❖フランス・ブルゴーニュ地方の地名，また同地産のワイン．"夜山坡 Yèshānpō"とも．[Côte de Nuits]

【业权】yèquán 〔不動産の〕建物に付随する権益．❖"物业权益 wùyè quányì"とも．"建筑物物业权益 jiànzhùwù wùyè quányì"の略．

【夜山坡】Yèshānpō コート・ド・ニュイ．❖フランス・ブルゴーニュ地方の地名，また同地産のワイン．"夜丘区 Yèqiūqū"とも．[Côte de Nuits]

【页首】yèshǒu 〔ホームページの〕トップ；ページトップ．❖IT用語．[top of page]

【业态】yètài 業態．

【业务流程重组】yèwù liúchéng chóngzǔ ビジネス・プロセス・リエンジニアリング；BPR．[business process reengineering；B-PR]

【业务流程外包】yèwù liúchéng wàibāo ビジネス・プロセス・アウトソーシング；BPO．[business process outsourcing；BPO]

【业务审计】yèwù shěnjì 業務監査．

【业务应用外包】yèwù yīngyòng wàibāo ビジネス・アプリケーション・アウトソーシング．[business application outsourcing]

【业务转型外包】yèwù zhuǎnxíng wàibāo

ビジネス・トランスフォーメーション・アウトソーシング；BTO．[business transformation outsourcing；BTO]

【业务转移】yèwù zhuǎnyí 業務移管．

【业主】yèzhǔ ①不動産の所有者．②企業主；経営者；所有者；事業主；オーナー．[②proprietor；employer；owner]

yī

《101次求婚》Yībǎilíngyīcì Qiúhūn 「101回目のプロポーズ」．❖日本のテレビドラマのタイトル．

【一般抵押债券】yībān dǐyā zhàiquàn 一般担保付債券．❖金融用語．"抵押债券 dǐyā zhàiquàn"とも．[secured debenture]

【一般管理费用】yībān guǎnlǐ fèiyong 一般管理費．

【一般会计】yībān kuàijì 一般会計．

【医保】yībǎo 医療保険．❖"医疗保险 yīliáo bǎoxiǎn"の略．

【医保制度改革】yībǎo zhìdù gǎigé 医療保険制度改革．

【伊比利亚半岛地中海盆地岩画艺术】Yībǐlìyà Bàndǎo Dìzhōnghǎi Péndì Yánhuà Yìshù イベリア半島の地中海入り江のロック・アート．●世界文化遺産(スペイン)．[Rock-Art of the Mediterranean Basin on the Iberian Peninsula]

【一边一国】yī biān yī guó 「一辺一国」．❖「中国と台湾は、それぞれ1つの国」という台湾の陳水扁総統の発言．

【一次性筷子】yīcìxìng kuàizi 割り箸．❖"卫生筷 wèishēngkuài"とも．

【一次性用品】yīcìxìng yòngpǐn 使い捨て商品．

【一次总付】yīcì zǒngfù 一括払い．

【伊丹机场】Yīdān Jīchǎng 伊丹〈いたみ〉空港；大阪国際空港．❖日本・兵庫にある空港．[Itami Airport；Osaka International Airport]

【伊都锦】Yīdūjǐn イトキン．❖日本のアパレルメーカー．[Itokin]

【依度】Yīdù エドックス．❖スイスの時計メーカー．[Edox]

【一对一】yī duì yī マンツーマン；個別対応．[man-to-man；one-to-one]

【依法治国】yīfǎ zhìguó 法によって統治する；法に基づく国家統治．

【揖斐川】Yīfěi Chuān 揖斐川〈いびがわ〉．❖日本・中部地方を流れる川．[the Ibi River]

【伊夫・圣・洛朗】Yīfū Shèng Luòlǎng イヴ・サンローラン．❖グッチ(伊)のブランド．[Yves Saint Laurent]

【医改】yīgǎi 医療制度改革．❖"医疗制度改革 yīliáo zhìdù gǎigé"の略．

【一杆进洞】yīgǎn jìndòng ホール・イン・ワン．[hole in one]

《一个都不能少》Yī ge Dōu Bùnéng Shǎo 「あの子を探して」．❖中国映画のタイトル．[Not One Less]

【一个中心,两个基本点】yī ge zhōngxīn liǎng ge jīběndiǎn「1つの中心，2つの基本点」．❖中国共産党第13回全国代表大会(1987年)で提起された党の基本路線．

【伊瓜苏国家公园】Yīguāsū Guójiā Gōngyuán イグアス国立公園．●世界自然遺産(アルゼンチン，ブラジル)．[Iguazu National Park]

【伊瓜苏瀑布】Yīguāsū Pùbù イグアス滝．❖アルゼンチンとブラジルの国境にある滝．[the Iguazu Falls]

【一国两制】yī guó liǎng zhì「一国二制度」．❖1つの国の中に2つの異なる制度(社会主義と資本主義)を共存させること．

【一级方程式赛车】yījí fāngchéngshì sàichē フォーミュラワン；F1．❖FIA(国際自動車連盟)が公認する，世界最高峰のカーレース．[Formula One；F1]

【一级市场】yījí shìchǎng 発行市場；プライマリーマーケット．❖金融用語．[primary market]

yī

【依据法】yījùfǎ 準拠法.

【伊卡璐草本精华】Yīkǎlù Cǎoběn Jīnghuá ハーバルエッセンス. ❖ P&G（米）のヘアケア用品ブランド.[Clairol Herbal Essences]

【一卡通】yīkǎtōng 多機能クレジットカード.

【伊拉克共和国】Yīlākè Gònghéguó イラク共和国；イラク.[Republic of Iraq；Iraq]

【伊拉克临时管理委员会】Yīlākè Línshí Guǎnlǐ Wěiyuánhuì イラク統治評議会. ❖略称は"临管会 Línguǎnhuì".[Iraqi Governing Council]

【伊拉克战争】Yīlākè zhànzhēng イラク戦争. ❖2003年3～5月, 米英軍がイラクに対して起こした戦争.

【伊莱克斯】Yīláikèsī エレクトロラックス. ❖スウェーデンの家電メーカー.[Electrolux]

【一篮子货币】yīlánzi huòbì バスケット通貨. ❖複数の主要貿易相手国通貨を一定の割合で加重平均したものと自国通貨を連動させる方式."一揽子货币 yīlǎnzi huòbì"とも.[basket currency]

【一揽子货币】yīlǎnzi huòbì バスケット通貨. ❖複数の主要貿易相手国通貨を一定の割合で加重平均したものと自国通貨を連動させる方式."一篮子货币 yīlánzi huòbì"とも.[basket currency]

【一揽子价格】yīlǎnzi jiàgé バスケットプライス；バスケット価格. ❖OPECが発表する原油価格を平均算出した基準価格.[basket price]

【伊朗航空】Yīlǎng Hángkōng イラン航空. ❖イランの航空会社. コード：IR.[Iran Air]

【伊朗伊斯兰共和国】Yīlǎng Yīsīlán Gònghéguó イラン・イスラム共和国；イラン.[Islamic Republic of Iran；Iran]

【伊利诺斯工具】Yīlìnuòsī Gōngjù イリノイ・ツール・ワークス. ❖アメリカの産業用留め具メーカー.[Illinois Tool Works]

【伊利诺伊州】Yīlìnuòyī Zhōu イリノイ州. ❖アメリカの州名.[Illinois]

【伊丽莎白·雅顿】Yīlìshābái Yǎdùn エリザベス・アーデン. ❖アメリカの化粧品メーカー.[Elizabeth Arden]

【医疗事故损害赔偿】yīliáo shìgù sǔnhài péicháng 医療事故の損害賠償.

【伊路利萨特冰湾】Yīlùlìsàtè Bīngwān イルリサート・アイスフィヨルド. ●世界自然遺産（デンマーク）.[Ilulissat Icefjord]

【伊妹儿】yīmèir eメール；電子メール；メール. ❖IT用語."电子邮件 diànzǐ yóujiàn"よりくだけた言い方.[electronic mail；e-mail]

【一门式服务】yīménshì fúwù ワン・ストップ・サービス. ❖一度の手続きで, 必要とする関連作業をすべて完了させるサービス. "一站式服务 yīzhànshì fúwù"とも.[one stop service]

【一米线】yīmǐxiàn 1メートルライン；ウエイティングライン. ❖順番待ちのために引かれた線.[(waiting) line]

【伊奈】Yīnài INAX〈イナックス〉. ❖日本の住宅設備メーカー.[INAX]

【伊其克乌尔国家公园】Yīqíkèwū'ěr Guójiā Gōngyuán イシュケル国立公園. ●世界危機遺産（チュニジア）.[Ichkeul National Park]

【一汽集团】Yīqì Jítuán 第一汽車グループ. ❖中国・長春の自動車メーカー.[First Automobile Works；FAW]

【一千零一夜】Yīqiān Líng Yī Yè シャリマー. ❖ゲラン（仏）製のフレグランス名.[Shalimar]

【一切险】yīqiè xiǎn 全危険担保；オールリスク. ❖"全险 quánxiǎn""综合险 zōnghéxiǎn"とも.[all risks]

【一日游】yīrìyóu 日帰り旅行；日帰りツアー.

yī

【伊沙瓜拉斯托·塔拉姆佩雅自然公园】Yīshāguālāsītuō Tǎlāmǔpèiyǎ Zìrán Gōngyuán イスチグアラスト,タランパジャ自然公園群. ●世界自然遺産(アルゼンチン).[Ischigualasto/Talampaya Natural Parks]

【一生之水】Yīshēng zhī Shuǐ ロードイッセイ. ❖イッセイミヤケ(日本)製のフレグランス名.[L'eau D'Issey]

【伊势丹】Yīshìdān 伊勢丹〈いせたん〉. ❖日本の百貨店.[Isetan]

【一式两联】yīshì liǎnglián 2枚ワンセットの;2枚1組の.

【伊士曼柯达】Yīshìmàn Kēdá イーストマン・コダック. ❖アメリカのカメラ,フィルムメーカー.通称"伊斯曼柯达 Yīsīmàn Kēdá"とも.[Eastman Kodak]

【伊斯法罕王侯广场】Yīsīfǎhǎn Wánghóu Guǎngchǎng イスファハンのイマーム広場. ●世界文化遺産(イラン).[Meidan Emam, Esfahan]

【伊斯兰堡】Yīsīlánbǎo イスラマバード. ❖パキスタンの首都.[Islamabad]

【伊斯兰城市开罗】Yīsīlán Chéngshì Kāiluó イスラーム都市カイロ. ●世界文化遺産(エジプト).[Islamic Cairo]

【伊斯兰抵抗运动】Yīsīlán Dǐkàng Yùndòng ハマス. ❖パレスチナ人によるイスラム抵抗運動組織.イスラエルに対して武装闘争を展開."哈马斯 Hāmǎsī"とも.[Hamas]

【伊斯兰发展银行】Yīsīlán Fāzhǎn Yínháng イスラム開発銀行;IDB. ❖"伊斯兰开发银行 Yīsīlán Kāifā Yínháng"とも.[Islamic Development Bank;IDB]

【伊斯兰原教旨主义】Yīsīlán yuánjiàozhǐ zhǔyì イスラム原理主義.

【伊斯坦布尔历史区】Yīsītǎnbù'ěr Lìshǐqū イスタンブール歴史地域. ●世界文化遺産(トルコ).[Historic Areas of Istanbul]

【伊索莱·约里(伊奥利亚群岛)】Yīsuǒlái Yuēlǐ (Yī'àolìyà Qúndǎo) エオリア諸島. ●世界自然遺産(イタリア).[Isole Eolie (Aeolian Islands)]

【伊特察思·卡拉】Yītèchásī Kǎlā イチャン・カラ. ●世界文化遺産(ウズベキスタン).[Itchan Kala]

【伊藤洋华堂】Yīténg Yánghuátáng イトーヨーカドー. ❖日本の小売チェーン.[Ito Yokado]

【伊藤忠商事】Yīténgzhōng Shāngshì 伊藤忠商事. ❖日本の総合商社.[Itochu]

【一体式光驱】yītǐshì guāngqū コンボドライブ. ❖数種類の光ディスクに対応したドライブ.[combo drive]

【一头雾水】yī tóu wù shuǐ わけがわからない;むちゃくちゃ;困惑する;当惑する.

【医托】yītuō 医療詐欺を働く者. ❖患者に良い病院や医師を紹介すると偽って金銭を得る詐欺師.

【伊万诺沃岩洞教堂】Yīwànnuòwò Yándòng Jiàotáng イヴァノヴォの岩窟教会群. ●世界文化遺産(ブルガリア).[Rock-hewn Churches of Ivanovo]

【伊维萨岛的生物多样性和特有文化】Yīwéisà Dǎo de Shēngwù Duōyàngxìng hé Tèyǒu Wénhuà イビザ,生物多様性と文化. ●世界自然および文化遺産(スペイン).[Ibiza, biodiversity and culture]

【一物一价法则】yīwù yījià fǎzé 一物一価の原則. ❖同種同品質の物は同一価値を持つという法則.

【铱系统】yīxìtǒng イリジウムシステム;グローバル衛星電話システム. ❖"铱星系统 yīxīng xìtǒng"の略.[iridium system;global satellite phone system]

【一线通】yīxiàntōng ①狭带域 ISDN;N-ISDN. ②〔従来の〕ISDN. ❖IT用語.[①narrowband integrated services digital network;narrowband ISDN;N-ISDN ②integrated services digital net-

yī — yí

【一线员工】yīxiàn yuángōng 生産ラインの労働者.

【铱星】yīxīng ①イリジウムシステム；グローバル衛星電話システム．②(Yīxīng)イリジウム・サテライト．❖①"铱星系统 yīxīng xìtǒng"の略．②アメリカの衛星通信会社.[①iridium system；global satellite phone system ②Iridium Satellite]

【铱星系统】yīxīng xìtǒng イリジウムシステム；グローバル衛星電話システム．❖略称は"铱星 yīxīng""铱系统 yīxìtǒng".[iridium system；global satellite phone system]

【医药板块】yīyào bǎnkuài 医薬関連株.

【一夜情】yīyèqíng 一夜の情事；ワンナイトラブ.[one-night stand]

【医院感染】yīyuàn gǎnrǎn 院内感染．❖"院内感染 yuànnèi gǎnrǎn"とも.

【医院实习】yīyuàn shíxí 臨床研修.

【依云】Yīyún エビアン．❖ダノン(仏)の飲料水および化粧品ブランド.[Evian]

【一站式服务】yīzhànshì fúwù ワン・ストップ・サービス．❖一度の手続きで,必要とする関連作業をすべて完了させるサービス．"一门式服务 yīménshì fúwù"とも.[one stop service]

【一枝花】Yīzhīhuā フラワー・バイ・ケンゾー．❖Kenzo(仏)製のフレグランス名．"罂粟花 Yīngsùhuā"とも.[Flower by Kenzo]

【一致意见】yīzhì yìjiàn コンセンサス；共通認識.[consensus]

【一致指标】yīzhì zhǐbiāo 一致指標．❖景気の現状と一致して変動する指標.

【一周五天工作制】yīzhōu wǔtiān gōngzuòzhì 週休2日制．❖"五天工作制 wǔtiān gōngzuòzhì"とも.

【一族】yīzú ある特色をもった一群の人；～族.

yí

【遗产税】yíchǎnshuì 相続税.

【遗传工程】yíchuán gōngchéng 遺伝子工学．❖"基因工程 jīyīn gōngchéng"とも.

【遗传基因】yíchuán jīyīn 遺伝子；ジーン.[gene]

【遗传密码】yíchuán mìmǎ 遺伝子コード．❖"基因密码 jīyīn mìmǎ"とも.[genetic code]

【遗传筛查】yíchuán shāichá 遺伝子スクリーニング．❖遺伝病の有無などを調べる検査.[genetic screening]

【移动办公】yídòng bàngōng モバイルオフィス.[mobileoffice]

【移动博客】yídòng bókè モブログ．❖IT用語．"手机博客 shǒujī bókè"とも.[moblog]

【移动存储器】yídòng cúnchǔqì モバイルストレージ．❖IT用語．モバイル用外部記憶装置のこと.[mobile storage]

【移动电话】yídòng diànhuà 携帯電話；モバイルフォン.[mobile phone；cell phone]

【移动计算】yídòng jìsuàn モバイルコンピューティング．❖IT用語.[mobile computing]

【移动 PC】yídòng PC モバイルコンピューター．❖IT用語.[mobile computer]

【移动平均数】yídòng píngjūnshù 移動平均.

【移动商务】yídòng shāngwù モバイルコマース；Mコマース．❖IT用語.[mobile commerce；M-commerce]

【移动通信】yídòng tōngxìn 移動通信；モバイル通信．❖IT用語．"移动通讯 yídòng tōngxùn"とも.[mobile communication]

【移动通信运营商】yídòng tōngxìn yùnyíngshāng 移動通信キャリア．❖IT用語.

【移动通讯】yídòng tōngxùn 移動通信；モバイル通信．❖IT用語．"移动通信 yídòng

yí — yì

tōngxìn"とも. [mobile communication]

【移动信息终端】yídòng xìnxī zhōngduān 移動情報端末；モバイル端末. ❖IT用語. "移动终端 yídòng zhōngduān"とも.

【移动因特网】yídòng yīntèwǎng モバイルインターネット. ❖IT用語.移動体通信でインターネットに接続すること. [mobile internet ; mobile Internet]

【移动硬盘】yídòng yìngpán ポータブルハードディスク. ❖IT用語. [portable hard drive]

【移动支付】yídòng zhīfù モバイルペイメント. ❖IT用語. [mobile payment]

【移动终端】yídòng zhōngduān 移動情報端末；モバイル端末. ❖IT用語. "移动信息终端 yídòng xìnxī zhōngduān"とも.

【疑犯】yífàn 容疑者. ❖"嫌犯 xiánfàn"とも.

【怡和】Yíhé ジャーディン・マセソン. ❖香港の総合商社. [Jardine Matheson]

【宜家】Yíjiā イケア. ❖スウェーデンの家具製造,販売業者. [Ikea]

【疑似病例】yísì bìnglì 疑似症例.

yǐ

【以本币计价】yǐ běnbì jìjià 自国通貨建て. ❖金融用語. "以本国货币标价 yǐ běnguó huòbì biāojià"とも.

【以本国货币标价】yǐ běnguó huòbì biāojià 自国通貨建て. ❖金融用語. "以本币计价 yǐ běnbì jìjià"とも.

【以产定销】yǐ chǎn dìng xiāo 生産量にもとづき販売量を決定する.

【已发行股票】yǐ fāxíng gǔpiào 発行済株式. ❖金融用語.

【乙肝】yǐgān B型肝炎. ❖"乙型病毒性肝炎 yǐxíng bìngdúxìng gānyán"の略. [hepatitis B]

【以美元计价】yǐ Měiyuán jìjià ドル建て.

【以权谋私】yǐ quán móu sī 権力を利用して私利を図る；汚職.

【以人为本】yǐ rén wéi běn 人間本位(の)；人民(国民)本位(の)；人に優しい.

【以色列国】Yǐsèlièguó イスラエル国；イスラエル. [State of Israel ; Israel]

【以商养文】yǐ shāng yǎng wén 商業で得た収入を文化事業の経費に充てる.

【以太网】yǐtàiwǎng イーサーネット. ❖IT用語. [Ethernet]

【乙型病毒性肝炎】yǐxíng bìngdúxìng gānyán B型肝炎. ❖略称は"乙肝 yǐgān""乙型肝炎 yǐxíng gānyán". [hepatitis B]

【乙型肝炎】yǐxíng gānyán B型肝炎. ❖"乙型病毒性肝炎 yǐxíng bìngdúxìng gānyán"の略. [hepatitis B]

【已装船提单】yǐzhuāngchuán tídān 船積船荷証券. ❖金融用語. "装运提单 zhuāngyùn tídān"とも.

yì

【翼豹】Yìbào インプレッサ. ❖富士重工業(日本)製の車名. [Impreza]

【议程】yìchéng アジェンダ. [agenda]

【溢出】yìchū オーバーフロー；桁あふれ；算術的あふれ. ❖IT用語. [overflow]

【意大利电力】Yìdàlì Diànlì イタリア電力公社. ❖イタリアの電力会社. [Ente Nazionale per l'Energia Elettrica ; Enel]

【意大利电信】Yìdàlì Diànxìn テレコムイタリア. ❖イタリアの通信会社. [Telecom Italia]

【意大利共和国】Yìdàlì Gònghéguó イタリア共和国；イタリア. [Republic of Italy ; Italy]

【意大利航空】Yìdàlì Hángkōng アリタリア航空. ❖イタリアの航空会社.コード；AZ. [Alitalia]

【意大利联合商业银行】Yìdàlì Liánhé Shāngyè Yínháng インテーザBCI. ❖イタリアの銀行. [Intesa BCI]

【意大利浓缩咖啡】Yìdàlì nóngsuō kāfēi エスプレッソコーヒー；エスプレッソ．❖"意大利特浓咖啡 Yìdàlì tènóng kāfēi"とも．[espresso；espresso coffee]

【意大利特浓咖啡】Yìdàlì tènóng kāfēi エスプレッソコーヒー；エスプレッソ．❖"意大利浓缩咖啡 Yìdàlì nóngsuō kāfēi"とも．[espresso；espresso coffee]

【异地资金汇划】yìdì zījīn huìhuà 他国，他の地域への送金．

【溢短装条款】yìduǎnzhuāng tiáokuǎn 過不足容認条項．❖重量や体積を単位とする取引で生じる過不足の問題を回避するための条件．[M/L clause]

【意法半导体】Yìfǎ Bàndǎotǐ STマイクロエレクトロニクス．❖イタリア，フランス合弁の半導体メーカー．[ST Microelectronics]

【议付银行】yìfù yínháng 買取銀行；割引銀行．❖金融用語．"押汇银行 yāhuì yínháng"とも．

【义工】yìgōng ボランティア．❖"志愿者 zhìyuànzhě"とも．[volunteer]

【翼虎】Yìhǔ マーベリック．❖フォード(米)製の車名．[Maverick]

【意甲】Yìjiǎ セリエA．❖イタリアのサッカーリーグ．"意大利足球甲级联赛 Yìdàlì Zúqiú Jiǎjí Liánsài"の略．[Serie A]

【溢价】yìjià プレミアム．❖金融用語．"升水 shēngshuǐ"とも．[premium]

【溢价发行】yìjià fāxíng プレミアム発行．❖金融用語．

【意见簿】yìjiànbù 意見帳．

【意见广告】yìjiàn guǎnggào 意見広告．

【议决权】yìjuéquán 議決権．❖"表决权 biǎojuéquán"とも．

【艺考热】yìkǎorè 芸術大学受験ブーム．

【易拉罐】yìlāguàn プルトップ缶．[pull-top can]

【益力多】Yìlìduō ヤクルト．❖日本の飲料メーカー，また同社製の乳酸菌飲料のブランド．"养乐多 yǎnglèduō"とも．[Yakult]

【义卖会】yìmàihuì チャリティーバザー；バザー．[charity bazaar；bazaar]

【疫情】yìqíng 伝染病の感染状況．

【疫区】yìqū 感染地域．

【易趣】Yìqù イーチネット．❖中国のネット競売会社(イーベイ傘下)．[EachNet]

【易碎】yìsuì 壊れ物注意．

【异位性皮炎】yìwèixìng píyán アトピー性皮膚炎；アトピー．[atopic dermatitis]

【义务诊疗】yìwù zhěnliáo ボランティア診療．❖略称は"义诊 yìzhěn"．

【异相睡眠】yìxiàng shuìmián レム睡眠．❖"快波睡眠 kuàibō shuìmián""眼球快速运动睡眠 yǎnqiú kuàisù yùndòng shuìmián"とも．[rapid eye movement sleep；REM sleep]

【意象训练】yìxiàng xùnliàn イメージトレーニング．[image training]

【易性癖】yìxìngpǐ 性同一性障害．

【抑郁】yìyù 鬱〈うつ〉．

【抑郁性神经症】yìyùxìng shénjīngzhèng 鬱〈うつ〉病．

【义诊】yìzhěn ボランティア診療．❖"义务诊疗 yìwù zhěnliáo"の略．

【意志消沉】yìzhì xiāochén 元気をなくして沈み込む；へこむ．

【抑制消费】yìzhì xiāofèi 消費を抑制する．

【抑制油脂】yìzhì yóuzhī オイルコントロール；脂肪制限．[oil control]

yīn

【因果图】yīnguǒtú 特性要因図；魚骨図．❖発生している問題とその要因との関連をまとめた図．"石川图 Shíchuāntú""树形图 shùxíngtú""树枝图 shùzhītú""特性要因图 tèxìng yàoyīntú""鱼刺图 yúcìtú"とも．

【阴极射线管】yīnjí shèxiànguǎn ブラウン管；CRT．[cathode-ray tube；CRT]

yīn — yín

【音频】yīnpín オーディオ帯域；可聴帯域；AF．❖IT用語．[audio frequency；AF]

【阴盛阳衰】yīn shèng yáng shuāi 男性より女性のほうが強い現象．

【因特网】yīntèwǎng インターネット；ネット．❖IT用語."互联网 hùliánwǎng""网际网 wǎngjìwǎng""网络 wǎngluò"とも．[Internet]

【因特网服务提供商】yīntèwǎng fúwù tígōngshāng インターネットプロバイダー；アクセスプロバイダー；プロバイダー；ISP．❖IT用語."互联网服务供应商 hùliánwǎng fúwù gōngyìngshāng""网络服务商 wǎngluò fúwùshāng""网络服务提供者 wǎngluò fúwù tígōngzhě""网络运营商 wǎngluò yùnyíngshāng"とも．[provider；Internet provider；Internet service provider；ISP]

【阴线】yīnxiàn 陰線；下げ足．❖金融用語．チャートの1種；寄り付きより引値(ひけね)が安いことを表す．

【音响组合】yīnxiǎng zǔhé オーディオコンポ．[audio components]

【音像室】yīnxiàngshì AVルーム．[AV room；audio-visual room]

【音乐电视】yīnyuè diànshì ミュージックテレビ；MTV．[music television；MTV]

【音乐电视频道】Yīnyuè Diànshì Píndào ミュージックテレビチャンネル；MTV．❖アメリカの音楽専門チャンネル．[Music Television；MTV]

【音乐剧】yīnyuèjù ミュージカル．[musical]

【音乐疗法】yīnyuè liáofǎ 音楽療法；ミュージックセラピー．[music therapy]

《音乐之声》Yīnyuè zhī Shēng 「サウンド・オブ・ミュージック」．❖アメリカ映画のタイトル．[The Sound of Music]

yín

【银本位制】yín běnwèizhì 銀本位制．❖金融用語．

【银城酒店】Yínchéng Jiǔdiàn ホテル・シルバーランド；銀城酒店．❖中国・広東省にあるホテル．[Hotel Silverland]

【银川】Yínchuān 银川．❖"宁夏回族自治区 Níngxià Huízú Zìzhìqū"の区都．

【银弹】yíndàn 実弾；賄賂．

【银弹外交】yíndàn wàijiāo 金銭外交．

【银根紧缩】yíngēn jǐnsuō 金融引き締め．❖金融用語."金融紧缩 jīnróng jǐnsuō""紧缩银根 jǐnsuō yíngēn"とも．

【银根松弛】yíngēn sōngchí 金融緩和．❖金融用語."放松银根 fàngsōng yíngēn""金融缓和 jīnróng huǎnhé"とも．

【银行承兑汇票】yínháng chéngduì huìpiào 銀行引受手形．❖金融用語．

【银行贷款】yínháng dàikuǎn バンクローン．❖金融用語．[bank loan]

【银行对客户汇率】yínháng duì kèhù huìlǜ 対顧客相場；カスタマーズレート．❖金融用語．[customer rate；customer's rate]

【银行监督管理委员会】Yínháng Jiāndū Guǎnlǐ Wěiyuánhuì 銀行監督管理委員会．❖略称は"银监会 Yínjiānhuì"．

【银行间市场】yínhángjiān shìchǎng 銀行間市場；インターバンク市場；インターバンクマーケット．❖金融用語."银行间同业市场 yínhángjiān tóngyè shìchǎng"とも．[interbank market]

【银行间同业市场】yínhángjiān tóngyè shìchǎng 銀行間市場；インターバンク市場；インターバンクマーケット．❖金融用語."银行间市场 yínhángjiān shìchǎng"とも．[interbank market]

【银行卡】yínhángkǎ クレジット機能付きキャッシュカード．❖銀行などの金融機関発行のカード．"借记卡 jièjìkǎ"(デビットカード)と"贷记卡 dàijìkǎ"(銀行系カード)の2種類がある．

【银行买入票据】yínháng mǎirù piàojù 買いオペレーション；買いオペ．❖金融用語．

[buying operation]

【银行卖出票据】yínháng màichū piàojù 売りオペレーション；売りオペ．❖金融用語．[selling operation]

【银行入账】yínháng rùzhàng 銀行振込．

【银行同业利率】yínháng tóngyè lìlǜ 銀行間相場；インターバンクレート．❖金融用語．[interbank rate]

【银行外汇掉期交易】yínháng wàihuì diàoqī jiāoyì 為替スワップ；為替スワップ取引．❖金融用語．

【银行网点】yínháng wǎngdiǎn オンライン銀行．[online bank]

《银河铁道999》Yínhé Tiědào Jiǔ Jiǔ Jiǔ「銀河鉄道999」．❖日本アニメのタイトル．[Galaxy Express 999]

【银婚】yínhūn 銀婚式．25年目の結婚記念日．

【银监会】Yínjiānhuì 銀行監督管理委員会．❖"银行监督管理委员会 Yínháng Jiāndū Guǎnlǐ Wěiyuánhuì"の略．

【银建国际实业】Yínjiàn Guójì Shíyè 銀建国際実業；シルバーグラント・インターナショナル；シルバーグラント．❖不動産投資を主とした複合企業.レッドチップ企業の1つ．[Silver Grant International Industries]

【银卡】yínkǎ シルバーカード．❖クレジットカードや会員カードのうち，ゴールドカードに続くランクのカード．[silver card]

【银联卡】Yínliánkǎ 銀聯カード．❖中国銀聯(チャイナ・ユニオンペイ，中国)発行のクレジット機能付きキャッシュカード．

【银色产业】yínsè chǎnyè シルバー産業．

【银色浪潮】yínsè làngcháo 急速な高齢化．

【银色市场】yínsè shìchǎng シルバー市場；シルバーマーケット．❖"老年人市场 lǎoniánrén shìchǎng"とも．[market of the elderly]

yǐn

【引爆】yǐnbào ①点火する．②〔ある現象が大規模に〕発生する；〔ある現象を〕引き起こす．

【隐蔽资产】yǐnbì zīchǎn 含み資産．

【隐藏文件】yǐncáng wénjiàn 隠しファイル．❖IT用語．[invisible file；hidden file]

【引导程序】yǐndǎo chéngxù ブート；ブートストラップ．❖IT用語．[boot；bootstrap]

【引导盘驱动器】yǐndǎopán qūdòngqì ブートドライブ；ブートディスク．❖IT用語．[boot drive]

【引导文件】yǐndǎo wénjiàn ブートファイル．❖IT用語．[boot file]

【隐含波动率】yǐnhán bōdònglǜ インプライドボラティリティ；予想変動率．❖金融用語．[implied volatility]

【引介】yǐnjiè〔新しいものを〕紹介(する)．

【瘾君子】yǐnjūnzǐ ①スモーカー．②薬物常習者．[smoker；drug addict]

【饮品】yǐnpǐn 飲料；飲み物．

《饮食男女》Yǐn Shí Nán Nǚ「恋人たちの食卓」．❖台湾映画のタイトル．[Yin shi nan nu；Eat Drink Man Woman]

【饮水机】yǐnshuǐjī ウォーターサーバー．[water dispenser]

【隐私保护政策】yǐnsī bǎohù zhèngcè 個人情報保護方針；プライバシーポリシー．❖"隐私权保护声明 yǐnsīquán bǎohù shēngmíng"とも．[privacy policy]

【隐私权】yǐnsīquán プライバシーの権利．

【隐私权保护声明】yǐnsīquán bǎohù shēngmíng 個人情報保護方針；プライバシーポリシー．❖"隐私保护政策 yǐnsī bǎohù zhèngcè"とも．[privacy policy]

【隐形飞机】yǐnxíng fēijī ステルス機．[stealth aircraft]

【隐形技术】yǐnxíng jìshù ステルス技術；

yǐn — yīng

ステルステクノロジー.[stealth technology]

【隐形眼镜】yǐnxíng yǎnjìng コンタクトレンズ.[contact lens]

【隐性就业】yǐnxìng jiùyè 隠性就業；隠れ就業. ❖レイオフされた労働者が,元の勤め先の生活面での保障やサービスを受けつつ,ひそかに他企業に勤めたり,自営業を営むこと.

【隐性杀手】yǐnxìng shāshǒu 目に見えない危険. ❖目に見えない,気づきにくい,人体に重大な害を及ぼす有毒物質,疾病などのこと.

【隐性收入】yǐnxìng shōurù 副業による収入；非公開の経済収入.

【引用通告】yǐnyòng tōnggào トラックバック. ❖IT用語.ブログで,相手の記事に言及,リンクした際,それを知らせる機能.[trackback]

【引智】yǐnzhì 外部の人材を登用する(こと).

【引资】yǐnzī 外部の資金を導入する(こと).

yìn

【印第安纳波利斯】Yìndì'ānnàbōlìsī インディアナポリス. ❖アメリカ・インディアナ州都.[Indianapolis]

【印第安纳州】Yìndì'ānnà Zhōu インディアナ州. ❖アメリカの州名.[Indiana]

【印度共和国】Yìndù Gònghéguó インド.[India]

【印度航空】Yìndù Hángkōng エア・インディア. ❖インドの航空会社.コード：AI.[Air India]

【印度河】Yìndù Hé インダス川. ❖パキスタンを流れる川.[the Indus River；the Indus]

【印度尼西亚共和国】Yìndùníxīyà Gònghéguó インドネシア共和国；インドネシア. [Republic of Indonesia；Indonesia]

【印度尼西亚航空】Yìndùníxīyà Hángkōng ガルーダ・インドネシア航空. ❖インドネシアの航空会社.コード：GA.[Garuda Indonesia]

【印度石油】Yìndù Shíyóu インド国営石油会社；IOC. ❖インドの石油会社.[Indian Oil Corporation；IOC]

【印尼盾】Yìnnídùn ルピア. ❖インドネシアの通貨単位.コード：IDR.[rupiah]

yīng

【英镑】Yīngbàng ポンド. ❖イギリスの通貨単位.コード：GBP.[pound]

【英博】Yīngbó インベブ. ❖ベルギーのビールメーカー.[InBev]

【英超】Yīngchāo プレミアリーグ. ❖イギリスのサッカーリーグ."英国超级联赛 Yīngguó Chāojí Liánsài"の略.[Premier League]

【英超联赛】Yīngchāo Liánsài プレミアリーグ. ❖イギリスのサッカーリーグ."英国超级联赛 Yīngguó Chāojí Liánsài"の略.[Premier League]

【英吨】yīngdūn 英トン；ロングトン. ❖"长吨 chángdūn"とも.[long ton]

【应付票据】yīngfù piàojù 支払手形. ❖金融用語.

【应付账款】yīngfù zhàngkuǎn 買掛金〈かいかけきん〉.

【英格兰银行】Yīnggélán Yínháng イングランド銀行. ❖イギリスの中央銀行.[Bank of England]

【英国】Yīngguó イギリス；英国. ❖正式名称は"大不列颠及北爱尔兰联合王国 Dàbùlièdiān jí Běi'ài'ěrlán Liánhé Wángguó".[United Kingdom of Great Britain and Northern Ireland；United Kingdom]

【英国电信】Yīngguó Diànxìn ブリティッシ

yīng — yíng

ュ・テレコム；BT．❖イギリスの通信会社．[BT]

【英国广播公司】Yīngguó Guǎngbō Gōngsī 英国放送協会；イギリス放送協会；BBC．❖イギリスの放送局．[British Broadcasting Corporation；BBC]

【英国航空】Yīngguó Hángkōng 英国航空；ブリティッシュ・エアウェイズ．❖イギリスの航空会社．コード：BA．[British Airways]

【英国皇家植物园邱园】Yīngguó Huángjiā Zhíwùyuán Qiū Yuán キューの王宮植物園群．●世界文化遺産(イギリス)．[Royal Botanic Gardens, Kew]

【英国煤气】Yīngguó Méiqì セントリカ．❖イギリスのガス供給会社．"森特里克 Sēntèlǐkè"とも．[Centrica]

【英国石油】Yīngguó Shíyóu BP．❖イギリスの国際石油資本．[British Petroleum；BP]

【英国天空广播集团】Yīngguó Tiānkōng Guǎngbō Jítuán ブリティッシュ・スカイ・ブロードキャスティング・グループ；BスカイBグループ．❖イギリスの衛星放送会社．[British Sky Broadcasting Group；BSkyB Group]

【英国宇航系统】Yīngguó Yǔháng Xìtǒng BAEシステムズ．❖イギリスの航空防衛企業．[BAE Systems]

【英联邦】Yīngliánbāng イギリス連邦；英国連邦；英連邦．[the Commonwealth of Nations]

【英迈】Yīng Mài イングラム・マイクロ．❖アメリカのハイテク製品卸売会社．[Ingram Micro]

【英美烟草】Yīngměi Yāncǎo ブリティッシュ・アメリカン・タバコ；BAT．❖イギリスのタバコメーカー．[British American Tobacco；BAT]

【英美资源集团】Yīngměi Zīyuán Jítuán アングロ・アメリカン．❖イギリスの総合鉱山資源会社．[Anglo American]

【英纳格】Yīngnàgé エニカ．❖スイスの時計メーカー．[Enicar]

【鹰派】yīngpài タカ派．

《樱桃小丸子》Yīngtáo Xiǎo Wánzǐ「ちびまる子ちゃん」．❖日本の漫画，アニメのタイトル．[Chibi Maruko-chan]

【英特尔】Yīngtè'ěr インテル．❖アメリカの半導体，電子機器メーカー．[Intel]

【英维思】Yīngwéisī インベンシス．❖イギリスの制御システムメーカー．[Invensys]

《英雄》Yīngxióng「英雄〜HERO」．❖中国映画のタイトル．[Hero]

《英雄本色》Yīngxióng Běnsè「男たちの挽歌」．❖香港映画のタイトル．[A Better Tomorrow]

【英业达】Yīngyèdá インベンテック．❖台湾のコンピューターメーカー．[Inventec]

yíng

【荧光笔】yíngguāngbǐ 蛍光ペン．

【盈利】yínglì 利得〈りとく〉．

【赢面】yíngmiàn 勝算；勝つチャンス；勝ち目．

【营收】yíngshōu 営業収入．

【营销】yíngxiāo ①マーケティング．②営業．[①marketing]

【营销策略】yíngxiāo cèlüè マーケティング戦略．❖"市场营销策略 shìchǎng yíngxiāo cèlüè""营销战略 yíngxiāo zhànlüè"とも．[marketing strategy]

【营销战略】yíngxiāo zhànlüè マーケティング戦略．❖"市场营销策略 shìchǎng yíngxiāo cèlüè""营销策略 yíngxiāo cèlüè"とも．[marketing strategy]

【迎新联欢会】yíngxīn liánhuānhuì 新人歓迎会；新入社員歓迎会；入学生歓迎会．

【营养保健品】yíngyǎng bǎojiànpǐn 栄養補助食品．

【营养餐】yíngyǎngcān 栄養に配慮した食

事；給食.

【营养素补充剂】yíngyǎngsù bǔchōngjì サプリメント；栄養補助食品.[supplement]

【营业计划】yíngyè jìhuà 事業計画. ❖"事业计划 shìyè jìhuà"とも.

【营业利润】yíngyè lìrùn 営業利益.

【营业外收入】yíngyèwài shōurù 営業外収益.

【营业种类】yíngyè zhǒnglèi 営業科目.

【盈余】yíngyú ①剰余金；利益；黒字. ②余る；黒字になる.

【营运成本】yíngyùn chéngběn ランニングコスト. ❖"经营费用 jīngyíng fèiyong""运行成本 yùnxíng chéngběn""运营成本 yùnyíng chéngběn"とも.[running costs]

yǐng

【影碟】yǐngdié ①ビデオ・コンパクト・ディスク；ビデオCD；VCD. ②DVD. ❖いずれも光ディスクの1種.[①video compact disc；VCD ②digital versatile disc；DVD]

【影碟机】yǐngdiéjī ①VCDプレーヤー. ②DVDプレーヤー.[①video compact disc player；VCD player ②DVD player]

【影楼】yǐnglóu 写真館；写真スタジオ.

【影视歌三栖明星】yǐng shì gē sānqī míngxīng 映画,テレビ,歌のいずれでも活躍しているスター.

【影视文化】yǐngshì wénhuà 映像文化.

【影子战争】yǐngzi zhànzhēng 影の戦争；シャドウウォー.[shadow war]

yìng

【应变措施】yìngbiàn cuòshī 緊急措置.

【应酬费】yìngchoufèi 交際費. ❖"交际应酬费 jiāojì yìngchoufèi"とも.

【硬贷款】yìngdàikuǎn ハードローン. ❖金融用語.[hard loan]

【硬道理】yìngdàoli 絶対原理；最優先事項.

【应对】yìngduì ①応対(する). ②〔積極的に〕対応(する)；対処(する)；コミット(する).[②commit]

【硬广告】yìngguǎnggào 純広告；ディスプレイ広告.

【硬核】yìnghé ハードコア.[hardcore]

【应激反应】yìngjī fǎnyìng ストレス.[stress]

【应急贷款】yìngjí dàikuǎn〔災害発生時や金融危機などにおける〕緊急融資. ❖金融用語.[emergency loan；relief loan]

【硬件】yìngjiàn ハードウェア. ❖IT用語.[hardware]

【硬拷贝】yìngkǎobèi ハードコピー. ❖コンピューターで表示した内容を印刷すること,またはその印刷物.[hard copy]

【应拍】yìngpāi〔競売に〕入札(する).

【硬盘】yìngpán ハードディスク. ❖IT用語.[hard disk]

【硬盘刻录机】yìngpán kèlùjī ハードディスクレコーダー. ❖"硬盘录音机 yìngpán lùyīnjī"とも.[hard disk recorder]

【硬石餐厅】Yìngshí Cāntīng ハードロックカフェ. ❖ハードロックカフェ・インターナショナル(米)のレストランブランド.[Hard Rock Cafe]

【应市】yìngshì 市場の需要に応えて発売する(こと).

【应试教育】yìngshì jiàoyù 受験教育.

【硬通货】yìngtōnghuò ハードカレンシー. ❖金融用語.国際的に信用度の高い通貨,兌換性のある通貨.[hard currency]

【应用程序】yìngyòng chéngxù アプリケーションプログラム；アプリケーションソフトウェア；アプリケーションソフト；アプリケーション. ❖IT用語."应用软件 yìngyòng ruǎnjiàn"とも.[application program；application software]

【应用软件】yìngyòng ruǎnjiàn アプリケー

ションプログラム；アプリケーションソフトウェア；アプリケーションソフト；アプリケーション．❖IT用語．"应用程序 yīngyòng chéngxù"とも．[application program；application software]

【应召女郎】yīngzhào nǚláng ホステス；コールガール．[bar hostess]

【硬着陆】yìngzhuólù ハードランディング；強行着陸．[hard landing]

yōng

【拥堵】yōngdǔ 渋滞（する）；混雑（する）．

【拥趸】yōngdǔn ファン；愛好者；支持者；サポーター．[fan；supporter]

yǒng

《勇敢的心》Yǒnggǎn de Xīn「ブレイブハート」．❖アメリカ映画のタイトル．[Braveheart]

【永恒】Yǒnghéng エタニティ．❖カルバン・クライン（米）製のフレグランス名．[Eternity]

【永久债券】yǒngjiǔ zhàiquàn 永久債．❖金融用語．元本の償還日を定めず, 利子のみ定期的に支払われる債券．

【永久正常贸易关系】yǒngjiǔ zhèngcháng màoyì guānxi 恒久通常貿易関係；PNTR．[permanent normal trading relations；PNTR]

【永旺】Yǒngwàng イオン．❖日本の小売企業．[Aeon]

《勇者斗恶龙》Yǒngzhě Dòu Èlóng「ドラゴンクエスト」．❖スクウェア・エニックス（日本）製のゲームのタイトル．[Dragon Quest]

【泳装】yǒngzhuāng ファッション水着；スイムウェア．[swimwear]

yòng

【用多少买多少】yòng duōshao mǎi duōshao 使う分だけ購入する．

【用户】yònghù ユーザー．[user]

【用户代号】yònghù dàihào ユーザーID．[user ID]

【用户接口】yònghù jiēkǒu ユーザーインターフェース．❖IT用語．"用户界面 yònghù jièmiàn"とも．[user interface]

【用户界面】yònghù jièmiàn ユーザーインターフェース．❖IT用語．"用户接口 yònghù jiēkǒu"とも．[user interface]

【用户满意度】yònghù mǎnyìdù 顧客満足度；CS．❖"顾客满意度 gùkè mǎnyìdù""客户满意度 kèhù mǎnyìdù"とも．[customer satisfaction；CS]

【用户名】yònghùmíng ユーザー名．[user name]

【用户手册】yònghù shǒucè ユーザーマニュアル．[user's manual；user manual]

【用户终端】yònghù zhōngduān ユーザーターミナル．[user terminal]

【佣金】yòngjīn 口銭；コミッション．[commission]

yōu

《悠长假期》Yōucháng Jiàqī「ロングバケーション」．❖日本のテレビドラマのタイトル．[Long Vacation]

【优待券】yōudàiquàn クーポン券；クーポン；優待券．[coupon]

【优二兴三】yōu èr xīng sān 第2次産業の最適化と, 第3次産業の振興．

【优化】yōuhuà 最適化（する）；適正化（する）．[optimization]

【优化组合】yōuhuà zǔhé 最適な組み合わせ．

【优惠贷款】yōuhuì dàikuǎn ①優遇借款．②ソフトローン；長期低利貸付．❖金融用

yōu — yóu

語.[soft loan]

【优惠利率】yōuhuì lìlǜ 優遇利率；優遇金利．❖金融用語．

【优利系统】Yōulì Xìtǒng ユニシス．❖アメリカのコンピューターメーカー．[Unisys]

【优良汇票】yōuliáng huìpiào 原手形〈げんてがた〉．❖金融用語．

《幽灵公主》Yōulíng Gōngzhǔ「もののけ姫」．❖日本アニメのタイトル．[Princess Mononoke]

【幽门螺杆菌】yōumén luógǎnjūn ピロリ菌．[Helicobacter pylori]

【优尼冲压】Yōuní Chōngyā ユニプレス．❖日本のプレス部品メーカー．[Unipres]

【优盘】Yōupán「優盤」；オンリー・ディスク；ONLY DISK．❖深圳市朗科科技有限公司(中国)製のUSBフラッシュメモリーのブランド．中国ではフラッシュメモリーの代名詞になっている．[ONLY DISK]

【优胜劣汰】yōushèng liètài 優勝劣敗；適者生存．

【悠诗诗】Yōushīshī UCC．❖UCC上島コーヒー(日本)のブランド名．[UCC]

【优势互补】yōushì hùbǔ 互いに長所を補う；相互補完(する)．

【优死】yōusǐ 良き死．

【优先股】yōuxiāngǔ 優先株式．❖金融用語．"参与优先股 cānyù yōuxiāngǔ"とも．

【优衣库】Yōuyīkù ユニクロ．❖ファーストリテイリング(日本)のカジュアルファッションブランド．[Uniqlo]

yóu

【邮编】yóubiān 郵便番号．❖"邮政编码 yóuzhèng biānmǎ"の略．

【游标】yóubiāo カーソル．❖IT用語."光标 guāngbiāo"とも．[cursor]

【油槽船】yóucáochuán タンカー．❖"油轮 yóulún"とも．[tanker]

【邮递清单】yóudì qīngdān メーリングリスト；ML．❖IT用語."邮件列表 yóujiàn lièbiǎo"とも．[mailing list；ML]

【邮递协议】yóudì xiéyì POP〈ポップ〉．❖IT用語．メール受信のためのプロトコル．[post office protocol；POP]

【邮购】yóugòu 通信販売；通販．❖"函售 hánshòu"とも．

【油耗子】yóuhàozi 石油泥棒；ガソリン泥棒．

【邮件程序】yóujiàn chéngxù 電子メールプログラム；電子メールソフト；メーラー．❖IT用語."邮件软件 yóujiàn ruǎnjiàn"とも．[e-mail software；mailer]

【邮件到达通知】yóujiàn dàodá tōngzhī メールの着信通知．❖IT用語．

【邮件地址】yóujiàn dìzhǐ メールアドレス．❖IT用語．[e-mail address]

【邮件服务器】yóujiàn fúwùqì メールサーバー．❖IT用語．[mail server]

【邮件列表】yóujiàn lièbiǎo メーリングリスト；ML．❖IT用語."邮递清单 yóudì qīngdān"とも．[mailing list；ML]

【邮件软件】yóujiàn ruǎnjiàn 電子メールプログラム；電子メールソフト；メーラー．❖IT用語."邮件程序 yóujiàn chéngxù"とも．[e-mail software；mailer]

【邮件杂志】yóujiàn zázhì メールマガジン；メルマガ．❖IT用語．[e-mail newsletter]

【邮件炸弹】yóujiàn zhàdàn メール爆弾．❖IT用語．特定の相手に大量の電子メールを送る嫌がらせ行為．[mail bomb]

【邮件账号】yóujiàn zhànghào メールアカウント．❖IT用語．[e-mail account]

【尤科斯】Yóukēsī ユコス．❖ロシアの石油会社．[Yukos]

【游览客车】yóulǎn kèchē 観光バス．

【游乐设施】yóulè shèshī 遊戯施設；アトラクション施設．

【油轮】yóulún タンカー．❖"油槽船 yóucáochuán"とも．[tanker]

yóu — yǒu

【尤妮佳】Yóunījiā ユニ・チャーム．❖日本の衛生用品メーカー．[Unicharm]

【尤尼克斯】Yóuníkèsī ヨネックス．❖日本のスポーツ用品メーカー．[Yonex]

【邮品】yóupǐn 郵趣アイテム．❖郵政部門が発行する記念切手など．

【油品挥发气】yóupǐn huīfāqì 燃料蒸発ガス；蒸発ガス．

【油砂】yóushā オイルサンド．❖"石油砂 shíyóushā"とも．[oil sand]

【邮市】yóushì ①切手取引市場；郵趣市場．②切手取引市場の状況；郵趣市場の状況．

【犹他州】Yóutā Zhōu ユタ州．❖アメリカの州名．[Utah]

【游戏虫】yóuxìchóng ゲーマー；ゲームおたく．[gamer]

【游戏杆】yóuxìgān ジョイスティック．❖コンピューターゲーム用のスティック状のコントローラー．[joystick；joy stick]

【游戏机】yóuxìjī ゲーム機．

【游戏结束】yóuxì jiéshù ゲームオーバー．[game over]

【游戏类型】yóuxì lèixíng 〔ゲームの〕ジャンル．[genre]

【油性皮肤】yóuxìng pífū 脂性肌；オイリー肌；オイリー．[oily skin]

【游医】yóuyī 各地を転々として違法医療行為を行う無免許医師．

【游戏中心】yóuxì zhōngxīn ゲームセンター；ゲーセン．[amusement arcade]

【邮展】yóuzhǎn 切手類の展示会；郵趣関連の展示会．

【邮政编码】yóuzhèng biānmǎ 郵便番号．❖略称は"邮编 yóubiān"．

【邮政储蓄】yóuzhèng chúxù 郵便貯金．

【邮政汇款】yóuzhèng huìkuǎn 郵便送金．

【邮政快件】yóuzhèng kuàijiàn 速達郵便．

【游资】yóuzī 遊休資本；投機的資金；ホットマネー．❖金融用語．国際金融市場で動く投機的短期資金のこと．"国际游资 guójì yóuzī""热钱 rèqián"とも．[hot money]

yǒu

【有表决权的股票】yǒubiǎojuéquán de gǔpiào 議決権株．

【有偿贷款】yǒucháng dàikuǎn 有償貸付．❖金融用語．

【有偿配股】yǒucháng pèigǔ 有償増資．❖金融用語．"有偿増资 yǒucháng zēngzī"とも．

【有偿新闻】yǒucháng xīnwén 有償記事．

【有偿增资】yǒucháng zēngzī 有償増資．❖金融用語．"有偿配股 yǒucháng pèigǔ"とも．

【有车族】yǒuchēzú マイカー族．

【有担保公司债】yǒudānbǎo gōngsīzhài 担保付社債．❖金融用語．

【有害垃圾】yǒuhài lājī 有害ごみ．

【有机发光二极体】yǒujī fāguāng èrjítǐ 有機発光ダイオード；OLED．[organic light emitting diode；organic light-emitting diode；OLED]

【有机食品】yǒujī shípǐn 有機食品；オーガニック食品．[organic food]

【有价证券】yǒujià zhèngquàn 有価証券．❖金融用語．

【有奖贺年片】yǒujiǎng hènián piàn お年玉付年賀はがき．

【有奖销售】yǒujiǎng xiāoshòu 景品付き販売．

【有利价格】yǒulì jiàgé イン・ザ・マネー．❖金融用語．オプション取引で権利行使によって利益が出る価格．[in the money]

【有面額股票】yǒumiàn'é gǔpiào 額面株式．❖金融用語．"額面股份 émiàn gǔfèn""面值股票 miànzhí gǔpiào"とも．

【有气】yǒuqì ムカつく．❖"来气 láiqì"とも．

【友情出演】yǒuqíng chūyǎn 友情出演．

【有声读物】yǒushēng dúwù オーディオブ

ック；文学作品の朗読テープ；朗読コンテンツ.[audio book]

【有损压缩】yǒusǔn yāsuō 非可逆圧縮；ロッシー圧縮. ❖IT用語.[lossy compression]

【有条件销售】yǒu tiáojiàn xiāoshòu 条件付販売.

【有望夺金者】yǒuwàng duójīnzhě 金メダルが有望視される選手.

【有息贷款】yǒuxī dàikuǎn 有利子貸付. ❖金融用語.

【有线电视】yǒuxiàn diànshì 有線テレビ；ケーブルテレビ；CATV.[cable television ; cable TV ; CATV]

【有线电视新闻网】Yǒuxiàn Diànshì Xīnwénwǎng CNN. ❖アメリカのテレビ局.[Cable News Network ; CNN]

【有线通】Yǒuxiàntōng「有線通」. ❖IT用語.CATVの事業者が提供するブロードバンドインターネット接続サービス名.

【有限责任】yǒuxiàn zérèn 有限責任.

【有限战争】yǒuxiàn zhànzhēng 限定戦争；局地戦；制限戦争.[localized war ; limited war]

【有型】yǒuxíng かっこいい；クールだ；決まっている；スタイリッシュだ.[cool ; stylish]

【有氧运动】yǒuyǎng yùndòng 有酸素運動；エアロビクス.[aerobics]

【友谊赛】yǒuyìsài 親善試合.

【有追索权信用证】yǒu zhuīsuǒquán xìnyòngzhèng 償還請求権付信用状.

【有组织犯罪】yǒuzǔzhī fànzuì 組織犯罪.

yòu

【幼发拉底河】Yòufālādǐ Hé ユーフラテス川. ❖西アジアを流れる川.[the Euphrates River ; the Euphrates]

【右击】yòujī 右クリック. ❖ウィンドウズパソコンで,マウスの右ボタンをクリックすること.[right click]

【幼稚产业】yòuzhì chǎnyè 幼稚産業；インファントインダストリー.[infant industry]

yú

【鱼刺图】yúcìtú 特性要因図；魚骨図. ❖発生している問題とその要因との関連をまとめた図."石川图 Shíchuāntú""树形图 shùxíngtú""树枝图 shùzhītú""特性要因图 tèxìng yàoyīntú""因果图 yīnguǒtú"とも.

【娱记】yújì パパラッチ；芸能リポーター. ❖"娱乐新闻记者 yúlè xīnwén jìzhě"の略.[paparazzi]

【娱乐】yúlè ①楽しむ.②エンターテインメント；エンターテイメント；娯楽.[②entertainment]

【娱乐产业】yúlè chǎnyè エンターテインメント産業；レジャー産業.

【娱乐新闻记者】yúlè xīnwén jìzhě パパラッチ；芸能リポーター. ❖略称は"娱记 yújì".[paparazzi]

【舆论导向】yúlùn dǎoxiàng 世論を導くこと.

【舆论调查】yúlùn diàochá 世論調査.

【舆论监督】yúlùn jiāndū 世論による監督.

【逾期】yúqī 期限切れ(になる).

【鱼跃冲顶】yúyuè chōngdǐng ダイビングヘッド.[diving header]

yǔ

【庾澄庆】Yǔ Chéngqìng ハーレム・ユー；庾澄慶. ❖台湾の歌手,司会者.[Harlem Yu]

【宇都宫市】Yǔdūgōng Shì 宇都宮〈うつのみや〉市. ❖栃木〈とちぎ〉県("栃木县 Lǐmù Xiàn")の県庁所在地.

【宇多田光】Yǔduōtián Guāng 宇多田ヒカ

ル．❖日本の歌手．[UTADA Hikaru]

【语法错误】yǔfǎ cuòwù シンタックスエラー．❖IT用語．[syntax error]

【语感】yǔgǎn 語感．

【雨果】Yǔguǒ 〔ヴィクトル・〕ユーゴー．❖フランスの詩人，小説家，劇作家．[Victor Hugo]

【雨果博斯】Yǔguǒ Bósī ヒューゴボス．❖ドイツのファッションメーカー，ブランド．[Hugo Boss]

《与狼共舞》Yǔ Láng Gòngwǔ 「ダンス・ウィズ・ウルブス」．❖アメリカ映画のタイトル．[Dances with Wolves]

【与贸易有关的投资措施】yǔ màoyì yǒuguān de tóuzī cuòshī 貿易関連投資措置；TRIMs〈トリムス〉．[trade-related investment measures；TRIMs]

【与贸易有关的知识产权】yǔ màoyì yǒuguān de zhīshi chǎnquán 貿易関連知的所有権；TRIPs〈トリップス〉．[trade-related intellectual property rights；TRIPs]

【与时俱进】yǔ shí jù jìn 時代とともに前進する；時代とともに発展する．❖中国共産党の第16回全国代表大会（2002年11月）で採択された報告の中のスローガン．

【雨水】yǔshuǐ ［二十四節気の］雨水〈うすい〉．

【羽田机场】Yǔtián Jīchǎng 羽田空港；東京国際空港．❖日本・東京にある空港．[Haneda Airport；Tokyo International Airport]

【语音聊天】yǔyīn liáotiān 音声チャット．❖IT用語．

【语音识别】yǔyīn shíbié 音声識別．

【语音输入】yǔyīn shūrù 音声入力．❖IT用語．

【语音信箱】yǔyīn xìnxiāng ボイスメールボックス．❖IT用語．[voice mailbox]

【语音邮件】yǔyīn yóujiàn ボイスメール．❖IT用語．"声音邮件 shēngyīn yóujiàn"とも．[voice mail]

《宇宙战舰大和号》Yǔzhòu Zhànjiàn Dàhé Hào 「宇宙戦艦ヤマト」．❖日本アニメのタイトル．[Space Battleship Yamato]

yù

【预案】yù'àn 緊急対応プラン．

【玉宝】Yùbǎo エベル．❖スイスの時計メーカー．[Ebel]

【预存话费】yùcún huàfèi 〔携帯電話の〕通話料先払い（をする）．

【预发式计算】yùfāshì jìsuàn プロアクティブ・コンピューティング．❖IT用語．[proactive computing]

【预付运费提单】yùfù yùnfèi tídān 運賃前払船荷証券．❖金融用語．

【预减】yùjiǎn 減益予測（する）；減益を見込む；減益見通し．

【寓教于乐】yù jiào yú lè ①〔娯楽活動などを通して〕思想教育を行う．②楽しみながら学習する；楽しみを通じて教育をする．

【预警机】yùjǐngjī 早期警戒機．

【预扣所得税】yùkòu suǒdéshuì 源泉分離課税．

【预亏】yùkuī 赤字予測（する）；赤字を見込む；赤字見通し．

【育龄妇女平均生育】yùlíng fùnǚ píngjūn shēngyù 合計特殊出生率．

【御鹿】Yùlù ハイン．❖トーマス・ハイン（仏）製のコニャック．"海因 Hǎiyīn"とも．[Hine]

【誉满全球】yùmǎn quánqiú 名声が世界に知られる．

【域名】yùmíng ドメイン．❖IT用語．[domain]

【域名服务器】yùmíng fúwùqì ドメイン・ネーム・サーバー．❖IT用語．[domain name server；DNS]

【域名服务系统】yùmíng fúwù xìtǒng ドメイン・ネーム・システム；DNS．❖IT用語．"域名系统 yùmíng xìtǒng"とも．[domain name system；DNS]

【域名系统】yùmíng xìtǒng ドメイン・ネーム・システム；DNS. ❖IT用語."域名服务系统 yùmíng fúwù xìtǒng"とも.[domain name system；DNS]

【御木本】Yùmùběn ミキモト. ❖日本の宝飾品メーカー.[Mikimoto]

【预期寿命】yùqī shòumìng 推定寿命.

【浴球】yùqiú ①〔ボール状の〕入浴剤. ②〔ボール状の〕ボディースポンジ.[②body sponge]

【预热】yùrè ①予熱(する). ②事前準備(する).

【预算拨款】yùsuàn bōkuǎn 予算配分.

【预提税】yùtíshuì 源泉課税.

【预赢】yùyíng 黒字予測(する)；黒字を見込む；黒字見通し.

【豫园】Yùyuán 豫園〈よえん〉. ❖中国・上海にある明代の庭園.

【预约】yùyuē 予約(する)；アポイントメント；アポ.[appoint]

【预约保险单】yùyuē bǎoxiǎndān 包括予定保険証券. ❖金融用語."开口保单 kāikǒu bǎodān"とも.

【预增】yùzēng 増益予測(をする)；増益を見込む；増益見通し.

【预支信用证】yùzhī xìnyòngzhèng 前貸信用状.

【预置】yùzhì プリセット. ❖IT用語.[preset]

【预铸】yùzhù プレキャスト；PC.[precast]

【预装】yùzhuāng プリインストール；プレインストール. ❖IT用語.コンピューターにあらかじめOSやアプリケーションソフトがインストールしてあること.[preinstall]

【郁卒】yùzú 憂鬱.

yuán

【元】Yuán 人民元〈じんみんげん〉；RMB. ❖中国の通貨単位.コード：CNY.

【元斌】Yuán Bīn ウォンビン. ❖韓国出身の男優.[Wonbin]

【源程序】yuánchéngxù ソースプログラム. ❖IT用語.[source program]

【原创】yuánchuàng オリジナル；オリジナル作品.[original]

【源代码】yuándàimǎ ソースコード. ❖IT用語.[source code]

【员工】yuángōng 従業員.

【原价】yuánjià 元値〈もとね〉；原価；コスト.[cost；cost price；prime cost]

【原教旨主义】yuánjiàozhǐ zhǔyì 〔宗教の〕原理主義.

【援款】yuánkuǎn 支援金；援助金；救援金；義援金.

【圆括号】yuánkuòhào かっこ；丸かっこ；小かっこ；パーレン. ❖記号は( ).[parentheses]

【园林城市】yuánlín chéngshì ガーデンシティー.[garden city]

【圆明园】Yuánmíngyuán 円明園. ❖中国・北京,海淀区にある清朝の離宮の跡.[Ruins of Yuanmingyuan；Old Summer Palace]

【园区】yuánqū 「園区」；パーク；工業団地.[park]

【原始股】yuánshǐgǔ 新規公開株式. ❖金融用語.

【原始资本】yuánshǐ zīběn 原始資本.

【援手】yuánshǒu 援助；援助の手.

【圆通控股】Yuántōng Kònggǔ 円通控股；コンパス・パシフィック・ホールディングス. ❖自動車部品メーカー,娯楽施設経営会社.レッドチップ企業の1つ.[Compass Pacific Holdings]

【援藏干部】yuán Zàng gànbù チベット支援のために派遣する幹部.

【原则】yuánzé 原則；建前〈たてまえ〉.

【援助条件】yuánzhù tiáojiàn コンディショナリティ. ❖金融用語.IMFが救済のための融資を与える際,融資先の国に求める経済再建のための条件.[conditionality]

【原装】yuánzhuāng 純正品；純正；オリジナル．[genuine ; original]

yuǎn

【远程办公】yuǎnchéng bàngōng テレコミューティング；在宅勤務．[telecommuting ; teleworking]

【远程导弹】yuǎnchéng dǎodàn 長距離ミサイル．

【远程访问】yuǎnchéng fǎngwèn リモートアクセス．❖IT用語．通信回線を通じてコンピューターなどに接続すること．[remote access]

【远程教育】yuǎnchéng jiàoyù 遠隔教育．❖IT用語．インターネットや衛星通信の利用により,教育が受けられるシステム．"空中教育 kōngzhōng jiàoyù""远距离教育 yuǎnjùlí jiàoyù"とも．

【远程医疗】yuǎnchéng yīliáo 遠隔医療．❖IT用語．インターネットや衛星通信の利用により,診療が受けられるシステム．

【远东航空】Yuǎndōng Hángkōng 遠東航空．❖台湾の航空会社．コード：EF．[Far Eastern Air Transport]

【远景规划】yuǎnjǐng guīhuà 長期計画．

【远期合同】yuǎnqī hétong 先渡契約．

【远期汇率】yuǎnqī huìlǜ フォワードレート．❖金融用語．"期货汇率 qīhuò huìlǜ"とも．[forward rate]

【远期汇票】yuǎnqī huìpiào 期限付為替手形．❖金融用語．

【远期外汇】yuǎnqī wàihuì 先物為替〈さきものかわせ〉．❖金融用語．"期货外汇 qīhuò wàihuì"とも．

【远期信用证】yuǎnqī xìnyòngzhèng 期限付信用状；ユーザンスL/C．[usance letter of credit ; usance L/C]

《远山的呼唤》Yuǎnshān de Hūhuàn「遥かなる山の呼び声」．❖日本映画のタイトル．[A Distant Cry from Spring]

yuàn

【院内感染】yuànnèi gǎnrǎn 院内感染．❖"医院感染 yīyuàn gǎnrǎn"とも．

【院线制】yuànxiànzhì 映画のチェーン；ロードショーチェーン；配給系列；興業網．

yuē

【约旦哈希姆王国】Yuēdàn Hāxīmǔ Wángguó ヨルダン・ハシェミット王国；ヨルダン．[Hashemite Kingdom of Jordan ; Jordan]

【约旦皇家航空】Yuēdàn Huángjiā Hángkōng ロイヤルヨルダン航空．❖ヨルダンの航空会社．コード：RJ．[Royal Jordanian Airlines]

【约定】yuēdìng 約定〈やくじょう〉．❖金融用語．

【约翰迪尔】Yuēhàn Dí'ěr ジョン・ディア．❖アメリカの農業機械メーカー．[John Deere]

【约翰・列侬】Yuēhàn Liènóng ジョン・レノン．❖イギリス出身のミュージシャン．[John Lennon]

【约翰尼・德普】Yuēhànní Dépǔ ジョニー・デップ．❖アメリカ出身の男優．"强尼・戴普 Qiángní Dàipǔ"とも．[Johnny Depp]

【约翰逊控制】Yuēhànxùn Kòngzhì ジョンソンコントロールズ．❖アメリカの総合ビル管理会社．[Johnson Controls]

【约翰・詹姆森】Yuēhàn Zhānmǔsēn ジョンジェムソン．❖ジョン・ジェムソン＆サン（アイルランド）のウイスキー名．"占美臣 Zhànměichén"とも．[John Jameson]

【约会】yuēhuì ①会う約束をする．②デート（をする）．③アポイントメント（をとる）；アポ（をとる）．[③appointment]

【约塞米蒂国家公园】Yuēsèmǐdì Guójiā Gōngyuán ヨセミテ国立公園．●世界自然遺産（アメリカ）．[Yosemite National

Park]

yuè

【悦达控股】Yuèdá Kōnggǔ 悦達控股；ユエダーホールディングス．❖インフラ管理，投資会社．レッドチップ企業の1つ．[Yue Da Holdings]

【阅读器】yuèdúqì ビューアー；ビューワー．[viewer]

【月光族】yuèguāngzú「月光族」．❖月給を毎月使い切ってしまう人々のこと．

【粤海投资】Yuèhǎi Tóuzī 粤海投資；グァンドン・インベストメント；カントン・インベストメント．❖不動産投資などを主とした複合企業．レッドチップ企業の1つ．[Guangdong Investment]

【粤海制革】Yuèhǎi Zhìgé 粤海制革；グァンドン・タネリー；カントン・タナリー．❖皮革加工，販売会社．レッドチップ企業の1つ．[Guangdong Tannery]

【越境污染】yuèjìng wūrǎn 越境汚染．

【越南国家航空】Yuènán Guójiā Hángkōng ベトナム航空．❖ベトナムの航空会社．コード：VN．[Vietnam Airlines]

【越南社会主义共和国】Yuènán Shèhuìzhǔyì Gònghéguó ベトナム社会主義共和国；ベトナム．[Socialist Republic of Vietnam ; Socialist Republic of Viet Nam ; Vietnam ; Viet Nam]

【乐器数字接口】yuèqì shùzì jiēkǒu MIDI〈ミディ〉．❖IT用語．楽曲データを，コンピューター経由でやりとりするための規格．[musical instrument digital interface ; MIDI]

【月嫂】yuèsǎo 出産，育児ヘルパー．

【越位】yuèwèi オフサイド．❖サッカー用語．[offside]

【越秀交通】Yuèxiù Jiāotōng 越秀交通；GZIトランスポート．❖インフラ管理，投資会社．レッドチップ企業の1つ．[GZI Transport]

【越秀投资】Yuèxiù Tóuzī 越秀投資；グァンジョウ・インベストメント．❖紙，セメント製造，不動産投資を主とした複合企業．レッドチップ企業の1つ．[Guangzhou Investment]

【越野车】yuèyěchē ジープ；オフロード車．[jeep ; off-road vehicle]

【越野滑雪】yuèyě huáxuě クロスカントリースキー．[cross-country skiing]

【越野赛】yuèyěsài ①オフロードレース．②クロスカントリー；クロスカントリーレース．[①off-roading ; off-road racing ②cross-country ; cross-country race]

yún

【云岗石窟】Yúngǎng Shíkū 雲崗石窟．◉世界文化遺産(中国)．[Yungang Grottoes]

【云南三江并流保护区】Yúnnán Sānjiāng Bìngliú Bǎohùqū 雲南の三江併流保護区．◉世界自然遺産(中国)．[Three Parallel Rivers of Yunnan Protected Areas]

【云南省】Yúnnán Shěng 雲南省．❖中国の省の1つ．略称は"云 Yún"，別称は"滇 Diān"．省都は"昆明 Kūnmíng"．

【云南实业控股】Yúnnán Shíyè Kōnggǔ 雲南実業控股；ユンナン・エンタープライズ・ホールディングス．❖タバコ関連商社．レッドチップ企業の1つ．[Yunnan Enterprises Holdings]

【云雀】Yúnquè ①ひばり．②ラーク．❖②フィリップモリス(アルトリア・グループ傘下)のタバコブランド．[②Lark]

【云丝顿】Yúnsīdùn ウィンストン．❖レイノルズアメリカン(米)のタバコブランド．[Winston]

yǔn

【允许类商品】yǔnxǔlèi shāngpǐn 許可類商品. ❖中国の加工貿易管理における商品分類.

yùn

【运动处方】yùndòng chǔfāng 運動処方;トレーニングプラン;トレーニングメニュー.[training plan]

【运动图形专家组】yùndòng túxíng zhuānjiāzǔ MPEG〈エムペグ〉. ❖IT用語.映像データの圧縮方式の１つ.[Moving Pictures Experts Group ; MPEG]

【运动饮料】yùndòng yǐnliào スポーツドリンク.[sports drink]

【运费、保险费付至】yùnfèi bǎoxiǎnfèi fùzhì 輸送費保険料込. ❖インコタームズ2000.[carriage and insurance paid to ; CIP]

【运费到付提单】yùnfèi dàofù tídān 運賃着払船荷証券. ❖金融用語.

【运费付至】yùnfèi fùzhì 輸送費込. ❖インコタームズ2000.[carriage paid to ; CPT]

【孕妇服】yùnfùfú マタニティードレス;マタニティーウェア.[maternity dress ; maternity clothes]

【晕圈效应】yùnquān xiàoyìng ハロー効果;光背効果;後光効果. ❖心理学関連用語.[halo effect]

【运输标志】yùnshū biāozhì 荷印;シッピングマーク.[shipping mark]

【运输港】yùnshūgǎng 船積港. ❖"装船港 zhuāngchuángǎng"とも.

【运输机】yùnshūjī 輸送機.

【运行成本】yùnxíng chéngběn ランニングコスト. ❖"经营费用 jīngyíng fèiyong""营运成本 yíngyùn chéngběn""运营成本 yùnyíng chéngběn"とも.[running costs]

【运营成本】yùnyíng chéngběn ランニングコスト. ❖"经营费用 jīngyíng fèiyong""营运成本 yíngyùn chéngběn""运行成本 yùnxíng chéngběn"とも.[running costs]

【运转率】yùnzhuǎnlǜ 稼働率.

【运作】yùnzuò ①動き;動く;機能(する). ②活動を始める.

Z

zā

【匝道】zādào〔高速道路の〕ランプ.[ramp]
【扎莫希奇古城】Zāmòxīqí Gǔchéng ザモシチ旧市街.●世界文化遺産(ポーランド).[Old City of Zamość]

zá

【杂货商店】záhuò shāngdiàn 雑貨店;バラエティーショップ.[variety store]
【杂交水稻】zájiāo shuǐdào ハイブリッド米.[hybrid rice]
【砸牌子】zá páizi 評判を落とす;名誉を傷つける.
【杂样煎菜饼】záyàng jiāncàibǐng お好み焼き.
【杂志书】zázhìshū ムック.[magazine book]

zāi

【灾毁】zāihuǐ 被災(する);罹〈り〉災(する).
【灾难性后果】zāinànxìng hòuguǒ カタストロフィー.[catastrophe]

zǎi

【宰】zǎi 客に法外な値段をふっかける(こと);ぼったくる(こと);客を騙す(こと).
【宰比德历史古城】Zǎibǐdé Lìshǐ Gǔchéng 古都ザビード.●世界危機遺産(イエメン).[Historic Town of Zabid]
【宰客】zǎikè 客に法外な値段をふっかける(こと);ぼったくる(こと);客を騙す(こと).
【宰人】zǎirén 客に法外な値段をふっかける(こと);ぼったくる(こと);客を騙す(こと).

zài

【载波】zàibō 搬送波;キャリア.[carrier wave]
【载驳船】zàibóchuán ①ラッシュ船.②シービー船.❖港湾業務関連用語.①は"拉希型船 lāxīxíngchuán""子母船 zǐmǔchuán"とも.[①lighter aboard ship;LASH ②Seabee ship]
【再贷款】zàidàikuǎn 再貸付;再融資.
【在读】zàidú〔学校に〕在学している;〔研究機関に〕在籍している.
【在孵企业】zàifū qǐyè インキュベート企業.❖起業支援を受けているベンチャー企業.[incubator]
【再回购交易】zàihuígòu jiāoyì 現先〈げんさき〉;現先取引.❖金融用語.債権を一定期間後に,決められた価格で購入,あるいは売却することを条件として行う取引."再回购协议 zàihuígòu xiéyì"とも.
【再回购协议】zàihuígòu xiéyì 現先〈げんさき〉;現先取引.❖金融用語.債権を一定期間後に,決められた価格で購入,あるいは売却することを条件として行う取引."再回购交易 zàihuígòu jiāoyì"とも.
【再就业】zàijiùyè 再就職(する);再就業(する).
【再就业服务中心】zàijiùyè fúwù zhōngxīn 再就業サービスセンター;再就職サービスセンター.
【再就业工程】Zàijiùyè Gōngchéng 再就業プロジェクト;再就職プロジェクト.
【再启动】zàiqǐdòng〔コンピューターを〕再起動(する);リブート(する).❖IT用語.

"重新开机 chóngxīn kāijī""重新启动 chóngxīn qǐdòng"とも.[reboot]

【载人飞船】zàirén fēichuán 有人宇宙飛行船；有人宇宙船.

【载人航天】zàirén hángtiān 有人宇宙飛行；有人飛行.

【载人卫星】zàirén wèixīng 有人衛星.

【再生障碍性贫血】zàishēng zhàng'àixìng pínxuè 再生不良性貧血；AA.[aplastic anemia；AA]

【再生纸】zàishēngzhǐ 再生紙.[recycled paper]

【再生资源】zàishēng zīyuán 再生資源.

【在线】zàixiàn オンライン. ❖IT用語.[on line；on-line；online]

【在线存储】zàixiàn cúnchǔ オンラインストレージ. ❖IT用語.[online storage]

【在线服务】zàixiàn fúwù オンラインサービス. ❖IT用語.[online service]

【在线商店】zàixiàn shāngdiàn オンラインショップ. ❖IT用語.[online store；on-line shop]

【在线游戏】zàixiàn yóuxì オンラインゲーム；ネットゲーム.[online game；Internet game]

【再循环利用】zàixúnhuán lìyòng リサイクル. ❖"循环再生 xúnhuán zàishēng"とも.[recycling]

【在职博士生】zàizhí bóshìshēng 社会人の博士課程大学院生.

【在职培训】zàizhí péixùn 職場内教育；オン・ザ・ジョブ・トレーニング；OJT. ❖"岗位培训 gǎngwèi péixùn"とも.[on-the-job training；OJT]

【在职研究生】zàizhí yánjiūshēng 社会人の大学院生.

【在制品】zàizhìpǐn 仕掛り品；仕掛品〈しかけひん〉. ❖"半成品 bànchéngpǐn""半制品 bànzhìpǐn"とも.

zàn

【赞比亚共和国】Zànbǐyà Gònghéguó ザンビア共和国；ザンビア.[Republic of Zambia；Zambia]

【暂停】zàntíng ①一時停止(する)；一時中止(する). ②[主として球技で]タイムアウト.[②time-out；time out]

【暂停键】zàntíngjiàn 一時停止ボタン；ポーズキー. ❖IT用語.[pause key]

【赞助商】zànzhùshāng 賛助企業；スポンサー.[sponsor]

zāng

【脏弹】zāngdàn 汚い爆弾；ダーティボム. ❖放射性物質を含む爆弾.[dirty bomb]

zǎo

【早安少女】Zǎo'ān Shàonǚ モーニング娘.. ❖日本のアイドルグループ.

【早餐派】zǎocānpài ①「朝食パイ」. ②「早餐派」. ❖①中国のお菓子のブランド名. ②香港立法会の専門家グループ.

【早教】zǎojiào 幼児教育. ❖"早期教育 zǎoqī jiàoyù"の略.

【早恋】zǎoliàn 幼い恋愛；10代の恋愛.

【早盘】zǎopán 前場〈ぜんば〉. ❖金融用語. "头市 tóushì"とも.

【早期教育】zǎoqī jiàoyù 幼児教育. ❖略称は"早教 zǎojiào".

【早市收盘】zǎoshì shōupán 前引〈ぜんび〉け. ❖金融用語.証券取引所の前場の最後の売買.

zào

【皂甙】zàodài サポニン.[saponin]
【造假】zàojiǎ 偽物を製造する(こと).
【躁狂】zàokuáng そう(躁).

zào — zhā

【噪声级】zàoshēngjí ノイズレベル；騒音レベル．[noise level]

【噪声治理】zàoshēng zhìlǐ 騒音対策．

【造势】zàoshì 大々的に宣伝する；プロモーション(する)；盛り上げる．[promotion]

【造市】zàoshì マーケティング(する)．[marketing]

【造血】zàoxuè ①造血(する)．②〔職場や組織を〕活性化(する)．

---

zé

【泽列纳霍拉的内波穆克圣约翰朝圣教堂】Zéliènàhuòlā de Nèibōmùkè Shèngyuēhàn Cháoshèng Jiàotáng ゼレナー・ホラのネポムークの聖ヨハネ巡礼教会．●世界文化遺産(チェコ)．[Pilgrimage Church of St John of Nepomuk at Zelená Hora]

【责权利三结合】zé quán lì sān jiéhé 責任,権利,利益の結合．

【责任田】zérèntián 農家が経営管理する請負農地．

【责任准备金】zérèn zhǔnbèijīn 責任準備金．

【则武】Zéwǔ ノリタケ．❖日本のセラミックス関連商品メーカー．[Noritake]

【择校】zéxiào 学校を選択する(こと)．❖子どもの将来のためレベルの高い学校を選び入学させること．

【择业】zéyè 職業選択(する)．

---

zēng

【增发股票】zēngfā gǔpiào 株式増発．❖金融用語．

【增芳德】Zēngfāngdé ジンファンデル．❖黒ぶどう品種,またそのぶどうで作られた赤ワイン．[Zinfandel]

【增幅】zēngfú 伸び幅．

【增加资本】zēngjiā zīběn 資本増加．❖金融用語．"增资 zēngzī"とも．

【增绿】zēnglǜ 緑地を増やす；緑地増加．

【增强型短信服务】zēngqiángxíng duǎnxìn fúwù 拡張メッセージサービス；EMS．❖IT用語．[enhanced message service；EMS]

【增收节支】zēngshōu jiézhī ①所得増加と経費削減；収入増加と支出削減．②歳入の増加と歳出の節減．

【曾荫权】Zēng Yìnquán 曽蔭権〈そういんけん〉；ドナルド・ツァン．❖香港特別行政区第2代行政長官．[Donald Tsang Yam Kuen]

【增长点】zēngzhǎngdiǎn 成長分野．

【增长率】zēngzhǎnglǜ 成長率；増加率；伸び率．

【增值】zēngzhí ①値上がり(する)；価格が上昇する(こと)．②付加価値．

【增殖堆】zēngzhíduī 増殖炉．

【增值税】zēngzhíshuì 「増値税」；付加価値税．[value-added tax；VAT]

【增资】zēngzī 増資．❖金融用語．"增加资本 zēngjiā zīběn"とも．

---

zèng

【赠款】zèngkuǎn 無償資金援助；資金を贈与する；資金供与する．

【赠券】zèngquàn クーポン券；クーポン．[coupon]

【赠与成分】zèngyǔ chéngfen グラントエレメント；GE．❖援助条件の緩やかさを表す指標．[grant element；GE]

---

zhā

【渣打银行】Zhādǎ Yínháng スタンダード・チャータード銀行．❖イギリスの銀行．"标准渣打银行 Biāozhǔn Zhādǎ Yínháng"の通称．[Standard Chartered Bank]

【扎啤】zhāpí 〔ジョッキの〕生ビール．

zhá

【札幌啤酒】Zháhuǎng Píjiǔ サッポロビール. ❖日本の飲料メーカー.[Sapporo Breweries]

【札幌市】Zháhuǎng Shì 札幌〈さっぽろ〉市. ❖北海道〈ほっかいどう〉("北海道 Běihǎi Dào")の道庁所在地.

zhà

【乍得共和国】Zhàdé Gònghéguó チャド共和国；チャド.[Republic of Chad；Chad]

zhāi

【摘牌】zhāipái ①上場廃止. ②移籍選手を獲得する. ③〔試合で〕メダルを獲得する. ❖①金融用語.

【摘要】zhāiyào レジュメ；サマリー.[resume；résumé；resumé；summary]

zhái

【宅急送】zháijísòng 宅配便；宅配業者；デリバリー.[delivery]

zhǎi

【窄帯】zhǎidài ナローバンド. ❖IT用語.[narrow band；narrowband]

zhài

【债券回购交易】zhàiquàn huígòu jiāoyì 債券現先〈げんさき〉取引. ❖金融用語.債券を購入あるいは売却する前に,一定期間後に予め決めた価格でその債券を売却あるいは購入する約束で行う取引.

【债券借贷交易】zhàiquàn jièdài jiāoyì 債券貸借取引. ❖金融用語.

【债券市场】zhàiquàn shìchǎng 債券市場. ❖金融用語.

【债务】zhàiwù 債務；デット.[debt]

【债务代偿】zhàiwù dàicháng 債務履行引受；デットアサンプション. ❖金融用語.[debt assumption]

【债务人持有资产】zhàiwùrén chíyǒu zīchǎn 資産占有債務者；DIP. ❖金融用語.[debtor in possession；DIP]

【债转股】zhàizhuǎngǔ 債権株式化；債務の株式転換.

zhān

【詹姆士岛和相关地点】Zhānmǔshì Dǎo hé Xiāngguān Dìdiǎn ジェームズ島と関連遺跡群. ●世界文化遺産(ガンビア).[James Island and Related Sites]

【詹妮弗·洛佩兹】Zhānnīfú Luòpèizī ジェニファー·ロペス. ❖アメリカ出身の歌手,女優."珍妮弗·洛佩兹 Zhēnnīfú Luòpèizī"とも.[Jennifer Lopez]

【粘贴】zhāntiē 貼り付ける；貼り付け；ペースト(する). ❖IT用語.[paste]

zhǎn

【展柜】zhǎnguì ショーケース；陳列棚.[showcase]

【展会】zhǎnhuì 展示会；見本市；展覧会.

【斩获】zhǎnhuò ①〔賞や賞品を〕獲得する. ②成果；収穫.

【展览馆】zhǎnlǎnguǎn 展示館；パビリオン. ❖"展馆 zhǎnguǎn""展示馆 zhǎnshìguǎn"とも.[pavilion]

【展事】zhǎnshì 展示会；見本市；展覧会；展示.

【展示馆】zhǎnshìguǎn 展示館；パビリオン. ❖"展馆 zhǎnguǎn""展览馆 zhǎnlǎnguǎn"とも.[pavilion]

zhǎn — zhāng

- 【展售】zhǎnshòu 展示販売.
- 【展演】zhǎnyǎn 公演；展示；公演をする；展示をする. ❖演劇,映画,ファッションショーなどを指す.
- 【展业】zhǎnyè 業務を行う；ビジネスを展開する.

zhàn

- 【占巴塞文化景观内的瓦普庙和相关古民居】Zhānbāsài Wénhuà Jǐngguānnèi de Wǎpǔ Miào hé Xiāngguān Gǔmínjū チャンパサック県の文化的景観にあるワット・プーと関連古代遺産群. ●世界文化遺産（ラオス）.[Vat Phou and Associated Ancient Settlements within the Champasak Cultural Landscape]
- 【占边】Zhàn Biān ジム・ビーム. ❖ジェームズ・B・ビーム・ディスティリング（米）製のバーボンウイスキー名.[Jim Beam]
- 【站点】zhàndiǎn ウェブサイト；Web サイト；サイト. ❖IT用語."网站 wǎngzhàn"とも.[web site；website]
- 【站点地图】zhàndiǎn dìtú サイトマップ. ❖IT用語."网站导览 wǎngzhàn dǎolǎn""网站地图 wǎngzhàn dìtú"とも.[site map；sitemap]
- 【战斧式巡航导弹】Zhànfǔshì xúnháng dǎodàn トマホーク巡航ミサイル.[Tomahawk cruise missile]
- 【战略防御计划】Zhànlüè Fángyù Jìhuà 戦略防衛構想；SDI. ❖1983年,レーガン・アメリカ大統領（当時）が提唱.[Strategic Defense Initiative；SDI]
- 【战略伙伴关系】zhànlüè huǒbàn guānxi 戦略的パートナーシップ. ❖"战略性伙伴关系 zhànlüèxìng huǒbàn guānxi"とも.
- 【占美臣】Zhànměichén ジョンジェムソン. ❖ジョン・ジェムソン & サン（アイルランド）のウイスキー名."约翰・詹姆森 Yuēhàn Zhānmǔsēn"とも.[John Jameson]
- 【战区导弹防御系统】zhànqū dǎodàn fángyù xìtǒng 戦域ミサイル防衛；戦域弾道ミサイル防衛システム；TMD.[theater missile defense；TMD]
- 【站台】zhàntái ①〔駅の〕プラットホーム. ②〔コンピューターの〕プラットホーム. ❖② IT用語.[platform]
- 【站长】zhànzhǎng ①駅長. ②ウェブマスター；Web マスター. ❖②IT用語.ウェブページの管理人.[②webmaster]
- 【战争狂人】zhànzhēng kuángrén 戦争マニア.
- 【战争险】zhànzhēngxiǎn 戦争保険. ❖"兵险 bīngxiǎn"とも.

zhāng

- 【张柏芝】Zhāng Bǎizhī セシリア・チャン；張柏芝. ❖香港出身の女優,歌手.[Cecilia Cheung]
- 【张东健】Zhāng Dōngjiàn チャン・ドンゴン. ❖韓国出身の男優.[Jang Donggun]
- 【张国荣】Zhāng Guórǒng レスリー・チャン；張国栄. ❖香港出身の男優,歌手.[Leslie Cheung]
- 【张惠妹】Zhāng Huìmèi アーメイ；張惠妹. ❖台湾の歌手.[A-mei；Zhang Hui Mei]
- 【张曼玉】Zhāng Mànyù マギー・チャン；張曼玉. ❖香港出身の女優.[Maggie Cheung]
- 【张学友】Zhāng Xuéyǒu ジャッキー・チョン；張学友. ❖香港出身の歌手,男優.[Jacky Cheung]
- 【樟宜国际机场】Zhāngyí Guójì Jīchǎng チャンギ国際空港. ❖シンガポールにある空港.[Changi International Airport]
- 【张艺谋】Zhāng Yìmóu チャン・イーモウ；張芸謀. ❖中国の映画監督.[Zhang Yimou]
- 【章子怡】Zhāng Zǐyí チャン・ツィイー；章

子怡. ❖中国出身の女優.[Zhang Ziyi]

zhǎng

【长不大的成人】zhǎngbudà de chéngrén アダルトチルドレン.[adult children; adult child]

【长草区】zhǎngcǎoqū ラフ. ❖ゴルフ場で,コース内の芝を刈り込んでいないところ.[rough]

【掌掴】zhǎngguó 平手打ちをする;横面を張る.

【涨价】zhǎngjià 値上げ;値上がり;値段が上がる.

【掌控】zhǎngkòng コントロール(する).[control]

【掌上电脑】zhǎngshàng diànnǎo パームトップパソコン.❖IT用語.[palmtop computer]

【涨停板】zhǎngtíngbǎn ストップ高;リミットアップ.❖金融用語.[limit up]

zhàng

【帐户】zhànghù 口座. ❖"账户 zhànghù"とも.

【账户】zhànghù 口座. ❖"帐户 zhànghù"とも.

【账户代理行】zhànghù dàilǐháng デポコルレス銀行. ❖金融用語.[depository correspondent bank]

【账面价值】zhàngmiàn jiàzhí 簿価.

【账面收益】zhàngmiàn shōuyì 評価益.

【账面损失】zhàngmiàn sǔnshī 評価損.

【账外设账】zhàngwài shèzhàng 裏帳簿(を作る).❖"帐外设帐 zhàngwài shèzhàng"とも.

zhāo

【招标】zhāobiāo 入札公示.

【招标投标制】zhāobiāo tóubiāozhì 公開入札制度.

【招财猫】zhāocáimāo 招き猫.

【招股说明书】zhāogǔ shuōmíngshū 目論見書〈もくろみしょ〉. ❖金融用語.

【昭和壳牌石油】Zhāohé Qiàopái Shíyóu 昭和シェル石油. ❖日本の石油会社.[Showa Shell Sekiyu]

【昭披耶河】Zhāopīyē Hé チャオプラヤ川. ❖インドシナ半島を貫流する川."湄南河 Méinán Hé"(メナム川 'the Menam')とも.[the Chao Phraya River; the Chao Phraya]

【朝日电视台】Zhāorì Diànshìtái テレビ朝日;EX. ❖日本のテレビ局.[TV Asahi]

【朝日啤酒】Zhāorì Píjiǔ アサヒビール. ❖日本の飲料メーカー.[Asahi Breweries]

【朝日生命】Zhāorì Shēngmìng 朝日生命保険. ❖日本の保険会社.[Asahi Mutual Life Insurance]

【朝日舒波乐】Zhāorì Shūbōlè アサヒスーパードライ. ❖アサヒビール(日本)製のビール名.[Asahi Super Dry]

《朝日新闻》Zhāorì Xīnwén「朝日新聞」. ❖日本の日刊紙.[Asahi Shimbun]

【招商迪辰(亚洲)】Zhāoshāng Dí Chén (Yàzhōu) 招商迪辰(亜洲);チャイナ・マーチャンツ・ディーチェン(アジア). ❖物流サービス会社.レッドチップ企業の1つ.[China Merchants DiChain (Asia)]

【招商局国际】Zhāoshāngjú Guójì 招商局国際;チャイナ・マーチャンツ・ホールディングス(インターナショナル). ❖複合企業.レッドチップ企業の1つ.[China Merchants Holdings (International)]

【招商引资】zhāoshāng yǐnzī 外資企業誘致と外資導入.

【招生办公室】zhāoshēng bàngōngshì 入試担当部署.

【招生就业指导办公室】zhāoshēng jiùyè zhǐdǎo bàngōngshì 入学,就職指導室.

【朝阳产业】zhāoyáng chǎnyè 成長産業；新興産業.
【招展】zhāozhǎn〔見本市や展示会などの〕出展者を募集する(こと).

zháo

【着迷】Zháomí オブセッション. ❖カルバン・クライン(米)製のフレグランス名."迷惑 Míhuo"とも. [Obsession]

zhǎo

《找乐》Zhǎolè「北京好日」. ❖中国映画のタイトル. [For Fun]
【爪哇岛】Zhǎowā Dǎo ジャワ島. ❖インドネシアにある島. [Java Island]

zhào

【罩杯】zhàobēi〔ブラジャーの〕カップ. [cup]
【兆赫】zhàohè メガヘルツ. ❖周波数の単位.記号：MHz. [megahertz；MHz]
【召回】zhàohuí リコール. [recall]
【召回制】zhàohuízhì リコール制度. [recall system]
【照片处理软件】zhàopiàn chǔlǐ ruǎnjiàn フォト・レタッチ・ソフト；レタッチソフト. ❖IT用語. [photo retouching software；photo retouch software]
【照片光碟】zhàopiàn guāngdié フォトCD. ❖IT用語. [photo CD]
【照片纸】zhàopiànzhǐ〔インクジェットプリンター用の〕写真印刷用紙.
【赵薇】Zhào Wēi ヴィッキー・チャオ；趙薇. ❖中国出身の女優. [Vicki Zhao；Zhao Wei]
《赵先生》Zhào Xiānsheng「趙先生」. ❖中国映画のタイトル. [Mr.Zhao]
【兆字节】zhàozìjié メガバイト；メガ. ❖IT用語.情報を保存する量の単位.記号：MB. [megabyte；MB]

zhē

【遮瑕笔】zhēxiábǐ〔ペンタイプの〕コンシーラー. [concealer]
【遮瑕膏】zhēxiágāo〔パレットタイプの〕コンシーラー. [concealer]

zhé

【折旧费】zhéjiùfèi 減価償却費.
【折旧年限】zhéjiù niánxiàn 耐用年数. ❖"使用寿命 shǐyòng shòumìng"とも.
【折扣店】zhékòudiàn ①ディスカウントショップ；ディスカウントストア. ②アウトレットショップ；アウトレットストア. [①discount shop；discount store ②outlet shop；outlet store]

zhè

【浙江省】Zhèjiāng Shěng 浙江〈せっこう〉省. ❖中国の省の1つ.略称は"浙 Zhè".省都は"杭州 Hángzhōu".

zhēn

【真爱】Zhēn'ài トゥルーラブ. ❖エリザベス・アーデン(米)製のフレグランス名. [True Love]
【真唱】zhēnchàng〔コンサートなどで〕実際に歌う(こと).
【珍达斐】Zhēndáfěi ジャンイヴ. ❖スイスの時計メーカー. [Jean d'Eve]
【针打】zhēndǎ ドットプリンター. [dot printer]
【侦结】zhēnjié〔事件についての〕捜査終了,起訴準備をする(こと).
【真理】Zhēnlǐ トゥルース. ❖カルバン・クラ

イン(米)製のフレグランス名.[Truth]

【真理報】Zhēnlǐ Bào「プラウダ」.❖ロシアの日刊紙.[Pravda]

【真我】Zhēnwǒ ジャドール.❖クリスチャンディオール(仏)製のフレグランス名.[J'adore]

【珍稀瀕危动物】zhēnxī bīnwēi dòngwù 絶滅危惧,希少動物.

【真相调查团】zhēnxiàng diàochátuán 事実調査団;調査団.

《珍珠港》Zhēnzhū Gǎng「パール・ハーバー」.❖アメリカ映画のタイトル.[Pearl Harbor]

【珍珠婚】zhēnzhūhūn 真珠婚式.❖30年目の結婚記念日.

【真主党】Zhēnzhǔdǎng ヒズボラ.❖レバノンで設立されたイスラム教シーア派の組織.[Hezbollah;Hizbollah]

zhèn

【振动提示】zhèndòng tíshì〔携帯電話の〕バイブレーター;マナーモード.[vibrator;silent mode]

【震撼价】zhènhànjià 超特価.

【振兴中华】zhènxīng Zhōnghuá 中華振興.

zhēng

【争端解决机构】Zhēngduān Jiějué Jīgòu〔WTOの〕紛争解決機関;DSB.[Dispute Settlement Body;DSB]

【争端解决机制】Zhēngduān Jiějué Jīzhì〔WTOの〕紛争解決システム.

【蒸发】zhēngfā ①蒸発(する).②〔人が〕蒸発(する).③〔資金や建物などが〕消滅(する).

【蒸发气体】zhēngfā qìtǐ 蒸発ガス.

【征管】zhēngguǎn〔税金の〕徴収管理.

【蒸鸡蛋羹】zhēngjīdàngēng 茶碗蒸し.

【蒸汽浴室】zhēngqì yùshì スチームバス.[steam bath]

【征信】zhēngxìn〔個人や企業の〕信用情報収集;信用リスク管理.

zhěng

【整合】zhěnghé 整理,統合(する).

【整理箱】zhěnglǐxiāng 収納ケース.

【整体厨房】zhěngtǐ chúfáng システムキッチン;ユニットキッチン.[unit kitchen]

【整体卫浴】zhěngtǐ wèiyù ユニットバス.

【整托】zhěngtuō 寄宿制保育.

【整形美容手术】zhěngxíng měiróng shǒushù 美容整形手術.

zhèng

【正版】zhèngbǎn 正規の発行物;正規版.

【政策监督】zhèngcè jiāndū 政策監視.

【政策倾斜】zhèngcè qīngxié 政策支援.

【政策性贷款】zhèngcèxìng dàikuǎn 制度融資.❖金融用語.

【政策性银行】zhèngcèxìng yínháng 政策銀行.

【政策组合】zhèngcè zǔhé ポリシーミックス.[policy mix]

【正常分配】zhèngcháng fēnpèi 正規分布.

【正常股利】zhèngcháng gǔlì 普通配当.❖金融用語."普通股利 pǔtōng gǔlì""普通股息 pǔtōng gǔxī"とも.

【正点】zhèngdiǎn ①〔交通機関の〕定時;定刻.②かっこいい.

【正电子发射断层扫描】zhèngdiànzǐ fāshè duàncéng sǎomiáo ポジトロン断層撮影法;ポジトロンCT;PET(ペット).❖がん検査法の1種.[positron emission tomography;PET]

【政法委】Zhèngfǎwěi 政法委員会.

【政府采购】zhèngfǔ cǎigòu 政府調達.

zhēng

【政府短期证券】zhèngfǔ duǎnqī zhèngquàn 政府短期証券；FB. ❖金融用語. [financing bill；FB]

【政府干预】zhèngfǔ gānyù 政府介入.

【政府工作报告】zhèngfǔ gōngzuò bàogào 政府活動報告.

【政府国民抵押协会】Zhèngfǔ Guómín Dǐyā Xiéhuì ジニーメイ；連邦政府抵当金庫；GNMA. ❖アメリカの金融機関.[Government National Mortgage Association；GNMA；Ginnie Mae]

【政府开发援助】zhèngfǔ kāifā yuánzhù 政府開発援助；ODA.[official development assistance；ODA]

【政府上网工程】zhèngfǔ shàngwǎng gōngchéng「政府上網工程」；〔中国の〕政府ネットワークプログラム. ❖中国の政府各部門をインターネットで結んで情報を共有し,各部門のサイトで情報を公開するという構想.

【政府特殊津贴】zhèngfǔ tèshū jīntiē 政府特別手当.

【政府职能转变】zhèngfǔ zhínéng zhuǎnbiàn 政府機能の転換.

【政府主管部门】zhèngfǔ zhǔguǎn bùmén 主務官庁.

【正负电子对撞机】zhèngfù diànzǐ duìzhuàngjī 電子,陽電子衝突装置；電子,陽電子コライダー.[electron-positron collider]

【正港】zhènggǎng 本物(の).

【证交所】zhèngjiāosuǒ 証券取引所. ❖金融用語."证券交易所 zhèngquàn jiāoyìsuǒ"の略.

【正品】zhèngpǐn 純正品.

【证券包销商】zhèngquàn bāoxiāoshāng アンダーライター. ❖金融用語."证券承销商 zhèngquàn chéngxiāoshāng"とも.[underwriter]

【证券承销商】zhèngquàn chéngxiāoshāng アンダーライター. ❖金融用語."证券包销商 zhèngquàn bāoxiāoshāng"とも.[underwriter]

【证券化】zhèngquànhuà 証券化；セキュリタイゼーション. ❖金融用語.[securitization]

【证券交易等监视委员会】Zhèngquàn Jiāoyì děng Jiānshì Wěiyuánhuì 証券取引等監視委員会. ❖金融用語.金融庁にある日本の証券監督機関.

【证券交易所】zhèngquàn jiāoyìsuǒ 証券取引所. ❖金融用語.略称は"证交所 zhèngjiāosuǒ".

【证券交易委员会】zhèngquàn jiāoyì wěiyuánhuì 証券取引委員会. ❖金融用語.

【证券经纪商】zhèngquàn jīngjìshāng 委託売買業；ブローカー. ❖金融用語.[brokerage；broker]

【证券市场】zhèngquàn shìchǎng 証券市場. ❖金融用語.

【证券投资基金】zhèngquàn tóuzī jījīn 証券投資ファンド. ❖金融用語.

【证券投资选择】zhèngquàn tóuzī xuǎnzé ポートフォリオセレクション. ❖金融用語.短期間あるいは長期間,またはハイリスク・ハイリターン,ローリスク・ローリターンの商品を選択すること."证券组合选择 zhèngquàn zǔhé xuǎnzé""资产选择 zīchǎn xuǎnzé""资产组合选择 zīchǎn zǔhé xuǎnzé"とも.[portfolio selection]

【证券自营商】zhèngquàn zìyíngshāng 自己売買業務；ディーラー. ❖金融用語. [dealer]

【证券组合】zhèngquàn zǔhé ポートフォリオ. ❖金融用語.保有する各種の有価証券資産."投资组合 tóuzī zǔhé"とも.[portfolio]

【证券组合选择】zhèngquàn zǔhé xuǎnzé ポートフォリオセレクション. ❖金融用語.短期間あるいは長期間,またはハイリスク・ハイリターン,ローリスク・ローリターンの商品を選択すること."证券投资选择 zhèngquàn tóuzī xuǎnzé""资产选择 zīchǎn xuǎnzé""资产组合选择 zīchǎn zǔhé xuǎnzé"とも.[portfolio selection]

【正山小种红茶】Zhèngshān Xiǎozhǒng hóngchá ラプサンスーチョン紅茶；ラプサン・スーチョン・ティー；ラプサンスーチョン.[Lapsang Souchong]

【郑少秋】Zhèng Shàoqiū アダム・チェン；鄭少秋. ❖香港出身の男優.[Adam Cheng]

【正式录用】zhèngshì lùyòng 正式採用；本採用.

【正式网站】zhèngshì wǎngzhàn オフィシャルサイト；公式サイト. ❖IT用語."官方网站 guānfāng wǎngzhàn"とも.[official site]

【正态分布】zhèngtài fēnbù 正規分布；ガウス分布.[normal distribution; Gaussian distribution]

【政坛】zhèngtán 政界.

【正相睡眠】zhèngxiāng shuìmián ノンレム睡眠. ❖"非眼球快速运动睡眠 fēiyǎnqiú kuàisù yùndòng shuìmián""慢波睡眠 mànbō shuìmián"とも.[non-REM sleep]

【政协】Zhèngxié 中国人民政治協商会議. ❖"中国人民政治协商会议 Zhōngguó Rénmín Zhèngzhì Xiéshāng Huìyì"の略.[Chinese People's Political Consultative Conference; CPPCC]

【郑秀文】Zhèng Xiùwén サミー・チェン；鄭秀文. ❖香港出身の女優,歌手.[Sammi Cheng]

【郑伊健】Zhèng Yījiàn イーキン・チェン；鄭伊健. ❖香港出身の男優,歌手.[Ekin Cheng]

【证照】zhèngzhào 証明書；許可書.

【政治文明】zhèngzhì wénmíng「政治文明」.

【郑州】Zhèngzhōu 鄭州〈ていしゅう〉. ❖"河南省 Hénán Shěng"の省都.略称は"郑 Zhèng".

zhī

【芝宝】Zhībǎo ジッポー. ❖アメリカのライターメーカー.また同社製ライターのブランド."齐波 Qíbō"とも.[Zippo Manufacturing]

【知本家】zhīběnjiā 知的資本家；知識人のニューリッチ.

【芝柏】Zhībó ジラール・ペルゴ. ❖スイスの時計メーカー.[Girard-Perregaux]

【支持中心】zhīchí zhōngxīn サポートセンター.[support center]

【支出】zhīchū ①支出する；支払う. ②支出；支払い；ペイメント. ❖②金融用語.[②payment]

【知床】Zhīchuáng 知床〈しれとこ〉. ●世界自然遺産(日本).[Shiretoko]

【脂肪肝】zhīfánggān 脂肪肝.

【支付方式】zhīfù fāngshì 支払い方法.

【支付指示】zhīfù zhǐshì ペイメントオーダー. ❖金融用語.[payment order]

【芝华士】Zhīhuáshì シーバスリーガル. ❖シーバス・ブラザーズ(英)製のウイスキー名.[Chivas Regal]

《芝加哥》Zhījiāgē「シカゴ」. ❖アメリカ映画のタイトル.[Chicago]

【芝加哥】Zhījiāgē シカゴ. ❖アメリカの都市名.[Chicago]

【芝加哥大学】Zhījiāgē Dàxué シカゴ大学. ❖アメリカ・イリノイ州にある大学.[University of Chicago]

《芝加哥论坛报》Zhījiāgē Lùntán Bào「シカゴ・トリビューン」. ❖アメリカの日刊紙.[Chicago Tribune]

【知名度】zhīmíngdù 知名度.

【支票本】zhīpiàoběn 小切手帳. ❖"支票簿 zhīpiàobù"とも.

【支票簿】zhīpiàobù 小切手帳. ❖"支票本 zhīpiàoběn"とも.

【知情权】zhīqíngquán 知る権利.

【知情同意】zhīqíng tóngyì インフォームドコンセント.[informed consent]

【知识爆炸】zhīshi bàozhà 知の爆発；知識爆発. ❖科学,技術,情報の飛躍的な進歩に伴う,空前の知識や情報の氾濫.[knowledge explosion]

【知识产权】zhīshi chǎnquán 知的財産権；知財権；知的所有権.[intellectual property rights]

【知识创新】zhīshi chuàngxīn ナレッジイノベーション.[knowledge innovation]

【知识管理】zhīshi guǎnlǐ ナレッジマネジメント.[knowledge management]

【知识经济】zhīshi jīngjì 知識経済.[knowledge economy]

【知识网络】zhīshi wǎngluò 知的ネットワーク.

【知识转让】zhīshi zhuǎnràng 知識移転.

【知识资本】zhīshi zīběn 知識資本.

【支线航空】zhīxiàn hángkōng コミュータ一航空.[commuter airline]

【蜘蛛人】zhīzhūrén 高所清掃作業員.

《蜘蛛人》Zhīzhūrén「スパイダーマン」. ❖アメリカ映画のタイトル.[Spider-Man]

《蜘蛛侠》Zhīzhūxiá「スパイダーマン」. ❖アメリカ映画のタイトル.[Spider-Man]

【支柱产业】zhīzhù chǎnyè 基盤的技術産業；裾野産業；サポーティングインダストリー；SI.[supporting industry；SI]

zhí

【执棒】zhíbàng 指揮をする；タクトをとる.

【直播】zhíbō 生放送；ライブ.[live broadcast]

【直拨电话】zhíbō diànhuà ダイヤルイン；直通電話.[direct dialing]

【植村秀】Zhícūn Xiù シュウ・ウエムラ. ❖日本の化粧品ブランド.[Shu Uemura]

【执法人员】zhífǎ rényuán 法の執行者；法の執行に携わる人.

【直放器】zhífàngqì〔ネットワークの〕リピーター. ❖IT用語.ネットワークの中継機器の1つ."中继器 zhōngjìqì""中继站 zhōngjìzhàn""转发器 zhuǎnfāqì"とも.[repeater]

【职高】zhígāo 職業高校. ❖"职业高中 zhíyè gāozhōng"の略.

【职工股】zhígōnggǔ 社員持株. ❖金融用語.

【直击】zhíjī ①現地から報道する(こと)；生中継；生放送；実況中継；ライブ. ②直接取材する(こと).[①live broadcast]

【职级】zhíjí 職級.

【执纪】zhíjì 規律を守る；規律を徹底する.

【职教】zhíjiào 職業訓練；職業教育. ❖"职业技术教育 zhíyè jìshù jiàoyù"の略.

【直接标价法】zhíjiē biāojiàfǎ 自国通貨建て. ❖金融用語.

【直接筹资】zhíjiē chóuzī 直接金融；直接資金調達. ❖金融用語.

【直接发行】zhíjiē fāxíng 直接発行. ❖金融用語.

【直接交易】zhíjiē jiāoyì 直〈じき/じか〉取引；ダイレクトディーリング；DD取引. ❖金融用語.[direct dealing]

【直接金融】zhíjiē jīnróng 直接金融. ❖金融用語.

【直接链路】zhíjiē liànlù 直リンク；ダイレクトリンク. ❖IT用語.[direct link]

【直接收益率】zhíjiē shōuyìlǜ 直接利回り；直利. ❖金融用語.

【直接选举】zhíjiē xuǎnjǔ 直接選挙. ❖略称は"直选 zhíxuǎn".

【直接折旧法】zhíjiē zhéjiùfǎ 直接償却法.

【职介】zhíjiè 職業紹介；職業斡旋. ❖"职业介绍 zhíyè jièshào"の略.

【职能转换】zhínéng zhuǎnhuàn 職能転換.

【直排轮滑】zhípái lúnhuá インラインスケ

—ト.[in-line skating]

【职评】zhípíng 職階の評定.

【植树葬】zhíshùzàng 植樹葬.❖墓石を建てずに樹木などを植えて墓標とし供養するもの."树木葬 shùmùzàng"とも.

【直通车】zhítōngchē ①〔車の〕直行便.②〔目的のところへ〕直行できる手段.

【直筒裤】zhítǒngkù ストレートパンツ.[straight-legged pants]

【职务发明】zhíwù fāmíng 職務発明.

【职务侵占罪】zhíwù qīnzhàn zuì 横領賄賂罪.❖中国の罪状名.

【植物群落】zhíwù qúnluò 植物群落.

【直线折旧法】zhíxiàn zhéjiùfǎ 定額法.❖減価償却費の計算方法.

【直销】zhíxiāo ダイレクトセールス;直接販売.[direct marketing;direct selling]

【执行董事】zhíxíng dǒngshì 執行役員.

【执行期限】zhíxíng qīxiàn 行使期限日.❖金融用語.

【执行文件】zhíxíng wénjiàn EXE〈エグゼ〉ファイル;実行ファイル.❖IT用語."可执行文件 kězhíxíng wénjiàn"とも.[EXE file]

【直选】zhíxuǎn 直接選挙.❖"直接选举 zhíjiē xuǎnjǔ"の略.

【执业】zhíyè〔弁護士,医者,会計士などの専門職が資格取得後〕開業(する);営業(する).

【职业棒球】zhíyè bàngqiú プロ野球.

【职业病】zhíyèbìng 職業病.

【职业高中】zhíyè gāozhōng 職業高校.❖略称は"职高 zhígāo".

【职业技术教育】zhíyè jìshù jiàoyù 職業訓練;職業教育.❖略称は"职教 zhíjiào".

【职业介绍】zhíyè jièshào 職業紹介;職業斡旋.❖略称は"职介 zhíjiè".

【职业经理人】zhíyè jīnglǐrén プロの経営者.

【职业枪手】zhíyè qiāngshǒu ①プロの射撃手.②プロの身代わり受験請け負い人.

【直邮广告】zhíyóu guǎnggào ダイレクトメール;DM.[direct mail;DM]

【直运提单】zhíyùn tídān 記名式船荷証券;ストレートB/L.❖金融用語."记名提单 jìmíng tídān"とも.[straight B/L]

【执政能力】zhízhèng nénglì「執政能力」;行政事務能力.

zhǐ

【纸币流通】zhǐbì liútōng 紙幣流通.

【纸电池】zhǐdiànchí 超薄型電池;紙状電池.

【止跌】zhǐdiē〔株式市場,先物取引,外為などの〕下げ止まり.❖金融用語.

【只读存储器】zhǐdú cúnchǔqì 読み出し専用メモリー;ROM〈ロム〉.❖IT用語.[read-only memory;ROM]

【只读光盘】zhǐdú guāngpán 読み出し専用光ディスク.❖光ディスクの1種.

《指环王》Zhǐhuánwáng「ロード・オブ・ザ・リング」.❖イギリスの小説を原作にした,アメリカ映画のタイトル.《魔戒》Mójiè とも.[The Lord of the Rings]

【纸婚】zhǐhūn 紙婚式.❖1年目の結婚記念日.

【指令性计划】zhǐlìngxìng jìhuà 指令的計画.

【纸媒】zhǐméi 紙媒体;紙メディア;ペーパーメディア.[paper media]

【指示器】zhǐshìqì インジケーター;指示器;表示器.[indicator]

【指示生物】zhǐshì shēngwù 指標生物.❖汚染程度を測るための基準となる生物.

《只要为你活一天》Zhǐyào Wèi Nǐ Huó Yī Tiān「宝島 トレジャー・アイランド」.❖台湾映画のタイトル.[Treasure Island]

【指针】zhǐzhēn ①目盛りを示す針.②指針.③マウスポインター;ポインター.[pointer]

【指证】zhǐzhèng 名前を挙げて証言する;名指しして証言する.

zhì

【致癌物质】zhì'ái wùzhì 発ガン物質.

【制表键】zhìbiǎojiàn Tab キー；タブキー. ❖IT用語."Tab 键 TAB jiàn"とも.[tab key]

【智多星】zhìduōxīng アイデアマン；知恵者.[idea man]

【制衡】zhìhéng ①抑制と均衡；抑制均衡；チェック・アンド・バランス. ②抑制し均衡をとる.[①checks and balances]

【滞后指标】zhìhòu zhǐbiāo 遅行指標.

【治假】zhìjiǎ 偽造行為を処罰する.

【制假】zhìjiǎ 偽物を製造する；偽造.

【智库】zhìkù シンクタンク. ❖"脑库 nǎokù""思维集团 sīwéi jítuán""思想库 sīxiǎngkù""智囊团 zhìnángtuán"とも.[think tank]

【智利共和国】Zhìlì Gònghéguó チリ共和国；チリ.[Republic of Chile；Chile]

【智力密集型】zhìlì mìjíxíng 知識集約型.

【智力商数】zhìlì shāngshù 知能指数；IQ. ❖略称は"智商 zhìshāng".[intelligence quotient；IQ]

【智力投资】zhìlì tóuzī 教育投資.

【智力引进】zhìlì yǐnjìn ①外部人材の導入. ②外国人の人材導入.

【智力支持】zhìlì zhīchí 知的支援.

【质量保证】zhìliàng bǎozhèng 品質保証.

【质量保证体系】zhìliàng bǎozhèng tǐxì 品質保証システム.

【质量管理】zhìliàng guǎnlǐ 品質管理；QC. ❖略称は"质管 zhì guǎn"."品质管理 pǐnzhì guǎnlǐ""品管 pǐn guǎn"とも.[quality control；QC]

【致命要害】zhìmìng yàohài ①アキレス腱；急所. ②重要な点；要点.[①Achilles heel；Achilles' heel]

【滞纳税款】zhìnà shuìkuǎn 税金を滞納する(こと).

【智囊大楼】zhìnáng dàlóu インテリジェントビル. ❖"智能大楼 zhìnéng dàlóu""智能大厦 zhìnéng dàshà"とも.[intelligent building]

【智囊团】zhìnángtuán シンクタンク. ❖"脑库 nǎokù""思维集团 sīwéi jítuán""思想库 sīxiǎngkù""智库 zhìkù"とも.[think tank]

【智能大楼】zhìnéng dàlóu インテリジェントビル. ❖"智囊大楼 zhìnáng dàlóu""智能大厦 zhìnéng dàshà"とも.[intelligent building]

【智能大厦】zhìnéng dàshà インテリジェントビル. ❖"智囊大楼 zhìnáng dàlóu""智能大楼 zhìnéng dàlóu"とも.[intelligent building]

【智能交通系统】zhìnéng jiāotōng xìtǒng 高度道路交通システム；ITS. ❖"智能运输系统 zhìnéng yùnshū xìtǒng"とも.[intelligent transportation systems；ITS]

【智能武器】zhìnéng wǔqì 人工知能搭載兵器；ハイテク兵器. ❖"人工智能武器 réngōng zhìnéng wǔqì"の略.

【智能型犯罪】zhìnéngxíng fànzuì 知能犯罪.

【智能运输系统】zhìnéng yùnshū xìtǒng 高度道路交通システム；ITS. ❖"智能交通系统 zhìnéng jiāotōng xìtǒng"とも.[intelligent transportation systems；ITS]

【智能终端】zhìnéng zhōngduān インテリジェント端末. ❖IT用語.[intelligent terminal]

【滞期费】zhìqīfèi 滞船料；デマレージ；デマ. ❖"延滞费 yánzhìfèi"とも.[demurrage]

【智商】zhìshāng 知能指数；IQ. ❖"智力商数 zhìlì shāngshù"の略.[intelligence quotient；IQ]

【智威汤逊】Zhì Wēi Tāngxùn ジェイ・ウォルター・トンプソン；JWT. ❖アメリカの広告代理店.[J.W.T.]

【置业】zhìyè 不動産を購入する(こと).
【志愿者】zhìyuànzhě ボランティア. ❖"义工 yìgōng"とも.[volunteer]
【滞胀】zhìzhàng スタグフレーション. ❖"膨胀性衰退 péngzhàngxìng shuāituì""停滞膨胀 tíngzhì péngzhàng""停滞性通货膨胀 tíngzhìxìng tōnghuò péngzhàng"とも.[stagflation]
【智障】zhìzhàng 知的障害(のある).
【质子交换膜燃料电池】zhìzǐ jiāohuànmó ránliào diànchí 固体高分子型燃料電池; PEMFC.[proton exchange membrane fuel cell ; PEMFC]

zhōng

【中部电力】Zhōngbù Diànlì 中部電力. ❖日本の電力会社.[Chubu Electric Power]
【中部国际机场】Zhōngbù Guójì Jīchǎng 中部国際空港;セントレア. ❖日本・愛知県常滑(とこなめ)市にある空港.愛称はセントレア("新特丽亚 Xīntèlìyà").[Central Japan International Airport ; Centrair]
【中层管理人员】zhōngcéng guǎnlǐ rényuán 中間管理職.
【中场】zhōngchǎng 〔サッカーの〕ミッドフィールダー;MF.[midfielder ; MF]
【中场休息】zhōngchǎng xiūxi ハーフタイム. ❖"半场休息 bànchǎng xiūxi"とも.[halftime]
【中超】Zhōngchāo 中国サッカー協会スーパーリーグ;CSL. ❖"中国足球协会超级联赛 Zhōngguó Zúqiú Xiéhuì Chāojí Liánsài"の略.[Chinese Football Association Super League ; CSL]
【中程导弹】zhōngchéng dǎodàn 中距離ミサイル.
《中导条约》Zhōngdǎo Tiáoyuē「中距離核戦力条約」;「INF条約」.[Intermediate-Range Nuclear Forces Treaty]
【中等品质】zhōngděng pǐnzhì 平均中等品質;FAQ〈エフエーキュー〉. ❖"良好平均品质 liánghǎo píngjūn pǐnzhì""平均中等品质 píngjūn zhōngděng pǐnzhì"とも.[fair average quality ; FAQ]
【钟点房】zhōngdiǎnfáng 時間貸しの部屋;部屋のタイムレンタル.
【钟点工】zhōngdiǎngōng アルバイター;アルバイト;パートタイマー;パートタイム;時間給労働者. ❖"小时工 xiǎoshígōng"とも.[part-timer]
【中东部雨林保护区】Zhōngdōngbù Yǔlín Bǎohùqū 中東部の多雨林保護区群. ◉世界自然遺産(オーストラリア).[Central Eastern Rainforest Reserves]
【中东航空】Zhōngdōng Hángkōng 中東航空;ミドルイースト航空. ❖レバノンの航空会社.コード:ME.[Middle East Airlines]
【终端】zhōngduān ①ターミナル;端子. ②端末. ❖IT用語.[terminal]
【中端】zhōngduān 中級品;中価格品;ミドルエンド.
【终端服务器】zhōngduān fúwùqì ターミナルサーバー. ❖IT用語.[terminal server]
【终端机】zhōngduānjī 端末機. ❖IT用語.[terminal]
【终端器】zhōngduānqì ターミネーター;終端抵抗. ❖IT用語.[terminator]
【终端适配器】zhōngduān shìpèiqì ターミナルアダプター;TA. ❖IT用語.[terminal adapter ; TA]
【中断请求】zhōngduàn qǐngqiú 割り込み要求;IRQ. ❖IT用語.[interrupt request ; IRQ]
【中非共和国】Zhōngfēi Gònghéguó 中央アフリカ共和国;中央アフリカ.[Central African Republic]
【中锋】zhōngfēng 〔サッカーやバスケットボールなどの〕センターフォワード;CF.[center forward ; CF]
【中高层住宅】zhōnggāocéng zhùzhái 中

zhōng

高層住宅．❖中国の建築規定では7階から9階建ての住宅のこと．

【中共中央统一战线工作部】Zhōnggòng Zhōngyāng Tǒngyī Zhànxiàn Gōngzuòbù 中国共産党中央統一戦線工作部．❖略称は"中央统战部 Zhōngyāng Tǒngzhànbù".

【中观】zhōngguān メソ；メゾ．❖マクロとミクロの中間．[meso-；mes-]

【中关村科技园区】Zhōngguāncūn Kējì Yuánqū 中関村サイエンスパーク；中関村科学技術園区．[Zhongguancun Science and Technology Park]

【中国】Zhōngguó 中国；中華人民共和国．❖"中华人民共和国 Zhōnghuá Rénmín Gònghéguó"の略．[People's Republic of China；China]

【中国诚通发展集团】Zhōngguó Chéngtōng Fāzhǎn Jítuán 中国誠通発展集団；チャイナ・チェントン・デベロップメント・グループ．❖不動産,運輸を主とした複合企業．レッドチップ企業の1つ．[China Chengtong Development Group]

【中国出口商品交易会】Zhōngguó Chūkǒu Shāngpǐn Jiāoyìhuì 広州交易会；中国輸出商品交易会．❖別称は"广交会 Guǎngjiāohuì".

【中国大饭店】Zhōngguó Dàfàndiàn チャイナ・ワールド・ホテル北京．❖中国・北京にあるホテル．[China World Hotel]

【中国电力国际发展】Zhōngguó Diànlì Guójì Fāzhǎn 中国電力国際発展；チャイナ・パワー・インターナショナル・デベロップメント．❖電力会社．レッドチップ企業の1つ．[China Power International Development]

【中国电信】Zhōngguó Diànxìn チャイナテレコム．❖中国の通信事業者．[China Telecom]

【中国电子集团控股】Zhōngguó Diànzǐ Jítuán Kònggǔ 中国電子集団控股；チャイナ・エレクトリック；中国電子．❖電子関連企業投資持株会社．レッドチップ企業の1つ．[China Electronics Corporation Holdings]

【中国东方航空】Zhōngguó Dōngfāng Hángkōng 中国東方航空．❖中国の航空会社．コード：MU．[China Eastern Airlines]

【中国高句丽王城、王陵及贵族墓葬】Zhōngguó Gāogōulí Wángchéng Wánglíng jí Guìzú Mùzàng 古代高句麗王国の首都群と古墳群．◉世界文化遺産(中国)．[Capital Cities and Tombs of the Ancient Koguryo Kingdom]

【中国工商银行】Zhōngguó Gōngshāng Yínháng 中国工商銀行；ICBC．❖中国の銀行．略称は"工行 Gōngháng"．[Industrial and Commercial Bank of China；ICBC]

【中国工商银行(亚洲)】Zhōngguó Gōngshāng Yínháng (Yàzhōu) 中国工商銀行(亜洲)；ICBCアジア．❖金融サービス会社．レッドチップ企業の1つ．[Industrial and Commercial Bank of China (Asia)；ICBC Asia]

【中国光大国际】Zhōngguó Guāngdà Guójì 中国光大国際；チャイナ・エバーブライト・インターナショナル．❖建材メーカー．レッドチップ企業の1つ．[China Everbright International]

【中国光大控股】Zhōngguó Guāngdà Kònggǔ 中国光大控股；チャイナ・エバーブライト．❖金融,不動産投資持株会社．レッドチップ企業の1つ．[China Everbright]

【中国国际广播电台】Zhōngguó Guójì Guǎngbō Diàntái 中国国際放送局；北京放送．❖中国のラジオ局．[China Radio International；CRI]

【中国国际航空】Zhōngguó Guójì Hángkōng 中国国際航空．❖中国の航空会社．

zhōng

コード：CA．[Air China]

【中国海外发展】Zhōngguó Hǎiwài Fāzhǎn 中国海外発展；チャイナ・オーバーシーズ・ランド & インベストメント． ❖不動産投資会社．レッドチップ企業の1つ．[China Overseas Land and Investment]

【中国海洋石油】Zhōngguó Hǎiyáng Shíyóu 中国海洋石油；CNOOC〈シーノック〉． ❖石油，エネルギー関連企業．レッドチップ企業の1つ．[China National Offshore Oil Corporation；CNOOC]

【中国航空技术国际控股】Zhōngguó Hángkōng Jìshù Guójì Kònggǔ 中国航空技術国際控股；CATIC〈カティック〉インターナショナル・ホールディングス． ❖建設資材メーカー．レッドチップ企業の1つ．[CATIC International Holdings]

【中国化工进出口总公司】Zhōngguó Huàgōng Jìnchūkǒu Zǒnggōngsī 中国化工進出口総公司；シノケム． ❖中国の化学品商社．[China National Chemicals Import and Export Corporation；Sinochem]

【中国家用电器协会】Zhōngguó Jiāyòng Diànqì Xiéhuì 中国家庭用電気器具協会；中国家電協会． ❖略称は"中国家电协会 Zhōngguó Jiādiàn Xiéhuì"．[China Household Electrical Appliances Association]

【中国建设银行】Zhōngguó Jiànshè Yínháng 中国建設銀行． ❖中国の銀行．略称は"建行 Jiànháng"．[China Construction Bank]

【中国结】Zhōngguójié 中国結び；チャイナノット．[Chinese knot]

【中国联合通信】Zhōngguó Liánhé Tōngxìn 中国聯合通信；中国聯通；チャイナ・ユニコム． ❖移動体通信会社．レッドチップ企業の1つ．[China Unicom]

【中国粮油国际】Zhōngguó Liángyóu Guójì 中国糧油国際；コフコ・インターナショナル． ❖食品メーカー．レッドチップ企業の1つ．[COFCO International]

【中国南方航空】Zhōngguó Nánfāng Hángkōng 中国南方航空． ❖中国の航空会社．コード：CZ．[China Southern Airlines]

【中国农业银行】Zhōngguó Nóngyè Yínháng 中国農業銀行． ❖中国の銀行．略称は"农行 Nóngháng"．[Agricultural Bank of China]

【中国乒乓球俱乐部超级联赛】Zhōngguó Pīngpāngqiú Jùlèbù Chāojí Liánsài 中国卓球スーパーリーグ；CTTSL．[Chinese Table Tennis Super League]

【中国企业联合会】Zhōngguó Qǐyè Liánhéhuì 中国企業連合会．[China Enterprise Confederation]

《中国青年报》Zhōngguó Qīngnián Bào 「中国青年報」． ❖中国の日刊紙．[China Youth Daily]

【中国人民银行】Zhōngguó Rénmín Yínháng 中国人民銀行． ❖中国の中央銀行．[People's Bank of China]

【中国人民政治协商会议】Zhōngguó Rénmín Zhèngzhì Xiéshāng Huìyì 中国人民政治協商会議． ❖略称は"政协 Zhèngxié"．[Chinese People's Political Consultative Conference；CPPCC]

【中国人寿】Zhōngguó Rénshòu チャイナ・ライフ・インシュアランス． ❖中国の保険会社．[China Life Insurance]

【中国社会科学院】Zhōngguó Shèhuì Kēxuéyuàn 中国社会科学院．[Chinese Academy of Social Sciences]

【中国石化】Zhōngguó Shíhuà 中国石油化工；シノペック． ❖中国の石油化学メーカー．"中国石油化工 Zhōngguó Shíyóu Huàgōng"の略．[Sinopec]

【中国石油天然气】Zhōngguó Shíyóu Tiānránqì 中国石油天然気；ペトロチャイナ． ❖中国のエネルギー企業．[China National Petroleum]

zhōng

【中国特奥会】Zhōngguó Tè'àohuì 中国スペシャルオリンピックス委員会. ❖"中国特殊奥林匹克委员会 Zhōngguó Tèshū Àolínpǐkè Wěiyuánhuì"の略.[Committee of Special Olympics China]

【中国特殊奥林匹克委员会】Zhōngguó Tèshū Àolínpǐkè Wěiyuánhuì 中国スペシャルオリンピックス委員会. ❖略称は"中国特奥会 Zhōngguó Tè'àohuì".[Committee of Special Olympics China]

【中国网通集团(香港)】Zhōngguó Wǎngtōng Jítuán (Xiānggǎng) 中国網通集団(香港);チャイナ・ネットコム・グループ・コーポレーション(ホンコン). ❖通信会社.レッドチップ企業の1つ.[China Netcom Group Corporation (Hong Kong)]

【中国(香港)石油】Zhōngguó (Xiānggǎng) Shíyóu 中国(香港)石油;CNPC(ホンコン). ❖石油エネルギー会社.レッドチップ企業の1つ.[CNPC(Hong Kong)]

【中国消费者协会】Zhōngguó Xiāofèizhě Xiéhuì 中国消费者协会;CCA.[China Consumers' Association;CCA]

【中国新闻社】Zhōngguó Xīnwénshè 中国新聞社;CNS. ❖中国の国家通信機関.略称は"中新社 Zhōngxīnshè".[China News Service;CNS]

【中国移动通信】Zhōngguó Yídòng Tōngxìn チャイナ・モバイル. ❖中国の移動通信事業者.[China Mobile]

【中国移动(香港)】Zhōngguó Yídòng (Xiānggǎng) 中国移动(香港);チャイナ・モバイル(ホンコン). ❖移動体通信会社.レッドチップ企業の1つ.[China Mobile (Hong Kong)]

【中国银行】Zhōngguó Yínháng 中国银行. ❖中国の銀行.略称は"中行 Zhōngháng".[Bank of China]

【中国银联】Zhōngguó Yínlián 中国銀聯;チャイナ・ユニオンペイ. ❖中国の銀行間の決済業務運営会社.[China UnionPay]

【中国证监会】Zhōngguó Zhèngjiānhuì 中国证券监督管理委员会. ❖金融用語."中国证券监督管理委员会 Zhōngguó Zhèngquàn Jiāndū Guǎnlǐ Wěiyuánhuì"の略.[China Securities Regulatory Commission;CSRC]

【中国证券监督管理委员会】Zhōngguó Zhèngquàn Jiāndū Guǎnlǐ Wěiyuánhuì 中国证券监督管理委员会. ❖金融用語.略称は"中国证监会 Zhōngguó Zhèngjiānhuì".[China Securities Regulatory Commission;CSRC]

【中国制药集团】Zhōngguó Zhìyào Jítuán 中国製薬集団;チャイナ・ファーマスティカル・グループ. ❖製薬会社.レッドチップ企業の1つ.[China Pharmaceutical Group]

【中国足球协会超级联赛】Zhōngguó Zúqiú Xiéhuì Chāojí Liánsài 中国サッカー協会スーパーリーグ;CSL. ❖略称は"中超 Zhōngchāo".[Chinese Football Association Super League;CSL]

【中行】Zhōngháng 中国银行. ❖"中国银行 Zhōngguó Yínháng"の略.[Bank of China]

【中航兴业】Zhōngháng Xīngyè 中航興業;チャイナ・ナショナル・アビエーション. ❖運輸会社.レッドチップ企業の1つ.[China National Aviation]

【中华航空】Zhōnghuá Hángkōng チャイナエアライン. ❖台湾の航空会社.コード:CI.[China Airlines]

【中华全国台湾同胞联谊会】Zhōnghuá Quánguó Táiwān Tóngbāo Liányìhuì 中华全国台湾同胞聯誼会. ❖略称は"台联 Táilián".[All China Federation of Taiwan Compatriots]

【中华人民共和国】Zhōnghuá Rénmín Gònghéguó 中华人民共和国;中国. ❖略称は"中国 Zhōngguó".[People's Republic of China;China]

《中华人民共和国澳门特别行政区基本法》

Zhōnghuá Rénmín Gònghéguó Àomén Tèbié Xíngzhèngqū Jīběnfǎ「中華人民共和国マカオ特別行政区基本法」.

《中华人民共和国香港特别行政区基本法》Zhōnghuá Rénmín Gònghéguó Xiānggǎng Tèbié Xíngzhèngqū Jīběnfǎ「中華人民共和国香港特別行政区基本法」.

《中华人民共和国消费者权益保护法》Zhōnghuá Rénmín Gònghéguó Xiāofèizhě Quányì Bǎohùfǎ「中華人民共和国消費者権益保護法」. ❖略称は《消法》Xiāofǎ.

【中继器】zhōngjìqì〔ネットワークの〕リピーター. ❖IT用語.ネットワークの中継機器の1つ."直放器 zhífàngqì""中继站 zhōngjìzhàn""转发器 zhuǎnfāqì"とも. [repeater]

【中继站】zhōngjìzhàn〔ネットワークの〕リピーター. ❖IT用語.ネットワークの中継機器の1つ."直放器 zhífàngqì""中继器 zhōngjìqì""转发器 zhuǎnfāqì"とも. [repeater]

【中间汇率】zhōngjiān huìlǜ 電信仲値相場；仲値；TTM. ❖金融用語."中间价 zhōngjiānjià"とも. [telegraphic transfer middle rate；TTM]

【中间价】zhōngjiānjià 電信仲値相場；仲値；TTM. ❖金融用語."中间汇率 zhōngjiān huìlǜ"とも. [telegraphic transfer middle rate；TTM]

【中间价发行】zhōngjiānjià fāxíng 中間発行. ❖金融用語.

《终结者》Zhōngjiézhě「ターミネーター」. ❖アメリカ映画のタイトル. [The Terminator]

【中科院】Zhōngkēyuàn 中国科学院. ❖"中国科学院 Zhōngguó Kēxuéyuàn"の略. [Chinese Academy of Sciences]

【中裤】zhōngkù クロップドパンツ；クロップトパンツ. [cropped pants]

【忠利保险】Zhōnglì Bǎoxiǎn ゼネラリ保険. ❖イタリアの保険会社. [Assicurazioni Generali]

【中联部】Zhōngliánbù 中国共産党中央対外連絡部. ❖"中国共产党中央对外联络部 Zhōngguó Gòngchǎndǎng Zhōngyāng Duìwài Liánluòbù"の略.

【中美三个联合公报】ZhōngMěi sān ge liánhé gōngbào 3つの中米共同コミュニケ. ❖「上海コミュニケ」(1972年),「外交関係樹立に関する米中コミュニケ」(1979年),「台湾向け武器売却に関する米中コミュニケ」(1982年)の3つ.

【中美商贸联委会】ZhōngMěi Shāngmào Liánwěihuì 中米合同商業貿易委員会；JCCT. [China-US Joint Commission on Commerce and Trade；JCCT]

【中美洲共同市场】Zhōngměizhōu Gòngtóng Shìchǎng 中米共同市場；CACM. [Central American Common Market；CACM]

【中期股利】zhōngqī gǔlì 中間配当. ❖金融用語."中期股息 zhōngqī gǔxī"とも. [interim dividend]

【中期股息】zhōngqī gǔxī 中間配当. ❖金融用語."中期股利 zhōngqī gǔlì"とも. [interim dividend]

【中期决算】zhōngqī juésuàn 中間決算.

【中上游莱茵河河谷】Zhōngshàngyóu Láiyīn Hé Hégǔ ライン渓谷上流中部. ●世界文化遺産（ドイツ）. [Upper Middle Rhine Valley]

【终身雇佣制】zhōngshēn gùyōngzhì 終身雇用制.

【终身教育】zhōngshēn jiàoyù 生涯教育.

【中生代】zhōngshēngdài ①〔地質時代区分の〕中生代. ②中年世代.

【中石化冠德控股】Zhōngshíhuà Guàndé Kònggǔ 中石化冠徳；シノペック・カントンズ・ホールディングス. ❖石油会社.レッドチップ企業の1つ. [Sinopec Kantons Holdings]

zhōng

【中式服装】Zhōngshì fúzhuāng 伝統的な中国の衣服；中国風デザインの衣服．

【中世纪古镇托伦】Zhōngshìjì Gǔzhèn Tuōlún 中世都市トルニ．◉世界文化遺産（ポーランド）．[Medieval Town of Toruń]

【中式快餐】Zhōngshì kuàicān 中華料理のファーストフード．[Chinese fast food]

【中水】zhōngshuǐ 再生水；リサイクルウォーター．[reclaimed water；recycled water]

【中途岛】Zhōngtú Dǎo ミッドウエイ諸島．❖太平洋中部・ハワイ諸島北西にあるアメリカ領の島群．[Midway Islands]

【中途港】zhōngtúgǎng 寄港地．

【中途录用】zhōngtú lùyòng 中途採用．

《中外合资经营企业法》Zhōngwài Hézī Jīngyíng Qǐyèfǎ「中外合資経営企業法」．

【中味】zhōngwèi ミドルノート．❖香水をつけてから15～30分以上経過してからする香り．[middle note]

【中文信息处理】Zhōngwén xìnxī chǔlǐ 中国語情報処理．

【中文信息处理系统】Zhōngwén xìnxī chǔlǐ xìtǒng 中国語情報処理システム．

【中锡霍特阿林山脉】Zhōng Xīhuòtè Ālín Shānmài 中央シホテ・アリン．◉世界自然遺産(ロシア)．[Central Sikhote-Alin]

【中小企业板】zhōngxiǎo qǐyèbǎn 中小企業ボード．❖金融用語．深圳証券取引所のメインボードの１部で構成されている市場．

【中新社】Zhōngxīnshè 中国新聞社；CNS．❖中国の国家通信機関．"中国新闻社 Zhōngguó Xīnwénshè"の略．[China News Service；CNS]

【中信 21世纪】Zhōngxìn Èrshíyī Shìjì 中信21世紀；シティック21．❖複合企業．レッドチップ企業の１つ．[CITIC 21 CN]

【中信国际金融控股】Zhōngxìn Guójì Jīnróng Kònggǔ 中信国際金融控股；CITIC〈シティック〉インターナショナル・フィナンシャル(ホールディングス)．❖金融持株会社．レッドチップ企業の１つ．[CITIC International Financial Holdings]

【中信泰富】Zhōngxìn Tàifù 中信泰富；シティック・パシフィック．❖不動産投資などを主とした複合企業．レッドチップ企業の１つ．[CITIC Pacific]

【中信资源控股】Zhōngxìn Zīyuán Kònggǔ 中信資源控股；シティック・リソーシズ・ホールディングス．❖木材メーカー．レッドチップ企業の１つ．[CITIC Resources Holdings]

【中性笔】zhōngxìngbǐ 中性インクペン．

【中性皮肤】zhōngxìng pífū ノーマル肌．

【中袖衫】zhōngxiùshān 五分袖．

【中宣部】Zhōngxuānbù 中国共産党中央宣伝部．❖"中国共产党中央宣传部 Zhōngguó Gòngchǎndǎng Zhōngyāng Xuānchuánbù"の略．

【中央厨房】zhōngyāng chúfáng セントラルキッチン；集中調理施設；給食センター．[central kitchen]

【中央处理器】zhōngyāng chǔlǐqì 中央処理装置；CPU．❖IT用語．[central processing unit；CPU]

【中央电视台】Zhōngyāng Diànshìtái 中央電視台；中国中央テレビ局；CCTV．❖中国の国営テレビ局．略称は"央视 Yāngshì"．[China Central Television；CCTV]

【中央联盟】Zhōngyāng Liánméng 〔日本プロ野球の〕セ・リーグ．[Central League]

【中央领导集体】zhōngyāng lǐngdǎo jítǐ 中央指導集団．

【中央企业工委】Zhōngyāng Qǐyè Gōngwěi 中央企業工作委員会．❖"中央企业工作委员会 Zhōngyāng Qǐyè Gōngzuò Wěiyuánhuì"の略．

【中央企业工作委员会】Zhōngyāng Qǐyè Gōngzuò Wěiyuánhuì 中央企業工作委員会．❖略称は"中央企业工委 Zhōngyāng Qǐyè Gōngwěi"．

zhōng — zhòng

【中央人民广播电台】Zhōngyāng Rénmín Guǎngbō Diàntái 中央人民放送局.❖中国の放送局.[China National Radio]

《中央日报》Zhōngyāng Rìbào「中央日报」.❖台湾の国民党機関紙,また韓国の日刊紙.[Central Daily News(台湾);Joong Ang Daily(韓国)]

【中央日本铁路】Zhōngyāng Rìběn Tiělù JR東海.❖日本の鉄道会社.[Central Japan Railway]

【中央商务区】zhōngyāng shāngwùqū「中央商務区」;中央ビジネス地区;CBD.[central business district;CBD]

【中央社】Zhōngyāngshè 中央通訊社;中央通信社.❖台湾の通信社."中央通訊社 Zhōngyāng Tōngxùnshè"の略.[Central News Agency]

【中央通讯社】Zhōngyāng Tōngxùnshè 中央通訊社;中央通信社.❖台湾の通信社.略称は"中央社 Zhōngyāngshè".[Central News Agency]

【中央统战部】Zhōngyāng Tǒngzhànbù 中国共産党中央統一戦線工作部.❖"中共中央统一战线工作部 Zhōnggòng Zhōngyāng Tǒngyī Zhànxiàn Gōngzuòbù"の略.

【中央银行】zhōngyāng yínháng 中央銀行.❖略称は"央行 yānghán̄g".

【中银香港(控股)】Zhōngyín Xiānggǎng (Kònggǔ) 中銀香港(控股);BOCホンコン・ホールディングス.❖中国本土,香港に支店を持つ銀行.レッドチップ企業の1つ.[BOC Hong Kong Holdings]

【中远国际控股】Zhōngyuǎn Guójì Kònggǔ 中遠国際控股;コスコ・インターナショナル・ホールディングス.❖不動産,建設関連会社.レッドチップ企業の1つ.[COSCO International Holdings]

【中远太平洋】Zhōngyuǎn Tàipíngyáng 中遠太平洋;コスコ・パシフィック.❖物流サービス会社.レッドチップ企業の1つ.[COSCO Pacific]

【中正国际机场】Zhōngzhèng Guójì Jīchǎng 中正国際空港.❖台湾・台北にある空港.[Chiang Kai Shek International Airport]

【中直】Zhōngzhí 中国共産党中央直属機関.❖"中国共产党中央直属机关 Zhōngguó Gòngchǎndǎng Zhōngyāng Zhíshǔ Jīguān"の略.

zhǒng

【种子选手】zhǒngzi xuǎnshǒu シード選手.[seed;seeded player]

zhòng

【种草莓】zhòng cǎoméi ①苺を植える.②キスする.

【重挫】zhòngcuò 大打撃;深刻な失敗.

【重大环境污染事故罪】zhòngdà huánjìng wūrǎn shìgùzuì 重大な環境污染事故を起した罪.❖中国の罪状名.

【中毒】zhòngdú ①中毒(になる);感染する.②ウイルスに感染する.

【重金属音乐】zhòngjīnshǔ yīnyuè ヘビーメタル;ヘビメタ.[heavy metal]

【重量尺码单】zhòngliàng chǐmǎdān 重量容積証明書.

【中签率】zhòngqiānlǜ くじの当籤〈とうせん〉率.

【重头戏】zhòngtóuxì ①歌や台詞が多く演技が難しい芝居.②最高潮;山場.③重要な活動や任務.

【重灾区】zhòngzāiqū 被害が大きい被災地域.

【重症监护病房】zhòngzhèng jiānhù bìngfáng 集中治療室;ICU.❖"加护病房 jiāhù bìngfáng"とも.[intensive care unit;ICU]

zhōu — zhū

zhōu

【周边业务】zhōubiān yèwù 周辺業務.

【周华健】Zhōu Huájiàn エミール・チョウ；周華健. ❖香港出身の歌手.[Emil Chaw；Wakin Chou]

【洲际大酒店】Zhōujì Dàjiǔdiàn インターコンチネンタル. ❖インターコンチネンタルホテルズ & リゾーツ(英)のホテルブランド.[InterContinental]

【洲际导弹】zhōujì dǎodàn 大陸間弾道ミサイル；ICBM.[intercontinental ballistic missile；ICBM]

【周杰伦】Zhōu Jiélún ジェイ・ジョウ；周傑倫. ❖台湾の歌手.[Jay Chou]

【周口店北京人遗址】Zhōukǒudiàn Běijīngrén Yízhǐ 周口店の北京原人遺跡. ◉世界文化遺産(中国).[Peking Man Site at Zhoukoudian]

【州立农业保险】Zhōulì Nóngyè Bǎoxiǎn ステート・ファーム. ❖アメリカの保険会社.[State Farm Insurance]

【周末】Zhōumò ウィークエンド. ❖バーバリー(英)製のフレグランス名.[Weekend]

【周润发】Zhōu Rùnfā チョウ・ユンファ；周潤發. ❖香港出身の男優.[Chow Yun Fat]

【周水子国际机场】Zhōushuǐzǐ Guójì Jīchǎng 周水子国際空港. ❖中国・大連にある空港.[Zhoushuizi International Airport]

【周星驰】Zhōu Xīngchí チャウ・シンチー；周星馳. ❖香港出身の喜劇俳優；映画監督.[Chow Sing Chi；Stephen Chow]

【周渝民】Zhōu Yúmín ヴィック・チョウ；周渝民. ❖台湾のアイドルグループF4のメンバー.[Vic Chou]

【周转资金】zhōuzhuǎn zījīn 回転資金；運転資金.

zhū

【诸边协议】zhūbiān xiéyì 複数国間協定.

【珠峰】Zhū Fēng チョモランマ山. ❖"珠穆朗玛峰 Zhūmùlǎngmǎ Fēng"の略.[Chomolungma]

【朱格拉周期】Zhūgélā zhōuqī ジュグラーの波；ジュグラー循環；中期波動. ❖景気循環のうち周期が約10年の循環."朱格拉景气循环周期 Zhūgélā jǐngqì xúnhuán zhōuqī"とも.[Juglar wave；Juglar cycle]

【珠海】Zhūhǎi 珠海. ❖中国・広東省にある地域.経済特別区の1つ.[Zhuhai]

【珠海电影节】Zhūhǎi Diànyǐngjié 珠海映画祭. ❖中国の映画祭.

【珠海海湾大酒店】Zhūhǎi Hǎiwān Dàjiǔdiàn グランドベイビューホテル珠海；珠海海湾大酒店. ❖中国・広東省にあるホテル.[Grand Bay View Hotel Zhuhai]

【珠海银都酒店】Zhūhǎi Yíndū Jiǔdiàn 珠海銀都酒店. ❖中国・広東省にあるホテル.[Yindo Hotel]

【朱贾国家鸟类保护区】Zhūjiǎ Guójiā Niǎolèi Bǎohùqū ジュッジ国立鳥類保護区. ◉世界危機遺産(セネガル).[Djoudj National Bird Sanctuary]

【珠江船务发展】Zhūjiāng Chuánwù Fāzhǎn 珠江船務発展；チュコン・シッピング・デベロップメント. ❖運輸会社.レッドチップ企業の1つ.[Chu Kong Shipping Development]

【朱莉亚・罗伯茨】Zhūlìyà Luóbócí ジュリア・ロバーツ. ❖アメリカ出身の女優.[Julia Roberts]

【猪链球菌】zhūliànqiújūn 豚連鎖球菌.[swine streptococcus；streptococcus suis]

《侏罗纪公园》Zhūluójì Gōngyuán「ジュラシック・パーク」. ❖アメリカ映画のタイトル.[Jurassic Park] zhū — zhù

【朱罗神庙】Zhūluó Shénmiào チョーラ朝の現存する大寺院群.●世界文化遺産(インド).[Great Living Chola Temples]

【珠穆朗玛峰】Zhūmùlǎngmǎ Fēng チョモランマ山.❖ネパール,中国のヒマラヤ山脈にある山."珠峰 Zhū Fēng"とも.エベレスト(Everest),サガルマータ(Sagarmatha)とも.[Chomolungma]

【朱诺】Zhūnuò ジュノー.❖アメリカ・アラスカ州都.[Juneau]

【朱孝天】Zhū Xiàotiān ケン・チュウ;朱孝天.❖台湾のアイドルグループF4のメンバー.[Ken Chu]

zhú

【逐行扫描】zhúháng sǎomiáo 順次走査;ノンインターレーススキャン;プログレッシブスキャン.[non-interlaced scanning;progressive scanning]

【竹中工务店】Zhúzhōng Gōngwùdiàn 竹中工務店.❖日本のゼネコン.[Takenaka]

zhǔ

【主板】zhǔbǎn ①[コンピューターの]メインボード;マザーボード.②[株式市場の]メインボード.❖①IT用語.②金融用語.株式市場においてもっとも注目される市場.[①main board;motherboard ②main board;main market]

【主板市场】zhǔbǎn shìchǎng [株式市場の]メインボード.❖金融用語.株式市場においてもっとも注目される市場.[main board;main market]

【主场】zhǔchǎng 本拠地球場;ホームグラウンド;ホーム.[home ground]

【主场比赛】zhǔchǎng bǐsài ホームゲーム.[home game]

【主唱】zhǔchàng メインボーカル(を担当する).[lead singer]

【主创】zhǔchuàng [映画や芝居などの]主要製作スタッフ.

【主打】zhǔdǎ 主力(の);メイン(の).

【主干事】zhǔgànshi 主幹事.

【主干网】zhǔgànwǎng バックボーン;コアネットワーク;基幹回線網.❖IT用語."骨干网 gǔgànwǎng"とも.[backbone;core network]

【主管】zhǔguǎn スーパーバイザー.[supervisor]

【主管董事】zhǔguǎn dǒngshì 担当役員;担当重役.

【主机】zhǔjī ホストコンピューター.❖IT用語.[host computer]

【主机托管】zhǔjī tuōguǎn コロケーションサービス;ハウジングサービス.❖IT用語.[colocation service]

【主流板块】zhǔliú bǎnkuài 主要関連株.❖金融用語.

【主权豁免】zhǔquán huòmiǎn 主権免除.

【主题公园】zhǔtí gōngyuán テーマパーク.❖"主题乐园 zhǔtí lèyuán"とも.[theme park]

【主题乐园】zhǔtí lèyuán テーマパーク.❖"主题公园 zhǔtí gōngyuán"とも.[theme park]

【主要货币】zhǔyào huòbì 基軸通貨;キーカレンシー.❖金融用語."关键货币 guānjiàn huòbì""关键通货 guānjiàn tōnghuò""主要通货 zhǔyào tōnghuò"とも.[key currency]

【主要银行】zhǔyào yínháng 主力銀行;メインバンク.

【主页】zhǔyè ①ホームページ.②トップページ.❖IT用語.[①home page;homepage ②top;top page]

zhù

【助残】zhùcán 身体障害者支援(をする).

【注册】zhùcè ①登録(する);登記(する).

zhù — zhuā

②〔コンピューターやサイトに〕ログイン(する);ログオン(する). ❖②IT用語. [②login;log-on]

【注册表】zhùcèbiǎo レジストリー. ❖IT用語.ウィンドウズOS内のデータベースの1つ.[registry]

【注册会计师】zhùcè kuàijìshī 公認会計士;CPA.[certified public accountant;CPA]

【注册资本】zhùcè zīběn 登記資本金.

【注迟日期支票】zhùchí rìqī zhīpiào 先日付〈さきひづけ〉小切手.

【住房贷款】zhùfáng dàikuǎn 住宅ローン. ❖略称は"房贷 fángdài".

【住房公积金】zhùfáng gōngjījīn 住宅公共積立金.

【住房零首付】zhùfáng língshǒufù 〔住宅購入時の〕頭金ゼロ.

【住房制度改革】zhùfáng zhìdù gǎigé 住宅制度改革. ❖略称は"房改 fánggǎi".

【驻港部队】zhùGǎng bùduì 中国人民解放軍香港駐屯部隊.

【筑后川】Zhùhòu Chuān 筑後川〈ちくごがわ〉. ❖日本・九州地方を流れる川.[the Chikugo River]

【助老】zhùlǎo 高齢者支援.

【驻留程序】zhùliú chéngxù 常駐プログラム. ❖IT用語.[resident program]

【注水肉】zhùshuǐròu 水増し肉. ❖水を注入して目方を増した肉.

【住宿率】zhùsùlǜ 〔ホテルの〕稼働率.

【助推】zhùtuī 促進(する);推進(する);プロモーション(する).[promotion]

【注销】zhùxiāo ①〔登記内容を〕抹消する;取り消す. ②ログオフ(する);ログアウト(する). ❖②IT用語."退出系统 tuìchū xìtǒng"とも.[②logoff;logout]

【助兴节目】zhùxìng jiémù 余興;アトラクション.[entertainment;attraction]

【助养】zhùyǎng 恵まれない子供を援助する;恵まれない子供の扶養援助(をすること).

【注意力缺陷多动障碍】zhùyìlì quēxiàn duōdòng zhàng'ài 注意欠陥多動性障害;ADHD. ❖多動性障害の1種."注意力不足多动障碍 zhùyìlì bùzú duōdòng zhàng'ài""注意缺陷多动障碍 zhùyì quēxiàn duōdòng zhàng'ài"とも.[attention deficit hyperactivity disorder;ADHD]

【注意缺陷多动障碍】zhùyì quēxiàn duōdòng zhàng'ài 注意欠陥多動性障害;ADHD. ❖多動性障害の1種."注意力不足多动障碍 zhùyìlì bùzú duōdòng zhàng'ài""注意缺陷多动障碍 zhùyìlì quēxiàn duōdòng zhàng'ài"とも.[attention deficit hyperactivity disorder;ADHD]

【住友电工】Zhùyǒu Diàngōng 住友電気工業. ❖日本の電線・ケーブルメーカー. [Sumitomo Electric Industries]

【住友金属】Zhùyǒu Jīnshǔ 住友金属工業. ❖日本の鉄鋼メーカー.[Sumitomo Metal Industries]

【住友商事】Zhùyǒu Shāngshì 住友商事. ❖日本の総合商社.[Sumitomo Corporation]

【住友生命】Zhùyǒu Shēngmìng 住友生命. ❖日本の保険会社.[Sumitomo Life Insurance]

【住宅新村】zhùzhái xīncūn ニュータウン;新興住宅地.[new town]

【柱状图】zhùzhuàngtú ヒストグラム;柱状図.[histogram]

【注资】zhùzī 資金注入(する).

【著作权】zhùzuòquán 著作権;コピーライト;版権.[copyright]

zhuā

【抓大放小】zhuā dà fàng xiǎo ①大を捉え小を解き放す. ②国有大企業を少数に集約し,国有中小企業に対しては規制緩和をし自力で経営させる. ❖中国の国有企

業改革の原則.国有大企業の優良企業への発展に力を集約すること.

【抓拍】zhuāpāi スナップショット；スナップ.[snapshot]

zhuān

【专访】zhuānfǎng 単独インタビュー.

【专机】zhuānjī 特別機.

【专家系统】zhuānjiā xìtǒng エキスパートシステム. ❖IT用語.[expert system]

【专科起点本科】zhuānkē qǐdiǎn běnkē 〔中国の〕大学専科(短期大学に相当)から4年制大学への編入学. ❖俗に"专升本 zhuānshēngběn"とも.

【专利】zhuānlì 特許；パテント.[patent]

【专利权】zhuānlìquán 特許権；パテント.[patent]

【专利使用费】zhuānlì shǐyòngfèi ロイヤリティー；ロイヤルティー. ❖"提成费 tíchéngfèi"とも.[royalty]

【专卖店】zhuānmàidiàn 専門店；フランチャイズ加盟店.

【专门术语】zhuānmén shùyǔ 専門用語；テクニカルターム.[technical term]

【专升本】zhuānshēngběn 〔中国の〕大学専科(短期大学に相当)から4年制大学への編入学. ❖正式名称は"专科起点本科 zhuānkē qǐdiǎn běnkē".

【专属经济区】zhuānshǔ jīngjìqū 排他的経済水域.

【专题报导】zhuāntí bàodǎo 特別報道.

【专线】zhuānxiàn 専用回線.

【专用存款】zhuānyòng cúnkuǎn 別段預金；雑預金. ❖金融用語."特別存款 tèbié cúnkuǎn"とも.

【专有技术】zhuānyǒu jìshù ノウハウ. ❖"技术秘密 jìshù mìmì""专有知识 zhuānyǒu zhīshi"とも.[know-how]

【专有知识】zhuānyǒu zhīshi ノウハウ. ❖"技术秘密 jìshù mìmì""专有技术 zhuānyǒu jìshù"とも.[know-how]

zhuǎn

【转包】zhuǎnbāo 下請け(に出す).

【转乘】zhuǎnchéng トランジット；乗り換え.[transit]

【转船港】zhuǎnchuángǎng 積替港. ❖"转运港 zhuǎnyùngǎng"とも.

【转发器】zhuǎnfāqì 〔ネットワークの〕リピーター. ❖IT用語.ネットワークの中継機器の1つ."直放器 zhífàngqì""中继器 zhōngjìqì""中继站 zhōngjìzhàn"とも.[repeater]

【转发邮件】zhuǎnfā yóujiàn メール転送；メールを転送する(こと). ❖IT用語.

【转轨】zhuǎnguǐ ①〔列車の〕軌道を変える(こと).②〔体制や方法を〕転換(する).

【转轨经济】zhuǎnguǐ jīngjì 転換期の経済. ❖計画経済から市場経済へ移行する中国経済のこと.

【转换】zhuǎnhuàn ①転換(する).②コンバート(する). ❖②IT用語.[conversion]

【转换价格】zhuǎnhuàn jiàgé 転換価格. ❖金融用語.

【转换器】zhuǎnhuànqì コンバーター. ❖IT用語.[converter]

【转会】zhuǎnhuì 〔プロスポーツ選手の〕移籍.

【转基因】zhuǎnjīyīn 遺伝子組み換え. ❖"DNA重组 DNA chóngzǔ""基因重组 jīyīn chóngzǔ"とも.

【转基因动物】zhuǎnjīyīn dòngwù 遺伝子組み換え動物.

【转基因生物】zhuǎnjīyīn shēngwù 遺伝子組み換え生物.

【转基因食品】zhuǎnjīyīn shípǐn 遺伝子組み換え食品.

【转口贸易】zhuǎnkǒu màoyì 中継貿易.

【转让技术】zhuǎnràng jìshù 技術移転.

【转世灵童】zhuǎnshì língtóng 転生霊

童；生まれ変わりの子ども．❖チベット仏教の教主没後,後継者として指名される子供のこと．

【转手贸易】zhuǎnshǒu màoyì スイッチ貿易．[switch trading]

【转型】zhuǎnxíng ①〔社会や経済の構造が〕転換する(こと)；〔文化,価値観,生活スタイルなどが〕変化する(こと)．②〔製品の〕型番や種類を変更する(こと)．

【转移支付】zhuǎnyí zhīfù 移転支出．

【转运港】zhuǎnyùngǎng 積替港．❖"转船港 zhuǎnchuángǎng"とも．

【转正】zhuǎnzhèng ①正式採用(になる)；正社員になる；正式の党員になる．②正規メンバーになる．③正式の妻になる．

【转制】zhuǎnzhì 経営システム,運営システムなどの転換(をする)．

zhuàn

【赚头】zhuàntou マージン；儲け；利益；利ざや．[margin]

zhuāng

【装船单据】zhuāngchuán dānjù 船積書類；シッピングドキュメント．❖"装运单据 zhuāngyùn dānjù"とも．[shipping documents]

【装船港】zhuāngchuángǎng 船積港．❖"运输港 yùnshūgǎng"とも．

【装船延误】zhuāngchuán yánwù 船積遅延．

【装订机】zhuāngdìngjī 製本機．

【装货单】zhuānghuòdān 船積指図書；シッピングオーダー．[shipping order；S/O]

【装配】zhuāngpèi 組み立て；アセンブリー；アッセンブリー．[assembly]

【装箱单】zhuāngxiāngdān 包装明細書；梱包明細書；パッキングリスト．[packing list；P/L]

【装卸】zhuāngxiè 荷役．

【装卸港】zhuāngxiègǎng 陸揚港．

【装卸工人】zhuāngxiè gōngrén ステベドア；ステベ；荷役作業員．❖船内荷役の請負業者のこと．"码头工人 mǎtou gōngrén"とも．[stevedore]

【装运单据】zhuāngyùn dānjù 船積書類；シッピングドキュメント．❖"装船单据 zhuāngchuán dānjù"とも．[shipping documents]

【装运提单】zhuāngyùn tídān 船積船荷証券．❖金融用語．"已装船提单 yǐzhuāngchuán tídān"とも．

zhuàng

【撞衫】zhuàngshān 〔他人と〕服のデザインが同じ；〔他人と〕服のデザインがかち合う．

【状态栏】zhuàngtàilán ステータスバー．❖IT用語．"状态条 zhuàngtàitiáo"とも．[status bar]

【状态条】zhuàngtàitiáo ステータスバー．❖IT用語．"状态栏 zhuàngtàilán"とも．[status bar]

【状元秀】zhuàngyuanxiù トップピック；NBAのドラフト1位指名選手．[top pick]

zhuī

《追捕》Zhuībǔ「君よ憤怒の河を渉れ」．❖日本映画のタイトル．

【追潮族】zhuīcháozú 流行に敏感な人．

【追车族】zhuīchēzú 自動車愛好家；カーマニア．[car enthusiast；car nut]

【追访】zhuīfǎng 追跡取材(する)；密着取材(する)．

【追加保证金】zhuījiā bǎozhèngjīn 追加保証金；追加証拠金；追い証．❖金融用語．

【追捧】zhuīpěng 支持する；あこがれる；

絶大な支持;あこがれ.
【追平】zhuīpíng 同点に追いつく;同順位に並ぶ.
【追逃】zhuītáo〔逃亡する容疑者を〕追跡,逮捕する(こと).
【追星族】zhuīxīngzú 追っかけ;熱狂的なファン.

zhǔn

【准备金】zhǔnbèijīn 準備金;リザーブファンド. ❖金融用語."储备基金 chǔbèi jījīn"とも.[reserve fund]
【准博士】zhǔnbóshì 博士号候補生;大学院課程満期退学;ABD. ❖博士論文提出を残すのみとなった院生.[all but dissertation; ABD; Ph.D. cand.]
【准晶】zhǔnjīng 準結晶.
【准妈妈】zhǔn māma 妊婦;プレママ.
【准入壁垒】zhǔnrù bìlěi 参入障壁.

zhuō

【桌面】zhuōmiàn デスクトップ.[desktop]

zhuó

【卓丹】Zhuódān シャルル・ジョルダン. ❖フランスのトータルファッションブランド.[Charles Jourdan]

zī

【资本保值增值】zīběn bǎozhí zēngzhí 資本の維持と増加.
【资本充足率】zīběn chōngzúlǜ 自己資本比率. ❖"自有资本比率 zìyǒu zīběn bǐlǜ"とも.
【资本存量】zīběn cúnliàng 資本ストック. ❖金融用語.
【资本集约型产业】zīběn jíyuēxíng chǎnyè 資本集約型産業. ❖"资本密集型产业 zīběn mìjíxíng chǎnyè"とも.
【资本净值】zīběn jìngzhí 純資産;自己資本. ❖金融用語.[net worth; equity capital]
【资本利得】zīběn lìdé キャピタルゲイン. ❖金融用語."资本收益 zīběn shōuyì"とも.[capital gain]
【资本利润率】zīběn lìrùnlǜ 資本収益率. ❖金融用語.
【资本密集型产业】zīběn mìjíxíng chǎnyè 資本集約型産業. ❖"资本集约型产业 zīběn jíyuēxíng chǎnyè"とも.
【资本市场】zīběn shìchǎng 資本市場;キャピタルマーケット. ❖金融用語.[capital market]
【资本收益】zīběn shōuyì キャピタルゲイン. ❖金融用語."资本利得 zīběn lìdé"とも.[capital gain]
【资本收支】zīběn shōuzhī 資本収支.
【资本外逃】zīběn wàitáo 資本逃避;キャピタルフライト. ❖金融用語.[capital flight]
【资本主义经济】zīběn zhǔyì jīngjì 資本主義経済;资本主义市場経済体制.
【资本转移】zīběn zhuǎnyí 資本移転.[capital transfers]
【资产】zīchǎn 資産;アセット. ❖金融用語.[assets]
【资产剥离】zīchǎn bōlí 財産剝奪;資産剝奪.
【资产负债表】zīchǎn fùzhàibiǎo 貸借対照表;バランスシート;B/S.[balance sheet; B/S]
【资产负债表外交易】zīchǎn fùzhàibiǎowài jiāoyì 簿外取引;オフバランスシート取引. ❖金融用語.[off-balance-sheet transaction]
【资产金融】zīchǎn jīnróng アセットファイナンス. ❖金融用語.土地などの資産で資金を調達すること."资产融资 zīchǎn

róngzī"とも.[asset finance]

【资产评估】zīchǎn pínggū 資産評価.

【资产融资】zīchǎn róngzī アセットファイナンス. ❖金融用語.土地などの資産で資金を調達すること."资产金融 zīchǎn jīnróng"とも.[asset finance]

【资产选择】zīchǎn xuǎnzé ポートフォリオセレクション. ❖金融用語.短期間あるいは長期間,またはハイリスク・ハイリターン,ローリスク・ローリターンの商品を選択すること."证券投资选择 zhèngquàn tóuzī xuǎnzé""证券组合选择 zhèngquàn zǔhé xuǎnzé""资产组合选择 zīchǎn zǔhé xuǎnzé"とも.[portfolio selection]

【资产置换】zīchǎn zhìhuàn 資産置換.

【资产组合选择】zīchǎn zǔhé xuǎnzé ポートフォリオセレクション. ❖金融用語.短期間あるいは長期間,またはハイリスク・ハイリターン,ローリスク・ローリターンの商品を選択すること."证券投资选择 zhèngquàn tóuzī xuǎnzé""证券组合选择 zhèngquàn zǔhé xuǎnzé""资产选择 zīchǎn xuǎnzé"とも.[portfolio selection]

【资费】zīfèi 〔通信,郵便などの〕料金;サービス使用料.

【滋贺县】Zīhè Xiàn 滋賀〈しが〉県. ❖日本の都道府県の1つ.県庁所在地は大津〈おおつ〉市("大津市 Dàjīn Shì").

【资金划拨】zījīn huàbō 資金振替. ❖金融用語.

【资金头寸】zījīn tóucùn 資金ポジション. ❖金融用語.手持ちの運用資金の量.

【资金周转】zījīn zhōuzhuǎn 資金繰り.

【资料库】zīliàokù データバンク;データベース. ❖IT用語."数据库 shùjùkù"とも.[data bank;databank;database]

《姿三四郎》Zī Sānsìláng 「姿三四郎」. ❖日本映画,テレビドラマのタイトル.[Sugata Sanshiro]

【资深顾问】zīshēn gùwèn 〔企業などの〕相談役.

【资生堂】Zīshēngtáng 資生堂. ❖日本の化粧品メーカー.[Shiseido]

【资信】zīxìn 〔企業や個人の〕信用情報;与信.

【资信调查】zīxìn diàochá 信用調査. ❖金融用語."信用调查 xìnyòng diàochá"とも.

【咨询人员】zīxún rényuán コンサルタント. ❖"咨询员 zīxúnyuán"とも.[consultant]

【咨询员】zīxúnyuán コンサルタント. ❖"咨询人员 zīxún rényuán"とも.[consultant]

【资讯】zīxùn データ;情報.[data]

【资源】zīyuán 資源;リソース.[resource]

【资源共享】zīyuán gòngxiǎng インターネットで機能や情報を共有すること.

【资源管理器】zīyuán guǎnlǐqì 〔ウィンドウズパソコンの〕エクスプローラ. ❖IT用語.[Explorer]

【资源配置】zīyuán pèizhì 資源配置.

zǐ

【子弹头列车】zǐdàntóu lièchē 弾丸列車.

【紫毒】Zǐdú プワゾン. ❖クリスチャンディオール(仏)製のフレグランス名."毒药 Dúyào"とも.[Poison]

【子母船】zǐmǔchuán ラッシュ船. ❖港湾業務関連用語."拉希型船 lāxīxíngchuán""载驳船 zàibóchuán"とも.[lighter aboard ship;LASH]

zì

【自产自销】zì chǎn zì xiāo メーカー直売.

【自动出口设限】zìdòng chūkǒu shèxiàn 輸出自主規制; VERs.[voluntary export restraints;VERs]

【自动存款机】zìdòng cúnkuǎnjī 現金自動預入機.[cash deposit machine]

zì

【自动挡车】zìdòng dǎngchē オートマチック車；オートマ車；AT 車．[automatic car ; automatic]

【自动倒闭】zìdòng dǎobì 自己破産．

【自动扶梯】zìdòng fútī エスカレーター．[escalator]

【自动更正】zìdòng gēngzhèng オートコレクト．❖IT用語．[AutoCorrect]

【自动柜员机】zìdòng guìyuánjī 現金自動預入支払機；ATM．❖"自动存取款机 zìdòng cúnqǔkuǎnjī"とも．[automatic teller machine ; ATM]

【自动化仓库】zìdònghuà cāngkù 自動倉庫．

【自动检票机】zìdòng jiǎnpiàojī 自動改札機．

【自动控制】zìdòng kòngzhì 自動制御；オートコントロール．❖略称は"自控 zìkòng"．[automatic control]

【自动取款机】zìdòng qǔkuǎnjī ①〔銀行の〕現金自動引出機；キャッシュディスペンサー；CD．②〔消費者金融の〕現金自動貸出機．[cash dispenser ; CD]

【自动售货机】zìdòng shòuhuòjī 自動販売機．

【自动提款卡】zìdòng tíkuǎnkǎ キャッシュカード．❖金融用語．"提款卡 tíkuǎnkǎ""现金卡 xiànjīnkǎ"とも．[ATM card ; cash card]

【自发罢工】zìfā bàgōng 山猫スト．

【字符】zìfú キャラクター．❖IT用語．コンピューターが1度に扱うデータの単位の1つ．[character]

【字符集】zìfújí キャラクターセット．❖IT用語．[character set]

【自己开办】zìjǐ kāibàn 起業（する）．

【字节】zìjié バイト．❖IT用語．情報量の単位．記号：B．[byte ; B]

【自解压文件】zìjiěyā wénjiàn 自己解凍ファイル．❖IT用語．"自解文件 zìjiě wénjiàn"とも．

【自考】zìkǎo 独学者を対象とした学位認定試験．❖"高等教育自学考试 gāoděng jiàoyù zìxué kǎoshì"の略．

【自控】zìkòng 自動制御；オートコントロール．❖"自动控制 zìdòng kòngzhì"の略．[automatic control]

【自控系统】zìkòng xìtǒng 自動制御システム；オートコントロールシステム．[automatic control system]

【自恋狂】zìliànkuáng ナルシスト．[narcissist]

【自律机制】zìlǜ jīzhì 自律メカニズム．

【自然保护区】zìrán bǎohùqū 自然保護区．

【自然耗损】zìrán hàosǔn 自然消耗．

《自然杂志》Zìrán Zázhì「ネイチャー」．❖イギリスの科学誌．[Nature]

【自然资源保护区】zìrán zīyuán bǎohùqū 自然資源保護区；自然資源保護地域．

【自杀性爆炸】zìshāxìng bàozhà 自爆攻撃；自爆テロ．

【自述文件】zìshù wénjiàn read me 〈リードミー〉ファイル．❖IT用語．[readme file ; readme ; Read Me]

【字体】zìtǐ ①字体；書体．②フォント．[②font]

【自我保护意识】zìwǒ bǎohù yìshí 自己防衛意識．

【自我启发】zìwǒ qǐfā 自己啓発．

【自选服务】zìxuǎn fúwù セルフサービス．[self-service]

【自学成才】zìxué chéngcái 独学で知識や技能を修得する．

【自学考试】zìxué kǎoshì 独学者を対象とした学位認定試験．❖"高等教育自学考试 gāoděng jiàoyù zìxué kǎoshì"の略．

【自营】zìyíng 自営．

【自由打工族】zìyóu dǎgōngzú フリーター．[job-hopping part-time worker]

【自由滑】zìyóuhuá〔フィギュアスケートの〕フリー．[free skating]

【自由流通】zìyóu liútōng 自由流通．

【自由贸易协定】zìyóu màoyì xiédìng 自由貿易協定；FTA.[free trade agreement；FTA]

【自由女神像】Zìyóu Nǚshén Xiàng 自由の女神像．◉世界文化遺産(アメリカ)．[Statue of Liberty]

【自由球员】zìyóu qiúyuán フリーエージェント；FA.[free agent；FA]

【自由球员制度】zìyóu qiúyuán zhìdù フリーエージェント制；FA制.[free agent system；free agency]

【自由人】zìyóurén リベロ．❖サッカーやバレーボールで守備専門のポジション．[libero〔伊〕]

【自由软件】zìyóu ruǎnjiàn フリーソフトウェア；フリーウェア．❖IT用語.[free software]

【自由软件基金会】Zìyóu Ruǎnjiàn Jījīnhuì フリーソフトウェア財団；FSF．❖アメリカのコンピューター関連の非営利団体．[Free Software Foundation；FSF]

【自由式滑雪】zìyóushì huáxuě フリースタイルスキー.[freestyle skiing]

【自由职业人员】zìyóu zhíyè rényuán フリーランサー；フリー.[free lance；freelancer]

【自由撰稿人】zìyóu zhuàngǎorén フリーライター.[freelance writer]

【自有品牌】zìyǒu pǐnpái オリジナルブランド；プライベートブランド.[private brand]

【自有资本】zìyǒu zīběn 株式資本；自己資本．❖金融用語.[equity capital]

【自有资本比率】zìyǒu zīběn bǐlǜ 自己資本比率．❖"资本充足率 zīběn chōngzúlǜ"とも．

【自愿退职】zìyuàn tuìzhí 依願退職．

【自主计算】zìzhǔ jìsuàn 自動計算．

【自主知识产权】zìzhǔ zhīshi chǎnquán 自社の知的財産権；自社開発の知的財産権．

【自助银行】zìzhù yínháng 銀行の無人店舗．❖"无人银行 wúrén yínháng"とも．

【自助游】zìzhùyóu 個人旅行；自由旅行．

【自足经济】zìzú jīngjì 自給自足経済．

zōng

【综合服务数字网】zōnghé fúwù shùzìwǎng 総合デジタル通信網；ISDN．❖IT用語．"综合业务数字网 zōnghé yèwù shùzìwǎng"とも．[integrated services digital network；ISDN]

【综合国力】zōnghé guólì 総合的国力．

【综合经济效益】zōnghé jīngjì xiàoyì 総合的経済効果．

【综合课税】zōnghé kèshuì 総合課税．

【综合失调症】zōnghé shītiáozhèng 統合失調症．

【综合收益率】zōnghé shōuyìlǜ 総合利回り．❖金融用語．

【综合险】zōnghéxiǎn 全危険担保；オールリスク．❖"全险 quánxiǎn""一切险 yīqiè xiǎn"とも．[all risks]

【综合业务数字网】zōnghé yèwù shùzìwǎng 総合デジタル通信網；ISDN．❖IT用語．"综合服务数字网 zōnghé fúwù shùzìwǎng"とも．[integrated services digital network；ISDN]

【综合支持量】zōnghé zhīchíliàng 〔農産物の〕助成合計量；AMS.[aggregate measurement of support；AMS]

【综合指数】zōnghé zhǐshù 総合指数．❖略称は"综指 zōngzhǐ"．

【综合治理】zōnghé zhìlǐ 統合管理(する)；包括的管理(をする)．❖略称は"综治 zōngzhì"．

【综合质量管理】zōnghé zhìliàng guǎnlǐ 総合的品質管理；全社的品質管理；TQC.[total quality control；TQC]

【宗庙】Zōng Miào チョンミョ(宗廟)．◉世界文化遺産(韓国).[Jongmyo Shrine]

【棕色云团】zōngsè yúntuán 「茶色い雲」；ブラウンクラウド．❖アジア一帯の天

候に影響を及ぼしていると考えられる大気汚染の雲.[brown cloud]

【综艺节目】zōngyì jiémù バラエティー番組.[variety show]

【综指】zōngzhǐ 総合指数. ❖"综合指数 zōnghé zhǐshù"の略.

【综治】zōngzhì 総合管理(する);包括的管理(をする). ❖"综合治理 zōnghé zhìlǐ"の略.

zǒng

【总包】zǒngbāo 元請け.

【总裁级人员】zǒngcáijí rényuán 経営幹部;CxO.[CXO;CxO]

【总承包】zǒngchéngbāo 元請けする;元請け.

【总吨】zǒngdūn 総トン数.

【总服务台】zǒngfúwùtái フロントデスク;フロント.[front desk]

【总公司】zǒnggōngsī 「総公司」〈そうこんす〉;本社.

【总教练】zǒngjiàoliàn 監督.

【总经理负责制】zǒngjīnglǐ fùzézhì 「総経理」責任制.

【总体规划】zǒngtǐ guīhuà マスタープラン.[master plan]

【总统】Zǒngtǒng プレジデント. ❖日産(日本)製の車名.[President]

【总线】zǒngxiàn 〔コンピューターの〕母線;バス. ❖IT用語.[bus]

【总悬浮颗粒物】zǒngxuánfú kēlìwù 総浮遊粒子状物質;TSP.[total suspended particulates;TSP]

zǒu

【走低】zǒudī 〔価格や相場などが〕下落する;〔数値などが〕下がる.

【走跌】zǒudiē 〔価格や相場などが〕下落傾向を示す.

【走高】zǒugāo 〔価格や相場などが〕上昇する;〔数値などが〕上がる.

【走好】zǒuhǎo 順調に進む;うまくいく;良好である.

【走红】zǒuhóng 人気;人気がある;人気を集める.

【走廊】zǒuláng 廊下;回廊;コリドー.[corridor]

【走牛】zǒuniú 相場が上昇すると予想する;強気相場. ❖金融用語.

【走强】zǒuqiáng 〔価格などが〕上昇傾向にある;盛んになる.

【走俏】zǒuqiào よく売れる;売れ行きがよい. ❖"见俏 jiànqiào"とも.

【走热】zǒurè 人気が出る;流行するようになる;よく売れるようになる.

【走软】zǒuruǎn 下落する;下がる;低迷する.

【走弱】zǒuruò 〔価格などが〕下落傾向にある;衰えてくる.

【走私】zǒusī 密輸(する).

【走熊】zǒuxióng 相場が下落すると予想する;弱気相場. ❖金融用語.

【走穴】zǒuxué 副業で稼ぐ.

zū

【租赁】zūlìn ①借りる.②リース(する).[②lease]

【租赁方式】zūlìn fāngshì リース方式.

【租赁企业】zūlìn qǐyè リース会社.[leasing company]

zú

【族】zú 共通の特徴,傾向をもったグループ;～族.

【足彩】zúcǎi サッカーくじ. ❖"足球彩票 zúqiú cǎipiào"の略.

【足底按摩】zúdǐ ànmó 足裏マッサージ;フットマッサージ.[foot massage]

【足球宝贝】zúqiú bǎobèi サッカーのマスコットガール.

【足球彩票】zúqiú cǎipiào サッカーくじ. ❖略称は"足彩 zúcǎi".

【足球流氓】zúqiú liúmáng 〔サッカーの〕フーリガン. [hooligan]

【足球先生】zúqiú xiānsheng サッカーの年間最優秀選手.

《足球小将》Zúqiú Xiǎojiàng 「キャプテン翼」. ❖日本アニメのタイトル. [Captain Tsubasa]

【族群】zúqún ①同一民族で構成するグループ;エスニックグループ. ②〔共通特性を持つ人や物の〕グループ. [①ethnic group ②group]

zǔ

【阻碍司法】zǔ'ài sīfǎ 司法妨害.

【阻抗】zǔkàng インピーダンス. ❖IT用語. [impedance]

【阻抗匹配】zǔkàng pǐpèi インピーダンスマッチング. ❖IT用語. [impedance matching]

【阻燃纤维】zǔrán xiānwéi 難燃繊維. ❖"难燃纤维 nánrán xiānwéi"とも.

【组委会】zǔwěihuì 組織委員会.

zuàn

【钻石婚】zuànshíhūn ダイアモンド婚式. ❖60年目,75年目の結婚記念日.

zuì

【最爱】zuì'ài お気に入り;特に好きな人や物事;フェイバリット. [favorite]

【最初谈判权】zuìchū tánpàn quán 初期交渉権. ❖略称は"初谈权 chūtánquán".

【最大化按钮】zuìdàhuà ànniǔ 〔パソコンウィンドウの〕最大化ボタン. ❖IT用語.

【最低工资保障制度】zuìdī gōngzī bǎozhàng zhìdù 最低賃金保障制度.

【最低生活保障制度】zuìdī shēnghuó bǎozhàng zhìdù 最低限の生活保障;生活保護. ❖略称は"低保 dībǎo"."城市居民最低生活保障制度 chéngshì jūmín zuìdī shēnghuó bǎozhàng zhìdù"と"农村最低生活保障制度 nóngcūn zuìdī shēnghuó bǎozhàng zhìdù"がある.

【最低限额】zuìdī xiàn'é 最低限度額;下限.

【最高限额】zuìgāo xiàn'é 最高限度額;上限.

【最后定稿】zuìhòu dìnggǎo 定稿;最終稿.

【最惠国待遇】zuìhuìguó dàiyù 最恵国待遇;MFN. [most favored nation;MFN]

【最佳运动员】zuìjiā yùndòngyuán 最優秀選手.

《醉拳》Zuìquán 「ドランクモンキー 酔拳」. ❖香港映画のタイトル. [Drunken Master]

【最上川】Zuìshàng Chuān 最上川⟨もがみがわ⟩. ❖日本・山形県を流れる川. [the Mogami River]

【最小化按钮】zuìxiǎohuà ànniǔ 〔パソコンウィンドウの〕最小化ボタン. ❖IT用語.

【罪刑法定原则】zuìxíng fǎdìng yuánzé 罪刑法定主義;罪刑法定主義の原則.

【最优惠利率】zuìyōuhuì lìlǜ 最優遇貸出金利;プライムレート. [prime rate]

【最优配置】zuìyōu pèizhì 最適配置;最適配分. [optimal placement]

《最游记》Zuìyóu Jì 「最遊記」. ❖日本漫画のシリーズ名,日本アニメのタイトル. [Saiyuki]

《最终幻想》Zuìzhōng Huànxiǎng 「ファイナルファンタジー」. ❖スクウェア・エニックス(日本)製のゲームのタイトル. [Final Fantasy]

【最终客户】zuìzhōng kèhù エンドユーザ

一.[end user]

zūn

【尊皇】Zūnhuáng ジュヴェニア. ❖スイスの時計メーカー. [Juvenia]
【尊尼获加威士忌】Zūnní Huòjiā Wēishìjì ジョニーウォーカー. ❖ディアジオ(英)のウイスキーブランド. [Johnnie Walker]
【遵守法规】zūnshǒu fǎguī コンプライアンス；法律遵守；法令順守. [compliance]
【尊严死】zūnyánsǐ 尊厳死. [death with dignity]

zuǒ

【佐餐酒】zuǒcānjiǔ 食中酒. [table wine]
【佐川急便】Zuǒchuān Jíbiàn 佐川急便. ❖日本の宅配事業者. [Sagawa Express]
【佐丹奴】Zuǒdānnú ジョルダーノ. ❖香港の衣料ブランド. [Giordano]
【佐贺市】Zuǒhè Shì 佐賀〈さが〉市. ❖佐賀〈さが〉県("佐贺县 Zuǒhè Xiàn")の県庁所在地.
【佐贺县】Zuǒhè Xiàn 佐賀〈さが〉県. ❖日本の都道府県の1つ. 県庁所在地は佐賀〈さが〉市("佐贺市 Zuǒhè Shì").
【左击】zuǒjī 左クリック. ❖ウィンドウズパソコンで, マウスの左ボタンをクリックすること. [left click]
【佐治亚州】Zuǒzhìyà Zhōu ジョージア州. ❖アメリカの州名. "乔治亚州 Qiáozhìyà Zhōu"とも. [Georgia]

zuò

【座机】zuòjī ①固定電話. ②〔要人の〕専用旅客機；専用機.
【做假账】zuò jiǎzhàng 裏帳簿を作成する.
【坐台小姐】zuòtái xiǎojie ホステス. [bar hostess]
【作为】zuòwéi 作為. ❖法律用語.
【作秀】zuòxiù ①ショーをする；パフォーマンスを見せる. ②格好をつける；ポーズを見せる.
【作业标准】zuòyè biāozhǔn 作業標準.

記号類

【β版】β bǎn β〈ベータ〉版；ベータバージョン. ❖IT用語. 製品になる前の評価版. "贝塔版 bèitǎbǎn"とも. [β version]

日本語索引

*訳語を欧文のABC順、和文の五十音順で配列しました。

〘欧文〙

【A】

A&P	66
A株	1
A株市場	1
Aラインスカート	1
AA	427
ABC	242
ABD	451
ABMシステム	98
「ABM条約」	98
ABNアムロ銀行	145
ABS	100
ACミラン	1
ADHD	448
ADSL	102
AF	412
AfDB	104
AFP通信	97, 98
AI	289
AIDMAの法則	132
AIDS	7
AIGグループ	243
Air Do	24
AIU	245
Altキー	1
AMF	3
AMOY	341
AMPグループ	8
AMRコーポレーション	245
AMS	454
ANSI	243
ANZ	10
AOL	244
AP通信	245
APEC	400, 401
API	1, 203
APTサテライト・ホールディングス	401
ARF	86
ASAT	99
ASCIIコード	1, 244
ASEAN	86
AT&T	242
A.T.カーニー	197
AT車	453
ATM	453
AVルーム	412

【B】

B2B	13, 305
B2C	13, 305
B&M	250
B&W	38
B型肝炎	410
B株	13
B株市場	13
BスカイBグループ	415
BAEシステムズ	415
BASF	15
BAT	415
BBC	415
BBS	81, 121
BBSの管理人	19
BBVA	28
BCC	248
BEA	86
BGM	26
BHPビリトン	28
Big 5コード	66
BIGECHO	28
BIOS	163
BIS	135, 136
B/L	141, 344
BMDシステム	70
BMW	22
BNPパリバ	97
BOA	244
BoA〈ボア〉	21
BOCホンコン・ホールディングス	445
BOD	312
BOI	6
BOP	136
BOT方式	68
BP	415
BPO	405
BPR	405
BRICs	182
BRT	278
B/S	271, 451
BS放送	13
BSCH	303

BSE	106
BT	414
BTO	278
BtoB	13, 305
BtoC	13, 305

【C】

C&W	63
C型肝炎	32, 33
CACM	443
CAD	80, 169
CAE	169
CAI	80, 169
CAL	80, 169
CAM	80, 169
CAO	40, 322
CAP	124
CARICOM	170
CASILテレコミュニケーションズ・ホールディングス	143
CATICインターナショナル・ホールディングス	441
CATV	420
CB	199, 200
CBD	40, 445
CBS	119
cc	48
CCA	442
CCT	179
CCTV	40, 403, 444
CD(キャッシュディスペンサー)	453
——(コンパクトディスク)	164
——(譲渡性預金)	64, 200
CDケース	130
CDドライブ	40
CDプレーヤー	164
CDレコーダー	130
CDB	171
CDMA	235
CD-R	40, 199, 200
CD-ROMドライブ	40
CD-R/RWレコーダー	130
CD-RW	40, 199, 201

CEO～FAQ 索引

CEO	40, 322	
CF	439	
CFカード	31	
CFO	40, 321	
CFR	50	
CFS	240	
CG	80, 169	
CGI	122	
CHEMISTRY	153	
CI	278	
CIA	244	
CIBC	171	
CIF	23	
CIMS	40, 169	
CIO	40, 322	
CIS	87	
CITES	32, 152, 153	
CITICインターナショナル・フィナンシャル	444	
CLO	321	
CMO	40, 321	
CNN	420	
CNOOC	441	
CNP保険	97	
CNPC	442	
CNS	442, 444	
CNT	340	
CO_2	95	
COD	153	
COO	40, 322	
CP	306	
CPA	40, 448	
CPD	169	
CPG	206	
CPU	169, 444	
CRT	411	
CRTディスプレイ	40	
CS	128, 201, 417	
CS放送	40	
CSL	439, 442	
CSMCテクノロジーズ	151	
CSR	278	
CTスキャン	40, 90, 169	
CTBT	285	
CTO	40, 321	
CTTSL	441	
CVD	98	
CVS	30	
CVT	371	
CX	111	
CxO	455	

【D】

D/A	50
DBS	393
DD取引	436
Delキー	304
DEW	84
DF	149
DFLP	14
DGバンク	61
DHL	90
DINKS	83
DIP	429
DM	437
DNA	61, 353
DNA鑑定	61
DNS	421, 422
Do As Infinity	66
DOS	58, 61
Dove	91
D/P	110
DPT	16
「Dr.スランプ」	129, 162
「Dr.スランプアラレちゃん」	129, 162
Dreams Come True	245
DSB	433
DSM	145, 310
DSR	46
DV	172, 325
DVD	61, 325, 416
DVDドライブ	61
DVDプレーヤー	61, 416
DVDレコーダー	61

【E】

eカード	81
e会議	360
E型肝炎	373, 374
eコマース	82
e時代	93
eスクール	361, 362
eブック	82, 93
eメール	81, 82, 407
eラーニング	359, 360
E.レミー・マルタン	290
EADS	262
EBRD	262
EC-ファウンダー	100
ECB	263
ECM	81
ECOSOC	185
ED	36
EDF	97
EDI	82, 93, 373
EDS	82
EFA	29
EFF	82
EFTA	263
EGR	366
EIB	263
ELT	385
EMC	79
EMG	79
EMI	18
EMR	79
EMS(IT用語)	428
——(郵便)	135, 343
EMU	262
EPA	184
EPS	22
EPZ	55
EQ	93, 283
ES細胞	290
Escキー	352
ESSE	7
EST	153
「E.T.」	93
ETC	39
EU	262
EVA	42
Every Little Thing	385
EW	82
EX	431
EXEファイル	200, 437
EXILE	101

【F】

F1	406
F4	96
F4F戦闘機	405
F14戦闘機	394
FA(ファクトリーオートメーション)	96, 121
——(フリーエージェント)	200, 454
FA制	454
FAO	220
FAQ(平均中等品質)	223, 439

――(よくある質問)	45
FAS	56
FB(金融用語)	434
――(フルバック)	149
FBI	243
FBR	206
FD	295
FD食品	215
FDA	243
FDD	295
FEU	331
FF	219
FHLMC	219
FIA	135, 136
FIFA	137
FIFAコンフェデレーションズカップ	137
FIO	56
FMCG	206
FMS	294
FNMA	219
FOB	56
FOMC	243
FPA	69, 271
FRB	243
FRN	108
FRS	243, 245
F/S	200
FSF	454
FT平均株価指数	231
FTA	454
FTP	368
FTTH	131

【G】

G8サミット	113
GAP	172
GATT復帰	110
GB	167
GB拡張コード	134
GBコード	134
GBKコード	134
GDF	97
GDP	137
GE	428
GEM	57
GIF	351
GIFアニメ	113
GIF画像	113
GIS	76, 113

GLCM	229
globe	76
GM	348
GM大宇	113
GMDSS	113, 285
GNMA	434
GNP	137
Google	113, 126
GP(一般医)	130
――(グランプリ)	285, 348
GPRS	348
GPS	113, 285
GRE	113, 402
GREを受験する	197
GRP	284
GSM	113, 286
GSP	272, 273
GT	52
「GTO」	113
GUI	351
GZIトランスポート	424

【H】

H株	139
H株市場	139
HA	139, 172
HACCP	363
HBOS	332
HCA	242
HDTV	117, 139
Hershey's	144
hi-fi	115
HIVウイルス	290
HIV感染者	8
HIV感染症	7
HIVキャリア	8
HONDA	27
HOYA	143
HP	158
HRM	290
HS	306
HSBCホールディングス	158
HSK	139, 142
HST	139
HTML	48
HTO	75, 94
HTTP	48
hub	167, 360

【I】

iモード〔俗に〕	162
IAEA	136
I am No.1	214
IAS	135
IASB	135
IATA	134
IBM	136
IBRD	134
IC	166
ICカード	166
ICタグ	162
ICAO	135
ICBC	122, 440
ICBCアジア	440
ICBM	446
ICC	136
ICFTU	137
ICI	76
ICJ	134
ICPO	136
ICQ	361
ICU	445
ID	31
IDカード	310, 394
IDA	135
IDB(イスラム開発銀行)	408
――(米州開発銀行)	246
I.D.F.ヴァウダヘマール	369
IE	162, 340, 361
IEA	135
IELTS	400
IFAD	135
IFC	135
IFRS	134
ILO	135
IME	323
IMF	135
IMO	134
INAX	407
「INF条約」	439
INGグループ	145
I/O	350
IOC(インド国営石油会社)	414
――(国際オリンピック委員会)	134, 162
IPアドレス	162
IP電話	162

iPod	162	KDDI	194	MIDI	424
IQ	183, 438	KEM	86	MIGA	90
IR	350	KEPCO	141	MIT	234
IRA	6	KEW	86	ML	418
IRC	134	KinKi Kids	183	MLB	244
IRQ	439	KLMオランダ航空	145	MLBオールスターゲーム	244
ISBN	134	KPMG	29	MMC	363
ISDA	134	KPN	155	MMS	42, 91
ISDN	408, 454	KT	142	MMXペンティアム	92
ISO	134, 162	KTV	191	MO	58, 234
ISO14001	162			MOディスク	234
ISP	150, 162, 360, 361, 412	【L】		MOドライブ	234
IT	162, 391	LAN	188	MOOTW	104
ITアウトソーシング戦略	391	LBO	115	MOT	168
IT産業	391	L/C	392	MOU	224
ITS	162, 438	L/Cオープン	194	MP3プレーヤー	234
ITU	134	LCD	405	MPA	122, 234
ITV	177	LD(学習障害)	397	MPEG	425
IWC	358	——(レーザーディスク)	164	MPV	91
		LED	96	Mr.Children	385
【J】		L/G	21	MRP	374
J.セインズベリ	303	LGインターナショナル	214	MRSA	256
Jリーグ	292	LIBOR	231	MSAR	12
JAS	292	LNG	405	MSC	78
JASDAQ	172	LOLO方式	83	MSN	363
Java言語	163	LOTポーランド航空	34	MT車	321
J.C.ペニー	163	「Love Go Go」	7	MTB	304
JCBカード	163	「Love Letter」	283	MTV	412
JCCT	443	「LOVERS」	317		
JETRO	292	LRT	282	【N】	
JICA	292	LSE	232	N株	255
JIS	292	LSI	64	NAA	51
J.P.モルガン証券	163			NAB	10
J.P.モルガン・チェース	163	【M】		NAFTA	25
JPEG	221	M&A	33, 125, 144, 174, 277, 321	NASA	243, 244
JPEG画像	163	Mコマース	409	NATO	24, 25
JR東海	445	Mac OS	271	NBA	244
JR西日本	376	MAN	52	NBAのドラフト1位指名選手	450
JR東日本	86	MANグループ	240	NBC	243
JT	292	MBA	123, 234	NC(数値制御)	255, 324, 325
JUSCO	167, 172	MBD	282	——(ネットワークコンピューター)	255, 360
JWT	438	MBO	130, 253	NC工作機	324
		MD	234, 247	NCD	64, 200
【K】		MDMA	404	NEADB	84
K2	281	MEMS	363	NEC	291
Kマート	192, 194	MF	439	NFL	243
KB	142	MFN	456	NGO	104
KBS	142	MGM	247		
KD	211	MHD発電	58		

NGT	137	
NHK	292	
N-ISDN	408	
NLW	104	
NMD	137, 255	
NMR	144	
NOC	261	
NOx	70	
NPO	103	
NTB	102	
NTT	291	
NTTデータ	255	
NTTドコモ	255, 291	
NTV	291	
NumLockキー	325	
NYダウ工業株30種	72	

【O】

O157	63
O脚	233, 262
OA	20
OAS	246
OCBC	151
OCR	131
ODA	186, 434
OECD	184
OEM	84, 262, 346
Off JT	352
OHP	177, 350
OJT	115, 427
OL	306, 389
OLED	419
OMA	63
ONFEMホールディングス	84
ONLY DISK	418
OPEC	262, 318
Opera	118
ORANGE RANGE	188
OS	43, 169
OTC転換薬	102
OU	193

【P】

P&G	22
P&O	19
PBR	126
PC(パーソナルコンピューター)	120
――(ブレキャスト)	422
PCカメラ	310
PC板	403
PCI	357
PCIバス	357
PDA	120
PEMEX	252
PEMFC	439
PER	27, 126, 320
PET	264, 433
PFLP	14
PG&E	339
PHS	372
PKF	221
PKI	122
PKO	221
PL	45
PLC	45
PLO	14
PM(スス等粒子状物質)	219
――(プロジェクトマネジメント)	383
――(プロダクトメンテナンス)	168, 311
PMC	330
PNTR	417
POLO	22
POP	418
POP広告	384
POPメール	264
POPs	52
POS	384
POSシステム	264, 384
POS端末	264, 384
Post-it	24
ppm	242
PPP	78
PR	121, 122
PSAプジョー・シトロエン	264
PSI	100
PTA	170, 172, 173
PTSD	57
PUFFY	264
PwC	273

【Q】

QC	270, 275, 438
QCサークル	275
QDII	144
QFII	144
QSLカード	275, 372

【R】

R&B	180
R&D	402
RAG	228
RAID	58
RAM	288, 333
RAND	211
RB	267
RBS	332
read meファイル	453
RFWD	70
RMB	288, 290, 422
ROM	437
RPG	189
RSS	288
RTA	284
RTF	106
RWE	211

【S】

S&P	31
SALT	382
SAM	175
SARS	56, 102, 402
SARS撲滅	196
SAS	328
SB	274
SBCコミュニケーションズ	376
SCEI	335
SCI	199, 297
SCM	123
SCSI	386
SDメモリーカード	293, 297
SDI	430
SDR	342
SE	378
SF映画	197
「Shall We ダンス?」	340
SI	378, 436
SII	184
SIMカード	297
SKコーポレーション	379
SKテレコム	297
SLA	109
SMS	367
SNCF	97
SNS	309

SOHO	188, 297, 386	TOB	122	「UPU条約」	358
SOHO型住宅	306	TOEFL	352	URL	348, 362
SOHO事業者	297	TOEIC	135, 353	「USニューズ&ワールドリポート」	244
SOHO族	297	TOPIX	86	USバンコープ	244
SOHOで働く女性自営業者	105, 106	TOTO	86, 336	USポスタルサービス	244
SOS子供村	297	TPM	285	「USAトゥデイ」	181
SOW	124	TPVテクノロジー	130	USB	348
SOx	227	TQC	336, 454	USBフラッシュディスク	354
SQL	179, 297	TQM	285, 336	USBフラッシュメモリー	354
SRI	309	TRIMs	421	USPS	244
SSL	9	TRIPs	421	USX・マラソン	242
SSM	175	TRON	317, 336	UTC	221, 387
STマイクロエレクトロニクス	411	TRW	345	UWB	47
ST銘柄	297	TSG	138		
START	396	TSP	455	【V】	
STB	164	TTレート	79	Vネック	165
STD	297, 394	TTBレート	79	VA	174
SUNOCO	339	TTM	158, 443	VCD	164, 320, 325, 416
		TTSレート	79	VCDプレーヤー	416
【T】		TUIグループ	351	VDR	354
Tシャツ	336	TVR	344	VE	174
Tバック	83	TX	85	VERs	452
TA	439	TXU	74	VESA	320
Tabキー	336, 438			VGA	320
TAPポルトガル航空	272	【U】		VHF	311
TB	89	Uターンラッシュ	98	VI	278
TBS	85	UAV	372	VIP	133, 404
TBT	168	UBS銀行	295	VIPルーム	133
TCLコミュニケーション・テクノロジー・ホールディングス	336	UCB	173	VLバス	354
		UCC	418	VLSI	46, 47
TCL多媒体科技控股	336	UCLA	171, 173	VOA	244
TCL通訊科技控股	336	UFO	39, 354	VOD	320
TCLマルチメディア・テクノロジー・ホールディングス	336	UHF	47	VR	395
		UMC	222		
TCP/IP	56	UNCTAD	220, 221	【W】	
TDカナダトラスト	72	UNDP	220	WA	69, 328
TDC	69	UNEP	220	WAN	132
TDL	85	UNESCO	220	WAP	355, 372
TEU	31	UNFCCC	221	WAVファイル	311
TIBOR	85	UNFPA	221	WAVEファイル	311
TIFF	31	UNHCR	220, 221	Webサイト	362, 430
Tiger	213	UNICEF	220	Webページ	362, 405
TLO	286	UNIDO	220	Webマスター	430
TMB	101	UNITAR	221	Webメール	362
TMD	336, 430	Unix OS	354	WHO	319
TNC	241	UNU	220	「WHO AM I?」	369
		UPI通信	145	Windows	318
		UPMキュンメネ	105		
		UPS	37, 219		
		UPU	358		

索引 WINWI〜あおもりし

winwin	327	アイエルツ	400	アイドリング	68
winwinの局面	327	愛煙家	401	アイドリング・ストップ・システム	371
WIPO	319	アイオワ州	6	アイドル	263
WMO	319	合鴨農法	72	アイドルタイム	204, 347
WS	124	アイグナー	7	アイパック	402
WTO	319, 320, 355	アイクリーム	402	アイバンク	402
WTO加盟	172, 294	愛好者	417	アイビーリーグ	46
WTO加盟による打撃	294	愛国心の強いハッカー	148	アイブローペンシル	241
WWW	154, 358	アイコン	350	アイホール	402
		アイジェル	402	あいまいである	251

【X】

X脚	356, 375	アイシャドー	402	あいまい領域	157
「X-メン」	375	相性〔コンピューターで〕	174	アイマスク	403
Xbox	375	愛人	95, 182	アイライナー	402
XML	199, 375	アイシン精機	7	アイライン	402
		愛人を囲う	21	アイラッシュカーラー	179

【Y】

Yahoo!	399	アイス	32	アイランドキッチン	71
YMCAホテル	164	アイスアリーナ	32	アイリッシュウイスキー	6
		アイスキューブ	100	アイルとテネレの自然保護区群	5

【Z】

ZD	225	アイスクライミング	266	アイルランド	6
ZD運動	225	アイスクリームサーバー	397	アイルランド共和軍	6
		アイスクリームディッシャー	397	アイルランド銀行	6

〖和文〗

		アイススケート場	32	アイワ	7

【あ】

		アイスダンス	32	アヴィニョン歴史地区	5
アーカンソー州	3	アイストング	170	アウェー	201
アーキテクチャー	345	アイスバーン	32	アウェーゲーム	201
アーグラ城塞	2	アイスペール	32	アウグスティヌス〔,アウレリウス〕	11
アーケードゲーム	82, 178	アイスランド共和国	32	アウシュヴィッツ強制収容所	12
アースサイエンス	76	アイスレーベンとヴィッテンベルクにあるルターの記念建造物群	7	アウディ	10
アースシミュレーター	76	アイゼン	32	アウト〔野球で〕	54
アース製薬	4	アイソトープ	101	アウト・オブ・ザ・マネー	38, 174
アースデイ	76	アイソトニック飲料	79	アウトソーシング	366
アーチャー・ダニエルズ・ミッドランド	1	アイダホ州	6	アウトプット	323
アートデザイナー	245	愛知県	7	アウトボックス	96
アートメイク	368	アイット・ベン・ハドゥの集落	5	アウトラインフォント	232
アーノルド・シュワルツェネッガー	4	アイデア	78	アウトレットショップ	432
アーバンライフ	51	アイデア製品	78	アウトレットストア	432
アービラの旧市街と城壁外の教会群	5	アイデアマン	438	〔アウレリウス・〕アウグスティヌス	11
アーヘン大聖堂	400	アイデアを売り物にする会社	78	アエロフロートロシア航空	93
アーメイ	430	アイディア	78	「青い風」	211
アールグレイ紅茶	35	アイディーカード	310	青色LED	212
アールヌーボー	390	相手先ブランド生産	84, 262, 346	青色発光ダイオード	212
アーロン・クォック	133	相手の立場に立って考える	30, 155	青天井	104
アイアンブリッジ峡谷	347	アイテム	270, 383	青森県	282
				青森市	282

あかいぎわ～あそれすし　索引

「赤い疑惑」	397	アクセスカウンター	101	議	400, 401
「赤い靴」	148	アクセス権	59, 101	アシアナ航空	142
「紅いコーリャン」	148	アクセスプロバイダー		足裏マッサージ	455
赤いチョッキ	148		150, 162, 360, 361, 412	アジェンダ	410
赤い罰金請求書	148	アクセスポイント	178	アジェンダ21	95
赤いベスト	148	────〔無線〕	372	アシガバート	4
「赤い星」	148	アクセスログ	101	「あしたのジョー」	166
「赤毛のアン」	148	アクセプタンス	50, 178	アシックス	7
アガサ・クリスティー	2	アクセプタンスクレジット	50	味の素	367
赤字企業	207	アクセンチュア	6	足場	272
赤字経営	112	アクゾノーベル	3	アシハバード	4
赤字国債	53	アクチュアリー	23	アジャイル生産	249
赤字削減	175	アクティブウィンドウ	70, 159	アジャンター石窟群	5
赤字見通し	421	アクティブな	159	アシャンティの伝統的建築物群	4
赤字予測	421	アクティブにする	165		
赤字を見込む	421	アクティブファイル	70, 381	亜種〔コンピューターウイルスの〕	30
赤信号がつく	193	アグテレック・カルストとスロバキア・カルストの洞窟群	2	亜洲衛星控股	401
赤信号を走り抜ける	280			アジラ	262
アカデミー賞	12	悪評	94	アジレント・テクノロジー	8
アカデミックリーダー	396	アグファ	7		
アカペラ	3	アクラ	3	アスキアの墓	4
上がり相場	260	アグリジェントの遺跡地域	2	アスキーコード	1, 244
上がる	307, 455			預け入れ	59
明るみに出る	23	アクリル繊維	33	アスタナ	4
秋田県	283	アグロフォレストリー	260	アステリスク	392
秋田市	283	上げ足	269, 404	アストラ	400
商い高	50	上げ相場	92	アストラゼネカ	4
空きポスト申告制度	204	上げ幅	312	アストリンゼントローション	183
アキュラ	3	あげまん	20		
空き領域	202	上げる	345	アストン・マーチン	4
アキレス腱	438	アコーグループ	399	「あすなろ白書」	7
アクア・アレゴリア	150	アコード	399	アスファルトサンド	218
アクアスキュータム	399	あこがれる	450	アスベスト	317
アクア・ディ・ジオ	168	アコンカグア山	3	アスマラ	4
悪意の訴訟	94	麻婚式	234	アスロン	4
アクイレイアの遺跡地域と総主教聖堂バシリカ	3	旭化成	396	アスンシオン	400
		旭硝子	396	アセアン	86
悪材料	218	「朝日新聞」	431	アセアン地域フォーラム	86
アクサグループ	9	アサヒスーパードライ	431	アセスメント	271
アクションプラン	393	朝日生命保険	431	アセット	41, 451
アクスム	3	アサヒビール	431	アセットファイナンス	451, 452
アクセサリー〔吊るすタイプの〕	83	アジア開発銀行	400, 401	アゼルバイジャン共和国	4
アクセシビリティ	199	アジア競技大会	401	アセンブラー	157
アクセス〔回線、ネットワークへ〕	178	アジア・サテライト・テレコミュニケーションズ・ホールディングス	401	アセンブリー	450
				アセンブリー言語	157
────〔記憶装置、データベースなどへ〕	59	アジア太平洋映画祭	401	遊ばせておく〔主として田畑を〕	395
────〔ホームページ、サイトに〕	101	アジア太平洋経済協力会		アゾレス諸島のアングラ・ド・エロイズモの町	

索引　あたいえい～あめりか

の中心地区	400	
亜太衛星控股	401	
アタッチメント	110	
アタブエルカの古代遺跡	4	
アダプター	320	
頭金	321	
頭金ゼロ〔住宅購入時の〕	448	
頭金を支払う	321	
頭を切り換える	155	
頭を使う	349	
頭を悩ませる	349	
アダム・チェン	435	
新しい事へ適応する	251	
新しい物件	389	
新しく入ってくる	74	
アダルトグッズ	394	
アダルトサイト	156	
アダルトチルドレン	431	
亜地域	58	
熱くて辛い	288	
アッコ旧市街	3	
アッサム紅茶	4	
アッシージ, 聖フランチェスコ聖堂と関連遺跡群	5	
アッシュール	400	
圧縮	399	
斡旋贈収賄罪	180	
アッセンブリー	450	
厚底靴	331	
圧電セラミック	399	
アッパー・スヴァネティ	308	
アップグレード	44, 312	
アップグレードし, バージョンアップする	312	
アップグレード版	312	
アップストリーム	308	
アップデート	121	
アップルコンピュータ	271	
アップロード	306, 308	
アディスアベバ	400	
アディダス	1	
アデコ	1	
あて先	78	
アテネ	399	
アテネのアクロポリス	399	
アドウェア	132	
アドオン	43, 356	
アトス山	315	
アドバイス	344	

アトピー性皮膚炎	411	
アドビ・システムズ	10	
アドホックモード	1	
アトラクション	448	
アトラクション施設	418	
アトラス	400	
アトランタ	401	
アドリア海	400	
アドレス〔インターネットの〕	78, 362	
アドレス帳〔コンピューターの〕	78	
穴あけ器	62	
アナウンスメント効果	121	
アナスイ	8	
侮る	275, 276	
アナポリス	8	
アナリスト	105	
アナログ	251	
アナログ移動電話	251	
アナログ携帯電話	251	
アナログコミュニケーション	251	
アナログ通信	251	
アナン〔, コフィー〕	8	
アニタ・ムイ	242	
アニメーション	86, 193	
アニメーションGIF	113	
アニメとコミック	86	
姉さん女房カップル	180	
「あの子を探して」	406	
アバター	395	
アバルア	4	
アパルトヘイトウォール	119	
アパレル産業	109	
アバンギャルド	279	
アピア	4	
アビーナショナル	1	
アヒル	399	
アビルージュ	239	
アフィリエイトプログラム	360	
アフガニスタン・イスラム共和国	2	
アブジャ	1	
アブ・シンベルからフィラエまでのヌビア遺跡群	1	
アブソルート	189	
アフターサービス	322	

アブダビ	1	
〔アブドゥルラフマン・〕ワヒッド	356	
〔アブドラ・〕バダウィ	13	
アブニア	33	
アブ・メナ	1	
アフラック	243	
あぶら取り紙	377	
アフリカ開発銀行	104	
アプリケーション	416	
アプリケーションソフト	416	
アプリケーションソフトウェア	416	
アプリケーションプログラム	416	
アフレコスタジオ	268	
アブレット	386	
アペリティフ	194	
アヘン	399	
アポ	422, 423	
アポイントメント	422, 423	
アボット・ラボラトリーズ	399	
アポトーシス	378	
アボメイの王宮群	1	
天下り	378	
アマゾン川	400	
アマゾン・ドット・コム	400	
アマリージュ	7	
余る	416	
アマルフィ海岸	4	
アミアン大聖堂	400	
網タイツ	362	
アミューズメント	368	
アミン〔・ライス〕	4	
アムウェイ	8	
アムール川	4	
アムジェン	8	
アムステルダム	4	
アムステルダムのディフェンス・ライン	4	
アムネスティ・インターナショナル	65, 134, 136	
アムラ城	127	
雨淡水濡れ損	70	
アメックス	244	
アメニティー	323	
アメフト	245	
アメラダ・ヘス	4	
アメリカ	242, 245	

466

アメリカ生まれの中国人	1	アラビア・オリックスの保護区	3	アルタミラ洞窟	2
アメリカおたく	140	アラファト〔, ヤーセル〕	3	〔アルトゥール・〕ショーペンハウアー	323
アメリカ合衆国	242, 245	アラブ首長国連邦	3	アルト・ドウロ・ワイン生産地域	272
アメリカ航空宇宙局	243, 244	アラブ通貨基金	3	アルトリアグループ	117
アメリカ人	213	アラブ連盟	3, 4	アルバートソンズ	6
アメリカ大リーグ・オールスター・ゲーム	244	アラミス	399	アルバイター	385, 439
アメリカ中央情報局	244	粗利	241	アルバイト	385, 439
アメリカ同時多発テロ事件	187	粗利益	241	アルバニア共和国	1
アメリカの現代文化が好きな人たち	140	現れる	51, 108	アルファ・ロメオ	2
アメリカフリーク	140	アランフェスの文化的景観	3	「アルプスの少女ハイジ」	2
アメリカ連邦捜査局	243	アリアンツ	8	アルベロベッロのトゥルッリ	2
アメリカン・エキスプレス	244	〔アリエル・〕シャロン	304	アルペンスキー	117
アメリカン・エキスプレス銀行	244	ありがた迷惑な同行者	79	アルペンスキー回転	153
アメリカン・エレクトリック・パワー	242	ありがた迷惑な同席者	79	アルペンスキー滑降	332
アメリカンオプション	245	アリゴテ	3	アルペンスキー・ジャイアント・スラローム	153
アメリカンオンライン	244	アリストテレス	400	アリゾナ州	400
アメリカン航空	245	アリタリア航空	410	アルペンスキー・スーパー・ジャイアント・スラローム	152
アメリカンスタンダード	242	アリバイ	39		
アメリカン・タイプ・オプション	245	アリババ・ドット・コム	3	アルペンスキースーパー大回転	152
「アメリカン・パイ」	243	アリュール	282		
アメリカンファミリー生命保険	243	アルカイダ	163	アルペンスキースラローム	153
		アルカティリ〔, マリ〕	2		
アメリカンフットボール	245	アルカテル	2	アルペンスキー大回転	153
アメンド	394	アルカラ・デ・エナレスの大学と歴史地区	5	アルペンスキーダウンヒル	332
アモイ	341	アルキャン	171		
アモルファス金属	102	アルケ・スナンの王立製塩所	2	アルメニア共和国	400
誤った方向へ導く	373			アルルのローマ遺跡とロマネスク様式建造物群	2
誤り	60	アルコア	245		
アライアンス・ユニケム	69	アルコールガソリン	49	アレキーバ市の歴史地区	3
アライバルビザ	233	アルコール依存	144	〔アレクサンドル・セルゲーヴィチ・〕プーシキン	274
荒川	155	アルコール中毒	144		
アラゴン州のムデハル様式建造物	3	アルコールフリー	371	アレックス・マン	358
		アルコバッサの修道院	2	アレハンドロ・デ・フンボルト国立公園	3
アラスカ州	3	アルゴリズム	333		
争う	62	アルジェ	2	アロー・エレクトロニクス	7
新たな段階に達する	308	アルジェのカスバ	2		
新たなレベルに達する	308	アルジェリア民主人民共和国	2	アロマ	382
新たに現れる	74			アロマセラピー	100, 382
新たに組み合わせる	377	アルジャジーラ	3	アロヨ〔, グロリア・マカパガル〕	4
新たに人気が出た事象	388	アルストム	2		
新たに人気が出た人	388	アルセロール	4	泡	267
新たに人気が出た物	388	アルゼンチン共和国	2	合わせる	144
アラバマ州	400	アルタイのゴールデン・マウンテン	182	アワッシュ川下流域	4
				アンインストーラー	387
		アルタの岩絵群	2	アンインストール	387
		アルダブラ環礁	2	アンカービール	218

アンカラ	8	
安徽省	8	
安徽南部の古村落—西逓, 宏村	357	
「安居」プロジェクト	8	
「安居」プロジェクトの住宅	8	
アンクタッド	220, 221	
アングラ出版物	77	
アングロ・アメリカン	415	
アンケート調査	249, 369	
案件	383	
暗号	248	
暗号化	171	
暗号化技術	248	
アンコール	371	
暗黒物質	10	
アンゴスチュラ	8	
アンゴラ共和国	8	
鞍山国際大酒店	9	
アンジャル	8	
暗証番号	248	
暗証番号の入力を間違える	323	
安心な肉	102	
安心な野菜	102	
安全埋立処理	9	
安全検査	8, 9	
安全在庫	23	
安全である権利	8	
安全保障理事会	8	
安全マーク	8	
アンダーライター	21, 23, 50, 52, 434	
アンダーライティング	52	
アンダーライン	378	
アンタイドローン	37	
アンタナナリボ	337	
アンチウイルスソフト	98, 100, 304	
アンチダンピング	99	
アンチダンピング関税	99	
アンチダンピング訴訟	99	
あんちょこ	240	
アンチロック・ブレーキ・システム	100	
安定株主	369	
アンティグァ・グアテマラ	9	
アンティグア・バーブーダ	9	
安定こそ最優先される	369	
安定はすべてに優先する	369	
アンディ・ラウ	226	
アンテナショップ	320	
アンドゥー	49, 284	
アンドラ公国	8	
アンドラ・ラ・ヴェリャ	8	
〔アントン・パブロビチ・〕チェーホフ	278	
案内係〔レストランの〕	226	
案内人	383	
案内役	383	
〔アンナ・〕クルニコワ	204, 205	
アンハイザー・ブッシュ	8	
アンパンマン	248	
アンビエントミュージック	154	
アンブヒマンガの丘の王領地	8	
安保理	8	
アンマン	8	

【い】

イーオン	262	
いい加減にする	71	
イーキン・チェン	435	
イーサーネット	410	
いい仕事	189	
イースター島	110	
イーストマン・コダック	408	
イーチネット	411	
言い回し	59	
イーライリリー	216	
イールドカーブ	218, 321	
イヴァノヴォの岩窟教会群	408	
イヴ・サンローラン	406	
イェール大学	404	
イエメン共和国	405	
イェリング墳墓群, ルーン文字石碑群と教会	404	
イエローカード	156	
イエローストーン	156	
イエローページ	156	
硫黄化合物	226	
硫黄酸化物	227	
イオン	417	
イオンエンジン	215	
イオンパーマ	215	
依願退職	454	
生き生きとした	225	
勢いよく流れる	26	
勢いよく走る	26	
域外加工貿易	186	
域内総生産	284	
生きのよい	312	
イギリス	63, 414	
イギリス放送協会	415	
イギリス連邦	415	
「活きる」	159	
イグアス国立公園	406	
イグアス滝	406	
イクシオン	7	
育児休暇〔主として男性の〕	150	
育成訓練	267	
イケア	410	
イケてる	204	
イケメン	224, 326	
意見	374	
違憲	365	
意見広告	411	
意見帳	411	
威光価格	312	
異彩を放つ	54	
維持	54	
石狩川	317	
石川県	316	
石川島播磨重工業	316	
意思決定する	189	
意思決定メカニズム	189	
石段	338	
いじめ	275, 276	
いじめる	275, 276	
慰謝料	185	
イシュケル国立公園	407	
意匠	350, 356	
衣食を確保する	52	
石綿	317	
いすゞ自動車	373	
イスタンブール歴史地域	408	
イスチグアラスト, タランバジャ自然公園群	408	
イ・スヒョク	217	
イスファハンのイマーム広場	408	
「イズベスチヤ」	384	
イスラーム都市カイロ	408	
イスラエル国	410	

項目	ページ	項目	ページ	項目	ページ
イスラマバード	408	1個買えばもう1個プレゼント	238	遺伝子複製	165
イスラム開発銀行	408	一国主義	69	遺伝子変異	166
イスラム原理主義	408	「一国二制度」	406	遺伝子療法	166
移籍〔プロスポーツ選手の〕	449	一戸建て	70	移転する	86
移籍選手を獲得する	429	一戸建て住宅	227	移動情報端末	410
伊勢丹	408	「一瞬の夢」	386	伊藤忠商事	408
委託加工企業	301	イッセイミヤケ	302	移動通信	409
委託教育	366	1対1の勝負	69	移動通信キャリア	409
委託訓練	366	一致指標	409	移動平均	409
委託商品	366	一定基準以下を切り捨てる	31	イトーヨーカドー	408
委託取引	366	一定の金額を超えた	93	イトキン	406
委託売買	434	一定の量を超えた	93	田舎生活体験ツアー	260
委託売買業務	366	一手販売	21	田舎の無骨者	351
委託販売	168	一手販売をする人	21	田舎者	214, 351
委託保証金	366	いっぱいいっぱいだ	72	イニシアチブ	379
委託養成	366	一般医	285, 348	「頭文字〈イニシャル〉D」	350
板長	55	一般開業医	285, 348	イニシャルフィー	294
伊丹空港	63, 406	一般会計	406	命の教育	331
炒める	48	一般管理費	406	イノベーション	57, 168
イタリア共和国	410	一般担保付債券	75, 406	イノベーション型人材	57
イタリア電力公社	410	一般特恵関税制度	272, 273	茨城県	58
イタリック	387	一般の	74	イ・ハンドン	216
イタル・タス通信社	93, 337	1分あたりの印刷ページ数	242	揖斐川	406
1インチ当たりの印字文字数	246	「一辺一国」	406	イビザ, 生物多様性と文化	408
一眼レフカメラ	69	一方的に破棄する〔協定を〕	69	イ・ビョンホン	216
一次医療機関	309	一方のみが利益を得る	70	イベリア・スペイン航空	375
一時帰休	378	一本化	33	イベリア半島の地中海入り江のロック・アート	406
一次資料	78	出光興産	54	違法建築	364
一時中止	427	移転させる	86	違法建築物	364
一時停止	427	遺伝子	165, 409	違法建築物の撤去	44
一時停止ボタン	427	遺伝子組み換え	61, 165, 449	違法コピー	72
位置付け	84	遺伝子組み換え技術	53	違法採掘	72
一番年上の子供〔兄弟姉妹のうちで〕	213	遺伝子組み換え食品	449	違法収入	146
一物一価の原則	408	遺伝子組み換え生物	449	違法出版物取り締まり	62
1メートルライン	407	遺伝子組み換え動物	449	違法な手段で証拠を入手する	102
一夜の情事	409	遺伝子クローニング	165	違法に建築された建物	175
イチャン・カラ	408	遺伝子クローン	166	違法売買	71
一覧払	167, 176	遺伝子工学	166, 409	イ・ホング	216
一覧払為替手形	167	遺伝子コード	166, 409	イマージョン	279
一覧払信用状	167	遺伝子指紋法	166	〔イマヌエル・〕カント	196
一括処理	268	移転支出	450	イメージアップ	113
一括払い	406	遺伝子診断	166	イメージアップ工事	393
一気に補う	94	遺伝子スクリーニング	409	イメージアッププロジェクト	393
一気に重要ポストに昇進, 抜擢する	350	遺伝子治療	166	イメージキャラクター	393
一気に詰め込む	94	遺伝子突然変異	166	イメージ大使	393
厳島神社	401	遺伝子バンク	166	イメージチェンジ	113

索引　いめーじづ～いんたらく

イメージ作り	21	
イメージトレーニング	411	
イメージマップ	351	
「妹よ」	85	
イモビライザー	96	
違約	365	
医薬関連株	409	
違約条項	96	
癒し系	224	
イラク共和国	407	
イラク戦争	407	
イラク統治評議会	224, 407	
イラン・イスラム共和国	407	
イラン航空	407	
入口［ネットワークの］	359	
イリジウム・サテライト	409	
イリジウムシステム	408, 409	
イリノイ州	407	
イリノイ・ツール・ワークス	407	
医療詐欺を働く者	408	
医療事故の損害賠償	407	
医療制度改革	406	
医療保険	406	
医療保険制度改革	406	
イルリサート・アイスフヨルド	407	
入れ墨	58, 368	
色の黒い食品	146	
色目をつかう	101	
頤和園－北京の皇帝の庭園	25	
岩手県	402	
［イワン・セルゲーヴィチ・］ツルゲーネフ	351	
インカムゲイン	127, 219, 334	
インカレ	67	
インキュベーター	107, 108, 277	
インキュベート	107	
インキュベート企業	426	
隠居する	377	
インクカートリッジ	252	
インクジェット・カラー・プリンター	41	
インクジェットプリンター	268	
イングラム・マイクロ	415	
イングランド銀行	414	
インクリボン	252	
「インコタームズ」	135	
インサート	43
インサートキー	43
インサイダー取引	257, 258
印刷プレビュー	62
印刷用紙	62
イン・ザ・マネー	419
インジケーター	437
飲食業	42
飲食産業	42
インスタントサービス	217
インスタント食品	100
インスタントラーメン	100
インスタントリプレイ	157
インストーラー	9
インストール	9
インストールプログラム	9
インストラクター	178
隠性就業	414
印税率	19
姻戚関係を結ぶ	222
陰線	412
インセンティブ	58, 177
インセンティブシステム	165
インセンティブ制度	165
インターカレッジ	67
インターコンチネンタル	446
インターコンチネンタル浦東・上海	307
インターセクション	179
インターチェンジ	117, 150
インターナショナル・ウォッチ・カンパニー	358
インターナショナル・ペーパー	136
「インターナショナル・ヘラルド・トリビューン」	136
インターネット	150, 359, 412
インターネットイエローページ	360
インターネット依存症	361
インターネットエクスプローラ	162, 340, 361
インターネットおたく	359, 361
インターネット会議	360
インターネットカフェ	136
インターネット関連企業	361
インターネット求人就職活動	362
インターネット警察	359, 360
インターネット採点	362
インターネット採用［人材の］	362
インターネット上の道徳	359
インターネットセキュリティー	359
インターネット接続料	308
インターネット戦争	361
インターネット中毒	359, 361
インターネット通販	361
インターネットで機能や情報を共有すること	452
インターネットで知り合った恋人	362
インターネットで知り合って結婚する	360
インターネット電話	360
インターネット仲間	362
インターネットにアクセスできない携帯電話	233
インターネットバンク	361, 362
インターネット販売	361
インターネットプロバイダー	150, 162, 360, 361, 412
インターネットメディア	77
インターネットモラル	359
インターネット歴	359
インターバンク市場	412
インターバンクマーケット	412
インターバンクレート	413
インターフェース	178, 180
インターフェロン	114
インターベンション	294, 403
インターベンション治療	180
インターポール	136
インターレーススキャン	119
インターンシップ	176
インダス川	414
インダストリアルデザイン	123
インタビュー	101
インタファクス通信	136
インタラクション	289
インタラクティブ	149, 177
インタラクティブ広告	149
インタラクティブセレクション	327
インタラクティブデモンストレーション	150
インタラクティブテレビ	177

インタラクティブマーケティング	149	ディター	323	セント]	99
いんちきくさいこと	240	インフラ	163	ウィークエンド	446
インチョン国際空港	289	インプライドボラティリティ	413	ウィークポイント	296
インディアナ州	414	インフラストラクチャー	163	ヴィースの巡礼教会	365
インディアナポリス	414	インフラ整備	187	ウィーン	365
インディーズ	87	インフレ	348	ウィーン歴史地区	365
インディーズ映画	87	インフレーション	348	ヴィエリチカ岩塩坑	365
インティファーダ	278	インフレーション会計	348	ヴィオス	362
「インディペンデント」	87	インフレギャップ	348	ヴィクトリア	364
インテーザBCI	410	インプレッサ	410	ヴィクトリア・アンド・アルバート美術館	364
インテリア	320	インフレ抑制	204	ヴィクトリアの滝	364
インテリアデコレーション	320	インベスターリレーションズ	350	[ヴィクトル・]ユーゴー	421
インテリジェント端末	438	インベブ	414	ウィザード	383
インテリジェントビル	438	インペリアルカレッジ	76	ウィスコンシン州	363
インテル	415	インペリアル・ケミカル・インダストリーズ	76	ウィスパー	150
インデント	334	インベンシス	415	ヴィダルサスーン	304
インド	414	インベンテック	415	ヴィチェンツァ市街とヴェネト地方のパッラーディオ様式の邸宅群	365
インド国営石油会社	414	インボイス	96	ヴィッキー・チャオ	432
インドネシア共和国	414	インポート[データを]	323	ヴィック・チョウ	446
イントラネット	257, 258, 278	インボックス	321	ヴィッツ	364
院内感染	409, 423	引用符	69	ヴィッラ・アドリアーナ	77
インバーターエアコン	30	インラインスケート	436	ヴィッラ・ロマーナ・デル・カサーレ	192
インピーダンス	456	飲料	413	ウィンドラ湖群地域	363
インピーダンスマッチング	456	飲料充塡機	130	ウィリアムズバーグ	363
「インフェルナル・アフェア」	371	**[う]**		ウイルス	33, 80, 169
インファントインダストリー	420	ヴァージン・アトランティック航空	365	ウイルス感染	33
インフィニティ	372	ヴァイマールとデッサウのバウハウスとその関連遺産群	366	ウイルス検索ソフト	100
インフォームドコンセント	436	ヴァセリン	98	ウイルス対策ソフト	98, 304
インフォポート	391	ヴァッハウ渓谷の文化的景観	355	ウイルスチェッカー	100
インフォメーションウォーフェア	391	ヴァネス・ウー	371	ウイルスに感染する	445
インフォメーションサービス	391	ヴァリグ・ブラジル航空	355	ウイルスを駆除する	304
インフォメーションサイエンス	391	ヴァルカモニカの岩絵群	355	ヴィルンガ国立公園	365
インフォメーションセキュリティー	391	ヴァル・ディ・ノートの後期バロック様式の町々	357	ウィン・ウィン	327
インフォメーションテクノロジー	162, 391	ヴァルトブルク城	355	ウィン・ウィンの局面	327
		ヴァルドルチャ	355	ウィン・ウィン・パートナーシップ	280
インフォメーションベース	391	ヴァルベルイの無線通信所	355	ウィンシャン・インターナショナル	293
インプット	323	ヴァレッタ	355	ウィンストン	424
インプットコード	44	ヴァレッタ市街	355	[ヴィンセント・]ヴァン・ゴッホ	99
インプット・メソッド・エ		ヴァレンティノ	151	ウインタートウル保険	106
		ヴァン・ゴッホ[, ヴィン		ウィンドウ	57
				ウィンドウショッピング	132
				ウィンドウズ	318
				ウィンドパーク	106

ウィンドファーム	106	
ウィントフック	367	
ウインドブレーカー	100	
ウィンブルドン選手権	367	
ヴーヴ・クリコ	194	
ウヴス・ヌール盆地	370	
ウーハー	74	
ウーファー	74	
ウールマーク	58	
ウェアハウザー	158	
ウェアハウスストア	42	
ウェアラブルコンピューター	199	
ウェイスト・マネジメント	104	
ウエイティングライン	407	
ヴェオリア	363	
ヴェガオヤン・ヴェガ群島	364	
ウェスティン	364	
ウェストLB	375	
ウェストバージニア州	375	
ウエストパック・バンキング	377	
ウエストポイント陸軍士官学校	375	
ウェストミンスター宮殿, ウェストミンスター大寺院と聖マーガレット教会	364	
ヴェズレーの教会と丘	365	
ヴェゼール渓谷の洞窟壁画群	365	
ウェッジソールの靴	272	
ウェットティッシュ	316	
ウェットナップ	316	
ウェットリース	316	
ウェディング産業	159	
「ウェディング・バンケット」	377	
ウェディングフォト	159	
「ウェディングマーチ」	159	
ヴェネツィア	363	
ヴェネツィア国際映画祭	363	
ヴェネツィアとその潟	363	
ウェブ	154, 358	
ウェブカメラ	310, 361	
ウェブサイト	362, 430	
ウェブブラウザー	226	
ウェブページ	362, 405	
ウェブポータル	246	
ウェブマスター	19, 430	
ウェブメール	362	
ウェブログ	35	
植えまつ毛	179	
ウエラ	363	
ヴェリィ・イレジスティブル	282	
ウェリントン	158	
ヴェルギナの古代遺跡	364	
ヴェルサーチ〔ジャンニ・〕	99	
ヴェルサイユの宮殿と庭園	98	
ウェルズ・ファーゴ銀行	110	
ヴェルラ砕木, 板紙工場	364	
ヴェローナ市	365	
ウォーキング	177	
ウォークマン	333	
ウォーターサーバー	413	
ウォータースクリーン	328	
ウォータートン・グレイシャー国際平和自然公園	369	
ウォーターバー	327	
ウォータープルーフ〔化粧品の〕	101	
ウォーターフロント	10	
ウォーターフロント住宅	281	
ウォーターベッド	327	
ウォーミングアップ	289	
ウォール街	151	
ウォールズ	145	
「ウォール・ストリート・ジャーナル」	151	
ウォシュレット	366	
ウォルグリーン	369	
ウォルト・ディズニー	152	
ウォルト・ディズニー・カンパニー	152	
ヴォルビリスの古代遺跡	369	
ウォルマート・ストアーズ	369	
ウォン	142	
ウォンビン	422	
迂回防止	99	
ウガンダ共和国	370	
ウクハランバ, ドラケンスベアク自然公園	205	
ウクライナ	370	
受入検査	403	
受け入れる	376	
請負業者に出す	96	
請負制	21	
受け皿銀行	50	
受け取り手〔文化や情報の〕	323	
受取人	179, 323	
動き	425	
動く	425	
うざい	98, 341	
〔ウサマ・〕ビンラディン	27	
牛海綿状脳症	106	
ウジュン・クロン国立公園	370	
後ろにくっついていく	183	
薄商い	70	
雨水	421	
薄型フラットカラーテレビ	47	
薄っぺらな人	271	
ウズベキスタン共和国	370	
ウズベキスタン国営航空	371	
嘘発見器	43	
疑う余地のない	39	
宇多田ヒカル	420	
打ち合わせ	268	
打ち立てる	175	
内蒙古自治区	258	
宇宙	202	
宇宙往還機	203	
宇宙技術	202	
宇宙航空機	203	
宇宙ごみ	202, 338	
宇宙時代	338	
宇宙食	143	
宇宙塵雲	50	
宇宙ステーション	202, 338	
宇宙船	143	
宇宙戦	338	
「宇宙戦艦ヤマト」	421	
宇宙戦争	203, 338	
宇宙葬	338	
宇宙探査機	202	
宇宙服	143	
宇宙部隊	345	
宇宙遊泳	338	
宇宙酔い	202	
内輪もめ	258, 369	
鬱	411	

美しい	223	売上総利益	384	運賃保険料込	23
美しいだけで演技力のない女優	150	売上高	384	運賃前払船荷証券	421
「美しい人」	244	売りオペレーション	239, 267, 413	運転資金	446
美しい街並み	178	売為替	183, 238	運転免許証	164, 174
美しく整える	20	売り切れ	322	運転免許証は取得したがマイカーを所持していない人	27
美しくなる〔化粧や服装で〕	20	売相場	238	運転を開始する〔発電所などの〕	350
訴える	350	売り出し	55	運動エネルギー兵器	86
うっとうしい	98, 341	―――〔株式の〕	384	運動エネルギーミサイル	86
ウッド・バッファロー国立公園	373	売り出し期間	71	運動処方	425
ウッドブリッジ	254	売り尽くす	322	雲南実業控股	424
宇都宮市	420	売り手市場	238	雲南省	424
鬱病	411	売り手市場の職業	183	雲南の三江併流保護区	424
うどん	370	売り場	238		
ウバ紅茶	370	売り持ち	203, 238	【え】	
ウフィツィ美術館	370	売る	384	エアーカーテン	106, 203
ウブロ	147	ウルグアイ東方共和国	370	エアージャマイカ	399
ウベダとバエーサのルネッサンス様式の記念碑的建造物群	370	ウルグアイラウンド	370	エア・インディア	414
		ヴルコリニェツ	108	エアウェイビル	143, 203
うまい仕事	104	「うる星〈せい〉やつら」	109	エアカーゴ	203
うまくいく	455	「ウルティマ」	57	エアカーテン	106, 203
生まれ変わりの子ども	449	ウルネスの木造教会	10	エア・カナダ	171
生まれる	108	ウルビーノ歴史地区	370	エアソールシューズ	278
ウム・エル・ラサス	370	ウルムチ	370	エアチューブテント	53
有無を言わせず	242	ウルル・カタ・ジュタ国立公園	370	エア・パシフィック航空	338
ヴュルツブルク司教館,その庭園群と広場	364			エアバス	203, 262
		嬉しい	327	エアバスインダストリー	203, 262
裏書	26	売れない	215	エアバッグ	9, 278
裏金	158	売れ行き	384	エアブラシ	268
裏切り者	95	売れ行きがよい	176, 288, 289, 455	エア・マカオ	11
裏切る	71			エア・マルタ	235
裏口	149	売れ行き好調	281	エアロゲル	279
裏工作	10, 147	売れ行きの悪い	215	エアロビクス	176, 420
〔ウラジーミル・ウラジーミロヴィチ・〕プーチン	273	売れ行き不調	215	映画化される	55
		売れる	320	映画,テレビ,歌のいずれでも活躍しているスター	416
ウラジーミルとスズダーリの白い建造物	108	上書き保存	53, 114		
		浮気相手	357	映画の鑑賞年齢制限制度	81
裏帳簿	395, 431	浮気な	151	映画のチェーン	423
裏帳簿を作成する	457	浮気な夫	151	映画のレーティング制度	81
裏取引をする	193	うわさ	236	映画やテレビに初めて出る	55
裏話	253	ウワダン,シンゲッティ,ティシットとウアラタの古い集落	355		
うらやむ	52			永久債	417
ウランゲル島保護区の自然体系	108			営業	415, 437
		うわべを取り繕う	21, 118	営業外収益	416
ウランバートル	370	雲崗石窟	424	営業科目	416
売り上げ	384	運勢〔星占いの〕	393	影響重大品目	249
売上原価	384	運送人渡	160		
		運賃込	50		
		運賃着払船荷証券	425		
		運賃箱	349		

索引　えいぎょう～えつしゅう

営業収入	415	
営業日	124	
営業利益	416	
影響を受けない	286	
英国	63, 414	
英国航空	415	
英国放送協会	415	
英国連邦	415	
エイゴン	286	
エイサー	148	
英才教育	46	
栄山国際	293	
「エイジ・オブ・エンパイア」	76	
エイズ	7	
エイズキャリア	8	
衛星攻撃兵器	99	
衛星通信	367	
衛星テレビ	366, 367	
衛生陶器	179	
衛星都市	366	
衛星ナビゲーション	366	
衛星放送	367	
映像文化	416	
「8 Mile〈エイトマイル〉」	16	
英トン	45, 414	
英仏海峡	91	
［エイブラハム・］リンカーン	224	
エイボン	399	
「英雄～HERO」	415	
栄養強化食品	280	
栄養に配慮した食事	416	
栄養補助食品	415, 416	
エイリアス	32	
英連邦	415	
エヴァグレーズ国立公園	67	
エヴォラ歴史地区	6	
エーオン	262	
エーゲ海	7	
エージェント	68	
「エースをねらえ!」	361	
エーランド島南部の農業景観	256	
エール大学	404	
エールフランス	97	
エオリア諸島	408	
液化天然ガス	405	
液晶	405	
液晶ディスプレイ	405	
エキストラ	224, 287	
エキストラベッド	170	
エキスパートシステム	449	
液体ハンドソープ	377	
駅長	430	
駅伝	46	
エクアドル共和国	94	
エクイティ	127	
エクイティファイナンス	126	
エクスクラメーションマーク	340	
エクスタシー	404	
エクステンション	178	
エクステンションヘアー	178	
エクストリームスポーツ	167	
エクストレイル	276	
エクスプレスデリバリー	332	
エクスプローラ［ウィンドウズパソコンの］	452	
エクスプローラー［車名］	340	
エクスポート［データを］	323	
エクスリブリス	43	
エクスワラント	393	
エグゼクティブ	115	
エクセルホテル東急	93	
「エクソシスト」	284	
エグゼミサイル	104	
エクソンモービル	5	
エクラ・ドゥ・アルページュ	131	
エコー	157	
エコカー	230	
エコ活動	312	
エコグッズ	153	
エコ建築	312	
エコシステム	312	
エコ商品	153	
エコ製品	230	
エコツアー	312	
エコツーリズム	312	
エコデザイン	153	
エコ農業	230, 312	
エコノミーカー	185	
エコノミークラス	184, 273	
エコノミークラス症候群	184	
「エコノミスト」	185	
エコハイテク	230	
エコビジネス	153	
エコプロダクツ	230	
エコ包装	230	
エコマーク	230	
エコマーケティング	231	
エコラベリング	154	
エコロジーカー	230	
エコロジー企業	230	
エコロジー建築	312	
エコロジー, 自然志向のサイト	231	
エコロジー商品の認定証	230	
エコロジー農業	230, 312	
エコロジカル建築	312	
エコロジカル住宅	312	
エコロジカルマーケティング	231	
エジソン・インターナショナル	6	
エジプト・アラブ共和国	3	
エジプト航空	5	
エスカーダ	7	
エスカレーター	133, 453	
エスカレートする	312	
「エスクァイア」	317	
エスクローサービス	352	
エスケープ	7	
エスケープキー	93, 352	
エステ	245, 286	
エスティローダー	399	
エス・テー・デュポン	87	
エストニア共和国	7	
エストラーダ［, ジョセフ］	6	
エスニックグループ	456	
エスビー食品	411	
エスプレッソ	411	
エスプレッソコーヒー	411	
枝毛	193	
エタニティ	417	
エチオピア航空	6	
エチオピア連邦民主共和国	6	
エチミアツィンの大聖堂と教会群およびズヴァルトゥノツの古代遺跡	6	
粤海制革	424	
粤海投資	424	
越境汚染	424	
エッサウィラのメディナ	335	
エッジボール［卓球の］	40	
越秀交通	424	
越秀投資	424	

エッセ	7	エリゼ宮	7	エンクリプション	171
エッセンス	184	エリトリア国	94	演芸	402
エッセンのツォルフェライン炭坑産業遺産群	6	襟なし	371	エンゲル係数	94
		エルヴィス・プレスリー	5	エンゲルスベリの製鉄所	6
エッソ	6	エルヴィス・プレスリーの愛称	240	エンコード	29
悦達控股	424			縁故者割当増資	77
エディター[コンピューターの]	29	エルゴデザイン	290	縁故募集	258, 330
		エルサルバドル共和国	298	円債	293
エディプスコンプレックス	223	エルサレム	405	エンジニア	121
		エルサレムの旧市街とその城壁群	405	エンジニアリング	121
エディンバラの旧市街群と新市街群	6			エンジニアリングプラスチック	121
		エル・ジェムの円形闘技場	180		
エテルナ	277			円借款	293
エドックス	406	エルチェの椰子園	5	援助	422
エトナ保険	9	エルドラド	6	援助金	422
エニカ	415	エルニーニョ現象	94	援助の手	422
エニセイ川	405	エルパソ	5	援助を受ける	323
エヌ・ティ・ティ・ドコモ	255, 291	エル・ビスカイノのクジラ保護区	5	演じる	31, 381
				塩水侵入	141
エネルギーの安定供給	258	エルミタージュ美術館	6	遠征試合	201
「エバークエスト」	371	エルメス	5, 7	エンターキー	157, 286
エバー航空	46	エルメネジルド・ゼニア	180	エンターテイメント	402, 420
エビアン	6, 409	エレガントな	117	エンターテインメント	402, 420
エビスビール	157	エレキギター	79	エンターテインメント産業	420
エピダウロスの古代遺跡	5	エレクトラコンプレックス	222		
				円高	293
愛媛県	7	エレクトロニック・アーツ	82	円建て外債	293
エプソン	7			延長Vゴール方式	181
エフタ	263	エレクトロニックシグネチャー	81	延長戦	401
[エフド・]バラク	14			円通控股	422
エプロンステージ	336	エレクトロニック・データ・システムズ	82	エンデサ	94
エベル	421			遠東航空	423
エボラウイルス	5	エレクトロラックス	407	エンドユーザー	456
エボラ出血熱	5	エレバン	5	エンパイア・ステート・ビルディング	76
エマーソン・エレクトリック	7	エレファンタ石窟群	5		
		エレメント[バーコードの]	70	エンブレム	156
エミール・チョウ	446			エンボス	399
エミュレーション	101	エローラ石窟群	5	円明園	422
エミュレーター	101	円	293	円安	293
エメラルド婚式	229	エンヴィ	166		
エラー[コンピューターで]	60	演繹	402	**【お】**	
		「沿海経済開発区」	402	オアハカ歴史地区とモンテ・アルバンの古代遺跡	355
エラーメッセージ[コンピューターの]	60	遠隔医療	423		
		遠隔教育	203, 423	追い越し車線	206
偉そうに振る舞う	326	遠隔診察	142	追い証	450
エリーゼ	7	円貨建て外債	293	オイリー	419
エリートサラリーマン	181	円滑に輸送する	323	オイリー肌	419
エリートビジネスパーソン	17	沿岸国管轄権	402	オイルコントロール	411
エリクソン	7	燕京ビール	401	オイルサンド	317, 419
エリザベス・アーデン	407	「園区」	422		

オイルダラー	317
応援団	210
黄金の三角地帯	182
応札	349
王子製紙	359
欧州委員会	263
欧州経済通貨統合	262
欧州自由貿易連合	263
欧州中央銀行	263
欧州投資銀行	263
欧州復興開発銀行	262
欧州連合	262
「欧州連合条約」	237, 263
横線小切手	147, 153
王祖賢	359
応対	416
横断歩道	19
王朝酒業集団	358
王朝ワイン	358
王菲	359
往復外交	56
王府飯店	359
応募者利回り	291
オウム真理教	12
汪明荃	358
王立展示館とカールトン庭園	156
横領する	261
横領賄賂罪	437
オウンゴール	370
大商い	362
大分県	64
大分市	64
オーガスタ	11
大型	16
大型映画	65
大型観光バス	229
大型の	64
大型連休	156
オーガニック食品	419
大きな荷物	64
大きな話	64
大きな人	404
オークション	186
オークションに出品される物品	265
オークションを行う	194
オークションを開始する	277
大口電力需要家	144
オークニー諸島の新石器時代遺跡中心地	11
オークラガーデンホテル上海	307
大阪国際空港	63, 406
大阪市	63
大阪府	63
大騒ぎをする	67
オーシャン	262
オースティン	12
「オースティン・パワーズ」	359
オーストラリア	10
オーストラリアドル	12
オーストラリア・ニュージーランド銀行	10
オーストラリアの哺乳類化石地域	10
オーストリア共和国	10
オーストリア航空	10
オー・ソバージュ	282
大津市	65
オーディオコンポ	412
オーディオ帯域	412
オーディオテクニカ	347
オーディオブック	419
オーディング	31
大手家電メーカー	170
オーデマ・ピゲ	6
オートコレクト	453
オートコントロール	453
オートコントロールシステム	453
オートデスク	262
オードトワレ	70
オートバイ	69
オートマ車	453
オートマチック車	453
大トリ	67
オートローン	49, 278
オートローン保険	49, 102
オーナー	406
オーバーシー・チャイニーズ銀行	151
オーバーステイ	47, 102
オーバーストック	44
オーバードラフト	350
オーバーバー	47
オーバーフロー	410
オーバーヘッドプロジェクター	177, 350
オーバーホール	66
オーバーボローイング	47
オーバーローン	46, 47
大幅値下げ	27
大林組	65
大引け	321
オーブン	128
オープンエコノミー	193
オープンエンド型投資信託	193
オープンキッチン	193
オープン市場	122
オープンソース	193
オープントースター	80
オープンブック	193
オープンユニバーシティ	193
大物	64, 66
大物ぶる	326
公にされない補助	9
公にされる補助	249
大安売り	64-66, 363
オーランド・ブルーム	11
オールスターキャスト	287
オールスターゲーム	285
オールステート損害保険	144
オールド・ハバナとその要塞群	140
オールド・ミューチュアル	277
オールバニ	10
オールラウンドの	284
オールリスク	286, 407, 454
お金持ちの男性	206
オカピ野生生物保護区	93
岡山県	115
岡山市	114
沖縄県	53
お気に入り	456
————〔ウェブブラウザの〕	120, 320
屋上ガーデン	370
オクタン価	390
屋内環境	320
奥に秘める	397
奥の手	304
オクラホマシティー	93
オクラホマ州	93
送り状	96
送り出す	323
オグルヴィ・アンド・メイ	

ザー	11	
お好み焼き	426	
幼い恋愛	427	
〔オサマ・〕ビンラディン	27	
怖気付く	70	
押しのけ効果	167	
おしゃべり	131, 224	
おしゃべり男	46	
おしゃべり女	46	
おじゃま虫	79	
お嬢さん	234, 245	
汚職	410	
汚職を取り締まる	99	
「おしん」	5	
オスカー	12	
オスロ	12	
オセロゲーム	12	
汚染源の移転	370	
汚染指数	370	
汚染物質	370	
汚染物質排出権	265	
汚染物質排出料金	265	
オゾン層	54	
「オゾン層の保護のためのウィーン条約」	22	
オゾンホール	54	
オタール	182	
おだてに乗る	67	
おだてる	67	
オタワ	369	
落ちこぼれ	44	
落ち込む	322	
落ち着きのある	74	
追っかけ	451	
オックスフォード大学	260	
オットーフェルザント	12	
夫の運を良くする妻	20	
夫の運を悪くする妻	201	
乙仲	161	
お手軽な文化	368	
おてんば	15, 174	
「男たちの挽歌」	415	
男前	224	
お年玉付年賀はがき	419	
「踊る大捜査線」	346	
衰えてくる	455	
驚かせる	183	
驚くべきニュース	183	
同じ水準を保つ	52	
同じ舞台で競い合う	349	

同じ方向へ向かう	284	
お似合いである	269	
オニール〔, シャキール〕	12	
「鬼が来た!」	133	
各々が利益を得る	92	
おのぼりさん	214	
〔オノレ・ド・〕バルザック	13	
オハイオ州	93	
「オバケのQ太郎」	275	
十八番〈おはこ〉	189	
オビウム	399	
オビエド歴史地区とアストゥリアス王国の建造物群	12	
オビ川	94	
オファー	23, 96	
オファーシート	23	
オフィシャルサイト	129, 435	
オフィスオートメーション	20	
オフィス・オートメーション・システム	20	
オフィス街	306	
オフィス住宅複合ビル	306	
オフィス・デポ	20	
オフィスビル	20, 387	
オフィス併用住宅	306	
オフィス用品	20	
オフ会	362	
「オブザーバー」	129	
オフサイド	424	
オフ・ザ・ジョブ・トレーニング	352	
オブジェクト	90	
オブジェクト指向言語	374	
オフショアアウトソーシング	215	
オフショア市場	187, 215	
オフショアマーケット	187, 215	
オプション	275, 396	
オプションセラー	275, 276	
オプション取引	275, 396	
オプションの売り手	275, 276	
オプションの買い手	275	
オプションバイヤー	275	
オブセッション	247, 432	
オプティカルマウス	130, 131	
オフバランスシート取引	451	
オフライン	215, 352, 379	
オフリド地域の文化的,		

歴史的景観とその自然環境	11	
オフロード車	424	
オフロードレース	424	
おべっか使い	236	
オペラ (音楽)	118	
──── (ブラウザ名)	118	
オペル	262	
オペレーションマニュアル	43, 124	
オペレーティングシステム	43, 169	
覚えていない	252	
オマール〔, モラー〕	11	
オマーン国	4	
お守り	150	
お見合いパーティー	286	
オムニコム	12	
オムニバス盤	144	
オムロン	262	
オメガ	262	
おめでた婚	107, 380	
お目見えする	55	
思いやりプロジェクト	331	
思いやる	129	
オモ川下流域	12	
おもしろくない	242	
表立った方法で行われる補助	249	
「おもひでぽろぽろ」	333	
親会社	253	
親孝行する	98	
親孝行な子供	386	
親子鑑定	281	
親ばか	386	
親指文化	253	
オラクル	173	
オラシュチエ山脈のダキア人要塞群	11	
オランジュのローマ劇場とその周辺と凱旋門	11	
オランジュリー美術館	188	
オランダ王国	145	
オリエンタル・メタルズ・ホールディングス	84	
オリジナル	422, 423	
オリジナル作品	422	
オリジナルブランド	454	
オリス	143	
オリノコタール	11, 365	

〔オリバー・〕カーン	191	
オリベッティ	144	
オリンダ歴史地区	11	
オリンパス	11	
オリンピア	11	
オリンピアの古代遺跡	11	
オリンピック	11	
オリンピック航空	11	
オリンピック国立公園	11	
オリンピック招致	310	
オリンピック選手村	12	
オリンピック大会	11, 12	
オリンピックの聖火	12	
オルセー美術館	12	
オルタナ	104, 226	
オルタナティブ	226	
オルタナティブミュージック	104, 226	
オルチャ渓谷	355	
オルトキー	1	
オルホン渓谷の文化的景観	94	
オルリー空港	11	
オレオクッキー	11	
オレゴン州	93	
卸売業	268	
卸売業者	268	
卸売物価	268	
オロモウツの聖三位一体柱	11	
お笑い	118	
お笑い芸人	386	
お笑いスター	386, 387	
終わらせる	118	
音楽CD	164	
音楽療法	412	
オンキョー	8	
オン・ザ・ジョブ・トレーニング	115, 427	
温室効果	367	
温室栽培	367	
音声識別	421	
音声チャット	421	
音声入力	421	
温泉療法	328	
オンデマンドコンピューティング	10	
オンデマンド出版	10	
温度が上がる	312	
女たらし	303	

女に養ってもらう	52	
女を囲う	20	
オンブズマン	174, 393	
「温飽工程」	367	
オンライン	222, 308, 361, 381, 427	
オンライン化	222	
オンライン銀行	413	
オンラインゲーム	81, 361, 427	
オンライン決済	362	
オンラインサービス	427	
オンライン出版	360	
オンラインショッピング	360, 361	
オンラインショップ	427	
オンライン書店	362	
オンラインストレージ	427	
オンラインソフト	361	
オンライン取引	361	
オンライン取引プラットフォーム	361	
オンライントレード	361	
オンリー・ディスク	418	

【か】

カーゴパンツ	123	
カーセレスの旧市街	192	
カーソル	130, 418	
カーソルキー	100, 130	
カーソンシティ	192	
「ガーディアン」	366	
カーディガン	194	
カーディナルヘルス	191	
カーテンコール	387	
ガーデンシティー	345, 422	
カート	191	
カードアダプター	87	
カード確認	326	
「カードキャプターさくら」	251	
カード決済	279, 326	
カードショッピング	151	
カードリーダー	87	
カード利用	151	
ガーナ共和国	172	
カーナビ	278, 367	
カー・ナビゲーション・システム	278, 367	
カーニバル	172	
カーネギーホール	192	

カーネギーメロン大学	192	
カーネル	258	
ガーフィールド	170	
カーペット爆撃	77	
カーボヴェルデ共和国	107	
カーボンコピー	48	
カーボンナノチューブ	340	
カーボンファイバー	340	
カーボンブラック	340	
カーマギー	198	
カーマニア	6, 450	
カーライフ	278	
カーラリー	278	
カーリング	32	
カールシュタット・クヴェレ	191	
カールスクローナの軍港	191	
カールスバーグ	172	
カールズバッド洞窟群国立公園	191	
カールソン・カンパニーズ	191	
カールツァイス	191	
カーン〔, オリバー〕	191	
ガイアナ協同共和国	133	
会員	405	
買いオペレーション	237, 412	
海外出張によく行く人	203	
海外留学帰国組	140	
外貨管理	356	
海貨業者	161	
買掛金	414	
外貨詐欺	269	
買い方	237, 238	
外貨建て債券	356	
外貨の投機の売買をする	48	
外貨預金	356	
外貨流出	356	
買為替	54, 55, 237, 238	
海岸線	10	
外観デザイン	356	
華為技術	152	
会議, 展示会産業	158	
階級	43, 115	
開業	128, 178	
――〔弁護士, 医者, 会計士などの専門職が資格取得後〕	437	
開業医	285, 330	
改行キー	157	

海峡交流基金会	140, 141	外食産業	42	外部人材の導入	438
海峡両岸関係協会	141	外食する	307, 378	外部に派遣する	357
街区	178	海水浸水	141	外部の資金を導入する	414
会計ソフト	41, 206	解説員	177	外部の人材を導入する	180
会計年度	41, 206	開設銀行	194	外部の人材を登用する	414
解決	384	解説者	177	外部や外国の技術,人材	357
解決する	118	改装	53	外部や外国の人材	357
解雇	49	解像度	105	買いポイント	237
海口	140	海賊版	72	開放型経済	193
外交の庇護	356	開拓して発展する	353	開放経済	193
外交ルート	356	外為決済	179	解剖する	180
介護休暇	155	怪談	133	界面	180
外国為替相場	356	階段	338	買い持ち	238
外国為替手形	356	改築	53	買い戻し	237
外国為替変動	356	外注部品	356	買い物案内係	71
外国企業誘致	90	買いつなぎ	342	買い物案内をする	71
外国人	214	買い手	237, 238	買い物かごプロジェクト	42
外国人教師	356	改訂	394	海洋経済	212
外国人コーチ	356, 357	海底ケーブル	140	海洋散骨	141
外国人女性	403	海底トンネル	140	海洋領土	212
外国人選手	357	快適性	323	乖離率	26
外国人の人材導入	438	快適で元気になる	323	カイルアン	194
外国人向けマンション	357	快適な	323	カイロ	194
外国人旅行客を宿泊させ		買い手市場	237	回廊	455
てよいホテル	309	回転	133	ガウス分布	117, 435
外国人労働者	356	回転運動	133	買うメリット	237
外国に派遣する	357	回転資金	446	カウンター	168
外国旅行	54	回転信用状	397	カウンターオファー	98, 154
解雇される〔監督やコー		回転寿司	157	カウンタートレード	90, 99
チが〕	378	回転テーブル〔中国料理		カウンターパーチェス	150
解雇する	48	店の〕	42	カウントダウン	72, 324
介護ベッド	150	回転レストラン	396	替え玉	280
介護保険	150, 155	ガイド	71, 383	花王	151
開梱検査	194	解凍〔圧縮したファイル		顔文字	368
外債	356	を〕	180	価格が上昇する	428
開催国	84	解読する	180	科学技術教育立国	197
開催都市	188	ガイドブック	71, 229	科学技術の要素	197
開催候補都市	310	買い取り	237	科学技術による難問解決	197
開札	178, 193	買取銀行	399, 411	科学技術による貧困地域	
概算	206	買い取る	237	支援	197
開始	193	海南省	141	価格水準	174
外資企業誘致と外資導入	431	介入為替相場	114	価格性能比	394
外資系企業	214, 357	買値	54, 76	価格弾力性	174
開示されない情報	366	概念	113, 216	化学的酸素要求量	153
会社員	123, 306, 389	買いのポイント	237	科学的素養	199
会社分割	123	開発区	193	「科学的発展観」	199
会社分割制度	123	開発リードタイム	193	科学的発展ビジョン	199
外需	357	外部からの援助	357	価格に関する公聴会	174
回収して再度市場に出す	157	外部環境	356	価格の問い合わせ	397
海上警察	140, 141	外部記憶装置	356	価格の反発	174

化学物質過敏症	153	核凍結	144	カザン・クレムリンの歴史遺産群と建築物群		191
価格保証	174	獲得する	118			
価格メカニズム	174	────〔賞や賞品を〕	429	カザンラックのトラキア人の墓地		193
価格を競り合う	186	学内LAN	386			
カカドゥ国立公園	192	学内ネットワーク	386	カシオ		193
輝いて美しい	224	核内レセプター	145	貸株市場		293
香川県	382	確認銀行	21	貸し切る		21
河岸線	10	確認信用状	21	家事サービス		173
「科技園区」	197	核の抑止力	145	貸し渋り		375
夏期休暇期間の旅客輸送	324	郭富城	133	家事代行サービス		173
夏季休漁	109	核分裂	145	貸倒金		71
書き込み	96, 121, 347	核兵器貯蔵庫	145	貸倒引当金		25, 153
ガキ大将	140	各銘柄	120	貸倒れリスク		365
書き付け	346	額面価格	249	貸付援助		391
夏期販売促進企画	324	額面合計	249, 270	貸付ガイドライン		391
可逆圧縮	372	額面株式	93, 249, 419	貸付限度額		68
華僑銀行	151	額面発行	9, 249	カジノ		88
核	258	格安航空券	343	鹿島建設		228
架空名義の預金	153	核融合	145	カシミール		202
各駅停車	284	隔離エリア	119	カジュアルウェア		395
核拡散	145	隔離区域	119	カジュアルファッション		395
核家族	145	確立する	175	カジュラーホの建造物群		201
角かっこ	100	隔離病棟	119	華潤上華科技		151
各業界の不正取り締まり	187	隔離壁	119	華潤水泥控股		151
学業不振の学生	44	閣僚会合	39	華潤創業		151
学際科学	29	閣僚級会議	39	華潤置地		152
学際学科	30	学位取得教育	396	華潤電力控股		152
学資貸付金	68	学歴偏重主義	368	華潤万衆電話		152
核磁気共鳴	144	隠れ就業	414	華潤励致		151
隠しごと	240	隠れ損失	279	過剰借入		47, 180
核実験全面禁止	145, 285	過激な投機的売買をする	23	過剰在庫品		165
角質除去	284	過激な報道や宣伝活動を繰り返し行う		過剰消費		48
隠しファイル	413		23	過剰投薬		63
学習塾	37	過激派	166	過剰な報道		288
学習障害	397	掛つなぎ	342	過食症		23, 339
学生アルバイト	281	影の戦争	416	可処分所得		200
学生の負担軽減	396	下限	456	カジランガ国立公園		192
角栓	147	下降が上昇に転じる	99	華人		227
拡大〔規模,範囲,数量などを〕		下降傾向	296	華晨中国汽車控股		151
	208	下降する	151	カスタードケーキ		70
拡張子	149, 208	加工賃	122	カスタードパイ		70
拡張スロット	207, 208	河港都市グリニッジ	32	カスタマーズレート		225, 412
拡張メッセージサービス	428	加工貿易	170	カスタマイズ		120
格付け	271, 392	鹿児島県	228	カストディアン		21, 352
格付け会社	271	鹿児島市	228	カストディ業務		21
格付け機関	271	カゴメ	199	カストリーズ		192
確定	334	可採埋蔵量	199	数取人		216
確定利付債	127	ガザ地区	172	カスピ海		216
カクテルシェーカー	346	カザフスタン共和国	140	カスピのブガンダ王国歴代国王の墓		
カクテル療法	165	飾り付ける	20			13

ガスプロム	93	活況	288	カナダ	171
課税価格〔中国税関の〕	357	かっこ	422	カナダ・インペリアル・コマース銀行	171
火星探査	160	かっこいい	204, 209, 326, 420, 433	カナダドル	171, 172
「風と共に去りぬ」	231	学校に残る	227	カナダ・ロイヤル銀行	171
風に向かう	83	学校の制服	386	カナディアンウイスキー	171
「風の谷のナウシカ」	107	学校を選択する	428	カナディアン・クラブ	171
カゼルタの18世紀の王宮と公園、ヴァンヴィテッリの水道橋とサン・レウチョ邸宅群	192	格好をつける	457	カナディアン・ロッキー山脈自然公園群	171
河川域と海上の警備	328	「合作信用社」	146	カナナスキス	192
画素	383	活性化	428	要	323
仮想	395	活性化する	165	カナリア	182
画像位置指示装置	83	活線挿抜	288	河南省	145
仮想記憶	395	カッター	41, 71	加入	171
仮想記憶装置	395	合致	90	加熱する	172, 312
仮想銀行	395	勝つチャンス	415	過熱報道をする	94, 288
仮想経済	395	勝手口	149	カネボウ	171
仮想現実	395	カット・アンド・ペースト	175	金持ち	65
仮想市場	395	活動	159	金持ちに取り入る	20
画像処理ソフト	351	活動を始める	425	金持ちの愛人	20
仮想人間	395	活発である	288	金持ちを頼って生活する	20
仮想メモリー	395	活発に批評し論じる	289	可能性	279
仮想旅行	395	〜カップ	24	可能性がない	242
家族経営企業	173	カップ〔ブラジャーの〕	432	カノジョ	237
加速する	312, 344	合併	144, 219	カバーガール	106
ガソホール	58	合併と買収	33, 125, 144, 174, 277, 321	カバー取引	36, 267
ガソリンスタンド	172	家庭医学	285	カバー率	110
ガソリン泥棒	418	カディーシャ渓谷と神の杉の森	205	カバレッジエリア	110
ガダーミスの旧市街	125	華亭伊勢丹	152	峨眉山と楽山大仏	93
カタール国	192	家庭教育	170, 172	カピバラ山地国立公園	192
かたき役	99	家庭教師	170, 172	華表賞	151
カタストロフィー	426	カティサーク	328	花瓶	150
片づける	118	家庭のしつけ	170, 172	株	126
型番や種類を変更する	450	華亭賓館	152	カブール	191
片道切符	69	カテキン	94	カフェラテ	255
片道券	69	カテゴリーキラー	270	株価	126, 127
偏った才能の持ち主	356	家電大手	170	株価が上がる要因	217
価値	142	ガトウィック空港	113	株価が下がる要因	218
価値観	174	稼働率	425	株価下落	83
勝ち組	280	────〔工場の〕	193	株価指数	127
価値工学	174	────〔ホテルの〕	448	株価収益率	27, 126, 320
価値分析	174	過度の放牧	138	株価純資産倍率	126
勝ち目	415	カトマンズ	170	株価操作	43
可聴帯域	412	カトマンズの渓谷	170	株券	126
価値を維持する	23	カトラリー	71	カプコン	192
勝つ	314	カナイマ国立公園	192	株式	126
活気がある	257	金型	253	株式会社の株主としての権利	127
活気に溢れた	225	神奈川県	311	株式合作制	126
活気に満ちた	312	金沢市	182	株式公開	122

株式公開買付	122	
株式市場	127	
株式市場の危機	127	
株式資本	454	
株式情報	127	
株式相場	127	
株式増発	428	
株式登録	127	
株式配当	267	
株式売買	127	
株式ブーム	48	
株式分割	44, 126	
株式併合	33, 126, 127	
株式名義変更	127	
カフジ・ビエガ国立公園	192	
カプセルホテル	369	
過不足容認条項	411	
カプチーノ	191	
株主	125	
株主資本利益率	125	
株主総会	125	
株主代表訴訟制度	126	
株主割当	125	
カブリ	191	
花粉症	150	
貨幣経済	160	
貨幣証券	160	
貨幣の所得速度	160	
貨幣の流通速度	160	
壁紙	280	
——〔パソコンの〕	29, 280	
カベルネソーヴィニョン	53	
カベルネフラン	270	
下方修正する	345	
カホキア墳丘群州立史跡	191	
河北省	144	
ガボン共和国	172	
窯出しする	55	
カミ遺跡群国立記念物	192	
紙おしぼり	316	
紙婚式	437	
「神様、もう少しだけ」	311	
紙状電池	437	
紙詰まり	279	
紙媒体	437	
紙メディア	437	
カミュ	181, 192	
カムチャッカ火山群	195	
カムチャッカ半島	195	
カムフラージュ	247	
カムリ	171	
カムワラント	142	
加盟	171	
ガメイ	171	
かめのこかっこ	227	
カメラ映りのよい	307	
カメラ付きインターホン	200	
カメルーン共和国	191	
カメルーン航空	191	
画面キャプチャー	351	
画面取り込み	351	
貨物取扱量	161	
カモフラージュ	247	
カモフラ柄の服	247	
カヤック	269	
「花様年華」	151	
カラーインクジェット用紙	41	
カラー画面〔携帯電話の〕	41	
カラーコーディネーター	303	
カラー写真プリント	41	
カラースキャナー	41	
カラーディスプレイ	41, 42	
カラーページ〔印刷物の〕	42	
カラーリング〔髪の〕	288	
カラ売り	239, 267	
カラオケテレビ	191	
カラオケボックス	191, 223	
カラオケルーム	191	
カラ買い	237	
カラカス	170	
カラカスの大学都市	170	
辛口な批評	205	
辛口の赤ワイン	114	
辛口の白ワイン	114	
ガラス・カーテン・ウォール	34	
カラット	201	
空手形	203	
空手形を振り出す	62	
空の巣症候群	202	
空の巣世帯	202	
ガラパゴス諸島	170	
ガラホナイ国立公園	170	
ガランバ国立公園	170	
ガリアーノ	171	
カリーナ・ラウ	226	
借換債	155	
仮処分	224	
カリニャン	171	
カリフォルニア工科大学	173	
カリフォルニア州	171	
カリフォルニア大学バークレー校	173	
カリフォルニア大学ロサンゼルス校	171, 173	
カリブ開発銀行	171	
カリブ共同体	170	
カリマンタン島	171	
下流〔河川の〕	379	
華凌集団	151	
カリヨン銀行	84	
借りる	455	
ガリレオシステム	171	
カルーア・コーヒー・リキュール	114	
ガルーダ・インドネシア航空	414	
カルヴァドス	271	
カルガリー	191	
カルタゴ遺跡	172	
「カルタヘナ議定書」	193	
カルタヘナの港, 要塞と建造物群	192	
カルチャー産業	368	
カルチャーショック	368	
カルティエ	191	
カルテル	193	
カルト教団	386	
カルト宗教	386	
カルバリア・ゼブジトフスカ：マニエリスム様式の建築と公園の景観複合体と巡礼公園	192	
カルバン・クライン	192, 193	
カルピス	199	
カルフール	171	
カレーラス〔, ホセ〕	192	
カレッジ・イングリッシュ・テスト〔中国の〕	67	
カレントディレクトリー	70	
カレン・モク	252	
過労死	138	
カローラ	150	
カワイ	144	
河合楽器	144	
川上	308	
革婚式	269	
カワサキ	56	
川下	379	

川下産業	379	栽培された農産物および食品	230	幹事銀行	114
革製品	269			漢字処理ソフト	142
為替決済	179	環境保全型農業によって栽培された野菜	230	監視装置	174
為替差益	356			癇癪を起こす	63
為替スワップ	356, 413	環境保全と発展	154	官舎や社宅の割り当て	109
為替スワップ取引	356, 413	環境ホルモン	154	甘粛省	114
為替相場変動	158, 356	環境マーク	230	観照	130
為替リスク	158, 356	環境マネジメントシステム	154	勘定	237
皮むき器	384			冠捷科技	130
簡易型携帯電話	372, 385	環境モニタリング	154	勘定銀行	193
眼窩	402	環境や条件	385	感情消費	283
考え	216	環境容量	154	鑑賞する	270
考えが決まる	49	環境ラベル	230	環状線	154
考え方を変える	155	環境リスク	154	「環城線」	154
管轄区域〔公安当局の〕	186	環境倫理	154	間食	170
観客投票	270	環境劣化	154	鑑真和上	176
眼球	402	環境を汚染しない	372	関心を寄せる	129
環境	272	元金保証ファンド	21	感性	114
環境アセスメント	154	関空	129	関税減免制度	129
環境汚染	154	漢江	142	関税込持込渡	357
環境音楽	154	観光案内書	71, 229	感性消費	114
環境管理	154	感光する	23	関税障壁	129
環境関連商品	153	観光地図	229	関税抜持込渡	366
環境関連貿易制限措置	154	観光通訳ガイド	71, 98	間接金融	175
環境基準	154	観光農業	129	間接証券	175
「環境基準適合マーク」	154	観光バス	229, 418	間接補助	9
環境共生住宅	312	韓国	64, 141	完全金本位制	357
環境権	154	韓国おたく	139	完全クローズドシステム	284
環境,健康,安全に配慮した企業	230	韓国外換銀行	142	感染経路	114
		韓国産業銀行	141	完全式船荷証券	98, 357
環境,健康,安全に配慮した食品	230	韓国テレコム	142	感染する	445
		韓国電力公社	141	感染地域	411
環境資源破壊罪	272	韓国の現代文化が好きな人たち	139	幹線道路の補助的道路	109
環境収容能力	154			完全独占	357
環境上適正な技術	153	韓国のスター	142	乾燥肌	114
環境障壁	154, 230	韓国ブーム	142	簡素化〔企業組織を〕	384
環境設定	154	韓国フリーク	139	眼帯	403
環境と開発に関する国連会議	220	韓国放送公社	142	艦対艦ミサイル	175
		監護権	174	艦対空ミサイル	175
環境と発展	154	看護助手	150	カンタス航空	12, 206
環境難民	154	看護ヘルパー	150	カンタベリー大聖堂,聖オーガスティン大修道院と聖マーティン教会	195
環境に配慮した再利用可能なパッケージ	230	冠婚葬祭	147		
		冠婚葬祭に伴う出費	290		
環境にやさしい製品	230	関西国際空港	129	簡単な書面報告	175
環境にやさしい素材	154	関西電力	129	簡単に片づくこと	385
環境配慮型商品の購入	231	幹細胞	114	感嘆符	340
環境ビジネス	153	幹細胞移植	114	カンチェンジュンガ山	114
環境保護	153, 154	カンザス州	195	感電	55
環境保全	153, 154	監査役	174	カント〔,イマヌエル〕	196
環境保全型農業によって		監視カメラ	81, 82	間道	109

感動	305	
監督	455	
カントリーミュージック	382	
カントリーリスク	137	
カントン・インベストメント	424	
カン・ドンウォン	177	
広東国際大酒店	131	
広東省	131	
カントン・タナリー	424	
カンニングペーパー	240	
カンヌ国際映画祭	173	
カンパラ	195	
かんばん方式	195	
ガンビア共和国	114	
カンフーシューズ	212	
完璧	225	
カンペチェ州カラクムールの古代マヤ都市	195	
カンペチェ歴史的要塞都市	195	
カンボジア王国	175	
カンマ	87	
官民協調	129	
感銘を受ける	305	
咸陽国際空港	380	
元利金返済	154	
管理者	184	
管理図	204	
管理する	62	
管理棟	393	
───〔工場の〕	20	
管理保護する〔森林の樹木などを〕	130	
官僚主義	129	
関連会社	129	
関連株	113	
関連政策	268	
寒露	142	

【き】

キア	277	
キアヌ・リーブス	165	
キアンティ	281	
キーカレンシー	129, 447	
紀伊山地の霊場と参詣道	169	
キーボード	176	
キーボードショートカット	206	
キーホルダー	404	
キーマン紅茶	276	
「黄色い大地」	156	
キーロガー	176	
キーワード	129	
キエフ	164	
キエフ：聖ソフィア大聖堂と関連する修道院建築物群,キエフ・ペチェールスカヤ大修道院	164	
義援金	422	
記憶装置	59	
記憶媒体	59	
ギガ	166	
機械,電気製品	164	
機会費用	164	
危害分析重要管理点	363	
機械翻訳	165	
機会を待つ	68	
企画	43, 277	
規格	132	
ギガバイト	167	
キガリ	165	
旗艦	276	
基幹回線網	126, 447	
基幹産業	126, 163	
帰還式衛星	99	
旗艦製品	227	
旗艦店	276	
機関投資家	164	
起業	453	
企業イメージ	278	
企業イメージデザイン	393	
起業家	57	
企業間取引	13, 305	
企業管理	277	
企業グループ	278	
企業経営と党や政府機関の要職を兼務する人	147	
企業行動	306	
「企業自主権」	278	
「企業自主権」の拡大	208	
企業システムの改革	278	
企業所有制の改革	113	
義兄弟	18	
企業と一般消費者の取引	13, 305	
企業統治	123	
企業内ネットワーク	257, 258, 278	
企業主	406	
企業の財産権	277	
企業の社会的責任	278	
企業の人員整理	105	
企業犯罪	69	
聞くに耐えないことを言う	101	
議決権	31, 350, 411	
議決権株	419	
危険	364	
期限切れ	420	
期限付為替手形	84, 423	
期限付信用状	423	
危険とみなされる	193	
危険廃棄物	364	
期限日	72	
寄港地	444	
「気候変動に関する国際連合枠組条約の京都議定書」	184	
帰国華僑連合会	281	
技師	121	
基軸通貨	129, 447	
疑似症例	410	
記事体広告	294	
キジ島の木造教会	165	
キシナウ	165	
キシニョフ	165	
記者会見	390	
記者さん	213	
貴州省	133	
寄宿制保育	286, 433	
技術移転	168, 449	
技術革新	168	
技術経営	168	
技術財産権取引所	168	
記述試験〔国家公務員試験の〕	310	
技術集約型産業	168	
技術労働者	167	
基準	132	
基準に合わせる	178	
基準法	31	
基準を失う	316	
希少金属	377	
気象警報	279	
キシリトール	254	
キシレン	95	
奇瑞	277	
築く	175	
キスする	445	

寄生インダクタンス	168	
規制緩和	101	
規制緩和政策	101	
既成市街地区域	51	
規制値	381	
季節商品	168	
季節の野菜	317	
季節はずれの	99	
季節労働者	168	
偽造	438	
偽造クレジットカード	146	
偽造行為を処罰する	438	
偽造,変造通貨	173	
偽造防止マーク	101	
偽造,劣悪商品取り締まり	62	
偽造を防止する	101	
基礎科学	163	
木曾川	254	
規則違反	316	
「貴族学校」	133	
基礎知識の理解と基本的技能の訓練	326	
既存企業	381	
期待する	195	
期待値	276	
期待度	276	
北オセチア・アラニヤ共和国	24	
北大西洋条約機構	24, 25	
北朝鮮	48	
汚い,きつい,かっこ悪い仕事に携わる人	146	
汚い爆弾	427	
記帳	170	
議長国	84	
キチン循環	165	
キチンの波	165	
喫煙者	401	
きっかけ	87	
キックバック	157	
キックボード	151	
亀甲かっこ	227	
キッコーマン	132	
キットカット	276	
切符	294	
切符を買う	238	
吉林省	166
キティ	194
規定	132
既定値	252
「キテレツ大百科」	277
キト	164
起動	193, 277
「機動警察パトレイバー」	164
「機動戦艦ナデシコ」	164
「機動戦士ガンダム」	164
機動隊	100
起動ディスク	277
軌道に乗る	294
機動部隊〔軍隊などの〕	164
軌道を変える〔列車の〕	449
キト市街	164
希土類元素	377
機内警察	203
機内ショッピング	165
キナバル自然公園	165
ギニア共和国	165
ギニアビサウ共和国	165
絹婚式	329
ギネスビール	175
「ギネスブック」	167
「ギネス・ワールド・レコード」	167
キネマ旬報賞	291
記念封筒	168
機能	425
技能移民	168
技能検定試験	197
機能性飲料	122
気の多い	151
騎馬警察	276
規範喪失	316
基盤的技術産業	436
貴賓室	133
岐阜県	276
岐阜市	276
寄付によって建設する	189
キプロス共和国	299
キプロス航空	299
寄付を申し出る	291
「希望工程」	377
「希望」プロジェクト	377
規模の経済	132
基本給	330
基本的なインフラ整備	302
「基本法」	163
期末在庫	275
決まった額の給与	330
決まっている	420
気ままに遊ぶ	240
気ままに旅をする	240
ギマランイス歴史地区	167
決まり	132
機密に関わる	309
「君よ憤怒の河を渉れ」	450
キム・イルソン	181
キム・ケグァン	181
キム・ゲグァン	181
キム・ジョンイル	182
キム・ジョンビル	182
キムタク	253
キムチ	48
キム・デジュン	181
キム・ヨンサム	182
キム・ヨンナム	182
木村拓哉	253
記名小切手	168
記名式船荷証券	168, 437
偽名を使った預金	153
キメ国際空港	181
疑問符	369
偽薬効果	9
逆ザヤ	111
客席案内係〔劇場などの〕	226
客に法外な値段をふっかける	426
客引き	178
逆日歩	180, 293
脚本	178
逆輸出	99
客を騙す	426
キャサリン・ゼタ=ジョーンズ	194
キャセイ生命	138
キャセイパシフィック航空	138
キャセイライフ	138
キャタピラー	193
逆行する	29
キャッシュ	117, 155, 362
キャッシュ・オン・デリバリー	160
キャッシュカード	344, 381, 453
キャッシュディスペンサー	453
キャッシュ・バック・ク—

ポン	99
キャッシュフロー	381
キャッシュメモリー	117, 155
キャッチコピー	396
「キャッチ・ミー・イフ・ユー・キャン」	384
キャッチャー〔野球などで〕	36
キャッツアイ〔宝石の〕	240
「キャッツ・アイ」	240
キャットフード	240
ギャップ	26, 172
キャップジェミニ・アーンスト&ヤング	194
キャディー	114, 283
キャデラック	194
キャドバリー・シュウェップス	166
キヤノン	172
キャピタルゲイン	451
キャピタルフライト	451
キャピタルマーケット	451
キャビン	170
キャビン・マイルド	294
キャプス・ロック・キー	66
「キャプテン翼」	456
キャプテンの腕章〔サッカーチームの〕	90
キャプテンモルガン	251
キャミソール	82
キャメル	233
ギャラ	269
キャラクター	453
キャラクターセット	453
ギャラップ	113
ギャラップ調査	113
ギャラン	118
キャリア	426
キャリングキャパシティ	154
キャンセル	49, 284
キャンティ	281
キャンディーノ	193
キャンディ紅茶	196
キャンパスネットワーク	386
キャンパスのデジタル化	386
キャンパス文化	386
キャンピングカー	100
キャンプデービッド	68
キャンペーン	59
キャンペーンガール	217
キャンベラ	195
キャンベルスープ	181
救援金	422
休暇外交	88
急下降	186
休閑地	380
休閑地有効利用経済	347
休業する〔俳優が〕	377
急激に下がる	27
休耕	395
九寨溝の渓谷の景観と歴史地域	187
休止状態	328, 394
休日経済	174
吸収〔余剰人員を〕	384
吸収する	376
九州電力	187
九州発展	187
急所	438
急上昇	31, 186
求職	398
給食	415
求職状態にある	67
給食センター	444
救世主	202
急成長	206
急速な高齢化	413
「九通一平」	187
急騰	186
9年制義務教育の普及	273
キューの王宮植物園群	415
キューバ共和国	125
急迫する	183
キューバ航空	125
キューバ南東部のコーヒー農園発祥地の景観	125
キューピー	283
休牧	394
給与・交渉同盟〔新卒者による〕	391
給与所得者	306, 389
給与所得者層	123
給与・税	124
給与遅配	353
給与の全額	286
給与を遅配する	353
急落	186
休漁	395
キュブラ	349
ギュメ	69
貴陽	133
教育関連費用	178
教育ソフト	201
教育投資	438
教育の産業化	178
教育ローン	178
業界	284, 405
境界価格	246
境界人	30
業界内の人	405
業界の傾向	142
業界の習慣	142
業界標準	143
侠客映画	373
驚愕させる	183
驚愕の	186
協議	387
競技ダンス	345
供給過剰	46
狂牛病	106
供給不足	89
協議離婚	387
強行着陸	417
凝固剤	159
共催の展示即売会	222
共催の展覧会	222
教習所	174, 278
供述なし	225
行政監視員	174, 393
行政機関の手数料	132
行政再審議	393
行政事務能力	437
行政修士	122, 234
強制終了	280
行政処分	393
行政訴訟	393
強制転換	280
業績	169
業績レポート	405
京セラ	183
競争	28
競争における優位性	187
競争入札	186
筐体	165
業態	405
狭帯域ISDN	408
兄弟分	18
協調介入	220, 387
協調融資	219
共通鍵暗号	248

共通認識	124, 409	拠点大型空港	143, 323	ールディングス	182
共通農業政策	124	拠点大型港	323	キングスタウン	182
協定関税	386	ギョレメ国立公園とカッパドキアの岩窟群	119	キングストン	182
協定世界時	387			キングフィッシャーグループ	59
強敵	202	キョンジュ歴史地域	283		
仰天ニュース	183	ギ・ラロッシュ	165	金鶏賞	181
共同購入	351	切り替えのあるフレアスカート	337	銀建国際実業	413
共同コミュニケ	220			銀行間市場	412
共同通信社	124	切り換える	281	銀行間相場	413
京都議定書	184	キリグアの遺跡公園と遺跡群	165	銀行監督管理委員会	412, 413
京都市	184			銀行間取引	349
京都府	184	切り口	281	銀行系クレジットカード	68
郷土文学	383	切り込む	281	銀行の無人店舗	372, 454
競売品	265	ギリシャ	376	銀行引受手形	412
競売を開始する	277	ギリシャ共和国	376	銀行振込	413
脅迫取引の罪	280	「規律検査委員会」	168, 169	均衡予算	271
強暴である	280	規律を徹底する	436	金庫株	204
強暴な勢力	280	規律を守る	436	金婚式	181
興味がない	37	キリバス共和国	165	銀婚式	413
興味をそそる	83	切り花	281, 379	近視眼的なやり方	89
業務移管	406	切り貼り	175	禁止する	106
業務監査	405	切り札	304	キンシャサ	182
業務日	124	キリマンジャロコーヒー	277	緊縮経営を行う	214
業務を行う	430	キリマンジャロ国立公園	277	緊縮財政	183
共有鍵暗号	248	キリマンジャロ山	277	銀証兼営	159
共有フォルダ	124	キリンビール	276	銀城酒店	412
教養あるビジネスパーソン	294	キルギス共和国	166	金穂カード	182
		「キル・ビル」	30	金星の太陽面通過	182
教養レベル	270	キルワ・キシワニとソンゴ・ムナラの遺跡群	165	「金税」プロジェクト	182
協力	145, 387			銀川	412
協力工場	145	きれいだ	223	金銭外交	412
強力なパワー	280	きれいにする	20	金属ガラス	182
許可書	435	キレる	63	「金田一少年の事件簿」	182
許可類商品	425	キロキティア	281	近代的企業制度	380
虚偽広告	395	記録	74	近代的サービス業	380
局地戦	420	記録に並ぶ	271	近代的思想傾向	380
局地戦争	188	キロバイト	279	近代的農業	380
極超短波	47	キロヘルツ	279	近鉄	183
曲阜の孔廟,孔林,孔府	284	きわどい球	40	キンデルダイク・エルスハウトの風車群	181
魚骨図	316, 324, 325, 344, 411, 420	金威ビール集団	182		
		「銀河鉄道999」	413	金の含有率	142
居住区	385	近畿日本鉄道	183	金の売買	49
挙証責任の転換	188	緊急措置	416	金馬賞	181
拒食症	403	緊急対応部隊	206	キンバリー・クラーク	181
巨人[比喩的に]	404	緊急対応プラン	421	「金瓶梅箴」	181
「巨人の星」	188	緊急融資	224, 416	キンポ国際空港	181
拒絶反応[臓器移植手術後の]	265	緊急輸入制限	183	金本位制	181
		緊急用電話回線	289	銀本位制	412
巨大	16	金銀糸	182	金メダルが有望視される選手	420
巨大な組織	188	キングウェイ・ビール・ホ			

金融界の大物	181	
金融緩和	102, 181, 412	
金融危機	182	
金融クライシス	182	
金融債	182	
金融詐欺罪	68	
金融先物取引	182	
金融資産	41	
金融市場	182	
金融商品	181	
金融仲介機関	182	
金融派生商品	182	
金融引き締め	181, 183, 412	
金融逼迫	349	
金利裁定取引	219, 342	
金利スワップ	218	
金利政策	218	
禁漁	183	
近隣効果	382	
銀聯カード	413	
勤労意欲	124	

【く】

グアダラハラのオスピシオ・カバーニャス	128	
グアテマラ共和国	363	
グアテマラ・シティ	363	
グァナカステ保全地区	128	
グアム島	129	
グアラニーのイエズス会伝道施設群：サン・イグナシオ・ミニ，サンタ・アナ，ヌエストラ・セニョーラ・デ・ロレート，サンタ・マリア・マジョール，サン・ミゲル・ダス・ミソオエス遺跡	128	
クアラルンプール	166	
クアルコム	117	
グァンジョウ・インベストメント	424	
グァンドン・インベストメント	424	
グァンドン・タネリー	424	
グァンナン	132	
食い違い	90	
クイックドライ	206	
クイックモーション	206	
クインズランドの湿潤熱帯地域	207	
グウィネスのエドワード1世の城群と市壁群	132	
クウェート	199	
クウェート航空	199	
クウェート国	199	
クヴェートリンブルクの聖堂参会教会, 城と旧市街	207	
空間	202	
空気清浄機	203	
空気浴	203	
グーグル	113, 126	
空港	142, 202	
空港ロビー	148	
空撮	143	
空中回廊	203	
空中撮影	143	
クーポン	31, 219, 417	
クーポン券	125, 417, 428	
クーラー病	203	
クーリナの古代遺跡	376	
クーリングオフ制度	215	
クールウォーター	215	
クールサイト〔インターネット上の〕	205	
クールだ	420	
クールダウンする	284	
クールな	204, 209	
クールな着メロ	205	
クールに振る舞う	20	
クエスチョンマーク	369	
クエスト・コミュニケーションズ	207	
クエリー	44	
グエン・ジー・ニエン	295	
クォン・サンウ	286	
区画	178, 339	
区間運行バス	284	
苦境から脱却する〔企業が経営不振などの〕	353	
苦境を抜け出す	180	
クサントス・レトーン	303	
くじ	35, 41	
くじ市場	41	
くじの当籤率	445	
苦情を申し立てる	350	
釧路川	56	
くず株	209	
クスコ市街	205	
薬の宝庫	404	
くすんだ顔色の老けて見える女性	156	
癖になる	308	
果物をメインにした料理	327	
くだらないことを言う	101	
口からでまかせを言う	101	
口コミ	204	
口先だけのごまかし	31	
口達者な男性	195	
口パク	173	
唇の入れ墨	367	
口紅	57	
苦痛指数	184	
クッキー	385	
グッゲンハイム美術館	126	
グッチ	125, 127	
グッドイヤー・タイヤ・アンド・ラバー	128	
句点	188	
クトナー・ホラ：聖バルバラ教会とセドレツの聖母マリア大聖堂のある歴史都市	205	
国からの給与で生活する	52	
国のために栄誉を勝ち取る	366	
グヌン・ムル国立公園	370	
クビ	48, 49	
区別	43	
窪地	74	
「クマのプーさん」	365	
熊本県	394	
熊本市	394	
組み合わせ	265	
組み立て	450	
組み立てる	125	
組分け	105	
組分けテスト	105	
グラーヴ	119	
グラーツ市歴史地区	119	
クライアント	201	
グラインダー	304	
クラインベルド・ビート・マーウィック・ゲーデラー	29	
クラウディングアウト	167	
クラウン	155	
クラウンプラザ北京	24	
クラウン・プラザ メトロ	

くらくしょ～ぐれーとす　索引

ポリタン	63	
クラクションを禁止する	183	
グラクソ・スミスクライン	119	
クラクフ歴史地区	201	
暮らし	170	
暮らし向きの問題	312	
グラススキー	151	
クラスター	59	
クラスター爆弾	167	
クラッカー	141, 146, 294	
「グラディエーター」	189	
グラナダのアルハンブラ，ヘネラリーフェ，アルバイシン地区	119	
グラファイト爆弾	317	
グラフィカル・ユーザー・インターフェース	351	
グラフィックスアクセラレーター	351	
グラフィックタブレット	158, 322	
グラフィックデザイナー	245, 271	
クラフトフーズ	192	
クラランス	178	
クランクイン	193, 349	
クランクインセレモニー	193	
グランツ	119	
グラントエレメント	428	
グランドキャニオン	198	
グランドキャニオン国立公園	66	
グランドスラム	65	
グランドデザイン	148	
グランドハイアット	189	
グランドハイアット東京	85	
グランドベイビューホテル珠海	446	
グランドホテル・ペキン	24	
グランプリ	64, 130	
グランマ号上陸記念国立公園	119	
繰り上げ償還	344	
クリアフォルダー	350	
クリアランスセール	282	
グリーティングカード	146	
クリーピングインフレーション	367	
クリーブランド	201	
クリーン	372	
グリーン〔ゴルフの〕	138	
クリーンB/L	282	
クリーン&クリア	200	
クリーンエネルギー	282	
グリーンエネルギー	230	
グリーンオリンピック	230	
クリーンカー	230	
グリーンカード	230	
グリーン購入	230, 231	
クリーン・コール・テクノロジー	179	
グリーンコンシューマー	231	
グリーン仕入れ	230	
グリーン消費	231	
「グリーン障壁」	230	
クリーン信用状	131, 371	
クリーン生産	282	
グリーン席	295	
クリーン石炭技術	179	
グリーンチャンネル	231	
グリーン調達	230	
グリーンツーリズム	230	
グリーンティー	229	
「グリーン・ディスティニー」	369	
クリーンな政治実現の公約	222	
クリーンな政治の確立	222	
クリーンな政治を目指す	222	
クリーン燃料	282	
グリーンパソコン	230	
クリーンビル	131	
クリーンビル取立	131	
グリーンプラスチック	199, 230, 313	
グリーンベルト	230	
グリーンルート	231	
クリーンルーム	179, 186, 371	
繰り返し行われる道路工事	210	
グリコ	120	
「クリスチャン・サイエンス・モニター」	164	
クリスチャンディオール	201	
クリストフル	207	
クリック	69, 78	
クリックレート	78	
クリップアート	175	
クリップ2個の髪留め	326	
クリップ2個のバインダー	326	
クリップボード	175	
クリニーク	280	
クリネックス	323	
繰延資産	78	
クリフォードチャンス法律事務所	117	
クリントン〔，ビル〕	201	
グループ	284, 456	
グループウェア	286	
グループ購入	351	
グループテクノロジー	52	
グループ旅行	333, 351	
クルエーン，ランゲル・セント・イライアス，グレイシャー・ベイ，タッチェンシニー・アルセク	337	
グルジア	120	
クルシュー砂州	205	
グルナッシュ	118	
クルニコワ〔，アンナ〕	204, 205	
クルボアジェ・ナポレオン	64, 255	
車海老	66	
車社会化	278	
車好きな人	6	
車での所要時間	49	
グルメ	245	
グルメフェスティバル	245	
グレーエコノミー	157	
グレーエコノミーによって得た収入，所得	157	
グレーエリア	157	
グレーカラー	156	
クレージュ	126	
グレースケール	156	
グレーゾーン	157	
グレーター・セント・ルシア湿地公園	66	
グレーター・ブルー・マウンテンズ地域	65	
クレート	19	
グレート・アトランティック・アンド・パシフィック・ティー	66	
グレートウォールシェラトンホテル	25	
グレート・スモーキー山脈国立公園	66	

索引 ぐれーとば〜けいさんほ

グレート・バリア・リーフ	63	
グレートブリテンおよび北部アイルランド連合王国	63	
「グレーハッカー」	156	
クレープ	200	
クレーム	335	
クレジットカード	392	
クレジットカード決済	279	
クレジットカード支払い	279	
クレジットカードによる消費	48	
クレジット機能付きキャッシュカード	412	
クレジットクランチ	392	
クレジット文化	392	
クレスト	170	
クレスピ・ダッダ	1	
クレチン症	202	
クレディ・スイス・ファースト・ボストン証券	295	
クレディ・リヨネ	216	
クレドール	133	
「紅の豚」	148	
グレナダ	120	
「クレヨンしんちゃん」	210	
グレンイーグルス	120	
クレンジング	387	
クレンジングオイル	387	
クレンジングクリーム	179, 387	
クレンジングミルク	387	
クレンジング用	282	
グレンフィディック	119	
クロアチア共和国	201	
「黒い雪の年」	27	
クローガー	201	
クローズドエンド型投資信託	106	
クローズブック	28	
クローナ	295	
グローバリゼーション	184	
グローバル衛星電話システム	408, 409	
グローバル化	286	
グローバル企業	205	
グローバル経営	205	
グローバルスタンダード	134, 285	
グローバルスタンダードに合わせる	135	

グローバルビレッジ	76	
クローン	201	
黒亀甲	100	
黒字	416	
黒字見通し	422	
黒字予測	422	
黒字を見込む	422	
グロスウェイト	241	
グロス・エンタープライズ・マーケット	57	
クロスカントリースキー	424	
クロスカントリーレース	424	
グロス人口密度	290	
クロスデフォルト	177	
クロス取引	177	
グロス・モーン国立公園	120	
クロスレート	177	
クロック周波数	318	
クロップトパンツ	443	
クロップドパンツ	443	
クロード・ヴォージョ	373	
黒のインクカートリッジ	146	
クロメェジーシュの庭園群と城	201	
[グロリア・マカパガル・]アロヨ	4	
クロレッツ	171	
クロンボー城	201	
クワンタ・コンピューター	131	
軍事演習	189	
軍事境界線	189	
軍需企業	32	
軍事力	189	
軍人の妻	189	
軍備制限	381	
群馬県	286	
クンルンホテル	207	

【け】

[ゲアハルト・]シュレーダー	316	
ケアレスミス	59	
経営学修士	123, 234	
経営幹部	455	
経営システム, 運営システムなどの転換	450	
経営者	406	
経営陣	115, 225	
経営陣による企業買収	130	

経営する	62	
経営戦略	186	
経営の現地化	27	
京王プラザホテル	185	
計画	43	
計画経済	167	
計画出産	167, 168	
「計画単列都市」	167	
経過的セーフガード措置	138	
景気刺激策	58	
景気指数	186	
景気循環	186	
景気の後退	185	
景気の谷	306	
景気変動	186	
刑期満了後に釈放する	393	
傾向	284	
京広新世界飯店	184	
蛍光ペン	415	
警告	186	
経済援助	186	
経済開発区	184	
経済が減速する	184	
経済技術開発区	184	
経済規模	185	
経済恐慌	184	
経済協力開発機構	184	
経済効果	185	
経済効果の高い農業	386	
経済構造	184	
経済効率	185	
経済社会理事会	185	
経済人	184	
経済成長ポイント	185	
経済成長率	185	
経済センサス	184	
経済的に困難な者に対する援助	20	
経済統計調査	184	
経済特区	185	
経済の基礎的条件	184	
経済のグローバル化	184	
経済の減速	184	
経済のパイ	184	
経済白書	184	
経済連携協定	184	
警察官の階級	186	
警察官の妻	186	
警察の手入れ	282	
計算方法	333	

形式	31
軽自動車	283
掲示板	121, 227
刑事もの映画	186
傾斜	344
傾斜度	344
経社理	185
経理	41
芸術大学受験ブーム	411
形状記憶合金	393
経常収支	183
景勝地帯	106
軽水炉	282
計数貨幣	168
計数器	168
形成	175
計測器	167
継続教育	169
継続職能研修	169
携帯型	30, 200, 386
携帯情報端末	120
携帯ストラップ	321
携帯電話	321, 409
携帯電話についているテレビ	321
携帯電話によるインターネットアクセス	321
携帯電話のインターネット接続費用	321
携帯電話のストラップ	321
携帯電話のテレビ受信機能	321
携帯電話のリチャージ	321
携帯トイレ	30
携帯用パソコン	30
啓蒙	186
ケイト・ブランシェット	194
芸能界	402
芸能リポーター	420
警備員	186
警備会社	21
警備セキュリティー	21
警備保障会社	21
景品付き販売	419
ケイマン諸島	194
刑務所に入る	183
契約違反	187, 365
契約金額	145
契約者識別カード	297
契約上のトラブル	187
契約税	279
契約ペース	145
契約労働者	145
計理	185
経理	41
ケインズ政策	194
ケーキ	70
ケーススタディー	9
ゲーセン	419
ゲータレード	170
ゲーテ［, ヨハン・ヴォルフガング・フォン］	118
ゲートウェイ	113, 359
ケープ・フローラル地方の保護地域	109
ケーブル・アンド・ワイヤレス	63
ケーブルテレビ	420
ゲーマー	357, 419
ゲームオーバー	419
ゲームおたく	419
ゲーム機	419
ゲームセンター	419
ゲーム理論	36
ケオラデオ国立公園	194
［ゲオルク・ヴィルヘルム・フリードリヒ・］ヘーゲル	146
激減	295
夏至	379
化粧おとし	387
化粧用コットン	153
化粧をおとす	387
ゲスト	170
ゲスト指揮者	202
毛染め剤	288
桁あふれ	410
けち	385
血液検査	397
血液透析	377, 397
結果が出る	49
欠陥	286
結合	90
「月光族」	424
結婚相手	90
結婚相手の紹介	159
結婚記念写真	159
結婚休暇	159
「結婚行進曲」	159
結婚詐欺師	159
結婚式	159, 179
結婚前提の同棲	319
結婚相談所	159
結婚仲介	159
結婚適齢期を過ぎた未婚男女	65
結婚披露宴	159, 179
結婚前の同棲	159
決算	180
欠如	286
欠席裁判	286
決戦	90
結束力	260
「ゲッターロボ」	302
結託する	124, 187
決着をつける	90
決定的瞬間	189
欠点がない	225
欠点ゼロ	225
欠点や失敗を暴く	23
ゲットする	72
欠乏経済	376
ケツメイシ	189
決明子	189
月面探査機	74
月面探査車	340
結論が出る	49
ケナフ	403
ケニア共和国	202
ケニア山国立公園/自然林	202
ケニー・G	202
ゲノム	166
ゲノム科学	166
ゲノムサイエンス	166
気配	143
ゲハルト修道院とアザート川上流域	119
ケブラーダ・デ・ウマワーカ	336
ケベック	207
ケベック歴史地区	207
ゲベル・バルカルとナパタ地域遺跡群	35
煙センサー	401
煙探知機	401
下落傾向	83
下落する	151, 378, 455
下落する見通しである	269
下落幅	83, 177
ゲラン	177

ケリー・チャン	49	健康食品	22	減胎	175
ゲリラ的産児制限違反者	48	健康体操	22	現代自動車	380
ゲリラ的1人っ子政策違反者	48	健康で朗らかである	403	現代的感覚	316
		健康の自己管理能力指数	175, 176	現代的センス	316
ケルクアンの古代カルタゴの町とその墓地遺跡	197	健康マッサージ	22	現代的テーマ	380
ケルナヴェ考古学遺跡	201	現行利息	381	現代の鑑賞物	381
ケルナヴェ文化保護区	201	健骨体操	175	ケンタッキー州	202
ケルン	198	減災	175	ケンタッキー・フライド・チキン	202
ケルン大聖堂	198	現在のユーザー	70	現地から報道する	436
ケレタロのシエラ・ゴルダのフランシスコ修道会伝道施設群	201	原材料等の提供を受けての委託加工	211	現地観光ガイド	76
		現先	426	建築家ヴィクトール・オルタによる主な邸宅群	176
ケレタロの歴史史跡地区	201	検査機関の品質基準を満たした食肉	102	建築循環	176
ケロッグ	171			建築中の分譲物件	227, 275
原因	87	現先取引	426	建築物	125
牽引する	209	検索エンジン	331	現地取材	337, 380
ケンウッド	176	検索結果数	331	現地スタッフ	70
減益見通し	421	検査証明書	175	現地調達	188
減益予測	421	検察機関	175	現地調達比率	70
減益を見込む	421	検査免除通過許可	248	現地ツアーガイド	76
原価	422	原産地証明	44	ケン・チュウ	447
限界収入	29	原産地証明書	44	堅調	195
見学案内	71	原始資本	422	堅調に推移すると見る	195
減価償却費	432	研修	402	限定戦争	420
「県」から「市」への変更〔中国の行政区域名称の〕	380	検収	403	原手形	418
		減収	280	ケント	176
けんかを売る	178	厳重警告	402	ケント&カーウェン	202
減給	204	厳重なチェック	265	ケント&コーウェン	202
研究開発	402	減少	280	限度額	93
「県級市」	381	言承旭	401	減農薬栽培の野菜	102, 230
研究奨学金	402	減少傾向	296	減農薬有機栽培の野菜	371
研究のため大学院に進学する	402	減少幅	175	現場管理者	163
		現職務のまま別部門に異動すること	68	原爆ドーム	131
元気をなくして沈み込む	411			現引き	381
現金化	30	原子炉	144	ケンピンスキーホテル北京	25
現金自動預入機	452	検数会社	216		
現金自動預入支払機	453	検数人	78	現物給与	317
現金自動貸出機	453	建設が中止された建物	212	ケンブリッジ大学	176
現金自動引出機	453	建設公債	176	建ぺい率	176
現金注文	381	建設工事計画許可証	176	憲法改正	395
現金の引き出し	344	建設国債	176	研磨機	250
現金流出	381	建設用地計画許可証	176	減免	175
現金を引き出す	344	源泉課税	422	検問	229
献血	371	健全なサイト	231	権利落ち	55, 285
限月	177	健全な通貨	357	権利行使	393
現行規則	381	源泉分離課税	421	権利行使価格	276, 285, 393
健康志向のサイト	231	ケンゾー	117	原理主義〔宗教の〕	422
健康住宅	175, 230	ケンゾーエア	203	減量して痩せる	380
		原則	422	権力を利用して私利を図	

る	410	公開審理	403	公金で贈賄する	122
「県」レベルの「市」	381	公開選抜	123	航空宇宙部隊	143
「県」レベルの地域経済	381	公開操作	403	航空貨物	203
		公開調達	403	航空貨物運送状	143, 203
【こ】		公開入札制度	431	航空機内で迷惑行為をす	
ご愛顧感謝セール	54	公開の程度	350	る乗客	202
コア技術	145	航海傭船	83	航空交通管制	203
コア業務	145	光化学スモッグ	130	航空撮影	143
コア渓谷の先史時代のロ		高架橋	116	航空写真	143
ック・アート遺跡群	197	高額医療保険制度	63	航空母艦	143
コアコンピテンシー	145	「攻殻機動隊」	122	航空路	203
コアテクノロジー	145	高額給与所得者層	118	高句麗古墳群	116
ゴアテックス	118	光学式マウス	130, 131	合計特殊出生率	421
コアネットワーク	126, 447	光学式文字読み取り装置	131	攻撃開始時刻	189
ゴアの教会群と修道院群	138	降格して任用する	74	貢献する	98
コアントロー	189	合格証書,優待証などの		坑口発電所	202
ゴイアス歴史地区	119	通称	230	公告	123
ご意見箱	188	高額所得者層	117	広告	121, 122
「恋する惑星」	53	合格ライン	105, 229	広告会社や広報,渉外部	
恋人	90	高官会談	115	門で働く若い女性	122
「恋人たちの食卓」	413	高官協議	115	広告コピー	132
コイン式の	349	交換研究員	177	広告代理店	132
コイン市場	29	交換公文	155	口座	431
コインロッカー	349	交換尻	177	交際費	177, 416
広域通信網	132	講義	177	好材料	217
広域ネットワーク	132	高機能新素材	344	交差感染	177
広域の気候	65	高級実務者会合	116	工作機械	124, 163
合意書	387	高級車	143	黄山	156
強引な手段で市場を牛耳		高級住宅地	188	鉱山ガス	207
る	275	恒久通常貿易関係	417	鉱山事故	207
公益広告	123	恒久的な	52	高山病	118
公益事業	122	高級な	117, 392	行使価格	276, 285, 393
公益林	123	高級品店	185	行使期限日	72, 437
公演	381, 430	工業意匠	123	公式サイト	129, 435
高温超電導	117	「工業園区」	123	高脂血症	118
高温超電導ケーブル	117	工業化農業	309	公示相場	158
高温超電導材料	117	公共機関電話番号ページ	17	工事の引き渡し検査	121
高温超電導体	117	公共行政修士	122, 234	公社債	123
黄河	155	公共広告	123	広州	132
公開買付	403	虹橋国際空港	148	杭州	143
公開鍵	122	公共事業	122	広州花園酒店	132
公開鍵暗号基盤	122	工業所有権	123	広州汽車	132
公開鍵暗号方式	122	好業績	170	広州交易会	132, 440
公開鍵基盤	122	工業団地	123, 422	広州ホワイトスワンホテ	
公開株式	309	好況である	393	ル	17
公開試験採用	186	工業デザイン	123	好循環	223
公開市場	122	工業パーク	123	交渉	178, 340
公開市場操作	122	興業網	423	向上	344
航海情報記録装置	354	「康居」住宅プロジェクト	196	甲状腺腫	174
公開処理	403	抗菌エアコン	196	工場建屋	46

高尚な	117
交渉の切り札	340
工場渡	121
工場渡値段	121
高所恐怖症	203
高所清掃作業員	436
更新	121
高水準の	392
洪水による損壊	327
剛性	115
公正価額	123
公正価値	121
高精細テレビ	117, 139
江西省	177
好成績	170
広西チワン族自治区	132
公正な	52
口銭	417
公然の	403
構想	113, 125
構造	125
構造改革	179
高層建築	115
高層住宅	115
構造調整	179
高速走行車線	206
高速増殖炉	206
高速鉄道	117
高速道路	117
江蘇省	177
広帯域	206
高地	116
構築する	63, 125, 175
高知県	118
高知市	118
高忠実度	115
好調	362
公聴会	123, 347
「郷鎮企業」	382, 383
交通違反車両取り締まり撮影システム	81
交通渋滞	298
交通網	229
豪邸	143
工程管理	123
公定歩合	129
鋼鉄婚式	114
更迭される	378
航天科技国際集団	143
航天科技通信	143
後天性免疫不全症候群	7
強盗	49
行動医学	393
行動介入	393
行動科学	393
行動計画	393
合同就職面接会	327
「高等職業学校」	116, 118
「高等専科学校」	116, 118
高得票	117
高度成長	117
高度成長期	206
高度道路交通システム	162, 438
高度な自治	116
校内暴力	386
広南	132
購入販売代理	67
公認会計士	40, 448
更年期障害	121
更年期症候群	121
勾配	344
後配株	149
光背効果	130, 131, 425
購買動機	125
購買力	41, 125
購買力平価説	125
紅白歌合戦	147
後発発展途上国	149
黄陂南路	156
交番警官	269
合肥	144
抗ヒスタミン剤	197
公費で飲食する風潮	52
公費による医療	121
高病原性鳥インフルエンザ	118
公表する	23
高品位テレビ	117, 139
高付加価値	116
高付加価値加工	185, 310
高付加価値で高価な	116
校服	386
甲府市	173
鉱物資源	207
興奮剤	392
高分子素材	116
高分子ポリマー	114, 128
公平な	52
神戸市	311
神戸製鋼	311
合弁企業	145
合弁経営	145
公募〔株式の〕	122
広報	121, 122
後方支援	22
合法的権益の保護	365
公募債	122
候補者数が定員数を上回る選挙	43
候補者数が定員と同数の選挙	74
候補地	149
候補都市	149
「光明日報」	130
「紅夢」	64
公務員が民間へ転職する	378
公務員給与を支払うための資金調達	52
公務執行妨害罪	100
項目	383
合理化する	217
黄竜の景観と歴史地域	156
高齢化	290
高齢化社会	213
高齢者学校	213
高齢者支援	448
高齢者大学	213
高齢者に関する	309
高齢者の付き添い	267
高齢者の身の回りの世話をすること	267
高齢者向けマンション	213
高レバレッジ機関	116
航路傭船	83
口論	204
港湾荷役機械	115
ゴーカート	191
コージェネレーションシステム	80
「ゴージャス」	34
コースウェア	201
「ゴースト　ニューヨークの幻」	289
ゴーストライター	280
コーセー	117
コーチ	178, 197
ゴー・チョクトン	373
コーディネーター	387
コーディネート	265
コード(符号)	68

コートジボワール共和国	198	小型現像処理装置	41	国際スピード郵便	135, 343
コート・ド・ニュイ	405	小金持ち	385	国際スワップデリバティブ協会	134
コート・ド・ブルイイ	38	語感	421	国際赤十字	134
コート・ド・ボーヌ	39	互換機	174	国際貸借	134, 136
コードレス電話	372	湖岸線	10	国際宅配便	135
コードレスホン	372	小切手帳	435	国際通貨	135, 136
コーナーキック	178	顧客満足度	128, 201, 417	国際通貨基金	135
コーネル大学	196	故宮博物院	128	国際電気通信連合	134
コービー[・ブライアント]	197	呉奇隆	371	国際統一商品分類システム	306
コーポレートアイデンティティー	278	穀雨	127	国際農業開発基金	135
コーポレートガバナンス	123	国外に出たスポーツ選手たち	141	国際派の自由人	137, 162
コーポレートリストラクチャリング	277	国債	137, 138	国際標準化機構	134, 162
コーポレートロゴマーク	277	国際アムネスティ	65, 134, 136	国際標準規格	134
コーラス・グループ	196	国際エクスプレスメール	135, 343	国際標準図書番号	134
ゴーリキー[, マクシム]	116	国際エネルギー機関	135	国際複合一貫輸送	134
「氷の世界」	32	国際オリンピック委員会	134, 162	国際復興開発銀行	134
コールオプション	157, 195, 237	「国際会計基準」	135	国際分業	134
コールガール	417	「国際会計基準書」	135	国際ペンクラブ	134
ゴール旧市街とその要塞群	171	国際会計基準審議会	135	国際民間航空機関	135
コール市場	89, 159	国際海事機関	134	国際労働機関	135
コール市場の資金	348	国際開発協会	135	国産映画	134
コールス・マイヤー	198	国際科学オリンピック	12, 136	黒色食品	146
コールセンター	149	国際科学オリンピック対策の塾	12	国勢調査	290
ゴールデンウィーク	156	国際企業	205	国籍剝奪	284
ゴールデン・グローブ賞	181	国際基準に合わせる	135	穀倉地帯	44
ゴールデンゴール方式	181	国際基準の社交ダンス	133	告知板	121
ゴールデンタイム	156, 280	国際協力機構	292	国内志向型	258
ゴールデントライアングル	182	国際金融公社	135	国内総生産	137
ゴールデンパラシュート	181	国際クーリエサービス	135	国内の客	257
ゴールデンホイッスル	182	国際刑事警察機構	135	国内の旅行客	257
ゴールドカード	181	国際結婚	135, 205, 310	国内販売権	258
ゴールドカラー	181	国際決済銀行	135, 136	国内販売向けマンション	258
コールド・チェーン・システム	74	国際原子力機関	136	告発受付窓口	188
コールドピース	215	国際航空運送協会	134	告発監督ホットライン	188
ゴールドマン・サックス・グループ	117	国際交流基金	292	告発センター	188
ゴールドライオン	181	国際コミュニケーション英語能力テスト	135, 353	告発箱	188
コールドライアン	181	国際財務報告基準	134	酷評する	94
コール・ベッド・メタン	241	国際サッカー連盟	137	国防相	101, 134
コールマネー	44, 89, 348	国際自動車連盟	135, 136	国防大臣	101, 134
コールローン	88, 348	国際司法裁判所	134	国防部長	101, 134
誤解	374	国際収支	136	国民銀行	142
子会社化して上場すること	105	国際収支尻	136	「国民健康増進計画」	285
語学学習用多機能再生機	110	国際収支統計	136	国民所得	137
コカ・コーラ	199	国際自由労働組合連盟	137	国民生活向上計画	249
		国際商業会議所	136	国民総生産	137
				国民投票	122, 123, 285
				国民1人当たり所得	289
				国民評決	122, 123, 285

索引 こくもつし～ことぐあな					
穀物主要生産地	44	個人医	330	古代都市テーベとその墓地遺跡	75
国有株	138	個人攻撃	290		
国有企業	138	個人サイト	120	古代都市テオティワカン	342
国有企業の資産整理	282	個人住宅ローン	120	古代都市ネセバル	258
国有財産	138	護身術	101	古代都市パレンケと国立公園	265
国立公園	137	個人情報	120		
国立歴史公園：シタデル，サン・スーシ，ラミエ	137	個人情報保護方針	413	古代都市ボスラ	39
		個人所得税	120	古代都市ポロンナルワ	34
国立歴史文化公園「古代メルフ」	126	「個人所得調節税」	120	小高い	266
		個人投資家	120, 302	コダック	197
黒竜江省	146	個人取引	330	コチャン，ファスン，カンファの支石墓群跡	115
国連開発計画	220	個人保険	120		
国連環境計画	220	個人メドレー	120	こつ	246
「国連気候変動枠組条約」	221	個人遊休資産	330	国家基準	133, 137
国連教育科学文化機関	220	個人旅行	454	国家公共情報ネットワーク	137
国連訓練調査研究所	221	個人旅行客	302		
国連工業開発機構	220	コスコ・インターナショナル・ホールディングス	445	国家公務員	137
国連児童基金	220			国家公務員が巨額な財産の出所の合法性を説明できない罪	188
国連事務局	221				
国連事務総長	221	コスコ・パシフィック	445		
国連食糧農業機関	220	コスタリカ共和国	119	国家電網	137
国連人口基金	221	コスト	422	国家賠償	137
国連大学	220	コストインフレーション	50	国家発展改革委員会	137
国連難民高等弁務官事務所	220, 221	コスト効果	50	国家ミサイル防衛	137, 255
		コスト削減	177	国境間供給	205
国連派遣部隊の隊員	212	コストダウン	177	国境地域通行証	29
国連分担金	220	コストパフォーマンス	394	国境持込渡	29
国連平和維持活動	221	コスト・プッシュ・インフレーション	50	コックピット	102
国連平和維持軍	221			骨髄移植	127
国連貿易開発会議	220, 221	コスプレ	189	骨髄移植希望者	179
呉君如	371	ゴスペラーズ	315	骨髄バンク	127
呉建豪	371	コスモ石油	198	骨粗鬆症	127
後光効果	130, 131, 425	「戸籍改革」	150	「ゴッドファーザー」	178
心地よい	327	こせこせしている	385	骨年齢	126
ココ島国立公園	197	護送する	22	こっぴどくやられる	239
ココ・リー	216	護送船団	150	固定	334
心の栄養	185	コソボ紛争	198	固定為替相場制	127
心の重荷	330	古代高句麗王国の首都群と古墳群	440	固定金利	127
「心の香り」	390			固定資産	128
心のしこり	283	誇大広告	205	固定相場制	127
「こころの湯」	378	固体高分子型燃料電池	439	固定電話	457
心をこめて	341	古代都市アユタヤと周辺の古代都市群	63	固定利付債	127
心を揺さぶる	305			個展	120
個室	21	古代都市ウシュマル	370	古典主義の都ヴァイマール	125
小確り〈こじっかり〉	266	古代都市エル・タヒン	5		
ゴシップ	13, 236	古代都市シギリヤ	376	古天楽	217
ゴシップ好きの女	15	古代都市スコタイと周辺の古代都市群	333	古都アレッポ	3
「五縦七横」	373			古都オウロ・プレト	262
故障付船荷証券	39	古代都市チチェン・イッツァ	276	古都京都の文化財	126
ゴジラ	119			古都グアナファアトとその	

ことざびー〜ころんばす 索引

銀鉱群	128	個別指導する	194	雇用サービス機関	289
古都ザビード	426	個別対応	406	雇用削減	175
古都スクレ	332	個別に実施される補助	9	雇用者責任保険	128
古都ダマスクス	65	個別のケース	120	雇用者賠償責任保険	128
古都トレド	218	個別銘柄	120	娯楽	420
古都トロギール	218	コペンハーゲン	118	娯楽施設の女性従業員が行う3つのサービス	301
古都奈良の文化財	126	湖北省	149	娯楽小説	384
言葉づかい	59	コマーシャルペーパー	306	こらしめる	394
言葉を継ぐ	178	コマースバンク	243	コラボ	145, 387
古都ビガン	364	ごまかす	71	コラボレーション	145, 387
古都ホイアン	157	ごますり	236	ゴラン高原	118
古都メクネス	218	「コマンド・アンド・コンカー」	250	コリアンエアー	64
子供と面会する権利	340	ごみ埋立処分場	209	コリー犬	46
子供の多動性障害	384	コミッション	417	コリドー	455
小鳥を飼う	404	コミット	416	コルクスクリュー	187
コトルの自然と文化, 歴史地域	198	コミットメントフィー	51	コルゲート・パルモリーブ	116
断りなしに	242	コミの原生林	198	コルシカのジロラッタ岬, ポルト岬, スカンドラ自然保護区とピアナ・カランケ	199
断りもなく	242	ごみの分別	209		
コナ	379	ごみ箱〔ウィンドウズパソコンで〕	157		
コナーラクの太陽神寺院	198			ゴルチェ	116, 180
コナグラ	196	ゴミ箱〔マッキントッシュパソコンで〕	105	コルドバのイエズス会管区とエスタンシアス	197
コナクリ	198				
コナミ	197, 198	ごみ分別収集	209	コルドバ歴史地区	197
湖南省	149	ごみ分別処理	209	コルトン	197
湖南省や四川省出身の若い女性	210	コミューター航空	436	ゴルフ	116
		コミュニティー	309	ゴルフやビリヤードの試合を始める	193
コニカミノルタ	198	コミュニティーサービス	309		
コニャック	114	コムキャスト	196	コルム	207
コネ	129, 149, 246	ゴム弾	383	コルレス銀行	68, 348, 359
コネクター	178	コメディアン	387	コレクション	43
コネティカット州	196	コメディー映画	118	これで決まり!	242
コネのある個人あるいは組織	129	コメルツ銀行	73	ゴレ島	118
		コメント	31	コローメンスコエの昇天教会	198
コノコフィリップス	196	コメントスパム	209		
後場	149, 373	呉孟達	371	コロール	198
コパ航空	15	コモエ国立公園	198	コロケーションサービス	447
5番街	77	コモド国立公園	198	コロシアム	66
コパンのマヤ遺跡	198	コモロ・イスラム連邦共和国	198	コロとその港	198
コピー(広告コピー)	132			コロナウイルス	130
――(複製)	98, 101, 112, 197	コモンウェルス銀行	12	コロナビール	198
コピー食品	101	コモン・ゲートウェイ・インターフェイス	122	コロニア・デル・サクラメントの歴史的街並み	198
コピーライター	367				
コピーライト	19, 448	顧問弁護士	128	コロラド州	198
〔コフィー・〕アナン	8	子役	94	コロン	241
コフコ・インターナショナル	441	雇用関係は継続するが, 賃金の支払いを停止すること	347	コロン諸島	198
				コロンバード	118
五分袖	444			コロンバス	119
ゴフ島とイナクセサブル島	118	雇用拒否	188		
		雇用契約	128		

コロンビア	118, 119	
コロンビア共和国	119	
コロンビアコーヒー	119	
コロンビア大学	118	
コロンブス[, クリストファー]	119	
怖い話	133	
壊れ物注意	386, 411	
婚姻上のトラブル	158	
婚外子	102	
婚外恋愛	159	
コンクール	64	
コンクリートジャングル	328	
混合経済	159	
混合借款	159	
混合所有制経済	159	
混合動力自動車	159	
混合肌	159	
コンコード	196	
コンゴ川	114	
コンゴ共和国	114	
コンゴ民主共和国	114	
コンコルド	386	
コンサイニー	321	
混雑	417	
混雑路線	289	
コンサルタント	452	
コンシーラー[パレットタイプの]	432	
――――[ペンタイプの]	432	
コンシェルジェ	216	
コンシューマーリズム	383	
コンセプト	113, 125	
コンセプトカー	113	
婚前健康診断	159	
コンセンサス	124, 409	
婚前の同棲	159	
婚前ヘルスケア	158, 159	
コンタクトレンズ	414	
コンタック	196	
懇談する	202	
コンチネンタル	65	
コンチネンタル航空	65	
コンチネンタル・ミクロネシア航空	65	
コンツェルン	196	
コンディショナリティ	422	
コンテスト	64	
コンテナ船	160	
コンテンツ	258	
コンテンツ産業	258	
コンドーム	9, 386	
コンドームの自動販売機	9	
コンドラチェフ循環	196	
コンドラチェフの波	196	
コントロール	43, 431	
コントロールキー	204	
コントロールパネル[機械設備の]	204	
――――[コンピューターの]	204	
困難を解決する	180	
混農林業	260	
コンバース	206	
コンバーター	449	
コンバート	449	
コンパイラー	29	
コンパイル	29	
コンパクトフラッシュ	31	
コンパスグループ	181	
コンパス・パシフィック・ホールディングス	422	
コンパニオン	217	
コンピテンシー	315	
コンビナート	221	
コンビニ	30	
コンビニエンスストア	30	
コンピューター	169	
コンピューターウイルス	33, 80, 169	
コンピューター援用エンジニアリング	169	
コンピューターグラフィックス	80, 169	
コンピューターゲーム	80, 82	
コンピューター・サイエンス	169	
コンピューター支援学習	80, 169	
コンピューター支援教育	80, 169	
コンピューター支援製造	80, 169	
コンピューター支援設計	80, 169	
コンピューターセキュリティー	169	
コンピューター断層撮影	40, 90, 169	
コンピューター統合生産システム	40, 169	
コンピューターに明るい人	66	
コンピューターに詳しい人	66	
コンピューターネットワーク	169	
コンピレーションアルバム	144	
コンファームドL/C	21	
コンフィギュレーション	154	
コンフェデ杯	137	
コンプライアンス	457	
コンプレックス	283	
コンベンション産業	158	
コンベンションセンター	158	
梱包	21	
梱包する	62	
梱包明細書	450	
コンポスト	90	
コンボドライブ	408	
コンマ	87	
昆明	207	
コン・リー	124	
婚礼	159, 179	
婚礼写真	159	
崑崙飯店	207	
困惑する	408	

【さ】

差	43
サークル	284
サーズ	56, 102, 402
サーチエンジン	331
サードパーティー	77
サーバー	109
サービスカウンター	109
サービス業	57
サービス使用料	452
サービス内容の一覧	42, 396
サービスにおける商標	109
サービス貿易	109
サービスマーク	109
サービス料	109
サービス・レベル・アグリーメント	109
サーブ	297, 310
サーフィス	328
サーフィン	53

サーベイランス	82
再就業	426
サイト	359, 362, 430
サーンチーの仏教建造物群	303
再就業サービスセンター	426
サイトの管理人	19
再就業プロジェクト	426
サイドビジネス	48, 75
「サイエンス」	199
最終稿	456
サイドビジネスを行う技術者	392
サイエンスパーク	197
再就職	426
サイエンスリテラシー	199
再就職サービスセンター	426
サイトマップ	362, 430
最大手	188
再就職プロジェクト	426
サイドレター	110
在学している	426
最終目標	256
済南	167
再貸付	426
最終利回り	72
歳入	259
再起動	53, 426
最上階	83
在ス居する	157
最恵国待遇	456
最小化ボタン	456
歳入の増加と歳出の節減	428
財形貯蓄	41
最初の肝心な時間	78
サイバーウォー	361
罪刑法定主義	456
最初の子供	349
サイバー経済	360
罪刑法定主義の原則	456
最初のページ	322
サイバースペース	80
債権株式化	429
最新のTシャツ	317
サイバー戦争	361
債券現先取引	429
財政インフレーション	41
サイバーテロリズム	360
債券市場	429
財政請負制度	41
サイバー犯罪	360
債券貸借取引	429
再生可能資源	200
サイバーポート	324, 391
最高	83
再生紙	427
再剥離式の付箋紙	118
最高額	345
財政支援を打ち切る	90
財閥	181
最高管理責任者	40, 322
再生資源	427
再発する〔病気が〕	99
最高技術責任者	40, 321
再生水	444
サイバネティクス	204
最高経営責任者	40, 322
再生不能資源	38
サイバネティックス	204
最高限度額	456
再生不良性貧血	427
再販市場	95
最高財務責任者	40, 321
財政補助	43
サイパン島	298
最高執行責任者	40, 322
最大化ボタン	456
裁判用の木槌	97
最高情報責任者	40, 322
臍帯血	276
最貧国	149
最高制限速度	381
在宅介護	172
財布	279
最高総務責任者	40, 322
在宅看護	172
細分化	378
最高だ	128
在宅勤務	423
サイベース	298
再構築	53
在宅診療	172
再編	53
最高潮	445
在宅治療	172
細胞移植	378
最高点	106
埼玉県	277
細胞工学	378
最高の	345
さいたま市	277
再保険	105
最高の量	345
再調整	377
債務	429
最高マーケティング責任者	40, 321
再調達原価	53
財務会計	41
最低限	75
財務会計ソフト	41, 206
最高ロジスティクス責任者	321
最低限度額	456
財務規律	41
最低限の生活保障	74, 456
財務公開	41
サイコー	189
最新新記録	388
債務支払猶予	402
サイコーにクール	204
裁定相場	342
財務諸表	41
最後から2番目の出し物	399
最低賃金保障制度	456
財務スキャンダル	41
在庫循環	165
裁定取引	342
債務の株式転換	429
在庫ゼロ	225
最低評価の人を切り捨てる	252
債務の付け回し	301
在庫投資循環	59
債務不履行	39, 365
最後の出し物	67
最適化	417
債務返済繰延	53
再雇用	157
最適な組み合わせ	417
債務返済比率	46
再婚しない	316
最適配置	456
債務履行引受	429
財産	41
最適配分	456
「最遊記」	456
財産剥奪	451
財テク	216
最優遇貸出金利	456

再融資	426	
最優秀審判員〔サッカーの〕	182	
最優秀選手	456	
最優秀に輝く	268	
最優先事項	416	
採用待ち	68	
「サイン」	345	
サイン即売	279	
サイン即売会	279	
サインペン	279	
サヴォイア王家の王宮群	298	
サウジアラビア王国	304	
サウス・イースト大西洋岸森林保護区群	66	
サウスウエスト航空	244	
サウスカロライナ州	256	
サウスダコタ州	256	
サウナ	303	
「サウンド・オブ・ミュージック」	412	
サウンドカード	312	
ザ・ガーデンホテル	132	
栄える	393	
「差額選挙」	43	
差額ベッド	115	
佐賀県	457	
佐賀市	457	
サカテカス歴史地区	298	
魚釣りプロジェクト	83	
下がり相場	203	
下がる	378, 455	
サガルマータ国立公園	298	
佐川急便	457	
盛んである	288, 393	
盛んになる	176, 455	
先駆け	380	
先駆けとなる	280	
先高の	175	
詐欺的方法で資金を集めた罪	167	
先日付小切手	448	
先物価格	275	
先物為替	275, 423	
先物市場	275	
先物相場	275	
先物取引	275	
作業範囲記述書	124	
作業標準	457	
先渡契約	423	
先を見越す意識	48	
作為	457	
削減	175, 322, 384	
削除	304	
削除キー	304	
作成〔コンピューターでファイルなどを〕	175	
さくら〔露店などで客を装う〕	353	
サクラメント	298	
策略をめぐらす	67	
ザグレブ	298	
下げ足	270, 412	
下げ止まり	437	
下げ幅	83, 177	
さげまん	201	
下げる	345	
鎖国政策	28	
些細なこと	385	
サザビーズ	332	
サザンオールスターズ	257	
サザン・カンパニー	256	
サジェスチョン	344	
差し止める	106	
指値注文	380, 381	
サスペンス映画	396	
サスペンド	90	
サスペンドモード	129	
座席〔飛行機の〕	43	
座席指定券	90	
サダム・フセイン	297	
定められた事を完璧に行う	72	
定められた時間と場所で事の顚末を釈明する	326	
定める	132	
沙汰止みになる	338	
「サチマ」	304	
サツ	346	
撮影を開始する	193, 194, 349	
サッカーくじ	455, 456	
サッカーのオリンピック代表チーム	133	
サッカーのオリンピック・ナショナル・チーム	133	
サッカーの審判	147	
サッカーのナショナルチーム	138	
サッカーのナショナル・チーム・メンバー	137	
サッカーの年間最優秀選手	456	
サッカーのマスコットガール	456	
サッカーの八百長審判取り締まり	99	
サッカー・ワールド・カップ	319	
雑貨店	426	
刷新	57	
雑談する	195, 224	
サッポロ	300	
札幌市	429	
サッポロビール	300, 429	
雑預金	342, 449	
査定	271	
サテライト	367	
サテライト・テレビジョン・アジアン・リージョン	392	
悟る	345	
サナア	298	
サナア旧市街	298	
サニー	403	
サニタリーウエア	179	
サヌア	298	
サノフィ・アベンティス	299	
ザ・ハートフォード・ファイナンシャル・サービシズ	140	
サバイバルマニュアル	312	
砂漠化	155, 304, 317	
サハラ砂漠	297	
さびれた	32	
サファイア婚式	211	
サファリパーク	405	
サブウーファー	74	
サブウェイ	298	
サブカルチャー	401	
サブラータの古代遺跡	298	
サプライ・チェーン・マネジメント	123	
サプライヤーズクレジット	55, 238	
サフランボル市街	298	
サブリージョン	58	
サブリミナル広告	280	
サプリメント	416	
差分	43	
差別化	43	

ザ・ペニンシュラ	20	サルファーフリー	371	「三高農業」	300
ザ・ペニンシュラ・パレス北京	359	サルページ船	62	珊瑚婚式	304
サポーター	417	サロンガ国立公園	298	サンゴバン	314
サポーティングインダストリー	436	サワデー	327	サン・サヴァン・シュール・ガルタンプの教会	315
サポート	20	爽やかで心地よい	323	サンサルバドル	315
サポートセンター	435	「サン」	339	「三資企業」	302
ザ・ポートマン・リッツ・カールトン上海	35	三愛	300	3次元思考	218
サボニン	427	サン・アグスティン遺跡公園	314	「三自原則」	302
サマーセール	324	サンガイ国立公園	303	3次元測定器	302
サマイバタの砦	298	参加意識	42	産児制限	167, 168
様変わり	30	産学研連携	45	産児制限違反	48
サマランチ〔, ファン・アントニオ〕	298	「三角債」	301	ザンジバル島のストーン・タウン	303
サマリー	429	三角地帯	182	サン・ジミニャーノ歴史地区	315
サマルカンド文化交差路	55	産学連携	386	サンシャインビル	403
サミー・チェン	435	参加資格	294	サンシャインホテル	403
サミット	96, 106	サンキスト	389	38度線	300
サミットフォーラム	116	残業	48	3種混合ワクチン	16
サムサラ	315	産業界と大学と研究機関の連携	45	算術的あふれ	410
サムスングループ	302	産業間国際分業	136	3種類の工業廃棄物	300
サムスン生命保険	302	産業空洞化	45	サンジョヴェーゼ	303
サムスン電子	302	産業クラスター	45	賛助企業	427
サムネイル	334	産業構造の革新	45	サン・ジョルジオ山	315
サムライ債	373	産業シフト	45	酸性雨	333
サムライボンド	373	三峡ダム	302	酸性雨汚染対策地域	333
サモア独立国	298	三峡ダムプロジェクト	302	山西省	305
ザモシチ旧市街	426	残業手当	170	サン石油	339
サモス島のピタゴリオンとヘラ神殿	298	産業内国際分業	136	酸素治療	404
サヤ	174, 217	産業廃棄物	123	酸素バー	404
サラエヴォ	298	産業モデルの転換	45	酸素マスク	404
ザラバ	266	産業リンケージ	45	残存価格	42, 315
「さらば, わが愛 覇王別姫」	16	産業連関	350	残存価値	42, 315
サラマンカ旧市街	298	産業連携	45	サンタ・アナ・デ・ロス・リオス・クエンカの歴史地区	207
サラリーマン	306, 389	サンギラン初期人類遺跡	303	「サンダーバード」	214
サリンガス	304	サンクコスト	49	3大行動指針	300
サルヴァドール・デ・バイア歴史地区	16	ザンクト・ガレンの修道院	315	残高照会	44
〔サルヴァトーレ・〕フェラガモ	103, 104	サンクト・ペテルブルク	314	サンタ・クルーズ・デ・モンポスの歴史地区	246
ザルツブルク音楽祭	297	サンクト・ペテルブルク歴史地区と関連建造物群	314	サンタナ	303
ザルツブルク市街の歴史地区	297	サン・クリストバル・デ・ラ・ラグナ	209	サンタフェ	314
サルトル〔, ジャン・ポール〕	298, 304	3穴フォルダー	301	サンタ・マリア・デ・グアダルーペ王立修道院	128
「猿の惑星」	189	三権分立	301	3段階発展戦略	300
		「三講」	300	サンダンス映画祭	314
		「三好学生」	300	サンダンス・フィルム・フェスティバル	314
		「三項教育」	302		
		「三講教育」	301		

サンタンデール・セントラル・イスパノ銀行	303
産地直販	44
産直	44
「三通」	302
「三通一平」	302
サンティアゴ	314
サンティアゴ・デ・クーバのサン・ペドロ・デ・ラ・ロカ城	314
サンティアゴ・デ・コンポステーラ	314
サンティアゴ・デ・コンポステーラの巡礼路	314
サン・ディエゴ	314
暫定政権	195
暫定内閣	195
サンディ・ラム	224
サンデー(食品)	314, 388
サンデーエンジニア	392
サン・テミリオン地域	313
山東省	304
サントドミンゴ	314
サントドミンゴの植民都市	314
サントメ	314
サントメ・プリンシペ民主共和国	314
サンドラ・ン	371
サントリー	300
サントリー・ビール	300
参入障壁	451
参入する	294
残念賞	9
「三農」	301
「三農問題」	301
「三廃」	300
ザンビア共和国	427
360度スクリーンの映画	300
サンファン	314
サンブーカ	303
サンフラワー	339
サンフランシスコ	188
「サンフランシスコ・クロニクル」	188
サンフランシスコ山地の岩絵	314
サンプリング	42, 54
サンプリング検査	54
サンプリング周波数	42, 284
サンプリングレート	42, 284
サンプルと仕様書の提供を受けての委託加工	211
サンベルト	403
サン・ホセ	314
サン・マイクロシステムズ	297, 339
サンマリノ	315
サンマリノ共和国	315
サンマルラハデンマキの青銅器時代の石塚群	299
サンミゲルビール	312
サン・ミジャン・ユソ修道院群とサン・ミジャン・スソ修道院群	315
「三無企業」	302
「三無製品」	302
三洋電機	302
残余財産	42
「三来一補企業」	301
サンリオ	301
残留性有機汚染物質	52
残留農薬	261
サン・ルイス歴史地区	315
サン・ルイ島	315
サンルーフ	46
3連覇	301

【し】

シアーズ・ローバック	375
試合開始	193, 194
試合開始のホイッスル	250
試合終了	28, 321
試合の序盤	193
試合を開始する	194, 250
仕上げ加工	185
シアトル	377
シアトルズ・ベスト・コーヒー	377
シアヌーク[, ノロドム]	376
シアン・カアン	315
シーアイランド	140
シーア派	317
飼育禁止	183
シークタイム	397
シーゲート・テクノロジー	376
ジーコ	168
シーズンに関係ない	99
シート[表計算ソフトの]	124
シード選手	445
シーバスリーガル	435
シービー船	426
「シービスケット」	27
ジープ	424
シームレスネットワーク	371
シーメンス	376
仕入れ	41
仕入れ先	161
仕入れ税	183
ジーン	165, 409
ジウジョウディベロップメント	187
シェア	318
シェアウェア	124
シェアを奪う	280
自営	453
シェイク	256
ジェイ・ジョウ	446
シェイビング	309
シェイプアップ	333
シェーカー	346, 397
シェーク	256
シェーファー	375
ジェームズ島と関連遺跡群	429
「ジェーン・ディフェンス・ウィークリー」	175
シェーンブルン宮殿と庭園群	310
ジェッタ	179
ジェット機	268
ジェット・リー	216
ジェトロ	292
シェナ	387
シエナ歴史地区	377
ジェニファー・ロペス	429
ジェネレーションギャップ	67
ジェノバ	289
シェフ	55
ジェファーソンシティ	179
シェブロン・テキサコ	397
ジェミラ	173
シェラトン・グランド太平洋ホテル・上海	307
シェラトンホテル	377

シエラレオネ共和国	299	磁気嵐	75	資源配置	452
ジェリー・イェン	401	磁気カード	58	試験勉強	26
シェリー酒	397	磁気共鳴画像診断	144	試験問題のデータベース	344
シェリング・プラウ	379	時期経過船荷証券	138, 316	試験や審査による採用	197
ジェル状	178	磁器婚式	58	試行	319
支援	20	シギショアラ歴史地区	376	試行雇用	319
シェンイン・ワングオ	310	敷地境界線	176	施行する	55
支援金	422	磁気ディスク	58	試行する	320
「シェンゲン協定」	310	式典アシスタント	217	指向性エネルギー兵器	84
シェンジェン・インターナショナル・ホールディングス	310	直取引	436	自己解凍ファイル	453
		識別子	31	自己株式	204
		色魔	303	自国通貨建て	410, 436
シェンジェン・インベストメント	310	直物価格	380	自己啓発	453
		直物為替	167, 380	自己資本	451, 454
ジェンダー	309	直物相場	167, 380	自己資本比率	451, 454
ジェンネ旧市街	180	時給	168	仕事がなくて暇にしている	170
支援の必要な貧しい学生	343	自給自足経済	454		
支援を受ける	323	子宮内胎児死亡	337	仕事中毒	124
塩漬け	342	市況	143	仕事の虫	124
シオノギ製薬	402	事業化調査	200	自己売買業務	434
しおり	323	事業計画	320, 416	自己破産	453
市価	319, 320	事業債	278	自己防衛意識	453
時価	317, 320, 381	事業再構築	277	資材所要量計画	374
視界	258, 319	事業主	406	自作機	61
市外局番	284	事業部制	320	自作パソコン	61
仕掛り品	19, 20, 427	磁気流体発電	58	試作品	320
時価換算	10	指揮をする	436	字下げ	334
死角	240	資金援助を打ち切る	90	自殺点	370
資格取得者	27	資金供与する	428	資産	451
仕掛品〈しかけひん〉	19, 20, 427	資金繰り	452	資産運用	216
滋賀県	452	資金源	279	資産税	41
シカゴ	435	資金注入	448	資産占有債務者	429
「シカゴ」	435	資金調査	403	資産置換	452
シカゴ大学	435	資金調達	54	資産調査	403
「シカゴ・トリビューン」	435	資金調達ルート	293	持参人払小切手	176, 211
時価主義	319	資金の出所	279	資産剥奪	451
時価転換	10	資金不足	349	資産評価	452
時価発行	10, 317, 319	資金振替	452	指示器	437
自家用車	170, 172	資金ポジション	452	支持者	417
自家用車のナンバープレート	330	資金を贈与する	428	支持する	450
		ジグ	170	時事通信社	317
直リンク	436	シグナ	391	事実上の標準	143
時間外勤務手当	170	しくみ	125	事実調査団	433
時間貸しの部屋	439	刺激	58	資質や実力	258
時間給	168	資源	452	事実や真相を隠蔽して報告する	239
時間給労働者	385, 439	試験管ベビー	319		
時間差	317	試験結婚	319	支社	105
時間差攻撃[バレーボールの]	317	時限スト	84	試写会	320
		試験対策問題集	342	自社開発の知的財産権	454
時間のずれ	317	事件に関与する	309	自社の知的財産権	454

支出	435	セント	320	などで〕	432
支出超過世帯	48	自然資源保護区	453	実際に資金投入された金額	72, 317
試乗	318	自然資源保護地域	453	実際に投入する	72
市場アクセス	318	事前準備	422	実質金利	317
市場開拓	353	四川省	331	実質賃金	317
私情がからんだ事柄	240	自然消耗	453	実質的な価値	142
市場規制	318	事前通報同意	320	実習	176
市場金利	122	自然保護区	453	「執政能力」	437
市場シェア	318	視線を集める	188	疾走する	26
市場調整	318	思想教育を行う	421	実体経済	317
市場ニーズに合致した	320	持続型経済	397	実弾	412
市場の需要に応えて発売する	416	持続可能な農業	52	湿地	315
市場メカニズム	318	持続可能な発展	199	室内環境	320
市場リスク	318	持続する	52	室内空気汚染	320
市場レート	319	字体	453	室内劇	320
事情を明らかにする	223	時代とともに前進する	421	室内装飾	320
市場を支配する	275	時代とともに発展する	421	失敗する	61
指針	437	次第に進出する	70	シッピングオーダー	450
地震シェルター	78	次第に離れる	70	シッピングドキュメント	450
シスアド	378	下請け	94, 449	シッピングマーク	239, 425
静岡県	186	下請け業者	105	実物投資	317
静岡市	186	下地クリーム	105	疾病保険	166, 175
シスオペ	378	ジダン〔, ジネディーヌ〕	167	ジッポー	435
シスコ・システムズ	329	自治	116	実力者	65
システムアドミニストレーター	378	シチズン	377	シティ	231
システムインテグレーション	378	「七通一平」	276	視程	258
システムエンジニア	378	七味唐辛子	276	「シティーハンター」	51
システムエンジニアリング	378	市中金利	122	シティライフ	51
システムオペレーター	378	視聴率	321	シティ・オブ・ロンドン	231
システム開発	378	視聴率調査	80	指定海外機関投資家	144
システム管理	378	シチリア島	377	指定国内機関投資家	144
システムキッチン	433	四通控股	331	シティック21	444
システム工学	378	失業者	378	シティック・パシフィック	444
システム設計	378	実況中継	317, 436	シティック・リソーシズ・ホールディングス	444
システムダウン	71, 378	失業手当	316		
システムの終了	129	失業保険	316	シティバンク	151
システムフォルダ	378	シックハウス	320	指定病院	84
地すべり	151	シックハウス症候群	33	仕手株	349
「沈む街」	370	シックビルディング症候群	33	私鉄	249
シスレー	376	湿原	315	視点	319
姿勢	338	実験	319	自転車	69
資生堂	452	実験校	319	四天王	331
脂性肌	419	実験プロジェクト	319	自動安定化装置	258
施設農業	309	実行に移す	72	自動改札機	453
視線	402	実行ファイル	200, 437	指導教官	328
事前インフォームドコン		実行ベース	72, 317	自動計算	454
		執行役員	437	自動車GPS位置情報提供追跡システム	278
		執行猶予	155		
		実際に歌う〔コンサート			

自動車愛好家	450	支払銀行	110	資本ストック	451
自動車学校	174,278	支払準備制度	55,132	資本増加	428
指導者グループ	225	支払準備率	344	資本逃避	451
自動車市場	49	支払手形	414	資本の維持と増加	451
自動車取得税	49	支払能力〔債務の〕	45	島津製作所	71
自動車損害賠償責任保険		支払い方法	435	島根県	71
	164,302	支払渡	110	シマノ	377
自動車のリコール	278	支払いを拒否する〔賠償		シマンテック	299
自動車排気ガス	278,366	金や保険金の〕	188	しみ	78
自動車排気ガス汚染物質	366	支払いを渋る〔賠償金,保		シミエン国立公園	303
自動車保険	49	険金の〕	376	清水建設	282
自動車ラリー	278	支払う	435	地味な	74
自動車ローン	49,121,278	ジバンシイ	167	シミュレーション	101,251
自動車ローン保険	49,120	市販ソフト	21	――――〔サッ	
児童書	349	地盤沈下	76	カーの〕	173
自動制御	453	地ビール	70	シミュレーター	101,251
自動制御システム	453	シビック	330	「市民ケーン」	122
自動生産システム	40,169	指標生物	437	市民サービス	30
自動倉庫	453	シビリアン	29	ジム	176
自動販売機	453	シフォネ	316	事務員	368
自動料金収受システム	39	私服警官	30	仕向為替	334
シトロエン	397	私服刑事	30	仕向送金	138
市内通話	319	「至福のとき」	394	仕向送金為替	138,158
品薄	183	ジブチ	166	「シムシティ」	251
シナジー効果	387	ジブチ共和国	166	事務職員	368
信濃川	391	シフトキー	297,306	事務机	20
しなやかさを有する	294	シフト勤務	232	事務棟	393
シナリオ	178	渋谷109	303	「シムピープル」	251
ジニーメイ	434	紙幣カウンター	78	ジム・ビーム	430
ジニ係数	165	紙幣計数機	78	事務用品	20
老舗	18	紙幣流通	437	氏名表示権	324
辞任する	378	シベニクの聖ヤコブ大聖		示す	402
死ぬほど	239	堂	375	締め出す	106
地熱エネルギー	77	脂肪肝	435	ジメチルベンゼン	95
地熱資源	77	脂肪吸引手術	377	下ネタジョーク	156
〔ジネディーヌ・〕ジダン	167	司法試験	137,329	視野	319
市の管轄地域	320	脂肪制限	411	ジャーディン・マセソン	410
シノケム	441	司法取引	30	ジャー動物保護区	173
忍び寄るインフレ	367	司法妨害	456	シャープ	379
シノペック	441	私募債	329	シャーロットヴィルのモ	
シノペック・カントンズ・		シボレー	397	ンティセロとヴァージ	
ホールディングス	443	資本移転	451	ニア大学	379
ジハード	315	資本金	125	シャイアン	379
シバームの旧城壁都市	51	資本参加	42	ジャイアンツ・コーズウ	
自賠責保険	164,302	資本市場	451	ェーとコーズウェー海	
支配的事業者規制	37	資本収益率	451	岸	173
自爆攻撃	453	資本収支	451	ジャイカ	292
自爆テロ	453	資本集約型産業	451	社員持株	436
自爆テロリスト	290	資本主義経済	451	謝恩企画	54
支払い	237,435	資本主義市場経済体制	451	謝恩セール	54

ジャガー	179	
ジャガー・ルクルト	165	
社会階層	309	
社会効果と経済効果	327	
社会サービスシステム	309	
社会主義人民リビア・アラブ国	63	
社会情勢と民意	309	
社会人教育	50, 51	
社会人大学入試	50, 51	
社会人の大学院生	427	
社会人の博士課程大学院生	427	
社会的強者	280	
社会的弱者	296	
社会的の集団	309	
社会的責任投資	309	
社会的な性	309	
社会の財や利益	70	
社会の主流的な考え方からかけ離れている人	30	
社会の底辺にいる人	30	
社会福祉くじ	309	
社会扶養費	309	
社会保険	213, 302	
社会保障	309	
社会保障制度〔都市部の〕	52	
ジャカルタ	399	
〔シャキール・〕オニール	12	
邪教集団	386	
弱者	296	
弱小勢力	296	
弱小チーム	296	
ジャクソン	179	
弱点	296	
射撃手	280	
社交	289	
社債	123, 278	
社債間同順位特約	271	
写真	387	
写真印刷用紙	432	
写真館	416	
写真シール	347	
写真シール機	66, 347	
写真スタジオ	416	
写真付きメール	42	
ジャズ	189	
ジャスコ	167, 172	
ジャスダック	172	
ジャスティン〔・ティンバーレイク〕	174	
斜体	387	
斜張橋	387	
ジャッキー・チェン	51	
ジャッキー・チョン	430	
借金取立会社	341	
借金をしてまで良い生活をしたい人	111	
〔ジャック・〕シラク	376	
ジャック・ダニエル	179	
シャットダウン	129	
シャッフル	377	
シャッフルボード	304	
シャッフルボードで使用する円盤またはディスク	304	
謝霆鋒	387	
蛇頭	309	
シャドウウォー	416	
蛇頭組織	309	
シャトーヌフ・デュ・パプ	178	
ジャドール	433	
シャトル外交	56	
シャトルバス	56, 284	
シャトル便	84	
車内スリ	49	
シャナナ・グスマン	379	
ジャニーズ	180	
シャネル	379, 382	
シャネルNo.5	379	
ジャパンエナジー	292	
ジャパンファウンデーション	292	
ジャパンレールパス	292	
社風	123	
シャブリ	378	
シャブリサブス歴史地区	304	
しゃべる	195	
ジャマイカ	399	
ジャミング	81	
ジャミング弾	114	
ジャムのミナレットと考古遺跡群	173	
ジャヤクマール	173	
斜陽産業	377	
シャラボワ〔, マリア〕	304	
シャラン	379	
シャリマー	407	
車両が立ち往生すること	264	
「車両購入税」	49	
車両整理	71	
車両整理係	71	
シャルドネ	304, 378	
シャルトル大聖堂	379	
シャルル・ジョルダン	451	
シャルル・ド・ゴール空港	67	
〔シャルル・〕モンテスキュー	247	
シャロン〔, アリエル〕	304	
シャロン・ストーン	304	
ジャワ	128	
シャワーソープ	254	
ジャワコーヒー	128	
ジャワ島	432	
ジャンイヴ	432	
ジャンク債	209	
ジャンク債による資金調達	209	
ジャンクション	222, 323	
ジャンクフード	209	
ジャンクボンド	209	
ジャンクメール	209	
シャングリ・ラ・ホテル	382	
「ジャングル大帝」	303	
「ジャングル・ブック」	304	
〔ジャン・ジャック・〕ルソー	228	
シャンゼリゼ通り	383	
シャンデリア	143	
シャンテル	379	
〔ジャンニ・〕ヴェルサーチ	99	
上海JCマンダリンホテル	307	
シャンハイ・インダストリアル・ホールディングス	307	
上海ガニ	67	
上海汽車	307	
上海協力機構	307	
上海協力機構タシケント首脳会議	337	
上海国際映画祭	307	
上海国際サーキット	307	
上海市	307	
上海実業控股	307	
上海証券取引所総合株価指数	307, 308	
上海証券取引所平均株価指数	308	

上海タイムズスクエア	65	
上海動物園	307	
「シャンハイ・ナイト」	307	
上海派	141	
上海博物館	307	
上海風	141	
上海宝鋼集団	307	
上海香港広場	307	
上海流	141	
シャンプー	377, 382	
[ジャンフランコ・]フェレ	104	
シャンベルタン	306, 382	
[ジャン・ポール・]ゴルチェ	116, 180	
[ジャン・ポール・]サルトル	298, 304	
ジャンル	19	
―――[ゲームの]	419	
銃	45	
シュウ・ウエムラ	436	
ジュヴェニア	457	
収穫	429	
就学前教育	396	
修学旅行	395	
周華健	446	
従価税	58	
就活	188	
銃器[の総称]	45	
祝儀や香典	333	
祝儀や香典を包む	333	
週休2日制	124, 373, 409	
自由業	371	
従業員	422	
従業員の禁句	109	
就業規則	20, 124	
就業時の使用禁止用語	109	
シュークリーム	267	
重慶市	53	
周傑倫	446	
集合型風力発電所	106	
周口店の北京原人遺跡	446	
修士課程受験	197	
周潤発	446	
住所	78	
重症急性呼吸器症候群	56, 102, 402	
就職活動	188	
就職できない大学新卒者	63	
就職内定	188
就職難	188
就職面接会	327
自由人	270
終身雇用制	443
囚人の歌	283
周水子国際空港	446
修正	394
柔性	294
修正液	351, 395
周星馳	446
修正用ホワイトテープ	351
集積回路	166
渋滞	417
渋滞解消工事	46
重大事件	63, 67
重大な環境汚染事故を起した罪	445
重大な契約違反	402
10代の恋愛	427
住宅公共積立金	448
住宅制度改革	100, 448
住宅展示会	101
住宅ローン	100, 122, 448
集団感染	167
終端抵抗	439
集団的自衛権	167
絨毯爆撃	77
集中調理施設	444
集中治療室	445
重低音スピーカー	74
充電	53
姑	272
柔軟化粧水	293
柔軟剤	294
柔軟性がある	294
柔軟である	294
収入増加と支出削減	428
収納ケース	433
自由の女神像	454
集配送センター	374
周波数帯	270
周波数帯域	68
秋波を送る	101
集荷する	210
秋分	283
十分な衣食を提供する	52
シューベルト[, フランツ・ペーター]	323
周辺機器	356, 357
周辺業務	446
周辺人	30
周辺装置	309, 356, 357
自由貿易協定	454
週末	327
終末医療	224
終末誘導	253
終末論者	252
住民税	188
住民に影響を与える	288
住民に迷惑をかける	288
周渝民	446
重要人物	65
重要な活動や任務	445
重要な最終段階	87
重要な点	438
重要プロジェクト	323
従来とは異なる安全保障上の脅威	102
修理	394
州立恐竜自然公園	6
自由流通	453
重量不足	286
重量容積証明書	445
自由旅行	454
収斂化粧水	183
就労ビザ	124
収賄を煽る役人の妻	339
受益権	323
受益者	323
受益証券	323
珠海	446
珠海映画祭	446
珠海海湾大酒店	446
珠海銀都酒店	446
主幹事	447
需給関係	123
需給ギャップ	123
授業が終わる	378
祝祭日と祝賀行事	180
縮尺	28
熟年世代の恋愛	155
ジュグラー循環	446
ジュグラーの波	446
受験教育	416
受験生の身上調査を受験先に送付する	349
受験に失敗したとき, 卒業した学校に戻って勉強をやり直す	157

受験勉強	26	
主権免除	447	
珠江船務発展	446	
朱孝天	447	
シュコツィアン洞窟群	329	
取材	101	
主催者側	84	
受信確認証	275, 372	
受信トレイ	321	
受信箱	321	
主体性がない	94	
手段	229	
受注生産	84	
首長科技集団	322	
首長国際企業	322	
首長四方	322	
首長宝佳集団	322	
出演する〔映画, テレビに〕	54, 307	
出演料	54, 269	
出向勤務	180	
熟考する	46	
出国ブーム	54	
出産, 育児ヘルパー	424	
出産休暇	44	
出産決定の権利と育てる権利	313	
出産に立ち会う	267	
出資	42	
ジュッジ国立鳥類保護区	446	
出場停止〔競技への〕	183	
出張	306	
出展者を募集する〔見本市や展示会などの〕	432	
出版市場	323	
出力	323	
「シュテルン」	250	
受動喫煙	25	
主導権	379	
取得原価	125, 284	
シュトラールズントおよびヴィスマールの歴史地区	316	
シュナンブラン	17	
首脳会議	106	
首脳陣	115	
首脳部	115	
ジュノー	447	
シュパイヤー大聖堂	316	
「シュピーゲル」	249	

主夫	172	
寿命	276	
寿命を縮める	350	
主務官庁	434	
樹木葬	325	
主役を演じる	69	
主役を務める	346	
主要関連株	447	
受容者	179	
主要製作スタッフ〔映画や芝居などの〕	447	
主要な位置を占める	196	
「ジュラシック・パーク」	446	
ジュリア・ロバーツ	446	
シュリー・シュル・ロワールとシャロンヌの間のロワール渓谷	396	
受領証	321	
主力	276, 447	
主力銀行	447	
主力となる	69	
シュリンクラップ契約	44	
シュルンベルジェ	329	
シュレーダー〔, ゲアハルト〕	316	
「シュレック」	318	
シュレッダー	334	
シュローダー・グループ	316	
駿威汽車	190	
巡回求人	397	
巡回公演	398	
巡回展	398	
巡回展示	398	
順為替	328	
循環型経済	397	
春期大学入試	57	
春期募集〔大学の〕	57	
準拠法	320, 407	
準結晶	451	
純広告	416	
竣工式	190	
巡航ミサイル	397	
純コスト	186	
順次	344	
純資産	187, 451	
順次走査	447	
純正	423	
純生産額	186	
純正品	423, 434	
春節賀詞交換会	57	

春節期間中の輸送	57	
順調に進む	62, 455	
旬ではない	99	
ジュンドルボン	334	
旬の野菜	317	
準備金	55, 451	
準備通貨	55	
準備預金制度	55, 132	
準備率	344	
春分	57	
「春蕾計画」	57	
純利益	186	
ジョイ	378	
ジョイ・ウォン	359	
ジョイスティック	419	
賞	177	
仕様	132	
上位互換	383	
上映期間	71	
上演	381	
消化〔食べ物を〕	384	
紹介〔新しいものを〕	413	
渉外	121, 122	
障害	42	
生涯教育	443	
「渉外経済」	310	
障害者手帳	42	
傷害保険	290	
傷害保険特約	110	
昇格チーム〔サッカーや卓球での上部リーグへの〕	311	
「嫦娥」計画	45	
正月映画	146	
小かっこ	422	
小寒	385	
ショウガン・コンコード・インターナショナル・エンタプライズ	322	
ショウガン・コンコード・グランド	322	
ショウガン・コンコード・センチュリー・ホールディングス	322	
ショウガン・コンコード・テクノロジー・ホールディングス	322	
償還請求権付信用状	420	
償還能力	45	
商機	305	

小規模水力発電所	385	招商迪辰	431	商品貨幣	306
昇級試験	197	上場廃止	352, 429	商品ストック	306
商業映画	306	上昇幅	312	商品の価値を上回る	48
商業公演	306	上場復帰	111	商品の供給源	161
商業地	306	「少女革命ウテナ」	308	商品バーコード	306
商業秘密を侵害する罪	281	浄水器	186	商品備蓄	306
商業部門が経営する工業企業	305	少数	386	障壁	215
常勤	286	少数派	386	城壁都市バクー, シルヴァンシャー宮殿, および乙女の塔	51
常勤者	286	小雪	386		
「賞金税」	177	商戦	306		
常勤の職務	286	肖像権	386	障壁のない	225
情景	106	招待試合	404	情報	452
小劇場	385	商談会	279	情報化	391
衝撃をうける	83	冗談だよ	87	情報科学	391
上限	456	冗談めかして自由に語る	64	情報格差	325
証券化	434	冗談を言う	62, 195	情報革命	391
証券会社	286	常駐プログラム	448	情報化時代	93
証券市場	434	焦点をあてる	188	情報化社会	391
条件付販売	420	衝動買い	53	情報家電	391
証券投資ファンド	434	情動指数	93, 283	情報技術	162, 391
証券取引委員会	434	焦土化作戦	178	情報経済	391
証券取引所	434	焦土化政策	178	情報検索	391
証券取引所取引	46, 178	譲渡可能信用状	200	情報コンテンツ	391
証券取引等監視委員会	434	承徳の避暑山荘と外八廟	50	情報サービス	391
証券をすべて売り払う	54	譲渡性預金	64, 200	情報サービスセンター	313
証拠金	23	譲渡不可	37	情報産業	391
証拠金請求	23	小児科	385	情報収集担当〔球技スポーツで〕	283
証拠金取引	23	承認する	178		
詳細に観察する	130	情熱的で率直な今風の女性	210	上方修正する	345
勝算	415			情報スーパーハイウェイ	391
称賛に値する	200	「少年ジャンプ」	308	情報戦	391
上司	83	商売で知人や友人を騙す	304	情報提供者	381
章子怡	430	蒸発	433	情報の安全対策	391
少子高齢化	290, 308	蒸発ガス	419, 433	情報の流れ	391
情実	240	上半身裸の男性〔暑さのため〕	20	情報の港	391
小市民	386			情報ベース	391
乗車拒否〔タクシーで〕	189	消費構造	383	情報リテラシー	391
商習慣	185, 306	消費者金融	383	小満	385
小循環	386	消費者主義	383	正味実現可能価額	30, 199
小暑	385	消費者物価	225, 383	正味重量	187
仕様書	132	消費者物価指数	383	静脈注射による薬物乱用	186
上昇	338, 403	消費者ローン	383	常務取締役	46
上場	128, 308	消費税	383	照明器具	74
上場株式	129, 308	消費電力の多い家電製品	144	証明書	435
上場企業	308	商標	305	消滅	433
上昇基調で安定した	175	商標権侵害	305	消耗品	144
招商局国際	431	商標に関する条項	305	消耗品価格指数	383
上昇傾向にある	455	商標の専用使用権	305	賞与	148
上昇する	266, 308, 340, 455	消費を抑制する	411	商用ジェット機	306
		商品回転率	306	乗用車	328

剰余金	416	
賞与税	177	
将来を見通す意識	48	
上陸する	74	
勝利する	314	
勝率	315	
勝利の成果	314	
上流〔河川の〕	308	
「少林サッカー」	308	
奨励金	58	
小論文	153	
昭和シェル石油	431	
ショー	395	
ショーグン債	177	
ショーグンボンド	177	
ショーケース	429	
〔ジョージ・W・〕ブッシュ	39, 384	
ジョージア州	457	
ジョージア・パシフィック	281	
ジョージ・ウェストン	281	
ジョージタウン	281	
「ショーシャンクの空に」	384	
ジョージ・ラム	224	
ジョージ・ルーカス	281	
ジョーダン・チャン	50	
ジョーダン〔,マイケル〕	281	
ショートカット	206	
ショートカットアイコン	206	
ショートカットキー	206	
ショートカットメニュー	206	
ショートプログラム〔フィギュアスケートの〕	88	
ショートポジション	203	
ショートメッセージ	89	
ショート・メッセージ・サービス	89, 367	
ショートメッセージのコンテンツライター	90	
ショーペンハウエル	323	
ショールーム	44, 306	
ショーをする	457	
初期化	55, 120	
初期交渉権	55, 456	
初期在庫	275	
初期設定	286	
ジョギング	240	
ジョギングシューズ	267	
職級	115, 436	
職業幹旋	436, 437
職業教育	436, 437
職業訓練	436, 437
職業訓練システム	213
職業高校	436, 437
職業紹介	436, 437
職業選択	428
職業病	437
食後酒	99
職探しをする	355
職種	123
植樹葬	325, 437
食洗機	377
食前酒	194
食卓用金物類	71
食中酒	457
職長	49
食の安全	317
職能転換	436
職場で提供される昼食	124
職場内教育	115, 427
食品添加物	317
食品包装ラップフィルム	23
植物群落	437
職務代行	68
職務発明	437
職務評価	272
食糧援助〔国際的な〕	223
食糧買い上げ機関	223
食糧の安全保障	223
職歴	124
助言	344
女子学生	261
女子学生向け思春期講座	308
書式	120
女子十二楽坊	261
処暑	55
徐々に現れる	70
徐々に蓄積し拡大する	133
徐々になくなる	70
「ジョジョの奇妙な冒険」	163
初心者〔特にインターネットの〕	42
女性	261
女性が年上のカップル	180
女性が年上のカップルの恋愛	180
女性客室乗務員	202, 203
女性キャビンアテンダント	202, 203
助成合計量〔農産物の〕	454
女性指導者	300
女性事務職	105
女性スーパーアイドル	385
女性スーパースター	345
女性船員	140
女性のサービス業従事者	105
女性の生理日	148
女性フライトアテンダント	202, 203
書籍業界	323
書籍販売市場	323
〔ジョセフ・〕エストラーダ	6
所蔵品	43
書体	453
所帯じみた女房	156
職階の評定	437
食器洗い機	377
ショッキングなニュースを発表する	186
ショッピング	125
ショッピングアーケード	305
ショッピングカート	48
ショッピングガイド	71
ショッピングセンター	125
ショッピングモール	306, 384
所定の位置につく	72
書店	323
所得増加と経費削減	428
ジョニーウォーカー	457
ジョニー・デップ	423
ショパール	383
処分命令	148
処方薬	55
除幕	178
所有者	406
処理〔ごみや廃棄物を〕	384
処理する	62
書類かばん	123
書類箱〔引き出し式の〕	368
書類袋	71
ジョルジオ・アルマーニ	281
ジョルダーノ	457
ショルダーバッグ	205
ジョン・F・ケネディ国際空港	202
ジョンジェムソン	423, 430
ジョンソン・エンド・ジョンソン	280

ジョンソンコントロールズ	423	新鋭の	389	新興市場	94, 390
ジョン・ディア	423	新鋭の物	389	新興住宅地	448
ジョン・レノン	423	新エネルギー	102	人工スキー場	142
シラー	376	新エネルギー技術	389	人口センサス	290
ジラール・ペルゴ	435	新概念の兵器	388	人工臓器	289
白神山地	17	人格	390	人工知能	289
白川郷,五箇山の合掌造り集落	17	新華社	388	人工知能搭載兵器	289, 438
シラク[,ジャック]	376	新型肺炎	56, 102, 402	人口調査	290
白地手形	204	新型兵器	388	信仰の危機	392
じらす	83	新株引受権	291, 388	人口のピーク	290
知らない	252	新株予約権	388	人口のマイナス成長	290
「白雪姫」	17	新株予約権証券	388	人口ピラミッド	290
シリア	396	新株予約権付社債	110, 111, 127, 291	人口ピラミッドの歪み	289
シリア・アラブ共和国	3	シンガポール開発銀行	393	信号無視をする	280
シリアルインターフェイス	56	シンガポール共和国	388	深刻な失敗	445
シリアルナンバー	54, 396	シンガポール航空	388	人材獲得競争	289
シリーズ商品	378	シンガポール・テレコム	388	人材確保	289
シリーズ本	342	シンガポールドル	388, 390	人材構造	289
シリコンバレー	132, 376	新鑑真号	388	人材市場	289
退く[ある地位を]	378	新幹線	388	人材蓄積	289
自律メカニズム	453	新規公開	321	人材の回帰	289
私利的	366	新規公開株式	321, 422	人材の引き抜き	210
尻拭い	40	新規作成[コンピューターで]	57, 388	人材のリターン	289
資料持ち込み可の試験	193	ジンギス汗	50	人材の流動化に伴うセキュリティー	289
資料持ち込み不可の試験	28	新規発行株式	388	人材バンク	289
シループル	376	新日交代	64	人材引き抜き	224
シルクエアー	313	「新九通一平」	389	人材養成やトレーニングを請け負う	68
知る権利	436	新疆ウイグル自治区	389	人材養成やトレーニングを代行する	68
シルバーカード	413	新疆,チベット,蘭州	390	人材流出	289
シルバーグラント・インターナショナル	413	新疆独立	177	人材を引き抜く	210
シルバー産業	413	新錦江大酒店	307	審査,選抜を経てポストを獲得する	186, 187
シルバー市場	213, 413	申180国	310	シンジケートローン	219, 388
シルバーマーケット	213, 413	ジングアン・ニューワールドホテル	184	人事考課	290
[シルベスター・]スタローン	318	シングヴェトリル国立公園	388	シンシナティ	390
指令的計画	437	シンクタンク	257, 330, 438	人事や組織の大幅な調整と変更を行う	155
ジレット	166	シングテル	388	ジンジャン・タワー・ホテル	307
知床	435	シングルクォーテーション	69	神舟号	311
白黒階調	156	シングルクリック	69	神州数碼控股	311
白物家電	17	シングルファーザー	69	真珠婚式	433
しわ取り	55	シングルマザー	69	新主婦層	105, 106
ジン	181	シングルルーム	69	新種野菜	342, 344
新安全保障概念	387	シンクロトロン放射	349	新人	390
新安全保障観	387	人件費	390	新人歓迎会	415
人員削減	41	人工降雨	289	新進気鋭の	389
深宇宙探査	310	新興産業	432		

心身症	310, 389
新人職員	390
新新人類	390
新人類	389
真正価値	258
「新世紀エヴァンゲリオン」	389
新生児保育器	107
親戚や友人のために不法利益を得る罪	366
新世代	389
新世代移動通信システム	390
親切に世話をする	129
深圳科技股	310
深圳控股	310
深圳国際控股	310
親善試合	420
深圳証券取引所平均株価指数	310, 311
シンセン・ハイテク・ホールディングス	310
新戦力	389, 390
心臓死	390
人造ダイヤモンド	291
深層文化	310
心臓ペースメーカー	277, 390
迅速,安全で簡便な手続き方法やルート	231
親族訪問外交	340
新素材	388
新素材技術	388
進退伺い	283
身体障害者支援	447
身体内部を鍛える気功や武術など	258
身体能力	310
新台湾ドル	389
新多角的貿易交渉	390
新高値	388
シンタックスエラー	421
新築する	388
新千歳空港	389
陣地を奪う	280
心的外傷後ストレス障害	57
「シンデレラ」	156
進捗	352
「シンドラーのリスト」	388
シントラの文化的景観	389
新日鉱ホールディングス	389
新日本製鉄	389
新日本石油	389
進入禁止	183
新入社員	390
新入社員歓迎会	415
進入制限	381
進入を禁止する	183
新年賀詞交換会	57
秦の始皇陵	281
新白雲国際空港	387
ジンバブエ共和国	181
シンハラジャ森林保護区	388
ジンファンデル	428
神仏が人間界に下る	378
新物件	389
新富裕層	33, 37
シンボリズム主義	175
シンポジウム	402
新保守主義者	388
新米	42
人脈	129, 246
人民元	288, 290, 422
人民大会堂	290
人民代表大会	289
「人民日報」	290
人民防空プロジェクト	289
人民本位	410
新モデルの物件	389
訊問する	44
新安値	388
瀋陽	311
信用インフレーション	392
「信用合作社」	392
信用貨幣	392
信用緩和	349
信用協同組合	392
信用金庫	392
信用組合	392
信用,採択する〔証拠などを〕	42
信用状	392
信用状開設	194
信用状開設銀行	194
信用状発行銀行	194
信用情報	452
信用情報収集	433
信用創造	392
信用創造機能	392
信用調査	392, 452
信用手形	131
信用できる会社	391
信用できる企業	391
信用できる部門	391
信用度	52
信用取引	127, 392
信用リスク管理	433
信頼性	52
新ラウンド	390
心理カウンセラー	389
心理カウンセリング	389
心理的素質	389
心療内科医	389
心理療法士	389
森林被覆率	304
森林面積の割合	304

【す】

水景施設	186
随行員	267
水耕栽培	328, 372
随時償還	333, 344
水質汚染	328
推奨	352
水上警察	328
水晶婚式	328
水上パトロール	328
推進	352, 448
スイスインターナショナルエアラインズ	295
スイス国際航空	295
スイスコム	295
スイス再保険	295
スイスフラン	295
スイス連邦	295
水星	328
水性色鉛筆	328
推薦入学の学生	23
水洗便器	53
水素エネルギー	282
スイソテル	24
水中通信	328
水中ミサイル	328
垂直感染	57
垂直分業	57
スイッチOTC薬	102
スイッチ貿易	450
推定寿命	422
スイドリームス	345
水平統合	147
睡眠時無呼吸症候群	328
スイムウェア	417

スウェーデン王国	295	
スヴェシュタリのトラキア人の墳墓	330	
「スウォーズマン」	386	
スウォッチ	330	
スース旧市街	332	
趨勢	284	
スーダン共和国	331	
スーダン航空	331	
数値制御	255, 324, 325	
スー・ヌラージ・ディ・バルーミニ	15	
スーパーアロイ	47	
スーパー歌舞伎	47	
スーパーゴール〔サッカーの〕	319	
スーパーコンピューター	47	
スーパースター	47, 189	
スーパースプレッダー	47, 88	
スーパーバイザー	447	
スーパーバリュー	47	
スーパーボウル	47	
スーパーマーケット	47, 48	
「スーパーマリオブラザーズ」	47	
「スーパーマン」	48	
スーパーモデル	47	
「スーパーロボット大戦」	47	
数量不足	286	
数理論理	324	
据え置き期間	206	
スエズ	332	
スエズ運河	332	
据え付ける		
スオメンリンナの要塞群	331	
スカイダイビング	346	
スカウト〔球技スポーツ選手の〕	283	
透かし箱	19	
「姿三四郎」	452	
スカッシュコート	29	
スカン・グアイ	8	
スカンジナビア航空	25	
スカンジナビア半島	329	
スキージャンプ競技	117	
スキーマ	251	
すきま戦略	29, 204	
スキャナー	303	
スキャニング	303	
スキャン	303	
スキャンディスク	58	
スキンケア用品	150	
スクウェア・エニックス	318	
スクーグシュルコゴーデン	329	
スクープ	87	
スクーリング	249	
スクエア	113	
スクエアポジション	113	
スクラッチくじ	166	
スクラブ	251	
スクランブル	288	
スクランブルチャンネル	171	
スクランブルをかける	171	
スクリーン	128, 271	
スクリーンキャプチャー	351	
スクリーンショット	351	
スクリーンセーバー	271	
スクリーンテスト	319	
スクリプト	178	
スクルの文化的景観	333	
優れた	307	
優れた点	223	
スクロール	98, 133	
スクロールバー	133	
スクロールマウス	133	
スクロール・ロック・キー	133	
スケートリンク	32	
スケール	28	
スケールエコノミー	132	
スケールメリット	132	
助っ人	357	
スケベ	303	
スケリッグ・マイケル	329	
スコアリングマシン	271	
すごい	189, 355	
スコシア銀行	107	
スコダ	329	
スコッチウイスキー	332	
スコットランド	332	
スコットランド銀行	332	
スコピエ	329	
鈴鹿8時間耐久ロードレース	225	
鈴鹿8耐	225	
スズキ	225	
錫婚式	376	
スス等粒子状物質	219	
雀の涙	298	
裾野産業	436	
*〈スター〉ST銘柄	297, 392	
「スターウォーズ」	393	
「スターウォーズ計画」	393	
スターウッドホテルアンドリゾート	377	
スター運	393	
スター気取り	326	
スター級の	392	
スタークフォンテン, スワートクランズ, クロムドライおよび周辺地域の人類化石遺跡群	257	
「スタークラフト」	392	
スターティングブロック	277	
スターティングメンバー	321	
スターテレビ	392	
スタート	128	
スタートボタン〔ウィンドウズパソコンの〕	194	
スタートメニュー〔ウィンドウズパソコンの〕	194	
「スター・トレック」	392	
スターになる運	393	
スターバックスコーヒー	392	
スタイラスペン	55, 322	
スタイリスト	393	
スタイリッシュだ	420	
スタイル	270	
スタイルシート	404	
スタインウェイ	316	
スタグフレーション	268, 347, 439	
スタジアム	66	
スタジオジブリ	166	
スタジオドラマ	320	
スタットオイル	261	
スタバ	392	
スタリ・ラスとソボチャニ	330	
スターローン〔, シルベスター〕	318	
スタンスを示す	31	
スタンダード&プアーズ	31	
スタンダード&プアーズ指数	31	
スタンダード化	31	
スタンダード・チャータード銀行	31, 428	
スタンダードライフ	31	
スタンダードルーム	31	

索引　すたんどば～すぽるでぃ

スタンドバイ・クレジット	26	
スタントマン	342	
スタンバイ	90	
───〔コンピューターの〕	68	
スタンフォード大学	330	
スチームバス	433	
「スチュワート・リトル」	185	
スティーブ・ジョブス	318	
〔スティーブン・〕スピルバーグ	329	
スティーブン・ホーキング	318	
スティックのり	177	
ステータスシンボル	77	
ステータスバー	450	
ステート・ストリート	72	
ステート・ファーム	446	
ステートメント・オブ・ワーク	124	
ステーブルズ	330	
すてきな	209	
すてきな着メロ	205	
ステッカー	30	
ステッキ盤	43	
ステップ	338	
ステップごとに	344	
ステベ	237, 450	
ステベドア	237, 450	
ステルス機	413	
ステルス技術	413	
ステルステクノロジー	413	
スト	16	
ストゥデニツァ修道院	330	
ストーン(カーリングの)	32	
ストーン・グループ・ホールディングス	331	
ストーンヘンジ,エーヴベリーと関連する遺跡群	188	
ストックオプション	127	
ストックオプション対象株券	275	
ストックホルム	329	
ストップ高	431	
ストップ安	83	
スト破り	123, 272	
ストライキ	16	
ストラエンソ	329	

ストラスブールのグラン・ディル	330	
ストリーキング	233	
ストリートダンス	179	
ストリートパフォーマンス	179	
「ストリートファイター」	179	
ストリートファッション	179	
ストリーミング	226	
ストリーミングメディア	226	
ストリーム	318	
ストリチナヤ・ウォッカ	148	
ストレージ	356	
ストレートB/L	168, 437	
ストレートパンツ	437	
ストレス	416	
ストレッチ運動	310	
ストレッチパンツ	340	
砂嵐〔黄砂期の〕	304	
スナップ	449	
スナップショット	362, 449	
スニーカー	35	
スニッカーズ	320	
スヌーピー	318	
スネークヘッド	309	
頭脳流出	289	
頭脳労働者	181, 257	
スノーボード	69	
スバ	332	
スパイ	369, 402	
スパイウェア	175	
「スパイキッズ」	342	
「スパイダーマン」	436	
スパイラルノート	233, 381	
ずば抜けている	128	
ずば抜けて優れたもの	188	
スパムメール	209	
素早くて機動性に富む	225	
すばらしい	54, 200, 209, 307	
ずばりと容赦ないコメント	205	
スバル	328	
スハルト	332	
スピーカー	30	
スピードアップする	344	
スピード仕上げサービス	217	
スピード審査サービス	217	
スピードスケート	332	
スピード配達	332	
スピードを出す〔自動車		

やバイクの運転で〕	30	
スピエンヌの新石器時代の火打石の鉱山発掘地	329	
スピシュスキー城とその関連文化財	329	
スピルバーグ〔, スティーブン〕	329	
スピルリナ	233	
スピンオフ	105	
スプール	174	
スプライト	397	
スプリットの史跡群とディオクレティアヌス宮殿	330	
スプリットレベル住宅	59	
スプリングフィールド	330	
スプリンクラー	383	
スプリント	330	
スプレッド	174, 215, 217	
スペア	25	
スペアパーツ	267	
スペイン	375	
スペース	43	
スペースキー	204	
スペースサイエンス	202	
スペースシャトル	143, 338	
スペシャルオファー	342, 344	
スペシャルオリンピックス	319	
スペシャルオリンピックス国際本部	136	
スペック	132	
すべて請け負う	63	
すべてにおいて優秀なプロジェクト	286	
すべて面倒をみる	63	
すべり出し	193	
スペルチェック	270	
スポーツカー	267	
スポーツくじ	345	
スポーツクラブ	176	
スポーツシーズン	299	
スポーツジム	176	
スポーツ人口	345	
スポーツ賭博	88	
スポーツドリンク	79, 425	
スホクラントとその周辺	329	
スポット価格	380	
スポットレート	167, 380	
スポルディング	328	

スポンサー	427	
スマート爆弾	225	
住まい	170	
スマイルサービス	364	
スマトラ島	332	
スマトラの熱帯雨林遺産	332	
「スミソニアン協定」	318	
スミソニアン博物館	318	
すみつきかっこ	100	
すみつきパーレン	100	
住友金属工業	448	
住友商事	448	
住友生命	448	
住友電気工業	448	
スミノフウォッカ	155	
炭焼コーヒー	340	
図面デザイン	350	
スモーカー	401, 413	
スライディング	151	
スライドショー	155	
スライドプロジェクター	155	
スラックス	376	
「スラムダンク」	130	
スリ	302	
3Dアニメ	302	
3D映画	86, 302	
3D画像	302	
3Dマウス	300	
3G	300	
3M	301	
スリーエム	301	
スリープ	394	
スリープモード	394	
スリ・ジャヤワルダナプラ・コッテ	329	
スリッポン	212	
スリナム共和国	332	
スリム化	322	
スリム化を図る	34	
スリムな体	380	
スリムになる	322, 380	
スリラー映画	185	
スリランカ航空	329	
スリランカ民主社会主義共和国	329	
スルー B/L	222, 284	
スルーガイド	285	
スルーガイドによる観光案内	285	
ずれ	90	
すれ違う人が振り向く割合	157	
スレッド	347, 380	
スレバルナ自然保護区	329	
スレンダーな	126	
スローフード	239	
スロッター	43	
スロット〔コンピュータの〕	43	
スロバキア共和国	329	
スロベニア共和国	329	
スワジランド王国	330	
スワップコスト	82, 150, 356	
スワップ取引	83, 150	
汕頭金海湾大酒店	305	
スワトウゴールデンガルフホテル	305	
スンダルバンス国立公園	334	
スンニ派	398	
【せ】		
セアト	377	
制圧	62	
西安	375	
全員参加の生産保全	285	
成果	169, 429	
聖火	314	
政界	435	
青海省	282	
「星火計画」	392	
生活習慣病	312	
生活の質やスタイルにこだわること	385	
生活の質やスタイルにこだわる人	385	
生活の場	170	
生活保護	74, 456	
生活補助	312	
生活補助金	312	
聖カトリーナ修道院地域	315	
請願	333	
税関送り状	140	
税関職員が密輸を黙認した罪	102	
税関申告	23	
性感染症	297, 394	
「西気東輸」プロジェクト	376	
正規の発行物	433	
正規版	433	
正規分布	117, 433, 435	
正規メンバーになる	450	
請求払い	310	
性教育	308	
盛況である	160	
制御文字	204	
税金の還付	352	
税金を滞納する	438	
生計の問題	312	
整形美人	291	
政権公約	187	
制限戦争	420	
制限速度	381	
制限類商品	381	
整合	269	
成功する	74	
セイコー	184	
セイコーインスツル	184	
政策監視	433	
政策銀行	433	
政策決定システム	189	
政策決定する	189	
政策支援	433	
性差別	394	
清算	180, 282	
生産額	45	
生産管理	311	
生産規制	399	
生産,供給,販売の一本化	44	
生産計画	311	
生産原価	311	
生産コスト	311	
生産財	312	
生産調整	399	
生産的投資	311	
生産とマーケティングの直接連携	45	
生産年齢人口	213	
生産プラン	311	
生産要素	312	
生産ライン	311	
生産ラインの労働者	409	
生産量にもとづき販売量を決定する	410	
生産量を虚偽報告する	239	
生産量をごまかす	239	
正式採用	435, 450	
正式に開業する〔医者,弁護士などが〕	450	
正式の妻になる	450	
正式の党員になる	450	

政治色の強いパッカー	148	
性質	324	
性質が変わる	30	
精子バンク	186	
「政治文明」	435	
正社員になる	450	
脆弱性	59	
税収制度の改革	328	
青春期	150	
「青春祭」	282	
青城山と都江堰水利施設	282	
精神	390	
精神衛生	185	
成人教育	50, 51	
成人中等専門学校	51	
精神的の苦痛に対する損害賠償	185	
精神的な浮気	185	
精神的な浮気相手	185	
精神的負担	330	
成人のための中等職業技術教育	51	
成人の日	51	
成人向け	308	
成績	169	
聖戦	315	
清掃	22	
製造原価	311	
製造工程	311	
製造する	63	
製造費	311	
製造物責任	45	
製造ライン	311	
生息環境	312	
生息区域	312	
生存権	312	
生態科学	312	
生態環境	312	
生態系	312	
生態系保護活動	312	
生体識別	313	
生体認証	313	
聖地アヌラーダプラ	4	
聖地キャンディ	196	
成長エンジン	185	
成長株	52	
成長産業	403, 432	
成長分野	428	
成長率	428	

性的いやがらせ	394	
性的賄賂	394	
性転換	30	
性転換者	30	
性転換手術	30	
「西電東送」プロジェクト	375	
成都	50	
性同一性障害	411	
正当な収入	17	
政党のスタイル	71	
性と生殖に関する健康	313	
制度融資	433	
性に関する	310	
西寧	376	
製販同盟	45	
税引後利益	328	
製品構成	44	
製品の科学技術的要素	44	
製品ポートフォリオマネジメント	45	
製品ライフサイクル	45	
セイフガード	323	
政府介入	434	
政府開発援助	186, 434	
政府活動報告	434	
政府機能の転換	434	
「政府上網工程」	434	
「西部戦線異状なし」	377	
「西部大開発」	375	
税負担	328	
政府短期証券	434	
政府調達	433	
生物化学的酸素要求量	312	
生物学的侵入	313	
生物工学	313	
生物災害管理	312	
生物多様性	313	
生物時計	313	
生物農薬	313	
政府特別手当	434	
政府ネットワークプログラム	434	
生分解性プラスチック	199, 230, 313	
成分輸血	50	
生保	290, 322	
政法委員会	433	
製本機	450	
精密加工	310	
精密攻撃	185	

精密農業	186	
精密誘導兵器	185	
税務に関する	309	
清明	282	
「生命銀行」	312	
姓名権	394	
生命保険	290, 322	
声紋鑑定	312	
声紋分析機	312	
制約	271	
製薬基地	404	
成約金額	145	
制約条件	271	
成約量	50	
声優	268	
西洋かぶれの東洋人	382	
整理する	62	
整理, 統合	433	
成龍	51	
清涼飲料水	295	
生理用ナプキン	366	
セイル	299	
清廉な幹部の妻	222	
セイロン紅茶	376	
「聖闘士星矢」〈せいんとせいや〉	314	
セーシェル共和国	300	
セーヌ川	299	
セーブ〔データなどを記憶媒体へ〕	21, 59	
セーフガード	183	
セーフティーネット	9	
セーフモード〔ウィンドウズパソコンの〕	9	
セーラム	299	
セールス	352	
セールスポイント	238, 322	
セールスマネージャー	384	
セガ	319	
世界気象機関	319	
世界銀行	134, 319	
世界経済フォーラム	319	
世界消費者権利デー	383	
世界税関機構	319	
世界知的所有権機関	319	
世界貿易機関	319, 320, 355	
世界保健機関	319	
セカンダリーマーケット	95	
セカンドボード	94	
赤外線ポート	148	

積水ハウス	165	セットアップされた製品やサービス	341	ロイツェ・セルギー大修道院の建造物群	387
石炭不足	241	セットアップしていないコンピューター	233	〔セルゲイ・〕ラフマニノフ	209
赤道ギニア共和国	53	セットアッププログラム	9	セル生産方式	70
責任,権利,利益の結合	428	セット売り	207	「ゼルダの伝説」	299
責任準備金	428	セット・トップ・ボックス	164	セルッティ	299
石漠化	317	セット販売	207	セルビア・モンテネグロ	299
石油泥棒	418	セットプラン	341	セルフサービス	453
石油輸出国機構	262, 318	セット本	342	セルフ販売	193
セキュリタイゼーション	434	セットメニュー	341	セルラー通信	107
セキュリティー	9	設備	309	セルロース繊維	253
セキュリティーチェック	8, 9	設備稼働率	309	ゼレナー・ホラのネポムークの聖ヨハネ巡礼教会	428
セキュリティーホール	8	説明係	177	セレブ	309
席を売る〔大学の自習室などの〕	239	説明する	310	セレブリティ	309
世銀	319	絶滅危惧,希少動物	433	セレロン	300
セクシー	303	「絶滅のおそれのある野生動植物の種の国際取引に関する条約」	32	セレンゲティ国立公園	299
セクシーな	209			ゼロエミッション	225
セクシャルハラスメント	394			ゼロ関税	225
セクター	19, 305	設立する	63	ゼロ金利	225
セクハラ	394	セドリック	122	ゼロクーポン債	225, 372
セコハン	95	セネガル共和国	299	ゼロサムゲーム	225
セゴビア旧市街とローマ水道橋	299	ゼネコン	66	ゼロストック	225
		ゼネラリ保険	443	ゼロ成長	225
セコム	376	ゼネラル・エレクトリック	348	ゼロックス	316
セシリア・チャン	430			ゼロディフェクト	225
世代間公平	68	ゼネラル・ダイナミクス	348	世論調査	249, 420
世帯生産請負責任制	172	ゼネラルモーターズ	348	世論による監督	420
世代内公平	68	セビージャの大聖堂,アルカサルとインディアス古文書館	300	戦域弾道ミサイル防衛システム	336, 430
絶縁材	189			戦域ミサイル防衛	336, 430
石家荘	317	セビル	300	繊維,繊維製品監視機関	101
接客係の若い女性	122	セフィーロ	106	善意の第三者	305
接近戦	237	ゼブラ	19	前衛〔軍隊の〕	279
セックスに関する	310	セブン-イレブン	276	全英オープンテニス	367
セックスパートナー	394	セブンスター	276	船外活動〔宇宙船の〕	42
セックスフレンド	394	セミリング	105	全額出資	286
設計する	63	ゼメリング鉄道		川河集団	56
浙江省	432	セラード保護地域:ヴェアデイロス平原国立公園とエマス国立公園	299	全画面	285
絶好調	394			洗顔フォーム	179
絶賛上映中	289			洗顔ミルク	377
絶賛放送中	288	ゼリー	138	全危険担保	286, 407, 454
摂食障害	183	セ・リーグ	444	「全球通」	286
舌戦	204	セリーヌ	303	専業	286
節操がない	151	セリーヌ・ディオン	377	専業者	286
接待	99	セリエA	411	専業主夫	172
絶対原理	416	セリカ	299	専業主婦	172, 286
絶大な支持	450	セル	70	選挙討論	187
接待要員の若い女性	122	セル-・ゲーム・リザーブ	299		
設置する	310	セルギエフ・ポサドのト			
設定	310				
セットアップ	9, 310				

選挙妨害の罪	272	
先駆者	225	
全景	285	
全豪オープン	12	
全豪オープンテニス	10, 12	
洗口剤	324	
選考して招聘する	396	
全国人民代表大会	285, 289	
全国政協	285	
全国政治協商会議	285	
全国台湾同胞聯誼会	338	
センサー技術	56	
潜在能力	279	
船室	43	
センシティブ品目	249	
洗車場	49	
全社的生産保全	285	
全社的品質管理	336, 454	
選手権大会	183	
先取の意識	48	
洗浄済み野菜	186	
「戦場にかける橋」	133	
「戦場のピアニスト」	114	
前職より高い階級に登用する	117	
前進	352	
先進国	96	
先進国首脳会議	96	
先進諸国	96	
全人代	285, 289	
全身美容	286	
センス	270	
陝西省	305	
センセーショナル	23	
センセーショナルなニュース	246	
全世界的海上遭難安全システム	113, 285	
戦争以外の軍事行動	104	
戦争保険	32, 430	
戦争マニア	430	
船側渡	56	
全損のみ担保	286	
センターフォワード	439	
全体構想	148	
仙台市	380	
全体的な状況	65	
全体の情勢	65	
選択	284	
洗濯により繊維が縮む	334	

センタリング	188	
先端科学	279	
先端技術	118	
センダント	315	
全地球測位システム	113, 285	
センチメント指数	283	
センチュリーハイアット東京	85	
全天候型の	286	
全天候用の	286	
宣伝スローガン	396	
先頭	308	
先導隊	225	
セント・キルダ	315	
セントクリストファー・ネーヴィス	315	
セントジョージズ	315	
セントジョンズ	315	
「千と千尋の神隠し」	279, 311	
セントビンセントおよびグレナディーン諸島	315	
セントポール	314	
鮮度保持された商品	23	
セントラルキッチン	444	
セントリーノ	398	
セントリカ	415	
セントルイス	315	
セントルシア	315	
セントレア	439	
セント・レジス上海	295	
船内荷役船主無負担	56	
全日保育	293	
全日空	286	
全日空ホテルズ	286	
全日本空輸	286	
潜入	369	
潜入捜査	369	
潜入捜査官	369	
前年同期比	259, 349	
前場	350, 427	
選抜	396	
先発メンバー	321	
旋盤	49, 163	
線引小切手	147, 153	
前引け	427	
船腹	43	
全方位の	284, 285	
専門知識とコミュニケーション能力を併せ持つ人材	110	

専門店	449	
専門用語	449	
専用回線	449	
専用機	457	
専用旅客機	457	
戦略的パートナーシップ	430	
「戦略兵器削減条約」	396	
戦略兵器制限交渉	382	
戦略防衛構想	430	

【そ】

粗悪品や偽物を混入する	44	
そう(騒)	427	
創意	57	
創意に富んだアイデアを出す	57	
総入れ替え	64	
曽蔭権	21, 428	
僧院の島ライヒェナウ	211	
増益見通し	422	
増益予測	422	
増益を見込む	422	
騒音対策	428	
騒音レベル	428	
総会屋	71	
層化抽出	105	
増加率	428	
臓器移植希望者	179	
早期教育	47	
早期警戒機	421	
「双軌制」	326	
早期退職	258	
早期退職休養	352	
「双旗鎮刀客」	326	
操業開始する	350	
操業停止と点検整備	347	
創業パーク	57	
「創業板」	57	
操業を開始する	349	
送金為替	158, 328	
送金為替手形	270	
送金小切手	158	
「総経理」責任制	455	
象牙婚式	383	
造血	428	
倉庫	42	
霜降	326	
総合医療	285	
総合課税	454	
総合管理	455	

総合教育	285	る	455	組織ぐるみの犯罪	69
総合指数	454, 455	相場が上昇すると予想す		組織のシンボルマーク	158
走行車線	239	る	455	組織の重複	164
総合的経済効果	454	総遊遊粒子状物質	455	組織犯罪	420
総合的国力	454	層別抽出	105	素質	280
総合的品質管理	285, 336, 454	双方から料金を徴収する		粗品	106
総合デジタル通信網	454	こと	327	蘇州古典園林	332
総合利回り	454	双方向広告	149	訴訟費用の援助	329
倉庫型スーパーマーケッ		双方向選択	327	租税回避	29
ト	42	双方向テレビ	177	粗大ごみ	64, 66
倉庫間約款	43	双方向の	177	ソチカルコの古代遺跡地	
相互作用	149	双方共に利益を得る	327	帯	161
相互選択	326	双方共に利益を得る局面	327	速乾性	206
倉庫貯蔵	42	贈与税	207	「卒業」	29
相互に選択する	327	創+	57, 178	卒業後の進路が決まって	
倉庫保管	42	ソウル	142, 225	いる学生	84
相互補完	418	ソウルミュージック	225	ソックラムとブルグクサ	317
「総公司」	455	贈賄などの違法行為に使		そっくりさん俳優	344
走査	303	う金	146	ソドゥー・アリアンス	334
操作	43	疎遠になる	323	外付け	357
相殺	49	ソーヴィニョン・ブラン	46	備え付ける〔設備を〕	309
相殺関税	98	ソーシャル・ネットワー		ソナタ	334
相殺措置の対象となる補		キング・サービス	309	ソニア・リキエル	335
助金	200	ソーシャルワーカー	309	ソニー	334
捜査終了, 起訴準備をす		ソースコード	422	ソニー・エリクソン・モバ	
る	432	ソースプログラム	422	イルコミュニケーショ	
「早餐派」	427	ソーテルヌ	335	ンズ	334
増資	428	ソート	266	ソニー・コンピュータエ	
双日	327	ゾーニング	105	ンタテインメント	335
走者	267	ソープオペラ	104	側道	109
操縦	43	ソーラーエネルギー	339	「ソビエツカヤ・ロシア」	332
総重量	241	ソーラーカー	339	ソフィ	332
相乗効果	382	訴求	333	ソフィア	334
装飾建材	318	~族	409, 455	ソフィーナ	334
増殖炉	428	即応部隊	206	ソフトウェア	295
蔵書票	43	即時決済	317	ソフトウェア業務に従事	
痩身	322	即時入居可能な物件	380	する	52
送信トレイ	96	促進する	209	ソフトウェアで稼ぐ	52
送信箱	96	属性	324	ソフトカレンシー	295
相続税	409	即席ラーメン	100	ソフトキル	295
相続法	167	速達	206	ソフトサイエンス	295
相談役〔企業などの〕	452	速達サービス	206	ソフト資源	295
「増値税」	428	速達郵便	419	ソフトドリンク	295
早朝ジョギング	50	続報	396	ソフトドリンクのみを提	
早朝トレーニング	49	ソクラテス	332	供するカフェ	327
早朝ランニング	50	底	74, 125	ソフトニュース	295
総トン数	455	底値	76	ソフトパッキング	294
挿入	43	ソシアルワーカー	309	ソフトバレーボール	295
相場	143	ソシエテ・ジェネラル	97	ソフトバレーボール用の	
相場が下落すると予想す		組織委員会	456	ボール	295

ソフトバンク	295
ソフト包装	294
ソフトマネジメント	294
ソフト面の環境	294
ソフトローン	294, 417
ソブラニー	322
ソマリア民主共和国	334
ソリューション	180
ソルテア	334
ソルトレークシティ	402
ソレクトロン	396
ソロヴェツキー諸島の文化と歴史遺産群	334
ソロコンサート	120
ソロモン諸島	334
ソロモンブラザーズ	334
ソワレ	405
損益計算書	334
損益分岐点	21, 334
損害保険	41
損害保険ジャパン	291
尊厳死	457
損失	249
損失補填	334
損保ジャパン	291

【た】

ダーウェント峡谷の工場群	73
ダークホース	146
ダークマター	10
ターゲット	90, 336
タージ・マハル	338
ダージリン紅茶	64
ダージリン・ヒマラヤ鉄道	64
ダーティボム	427
ダートマスカレッジ	62
ダートマス大学	62
ダービーマッチ	72
ターミナル	439
ターミナルアダプター	439
ターミナルケア	224
ターミナルサーバー	439
ターミナルビル	148
ターミネーター	439
「ターミネーター」	443
ダイアナ妃	67
ダイアモンド婚式	456
ダイアログボックス	90

帯域幅	68
第一汽車グループ	407
第一銀行	141
第1次産業	78
第一生命	78
対衛星兵器	99
大英博物館	67
ダイエー	65
退役後転職した元軍幹部	189
ダイエット	175
ダイエットコーク	176
対応	416
タイ王国	338, 339
ダイオキシン	95
滞貨	165
タイガー・ウッズ	338
タイガービール	149
大改修	66
対外税務局	357
対外ビジネス	310
対外貿易自営権	357
大学院課程満期退学	451
大学院進学適正試験〔アメリカの〕	113
大学院生のチューター〔修士課程の〕	328
大学学部	63
大学が経営する企業	386
大学が経営するハイテク企業	117
「大学受験移民」	116
大学生の募集枠を拡大する	117
大学専科から4年制大学への編入学〔中国の〕	449
大学と企業	386
大学を卒業して役人になる	396
大かっこ	100
大寒	64
大韓航空	64
大韓民国	64, 141
大気汚染指数	1, 203
大気汚染予報	203
待機する	68
大気の透明度	258
大規模集積回路	64
大規模対外経済貿易発展戦略	65
大規模なもの	188

代休	37, 56
耐久消費財	64
大局	65
タイ記録	271
ダイキン工業	65
代金引換渡	160
対決	90
太原	339
「大検察官」	64
タイコ・インターナショナル	338
対抗	28
「退耕還林」プロジェクト	352
代行して人材養成やトレーニングをする	68
対抗する	196
対顧客相場	225, 412
タイ国際航空	338
大黒柱となる	346
タイ国立公園	337
大根おろし	232
泰山	339
第3次産業	77, 300
第三者割当	77
第三者割当増資	77
第3世代移動通信	77
第3世代携帯電話	77, 300
第3世代モバイル通信	77
「第三の波」	77
第3の波	77
ダイジェスト	175
「太子党」	339
貸借対照表	271, 451
貸借銘柄	293
大上海時代広場	65
大衆小説	384
大衆食堂	67
代襲相続	68
大衆に迎合した文芸作品	368
大衆に信頼される力	123
大衆の意見	123
大衆の認識	123
大衆向けスポーツカー	271
大暑	66
対処	416
対象	90
対称鍵暗号	248
退場させる	106
大勝する	66
大正製薬	67

対消費者取引	13, 305	代表モデル	78	代理サーバー	68
退職後に再雇用する	99	ダイビング(サッカーの)	173	代理店	68, 185
退職者事務局	215	ダイビングヘッド	420	代理母	68
耐震シェルター	197	大富豪の女性	111	大リビア・アラブ社会主義人民ジャマーヒリーヤ国	217
大ジンバブエ国立記念物	64	大富豪の男性	111, 206		
大豆イソフラボン	63	台北金馬映画祭	338		
対数表	90	太平洋カード	338	大量生産	51
大成建設	63	太平洋百貨店	338	大量の出稼ぎ労働者	249
体制の二重構造	326	大変にぎやかな	186	大量破壊兵器	64
大雪	67	「大法官」	64	「大量破壊兵器拡散防止構想」	100
大切にする	129	耐乏生活を強いられる	214		
滞船料	402, 438	耐乏生活をする	214	体力	310
大足石刻	67	タイボー	85	体力作り広場	176
タイソン・フーズ	339	逮捕許可	268	ダイレクトセールス	437
大々的に宣伝する	428	台北	338	ダイレクトディーリング	436
大打撃	445	逮捕する	393		
「タイタニック」	339	「たいまつ計画」	160	ダイレクトメール	437
台帳	74	タイマン	69	ダイレクトリンク	436
態度	338	「タイム」	317	第六感	76
タイド	339	タイムアウト(IT用語)	48	大和ハウス	64
大道芸	179	――――〔主として球技で〕	427	台湾海峡の両岸にある大陸,台湾と香港	223
大道芸人	249				
大同生命	66	タイムカード	168	台湾省	338
大唐電信	66	タイムカードを押す	62	台湾同胞	338
態度が豹変する	30	「タイムクライシス」	153	台湾独立	338
体得する	180, 345	「タイムズ」	316, 339	台湾独立を支持する台湾企業	230, 231
タイトルバー	31	タイムトラベル	317		
タイトル防衛戦	366	「タイムボカン」	385	台湾独立を支持する台湾の芸能人	231
タイドローン	110, 112, 381	ダイムラー・クライスラー	68, 201		
態度を示す	31			大を捉え小を解き放す	448
ダイナースカード	65	タイムレコーダー	197	ダウ・ケミカル	341
ダイナースクラブカード	65	タイム・ワーナー	316	ダウ・ジョーンズ平均株価指数	72
体内時計	313	タイメックス	345		
ダイナジー	68	胎毛筆	337	ダウ平均	72
ダイナスティ	358	ダイヤルアップ接続	34	ダウン	71
ダイナスティ・ファイン・ワイン・グループ	358	ダイヤルアップネットワーク	34	ダウンサイジング	175
				ダウン症候群	61, 341
ダイナミックHTML	87	ダイヤルイン	436	ダウンストリーム	379
第2次産業	75	太陽エネルギー	339	ダウンする	151
第2次産業の最適化と,第3次産業の振興	417	太陽政策	403	ダウンロード	379
		太陽生命	339	ダヴ	91
第2次創業	94	太陽探査機ヘリオス号	339	高いところへ登る	266
大日本印刷	65	耐用年数	318, 432	互いに相手を選ぶ	326
大人気	64, 257	「太陽の少年」	403	互いに長所を補う	418
大納会	259	大容量メモリー	65, 141	高くする	345
大の虫を生かして小の虫を殺す	84	第4の審判員	77	多角的な	285
		第4のメディア	77	多角的貿易交渉	90
タイパーツ	339	大リーグ	244	多角的貿易システム	285
ダイハツ	64	大陸間弾道ミサイル	446	高島屋	115
大発会	259	代理購入販売	67	高値更新	388

高値引け	116
高値持合	117
タカ派	415
高松市	117
高まりをみせる	176
宝くじ	35, 41
宝くじ愛好家	41
宝くじ・くじの分析,評論	41
宝くじ産業	35
宝くじ市場	41
宝くじマニア	41
「宝島　トレジャー・アイランド」	437
抱き合わせ販売	61
タキシラ	336
多機能クレジットカード	407
タグ〔プログラミングで〕	30
択一問題	69
タクシー	75, 167
タクシー運転手〔女性の〕	75
タクシー運転手〔男性の〕	75
タクシーに乗る	62
タクシーを拾う	62
タクトをとる	436
宅配	331
宅配業者	429
宅配便	429
タグ・ホイヤー	143
武田薬品工業	373
竹中工務店	447
多元主義	92
多元的社会	92
多国間援助	90
多国間協定	90
多国間投資保証機関	90
多国間貿易システム	285
多国籍企業	205
他国,他の地域への送金	411
多才な人	91
多剤併用療法	165
タジキスタン共和国	336
タシケント	337
多収量高品質	115
タスクバー	291
タスクフォース	164, 543
助ける	20
タス通信	93, 337
タスマニア原生地域	337
ダタンテレコム	66
立会人〔証券取引所の〕	148
立ち上げる	193, 277
立ち退き拒否世帯	83
立ち退き世帯	19, 44, 87
立ち退き補償	44
立場がはっきりしている	277
立場を変えて考える	30, 155
多チャンネル	92
ダッカ	61
タックスヘイブン	29
脱構築	180
脱サラ	378
ダッジ	72
脱出システム	341
脱出装置	341
タッシリ・ナジェール	2
達人	202
脱税	341
ダッソー・システムズ	62
タッターの文化財	342
タッチスクリーン	55
タッチパッド	55
タッチパネル	55
タッチペン	55
脱毛クリーム	353
脱硫	353
建て替え	98
縦型	218
立て削り盤	43
建前	422
建物間の距離	176
建物に付随する権益	176, 374, 405
建物延面積	176
タトゥー	58, 368
タトゥーシール	368
多党協力制	91
タドラット・アカクスのロック・アート遺跡群	336
棚卸し	266
ダナ・キャラン	341
谷〔景観の〕	74, 125
タヌムの線刻画群	337
多能工	91
楽しませる	118
楽しみながら学習する	421
楽しみを通じて教育をする	421
楽しむ	420
ダノン・グループ	62
タバコ中毒	54
タハテ・スレマーン	336
タヒチ島	337
ダビドフ	66
ダビング	98
ダビングスタジオ	229, 268
タブ〔コンピューターで〕	30
タブキー	336, 438
タフテ・バヒーの仏教遺跡群とサライ・バロールの近隣都市遺跡群	336
ダフニ修道院群,オシオス・ルカス修道院群,ヒオス島のネア・モニ修道院群	61
だふ屋	156, 270
だふ屋行為	71
だふ屋のチケット	156
ダブリン	87
ダブルキャスト	1
ダブルクォーテーション	327
ダブルクリップ	326
ダブルクリップ	46
ダブル効果	327
ダブルスクール族	327
ダブルスタンダード	326
ダブルディグリー	327
ダブルデッカーバス	326
ダブルプレー	327
ダブルミント・チューインガム	230
タブレット	158, 322
タブレット用ペン	322
多方面の	284
多摩川	91
卵を抱いて温めること〔鳥などが〕	264
だます	71
ダマスカス	65
ダマスクス	65
ダミアン・ラウ	226
ダミー会社	156
タムガリの考古学的景観内のペトログラフ	337
多面的な	285
保つ	21
たらい回しにする	344
タラコ	380
タラゴーナの遺跡群	337
ダラス	61
タラハシー	337

たらまんか～ちぇっくあ 索引

タラマンカ地方ラ・アミスター保護区群	337	
ダラム城と大聖堂	62	
タラワ	337	
タリーマン	78, 216	
ダリエン国立公園	62	
他律	336	
タリバーン	337	
タリバン	337	
タリン	337	
タリン歴史地区	337	
だるい	269	
ダルエスサラーム	62	
タレスグループ	338	
たれぱんだ	264	
誰もその命令に従わない指導者	203	
タレント	344	
タロム・ルーマニア航空	232	
段〔昇降のための〕	338	
ダン・アンド・ブラッドストリート	74	
単一市場	349	
単一のラウンドロビン	69	
単一のリーグ方式	69	
タンカー	418	
段階	338, 344	
段階的	344	
弾丸列車	452	
短期型	89	
短期金融市場	89	
短期国債	89	
「単騎、千里を走る。」	279	
短期的	89	
短期波動	165	
短期割引国債	89	
ダンクシュート	204	
タンクトップ	372	
団結心	351	
団結力	260	
単元〔教科の〕	70	
男権主義	257	
団交	167	
談合	330, 382	
タンザニア連合共和国	340	
炭酸飲料	340	
端子	439	
短資会社	89, 90	
男子学生	257	
タンジャーヴールのブリハディーシュヴァラ寺院	340	
短縮ダイヤル	334	
短縮番号	334	
単純平均利回り	271	
単純利回り	127	
男娼	399	
男女が付き合う	265	
男女の出生比率不均衡	394	
単身のりこむ	69	
単身赴任	69	
短水路	88	
「ダンス・ウィズ・ウルブス」	421	
ダンスケ銀行	69	
男性	257	
男性科	256	
「弾性外交」	340	
男性が女役を演じる	256	
男性機能専門科	256	
男性客室乗務員	202	
男性キャビンアテンダント	202	
男性スーパーアイドル	385	
男性スーパースター	345	
男性性機能障害	36	
男性フライトアテンダント	202	
男性より女性のほうが強い現象	412	
担税力	111, 256	
断層	90	
炭層ガス	241	
炭疽菌	340	
炭素繊維	340	
団体交渉	167	
団体精神	351	
団体保険	351	
団体旅行	333, 351	
担当重役	447	
弾道弾迎撃ミサイルシステム	98	
「弾道弾迎撃ミサイル制限条約」	98	
「単刀直会合」	69	
弾道ミサイル防衛システム	70	
担当役員	447	
タンドール・ブワゾン	367	
単独インタビュー	449	
単独海損不担保	69, 271	
単独海損分損担保	69	
単独公演	120	
単独行動主義	69	
断乳	90	
タンニン	69	
蛋白質	70	
蛋白質工学	70	
タンパックス	69	
短パン	234	
ダンヒル	74	
ダンピング	282	
ダンブッラの黄金寺院	69	
単方向課金システム	69	
担保付社債	419	
担保ローン	9, 75	
端末	439	
端末機	439	
男優が女性に扮する	256	
タンユグ通信	257	
弾力的で多様な就業形態	340	
ダンロップ	74	

【ち】

チアリーディングチーム	210
地域	309
地域医療	285
地域警官	309
地域サービス	309
地域社会	309
地域主義	76
地域担当医	269
地域の医療機関	309
地域貿易協定	284
チークカラー	298, 394
チークブラシ	106
小さい店を出し商売をする	223
チーズ	256
知恵	390
チェーホフ〔,アントン・パブロビチ〕	278
チェーンストア	222
チェコ共和国	179
チェ・ジウ	59
知恵者	438
チェスキー・クルムロフ歴史地区	179
チェチェン紛争	49
チェックアウト	215

チェック・アンド・バランス	438
チェックイン	84
チェックシート	82
チェックボックス	112
チェックリスト	282
チェリー	277
チェルヴェテリとタルクィニアのエトルリア墳墓群	299
チェロキー	281
地縁	78
チェン・カイコー	49
地価	76
違い	43
地下刊行物	77
地下出版物	77
地価税	76
近道	206
痴漢	303
痴漢行為	103
チキトスのイエズス会伝道施設群	276
地球温暖化	285
地球外生命体による文明	77
地球科学	76
地球サミット	76
「地級市」	76, 77
地球シミュレーター	76
地球の日	76
地球村	76
地区クラスの「市」	76
筑後川	448
蓄積	163
千曲川	279
チケットを買う	238
遅行指標	438
知財権	436
知識移転	436
知識経済	436
知識資本	436
知識集約型	438
知識人のニューリッチ	435
知識爆発	436
地上勤務員	76
地上発射巡航ミサイル	229
地対空誘導弾	7
チタノス	77
秩序を失う	316
窒素酸化物	70
チップ	389
チップセット	389
知的財産権	436
知的支援	438
知的資本家	435
知的障害	439
知的障害児教育	267
知的所有権	436
知的ネットワーク	436
チトニ	241
知能指数	438
知能犯罪	438
知の硬直化	330
知の爆発	436
血の表現〔演劇で〕	54
千葉県	279
千葉市	279
チバビジョン	320
「ちびまる子ちゃん」	415
チベット支援のために派遣する幹部	422
チベット自治区	377
地方検察庁〔日本の〕	76
地方公共事業	320
地方財政請負制度	76
地方主義	76
地方税	76, 77
地方保護主義	76
知名度	435
チャーター機	21
「チャーリーズ・エンジェル」	268
チャーリー・ブラウン	44
チャールズ皇太子	43
チャールズ・シュワブ	172
チャールストン	43
チャイコフスキー〔ピョートル・イリイチ・〕	44
チャイナエアライン	442
チャイナ・エアロスペース・インターナショナル・ホールディングス	143
チャイナ・エバーブライト	440
チャイナ・エバーブライト・インターナショナル	440
チャイナ・エレクトリック	440
チャイナ・オーバーシーズ・ランド&インベストメント	441
チャイナ・チェントン・デベロップメント・グループ	440
チャイナテレコム	440
チャイナ・トラベル・インベストメント・ホンコン	382
チャイナ・ナショナル・アビエーション	442
チャイナ・ネットコム・グループ・コーポレーション(ホンコン)	442
チャイナノット	441
チャイナ・パワー・インターナショナル・デベロップメント	440
チャイナ・ファーマスティカル・グループ	442
チャイナ・ホテル・バイ・マリオット	132
チャイナ・マーチャンツ・ディーチェン(アジア)	431
チャイナ・マーチャンツ・ホールディングス(インターナショナル)	431
チャイナ・モバイル	442
チャイナ・モバイル(ホンコン)	442
チャイナ・ユニオンペイ	442
チャイナ・ユニコム	441
チャイナ・ライフ・インシュアランス	441
チャイナ・リソーシズ・エンタープライズ	151
チャイナ・リソーシズ・セメント・ホールディングス	151
チャイナ・リソーシズ・パワーホールディングス	151
チャイナ・リソーシズ・ピープルズ・テレホン	152
チャイナ・リソーシズ・ランド	152
チャイナ・リソーシズ・ロジック	151
チャイナ・ワールド・ホテル北京	440
「チャイニーズ・ゴース	

ト・ストーリー」	280	「中央商務区」	40, 445	中国海洋石油	441
チャイルドシート	9	中央処理装置	169, 444	中国科学院	443
「茶色い雲」	454	中央人民放送局	445	中国科学院と中国工程院	
チャウ・シンチー	446	中央揃え	188	の2つのアカデミー会	
チャオプラヤ川	431	中央通訊社	445	員	223
着眼点	319	中央電視台	40, 403, 444	中国化工進出口総公司	441
着信転送	149	中央に位置する	188	中国家庭用電気器具協会	441
着任手当	8	「中央日報」	445	中国家電協会	441
着メロ	225, 321	中央ビジネス地区	40, 445	中国企業連合会	441
チャゲ&飛鳥	279	「中外合資経営企業法」	444	中国共産党地方各レベル	
チャコ文化国立歴史公園	44	仲介する	188	代表大会	71
チャット	224	仲介料	143	中国共産党中央規律検査	
チャットルーム	224, 361	中価格品	439	委員会	168
「チャップリンの独裁者」	64	中核の担い手となる	346	中国共産党中央宣伝部	444
チャド共和国	429	中核を担う	346	中国共産党中央対外連絡	
チャトラパティ・シヴァ		中華振興	433	部	443
ジ・ターミナス駅	174	中華人民共和国	440, 442	中国共産党中央直属機関	445
チャビン	44	中華人民共和国国家発展		中国共産党中央統一戦線	
チャラ	49	改革委員会	137	工作部	440, 445
チャリティーバザー	411	「中華人民共和国消費者		中国共産党の思想政治教	
茶碗蒸し	433	権益保護法」	383, 443	育サイト	148
チャン・イーモウ	430	「中華人民共和国香港特		中国銀行	442
チャンギ国際空港	430	別行政区基本法」	443	中国銀聯	442
チャン・チャン遺跡地帯	45	「中華人民共和国香港特		中国建設銀行	175, 441
チャン・ツィイー	430	別行政区基本法」の解		中国航空技術国際控股	441
チャン・ドゥック・ルオン	49	釈	319	中国工商銀行	122, 440
チャンドッグン	45	「中華人民共和国マカオ		中国光大控股	440
チャン・ドンゴン	430	特別行政区基本法」	443	中国光大国際	440
チャンパサック県の文化		中華全国台湾同胞聯誼会	442	中国国際航空	440
的景観にあるワット・		中華料理のファーストフ		中国国際放送局	440
プーと関連古代遺産群	430	ード	444	中国語情報処理	444
チャンパネル・パヴァガ		中間管理職	439	中国語情報処理システム	444
ドゥ考古学公園	307	中間決算	443	中国サッカー協会スーパ	
チャンピオンシップ	183	昼間興行	292	ーリーグ	439, 442
注意	402	中関村科学技術園区	440	中国社会科学院	441
注意欠陥多動性障害	448	中関村サイエンスパーク	440	中国証券監督管理委員会	442
注意や警告	156	中間配当	443	中国消費者協会	442
注意を促す	186	中間発行	443	中国人	227
中遠国際控股	445	中期波動	446	中国新聞社	442, 444
中遠太平洋	445	中級品	439	中国人民解放軍香港駐屯	
中央アフリカ共和国	439	「中距離核戦力条約」	439	部隊	448
中央アマゾン保全地域群	400	中距離ミサイル	439	中国人民銀行	441
中央運河にかかる4機の		中銀香港	445	中国人民政治協商会議	435, 441
水力式リフトとその周		中継貿易	449	中国人民大学	289
辺のラ・ルヴィエール		中古	95	中国スペシャルオリンピ	
とル・ルー	210	中航興業	442	ックス委員会	448
中央企業工作委員会	444	中高層住宅	439	中国誠通発展集団	440
中央銀行	403, 445	中国	440, 442	「中国青年報」	441
中央指導集団	444	中国移動	442	中国製薬集団	442
中央シホテ・アリン	444	中国海外発展	441	中国石油	442

中国石油化工	441	
中国石油天然気	441	
中国卓球スーパーリーグ	441	
中国中央テレビ局	40, 403, 444	
中国電子	440	
中国電子集団控股	440	
中国電力国際発展	440	
中国東方航空	440	
中国南方航空	441	
中国農業銀行	260, 441	
中国の各部認定優良商品	39	
中国の伝統的な民族衣装をアレンジしたファッション	341	
中国ハイテク技術発展計画	14	
中国版ナスダック	94	
中国風デザインの衣服	444	
中国結び	441	
中国網通集団	442	
中国輸出商品交易会	132, 440	
中国領土に属する海と島	141	
中国糧油国際	441	
中国聯合通信	441	
中国聯通	441	
中古住宅	95	
駐在員	46	
中止になる	338	
駐車	35	
駐車場	49	
駐車スペース	36, 49	
中小企業ボード	444	
柱状図	47	
中信国際金融控股	444	
中信資源控股	444	
中信泰富	444	
中心的役割を果たす	196	
中信21世紀	444	
中枢	323	
中世市場都市プロヴァンス	273	
中性インクペン	444	
中正国際空港	445	
中生代	443	
中世都市トルニ	444	
中西部地域のヴォルタ・グレーター・アクラの城塞群	369	
中石化冠徳	443	
抽選償還	54	
中層集合住宅	91	
中低所得者向け住宅	8	
中東航空	439	
中東部の多雨林保護区群	439	
中毒になる	308	
中途採用	444	
チュードル	75	
チューナー	346	
中年世代	443	
中部国際空港	440	
中部スリナム自然保護区	332	
中部電力	439	
チューブトップ	252	
中米共同市場	443	
中米合同商業貿易委員会	443	
注目されている事柄や場所	288	
注目されない物事	215	
注目される	280	
注目される点	223	
注目する	188	
注目度	157	
注文書	83	
チューリッヒ・ファイナンシャル・サービシズ	332	
チューリッヒ保険	332	
チュコン・シッピング・デベロップメント	446	
チュニジア共和国	350	
チュニス	350	
チュニスエアー	350	
チュニス旧市街	350	
長安街(北京)	45	
弔慰金〔国や企業からの〕	109	
超インフレーション	94	
超薄型電池	437	
超英才教育	46	
超音波検査Bモード	13	
聴覚障害	347	
張学友	430	
超可愛い	47	
長期型	46	
長期金融市場	46	
長期計画	423	
長期低利貸付	294, 417	
長期的	46	
長期的治安と安定の維持	46	
長期波動	196	
「釣魚工程」	83	
釣魚台国賓館	83	
長距離ミサイル	423
張芸謀	430
張恵妹	430
長江	45
超合金	47
長考する	46
超高速コンピューター	47
超広帯域無線	47
長江デルタ	45
張国栄	430
長沙	46
調査監督	82
調査団	433
調査・分析し,対策を立てる	16
「超時空要塞マクロス」	48
徴収管理	433
長春	45
長春映画祭	45
長城カード	45
頂上にアタックする	53
長城ワイン	45
「朝食パイ」	427
調整して減らす	346
長征2号ロケット	45
潮汐エネルギー	48
潮汐発電所	48
挑戦する	178
「趙先生」	432
朝鮮中央通信	48
「朝鮮日報」	48
朝鮮民主主義人民共和国	48
超早期教育	47
超大規模集積回路	46, 47
超大作映画	47
調達	41
頂点	83
超伝導	47
超伝導元素	47
超伝導素材	47
超特価	48, 433
蝶ネクタイの曽	21
超能力	344
張柏芝	430
懲罰主義	50
挑発する	178
趙薇	432
重複建設	53
張曼玉	430
チョウ・ユンファ	446

チョーラ朝の現存する大寺院群	447	【つ】		通報センター	188
		ツアー	398	通訳ガイド	71, 98
チョガ・ザンビール	279	ツアーコンダクター	285	ツールバー〔コンピューター画面上の〕	122
直接金融	436	追加証拠金	450		
直接資金調達	436	追加する	170		
直接取材する	436	追加保証金	450	ツールボックス〔コンピューター画面上の〕	122
直接償却法	436	追求	333		
直接選挙	436, 437	追跡可能性	333	通路	359
直接発行	436	追跡監査	121	通話可能エリア	110
直接販売	437	追跡記事	396	通話料先払い	421
直接補助	249	追跡取材	450	ツォディロ	60
直接利回り	436	追跡、逮捕する	451	使いこなせない	357
直通電話	436	追跡調査	121	使い捨て商品	406
直利	436	ツィンギ・デ・ベマラ厳正自然保護区	283	使う分だけ購入する	417
直リンク	436			継ぎ	36, 394
著作権	19, 448	ツインルーム	326	つきあい	99
著作権使用料率	19	ツヴィリングJ.A.ヘンケルス	326	つきあいや義理などによる出費	290
著作権所有	19				
著作権侵害	72	ツーウェイチャージ	327	接ぎ木	174
著作権取引	19	痛快	327	月周回衛星	288
著作権ビジネス	19	通貨管理制度	160	付き添い看護	267
著作権法	19	通貨供給量	160	次の段階	379
著作権貿易	19	通貨混合	348	次へ〔コンピューター画面などの表示で〕	379
直感	76	通貨再膨張	348		
直行便〔車の〕	437	通貨スワップ	160	継ぎを当てる	36, 394
著名商標	52	通貨当局	182	作り上げる	175
著名人	123	通関	348	作る	63
チョモランマ山	446, 447	通関業者	161	つけ毛	178
チョンミョ	454	通関業務効率化プロジェクト	66	つけまつげ	173
青瓦台〈チョンワデ〉	282			津市	182
ちらし	385	通関許可証	102	続く	183
チリ共和国	438	通関士	23	包む〔食べ残しを〕	62
地理上の	78	通関手続	23	つて	246
地理情報システム	76, 113	通行禁止	183	つなぎ	342
地理的な	78	通行制限	381	つなぎ売り	238, 342
知慮	390	通行を禁止する	183	つなぎ買い	342
知力	390	通常軍縮	45	つなぎ目	178
チルダ	34	通信回線	348	つなぎ融資	138
チルダー	34	通信設備の容量を拡大する	208	ツバル	351
チロエの教会群	276			粒〔液体の〕	78
陳凱歌	49	通信速度	348	妻がアメリカにいること	258
チンギス・ハン	50	通信販売	142, 418	つまらない	242
賃金格差	124	通信用グローバルシステム	113, 286	積替港	449, 450
賃金規則	124			積み重ね	163
賃金規定	124	通知	123	積み重ねる	163
賃金遅配	353	通知払い	356	積立定期預金	84, 225
陳慧琳	49	通帳記帳	59, 170	冷たい平和	215
陳小春	50	通知預金	348	強気(金融用語)	92
青島ビール	282	通天閣	348	強気株	280
陳列棚	429	通販	142, 418	強気相場	92, 455
				強気の〔相場などが〕	175

索引　つよぶくみ～てぃわなく

強含み	175	定額法	437	ディズニーランド	75
辛い結果	204	低下させる	6	ディスプレイ	380
釣り合いがとれている	269	ティカル国立公園	76	ディスプレイ広告	416
吊り天井	82	定期積金	105,225	呈する	51
釣りの試合を始める	193	定期預金	84	ティソ	345
釣りを始める	193	テイクアウト	356	低層住宅	74
ツルゲーネフ〔,イワン・セルゲーヴィチ〕	351	テイクオフ	277	低速走行車線	239
		デイクリーム	293	低地	74
連れ子	353	デイケア	292	低調期	74
		提携	145,279,387	ディック・カウボーイ	75
【て】		定稿	456	ティッセン・クルップ	77
「デアデビル」	405	低公害車	230	抵当	75
手編みセーター〔棒針編みの〕	20	定刻	433	抵当権	75
		帝国ホテル	76	抵当証書	75
手洗い用液体石けん	377	ディコンストラクション	180	抵当ローン	9,75
手洗い用消毒液	377	体裁を整える	21	テイト・ギャラリー	339
ディアジオ	75	定時〔交通機関の〕	433	定年退職	215
ティアナ	345	ディジェスティフ	99	低年齢	74
「デイ・アフター・トゥモロー」	149	定時償還	10,84	「ディノクライシス」	204
		低姿勢である	74	停泊場所	36
ディアブロ（車名）	133,251	鄭州	435	ティパサ	344
「ディアブロ」（ゲーム名）	9	低周波音兵器	58	ティファニー	76
ディアマンティーナ歴史地区	75	低周波兵器	58	ディフェンダー〔サッカーやバスケットボールなどの〕	149
		鄭秀文	435		
提案	344	亭主関白	65		
ディー・エイチ・エル	90	鄭少秋	435	ディフェンディング・チャンピオン	366
鄭伊健	435	定食	341		
ディープカルチャー	310	低侵襲手術	362	ディベーター	30
ディープサブミクロン	310	デイズ・イン	68	ディベート	30
ディープ・レッド	310	ディスインフレーション	99	ディベート試合	30
ディーラー	434	ディスカヴァリー・コースト大西洋岸森林保護区群	66	ディベート大会	30
ティール	344			ディベロッパー	193
「庭院経済」	347			堤防の巡回検査	397
ティヴォリのエステ家別荘	77	ディスカウント・キャッシュ・フロー	346,381	ティムガッド	344
				低迷	74
ディヴリーイの大モスクと病院	75	ディスカウントショップ	432	ティヤ	78
		ディスカウントストア	222,432	低家賃の賃貸住宅	222
ティエラデントロの国立遺跡公園	347	ディスカウントマーケット	222	低落期	74
				ティラナ	345
ティエリー・ミュグレー	75	ディスカバリーチャンネル	340	「デイリーエクスプレス」	245
ティエンジン・デベロップメント・ホールディングス	345			「デイリーテレグラフ」	245
		ディスクアレイ	58	「デイリーポスト」	245
		ディスク最適化	58	「デイリーミラー」	245
低音	74	ディスクの空き容量	58	手入れ	394
低音専用スピーカー	74	ディスクの最適化	333	ディレクター〔ラジオやテレビなどの〕	71
低温保持	21	ディスク容量	58		
低価格で分譲される住宅	109	ディスクロージャー	391	ディレクトリー	253
低価格の	74	ディスコ	75	手入れする	62
低価格品	74	ディスコダンス	27,75	ティワナク：ティワナク文化の宗教的・政治的	
低価格分譲住宅	185	ディスコで踊る	27		

中心地	77	
ディンクス	83	
ティンバー	347	
ディンブラ紅茶	347	
手打ちそば	321	
デージーカッター	55	
デージーチェーン	55	
データ	452	
データ通信	324	
データバンク	324, 452	
データベース	324, 452	
データ放送	324	
デート	423	
テートギャラリー	339	
デートする	265	
デーナ	73	
テープホルダー	177	
テーマパーク	447	
デオキシリボ核酸	61, 353	
デカ	346	
手書き入力	322	
手鉤無用	37, 183	
出稼ぎブーム	249	
手堅い	175	
手形オペレーション	270	
手形交換	270	
手形売買市場	89, 270	
手形割引会社	346	
手形割引市場	270	
[デカプリオ,]レオナルド	211	
テキーラ	227	
適格海外機関投資家	144	
適格国内機関投資家	144	
適材適所	223	
テキサス・インスツルメンツ	74	
テキサス州	73	
適者生存	418	
テキスト	367	
テキストエディター	367	
テキスト形式	58	
テキストファイル	367	
テキストロン	62	
適正化	417	
適正価格	145	
適切に処理する[問題や関係を]	217	
敵対的M&A	75, 94	
敵対的買収	75, 94	

出来高[株式取引の]	50	
出来高給	168	
できちゃった結婚	107, 380	
テグシガルパ	342	
テクニカル・サポート・センター	168	
テクニカルターム	449	
テクニカル分析	168	
テクノパーク	197	
テクノポリス	197	
デコーダー	180	
てこ作用	115	
デザイン	350, 356	
デサント	75	
デジカメ	324, 325	
デジタル圧縮	325	
デジタル音声放送	325	
デジタル化	324, 325	
デジタル化戦場	325	
デジタル家電	325	
デジタルカメラ	324, 325	
デジタルコミュニケーション	325	
デジタルシグネチャー	325	
デジタルシティー	325	
デジタル署名	325	
デジタル戦場	325	
デジタル双方向テレビ	324	
デジタル・チャイナ・ホールディングス	311	
デジタル通信	325	
デジタル通信方式の携帯電話	325	
デジタルディスプレイ	325	
デジタルディバイド	325	
デジタルデバイド	325	
デジタルテレビ	325	
デジタル電子製品	325	
デジタル電話	50	
デジタル都市	325	
デジタル図書館	325	
デジタルビジュアル	325	
デジタルビデオカメラ	324	
デジタルプリント	324	
デジタルペット	81	
デジタル放送	325	
デジタル万引き	324	
デジタルモバイル通信	325	
デジタルライブラリー	325	
手じまい	271	

手順	52	
手数料	143	
デスク	20	
デスクトップ	451	
デスクトップパソコン	338	
テスコ	344	
テスト版	43	
テストマーケティング	388	
デスパッチ	333	
出だし[仕事や活動の]	193	
デチャーニ修道院	67	
手塚治虫	322	
テックデータ	168	
鉄婚式	347	
デッサウ・ヴェルリッツの庭園王国	73	
テッサロニーキの初期キリスト教とビザンチン様式の建造物群	299	
撤退する[市場など競争の場から]	378	
徹底的な	285	
デット	429	
デットアサンプション	429	
鉄道警察	347	
デットファイナンス	180	
手っ取り早い方法	206	
鉄のバラ	202	
「鉄腕アトム」	347	
テディベア	338	
テトゥアン旧市街	73	
デトロイト	75	
手にあまる	357	
手抜き工事	87	
テネシー州	345	
手の内を見せる	223	
デノミ	334	
デノミネーション	334	
デバイス	278, 309	
デバグ	187, 265, 346	
デバッグ	187, 265, 346	
デビスカップ	68	
デビットカード	180	
デビッド・カッパーフィールド	66	
「デビルマン」	94	
デファクトスタンダード	143	
デフォルト	39, 252, 286, 365	
デフォルト値	252	
デフォルトリスク	365	

索引 でふらぐ〜でんしたい

デフラグ	58, 333
デフラグメンテーション	333
デフレ	348
デフレーション	348
デフレギャップ	348
デフレスパイラル	348
テヘラン	73
デポ	42
デポコルレス銀行	431
デポジット	23
テポドンミサイル	65
デマ	402, 438
出前	331
出前を頼む	178
出前をとる	178
デマレージ	402, 438
出回る〔市場に〕	308
デミオ	73
出店	339
デミ・ムーア	68
テムズ河	339
デモイン	73
デモンストレーション	402
デュアルカレンシー債	326
デュアルディグリー	327
デュアルバンド	326
デュアルモード	326
デューク・エナジー	88
デューン	304
デュプレックス	111
デュポン	88
デュラセル	181
デュロン	87
デラウェア州	343
デラックスセダン	100, 143
テラバイト	339
デリート	304
デリートキー	304
デリーのクトゥブ・ミナールとその建造物群	73
デリーのフーマユーン廟	73
デリバティブ	266
デリバティブズ	182
デリバリー	331, 429
デル	67
テル・アビブのホワイト・シティー―近代化運動	343
テル・アビブ・ヤッフォ	343
テルストラ	12
デルタ航空	62
「デルタフォース」	301
テルチ歴史地区	338
デルファイブ・オートモーティブ・システムズ	72
デルフィの古代遺跡	72
デルベントのシタデル, 古代都市,要塞建築物群	179
テルモ	338
デル・モンテ城	246
デレーズ・グループ	73
テレコミューティング	423
テレコムイタリア	410
テレサ・テン	74
テレパシー	389
テレビ朝日	431
テレビ映りのよい	307
テレビ会議	80, 320
テレビゲーム	80, 82
テレビゲーム,パソコンゲームの愛好者	357
テレビ受信可能な携帯電話	80
テレビショッピング	80
テレビ大学	79
テレビ通販	80
テレビ付き携帯	80
テレビ電話	80, 200
テレビ東京	85
テレビドラマ化される	55
テレビ誘導〔ミサイルの〕	80
テレフォニカ	375
テレホンカード専用電話	58
テレホンサービス	79, 391
テレホンバンキング	79
テレホンバンク	79
テロ活動	203
テロ首謀者	203
デロス島	76
テロ組織	203
テロ撲滅運動	62
テロメア	88
テ・ワヒポウナム・南西ニュージーランド	77
電圧レベル	80
天安門広場	345
デンウェイ・モーターズ	190
添加剤	345
点火する	413
添加物	345
転換	449
転換価格	449
転換期の経済	449
転換社債型新株予約権付社債	199, 200
電気カミソリ	79
電気器具婚式	80
電気通信キャリア	81
電気,電子機器廃棄物	81
電気毛布	80
電球	79
転勤に伴って家族が引っ越す	333
「天空の城ラピュタ」	345
典型的モデル	78
電撃戦	305
電源を入れる	193, 277
電源を落とす	129
電源を切る	129
展示	429, 430
電子ウォレット	81
展示会	429
展示会ガイドをする	71
展示会産業	158
電子蚊取り器	81
電子カムフラージュ	82
電子カルテ	81
展示館	429
電磁環境適合性	79
電磁環境両立性	79
電子偽装	82
電子グリーティングカード	81
電子警察	81
電子掲示板	81, 121
電子攻撃	81
電子財布	81
電子辞書	81
電子自治体	82
電子出版物	81
電子商取引	82
電子商取引認証	82
電子証明書	324, 325
電子書籍	82, 93
電子署名	81
電子スモッグ	82
電子政府	82
電子戦	82
電子送金	81
電子対策	81

電子データ交換	82, 93, 373	店頭取引〔証券の〕	133	登記	447
電子データ交換サービス	82	電動歯ブラシ	79	動機	86, 87
電子データ情報交換	82, 93, 373	天然アスファルト	345	冬季オリンピック	84, 85
電磁的両立性	79	デンバー	69	投資家	49
電子図書	82, 93	添付ファイル	110	陶器婚式	341
電磁波	78	テンプレート	250	登記資本金	448
電磁波汚染	79	展望	280	投機筋	49
電磁波ノイズ	82	テンポラリーファイル	224	動機調査	86
展示販売	430	デンマーク王国	69	投機的資金	136, 289, 419
点字ブロック	240	展覧会	429	投機的転売	71
電子ブロック	81	展覧会ガイドをする	71	投機的な売買	49, 349
電子フロンティア財団	82	電力供給制限	210, 380	投機的売買をする	48, 49
電子ペット	81	電力不足	79	投機取引をする人	49
電子ペン	322	電話会議	79	東急	85
電磁砲	79	電話回線の不正使用	72	等級	43
電子妨害	81	電話使用中の案内音	240	東京海上日動火災保険	85
電子防御	81	電話情報サービス	79, 391	東京急行電鉄	85
電磁放射	79	電話のただ掛け	72	東京国際映画祭	85
電子マネー	81	電話番号の桁数増加	79	東京国際空港	85, 421
電子メール	81, 82, 407	電話番号の桁数を増やす		東京国際展示場	85
電子メールソフト	418		79, 312	東京国際フォーラム	85
電子メールプログラム	418			東京タワー	85
天井	116	【と】		東京ディズニーランド	85
添乗員	285	ドアアイ	240	東京電力	85
電子,陽電子コライダー	434	ドアスコープ	240	東京都	85
電子,陽電子衝突装置	434	問い合わせる	44	東京ドーム	85
転職	346	トイザらス	357	東京ビッグサイト	85
電磁流体発電	58	問いただす	44	東京放送	85
展示をする	430	ドイツ	73	「東京ラブストーリー」	85
電信売り相場	79	ドイツ銀行	73	東京湾アクアライン	85
電信買い相場	79	ドイツ鉄道	73	当期利益	27
電信為替レート	79	ドイツテレコム	73	陶芸	341
天津市	345	ドイツ復興金融公庫	111	陶芸品	341
電信仲値相場	443	ドイツ・ポスト・ワール		統合	219
天津発展控股	345	ド・ネット	73	動向	284
転生霊童	449	ドイツ連邦共和国	73	統合管理	454
「伝説巨神イデオン」	56	トイレ案内	71	登校拒否	188
テンセル	345	トイレに行く	308	登校拒否症	397
伝染病の感染状況	411	東亜銀行	86	統合失調症	185, 454
伝送速度	56	「東亜日報」	86	同行者	267
伝送率	56	同一民族で構成するグル		投稿する〔電子掲示板に〕	121
デンソー	81	ープ	456	統合ソフトウェア	166
電卓	169	「トゥームレイダー」	126	銅婚式	349
天壇：北京の皇帝の廟壇	25	倒壊	205	搭載する〔新機能や部品	
天地無用	281	倒壊の危険がある家屋,		を〕	61
電通	80	建物	363	当座貸越	10, 350
点滴灌漑	74	倒壊の危険がある家屋,		当座貸付	159
店頭市場〔証券の〕	133	建物の建て替え	363	当座借越	350
電動自転車	79	等外品	74	盗撮した海賊版のVCD	
伝統的な中国の衣服	444	東莞	84	やDVD	280

倒産	272
倒産手続き	272
「多桑 父さん」	92
冬至	86
同志	349
投資家	126
同軸ケーブル	349
投資顧問	350
投資収益率	350
投資主体	350
投資信託	124, 150
東芝	86
通し番号	396
投資プレイヤー	350
ドゥシャンベ	88
同順位に並ぶ	451
東証株価指数	86
登場する	55
鄧小平理論	74
投資リスク	350
「筒子楼」	349
同性愛	349
同性愛者	349
同性愛者が集まるバー	349
党総支部委員会〔共産党の〕	71
淘汰される	54
登頂する	55
同調する	121, 284
ドゥッガ	88
読点	90
同点に追いつく	451
東陶機器	86, 336
党と政府機関	71
東南アジア諸国連合	86
導入	174
投入産出	350
糖尿病	341
トゥバタハ岩礁海中公園	350
逃避する	233
投票権	350
投票で選ぶ	270
ドゥビル	77
党風	71
東風汽車	84
動物飼育を制限する	381
動物病院	54
ドゥブロヴニク旧市街	88
東方鑫源	84
東方明珠テレビ塔	84

東方有色集団	84
東北電力	84
透明性が高く, 公正かつ効率的なやり方	403
透明度	350
透明な	403
同盟を結ぶ	222
トゥルース	432
「トゥルーマン・ショー」	55
トゥルーラブ	432
トゥルカナ湖国立公園群	351
トゥルネーのノートル・ダム大聖堂	351
ドゥルミトル国立公園	88
東レ	86
道路境界線	351
登録	74, 447
道路の延びる方向	229
討論	30
当惑する	408
トゥンヤイ・ファイ・カ・ケン野生生物保護区	348
トークショー	352
トーゴ共和国	91
通し船荷証券	222, 284
トースト	351
ドーセットおよび東デヴォン海岸	92
トーニングローション	327
ドーハ	91
ドーバー	91
ドーバー海峡	91
ドーピング検査	392, 404
ドーピング抜き打ち検査	102, 103
トーフル	352
トーメン	86
トーヨータイヤ	86
ドールフード	87
都市恐怖症	51
トカイ地方のワイン産地の歴史的文化的景観	352
トカイワイン	352
「ときめきメモリアル」	389
ドキュメンタリービル	120, 399
ドキュメント	367
得意先	213
得意分野	46, 280
「毒王」	88
独学者を対象とした学位	

認定試験	115, 453
独学で知識や技能を修得する	453
特技	189
特産品	351
特産物	351
独自	226
特質	344
徳島県	72
徳島市	72
特需	344
特殊教育	343
「特殊業種」	342, 344
特殊な役者	344
特殊部隊	344
読書	191
読書案内	71
読書ガイド	71
読書好きな人	323
独身貴族	69
独身寮	69
特性要因図	316, 324, 325, 344, 411, 420
独占禁止法	99
独占代理店	87
独占販売契約	21
独創的	226
「ドクタースランプ」	129, 162
特待生	344
特種〈とくだね〉	87
特徴	324
特に好きな人や物事	456
特に優れた才能を有する学生〔芸術, スポーツ, 科学等の分野で〕	342
「特に水鳥の生息地として国際的に重要な湿地に関する条約」	129, 210, 316
特売	343
特別機	449
特別行政区	343
特別行政区行政長官	343
特別許可	343
特別ゲスト	170
特別個室〔病院の〕	115
特別サービス	342, 344
特別採用	343
特別作業班	164, 342
特別室	115
特別指導クラス〔試験対	

策のための〕	109	
特別指導をする	194
特別招待	343
特別承認	343
特別招聘	343
特別処理〔中国株式市場における〕	342
特別進呈	93
特別待遇をする	194
特別手当	148
特別な栄誉	323
特別認可	343
特別配当	93, 342
特別引出権	342
特別報道	449
特別優遇	342, 344
特別料理を作る	194
特約店	68, 185
特約販売	21
独立関税地域	87
独立記念館	87
独立国家共同体	87
独立採算	87
独立採算制	87
独立取締役	87
独立プロダクション	87
ドケチ	347
トジェビーチのユダヤ人街とプロコピウス聖堂	343
都市化	51
都市ガス	130
都市化レベル	51
都市間列車	50
都市危険	51
都市計画区域	51
都市景観	178
「都市戸籍」	103
都市再開発	187
都市システム	52
都市システム計画	52
都市住民生活保護	51
都市住民の最低限の生活保障	51
都市設計	51
都市デザイン	51
都市の道路率	51
都市病	51
都市部の高級居住区	188
都市部の中低所得者層向け住宅供給プロジェク	

ト	8	
都市プランニング	51
都市密集地域	51
土壌流失	351
図書展示会	323, 351
閉じるボタン〔ウィンドウズの〕	129
トスカーナ	353
土石流	259
どたキャン	350
トタルフィナ・エルフ	72
土壇場になってキャンセルする	350
土地請負期間	351
栃木県	218
土地転がし	48
土地使用許可書	396
土地使用許可証	396
土地の砂漠化	351
土地の劣化	155
特急便	206
特許	449
特許権	449
ドッキング〔人工衛星や宇宙船の〕	90
独禁法	99
特区	343
ドッグフード	125
突然の大抜擢	350
トッティ〔,フランチェスコ〕	352
どっと押し寄せる〔人が〕	23
ドットプリンター	432
鳥取県	260
鳥取市	259
突破口となるポイント	281
凸版印刷	350
トップ	83, 174
――〔企業、組織などの〕	83
――〔特定の分野や業界での〕	19
――〔ホームページの〕	405
トップ会議	106
トップクラス	83
トップシード	349
トップに立つ	50, 74, 106
トップノート	279
トップの座を守る戦い	366
トップピック	450

トップページ	322, 447
――〔サイトの〕	322
トップモデル	250
ドップラー効果	92
トップランナー	380
トップレベル	83
トップを奪う	280
トップを目指す	53
徒党を組む	187
トナー	252
トナーカートリッジ	376
ドナウ河岸,ブダ城地区とアンドラーシ通りを含むブダペスト	37
ドナウ川	91
ドナウデルタ	91
「となりのトトロ」	227
ドナルドダック	341
ドナルド・ツァン	21, 428
〔トニー・〕ブレア	38
トニー・レオン	223
土日	327
ドニャーナ国立公園	91
利根川	217
賭博罪	88
賭博場	88
賭博に大金をつぎ込む	143
ドピカ	353
飛び級	346
飛び越し走査	119
飛び立つ〔飛行機が〕	277
トピックス	86
トビリシ	75
飛ぶように売れる	288, 289
トフル	352
トポロジー	353
トマールのキリスト教修道院	353
戸惑う	247
トマホーク巡航ミサイル	430
トマンガン(豆満江)	87
トミー・ヒルフィガー	341
ドミニオン・リソース	226
ドミニカ共和国	91
ドミニカ国	91
ドミノ効果	91, 126, 222
ドミノ・ピザ	62
ドミンゴ〔,プラシド〕	91
トムキャット	394
トム・クルーズ	341

トムソン	341
トム・ハンクス	341
ドメイン	226, 421
ドメイン・ネーム・サーバー	421
ドメイン・ネーム・システム	421, 422
ドメスティックバイオレンス	172
共に参加し,相互に影響を受ける	149
共に利益を得る	150
共働き	327
共働きで子供のいない夫婦	83
図們江	351
富山県	111
富山市	111
トヨタ自動車	106
豊田通商	106
トライアスロン	347
トライアル雇用	319
ドライの赤ワイン	114
ドライの白ワイン	114
ドライバー〔コンピューター周辺機器の〕	284
ドライビール	114
ドライブ〔コンピューターの〕	284
ドライブに行く	209
ドライブ名	266
ドライフラワー	114
ドライブをする〔遠距離の〕	209
ドライリース	114
トラウマ	185
ドラえもん	91, 384
「ドラえもん」	165
トラコタルパンの歴史遺跡地帯	343
ドラゴンエア	115
「ドラゴンクエスト」	417
「ドラゴンボール」	275
トラサルディ	55
ドラッカーノアール	146
ドラッカーノワール	146
トラック〔記憶装置の〕	58
ドラッグ	352
ドラッグ・アンド・ドロップ	352
ドラッグの巣窟	375
トラックバック	414
トラックボール	133
とらのまき	240
ドラフト	396
ドラフト制度	396
トラブル	187
トラブルシューティング	128
トラベラーズ・プロパティ・カジュアルティ	229
ドラマー	127
トラミネール	283
トランクス〔男性用の〕	234
「ドランクモンキー 酔拳」	456
トランシーバー	90
トランジスター	185
トランジット	286, 449
トランジットビザ	138
トランシルヴァニア地方の要塞教会群のある集落	343
トランス・カナダ・パイプライン	171
トランスファーレート	56
トランプを切る	377
トランポリン	27
トリ	67
取扱注意	386
トリーアのローマ遺跡群,聖ペテロ大聖堂と聖母マリア教会	343
トリートメント	394
ドリームチーム	247
ドリームワークス	247
取り入れる	376
鳥インフルエンザ	172, 281
トリエンナーレ	301
取り決め	387
取り消し	49, 284
取消可能信用状	199
取り消し可能な婚姻	199
取消不能信用状	38
取り消す	49, 284, 448
取立為替	353
取り付け騒ぎ	167
取り付ける	9
ドリップ灌漑	74
トリニダード・トバゴ共和国	343
トリニダードとロス・インヘニオス渓谷	343
トリノ	87
取引先	201
取引終盤	366
取引所外市場	46
取引所外取引	46
取引所取引	46, 178
取引所や取引市場の休日	395
取引停止処分	347
取引費用	178
トリポリ	76
トリンブ	67
ドル	246
トルクメニスタン	351
トルコ共和国	351
トルコ航空	351
ドルコスト平均法	271
トルシエ〔,フィリップ〕	343
トルストイ〔,レフ・ニコラエヴィチ〕	352
ドル建て	410
ドルチェ・ビータ	245
ドルビー	88
トレーサビリティー	333
トレーダー	178
トレーディング・カード・ゲーム	166
トレーニング	267
トレーニング広場〔公共の〕	176
トレーニングプラン	425
トレーニングメニュー	425
トレーラーハウス	100
ドレスデンのエルベ渓谷	73
ドレスナー銀行	73
トレゾア	59
トレッキング	304
トレンチコート	114
トレンディードラマ	87
トレンド	284
トレンドマイクロ	284
トレンドを追う	284
トレントン	343
「トロイ」	343
トロイの古代遺跡	343
トロイの木馬	253
トロイの木馬型ウイルス	253
ドローソフト	158
トローチ	296

とろーどす～なんせんす　索引

トロードス地方の壁画教会群	343	
ドロットニングホルムの王領地	73	
ドロップショット	83	
ドロップダウンメニュー	378, 379	
トロン	317, 336	
トロント	91	
トンガ王国	341	
トンガリロ国立公園	341	
ドングル	295	
とんずらする	233	
トンブクトゥ	347	
ドン・ペリニヨン	267, 382	

【な】

ナー・イン	256
「ナーザの大暴れ」	257
ナイアガラの滝	259
内外価格差	138
ナイキ	256
内向型経済	258
内向的〔性格が〕	258
内国為替	137
内国民待遇	137
内在的価値	258
ナイジェリア連邦共和国	259
内視鏡	258
内需	258
内需拡大	208
内需主導型経済	258
内情に明るい人	405
内緒のこと	240
内蔵	258
内臓逆位症の人	186
内装と外装	173
内通者	402
内通する	124
ナイトクリーム	358
内部抗争	258, 369
内部消耗	258
内部の人	405
内部募集	258
内分泌障害	257
内面的な美しさ	258
内容	258
内容証明書	59
内陸部	110
ナイル川	259

「内連企業」	258
ナイロビ	258
ナウル共和国	257
那英	256
直す	394
長椅子〔背もたれのない〕	19
「長靴をはいた猫」	56
長崎県	46
長崎市	46
流されやすい〔他人の意見に〕	94
長電話をする	20
仲値	158, 443
長野県	46
長野市	46
中身のない人	271
長屋式住宅	349
流れが分かれる〔水や車などの〕	105
流れをせき止める	179
泣き所	296
名護市	249
名古屋市	249
名指しして証言する	437
ナショナル・オーストラリア銀行	10
ナショナル・グリッド・トランスコ	137
「ナショナル・ジオグラフィック」	137
ナショナルセミコンダクター	137
ナショナル・バスケットボール・アソシエーション	244
ナショナル・バンク・オブ・グリース	376
ナショナル・フットボール・リーグ	243
ナショナルブランド	285
ナスカとフマナ平原の地上絵	256
ナスダック	256
ナッシュビル	255
ナッソー	255
何をやってもだめなことのたとえ	298
ナノウォーター	255
ナノサイエンス	255
ナノテクノロジー	255

ナノバイオ材料	255
ナノバブル	255
名ばかりの指導者	203
那覇市	255
ナハニ国立公園	255
ナビゲーションシステム	71
ナビゲーター	71
ナビスコ	255
ナフタ	25
ナポリ	255
ナポリ歴史地区	255
ナポレオン〔・ボナパルト〕	255
名前を挙げて証言する	437
名前を付けて保存〔ウィンドウズパソコンで〕	226
生ごみ	55
生中継	436
生ビール	312, 379
────〔ジョッキの〕	428
生放送	436
鉛フリー	371
鉛レス	371
並為替	328
ナミビア共和国	255
ナム・ロック・キー	325
奈良県	256
奈良市	256
ならず者国家	371
並べ替え	266
成金	23
成田空港	51
成田国際空港	51
成行注文	319
ナルシスト	453
「ナルニア国物語」	255
鳴海製陶	249
なれあう	124
ナレッジイノベーション	436
ナレッジマネジメント	436
ナローバンド	429
軟貨	295
南海酒店	256
南京	256
南京路	256
ナンシーのスタニスラス広場,カリエール広場,アリアンス広場	257
南昌	256
ナンセンス	371

索引　なんだでぐ～にゅーあー

ナンダ・デヴィ国立公園	256	
なんちゃって	87	
軟調	195, 269	
軟調に推移すると見る	195	
南南協力	257	
南寧	257	
難燃繊維	257, 456	
ナンパ	267	
ナンバーツー	94	
ナンバープレート	49	
ナンバーポータビリティー	144, 155	
ナンパする	16	
ナンピン	339	
南部小ポーランドの木造教会群	256	
難民キャンプ	257	

【に】

荷揚げ	387
荷揚げ港	387
ニアメ	259
新潟県	390
新潟市	390
「211プロジェクト」	95
ニーチェ〔,フリードリヒ・ウィルヘルム〕	259
ニート	255
ニールセン	259
荷受人	321
ニオコロ・コバ国立公園	258
苦い結果	204
2階建てバス	326
苦手分野	296
ニカラグア共和国	259
荷為替信用状	121, 399
荷為替手形	120, 399
荷為替手形取立	121
にぎにぎしい	288
ニキビ	282
ニキビケア用品	282
にぎやか	257
にぎやかな	288
ニクソンショック	259
2穴ファイル	95
逃げる	233
二号	95, 182
2交代制	1
ニコール・キッドマン	258
2国間関係	326

2国間交渉主義	326
2国間主義	326
ニコシア	259
ニコチン中毒	54, 259
ニコラス・ケイジ	259
ニコラス・ツェ	387
〔ニコロ・〕パガニーニ	264
ニコン	259
二酸化硫黄排出規制地域	95
二酸化炭素	95
ニジェール川	259
ニジェール共和国	259
ニジェールのW国立公園	259
二次エネルギー	94
西オーストラリアのシャーク湾	375
二次汚染	94
西コーカサス山脈	376
西ドイツ銀行	375
二重引用符	327
二重学位	327
二重基準	326
二重ギュメ	327
二重経済	95
二重構造	326
二重国籍	326
二重通貨建て債	326
二重封じ込め政策	326
二重山がたかっこ	327
20世紀フォックス	95
2色ボールの抽選宝くじ	327
荷印	239, 425
偽札	173
偽札鑑定器	403
偽商標	173
偽ブランド	173
偽物を製造する	427, 438
日銀	292
「日米安全保障条約」	293
「日米防衛協力ガイドライン」	293
日用消費財	206
ニッカド電池	260
ニッキー・ウー	371
ニックネーム	259
日経平均株価指数	292, 293
日光	403
日光の社寺	292
日産自動車	292

日照権	41, 403
日照の基準	293
日清食品	293
ニッセイ	292
ニッチ産業	107
ニッチ戦略	29, 204
日通	292
日本	292
日本通運	292
日本郵船	292
二等市民	94
ニナ・リッチ	222
荷主	161
2番目の学士号	75
2部市場	94
ニペア	258
日本アジア航空	292
日本円	293
日本おたく	140
日本貨物航空	292
日本銀行	292
「日本経済新聞」	292
日本経済団体連合会	292
日本経団連	292
日本工業規格	292
日本航空	292
日本国	292
日本語能力試験	293
日本シリーズ〔野球の〕	292
日本生命	292
日本たばこ産業	292
日本テレコム	291
日本テレビ放送網	291
日本電気	291
日本電信電話	291
日本農林規格	292
日本の現代文化が好きな人たち	140
日本ビクター	180
日本フリーク	140
日本プロ野球リーグ	292
日本ペイント	217
日本貿易振興機構	292
日本放送協会	292
日本郵政公社	292
2枚1組の	408
2枚ワンセットの	408
荷役	450
荷役作業員	237, 450
ニューアーク・リバティ	

一国際空港	260	「ニューヨーク・デイリー		【ね】	
ニューウエーブ	389	ニュース」	260	値上がり	428, 431
ニューエイジミュージック		ニューヨーク・ライフ保		値上げ	431
	388	険	260	値洗	377
ニューエコノミー	389	入浴剤〔ボール状の〕	422	寧夏回族自治区	260
ニューオーリンズ	387	ニュー・ラナーク	389	「ネイチャー」	453
入会	171	尿検査	260	ネイルアート	244
入学,就職指導室	431	庭付き一戸建て	87	ネーミングライツ	130
入学生歓迎会	415	にわとり	163	ネオコン	388
入居	294	にわとりの頭	165	ネオコンサバティブ	388
ニューコンセプト	388	任意償還	291, 344	ネオナチ	389
ニュー・コンセプト・カー	388	人気	290, 455	ネオナチス	389
入札	349, 416	人気がある	65, 70, 160, 281, 455	ネオン	41
入札公示	431	人気が出る	455	値切る	195
入札書類	31	人気株	289	猫	240
入札談合	56, 364	人気キャスター	250	ネゴ	178, 340
入札不成立	226	人気急上昇	160	ネゴシエーション	178, 226, 340
ニュージーランド	390	人気車種	288	値下がり株	269
ニュージーランド航空	390	人気のないコース	215	値下がりリスク	83
ニュージーランドドル	390	人気番組を放送する	288	ねじれ現象	260
ニュージーランドの亜南		人気モデル	250	ネスカフェ	286
極諸島	390	人形劇	254	ネズミ講	214
ニュージェネレーション	389	人気路線〔観光の〕	289	ネスレ	286
入試担当部署	431	人気を集める	455	ねたむ	52
ニュージャージー州	390	人間型ロボット	101	値段が上がる	431
入場券	294	人間工学	290	値段の駆け引きをする	195
入賞する	294	人間性に基づく管理	291	値段をたたく	195
「ニューズウィーク」	390	人間ドック	285	ネチズン	361
ニュースキン	294	人間のくず	291	熱圧着機	289
ニュースグループ	390	「人間の証明 Proof of		熱汚染	289
ニューズ・コーポレーシ		the Man」	291	熱核弾頭	288
ョン	390	人間の盾	290	熱が冷める	284
ニュースソース	390	人間爆弾	290	熱狂的なファン	96, 451
ニュース速報	206	人間本位	410	熱しやすく冷めやすいこ	
「ニューズデー」	245	認証	291	と	300
「ニュースの女」	390	認知科学	291	熱唱する	30
入選する	294	任天堂	291	熱心に誘う	219
ニュー台湾ドル	389	ニンバ山厳正自然保護区	260	熱電併給システム	80
ニュータウン	366, 448	妊婦	451	ネット	150, 359, 412
ニュー・デリー	388	任命待ち	68	ネットウェイト	187
ニュートロジーナ	228	任用拒否	188	ネットオークション	361, 362
ニューハーフ	291, 389			ネットカフェ	359
ニューバランス	260	【ぬ】		ネット管理者	359
ニューハンプシャー州	388	ヌアクショット	261	ネット関連株	360
ニューメキシコ州	389	ヌード	290	ネットゲーム	361, 427
ニューヨーク株	255	抜き打ち検査	102, 103	ネットサーフィン	361
ニューヨーク州	260	抜き取り検査	54	ネット採用	362
ニューヨーク証券取引所	260	ヌクアロファ	261	ネットシチズン	361
「ニューヨーク・タイム		ヌワラエリア紅茶	261	ネットショッピング	360, 361
ズ」	260			ネット書店	362

索引					
ネット人口密度	290	ネムルット・ダー	258	ノーサイド	28
ネットスケープ・ナビゲーター	359	年金保険	404	ノーザン・トラスト・コーポレーション	242
ネット戦争	361	年功序列	10, 232	ノースウエスト航空	244
ネット中毒	359, 361	年少	74	ノースカロライナ州	25
ネットでつなぐ	222	年俸	259	ノースダコタ州	24
ネット友だち	362	年利	259	ノースプラッシュ	399
ネット仲間	362	燃料蒸発ガス	419	ノースリーブシャツ	372
ネットに接続する	222	燃料電池	288	ノースロップ・グラマン	261
ネットバンク	361, 362	燃料付加税	288	ノーテル・ネットワークス	24
ネット販売	361	燃料リサイクル	288	ノード	179
ネットフレンド	362	年齢制限指定のある映画	94, 308	ノート型パソコン	27
ネット文学	361			ノートパソコン	27
「ネット文明」プロジェクト	361	**【の】**		ノートン	261
ネットミーティング	360	ノイズレベル	428	ノーベル賞	261
ネットモラル	359	ノイローゼ	311	ノーマル肌	444
ネット恋愛	359	ノヴォデヴィチ修道院の建築物群	389	ノキア	261
ネットワーキング	222, 360	農家が経営管理する請負農地	428	残す	21
ネットワーク	359	納期	177	載せる〔旅客や貨物などを〕	61
ネットワーク・アクセス・ライセンス	294	農業インテグレーション	261	ノックダウン方式	211
ネットワーク・インターフェース・カード	359, 360	農業開拓	260	ノ・テウ	228
ネットワークインテグレーション	302	農業増加値	261	ノドンミサイル	213
ネットワークカード	359, 360	農業体験ツアー	260	ノバルティスファーマ	261
ネットワーク家電	212	農業に関する	309	伸び幅	428
ネットワークカメラ	310	農業・農村・農民	301	伸び率	428
ネットワークゲーム	81	農業の産業化	261	ノブゴロドの文化財とその周辺地区	261
ネットワークコンピューター	255, 360	脳死	257	延払	402
ネットワークコンピューティング	360	納税者	256	延払方式	402
ネットワークセキュリティー	359	農村戸籍を都市戸籍に切り換える	261	延床面積	176
ネットワーク販売	56	農村戸籍を非農村戸籍に切り換える	261	ノベル	261
ネットワークマネジメント	359, 360	農村住民のルール	59	ノボテル	261
ネッビオーロ	257	農村ツーリズム	230	ノボテルアトランティス上海	141
熱プレス機	289	農村部,農民への科学技術普及	197	上り調子	280
熱烈なアメリカファン	140	ノウハウ	168, 449	ノミネートされる	294
熱烈な韓国ファン	139	農民いじめ	202	蚤の市	346
熱烈な日本ファン	140	農民生活に関する	309	飲み物	413
熱烈なブーコールを送る	219	農民に損害を与える	202	ノ・ムヒョン	228
ネパール王国	259	能力の劣る人,品質の悪い物を判定する	271	野村證券	405
ネバダ州	258	能力判定試験	197	乗り換え	449
値引販売	288	農林中央金庫	261	ノリタケ	428
ネブラスカ州	257	ノエル・ケンプ・メルカード国立公園	261	ノリノリ	394
根回し	320	ノーアイロン	101	乗り間違える〔路線バスなどで〕	61
		ノーカラー	371	ノルウェー王国	261
				ノルスク・ハイドロ	261
				ノルディック複合	25

のろまで頭の悪い神経質な人	70	
ノンインターレーススキャン	447	
ノンコア業務	102	
ノン・デポ・コルレス	104	
ノン・ドゥック・マイン	260	
ノンバンク	103	
ノンフロン	371	
ノンフロン冷蔵庫	371	
ノンレム睡眠	103, 239, 435	

【は】

場〔活動の〕	272
バー	13, 187
パーカー	266
バーガーキング	142
パーキング	35
パーキンソン病	264
パーク	422
バークシャー・ハザウェイ	35
パークソン	18
パーク・ハイアット	18
パーク ハイアット東京	85
バークレイズ銀行	14
バーゲン	64-66
バーゲンセール	64-66
ハーゲンダッツ	139
バーコード	306, 346
バーコードスキャナー	346
バーコードリーダー	346
バージニア州	108
バージニアタイプのタバコ	197
バージョン	19
バージョンアップ	312
バージン諸島	364
バース	15
バースコントロール	167, 168
バース市街	15
バースターム	19, 56
バースプーン	178, 346
バーゼル委員会	15
バーゼル銀行監督委員会	15
パーソナルコミュニケーション	120
パーソナルコンピューター	120
パーソナル・デジタル・ア	

シスタント	120
バーチャル	395
バーチャルアナウンサー	395
バーチャルキャスター	395
バーチャル銀行	395
バーチャル経済	395
バーチャルコミュニティー	395
バーチャルストレージ	395
バーチャルツアー	395
バーチャル天文台	395
バーチャルネット	395
バーチャルバンク	395
バーチャルヒューマン	395
バーチャルマーケット	395
バーチャルメモリー	395
バーチャルリアリティー	395
バーチャルリアリティー技術	395
ハーツ	146
バーツ	339
バーディー〔ゴルフの〕	385
パーティー	266
パーテーション〔ハードディスク内の〕	105
バーテンダー	346
バードヴァの植物園	264
ハードウェア	416
ハードカレンシー	416
ハードコア	416
ハードコピー	416
パートタイマー	385, 439
パートタイム	385, 439
ハードディスク	416
ハードディスクレコーダー	416
ハード島とマクドナルド諸島	146
パートナー	265
パートナーシップ	160
パートナーシップ企業	144
ハートフォード	140
ハードランディング	417
ハードローン	416
ハードロックカフェ	416
バーに入り浸る	267
バーヌルル国立公園	34
ハーバード大学	139
ハーバリー	13, 35
ハーバルエッセンス	407

バービー人形	13
ハーフタイム	19, 439
バーボンウイスキー	33
バーミヤン渓谷の文化的景観と古代遺跡群	15
バーミンガム	36
パームトップパソコン	431
ハーモナイズドコード	306
バーモント州	107
パーラメント	18
「パール・ハーバー」	433
バールベック	14
ハーレーダビッドソン	139
バーレーン国	14
ハーレム・ユー	420
バーレン	422
～杯〔スポーツなどの〕	24
パイ	70, 184
ハイアール	140
バイアグラ	358, 365
バイアコム	365
バイアスロン	153
ハイアット・リージェンシー	195
バイイングパワー	41, 125
ハイエース	141
バイエル	18
バイエルン州立銀行	13
バイエルン・ミュンヘン	18
煤煙	242
煤煙汚染	242
ハイエンド	116
ハイエンド製品	116
ハイエンドモデル	116
梅艶芳	242
「バイオ安全議定書」	193
バイオ医薬品研究製造地区	404
ハイオク	118
ハイオクタン価ガソリン	118
バイオ情報学	313
バイオセーフティー	312
バイオセラピー	313
バイオチップ	313
バイオテクノロジー	313
バイオテロリズム	313
バイオニア	379
「バイオハザード」	312
バイオバンク	313
バイオプラスチック	312

バイオマス	313	
バイオマスエネルギー	313	
バイオメトリクス	313	
バイオメトリクス認証	313	
バイオレメディエーション	313	
バイオレンス映画	23	
媒介語	242	
排ガス基準	278	
バイカル湖	26	
排気ガス排出基準	278	
廃棄物交換	104	
廃棄物処理有料化制度	266	
廃棄物ゼロ化	225	
廃棄物の綿くずを加工した中入れ綿	147	
配給系列	423	
配偶者の権利	267	
売血営利組織	387	
配合	124	
ハイ・コースト	116	
排出ガス再循環装置	366	
排出基準	265	
排出規制	265	
排出権	265	
排出権取引	265	
売春行為を通じ,故意に重大な性病を感染させた罪	56	
売春組織のボス	165	
売春婦	163	
売春婦が客をとる	178	
賠償金や保険金の支払い手続き	216	
排水管	130	
胚性幹細胞	290	
バイセクシャル	327	
配送	267	
配送サービス	331	
~倍速	26, 332	
敗退する	54	
排他的経済水域	449	
配置	38	
ハイチ共和国	140	
ハイテクオリンピック	197	
ハイテク開発区	118	
ハイテク株	197	
ハイテク関連株	116	
ハイテク関連廃棄物	116	
ハイテク産業	118	
ハイテク産業開発区	118	
ハイテク産業基地	391	
ハイテク戦争	116	
ハイテクノロジー	116, 118	
ハイテク兵器	289, 388, 438	
売店	339	
バイト	71, 453	
配当	126, 148	
配当性向	127, 266	
配当利回り	127	
配当流出率	127, 266	
ハイドロカルチャー	328	
バイナリーファイル	95	
ハイネケン	377	
バイパー	207	
ハイパーインフレーション	94	
ハイパーテキスト	48	
ハイパーメディア	47	
ハイパーリンク	47	
売買が活発な市場	388	
売買高	50	
売買停止	347	
ハイバネーション	328, 394	
ハイバリュー	116	
ハイパワードマネー	117, 163	
ハイビジョンテレビ	117, 139	
ハイファイ	115	
パイプライン	130	
ハイブリッドカー	159	
ハイブリッド米	426	
バイブレーター〔携帯電話の〕	433	
ハイフン	222	
背面投射型テレビ	26	
バイヤー	237, 238	
バイヤーズクレジット	237	
培養器	107	
ハイライト	195	
バイラテラリズム	326	
入り込む	281	
ハイリスクグループ	117	
ハイ・リスク・ハイ・リターン	116	
バイリンガル	327	
バイリンガル教育	327	
ハイレベルな	392	
パイロット	18	
牌を混ぜる	377	
ハイン	141, 421	
バインダークリップ	46	
ハインツ	147	
パヴァロッティ〔,ルチアーノ〕	265	
ハウジングサービス	447	
ハウスクリーニング	22	
パウダーシャドウ	394	
パウダーパフ	106	
バウリンガル	125	
「ハウルの動く城」	139	
パエストゥムとヴェリアの古代遺跡群を含むチレントとディアノ渓谷国立公園とパドゥーラのカルトジオ修道院	276	
破格値	346	
ばか〴〵た	371	
パガニーニ〔,ニコロ〕	264	
ばかにする	178, 194	
「鋼の錬金術師」	115	
端株	225, 302	
バカラ	18	
バカルディ	18	
吐き気がする相手	263	
パキスタン・イスラム共和国	14	
パキスタン航空	14	
パキメの遺跡カサス・グランデス	65	
波及効果	34	
バグ〔プログラムの〕	54, 60	
パクー	14	
白菜	63	
博士課程受験	197	
博士課程の指導教官	35, 36	
博士号候補生	451	
「白蛇伝」	17	
「白色農業」	17	
剝奪する	34	
バグダッド	13	
白天鵝賓館	17	
白馬の王子様	17	
莫文蔚	252	
博報堂	35	
バグラティ大聖堂とゲラティ修道院	13	
剝離する	34	
白露	17	
暴露される	23	
激しい	288, 312	

激しい価格競争	174	
バケット	105, 324, 391	
バケット通信	105	
化けの皮が剥がれる	228	
バゲルハットのモスク都市	14	
派遣する	266	
箱に詰める	62	
バザー	411	
バサート	265	
ハザードマップ	29	
バサルガディ	265	
破産管財人	272	
破産手続き	272	
バジェロ	264	
パシフィケア・ヘルス・システムズ	338	
パシフィック・ガス・アンド・エレクトリック	339	
初めてコンピューターに触れる	55	
初値	194	
バス	455	
バス(IT用語)	229	
──〔球技で〕	56	
バスク地方	15	
バスケット価格	407	
バスケット通貨	407	
バスケットプライス	407	
バス,サニタリー用品	366	
パスワード	248	
パスワードボックス	248	
派生商品	266	
バセテール	15	
バセロン・コンスタンチン	177	
パソコン	120, 363	
パソコン音痴	80	
パソコン周辺機器	264	
パソコンデスク	80	
バターリャの修道院	15	
パターン	251	
バダウィ〔,アブドラ〕	13	
裸で走り回る	233	
裸療法	203	
肌の老化,しわを防ぐ	196	
バタムマリバ族の地コウタマコウ	126	
8か国首脳会議	113	
バチカン宮殿	99	
バチカン市国	99
「八縦八横」	16
ハチソン・テレコム	145
ハチソン・ワンポア	145
蜂蜜のビン	248
「863計画」	14
パチンコ	264
パチンコ店	70
パチンコ屋	70
ハッカー	146, 294
発ガン物質	438
はっきりと現れる	350
パッキングクレジット	62
パッキングリスト	21, 450
パック〔はがすタイプの〕	35
バックアップ	22
バックアップしたデータ	25
バックアップファイル	26
バックアップをとる	25
バックグラウンド印刷	149
バックグラウンド処理	149
バックグラウンドミュージック	26
バックスペースキー〔ウィンドウズパソコンの〕	352
バックドア	149
バックボーン	126, 447
バックライト	26
バックライト式液晶ディスプレイ	26
パック旅行	21
八卦	13
パッケージ	21
パッケージソフト	21
パッケージツアー	21
発言権	153
「初恋のきた道」	369
発行銀行	194
莫高窟	252
発行市場	96, 406
発行者利回り	96
発行済株式	410
発光ダイオード	96
「白骨精」	17
バッサイのアポロ・エピクリオス神殿	15
ハッシュパピー	378
「パッション」	322
発信者電話番号表示	211
発信者にのみ課金される料金システム	69
発生する	108
発生する〔ある現象が大規模に〕	413
ハッセルブラッド	140
バッタダカルの建造物群	265
バッチ	36, 394
バッチ処理	268
バッチファイル	268
発注者	96
発注書	83
発注する	96
発展	352
発展の勢い	280
発展の権利	96
バット,アル・フトゥム,アル・アインの古代遺跡群	16
ハットウサ	140
ハットゥシャ	140
ハットトリック	241
「バッドボーイズ」	189
「バットマン」	29
発熱外来	96
バッハ〔,ヨハン・セバスチャン〕	14
発売開始	249
「ハッピー・フューネラル」	66
ハッピーマンデー〔日本の〕	206
発表する〔法律や政策などを〕	55
バッファオーバーフロー	155
バッファオーバーラン	155
バッファメモリー	154, 155
ハッブル宇宙望遠鏡	139
発泡スチロール	22
発泡スチロール製容器やビニール袋による汚染	17
発泡ポリスチレン	22
激刺としている	403
パテック・フィリップ	17
パテント	449
ハドソン	139
ハト派	119
パトモス島の神学者聖ヨハネ修道院と黙示録の洞窟の歴史地区	265

ハトラ	139	
ハドリアヌスの長城	139	
パトリオットミサイル	7	
バドワイザー	18	
バトンルージュ	16	
バナー広告	132, 147, 277	
花婿式	150	
話中音	240	
話を継ぐ	178	
話す	195, 402	
バナナシュート〔サッカーの〕	382	
「花の子ルンルン」	151	
花火爆竹使用禁止	183	
パナマ共和国	15	
パナマシティ	15	
パナマのカリブ海沿岸の要塞群：ポルトベロとサン・ロレンソ	15	
パナマ・ビエホ古代遺跡とパナマの歴史地区	15	
鼻用パック	27	
ハニーポット	248	
ハニーポット技術	248	
パニック障害	185, 204	
バヌアツ共和国	356	
ハネウェル・インターナショナル	161	
跳ね返る	99	
羽田空港	85, 421	
羽付きナプキン	150	
ハノイ	145	
歯のすきまに食べ物がはさまる	298	
パノラマ	285	
母方の祖母	357	
ハバナ	140	
母なる川	253	
バハマ国	14	
バハラ城塞	14	
パパラッチ	125, 420	
バハラット石油	37	
パハルプールの仏教寺院遺跡群	264	
パビリオン	429	
ハブ	167, 360	
パプアニューギニア	13	
パフォーマンス	31	
パフォーマンスを見せる	457	
パフォス	264	
ハブ空港	143, 323
ハブ港	323
ハフパトとサナヒンの修道院群	139
パブリックス	67
バブル	267
バブル経済	267
バブル消費	48
バブルバス	267
ハボローネ	139
バマコ	15
浜崎あゆみ	32
ハマス	140, 408
はまる	52
バミール高原	265
バミューダ島の古都セント・ジョージと関連要塞群	18
バムとその文化的景観	15
「ハムナプトラ 失われた砂漠の都」	311
早押しクイズ	280
早出料	333
早道	206
払い込む	72
払い渋り〔賠償金や保険金の〕	376
バラエティーショップ	426
バラエティー番組	455
パラオ共和国	264
バラク〔，エフド〕	14
バラク〔，ミハイル〕	14
パラグアイ共和国	14
パラグライダー	152
パラサイトシングル	168
パラシューター	177
パラソル効果	403
パラダイムシフト	78
ばらつき	269
ばら積み船	302
パラボラアンテナ	267
パラマウント映画	266
ばらまく	266
パラマリボ	264
パラマリボ市街歴史地区	264
パラリンピック	42
ハラレ	139
パラレルインターフェイス	33
パラレルコンピューター	33
パラレルポート	62
バランシング	271
バランスシート	271, 451
バランタイン・ウイスキー	18
パリ	14
バリア	215
バリアフリー	373
バリアフリー設計	373
バリー	18
パ・リーグ	338
ハリー・ポッター	140
ハリウッド	144
ハリウッド映画	144
ハリウッド大作映画	144
バリキール	264
パリコレ	14
パリコレクション	14
ハリスバーグ	140
ハリソン・フォード	140
バリダカ	14
バリダカールラリー	14
張り出し舞台	336
貼り付け	429
貼り付ける	429
バリティ	74
バリ島	14
パリのセーヌ河岸	14
ハリバートン	140
パリ・バス条項	271
ハリファクス	140
パリミキ	14
「遙かなる山の呼び声」	423
「ハルク」	230
バルクキャリアー	302
バルク船	302
バルク品	303
バルザック〔，オノレ・ド〕	13
ハル・サフリエニ地下墳墓	139
ハルシュタット・ダッハシュタイン・ザルツカンマーグートの文化的景観	139
バルセロナ	15
バルセロナのカタルーニャ音楽堂とサン・パウ病院	15
バルセロナのグエイ公園，グエイ邸とカサ・ミラ	15

ハルツーム	191	
バルデス半島	355	
バルデョフ市街保護区	13	
バルバドス	13	
バルパライソの海港都市の歴史的街並み	355	
ハルビン	139	
ハルビンビール	139	
バルマリア, ティーノとティネット島	365	
パルミラの遺跡	13	
パレート図	264, 265	
腫れがひく	384	
パレスチナ	14	
パレスチナ解放機構	14	
パレスチナ解放人民戦線	14	
パレスチナ解放民主戦線	14	
パレスチナ暫定自治政府	14	
パレスチナ自治政府	14	
パレスチナ和平交渉	16	
バレッタ	355	
パレノ	19	
腫れを治す	384	
バレンシア	356	
バレンシアガ	14	
バレンシアのラ・ロンハ・デ・ラ・セダ	15	
ハローキティ	194	
ハロー効果	130, 131, 425	
パロマ	18	
ハロン湾	379	
パワー・コーポレーション・オブ・カナダ	171	
パワーダンス	187	
パワーペーパー	258	
ハワイ火山国立公園	379	
ハワイ・コナ・コーヒー	379	
ハワイ州	379	
パン	248	
範囲	226	
バンカー	304	
半加工品	241, 268	
パンカメ	244	
ハンガリー共和国	394	
パンガロール	19	
ハンガン	142	
半官半民による貿易	20	
パンギ	19	
反逆的で過激な人〔態度やファッションが〕	268	
パンク	268	
ハングアップ	71, 331	
バング＆オルフセン	13	
バンクーバー	367	
バンク・オブ・アメリカ	244	
バンク・オブ・イースト・アジア	86	
バンク・オブ・ニューヨーク	260	
バンク・オブ・モントリオール	246	
番組時間中のコマーシャル	43	
番組編成をする	71	
バングラデシュ人民共和国	247	
番狂わせ	23	
バンクローン	412	
パンクロック	268	
版権	448	
半健康状態	400	
半健康人	400	
「版権法」	19	
反抗心	259	
バンコク	240	
バンコク銀行	240	
万国博覧会	318, 319	
万国郵便連合	358	
「万国郵便連合条約」	358	
「反国家分裂法」	99	
犯罪関係者を除外する	265	
犯罪組織取り締まり	62	
犯罪取り締まり強化	401	
犯罪取り締まり強化キャンペーン	401	
犯罪取り締まりを強化する	401	
ハンザ同盟都市ヴィスビー	142	
ハンザ同盟都市リューベック	229	
ハンサム	224	
バンジー	27	
バンジージャンプ	27	
バンジュール	19	
繁盛する	393	
バンスカー・シュティアヴニッツァ	19	
「半生縁」	20	
半製品	241, 268	
ハンセン指数	147	
ハンセン・バンク	147	
搬送波	426	
販促	59, 352	
パンタナル自然保全地域	266	
バンダルギン国立公園	2	
バンダル・スリ・ブガワン	329	
反ダンピング	99	
反ダンピング関税	99	
反ダンピング訴訟	99	
判断を誤る	61	
パンチ	62	
バン・チアン遺跡	19	
パンチプレス	54	
パンツ	376	
番付	265, 306	
バンディアガラの断崖	20	
判定機	271	
ハンディキャップ	42	
パンテオン	266	
反テロリズム	99	
バント〔野球の〕	88	
バンド〔地名〕	357	
半導体光スイッチ	20	
反動高	99	
バンドエイド	20	
ハンドオーバー	281	
ハンドクリーム	150	
ハンドバッグ	321	
バンド幅	68	
ハンドル	259	
ハンドルソフト	207	
ハンドルネーム	259	
ハンドル名	259	
バンドワイズ	68	
パンノンハルマのベネディクト会修道院とその自然環境	265	
ハンバーガー	142	
バンパース	20	
販売	352, 384	
販売好調である	176	
販売指数	384	
販売時点情報管理システム	384	
販売戦略	384	
販売促進	352	
販売促進用に配る	266	
販売低迷	215	
販売テリトリー	384	

販売ネットワーク	384
販売費	384
販売網	384
販売ルート	384
販売を請け負う人	21
万博	318, 319
反発する	340
「バンビ」	385
ハンピの建造物群	147
ハンファグループ	142
バンベルクの町	19
万有製薬	358
万里の長城	45
「韓流」〈ハンリュウ〉	142
販路開拓	353

【ひ】

ピア	269
ピアース・ブロスナン	269
ビアガーデン	229
ピアジェ	35
ピアス	94
ピアツーピア	78
「ピアノ・レッスン」	114
ヒアリング	123, 347
ピーク	174
──〔景気の〕	116
ピークの年	106
ピークポイント	106
ヒースロー空港	377
ピーターラビット	27
ビーチパラソル	67
ビーチバレー	304
ビーチバレーボール	304
ビーチバレー用のボール	304
ヒートアイランド効果	288
ヒートアップする	172, 284
ヒートシンク	303
ビーフイーター	28
ビープ音	106
ビーマン・バングラデシュ航空	247
ピーラー	384
ビール腹	269
ピエール・カルダン	269
ピエール・バルマン	268
ピエモンテとロンバルディアのサクリ・モンティ	269
ヒエラポリス・パムッカレ	376
ビエンチャン	358
ビエンツァ市街の歴史地区	269
ビエンナーレ	326
ビオテルム	29
ビオトープ	286
ビオレ	29
被害が大きい被災地域	445
被害額	10
非開示情報	366
被害者なき犯罪	371
「費改税」	104
控えの	19
控えめである	74
日帰りツアー	407
日帰り旅行	407
非可逆圧縮	420
比較経済学	28
皮革毛皮製品	269
比較広告	28
皮革製品	269
比較優位	28
比較劣位	28
日暈効果	403
日貸し	10
東ティモール民主共和国	84
東トルキスタン・イスラム運動	86
東レンネル	86
ピカチュウ	269
光ケーブル	130
光公害	131
光磁気ディスク	234
光磁気ディスクドライブ	234
光触媒	130
光通信	131
光通信産業の拠点	130
光通信バレー	130
光ディスク	130
光ディスクドライブ	131
光ファイバー	130, 131
光ファイバーケーブル	348
光ファイバー通信	131
「ヒカルの碁」	276
非関係者	284
非関税障壁	102
引き合い	397
引き上げ	344
引き上げる	344
引受	21, 178
引受業者	21, 23
引受契約	21
引受シ団	52
引受シンジケート団	52
引き受ける	178
引受渡	50
引き起こす	413
微気候	385
引き下げる	175
非業界関係者	284
非共産党員	102
卑怯者	334
引き渡し可能な物件	380
低く抑えた声や音	74
低くする	6, 345
ピクセル	383
ビクター	180
ピクトグラム	383
ピケ	187
ピケット	187
引値	321
非公開の経済収入	414
飛行機で往復する	326
飛行機をよく利用する人	203
飛行禁止空域	183
非公式サイト	102
非行少年	369
非合法な手段で得た収入	146
非合法暴力犯罪組織	146
非公募債	329
ピコ島の葡萄園文化の景観	269
被災	426
微細脳機能不全	282
ビサウ	28
ビザカード	365
膝丈のスカート	167
非殺傷性兵器	104
ピサのドゥオモ広場	28
ピザハット	29
悲惨指数	184
ビジー音	240
ビジネス・アプリケーション・アウトソーシング	405
「ビジネスウィーク」	306
ビジネスエリート	181
ビジネス円卓会議	278
ビジネス街	306

ビジネスが盛んな雰囲気	306	
ビジネスクラス	123, 306	
ビジネス上の信用	306	
ビジネスセンス	185	
ビジネスセンター	306	
ビジネスチャンス	305	
ビジネス・トランスフォーメーション・アウトソーシング	278, 405	
ビジネストリップ	306	
ビジネスの波	305	
ビジネスパートナー	145	
ビジネス・プロセス・アウトソーシング	405	
ビジネス・プロセス・リエンジニアリング	405	
ビジネスモデル	306	
ビジネスモデル特許	306	
ビジネス・ラウンド・テーブル	278	
ビジネスランチ	124	
ビジネス倫理	305	
ビジネスを展開する	430	
ビジュアルアイデンティティー	278	
ビジュアル系	320	
ビジュアルコミュニケーション	319	
ビジュアルBASIC〈ベーシック〉	200	
非従来型エネルギー	102	
ビシュケク	28	
非主流になる	29	
「悲情城市」	24	
非常に緊密な	225	
非常に人気がある	160	
非常に貧しい	343	
ビジョンのない行動	89	
ビスキー	18	
ピスタチオナッツ	194	
ビステオン	366	
ヒストグラム	448	
ヒズボラ	433	
ビスマーク	28	
非政府機関	104	
微生物応用農業	17	
微生物農業	17	
非接近戦	102	
密かに違法行為が行われ,取り締まりできない状況	146	
密かに思いを寄せる	9	
非対称規則	37	
非対称戦	102	
日立製作所	293	
左クリック	457	
ぴたりと後ろにつく	183	
非嫡出子	102	
PIC〈ピック〉	320	
ビッグエコー	28	
ビッグエッグ	85	
ビッグサイエンス	65	
ビッグな	65	
ビッグベン	63	
ビッグマック	188	
引っ越し運送会社	19	
引っ越し業者	19	
「羊たちの沈黙」	50	
必死で働く	62	
必須脂肪酸	29	
ピッチャープレート	350	
ピッツバーグ	269	
ヒット〔映画や演劇などが〕	239	
ビット	28, 366	
ビッド	54, 76	
ヒット曲	181	
ヒット数〔検索エンジンの〕	331	
ヒットチャート	227	
ビットブルガー	28, 29	
ビットマップ	366	
ビットレート	245	
ピツニーボウズ	29	
ヒップホップダンス	179	
ビデオCD	164, 320, 325, 416	
ビデオ・オン・デマンド	320	
ビデオカード	380	
ビデオ・キャプチャー・ボード	320	
ビデオ・コンパクト・ディスク	164, 320, 325, 416	
ビデオディスクレコーダー	354	
飛天賞	103	
非同盟運動	38	
非同盟諸国会議	37	
人があふれる〔劇場や会場から〕	23	
1株株主	69	
ひどく	239	
ひどく驚く	83	
ひどく殴られる	239	
ヒトゲノム解析計画	290	
ヒトゲノムプロジェクト	290	
ヒトゲノムマップ	290	
人質事件	291	
「1つの中心, 2つの基本点」	406	
「ひとつ屋根の下」	349	
人手不足の職業	183	
人とコンピューターの相互作用	289	
人とのつきあい	289	
人に優しい	291, 410	
ヒト万能細胞	290	
人々の意識とかけ離れた指導者	203	
人まねばかりしている	121	
ヒト免疫不全ウイルス	290	
人や物事の中心, 主流の逆方向へいく	29	
1人当たり居住面積	289	
ひとり親	69	
ひとり親家庭	69	
独り勝ち	70	
1人旅	69	
1人っ子	385	
1人っ子政策違反	48	
1人っ子政策に違反して出産する	48	
1人乗り〔自転車やバイクの〕	69	
ピトン管理地域	332	
ひな型	250	
美男子	224	
美男美女カップル	182	
ビニャーレス渓谷	28	
ビニロン	365	
避妊用品	168	
「非農業戸籍」	103	
「ピノキオ」	254	
ピノノワール	146	
ピノブラン	17	
ひばり	424	
微々たるもののたとえ	298	
ビビる	70	
日歩	293	
ビフィズス菌	326	
非武装地帯	103	

索引 びぶろす〜びんべっと					
ビブロス	27	ピュリッツアー賞	273	ピルスナー	27, 282
ビベンディ・ユニバーサル	364	ヒュンダイ	380	ヒルデスハイムの聖マリア大聖堂と聖ミカエル教会	375
被保険者	21, 25	ヒュンダイモーター	380		
飛沫感染	103	美容	245, 286		
暇に飽かしておしゃべりをする	195	美容院	98	ビルトインスタビライザー	258
		病院内で案内をする	71		
肥満児	104	評価	271	昼ドラ	104
肥満症	104	評価益	431	ヒルトンホテル	375
秘密鍵	248	評価損	431	昼の部	292
秘密鍵暗号方式	248	表計算ソフト	81	ビルバオ・ビスカヤ・アルヘンタリア銀行	28
姫路城	165	病欠	33		
秘めた片思い	9	表現する	402	ビル・ブラス	27
ひもじさに耐える	214	表見代理	31	ビルマネジメント	374
紐付き融資	110, 112, 381	兵庫県	32	ビルメンテナンス	374
紐なし靴	212	標識	30	昼用	292
ヒモになる	52	表示器	437	比例尺	28
ビャウォヴィエジャの森	31	標準化	31	非礼である	103
「101回目のプロポーズ」	406	標準化テスト	31	ピレネー山脈ペルデュ山	28
100円ショップ〔日本の〕	18	美容整形手術	433	ピレリ	26
百盛百貨店	18	標題	31	疲労している状態	269
飛躍的発展	205	氷点	32	広島県	131
100パーセント出資	88, 286	票の買収	238	広島市	131
日焼けケア用品	293	評判	204	ピロリ菌	418
日焼け止めクリーム	101	評判を落とす	426	品位〔鉱物や鉱石の〕	270
百花賞	18	表面実装技術	31	敏感肌	249
ビュイック	31	表面ナノテクノロジー	31	賓客	133
ビュー	320	秒読み	87, 324	ピンクカラー	105
ビューアー	424	漂流する	270	貧困から脱却する	353
ヒューゴボス	421	票を買収する	238	貧困「県」	270
ヒューストン	395	〔ピョートル・イリイチ・〕チャイコフスキー	44	貧困農村部の支援	21
ビューティフル	244			貧困ライン	270
「ビューティフル・マインド」	245	ピョンヤン	272	ピンシー	105
		ビラ	385	品質が大変良い	48
ビューホテル	143	開き直る	30	品質管理	270, 275, 438
ヒューマナイズ	291	開く〔マッキントッシュパソコンで〕	380	品質管理活動	275
ヒューマナイズする	291			品質検査	270, 271
ヒューマニズムオリンピック	291	平たい台〔作業の足場となる〕	272	品質保証	94, 300, 438
				品質保証期間	23
ヒューマノイドロボット	101	平手打ちをする	431	品質保証期限	23
ヒューマンケア	291	ひらめき	225	品質保証システム	438
ヒューマンコミュニケーション	289	ヒラリー〔・クリントン〕	376	品種	271
		ビリニュス	364	閻信集団	249
ヒューマンマネジメント	291	ビリニュスの歴史地区	364	ピンストライプ	378
ヒューマン・リソース・マネジメント	290	ひりひりとした	288	品性	390
		ピリン国立公園	269	瓶詰め機械	130
ビューラー	179	非累積的優先株式	103	ビンテージワイン	50
ヒューレット・パッカード	158	ビル風	51	ピントを合わせる	188
		ビルカとホーヴゴーデン	27	頻繁に放送する	288
ビューワー	424	ビル・ゲイツ	27	貧富の差が著しい	270
		ビルス	27, 282	ビンペットカのロック・	

シェルター群	367	ングス	100	フィアット	103
品目	270	ファウンティンズ修道院遺跡群を含むスタッドリー王立公園	268	フィアンセ	90
【ふ】				フィージ〔,ルイス〕	104
ファースト・エナジー	78			フィージビリティースタディ	200
ファーストクラス	349	ファオ	220	フィードバック	99
ファーストサーブの権利	78	ファクシミリ用紙	56	フィールズ賞	102
ファーストサーブをする人	78	ファクトリーオートメーション	96,121	フィエスタ	172
ファースト・テネシー・ナショナル	78	ファザーコンプレックス	222	「フィガロ」	104
		ファザコン	222	ブイグ	39
ファーストフード	333	ファジー	251	武夷山	373
ファーストフードカルチャー	205	ファジー技術	251	フィジー諸島共和国	104
		ファジーテクノロジー	251	フィッシング	359,360,362
ファーストリテイリング	398	ファジー理論	251	フィットサルーン	102
ファームオファー	317	ファジー論理	251	フィットネスクラブ	176
ファームランド・インダストリー	260	ファジル・ゲビ,ゴンダール地域	124	フィットネスジム	176
				フィデリティ投信	110
ファールンの大銅山地域	97	ファストフード	333	「フィナンシャル・タイムズ」	182
ファーレンハイト	152	ファソン	328		
ファイアウォール	100	ファタハ	98	フィナンシャルタイムズ100種平均株価指数	231
ファイザー製薬	157	ファックス用紙	56		
歩合制給料	386	ファッショナブルな	117	フィニッシュパウダー	302
「ファイターズ・ブルース」	308	ファッション雑誌	317	フィノ	103
		ファッションショー	318	5th〈フィフス〉アベニュー	77
ファイトマネー	54	ファッションビル	318	フィラ	104
「ファイナルファンタジー」	456	ファッション水着	417	フィラデルフィア	104
		ファテーブル・シークリー	98	フィラデルフィア美術館	104
ファイナンシャルプランナー	216	ファドゥーツ	355	〔フィリップ〕トルシエ	343
		ファニーメイ	219	フィリップモリス	103
ファイナンスリース	293	ファミリア	109	フィリピン共和国	103
ファイバー光学	380	ファミリー企業	173	フィリピン航空	103
ファイバー・トゥ・ザ・ホーム	131	ファミリーレストラン	67	フィリピン・コルディリェーラの棚田群	103
ファイヤーフォックス	160	ファミレス	67		
ファイル	368	ファリン・ホールディングス	151	フィリピンのバロック様式教会群	103
ファイル・アロケーション・テーブル	368				
		ファン	417	フィルター〔コンピューターモニター用の〕	318
ファイル形式	368	〔ファン・アントニオ・〕サマランチ	298		
ファイル交換ソフト	368			フィルムクリップ	269
ファイルコンバーター	368	ファン・ヴァン・カイ	266	フィレンツェ	107
ファイルサイズ	368	ファンク	101	フィレンツェ歴史地区	107
ファイルタイプ	368	ファンクションキー	122	フィンスイミング	274
ファイルフォーマット	368	ファンクミュージック	101	フィンランド共和国	105
ファイルボックス	275	ファンクラブ	96	フィンランド航空	105
ファイル名	368	ファンタ	105	ブーイング	396
ファインセラミックス	185,379	ファンダメンタルズ	184	ブウィンディ原生国立公園	37
「ファインディング・ニモ」	140	ファンダメンタルズ分析	163		
		ファンデーション	105	風景	106
ファウンダーホールディ		ファンドマネージャー	165	ブーシキン〔,アレクサンドル・セルゲーヴィチ〕	274
		ファントム	155	ブース	339

風俗店を取り締まる	303	
風袋	269	
風袋込重量	241	
風袋の重量	269	
ブータン王国	37	
風潮に合わせる	121	
プーチン[,ウラジーミル・ウラジーミロヴィチ]	273	
ブーツ	349	
ブート	193, 277, 413	
ブートストラップ	413	
フード付きの上着	241	
ブートディスク	413	
ブートドライブ	413	
ブートファイル	413	
フードフェスティバル	245	
フードプロセッサー	91	
ブービー	72	
夫婦間のレイプ	159	
夫婦になる	269	
夫婦2人の世帯	95, 223	
プーマ	30	
ブームが去る	284	
ブームになる	160, 284	
フーリガン[サッカーの]	456	
風力エネルギー	106	
ブールジュ大聖堂	37	
フェアウエイ	283	
フェイ・ウォン	359	
フェイシャル	222	
フェイシャルパック	249	
フェイシャルマスク	249	
「フェイス/オフ」	92	
フェイスペインティング	222	
フェイスペイント	222	
フェイスリフト	249	
フェイバリット	456	
フェイマス・グラウス	363	
富栄養化	112	
フェイルセーフ	128	
フェイルソフト	128	
フェイント	173	
フェースバリュー	249	
フェードアウト	70	
フェードイン	70	
フェートン	157	
フェス旧市街	103	
フェチ	223	
フェッドファンド市場	219	
フェッラーラ:ルネサンス期の市街とポー川デルタ地帯	368	
フェティシズム	223	
フェデックス	219	
フェデラル・エクスプレス	219	
フェデラルファンド	219	
フェデラル・ファンド・マーケット	219	
フェデレーテッド・デパートメント・ストアーズ	219	
フェニックス	103, 107	
フェニックステレビ	107	
フエの建造物群	328	
ブエノスアイレス	39	
プエブラ歴史地区	272	
プエブロ・デ・タオス	341	
フェミニスト	261	
フェラーリ	97	
フェラガモ[,サルヴァトーレ]	103, 104	
フェラポントス修道院群	104	
フェルクリンゲン製鉄所	108	
フェルテー湖,ノイジードラー湖の文化的景観	390	
プエルト・プリンセサ地下河川国立公園	273	
プエルト・リコのラ・フォルタレサとサン・ファン歴史地区	33	
フェレ[,ジャンフランコ]	104	
フェレロ	104	
フェローシップ	402	
富苑酒店	112	
フェンディ	105	
フォアボール[野球の]	331	
フォアランナー	225	
フォアローゼズ	331	
4D映画	86	
フォーカス	108	
フォークアート	249	
フォーシーズンズホテル	331	
フォースアウトにする	106	
フォータム	111	
「フォーチュン」	41	
フォード・モーター	109	
「フォーブズ」	108	
フォーマット	120	
フォーミュラカー	100	
フォーミュラワン	406	
フォーム	31, 267	
フォーラム	232	
フォスタービール	111	
フォックスニュース	108	
ぶ男	54	
フォトCD	432	
フォトジェニック	307	
フォト・レタッチ・ソフト	432	
フォルクスワーゲン	67	
フォルダー	368	
フォルティス	111	
フォルブランシュ	17	
フォレスター	304	
「フォレスト・ガンプ 一期一会」	2	
フォローアップ監査	121	
フォローアップサービス	121	
フォワードレート	275, 423	
フォンテーヌブローの宮殿と庭園	106	
フォント	453	
フォントネーのシトー会修道院	106	
フォンニャ・ケバン国立公園	107	
付加価値	110, 428	
付加価値税	428	
孵化器	107	
深くしまう	397	
孵化する	107	
付加税	110	
ブガッティ	37	
ブガティ	37	
ブカレスト	37	
武漢	373	
不換紙幣	392	
普及品	65, 74	
不況	184	
武侠映画	373	
福井県	108	
福井市	108	
福岡県	108	
福岡市	108	
副業	48, 75	
副業で稼ぐ	455	
副業による収入	414	
複合型人材	110	

複合機	110	不正競争	39	物権	374
複合企業	205, 221	「不正競争防止法」	98	福建省	108
複合材料	110	不正傾向是正弁公室	187	物資の需給バランス	374
複合素材	110	不正行為	240	ブッシュ〔, ジョージ・W〕	39, 384
複式簿記	111	不正収入	146	物上〈ぶつじょう〉担保	317
福祉施設	109	不正取得	342	フッ素加工鍋	39
福祉宝くじ	108, 109	不正取得した学位	44	フッター	405
福島県	108	不正取得した卒業証書	44	ブッダガヤの大菩提寺	272
福島市	108	不正取締弁公室	187	仏陀の生誕地ルンビニ	107
福州	109	付箋	30	ぶっちゃけ	328
復職	110	不足	286	プットオプション	195, 238, 239
複数国間協定	446	不足経済	376	フットサル	320, 373
複数主義	92	付属品	110	フットマッサージ	455
複数政党協力制	91	付属文書	110	仏トン	121
複数選択〔問題などの〕	92	舞台	272	物品貨幣	317
複製	112, 201	舞台裏	253	物流	374
複層式アパート	111	不胎化	53	物流センター	374
復調	180	不胎化介入	53	ブティ・ヴェルド	366
服のデザインが同じ	450	付帯条件	110, 268	ブテン	83
服のデザインがかち合う	450	二重まぶた用液	327	不登校	188
含み資産	413	2桁インフレ	223	不動産鑑定士	100
服務規則	20, 124	双子の黒字	327	不動産管理	100, 374
複利	111	2つの会議	223	不動産転がし	48
「福利院」	109	2つの効果	327	不動産市場	101, 227
複利収益率	111	2つの増加と2つの節約	327	不動産譲渡税	279
副流煙	95	2つの爆弾と1つの衛星	223	不動産投機家	100
不景気	74	2つの爆弾と1つの戦艦	223	武当山の古代建築物群	373
「富康」	110	ブダペスト	37	不動産の所有者	406
符号	68	2人の世界	95, 223	不動産を購入する	439
符号化する〔データを〕	29	「ふたりの人魚」	332	不当な高値	395
符号分割多重接続	235	豚連鎖球菌	446	不当な報道	94
ブザー音	106	負担を軽減する	175	不当に高い	395
不在証明	39	プチトマト	386	不透明な処理	10, 147
不採用	233	プチブル	386	不透明なやり方	10, 147
富士山	111	普通株	274	埠頭持込渡	253
富士写真フイルム	111	普通社債	274	不当廉売関税	99
富士重工業	111	普通取引	274	太亀甲	100
富士ゼロックス	111	普通配当	274, 433	不得意分野	89
富士通	111	普通預金	274	太字体	147
富士通ゼネラル	111	物置スライド預金	23	歩留まり	51
フジテレビ	111	ブッキング	83	ブトリント	39
不十分	286	ブック〔表計算ソフトの〕	124	船会社	56
ブジュンブラ	39	ブックエンド	323	船底型の靴	272
ブジョー	31	ブックカフェ	323	船積港	425, 450
不織布	371	ブックセンター	323	船積指図書	450
婦人警官	186	ブックビルディング方式	37, 398	船積書類	450
不審船	200			船積遅延	450
ぶす	54	ブックフェア	323, 351	船積船荷証券	410, 450
付随業務	109	ブックマーク〔ブラウザの〕	323	船荷証券	141, 344
不正会計	174			フナフティ	111

不人気	32
不人気な物事	215
不燃ごみ	38
ブノンペン	181
ブハラ歴史地区	37
不備	286
不評	94
フフホト	149
不変の	115
不法監禁罪	102
不法交換	342
不法占有の罪	281
不法滞在	102
不法に外貨を獲得，所持する	342
父母学校	173
部門賞	177
富裕層を除外する	265
フューチャーズ	275
浮遊粒子状物質	109, 200
「冬のソナタ」	85
「芙蓉鎮」	109
ブライア	273
ブライアー・インフォームド・コンセント	320
〔ブライアント,〕コービ	197
プライスウォーターハウスクーパース	273
プライススマート	273
ブライダル産業	159
ブライダルフォト	159
ブライダルマーケット	388
フライトナンバー	142
フライドポテト	324
ブライトリング	18
プライバシー	329
プライバシーの権利	413
プライバシーポリシー	413
プライベート	329
プライベートブランド	454
プライマリーケア	285
プライマリーマーケット	96, 406
プライムタイム	156, 280
プライムホテル	24
プライムレート	456
フライヤー	385
フライングディスク	102
ブラインド・カーボン・コピー	248
ブラウザー	226
「プラウダ」	433
ブラウン	35
ブラウン・アンド・ウィリアムソン	38
ブラウン管	411
ブラウンクラウド	454
ブラウン大学	38
フラグ	31
プラグ・アンド・プレイ	166
プラグイン	43, 356
プラグインソフト	43, 356
フラクタル	105
ブラケット	100
「プラザ合意」	131
プラザビル	38
プラシーボ効果	9
〔プラシド・〕ドミンゴ	91
プラシボ効果	9
ブラジャー	368
ブラジリア	16
ブラジル	16
ブラジル銀行	16
ブラジルコーヒー	16
ブラジルの大西洋諸島：フェルナンド・デ・ノローニャとロカス環礁保護区群	16
ブラジル連邦共和国	16
プラスチック爆弾	200
プラズマディスプレイ	74
プラズマテレビ	74
プラダ	273
ブラチスラバ	38
プラチナ5つ星	17
プラチナカード	17
ブラックカード	146
フラッグシップショップ	276
フラッグシッププロダクト	227
ブラックジャック	95
「ブラック・ジャック」	129
ブラックブッシュ	146
「ブラックホーク・ダウン」	147
ブラックホール	146
ブラックボックス	146, 147
ブラックマーケット	147
ブラックマンデー	146
ブラックリスト	146
フラッシュカード	305
フラッシュ画像などの愛好者	305
フラッシュディスク	305
フラッシュメモリー	305
ブラッド・ピット	38
プラットホーム〔駅の〕	430
────〔コンピューターの〕	272, 430
プラド	273
プラド美術館	273
プラトン	35
プラハ	38
プラハ歴史地区	38
フラフープ	65
フラマホテル大連	65
フラワー・バイ・ケンゾー	409
孵卵器	107
フランキンセンス・トレイル	294
フランクフォート	97
〔フランシスコ・グテレス・〕ルオロ	227
フランス	97
フランスガス公社	97
フランス共和国	97
フランス国有鉄道	97
フランス商業銀行	97
フランステレコム	97
フランス電力	97
フランスのサンティアゴ・デ・コンポステーラの巡礼路	97
プランタン	14
〔フランチェスコ・〕トッティ	352
ブランチ・ダビディアン	66
フランチャイズ	344
フランチャイズ加盟店	449
フランツハニエル	108
〔フランツ・ペーター・〕シューベルト	323
ブランド	250, 270, 305
プラント	51
ブランドイメージ	270
ブランドショップ	250
ブランドセキュリティー	270
ブランド品	250
フランドル地方とワロン	

地方の鐘楼群	107	ブリッゲン	24	ブリント〔映画フィルムの〕	197
フランドル地方のベギン会修道院	107	ブリッジタウン	38	「古井戸」	213
プランナー	43	ブリッジバンク	50, 138	フルーア	109
プランバナン寺院遺跡群	273	ブリッジローン	138	ブルーカラー	212
プランパン	22, 35	ブリッツ	18	ブルーキュラソー	212
プランを立てる	43	フリップ型携帯電話	98	ブルース	211
フリー	454	ブリティッシュ・アメリカン・タバコ	415	ブルース・リー	217
────〔フィギュアスケートの〕	453	ブリティッシュ・エアウェイズ	415	ブルーチップ	211
フリーウェア	454	ブリティッシュ・スカイ・ブロードキャスティング・グループ	415	フルーツゼリー	138
フリーエージェント	200, 454			ブルーデー	148
フリーエージェント制	454			ブルートゥース	212
フリーキック	291			ブルートゥース技術	212
フリーク	96	ブリティッシュ・テレコム	414	ブルーバード	212
フリーズ	71, 331	ブリトヴィチェ湖群国立公園	38	「ブルーハッカー」	211
フリースタイルスキー	454			ブルーフィルム	241
フリーズドライ食品	86, 215	ブリトニー・スピアーズ	385	ブルーマウンテンコーヒー	212
フリーソフトウェア	454	プリペイド式インターネットカード	308		
フリーソフトウェア財団	454			ブルームバーグ	268
「フリーダ」	109	フリマ	346	ブルーラリズム	92
フリーター	453	ブリムストーン・ヒル要塞国立公園	226	フルーリ	108
フリータウン	109			フルールドフルール	151
プリーツスカート	18	ブリュージュの歴史地区	38	ブルーレイディスク	211
〔フリードリヒ・ウィルヘルム・〕ニーチェ	259	ブリュールのアウグストゥスブルク城群と別邸ファルケンルスト	39	プルオーバー	342
				フル稼働	285
ブリーフィング	57, 175			ブルガリ	21, 22
ブリーフケース	123	ブリュッセル	38	ブルガリア共和国	22
フリーマーケット	346	ブリュッセルのグラン・プラス	38	古着	95
フリーメール	248			ブルキナファソ	37
フリーライター	454	不良貸付	38, 331	ブルゴーニュ・ブラン	35
フリーランサー	454	不良貸付を処理する	53	ブルゴーニュ・ルージュ	35
プリインストール	422	武陵源の自然景観と歴史地域	373	ブルゴス大聖堂	37
プリウス	273, 380			ブルジョア志向の若者	386
フリオ〔・イグレシアス〕	149	不良債権	38, 67, 153	フルスクリーン	285
プリオン	273, 294	不良負債	331	フル生産	239
振替休日	37, 56	不良融資	38	フルターンキー工事	178
ぶり返す〔病状が〕	99	ブリリアンス・チャイナ・オートモーティブ ホールディングス	151	フルタイム	286
プリクラ	347			フルタイムの職務	286
プリクラ機	66, 347			プルダウンメニュー	378, 379
ブリザードエンターテインメント	24	フリルスカート	145	ブルックス・ブラザーズ	38
		不倫	159	プルデンシャル	21
ブリジット・リン	224	プリングルズ	270	ブルドッグ債	246
ブリストル・マイヤーズ・スクイブ	18	「プリンス・オブ・ペルシャ」	35	ブルドッグボンド	246
				プルトップ缶	411
プリセット	422	プリンストン大学	273	ブルネイ・ダルサラーム国	368
振り出し〔手形の〕	193	プリンスホテル	359		
振り出す〔手形を〕	193	プリンター	62	ブルノのツゲンドハット邸	37
ブリヂストン	273	プリン体	273	「古畑任三郎」	310
ブリックス	182	富臨大酒店	111	フルバック	149

フルフラット・カラー・テレビ	58
古本	95
ブルマーケット	260
ふるまい	338
ブルミエジュール	50, 324
ブルンジ共和国	38
ブレア〔,トニー〕	38
フレアバーテンディング	151
ブレイザー	194
無礼である	103
「ブレイド」	71
「ブレイブハート」	417
「プレイボーイ」	150
ブレインストール	422
プレーオフ	401
ブレークダンス	268
フレーザー島	109
プレースメントテスト	105
プレート〔地球の〕	19
フレーム〔ウェブページの〕	207
ブレーメンのマルクト広場にある市庁舎とローラント像	38
ブレーンストーミング	349
プレーンテキスト	58
フレオン	109
フレキシブル	294
フレキシブル生産システム	294
フレキシブルな	225
プレキャスト	422
フレクストロニクス・インターナショナル	365
フレグランス	382
ブレゲ	22
プレジデント	455
プレジャーズ	153
プレスコンファレンス	390
プレステージ価格	312
プレストパウダー	105
プレスリリース	390
プレゼンスキル	51
プレゼンテーション	51, 352, 402
プレゼンテーションスキル	51
フレックスタイム制	340
プレッシャー	330
フレッシュフィールズ・ブルックハウス・デリンガー	110
フレディマック	109, 219
ブレトリア	28
ブレナボン産業用地	38
ブレナム宮殿	38
プレマシー	273
プレママ	451
プレミア〔映画の〕	322
プレミアショー	322
プレミアム	312, 411
プレミアムガソリン	116
プレミアム付き古着	95
プレミアム発行	411
プレミアリーグ	414
触れる	345
ブレンド	124
プロアクティブ・コンピューティング	421
フロアトレーダー	46
浮浪者	226
フロー	226
ブローカー	184, 237, 434
フローチャート	226
ブロードウェイ	18
フロート制	108
ブロードバンド	206
ブロードバンドアクセス	206
ブロードバンドネットワーク	206
フローリング	254
プロキシサーバー	68
ブログ	35
プロクシサーバー	68
プロクター・アンド・ギャンブル	22
プログラマー	52
プログラミング	29, 52
プログラミング言語	29, 52
プログラム	52
プログラム制御	52
プログラムファイル	52
プログレッシブ	279
プログレッシブスキャン	447
プロケネックス	202
プロジェクションテレビ	26
プロジェクト	383
プロジェクトチーム	383
プロジェクトの申告	383
プロジェクトの評価	383
プロジェクトの立案	383
プロジェクトファイナンス	383
プロジェクトマネージャー	383
プロジェクトマネジメント	383
プロジェクトローン	383
プロジェクトを立ち上げる	219
プロセス	52
プロダクトメンテナンス	168, 311
ブロック	178
ブロックバスター映画	47
フロッピー	295
フロッピーディスク	295
フロッピー・ディスク・ドライブ	295
プロテイン工学	70
プロテクト〔コンピューターで〕	22
プロトコル	387
ブロニカ	35
プロの経営者	437
プロの射撃手	437
プロの身代わり受験請け負い人	437
プロバイダー	150, 162, 360, 361, 412
プロパティー	324
プロパン	33
プロパンガス	33
プロビデンス	273
プロピレン	33
プロペラ機	233
プロポーショナルフォント	189
ブロマイド	387
プロモーション	352, 428, 448
プロ野球	437
プロリーグ参加クラブが移籍名簿を公表する	128
フロリダ州	109
フロン	109
フロンティアサイエンス	279
フロント	109, 455
フロントデスク	455
フロントランナー	225

プロンプト	344	
ブワゾン	88, 452	
不渡手形	188	
分科会	105	
文学芸術界連合会	368	
文学作品の朗読テープ	420	
文化的基盤	368	
文化的土壌	368	
文芸作品の質	270	
文庫本	204	
「分公司」	105	
分散配置をする	105	
粉失	249	
分社化	105	
文書	367, 368	
分譲住宅品質認定システム	196	
分譲, 賃貸用住宅	305, 306	
分譲, 賃貸用物件	305, 306	
粉飾預金	395	
文書送金	391	
「分税制」	105	
分析する	180	
フン・セン	148	
紛争	187	
紛争解決機関〔WTOの〕	433	
紛争解決システム〔WTOの〕	433	
分損担保	69, 328	
分損不担保	69, 271	
ブンデスリーガ	73	
奮闘する	62	
分布計算	105	
分野	19, 226	
分野を超えた問題	205	
文楽	253, 368	
分離課税	105	
分離型ワラント債	105	
分離帯	119	
分流	105	

【へ】

ヘアアイロン	341	
ベアー・スターンズ	25	
ヘアカラー	288	
ヘアケア商品	150	
ヘアコンディショナー	150	
ヘアサロン	98	
ヘアダイ	288	
ヘアトリートメント	150	
ヘア・トリートメント・スプレー	242	
ベアバック	228	
ベアマーケット	394	
ヘアリンス	150, 296	
ヘアワックス	98	
ベイオフ制度	59	
平価切上げ	160	
平価切下げ	160	
兵器弾薬の密輸入	189	
兵器売却	189	
米教職員保険年金連合会・大学教職員退職年金基金	243	
平均価格	189	
平均寿命	289	
平均値	189	
平均中等品質	223, 439	
並行輸入品	327	
米国	242, 245	
米国規格協会	243	
米国食品医薬品局	243	
米国通商代表部	243	
米国郵政公社	244	
米州開発銀行	246	
米州機構	246	
ベイジン・エンタープライズ ホールディングス	25	
ベイジン・デベロプメント	24	
米ドル	246	
併発する〔病気を〕	144	
閉幕〔試合が〕	321	
ペイメント	110, 435	
ペイメントオーダー	435	
平遥古城	272	
兵力集結	189	
ベイルート	26	
米連邦準備銀行	243	
米連邦準備制度理事会	243	
平和維持	364	
ヘインサの八万大蔵経版木収蔵庫	141	
ペイントソフト	158	
ペイントプログラム	158	
ペイントマーカー	235	
ベーカー&マッケンジー法律事務所	26	
ベーカー・ヒューズ	26	
ヘーゲル〔, ゲオルク・ヴィルヘルム・フリードリヒ〕	146	
ベーシックサイエンス	163	
ページトップ	405	
ベージャー	397	
ページレイアウト	405	
ベースステーション	166, 372	
ペースト	429	
ベースマネー	117, 163	
ペースメーカー	277, 390	
―――――〔マラソンなどの〕	225	
ベースライン〔球技などのコートの〕	75	
ベータバージョン	457	
β〈ベータ〉版	457	
ベーチ市にある初期キリスト教墓地遺跡	267	
ペーパーカンパニー	269	
ペーパータオル	40	
ペーパードライバー	27	
ペーパーメディア	437	
ベームステル干拓地	28	
ベオグラード	25	
北京オリンピック	24	
北京華僑大厦	24	
北京汽車	25	
北京貴賓楼飯店	24	
北京控股	25	
「北京好日」	432	
北京国際飯店	24	
北京市	25	
北京首都国際空港	25	
北京スイスホテル・香港マカオセンター	24	
北京動物園	24	
北京発展	24	
北京飯店	24	
北京方言の罵詈雑言	185	
北京放送	440	
ヘクトパスカル	18	
ベクトラ	362	
へこむ	322, 411	
ベサ	320	
ベジェ曲線	26	
ベスト・ウェスタン・フェリシティ・ホテル	111	
ベストセラー本	46	
ベストな時期	280	

索引 べすとばい〜へんめんこ

ベストバイ	18
ペソ	28
へそ出しファッション	229
ペタヤヴェシの古い教会	267
ベッカム[, デビッド]	26, 384
ベックス	26
ペッグ制	222
ヘッジファンド	90
ヘッダー	31, 405
別段預金	342, 449
ペット	54
ヘッド&ショルダーズ	140
ペットクリニック	54
ベッドシーン	57
ペットショップ	54
ヘッド・スマッシュト・イン・バッファロー・ジャンプ	246
ベッドタウン	366
ヘッドハンター	224
ヘッドハンティング	210, 224, 355
ヘッドハンティング会社	224
ペットフード	54
ヘディング	53, 350
ベトナム航空	424
ベトナム社会主義共和国	424
ペトラ	268
へどろ	370
ペトロチャイナ	441
ペトロナス	235
ペトロブラス	16
ペトロレオ・ブラジレイロ	16
ペナルティーキック	96
ペナルティークローズ	96
ベナン共和国	26
ベニ・ハンマド城塞	26
ペニンシュラ・アンド・オリエンタル	19
ヘネシー	396
ベネズエラ石油公社	366
ベネズエラ・ボリバル共和国	365
ベネトン	26
ベビードール	283
ベビーブーム	290, 313
ヘビーメタル	445
ヘビメタ	445
ペプシコ	18
ペプシコーラ	18
「ヘブン・アンド・アース 天地英雄」	345
部屋のタイプ	101, 150
部屋のタイムレンタル	439
ペ・ヨンジュン	267
ベライゾン・コミュニケーションズ	108
ベラヴェシュスカヤ・プーシャ	31
ベラルーシ共和国	17
ベリーズ	36
ベリーズのバリア・リーフ保護区	36
ペリカード	275, 372
ベリフィケーションカード	275, 372
ベリングポイント	28
ベリンツォーナ旧市街にある3つの城, 城壁と要塞	26
ベル[電話の]	225
ペルー共和国	29
ベルカナダ	25
ベルギー王国	28
ベルサイユ	98
ベルサウス	25
ヘルシンキ	146
ベルセポリス	35
ヘルツ	146
ベルテルスマン	26
ベルナルド・ベルトルッチ	25
ヘルプ[コンピューターの]	20
ベルボトム	210
ベルモット	366
ベルモパン	25
ベルリナー・ヴァイセ	36
ベルリン	36
ベルリン国際映画祭	36
ベルリンのムゼウムスインゼル	36
ベルン	35
ベルン旧市街	35
ヘレナ	141
ヘレナルビンスタイン	146
ヘロイン	141
変化する	450
弁が立つ人	195
ペンからパソコンへの切り替え	155
「辺境管理区通行証」	29
勉強して知識や技術を身につける	53
勉強はできるが, 一般常識やコミュニケーション能力に欠ける人	116
勉強をやり直す	157
ヘンケル	142
弁護士のローブ	231
編集プログラム	29
ペンシルバニア州	32
ペンシルバニア大学	32
変身	113
返信メール	157
変性	30
編成する	83
編成を決める	83
ヘンダーソン島	147
ペンタゴン	373
ペンタックス	32
ペンタブレット	158, 322
ベンチ	19
ベンチマークテスト	166
ベンチャー企業	57, 107, 120
ベンチャーキャピタル	57, 107
ベンチャー・キャピタル・ファンド	57
ベンチャー市場	57
ベンチャーマネジメント	107
ベンツ	26
ペンティアム	26
ベンディング	22
ぺんてる	266
変動	33
弁当	30
変動為替相場	33, 108
変動為替相場制	108
変動金利	108
変動相場制	108
変動賃金	108
変動幅	34
変動率	34
変動利付債	108
ペントレー	32
変面[川劇の]	30
「變臉〈へんめん〉 この権に手をそえて」	30

【ほ】

ホアウェイテクノロジーズ	152
ボアオ・アジア・フォーラム	35
保安	21
ホイールマウス	133
ボイ渓谷のカタルーニャ風ロマネスク様式教会群	36
ボイジー	36
ボイス・オブ・アメリカ	244
ボイスメール	313, 421
ボイスメールボックス	421
ボイズンビル	88, 127
ホイッスルを鳴らす	194
ホイットニー・ヒューストン	158
ボイン渓谷の遺跡群	36
ポインター	437
ポインティングデバイス	83
ポイント	18
ポイントカード	164
放映期間[テレビの]	71
貿易赤字	259
貿易アンバランス	241
貿易外取引	372
貿易関連知的所有権	421
貿易関連投資措置	421
貿易黒字	328
貿易交渉委員会	241
貿易収支	241
貿易障壁	241
貿易の技術的障害	168
貿易不均衡	241
貿易摩擦	241
崩壊	205
法外な値段をふっかける	316
膨化菓子	268
膨化食品	268
「包括的核実験禁止条約」	285
包括的管理	454, 455
包括予定保険証券	194, 422
防火壁	100
法規制ぎりぎりの行為	40
豊胸	227
方向	229
暴行	280
方向キー	100, 130
防災対策を講じること	175
ほうじ茶	147
放射性廃棄物	101
放射線治療	101
放射線防護	109
芒種	240
報奨	58, 177
防しわ加工の	101
法人株	97
法人税	97
法人投資家	97
坊主頭	19
防水	101
放水する	102
方正控股	100
方正数碼	100
紡績業の生産規模縮小	399
包装	21
放送教育	203
放送局	131
暴走する	30
包装明細書	450
法知識の普及	273
膨張	268
法定休日	97
法定準備金	97
法定準備金制度	55, 132
法定準備率	344
法廷審理	347
法廷秩序攪乱の罪	288
法的援助	97, 98
法的根拠	97
法的支援	97, 98
放電	101
放電加工機	79
暴投[野球などの]	24
暴動鎮圧対策用の銃	100
報道や宣伝を繰り返し行うこと	48, 49, 349
法に基づく国家統治	406
豊乳	227
法によって統治する	406
放熱板	303
法の解釈	319
法の執行者	436
防犯ドア	9, 100, 101
防犯扉	9, 100, 101
法服	97
報復関税	23
報復目的で相手を陥れた罪	23
放牧を休止する	394
訪問	101
訪問公演	101
訪問セールスマン	307
訪問販売	101
訪問販売員	307
包容政策	403
暴落	23
法律遵守	457
法律と紀律の厳格な施行	402
法律に抵触する	55
法律や規定に公然と抵抗する	83
法隆寺地域の仏教建造物	97
暴力映画	23
暴力的犯罪組織取り締まり	99
暴力的犯罪組織に関与する	309
暴力的犯罪組織を一掃する	303
暴力的犯罪組織を取り締まる	99
ボウリング	22
法輪功	97
法令順守	457
放浪する	270
法を犯す	55
ポエム	316
ボー	35
ボーイング	35
ボージョレ・ヴィラージュ	36
ボージョレ・ヌーボー	36
ポーズキー	427
ポーズを見せる	457
ポータイの曽	21
ポータビリティー	30, 200, 386
ボーダフォン	369
ポータブル・オーディオ・プレーヤー	333
ポータブルハードディスク	410
ポータルサイト	246
ぼーっとする	96
ボーディングブリッジ	202
ポート	88, 178
ポート・オブ・スペイン	375
ポートスキャン	88
ポートビラ	364

ポートフォリオ	350, 434
ポートフォリオセレクション	434, 452
ポートモレスビー	252
ポートルイス	229
ポートレート	387
ボーナス	148
ボーナス給	386
ホーニング盤	147
ほお紅	298, 394
ホーマー	145
ホーム	447
ボーム&メルシエ	250
ホームエディション	172
ホームオートメーション	139, 172
ホームグラウンド	447
ホームゲーム	447
ホームシアター	172
ホームステイ	172
ホームドクター	285, 330, 348
ホームページ	322, 362, 447
ボーラ	22
ポーラ	264
ポーランド共和国	34
ボーリング	22
ホール・イン・ワン	406
ボール支配率〔サッカーやフットサルの〕	204
ホールズ	145
ホールディングカンパニー	52, 204
ホールデン	160
ポール・ニューマン	22
ポール・マッカートニー	22
簿価	431
簿外取引	451
ポカリスエット	22
保管	21
ボギー	36
補給する〔軍隊で〕	36
補給所	36
北緯38度線	300
北欧投資銀行	25
ボクサーパンツ	271
牧草地の減少と砂漠化	43
牧草地の再生能力を上回る放牧	138
牧草地の劣化	43
「北斗一号」	24
北東アジア開発銀行	84
「北米自由貿易協定」	25
ポケットPC	333
ポケットブック	204
「ポケットモンスター」	204
ぼける	269
保険	290
保険加入の承認	50
保険業者	21, 23
保険金詐欺	269
保険契約者	349
保険証券	63
保険証書	23
保険つなぎ	238, 342
保険に加入する	349
保険の解約	352
保険料率	23, 104
保護	22
保護預かり	21, 352
保護預かり証	352
保護預かり料	352
補講クラス	109
歩行者専用道路	39
歩行者天国	39
母校で働く	227
母校に留まる	227
保護関税	22
保護者向け講座	173
保護主義	22
保護主義政策	22
ボゴタ	34
保護的関税	22
誇らしい	178
誇りに思う	178
母子感染	253
ポジショニング	84
ポジション	349
星印	392
保湿クリーム	22
ポジトロンCT	264, 433
ポジトロン断層撮影法	264, 433
「星の金貨」	393
ホジャ・アフメド・ヤサウィ廟	160
捕手	36
補修	394
補習クラス	37
募集枠を拡大する〔学生の〕	208
ボシュロム	36
補償金〔国や企業からの〕	109
保証金	23
保証金口座	23
保証金取引	23
保証金の支払い	267
保証サービス	51
保証状	21
補償する	267
補助金相殺関税	98
ボス	213
保水剤	114, 128
ボスコ	274
ホステス	267, 417, 457
ホスト	308
ポスト	115
ポストイット	24
ポスドク	36
ホスト国	84
ホストコンピューター	447
ポストドクトラル	36
ポストに就く	307
ポストモダニズム	149
ポストモダン	149
ボストン	34
ボストンコンサルティンググループ	34
ボスニア・ヘルツェゴビナ	34, 35
保税区	22
補整下着	346
保税倉庫	22
〔ホセ・〕カレーラス	192
母線〔コンピューターの〕	455
保全処分	41
細く見える	322
細身の	322
保存	21, 59
——〔コンピューターで〕	21
保存書類用ボックス式ファイル	71
ポタラ宮	37
牡丹カード	253
歩調を合わせる	121
北海道	24
北海道国際航空	24
ポッキー	18
勃起不全	36
ボッシーニ	22
ボッシュ	36
ほっそりとした	322

ぼったくる	280, 426	
ポツダムとベルリンの宮殿群と公園群	33	
坊ちゃん	308	
ホットキー	288	
ポッドキャスティング	34	
ポッドキャスト	34	
ホットスポット	288	
ホットスワップ	288	
ホットな事柄や場所	288	
ホットな話題	289	
ホットマネー	136, 289, 419	
ホットライン	289	
ポップアート	290	
ポップアップウィンドウ	340	
ポップアップメニュー	340	
ポップ広告	384	
ポップス	227	
ボツワナ共和国	35	
ボディアート	290, 310	
ボディーシャンプー	254	
ボディースポンジ〔ボール状の〕	422	
ボディービル	176	
ボディービルコンテスト	176	
ボディーペインティング	290, 345	
ボディーローション	296	
「ボディガード」	21	
ポテトフライ	324	
ホテルグランヴィア京都	184	
ホテルグランドパレス	119	
ホテル・シルバーランド	412	
ホテル・ソフィテル	334	
ホテル日航	292	
ホテル・ニッコー新世紀北京	25	
ホテルニューオータニ長富宮	45	
ホテルニューオータニ	388	
ホテルのランク	392	
ホテル阪急インターナショナル	19	
ほてるような	288	
ポテンシャル	279, 280	
補導	282	
歩道橋	39	
浦東国際空港	272	
ポトシ市街	35	
ボトムウォーク	75	
ボトリング機械	130	
ボトルネック	271	
ホニアラ	161	
骨組み	125, 207	
ホノルル	340	
ボビーブラウン	13	
ポブレー修道院	34	
ポポカテペトル山腹の16世紀初頭の修道院群	33	
ポボズ	33, 37	
ポムロル	34	
ホメーロス	145	
ホメロス	145	
ホモエコノミクス	184	
ホヤ・デ・セレンの古代遺跡	161	
ボヤナ教会	36	
ほら	64	
ホラー映画	133, 203	
ホラショヴィツェの歴史地区	160	
ボラティリティ	34	
ポラロイド	22	
ほらを吹く	195	
ボランティア	411, 439	
ボランティア診療	411	
ポリーインベストメント	22	
ポリカーボネート樹脂板	403	
ポリグラフ	43	
ポリシーミックス	433	
ホリデイ・イン	174	
保利投資	22	
ボリビア共和国	34	
ポリフェノール	91, 92	
保留	22	
ボルヴィック	111	
ボルゲーゼ	26	
ボルシェ	22	
ボルスカヤ・ウォッカ	34	
ホルタ〔,ラモス〕	161	
ボルティモア	13	
ポルトヴェーネレ,チンクエ・テッレと小島群	365	
ボルドー	34	
ポルト−プランス	339	
ポルトガル共和国	272	
ポルトガル・テレコム	272	
ポルトノボ	34	
ポルトの歴史地区	34	
ホルトバージ国立公園−		
ブッツァ	160	
ボルネオ島	272	
ポルノ一掃	303	
ポルノ映画	241, 300	
ポルノ関連のアイテム	155	
ポルノグラフィティ	303	
ポルノサイト	156	
ポルノ雑誌やビデオ、DVDなどを違法に販売する	99	
ポルノ女優	353	
ポルノと不法出版物を一掃する	303	
ポルボ	110, 369	
ホルムアルデヒド	173	
ホレズ修道院	160	
ポレッチ歴史地区のエウフラシウス聖堂建築群	34	
ボロ	22, 34	
ホローケー古村落とその周辺地区	161	
ホログラム	286	
ボロブドゥル寺院遺跡群	272	
ホワイトカラー	17	
ホワイトカラー犯罪	17	
ホワイトナイト	17	
ホワイトホース	17	
ホワイトボード	16	
ホワイトボード消し	16	
ホワイトボード用イレーザー	16	
ホワイトボード用ペン	16	
ホワイトボード用マーカー	16	
ホワイトホール	17	
ボン	34	
ポンカス債	393	
本拠地球場	447	
本源的価値	258	
本源的預金	381	
香港映画評論学会賞	382	
香港建設	382	
ホンコン・コンストラクション	382	
香港上海銀行	158	
香港人による香港統治	115	
香港スター	115	
香港中旅国際投資	382	
香港電影金像賞	382	
香港特別行政区	115, 382	

香港ドラゴン航空	115
香港ドル	115
本採用	435
ボン・ジェズス・ド・コンゴーニャスの聖所	203
本質的価値	258
本社	455
ホンジュラス共和国	147
ボンズ	266
本船受取書	64
本船持込渡	253
本船渡	56
ホンダ	27
本田技研工業	27
ポンティアック	266
ポン・デュ・ガール	170
ポンド	414
本当のところ	328
本音	390
本の虫	323
ボンバルディア	266
ポンピドゥーセンター	268
ポンペイ,エルコラーノおよびトッレ・アヌンツィアータの遺跡地域	266
本物	434
本屋街	323
ぼんやりしている	251
本を読み返す	157

【ま】

マーカーペン	167
マーキュリー	328
マークス・アンド・スペンサー	236
マーケットアクセス	318
マーケットクライシス	127
マーケットシェア	318
マーケットリスク	318
マーケットレート	319
マーケティング	415, 428
マーケティング戦略	318, 384, 415
マージする	144
マージナルマン	30
マーシャル諸島共和国	236
マーシュ・アンド・マクレナン	363
マージン	450
マーズ	237
「マーストリヒト条約」	237, 263
マーチャンダイザー	41, 306
マーチャンダイジング	306
マーテル	235
マーベリック	411
マーレ	235
マイアミ	238
マイカー	170, 172, 328, 329
マイカ一族	419
マイカーローン	49, 278
マイカル	238
マイク・タイソン	238
マイクロウェーブ兵器	362
マイクロエレクトロニクス	363
マイクロコンピューター	363, 364
マイクロソフト	363
マイクロソフト・ネットワーク	363
マイクロバス	248
マイクロ波兵器	362
マイクロマシン	363
マイクロミニ	47
マイケル・ジャクソン	238
マイケル・ジョーダン	238, 281
マイコンピュータ	369
マイセン	239
マイタック	311
「マイト・アンド・マジック」	251
マイナスイオン	110
マイナス金利	111
マイナス心理	259
マイナス成長	112
「毎日新聞」	245
マイノリティー	386
「マイノリティ・リポート」	308
マイバッハ	238
埋没原価	49
埋没費用	49
マイルドセブン	294
マイレージ	103
マイレージカード	216
マウス[コンピューターの]	152, 324
マウスウォッシュ	324
マウスパッド	324
マウスポインター	437
マウナケア火山	241
マウルブロンの修道院群	241
マウンテンバイク	304
マウント・ゲイ	276
前貸信用状	422
前橋市	279
マカオ中心部の歴史的街並み	11
澳門特別行政区	12
マカオパタカ	12
巻き上げる	280
マギー	244
マギー・チャン	430
マキタ	254
紛れもない	39
マグカップ	235
[マクシム・]ゴーリキー	116
マクセル	238
マクドナルド	238
マグナ・インターナショナル	240
マグニチュード	216
マクロ	148, 358
マクロウイルス	147
マグロヒル	238
マクロ経済	148
マクロコントロール	148
マクロ政策決定	148
マクロ調整	148
マクロファージ	188
負け組	296
マケッソン	238
マケドニア旧ユーゴスラビア共和国	236
孫請け	266, 300
マコーミック	366
真心から	341
マコネ	235
マザーコンプレックス	223
マザーボード	447
マザーマシン	124, 163
マザーリバー	253
マサガンのポルトガル街区	237
マザコン	223
マサダ	236
マサチューセッツ工科大学	234
マサチューセッツ州	234, 236
マサチューセッツ・ミュ	

―チュアル・ライフ・インシュアランス	234	
摩擦と理解	251	
マジックリン	358	
マシニングセンター	170	
マシマロ	226	
マジュロ	237	
「魔女の条件」	251	
交わる場所	179	
マスカット	237	
マスカラ	179	
「マスク」	30	
マスコ	237	
マスコット	83, 167	
マスターカード	358	
マスタープラン	455	
マスタリング	253	
マスタング	405	
マスプロ	51	
マスメディア	67	
マセラティ	236	
マセル	236	
マタイ効果	237	
マダガスカル共和国	234	
マダガスカル航空	234	
マタニティーウェア	425	
マタニティードレス	425	
マダラの騎士像	234	
待ち受け	68	
待ち受け画面	68	
待ち受け時間	68	
間違い	60	
間違った認識	374	
間違ったやり方	374	
街角の彫刻	50	
マチネ	292	
マチュ・ピチュの歴史保護区	236	
松江市	331	
マッカラン	238	
マッキャンエリクソン	239	
マッキンゼー	239	
マッキントッシュ	238, 271	
マッキンリー山	238	
マックOS	271	
マックイーワンズ	239	
マックスウェル・ハウス・コーヒー	239	
マックスファクター	248	
まつ毛エクステンション	179	
マッコーリー島	239
マッサージクリーム	10
マッサージ嬢	10
マッサージチェア	10
マッサージバス	10
松下電器産業	331
松下電工	331
抹消する〔登記内容を〕	448
マツダ	237
待ったがかかる	193
末端組織の監視	163
末端組織の民主化	163
マッチポイント	299
マッチング	196, 269, 286
――――〔人材などの〕	269
松山市	331
マティーニ	235
マティス	235
マディソン	238
「マディソン郡の橋」	212
マデイラ諸島のラウリシルヴァ	234
マテーラの洞窟住居	237
マテハン	41
マテリアルハンドリング	41
窓口業務担当者	133
マトボの丘群	237
間取り	101, 150
マドリード	234
マドリードのエル・エスコリアル修道院とその遺跡	234
「マトリックス」	146
マドリュウ・ペラフィタ・クラロー渓谷	235
惑わす	247
マドンナ	238
マナーマ	239
マナーモード	433
マナグア	236
マナス野生生物保護区	236
マナ・プールズ国立公園, サビとチュウォールのサファリ地域	236
マニア	96
マニフェスト	187
マニュアル	43, 124
マニュアル車	321
マニュライフ・ファイナンシャル	148
マニラ	236
マヌー国立公園	236
マネーサプライ	160
マネージャー	184
マネーマーケット	89, 160
マネー・マーケット・ファンド	160
マネーロンダリング	377
招き猫	431
マネジメントバイアウト	130
マネタリーベース	117, 163
まねる	251
マノヴォ・グンダ・サン・フローリス国立公園	236
マハーバリプラムの建造物群	252
マハティール〔・ビン・モハマド〕	235
マフィア	146
マブチモーター	358
マプト	236
マプングブエの文化的景観	236
マミヤ	236
豆知識	385
マモス・ケーヴ国立公園	236
守る	22
護る	22
麻薬購入のための金	88
麻薬常習者の溜まり場	375
麻薬商人	88
麻薬取り締まり	164
麻薬仲間	106
麻薬犯罪に関与する	309
麻薬販売で得た資金	88
麻薬密売人	88
麻薬を取り締まる	164
眉の入れ墨	368
眉ブラシ	242
眉用かみそり	128
眉用毛抜き	394
迷う	247
マラウイ共和国	235
マラウイ湖国立公園	235
マラケシ旧市街	235
マラソン会議	235
マラソン石油	235
マラッカ海峡	236
マラボ	235
マラムレシ地方の木造

教会群	235
マランツ	235
〔マリア・〕シャラポワ	304
〔マリ・〕アルカティリ	2
マリオット・インターナショナル	358
マリオットホテル	358
マリ共和国	236
丸抱えする	21, 63
丸かっこ	422
丸刈り	19
マルタ共和国	235
マルタの巨石神殿群	235
マルチアウトソーシング	91
マルチウィンドウ	91
マルチ商法	90
マルチスレッド	92
マルチタスク	92
マルチタレント	91
マルチディスク対応DVDプレーヤー	91
マルチパーパスビークル	91
マルチメディア	91
マルチメディア技術	91
マルチメディア教室	91
マルチメディア通信	91
マルチメディア・メッセージ・サービス	42, 91
丸ビル	357
丸紅	357
マルボルクのドイツ騎士団の城	235
マルボロ	358
マルモッタン・モネ美術館	236
マレ	235
マレーシア	235
マレーシア航空	235
マレブ・ハンガリー航空	394
漫画	193
漫画喫茶	239, 240
満期償還	72
満期日	72, 239, 275
マンション	227
萬梓良	358
慢性疲労症候群	240
マンダリン・オリエンタル・ホテル	367
マンチェスター・ユナイテッド	240
マンツーマン	406
マンデリン	240
マンデリンコーヒー	240
マンハッタン	240
マンパワー	290, 358

【み】

ミアットモンゴル航空	246
ミーソン聖城	245
ミーティング	268
ミール地方の城と関連建物群	247
三重県	300
見えざる手	195
見返り輸入	150
未確認飛行物体	39, 354
身代わり	345
身代わり受験請負人	280
未完成の工事	20, 365
右クリック	420
ミキシンググラス	346
ミキモト	422
ミグアシャ国立公園	247
ミグ戦闘機	247
ミクロ経済	363
ミクロ経済の活性化	363
ミグロス	247
ミクロネシア連邦	248
ミケーネとティリンスの古代遺跡群	239
ミケランジェロ〔・ブオナローティ〕	247
見込みがない	242
見込み生産	26
見下げる	178
ミシェル・ヨー	404
ミシェル・リー	216
短い番組	88
ミシガン州	248
ミシシッピ州	248
ミシュラン	247
ミスインターナショナル	136
ミズーリ州	248
水切り遊びをする	62
水資源不足	270
ミスタードーナツ	245
ミスチル	385
ミストラ	248
水濡れ注意	21
ミズノ	244
水のある風景	328
みずほ銀行	296
みずほコーポレート銀行	296
みずほ証券	296
水増し肉	448
水増し利益	395
水まわり商品	179
ミスユニバース	154
ミスリーディング	373
ミスリード	373
ミスワールド	319
水を入れる〔貯水池に〕	102
見せる	395
見出し	31
みだらである〔女性が〕	303
みだりに諸費用を徴収する	231
道	229
三井化学	301
三井住友海上	301
三井住友銀行	301
三井生命	301
三井物産	301
三井不動産	301
三日坊主	300
ミッキーマウス	247
ミツコ	149
密航	349
密航者	290, 349
ミッソーニ	248
密着取材	450
3つの既得権益を打破する	62
3つの切り札	300
3つの代表	300
3つの中米共同コミュニケ	443
3つのネットワークの統合	302
3つの有効な方法	300
3つの有利	300
ミッドウエイ諸島	444
ミッドフィールダー〔サッカーの〕	439
三菱化学	301
三菱自動車	301
三菱重工業	301
三菱商事	301
三菱電機	301
三菱東京UFJ銀行	301

三菱マテリアル	301
ミッフィー	247
ミツミ電機	301
見積もり価格	125
見積書	23
密輸	455
密輸および密輸品売買取り締まり	62
密輸品	327
密猟	72
ミディ運河	257
ミティゲーション	175
見通し外空中戦	48
見通しがよい〔経済や市況の〕	195
見どころ	195
水戸市	327
ミドルイースト航空	439
ミドルエンド	439
ミドルノート	444
港区	115
港町ヴィレムスタット歴史地域	363
南アフリカ共和国	256
見習い	176
ミニカー	49
ミニシアター	385
ミニ情報	385
ミニ知識	385
ミニチュア模型の建築物や景観	364
ミニディスク	234, 247
ミニトマト	386
ミニバン	248, 364
ミニバンタクシー	249
ミニマリズム	166, 167, 175
ミニラボ	41
ミネアポリス	250
ミネソタ州	250
ミノックス	244
未払い	308
未払い賃金の清算	282
〔ミヒャエル・〕バラク	14
身分証〔身につけるタイプの〕	394
見本市	429
宮城県	121
脈をとる	16
宮崎県	123
宮崎市	123
宮崎駿	123
ミャンマー連邦	248
ミュージカル	412
ミュージックセラピー	412
ミュージックテレビ	412
ミュージックテレビチャンネル	412
ミューチュアルファンド	124, 150
ミュール	223
ミュスカブラン	17
ミュスタイルのベネディクト会聖ヨハネ修道院	247
ミュンヘン	253
ミュンヘン再保険	253
ミラーサイト	187
ミラービール	247
ミラーリング	187
未来志向型	249
未来志向で	249
未来志向の	249
「未来少年コナン」	116
未来に向けて	249
ミ・ラ・ク	276
ミラ・ショーン	247
ミラノコレクション	247
ミラマー・ホテル	245
ミルウォーキー	248
ミレアホールディングス	279
「ミレニアム・ラブ」	242
ミロ	245
魅惑的な瞳	81
民営企業	249
民間教育事業〔中国の〕	309
民間軍事会社	330
民間経済	249
民間芸人	249
民間公益団体	104
民間人と軍人の知恵と戦略	368
民間非営利組織	103
民間非営利団体	103
明、清朝の皇宮群	250
明、清朝の皇帝陵墓群	250
「民心」プロジェクト	249
ミンシン・ホールディングス	249
ミンスク	250
明の十三陵	250

【む】

ムーアの法則	250
ムース	251
ムーディーズ・インベスターズ・サービス	253
ムーラン・ア・ヴァン	106
「ムーラン・ルージュ」	148
無鉛ガソリン	49, 372
「無煙産業」	372
向かい風	83
無確認信用状	37
無額面株式	371
ムカつく	211, 419
無我夢中になる	52
無議決権株式	371
無業者	255
報いる〔経済的に〕	98
無公害	372
無公害野菜	371
無効な婚姻	372
無故障船荷証券	282
無罪推定	373
ムザコフスキー公園	254
ムザブの谷	253
無酸素運動	373
無資格者が違法に診療する罪	102
無資格の観光ガイド	405
無実の罪を負う	24
無重力状態	316
無償医療	121
無償資金援助	428
無償増資	371
無職	371
無印良品	373
無人航空機	372
無申告の税関通路	231
無人チケット販売	372
ムスカウ公園	254
結びつける	174
無線ICタグ	162
無線LAN	372
無線LANカード	372
無線インターネット	372
無洗米	248
無駄にする	62
無駄になる	62
無駄話をする	195
無段変速	371
無担保為替手形取立	131

無担保社債	371
無担保信用状	131, 371
無秩序になる	316
むちゃくちゃ	408
無賃乗車	341
無賃入場	341
ムック	426
ムツヘタの都市－博物館保護区	253
無停電電源装置	37
無鉄砲	312
無店舗販売	371
無任所大臣	37
胸をたたく	265
無償株	371, 372
無配当	37
ムババーネ	253
村上春樹	59
「村と爆弾」	72
村の行政公開	59
無料ソフトウェア	248
無リン洗剤	371

【め】

名アナウンサー	250
銘柄	271
名キャスター	250
名曲	181
メイ渓谷自然保護区	234
迷彩	247
迷彩柄の服	247
明細書	282
迷彩服	247
名作のダイジェスト版	368
名作の漫画版	368
名刺入れ	250
名司会者	250
名刺ボックス	250
名刺ホルダー	250
明治安田生命	250
名声価格	312
名声が世界に知られる	421
「名探偵コナン」	250
メイベリンニューヨーク	242
命名権	130
名目賃金	250
盟友	347
名誉を傷つける	426
明朗である	327
迷惑だ	98, 341

迷惑メール	209
メイン	447
メイン州	248
メインバンク	447
メインボーカル	447
メインボード〔株式市場の〕	447
――――〔コンピューターの〕	447
メーカーズ・マーク	242
メーカー製パソコン	270
メーカー直売	452
メーター	168
メートルトン	121
メーラー	418
メーリングリスト	418
メール	81, 82, 407
メールアカウント	418
メールアドレス	418
メールサーバー	418
メール転送	449
メールによる嫌がらせ	391
メールの着信通知	418
メール爆弾	418
メールボックス	391
――――〔電子メールの〕	82
メールマガジン	82, 418
メールを転送する	449
メガ	432
メガバイト	432
メガヘルツ	432
メガワティ〔・スカルノプトゥリ〕	241
メキシコ合衆国	252
メキシコ国有石油会社	252
メキシコ・シティ	252
メキシコ・シティ歴史地区とソチミルコ	252
恵まれない子供の扶養援助	448
恵まれない子供を援助する	448
恵まれない人々	296
メグ・ライアン	241
目黒雅叙園	253
メコン川	241
メサ・ヴェルデ	242
目先の利益を追求する行為, 行動	89

メジャーリーグ	244
メジャー・リーグ・ベースボール	244
メソ	440
メゾ	440
メゾネット	111
目立つ	280
メタリックヤーン	182
「メダルオブオナー」	293
「メタルギア」	145
メダルを獲得する	429
メタンハイドレート	200
メタンフェタミン	32
メチシリン耐性黄色ブドウ球菌	256
めちゃくちゃに	239
メッセージボード	227
メッセージを送る	121
メッセル・ピット化石地域	239
メットライフ	64
メディア	56, 432
メディアセット	241
メディアミックス	242
メディアリテラシー	241
メディスンバレー	404
メテオラ	240
メドック	241
メトリックトン	121
メトロ	238
メトロ・ゴールドウィン・メイヤー	247
メトロバンク	103
メトロポリタン・エリア・ネットワーク	52
メトロポリタン美術館	63
メナード	246
メナム川	242
目に見えない危険	414
目に見えない損失	279
メニュー〔コンピューターの〕	42, 396
――――〔レストランなどの〕	42
メニューバー〔ソフトウェアの〕	42
目の保養になる	402
目減り	227, 286
メモ	346
メモ帳	168

目元用パック	402	燃える氷	200	持ち上げる	67
メモランダム・オブ・アンダースタンディング	224	モーガン	251	持ち帰り	356
		モーゲージ	75	持ち帰る	62, 356
メモリー〔コンピュータの〕	59, 257	モーゲージローン	9, 75	持株会社	52, 204
		モーションキャプチャー	87	持ち込む	323
メモリーカード	169	モーターショー	49	持ち場につく〔軍の警備担当者や交通警察官などが〕	307
メモリースティック	169	モーターショーの外国車とコンパニオン	382		
メモリー量	257				
目盛りを示す針	437	モーターボート	252	持ち場を決める	84
メラトニン	352	モータリゼーション	278	モチベーション	86
メリーランド州	236	モーテル	278	モチベーションリサーチ	86, 125
メリダの遺跡群	242	モーニングコール	178		
メリルリンチ証券	245	モーニング娘。	427	木婚式	253
メル・ギブソン	241	モーリシャス共和国	241	もっとも活発な年	106
メルク	252	モーリタニア・イスラム共和国	241	もっとも経済的な	403
メルセデス・ベンツ	242			モデナの大聖堂, トッレ・チヴィカとグランデ広場	250
メルマガ	82, 418	モカコーヒー	251		
メルロー	242	モガディシュ	251		
メロン・ファイナンシャル	242	最上川	456	モデム	346
		模擬	251	───〔俗に〕	240
目を楽しませる	404	目次	253	モデル	251, 319
目を引く	280	目視距離外戦闘	48	───〔ファッション〕	251
〜面	43	目的を定めた人材養成	84	モデルケース	78
「メン・イン・ブラック」	147	黙秘権	50	モデル校	319
免許停止	83	目標	256	モデルコミュニティー	368
免許取り上げ	83	目標請け負い家庭教師	253	モデルチェンジ	44
免責条項	248	目標管理	253	モデルハウス	404
面接授業	249	目標設定	83	モデルルーム	404
メンソレータム	240	目標達成運動	61	元請け	455
メンタルヘルス	185	目標達成活動	61	元請けする	455
免停	83	目標追尾レーダー	253	モトクロス	252
面倒を見る	21	目録	253, 282	戻ってもう一度やり直す	157
メントス	240	目論見書	431	元値	422
面取り機	71	モザイク	236	元の学校に戻って学習する学生	110
メンフィスとその墓地遺跡－ギーザからダハシュールまでのピラミッド地帯	247	モザンビーク共和国	252		
		モザンビーク島	252	元の学校に戻って学習すること	110
		モシ・オ・トゥニャ	252		
		文字化け	231	モトローラ	252
綿密な検査	265	文字放送	351	モナコ	251
		モジュール	251	モナコ公国	251
【も】		モジュール技術	251	モニター	174
モイスチャークリーム	22	モジュラージャック	79	モニタリング	174
モゥーン・トワ・ピトン国立公園	240	モスキーノ	252	物語	374
		モスクワ	252	「もののけ姫」	418
儲け	450	モスクワのクレムリンと赤の広場	252	物の品質	270
申し立て	333			モノポリー	64
盲点	240	モスバーガー	252	物真似ショー	251
猛爆撃	246	モダンアンティーク	381	モノレール	69
モエ・エ・シャンドン	250	「モダン・タイムス」	250	モバード	251
燃えないごみ	38	持合	52, 266, 382	モバイルインターネット	410

モバイルオフィス	409
モバイルコマース	409
モバイルコンピューター	409
モバイルコンピューティング	409
モバイルストレージ	409
モバイル端末	410
モバイル通信	393, 409
モバイルパソコン	30
モバイルフォン	321, 409
モバイルペイメント	410
模範学生	300
模範となる女性	300
モビリティー	30, 200, 386
モブログ	321, 409
モヘンジョダロの遺跡群	251
模倣した	101
もめごと	187
催し物	172
〔モラー・〕オマール	11
モラー・マースク	237
モラトリアム	402
モラルハザード	72
モラル,マナー向上月間	368
モラルリスク	72
盛り上げる	428
盛岡市	314
モルガン・スタンレー	251
モルディブ共和国	235
モルドヴィア地方の教会群	251
モルドバ共和国	250
モレリア歴史地区	252
モロッコ王国	251
モロニ	252
諸刃の剣	327
モンゴメリー	246
モンゴル国	246
モン・サン・ミシェルとその湾	246
モンスター	188
「モンスターズ・インク」	129
問題児	369
モンタナ州	246
モンデオ	246
モンテスキュー〔,シャルル〕	247
モンテビデオ	246
モントゴメリー	246
モントピリア	246
モントリオール銀行	246
モンブラン	358
モンロビア	246

【や】

〔ヤーセル・〕アラファト	3
ヤウンデ	400
ヤヴォルとシフィドニツァの平和教会群	401
八百長試合〔主に球技での〕	173
八百長審判	146
八百長をする	102
ヤオ・ミン	404
野外体験型研修	353
野外彫刻	50
夜間興行	405
夜間残業をする	172
夜間大学	405
夜間フライト	148
屋久島	370
約定	51, 132, 423
役職で人の価値を判断する	129
約束手形	275
役立たず	334
ヤク仲間	106
役人世界の処世術	148
役人への道	147
薬物依存症回復施設	180
薬物依存症から回復する	180
薬物依存症治療施設	180
薬物禁止	183
薬物検査	392, 404
薬物更生施設	180
薬物常習者	413
薬物不法所持罪	102
薬物密売組織	99
薬物を使用する	375
ヤクルト	404, 411
ヤシカ	400
矢印キー	100, 130
安値更新	388
安値引け	321
やすり盤	59
屋台	65, 339
屋台を出す	223
薬局方〔中国の〕	137
ヤッピー	399
ヤバい	364
山かぎ	69
山がたかっこ	69
山形県	305
山形市	305
山崩れ	151
山口県	305
山口市	305
山梨県	305
山猫スト	453
ヤマハ	399
山場	445
闇市	147
闇市場	147
闇相場	147
やみつきになる	308
ヤムスクロ	400
ややゆとりのある社会	385
ややゆとりのある社会を実現するという目標	385
やりかけ工事	365
ヤレン	400
ヤンキー債	403
ヤンキーボンド	403
ヤンゴン	404
ヤンセン ファーマ	403

【ゆ】

憂鬱	422
誘拐	20
誘拐および人身売買取り締まり	62
有害化学物質などの輸出入の事前同意	320
有害ごみ	419
誘拐身代金要求事件	20
有価証券	419
遊閑地	380
遊戯施設	418
有機食品	419
有機発光ダイオード	419
有給	286
有給休暇	68, 286
遊休資産の活用	266
遊休資本	136, 289, 419
有給出産休暇	68
優遇金利	418
優遇借款	417
優遇措置をとる	194
優遇利率	418
有権者が候補者を指名し	

て行う直接選挙	141	
有限責任	420	
ユーゴー[, ヴィクトル]	421	
ユーザー	201, 417	
ユーザーID	417	
ユーザーインターフェース	417	
ユーザーターミナル	417	
ユーザーマニュアル	417	
ユーザー名	417	
ユーザンスL/C	423	
有酸素運動	420	
融資	293	
有資格者	27	
融資金利	101	
融資費用	293	
郵趣アイテム	419	
優秀者推薦	176	
優秀な	307	
優秀な人材	16	
優秀な人材が集まる場所	289	
優秀な人材, 良質な物を選出する	272	
郵趣関連の展示会	419	
郵趣市場	419	
郵趣市場の状況	419	
有償貸付	419	
優勝カップを手にする	268	
有償記事	419	
友情出演	419	
優勝する	74, 92	
有償増資	419	
優勝劣敗	418	
優勝を勝ち取る	92	
有人宇宙船	427	
有人宇宙飛行	427	
有人宇宙飛行船	427	
有人衛星	427	
有人飛行	427	
融通がきく	294	
融通手形	203	
融通のきかない	115	
融通のきかない考え	330	
優先株式	42, 418	
優先座席	213	
優先席	213	
「有線通」	420	
有線テレビ	420	
優待券	417	
ユーティリコープ	123	

ユーティリティー施設	123	
ユーティリティーソフト	317	
有能な人を推薦する	176	
ユーパ	42	
「優盤」	418	
優美な	224	
郵便受け	391	
郵便送金	419	
郵便貯金	419	
郵便番号	418, 419	
ユーフラテス川	420	
遊歩道	39	
有名人	123	
有名な	65	
猶予期間	206	
ユーラシア・ランド・ブリッジ	262	
有利子貸付	420	
有料道路	320	
有力者	19, 66	
ユーロ	262	
ユーロ円債	263	
ユーロカレンシー	262	
ユーロ債	263	
ユーロボンド	263	
ユエダーホールディングス	424	
雪印乳業	397	
ユコス	418	
輸出	323	
輸出加工区	55	
輸出為替	54, 55, 237, 238	
輸出指向の経済	357	
輸出自主規制	452	
輸出重視型経済	357	
輸出商品の中国国内販売店	357	
輸出税還付制度	55	
輸出超過	328	
輸出販売担当	357	
輸送管	130	
輸送機	425	
輸送費	425	
輸送費保険料込	425	
ユタ州	419	
廋澄慶	420	
ユナイテッド航空	221, 243	
ユナイテッド・テクノロジーズ	221	
ユナイテッド・パーセル・		

サービス	219	
ユナイテッド・プレス・インターナショナル	145	
ユナイテッドヘルス・グループ	221	
ユニオン・パシフィック鉄道	221	
ユニクロ	418	
ユニコード	354	
ユニシス	418	
ユニセフ	220	
ユニ・チャーム	419	
ユニックスOS	354	
ユニット	70, 166	
ユニットキッチン	433	
ユニットバス	433	
ユニット・ロード・システム	70	
ユニド	220	
ユニバーサルサービス	272	
ユニバーサルスタジオ	154	
ユニバーサルデザイン	348	
ユニバーサルバンク	285	
ユニバーシアード	67, 319	
ユニブラン	17	
ユニプレス	418	
輸入	323	
輸入インフレーション	183, 323	
輸入課徴金	183	
輸入為替	183	
「輸入環節税」	183	
輸入関連税	183	
輸入クオータ	183	
輸入浸透度	183	
輸入超過	259	
輸入割当	183	
ユニラテラリズム	69	
ユニリーバ	221	
ユネスコ	220	
ユネップ	220	
ユビキタス	372	
ユビキタスコンピューティング	100, 273	
「夢の請負人」	173	
ゆりかもめ	18	
ユリス・ナルダン	399	
ゆるむ	266	
ユングフラウ・アレッチュ・ビーチホルン	308	
ユンナン・エンタープラ		

イズ・ホールディングス	424	預金証書	59	パーツ	225
		預金通貨	59	「読売新聞」	87
【よ】		預金を一斉に引き出すこと〔預金者が〕	167	読み出し専用光ディスク	437
容易にできること	385	抑圧	62	読み出し専用メモリー	437
妖怪,幽霊,化け物の話	133	よくある質問	45	予約	422
容疑者	380, 410	よく売れる	176, 288, 289, 455	——〔船腹の〕	83
容疑者が供述せず事実を認めないこと	225	よく売れるようになる	455	寄り付き	194
「容器包装リサイクル法」	293	抑制均衡	438	寄付値	194
要求	333	抑制し均衡をとる	438	ヨルダン・ハシェミット王国	423
要求払預金	159	抑制と均衡	438	夜の部	405
陽光酒店	403	「欲望の街 古惑仔」	126	夜まで残業する	172
要塞拠点	404	余計な機能やサービスがついていない	403	喜びと憂いが半々である	378
要支援の	343	予告編	269	世論を導くこと	420
幼児教育	427	横面を張る	431	弱い立場	296
楊紫瓊	404	横浜市	147	弱気相場	203, 455
陽春	403	ヨコハマタイヤ	147	弱気である〔株や金融などの相場が〕	269
養殖,栽培漁業	212	横文字の名前	403	弱気配	143
要人	133, 404	予算の修正	395	弱含み	269
揚子江デルタ	45	予算配分	422	四大スター	331
養成	84	予算を修正する	395		
養成訓練	267	余剰人員	112	【ら】	
容積率	293	余剰人員を再配置する	105	ラーク	424
溶接機	142	余剰能力	204	ラ・アミスター国立公園	337
陽線	404	与信	452	ライオン	316
幼稚産業	420	与信業務	322, 391	「ライオン・キング」	316
用地賃貸の許可	268	与信限度額	322, 391	ライカ	211
要点	438	与信枠	322, 391	ライコス	211
「揺頭丸」	404	ヨセミテ国立公園	424	ライチ狩りツアー	219
姚明	404	予想外の結果	23	ライトアップ	74, 224
要領	246	予想外の結果が出る	23	ライトブルー	280
養老保険	404	予想変動率	413	ライト・レール・トランジット	282
用を足す	308	予測	280	来賓	170
——〔小の方の〕	308	夜なべをする	172	ライブ	436
——〔大の方の〕	306	世に出す	352	ライフサイクル	312, 322
豫園	422	世に出す期間	71	ライブ中継	317
ヨード欠乏症	78	予熱	422	ライブドア	159
ヨード添加塩	78	ヨネックス	419	ライブパフォーマンス	380
ヨーロッパ映画祭	262	〔ヨハン・ヴォルフガング・フォン・〕ゲーテ	118	ライブラリー〔コンピューターの〕	52
余暇	395			ライン川	211
良き死	418	〔ヨハン・セバスチャン・〕バッハ	14	ライン渓谷上流中部	443
余興	448	予備	25	ラヴェンナの初期キリスト教建築物群	210
預金	59	予備校	37		
預金獲得	376	予備審判員〔サッカーの〕	77	「ラヴソング」	345
預金者獲得のため訪問勧誘をする	212	呼び出しコマンド〔科学技術分野の文献の〕	199, 297	ラウマ旧市街	213
預金準備金制度	59			ラウル〔・ゴンザレス・ブランコ〕	213
預金準備率	344	呼び値	142		
預金準備率操作	97	予備部品とアクセサリー			

らうんどろ〜りおてぃん　索引

ラウンドロビン	397	
ラオス人民民主共和国	214	
ラガーディア空港	209	
ラガーフェルド	209	
ラガルデール	209	
落札価格	265	
落札失敗	226	
落札者を決定する	83, 189	
落札に失敗する	226	
落成式	190	
楽で儲かる仕事	104	
楽天	214	
ラクロス	46	
ラケット型電子蚊取り器	81	
ラコステ	94	
ラサ	210	
ラサのポタラ宮歴史地区群	210	
ラ・サンティシマ・トリニダード・デ・パラナとヘスース・デ・タバランゲのイエズス会伝道施設群	337	
ラジオボタン	69	
「羅生門」	233	
ラストノート	149	
ラスベガス	210	
ラス・メドゥラス	210	
螺旋藻	233	
拉致	20	
落下傘候補	177	
ラッキーストライク	143	
ラッキーナンバー	166	
ラックス	218	
「ラッシュアワー」	174	
ラッシュ船	210, 426, 452	
ラッセル・クロウ	233	
ラップ	23, 328	
ラップ人地域	210	
ラップミュージック	328	
ラッフルズ・ホテル	211	
辣腕	65	
ラディソンプラザ	214	
ラドー	214	
ラトビア共和国	210	
ラニーニャ現象	210	
ラパス	209	
ラバト	209	
ラパ・ヌイ国立公園	110	
ラフ	431	
ラファージュ	209	
ラブサンスーチョン紅茶	435	
「ラブジェネレーション」	222	
ラフティング	270	
ラブホテル	283	
ラフマニノフ〔,セルゲイ〕	209	
ラブロマンス	7	
ラベル	30	
ラホールの城塞とシャーリマール庭園	209	
ラ・ポスト	97	
ラボバンク	209	
ラム旧市街	210	
「ラムサール条約」	129, 210, 316	
ラメ糸	182	
〔ラモス・〕ホルタ	161	
ラリー	210, 278	
ラリック	210	
ラリベラの岩窟教会群	210	
ラルフ・ローレン	209	
ランキング	265	
ランク	43, 344	
ランク入り	306	
ランクイン	306	
乱高下	207	
ランコム	212	
ランサー	212	
蘭州	212	
ランシング	212	
ランス・オ・メドー国定史跡	209	
ランスタン	328	
ランスのノートル・ダム大聖堂,サン・レミの旧大修道院とト宮殿	212	
ランセル	212	
ランダム・アクセス・メモリー	288, 333	
ランチア	212	
ランドクルーザー	228	
ランド研究所	211	
ランドマークホテル	112	
ランドローバー	228	
ランナー	267	
ランニングコスト	186, 416, 425	
ランニングシューズ	267	
ランニングバック	267	
ランニングマシン	267	
ランバン	212	
ランプ〔高速道路の〕	426	
ランブイエ	212	
「ランボー」	78	
ランボルギーニ	211	
ランメルスベルク鉱山と古都ゴスラー	211	
【り】		
利上げ	313	
リアプロジェクションテレビ	26	
リアルタイム	167, 317	
リーガ・エスパニョーラ	375, 376	
リーガル	189	
リーク	227	
リー・クアンユー	216	
リーグ戦	222, 397	
リーグ方式	397	
リージェントホテル	218	
リー・シェンロン	217	
リージョナリズム	76	
リージョンコード	284	
リース	293, 455	
リース会社	455	
リース方式	455	
リースリング	133, 214	
リーダー	226	
──〔記号の〕	313	
リーダーシップ	225	
「リーダーズ・ダイジェスト」	88	
リーダー的	225	
リーディングカンパニー	227	
リードする	225	
リートフェルト設計のシュレーテル邸	217	
リーバイス	219	
リーブルビル	217	
リーボック	295	
リーマン・ブラザーズ	214	
リーン生産方式	185	
リウ・シャオチン	227	
リヴィフ歴史地区群	219	
利益	416, 450	
利益計上年度	161	
利益留保	218	
リエンジニアリング	53	
リオ・アビセオ国立公園	216	
リオ・ティント	219	

リオ・ドセ	16
リオ・ピントゥラスのクエバ・デ・ラス・マノス	204
リオ・プラタノ生物圏保護区	214
リガ	216
理解する	180
「利改税」	217
李嘉欣	216
リカバリー	80
リガ歴史地区	216
リキッドファンデーション	105
リキュール	218, 382
陸揚港	450
利食い	160
リクエスト	78
リクエストする〔歌を〕	78
リグレー	176
リケッチア	218
リコー	216
リコール	432
リコール制度	432
利己的	366
リコラ	218
離婚慰謝料	215
リザーブファンド	55, 451
罹災	426
リサイクル	397, 427
リサイクルウォーター	444
リサイタル	120
リサ・ウォン	358
利下げ	177
利ざや	450
利潤上納制から納税制への変更	217
利潤と税の分離	218
リジョイ	270
リスク	107
リスクアセスメント	107
リスクファンド	107
リスクヘッジ	23, 342
リスク報酬	107
リスクマネジメント	107
リスケ	53
リステリア菌	217
リストア	80
リストラ	41
リストラクチャリング	53, 179
リスボン	217
リスボンのジェロニモス修道院とベレンの塔	217
リズム〔打楽器の〕	78
リズム・アンド・ブルース	180
理性的消費	217
リセット	111
理想の男性	17
リソース	452
リゾート	88, 395
リゾート地	88
リゾートホテル	88
リゾート村	88
りそなホールディングス	217
リターンキー	157
リターンコミッション	157
リチウムイオン電池	216
リチャージカード	53
リチャード・ギア	216
リチャード・クレイダーマン	216
立夏	219
利付金融債	111
利付国債	111
利付債	111
陸橋	116
――〔歩行者用の〕	39
立候補都市	310
立秋	218
立春	217
立体映画	86, 302
立体思考	218
立体テレビ	218
立体農業	218
リッチテキスト	106
リッチ・テキスト・フォーマット	106
リッチモンド	216
リッツ・カールトン・ホテル	217, 218
立冬	217
リップクリーム	57, 296
リップグロス	57
リップケア	149
リップコート	204
リップサービス	31
リップスティック	57
リップライナー	58
立法の空白	217
リテラシー	333
リトアニア共和国	218
利得	415
リトミシュル城	218
リトルボブドッグ	13
「リトル・マーメイド」	385
リトルロック	385
リナックス	209
リニアモーターカー	58
離乳	90
リニューアブル資源	200
リニューアル	53
理念	216
リノール酸	401
リバースエンジニアリング	99
リバイズ	394
リバイバル	157
リバウンド〔ダイエット後〕	99
リハビリセンター	196
リハビリテーション	110, 196
リハビリテーションセンター	196
リハビリテーションプロジェクト	196
リバプール―海商都市	115
リビア	63, 217
リピーター	157
――〔ネットワークの〕	436, 443, 449
リピート率	157
リヒタースケール	216
リヒテンシュタイン公国	224
李玟	216
リビングスペース	170
リブート	53, 426
利札	219
リフトオン・リフトオフ	83
リプトン	217
リプレイ	157
リフレーション	348
リフレクソロジー	99
リフレッシュ	156
リプロダクティブヘルス	313
リプロヘルス	313
リペア	394
リベート	143, 157
リベラ	56
「リベラシオン」	180
リベリア共和国	217
リベロ	454

りぼそーむ〜るーと 索引

リボソーム	145	竜門石窟	227	リヨン	215
リボゾーム	145	リュブリャナ	228	リヨン証券	216
リボルビング	397	利用	174	リヨン歴史地区	216
リボルビングクレジット	397	領域	226	リラ修道院	216
リマ	218	領海の基線から海岸線まで		リリース	352
リマ歴史地区	218	での海域	258	離陸	277
利回り	321	両替詐欺	281	利率を保証する	23
利回り曲線	218, 321	梁家輝	223	李連傑	216
リミットアップ	431	「両岸直航」	223	リロードカード	53
リミットダウン	83	「猟奇的な彼女」	369	理論価格	216
リムーバブルディスク	200	料金〔通信,郵便などの〕	452	リロングウェ	218
リムジンバス	163	料金所	320	林憶蓮	224
リメイク	53	料金徴収所	320	リンカーン(地名)	224
―――〔映画の〕	53	料金箱〔バスなどの〕	349	リンカーン〔, エイブラハム〕	
リモートアクセス	423	料金メーター〔タクシーの〕	168	ム〕	224
リモートセンサー	404	良好である	455	リンク	47, 90, 223
略式船荷証券	175, 231	量子暗号	224	リンクレーターズ	259
リヤド	219	量子エンタングルメント	224	林子祥	224
リヤル	217	領事送り状	226	臨時融資	224
理由	87	量子コンピューター	224	臨床研修	409
劉嘉玲	226	量子テレポーテーション	224	リンス	296
琉球王国のグスクおよび		利用者の少ないルート	215	林青霞	224
関連遺産群	226	領収	96	リンナイ	224
劉暁慶	227	領収書	96, 321		
流行語	227	「両縦両横」	223	**【る】**	
流行している	70	量子連結相関	224	ルアンダ	232
流行する	284	梁朝偉	223	ルアン・パバンの町	212
流行するようになる	455	量的拡大	324	ルイ・ヴィトン	127
流行に敏感な人	450	「両頭不在」	223	「類猿人ターザン」	291
流行の	209	領土保全	226	ルイジアナ州	229
流行のTシャツ	317	遼寧省	224	累進課税	215
流行を追う	121, 284	量販店	223	ルイス・クー	127
榴散弾	226	良品	144	ルイス・バラガン邸と仕	
榴霰弾	226	両面テープ	326	事場	229
粒子ビーム兵器	219	料理長	55	〔ルイス・〕フィーゴ	104
リュージュ	397	料理の分類, 系統	42	累積債務	215
劉松仁	226	料理を1人前ずつ供する		累積的優先株式	215
「流星花園〜花より男子〜」	227	こと	105	累積投資	215
流通コスト	226	「緑色銀行」	231	ルウェンゾリ山地国立公	
流通市場	95, 226	「緑色食品」	230	園	228
流通税	227	「緑色野菜」	230	ルークオイル	228
流亭国際空港	226	緑視率	231	ルーゴのローマの城壁群	228
流動資産	226	緑地増加	428	ルースパウダー	302
流動資本	226	緑地帯	230	ルーセント・テクノロジー	
流動人口	226	緑地率	230		213
流動性プレミアム	226	緑地を増やす	428	ルーター	229
流動負債	226	緑化地区	230	ルーチン	219
劉徳華	226	緑化の保全	150	ルーツ文学	397
隆鼻	227	緑化率	230	ルーツをさぐる	397
				ルート	130, 229

ルートディレクトリー	121	
ルーネンバーグ旧市街	228	
「ルーブル合意」	232	
ルーブル美術館	228, 232	
ルーマニア	232	
ルームサービス	201	
ルームシェア	145	
ルームメイト	320	
ルームランナー	267	
ルーレオーのガンメルスタードの教会街	229	
ルクオイル	228	
ルクセンブルク	228	
ルクセンブルク市：その古い街並みと要塞群	228	
ルクセンブルク大公国	228	
ルサカ	228	
留守電	62, 227	
留守番電話	62, 227	
ルソー〔, ジャン・ジャック〕	228	
〔ルチアーノ・〕パヴァロッティ	265	
ルノー	214	
「ルパン三世」	228	
ルピア	414	
ルビー	227	
ルビー婚式	147	
ルフトハンザ・ドイツ航空	73, 142	
ルポ	228	
ル・マン24時間耐久レース	214	
「ル・モンド」	319	
ルワンダ共和国	228	

【れ】

レア・アース	377	
レアメタル	377	
レアルマドリード	156	
レイアウト	38	
レイオフ	224, 378	
レイオフ労働者	378	
レイカース	149	
レイキャビク	214	
冷遇される	32	
麗江旧市街	218	
零細企業	225	
冷静に見る	130	
レイセオン	214	
冷蔵保存	397	
冷凍保存	397	
レイバン	214	
レイプ	296	
レイブ	280	
冷房病	203	
黎明	215	
レイヤー	350	
レインボーブリッジ	41	
レーザー	164	
レーザー光線	164	
レーザーディスク	164	
レーザープリンター	163, 164	
レーザー兵器	164	
レーザーメス	164	
レーシングカート	191	
レースクイーン	49, 299	
レース婚式	150	
レーティング	271, 392	
レーティングエージェンシー	271	
レーヨン	291	
レール・デュ・タン	28	
レールを接続する	178	
レーロース	214	
レオナルド・ダ・ヴィンチ	224	
レオナルド・ダ・ヴィンチの「最後の晩餐」があるサンタ・マリア・デッレ・グラツィエ教会とドメニコ会修道院	158	
レオナルド〔・デカプリオ〕	211	
レオン・カーフェイ	223	
レオン・ビエホ遺跡群	211	
レオン・ライ	215	
レガシィ	218	
歴史遺産	218	
歴史的城塞都市カルカッソンヌ	191	
歴史的城壁都市クエンカ	51	
レギュラーガソリン	273, 274	
レギュラー無鉛ガソリン	274	
レクサス	214	
レクチャー	177	
レゲエ	214	
レゴ	214	
レコーディングスタジオ	229	
レコメンデーション	352	
レザーとファー	269	
レジ	321	
レシート	321	
レジェンド	216	
レジオネラ菌	189	
レジカウンター	321	
レジストリー	448	
レシチン	231	
レシピエント	179	
レジャー	395	
レジャー産業	395, 420	
レジャー, リゾート向け不動産	395	
レジューム	90	
レジュメ	429	
レストランに行く	307, 378	
レスリー・チャン	430	
レセプショニスト	226	
レセプション	109	
レソト王国	211	
レゾリューション	105	
レタッチソフト	432	
劣化ウラン	270	
劣化ウラン弾	270	
劣化現象	213	
劣後株	149	
劣後債	58	
列聖	106	
レッテル	30	
レッドウッド国立公園	148	
レッドカード	148	
レッドチップ	147	
レッド・データ・ブック	32	
「レッドハッカー」	148	
レッドハット	148	
レドニツェ・ヴァルティツェの文化的景観	211	
レニエ	214	
レノボ・グループ	222	
レバノン共和国	215	
レバレッジ	115	
レバレッジドバイアウト	115	
レファレンダム	122, 123, 285	
レプソル	214	
レプティス・マグナの古代遺跡	211	
〔レフ・ニコラエヴィチ・〕トルストイ	352	
レブロン	229	
レベル	43	
レベルドリッチ	219	

レミー・マルタン	290	労災	123	ロート製薬	214
レミー・マルタン・クラブ・スペシャル	290	労災保険	123	ロード・ハウ島群	143
		労資関係	213	ローバー	232
レム睡眠	205, 402, 411	労使の相互選択〔就職活動における〕	327	ローバケンゾー	328
恋愛中映画	7			ローマ	232
「恋愛中のベイビー」	222	漏出	227	ローマ銀行	232
廉価で優れた品質	48	「老少辺窮地区」	213	「ローマの休日」	232
聯華電子	222	老人性認知症	213	ローマ歴史地区,教皇領とサン・パオロ・フオーリ・レ・ムーラ大聖堂	232
連携	279	老人大学	213		
連結決算	144	老人ホーム	353		
連結財務諸表	144	ロウズ	213, 233		
聯合ニュース〔韓国〕	221	漏損	227	ローミング	240
連鎖反応	222	労働契約制	213	ローヤルサルート	155
連鎖販売取引	56	労働災害	123	ローライ	229
レンジローバー	229	労働時間制度改革	317	ローライズ	74
「廉政公署」	222	労働者災害補償保険	123	ローランド	214
聯想集団	222	労働集約型産業	213	ローランド・ベルガー	232
連続して~する	133	労働争議	213	ローリー	232
連続テレビドラマ	80	労働に応じた分配	9	ロールオン・ロールオフ貨物船	133
連続メロドラマ	104	労働紛争	213		
レンダリング	396	朗読コンテンツ	420	ロールス・ロイス	232
連邦公開市場委員会	243	臘人形館	210	ロールプレイング	189
連邦住宅貸付抵当公社	109, 219	老北京一条街	213	ロール・プレイング・ゲーム	189
連邦住宅金融抵当金庫	109	老齢工作委員会	213		
連邦住宅抵当金庫	110, 219	ロエベ	233	ローンアグリーメント	68
連邦準備制度	243, 245	ローウェストのパンツ	74	ローン詐欺	269
連邦政府抵当金庫	434	ローエンド製品	74	ローンで住宅を購入する	9
「恋恋風塵」	223	ローエンドの	74	ログアウト	448
		ローエンドモデル	74	ログイン	74, 447
【ろ】		ローカル	284	ログオフ	448
ロイズTSBグループ	213	ローカル・エリア・ネットワーク	188	ログオン	74, 447
ロイター	229			録音スタジオ	229
ロイヤリティー	344, 449	ローカルコンテント	70	廬山国立公園	228
ロイヤル・アホールド	155	ローカルスタッフ	70	ロサンゼルス	233
ロイヤル・サンアライアンス	156	ローカルディスク	27	「ロサンゼルス・タイムズ」	233
		ローキートーン	74		
ロイヤル・チトワン国立公園	277	ロースクール	97	ロサンゼルス・レイカース	149
		ローゼンタール	233		
ロイヤルティー	344, 449	ローソン	233	ロシア	93
ロイヤルドルトン	155	ロータス	221	ロシア連邦	93
ロイヤルネパール航空	156	ロータス城塞	232	ロジスティックス	374
ロイヤル・バンク・オブ・スコットランド	332	ロードアイランド州	232	ロジスティックマネジメント	374
		ロードイッセイ	408		
ロイヤル・フィリップス・エレクトロニクス	103, 155	「ロード・オブ・ザ・リング」	437	ロジテック	232
				ロシュ	233
ロイヤルブルネイ航空	368	ロードショー〔投資家向け〕	229	魯迅公園	228
ロイヤルメール	156			ロス・カティオス国立公園	233
ロイヤルヨルダン航空	423	————〔映画の〕	229		
廊下	455	ロードショーチェーン	423	ロスキレ大聖堂	233
老化の影響	213	ロードス島の中世都市	232	ロス・グラシアレス	32
				ロスレス圧縮	372

ロゾー	233	
6か国協議	227	
ロッキード・マーチン	233	
ロッククライミング	266	
ロッシー圧縮	420	
ロッテ	214	
ロッテリア	214	
ロッテルダム港	229	
ロット	268	
六本木ヒルズ	227	
露店	339	
露天商売をする	223	
露天の飲食店街	65	
ロナウジーニョ	385	
ロナウド〔・ルイス・ナザリオ・デ・リマ〕	233	
炉に戻す	157	
「魯氷花」	228	
ロベン島	232	
ロボットアーム	165	
ロマネ・コンティ	232	
ロマンス	233	
ロメ	233	
ロリエ	214	
ロルシュの王立修道院とアルテンミュンスター	233	
ロレアル	262	
ロレックス	213	
ロレンツ国立公園	233	
ロングトン	45, 414	
「ロングバケーション」	417	
ロングフライト血栓症	184	
ロングポジション	92	
ロングラスティング〔マスカラなどの〕	52	
論述する	310	
論証する	310	
ロンジン	213	
論壇	232	
ロン・ティボー国際音楽コンクール	235	
ロンドン	231	
ロンドン銀行間取引金利	231	
ロンドン・スクール・オブ・エコノミクス・アンド・ポリティカル・サイエンス	232	
ロンドン政治経済学院	232	
ロンドン塔	231	
ロンドン保険業者協会	231	

ロンバード貸出	231	
論評する	289	

【わ】

ワーカホリック	124	
ワーキングガール	17	
ワーキングカップル	327	
ワーキングデー	124	
ワーキングビザ	124	
ワーキングランチ	124	
ワークシェアリング	124	
ワークシェアリング制	124	
ワークステーション	124	
ワークパンツ	123	
ワーディング	59	
ワードパッド	387	
ワーナー・ブラザーズ	151	
ワープロソフト	368	
ワーム	294	
ワールドカップ	319	
ワールドシリーズ	319	
ワールド・ワイド・ウェブ	154, 358	
ワールプール	158	
ワイオミング州	153	
矮化	6	
淮海路	153	
「匯源」	158	
ワイス	158	
わいせつな行為をする	103	
わいせつ犯罪に関与する	309	
外灘	357	
ワイド型〔スクリーン、ディスプレイなどの〕	206	
ワイドテレビ	206	
ワイヤレスマイク	372	
ワイルドカード	348	
ワイルドキャット	405	
ワイルドビッチ	24	
賄賂	143, 158, 412	
ワインオープナー	187	
若い愛人	385	
若いサラリーマン	384	
若い女性	234, 245	
若い女性の接待係〔式典などでの〕	217	
若い女性を囲う	404	
若い男性の接待係〔式典などでの〕	217	
若い美女	224	

若いホワイトカラー	384	
若さを売り物にする職業	282	
若旦那	308	
ワガドゥグ	355	
若者にしか就けない職業	282	
和歌山県	144	
和歌山市	144	
わからない	252	
枠	93	
枠外の	93	
枠組み	207	
ワクチンソフト	98, 304	
枠を広げる	170	
わけがわからない	408	
ワコール	151	
ワゴン車	229	
わさび	230	
ワシントンD.C.	119, 152	
ワシントン州	152	
「ワシントン条約」	152, 153	
「ワシントン・ポスト」	152	
ワシントン・ミューチュアル	152	
ワスカラン国立公園	356	
わずらわしい	98, 341	
綿婚式	248	
ワトソンズ	283	
ワトソン・ワイアット・ワールドワイド	152	
罠	248	
ワハハ	355	
ワヒッド〔, アブドゥルラフマン〕	356	
和平交渉	145	
笑いものにする	194	
笑わせる	118	
割り当てられた官舎や社宅	109	
割り勘	1	
割り込み要求	439	
割り箸	366, 406	
割引銀行	399, 411	
割引金融債	346	
割引現在価値	346, 381	
割引国債	346	
割引債	225, 346, 372	
割引短期国債	89	
割り引き販売	288	
ワルシャワ	152	
ワルシャワ条約機構	153	

ワルシャワ歴史地区 152	地黎明」 155	ワンマンバス 372
悪知恵 356	ワン・ストップ・サービス	
我こそ世界一 214	407,409	【ん】
湾岸戦争 141	ワンナイトラブ 409	ンゴロンゴロ保全地域 94
「ワンス・アポン・ア・タイ	王府井大街 359	ンジャメナ 94
ム・イン・チャイナ 天	ワンボックスカー 248	ン・マンタ 371

[編者紹介]

塚本慶一（つかもと　けいいち）
1947年中国生まれ．東京外国語大学中国語学科卒．国際協力銀行等を経て，現在，神田外語大学中国語学科教授，北京語言大学客員教授，北京第二外国語学院客員教授，サイマル・アカデミー中国語通訳者養成コース主任講師ほか．著書に『中国語通訳テキスト』（サイマルアカデミー），『実戦ビジネス中国語会話』（白水社），『中国語通訳への道』（大修館書店）等．

高田裕子（たかだ　ゆうこ）
1957年静岡県生まれ．桜美林大学卒．商社勤務を経て，中国語通訳・翻訳業に従事．サイマル・アカデミー中国語通訳者養成コース講師．著書に『いちばんやさしい中国語会話入門』（池田書店），『塚本式中国語仕事術』（共著・アスク）等．

張弘／(日本名)**宮首弘子**（ちょう　こう／みやくび　ひろこ）
1963年中国四川省生まれ．四川大学卒．日本国際交流基金日本学研究センター大学講師育成班（修士課程相当）修了，四川大学外国語学部日本語学科専任講師を経て，現在，中国語通訳業，翻訳業の他，神田外語大学，杏林大学，大妻女子大学非常勤講師．

ちゅうごくご　しんごびじねすようごじてん
中国語　新語ビジネス用語辞典
©TSUKAMOTO Keiichi, TAKADA Yuko & ZHANG Hong, 2006
　　　　　　　　　　　　　　　　　NDC 823　　IX, 573p　　19cm

初版第1刷──── 2006年4月1日

編集主幹	────**塚本慶一**（つかもとけいいち）
編著者	────**高田裕子／張　弘**（たかだゆうこ　ちょうこう）
発行者	────**鈴木一行**
発行所	────株式会社**大修館書店**

　　　　〒101-8466 東京都千代田区神田錦町3-24
　　　　電話　03-3295-6231(販売部)　03-3294-2353(編集部)
　　　　振替　00190-7-40504
　　　　［出版情報］http://www.taishukan.co.jp

装丁・本文レイアウト────**下川雅敏／**表紙写真──**IPS**
印刷・製本所────────── **図書印刷株式会社**

ISBN4-469-03214-X　　Printed in Japan
Ⓡ本書の全部または一部を無断で複写複製（コピー）することは，
著作権法上での例外を除き禁じられています．